OLDTIMERCATALOGUS

2003

TON LOHMAN

COLOFON

Oldtimercatalogus 2003
is een uitgave van

Rijswijk, 2002
http://www.uitgeverijelmar.nl

Auteur: Ton Lohman
Opmaak: Dirk Pieters
Vormgeving omslag: Raster . bNO, Rijswijk
Foto's voorzijde: Rein van der Zee
Foto achterzijde: Lineke Lohman
Drukwerk: Habo DaCosta Grafische Industrie B.V.

ISBN 90389 13451

VOORWOORD

Deze negende uitgave in boekvorm van de **Oldtimercatalogus** kent naast de jaarlijkse bewerking van teksten, gegevens en marktprijzen wederom een uitbreiding van het aantal opgenomen auto's met niet minder dan honderd nooit eerder vermelde merken of typen. Er staan dit jaar exact 1800 modellen afgebeeld, waaronder ook enkele bijzondere auto's uit de tweede helft van de jaren tachtig. Het aantal behandelde typen is een veelvoud hiervan. In totaal komen ruim 220 merken aan bod.

Enkele honderden kleurenfoto's uit de vorige edities zijn vervangen door andere, vaak betere exemplaren. Ik houd mij aanbevolen als gebruikers van deze catalogus over een foto beschikken die beter is dan het gepubliceerde exemplaar. Naast foto's uit mijn eigen collectie heb ik gebruik kunnen maken van de omvangrijke verzamelingen van 'carspotters' Abraham Lindenberg en Frank Bührs. Daarnaast sturen lezers en gebruikers van dit boek geregeld foto's toe. In het bijzonder dank ik Peter Struyk van taxatiebedrijf Autoconoom, Ton Verdoorn en Aart Hoek. Zeer veel dank ben ik verschuldigd aan Wim Bijleveld van Podi, Peize, voor het minutieus signaleren van onvolkomenheden in de tekst. De inmiddels traditionele hoofdstukken over de aanschaf van een klassieker, de invoer vanuit het buitenland en de daarop volgende kentekenkeuring, restauratie en verzekeren en taxeren zijn waar nodig herzien. De lijsten achterin van specialisten en clubs zijn geactualiseerd en uitgebreid.

Ton Lohman

Correspondentie-adres:
Uitgeverij Elmar
t.a.v. Ton Lohman
Delftweg 147
2289 BD Rijswijk

Classic
kiss
The Specialist
in the Netherlands
Meer dan 130 auto's op voorraad
Ook voor onderhoud en service
Vraag naar het CK 50/50 warranty-plan
Classic Kiss SA
Classic Sports Cars
Edisonlaan 10, 6003 DB Weert
PB 10138, PC 6000 GC
Tel. 0031 (0)495-531918
Fax 0031 (0)495-537405
World wide shipping
Internet: http://www. wide. nl./classic-kiss

INHOUD

LIJST VAN ADVERTEERDERS

TEN GELEIDE

Dit boek geeft een overzicht in woord en beeld van de belangrijkste auto's uit de periode 1945-1985, alfabetisch gerangschikt naar merk. Een enkele bijzondere auto uit de tweede helft van de jaren tachtig is eveneens in deze catalogus te vinden. De keuze om een bepaalde auto op te nemen, houdt niet in dat deze wagen een (aanstaande) klassieker is. Alle naoorlogse producten van de automobielindustrie opnemen zou te ver voeren, dus de keuze is een uitgebreide selectie. Er zijn 1800 auto's afgebeeld.
In de hoofdstukken over de aanschaf van een klassieker, de verzekering en taxatie en de invoer en kentekenaanvrage is vooral nuttige informatie te vinden voor diegenen die nieuw met de hobby (willen) beginnen.

Deze catalogus is te gebruiken als een soort encyclopedie om een bepaald type auto op te zoeken. Daarnaast beoogt de auteur een goede indruk te geven van wat een auto op het moment van verschijning in de praktijk bij particuliere verkoop waard is in Nederland en België.

Naast elke foto staat een kolom afgedrukt met daarin:

- **het aantal cilinders**,
- **de cilinderinhoud** (en),
- **het vermogen in pk** volgens DIN-normen, bij Engelse auto's veelal bhp (komt bijna overeen met DIN), bij Italiaanse, Zweedse en bijna alle Amerikaanse auto's volgens SAE-normen,
- **de topsnelheid**,
- **carrosserie/chassis**-constructie,
- **de uitvoering** naar type auto, daarbij is gekozen voor de aanduidingen:
  - sedan = 4drs
  - coach = 2drs
  - coupé
  - cabriolet
  - stationcar
  - roadster (als er ook een cabrioversie is)
  - speedster
  - cabrio-limousine = open coach/ coupé met roldak
  - dwergauto
  - jeep
  - limousine
  - fastback
  - sportswagon
  - Targa (Porsche)/coupé met uitneembaar dakpaneel (m.u.d.)*
  - pick-up
  - bestelwagen (gesloten)
  - bus

- **de productieperiode**,
- **het geproduceerde aantal**; hierbij is gestreefd naar perfectie, maar helaas zijn niet altijd de aantallen bekend,
- **In NL**; het precieze of geschatte aantal rijdbare exemplaren in Nederland,
- **de prijsnoteringen**; hierbij is uitgegaan van de huidige particuliere vraagprijzen en veilingprijzen van een auto in Nederland en België (marktsituatie september 2002) en dat in drie categorieën:

- **A:** Auto in matige staat, compleet, rijdbaar, niet toegelaten tot de openbare weg, maar goed te restaureren;
- **B:** Auto in redelijke staat met wat werk, gekeurd en rijklaar;
- **C:** Auto in goede staat, met lichte gebruikssporen. Gerestaureerd of origineel. Hoeft niet in concoursconditie te verkeren.

Bij auto's waarvan er slechts zeer weinig gemaakt zijn en die dus vrijwel nooit verhandeld worden, staat soms geen prijsnotering. Indien van een autotype diverse uitvoeringen gemaakt zijn, bijvoorbeeld sedan, coupé en cabriolet, dan heeft de prijs betrekking op de laagst geprijsde uitvoering (in de meeste gevallen de sedan), tenzij anders vermeld.

* Aangezien het merk Porsche de exclusieve rechten op de merknaam Targa bezit, duiden we alle andere auto's met een vergelijkbare dakconstructie aan als 'coupé met uitneembaar dakpaneel'.

DE AANSCHAF VAN EEN KLASSIEKER

De aankoop van een klassieke auto is een enerverende zaak. Een occasion van recent bouwjaar kan men bij een garage aanschaffen; de risico's zijn bij dergelijke auto's niet zo groot als bij een liefhebbersauto. Helaas kan de aankoop van een klassieker uitmonden in een tranendal in plaats van een vreugdestemming. De leeftijd van populaire klassiekers zoals beschreven in dit boek varieert van een ruim vijftig tot ruim tien jaar, gemiddeld zal het zo'n vijfentwintig jaar zijn. In die tijd kan er van alles met zo'n auto gebeurd zijn, zeker met de wat snellere en duurdere typen. Er zijn wagens die zo origineel van de eerste of tweede Nederlandse eigenaar komen, andere zijn geïmporteerd, weer andere een- of meermalen gerestaureerd. Kortom: er is van alles mogelijk.

In dit hoofdstuk worden diverse aandachtspunten op een rijtje gezet, waarbij de te koop aangeboden auto niet zozeer centraal staat, maar veeleer alles wat met de gehele aanschaf te maken heeft.

Belangrijk in de psychologie van de auto-aan- en -verkoop is de profielschets van de koper en de verkoper. Die laatste kan een handelaar zijn die veelal verstand van zaken zal hebben, doch ook een veel kleinere binding met de veil staande auto. Het kan ook een hobbyist zijn die vele uren van zijn vrije tijd in de auto heeft gestoken. Het kan echter ook iemand met een bevlieging zijn, die nu zo vlot mogelijk zijn misstap wil goedmaken door zijn tegenvallende wagen te verpatsen. De koper varieert van beginnende leek tot doorgewinterde typespecialist. Voor die laatste variant is dit hoofdstukje overbodig: hij weet genoeg.

Ook is het van belang wat de koper met zijn aan te schaffen klassieker voor heeft: sleutelen, dagelijks rijden of af en toe showen. Laten we in ons hypothetische geval eens uitgaan van een niet zo doorknede liefhebber die als reflectant bij een particuliere verkoper op bezoek gaat. Vaak heeft dit type potentiële koper lang over zijn grote stap om op de klassieke toer te gaan nagedacht en vol scrupules begint hij de daadwerkelijke poging tot aanschaf.

Liefhebbers geven vaak de voorkeur aan origineel Nederlandse exemplaren. Aan het kentekennummer is dat veelal af te lezen. Hier een zeldzame Toyota Corolla Sprinter uit 1970.

Voorbereidingen

We gaan ervan uit dat de koper precies weet wat hij wil: geen oude Franse wagen, maar laten we zeggen een Peugeot 404 van voor 1970. Hij heeft zich voorbereid door een aankoopadvies – te vinden in de oldtimertijdschriften of in het boek **Kies uw klassieker** van Ton Lohman en Rein van der Zee (Uitgeverij Elmar, ISBN 90 389 06 048) – aandachtig door te nemen. Hij is ook op de hoogte van de originaliteit van de gezochte wagen. Nog wel een betrekkelijke leek, maar door de voorbereidingen hoeft hij niet steeds te zeggen: 'Kan wel, ik heb er niet zo'n kijk op.' Omdat waarschijnlijk veel lezers van dit hoofdstuk geïdentificeerd kunnen worden met onze koper, gaan we over op de u-vorm.

Woont u in Brunssum en de wagen staat in Boertange te koop, vraag dan eerst wat foto's ter inzage van de auto. Dat geeft u een idee en het bespaart u de benzinekosten. Stuur wel de foto's retour als u niet gaat kijken. Spreek in geval van grote afstanden geen centrale plaats af in Nederland. U moet bij aankomst dan al meteen de verkoper bedanken voor de moeite die hij heeft willen nemen om te komen, enzovoorts. U staat dan psychologisch meteen op een achterstand. Ga dus zelf naar het adres van de verkoper en vanzelfsprekend alleen bij daglicht. Wat u in het donker voor vogelpoep aanziet, is de volgende dag een rotte plek. Bent u eenmaal na afspraak op weg, vergeet dan niet een overall (of oude kleren), een magneetje, een plastic lijmspatel en een aankoopadvies mee te nemen. Het is verstandig dat u zelf enigszins de tijd heeft om de

Het is van belang wat de koper met zijn aan te schaffen klassieker voor heeft: sleutelen, dagelijks rijden of af en toe showen. Deze Ferrari 166 Inter Farina Coupé zal tot het laatste doel behoren, nemen we aan.

zaak te inspecteren en hopelijk heeft de verkoper de tijd ook beschikbaar.

De inspectie

Uit eigen ervaring – de auteur heeft honderden auto's aangeschaft in zijn leven – is gebleken dat een potentiële koper vol wantrouwen zit en dat is op zich niet ongezond. Men kijkt dan nauwgezetter en langer.
Sommige bijzonderheden dienen uw wantrouwen te versterken, bijvoorbeeld een verse bitaklaag aan de onderkant. Moest er even iets gecamoufleerd worden? Een ander voorbeeld is maagdelijk koelwater, wat op een verse of lekkende koppakking kan wijzen. Een glimmend motorblok kan net schoongespoten zijn, opdat alle ellende verborgen blijft. Meestal kijkt de koper namelijk voor de proefrit onder de kap. Vezels van autowasinstallaties onder de sierstrips duiden erop dat de eigenaar kennelijk de moeite niet heeft genomen om zijn klassieker eigenhandig te wassen. Wasserettes hoeven de auto tegenwoordig natuurlijk niet te beschadigen, maar wie zijn wagen met de hand wast ziet beter hoe de staat van zijn wagen is.

Indicaties

Andere bijzonderheden kunnen indicaties zijn, zoals het aantal sleutels dat bij de wagen hoort. Als ieder slotje een eigen sleuteltje behoeft, dan is er ander plaatwerk gebruikt en een goede hobbyist zet de slotjes over of koopt een nieuwe complete set. Afgesleten pedaalrubbers en een doorgezeten bestuurdersstoel duiden op een hoge kilometerstand. Ongelijke bandenslijtage geeft een probleem aan met de voor- of achterwielophanging.
Kijk ook in de uitlaat, want dat zegt iets over de werking van de motor. Mooi grijsbruin is altijd goed. Vieze of vlekkerige hemelbekleding betekent lekkage. Een handvol losse zekeringen in het kastje doet vermoeden dat er zich zo nu en dan kortsluiting voordoet.

Ter plekke

Goed, u bent gearriveerd bij de aangeboden wagen. U loopt er eens omheen (trap niet tegen de banden, dat kan niet meer anno nu). Soms is dat al genoeg. In zo'n geval keert u huiswaarts. Maar, laten we niet te negatief zijn: u gaat verder want de wagen oogt netjes. Met het magneetje kunt u plamuur lokaliseren, kloppen kan natuurlijk ook. Als bijvoorbeeld een spatscherm in zijn geheel niet magnetisch blijkt, dan hebt u te maken met een polyester namaakexemplaar. Het plastic spateltje, of een alternatief, is handig voor het opwippen van rubbers zonder de lak of het rubber te beschadigen. Zo kunt u een originele laklaag controleren. De wagen kan natuur-

lijk ook gespoten zijn, controleer dan rubberranden en dergelijke. Een goede lakbeurt wordt bij voorkeur aan een gestripte wagen zonder ruiten gegeven.
Het hang- en sluitwerk geeft informatie over de precisie van de eigenaar, spuiter of plaatwerker.
Als de buitenkant gedaan is, controleert u het chassisnummer, natuurlijk met het Nederlandse of buitenlandse kentekenbewijs in de hand.
Dan inspecteert u de bodem onder de matten en houd daarbij uw neusgaten goed open. Het reukorgaan en de ogen werken hier samen. Zitten er hoezen over de bekleding dan is dat soms om de originele bekleding te ontzien, maar meestal om de vergane bekleding te bedekken. Kijk er dus altijd onder. Een wirwar van draden achter of onder het dashboard doet vermoeden dat er veel aan gerommeld is. Normaal gesproken hoort alles netjes te zitten. Gluur ook eens in een eventueel radiogat.

Details

Let vooral op kleine, ogenschijnlijk onbenullige dingen, want die kunnen veel zeggen. Zoals de aanwezigheid van een instructieboekje, de reservesleutels, of, nog mooier, het onderhoudsboekje. Werkt de verlichting van de achterbak en het handschoenenkastje? Een echte liefhebber herstelt zulke zaken, want alles moet het doen, vindt hij. Uw intuïtie spreekt natuurlijk ook een woordje mee.

Proefrit

Dan de proefrit. Overtuig u ervan dat de auto verzekerd is, om problemen te voorkomen.
Zo'n rit maakt u overigens alleen als u nog steeds geïnteresseerd bent in de eventuele aanschaf. Probeer zelf te rijden, maar laat u ook een stukje rijden; u concentreert u waarschijnlijk in de bijrijdersstoel beter op de wagen. Als de verkoper u onmiddellijk de fantastische geluidsinstallatie demonstreert, verzoek dan met klem deze uit te zetten. U heeft er even geen oren naar, want de motor en de rest moeten gehoord worden.
Neem een traject dat afwisselend is, dus wat snelweg, een stukje stad (liefst met een aantal spoorwegovergangen of een slecht wegdek), enzovoort. Rijd ook een tijdje met alle ramen dicht, u hoort dan afwijkingen eerder en natuurlijk het windgeruis.
Het zou mooi zijn als u voor de inspectie van de onderzijde ergens op een garagebrug terecht kunt.

Documenten

Ook vraagt u de papieren ter inzage. Op deel I valt te zien of de wagen ingevoerd is of niet. Bij import staat het bouwjaar onder 'Bijzonderheden' vermeld en bij een origineel Nederlandse wagen is altijd de originele datum van eerste afgifte te zien. Van deel II kunt u aflezen hoelang de eigenaar de wagen bezit. Is dat een zeer korte periode, begin dan heftig te twijfelen over de aanschaf of er moet wel een zeer geldige verklaring voor komen.
Een ander document is het APK-rapport. Als dat bijna verlopen is, verlang dan eerst een keuring. Laat u niet afschrikken door de mededeling dat de verkoper daar geen tijd voor heeft of dat er nog meer kopers zijn die de wagen zo zouden willen hebben, de keuring is toch verplicht? Een pas verrichte kentekenkeuring door de Rijksdienst voor het Wegverkeer geeft aan dat de auto verkeersveilig is. U weet echter nog niets over bijvoorbeeld de originaliteit van de wagen of de staat van de motor.
Koopt u een auto met een buitenlands kenteken of zelfs zonder kenteken, controleer dan of de benodigde documenten voor de invoer of keuring er zijn. Als u twijfelt aan de mogelijkheid dat een wagen op Nederlands kenteken kan komen, zoekt u dan vooraf uit of dit wel of niet kan. De RDW weet hier alles van.
Een ander document is een eventueel voorhanden zijnd taxatierapport. Vraag dat ter inzage en vraag u zelf af of u de taxatiewaarde in overeenstemming met de staat van de auto vindt. Vraag bij gerestaureerde wagens om originele rekeningen en een fotoreportage. Let wel goed op dat die fotoserie daadwerkelijk van die auto is, want voor een paar tientjes is zo'n serie zo bijgemaakt voor misbruik.

Tot slot

Natuurlijk zijn er nog meer zaken op te sommen, maar de hoofdlijnen voor de aanschaf van een klaseke wagen zijn behandeld. Twijfelt u nog na afhandeling van alle voornoemde aanwijzingen en alle typische punten van de auto die in een aankoopadvies vermeld staan, laat dan de wagen alsnog keuren door een kenner (typespecialist, clubvertegenwoordiger, ANWB) of zie van de koop af. Succes!

INVOER, KEURING EN BELASTING IN NEDERLAND

Wie in het buitenland een klassieke wagen koopt – of in ons land een oningevoerde – dient een keuringsafspraak bij een RDW-districtskantoor te maken voor een kentekenkeuring in een van de regionale keuringsstations. Bel naar de RDW te Veendam (0589-624240) om te weten te komen bij welk station u zich dient te vervoegen gezien uw postcode. Behalve de auto dient de eigenaar of houder ervan ook een geldig Nederlands rijbewijs of paspoort bij zich te hebben; indien er van een paspoort sprake is, moet er ook een uittreksel uit het bevolkingsregister overlegd worden. Dan nog een bewijs van herkomst van het voertuig, zoals het buitenlandse kentekenbewijs of een bouwverklaring van de wagen. Als de auto uit een land buiten de EU komt, moet er ook een invoerdocument EU 122 overlegd worden, dat bij de douane verkrijgbaar is. Daarnaast is er voor herkomst uit bepaalde landen een invoervergunning nodig. Auto's van voor 1973 dienen voorafgaand aan de keuring gewogen te worden op een door het regionale RDW-keuringsstation aangewezen weegbrug. De keuring zelf kost momenteel € 61,25. Daarbij komt de Verwijderingsbijdrage (€ 45,– per auto van jonger dan 25 jaar; over oudere auto's behoeft niets betaald te worden) plus € 9,75 voor de tenaamstelling van deel II. Voor de aanmaak van deel I en het overschrijvingsbewijs dient € 31,75 betaald te worden. De ter keuring aangeboden wagen kan per autoambulance of trailer naar het RDW-station gereden worden of op eigen kracht. In dat laatste geval dient de wagen minimaal WA verzekerd te zijn.

De RDW geeft sinds 1987 'oude' kentekens uit. Na de D-serie met DE, DH, DL, DM en DR is men overgestapt op de A-reeks. Voor auto's van na 1 januari 1973 is er een YA-serie.

Tijdens de keuring worden alle gegevens van de auto op een zogenaamd BPM-formulier (BPM = Belasting voor Personenauto's en Motorrijwielen) ingevuld. Het eerste exemplaar daarvan gaat naar de Rijksdienst zelf te Veendam. De doorslagen 2, 3 en 4 krijgt men na goedkeuring mee om zich vervolgens met de wagen te melden bij een BPM-aangiftepunt om de invoer te regelen. Bij het RDW-keuringsstation deelt men mee waar het dichtstbijzijnde aangiftepunt is, maar u kunt ook de lijst aan het eind van dit hoofdstuk raadplegen. Als de auto ouder is dan zeven jaar en acht maanden, dan is er nog tien procent BPM verschuldigd. Voor wagens ouder dan 25 jaar geldt het 'nulprocent-tarief' en dat houdt in dat er geen BPM hoeft te worden betaald. Is de wagen afkomstig uit een EU-land, dan wordt er ook geen BTW geheven. Op auto's uit niet-EU-landen moet er op het BPM-aangiftepunt BTW betaald worden over de aankoopsom en transportkosten plus daarbovenop invoerrechten en eventueel de BPM.

Kentekenbewijs

Bevindt de douane-ambtenaar de gegevens van de gekeurde auto conform de papieren (i.c. buitenlands kentekenbewijs of bouwverklaring), dan stuurt hij de tweede doorslag van het BPM-formulier naar de RDW te Veendam en ontvangt de eigenaar of houder van het voertuig na ongeveer twee weken het complete kentekenbewijs op naam thuis, plus een (afzonderlijk verzonden) ingevuld APK-rapport. Personenwagens van voor 1973 krijgen een speciaal klassiekernummer. Na de met DE- begonnen D-reeks, is de RDW in de loop van 1998 overgegaan op de AE-serie, die inmiddels bij de AL beland is. (Bedrijfswagens en motorfietsen hebben eigen reeksen.) Een jaar na het op kenteken komen van uw ingevoerde wagen is deze APK-plichtig.

Houderschapsbelasting

Voor auto's en motoren van 25 jaar en ouder behoeft per 1 april 1995 geen motorrijtuigenbelasting betaald te worden. De vrijstelling kunt u bij de tenaamstelling op het postkantoor doorgeven of deze kan in overige gevallen schriftelijk aangevraagd worden bij:

Centraal Bureau Motorrijtuigenbelasting
Postbus 9047
7300 GJ Apeldoorn

Jongere auto's die niet aan het verkeer deelnemen kan men schorsen. Brochures hierover zijn verkrijgbaar op postkantoren en bij de Belastingdienst.

Meer informatie?
Wie nog meer wil weten over dit onderwerp, kan terecht bij:

Telefonisch:
- Douane-telefoon 0800-0143 (gratis)
- Rijksdienst voor het Wegverkeer 09-000739

Brochures (verkrijgbaar via de Belasting Telefoon Douane):
- **Zelf een auto of motor kopen in het buitenland**
- **Belasting van personenauto's en motorrijwielen**
- **Belasting van personenauto's en motorrijwielen – informatie voor de auto- en motorbranche**
- **De nieuwe Wet Motorrijtuigenbelasting**

BPM-AANGIFTE- EN BETAALPUNTEN

Almelo
Windmolen 14
7609 NN Almelo
tel. 0546 – 83 44 56/57/61
09.00-16.00 uur

Amsterdam
Leeuwendalersweg 21
1005 DA Amsterdam
tel. 020 – 586 75 11
08.00-16.30 uur

Arnhem
Overmaat 41
6831 AE Arnhem
tel. 026 – 323 21 21
08.00-15.00 uur

Groningen
Sontweg 8A
9723 AT Groningen
tel. 050 – 368 79 99
08.00-17.00 uur

Leeuwarden
Tesselschadestraat 4
8901 HB Leeuwarden
tel. 058 – 294 95 80
08.00-16.30 uur

Nieuwegein
Fultonbaan 12
3439 NE Nieuwegein
tel. 030 – 602 34 99
08.00-16.30 uur; kas: postkantoor

Rijswijk
Diepenhorstlaan 20
2288 EW Rijswijk
tel. 070 – 398 56 00
08.00-12.00 en 13.00-16.00 uur

Roosendaal
Borchwerf 10A
4704 RG Roosendaal
tel. 0165 – 59 22 00/12/14

Rotterdam
Vlaardingweg 63
3044 CJ Rotterdam
tel. 010 – 446 26 40/44
07.30-16.00 uur

Sittard
Rijksweg-Zuid 26
6130 AB Sittard
tel. 046 – 459 16 05/03
08.00-16.00 uur; kas: postkantoor

Terneuzen
Buitenhoofd 3
4531 PA Terneuzen
tel. 0115 – 68 26 25
08.00-16.00 uur

Valkenswaard
De Vest 3
5555 XL Valkenswaard
tel. 040 – 208 54 11
08.00-16.00 uur; kas: postkantoor

Venlo
Celsiusweg 50
5902 RD Venlo
tel. 077 – 389 28 67
09.00-16.00 uur; kas: postkantoor

Vlissingen
Duitslandweg 1
4389 PJ Ritthem
tel. 0118 – 48 46 00
09.00-16.00 uur

Zwolle
Dr. van Deenweg 26
8025 BA Zwolle
tel. 038 – 454 72 55
08.00-16.30 uur

VERZEKERING EN TAXATIE

Ieder motorvoertuig dat aan het verkeer deelneemt, dient minstens WA verzekerd te zijn. Voor klassieke auto's bestaan gespecialiseerde verzekeringsmaatschappijen die tegen sterk verlaagde tarieven WA- en all-riskverzekeringen aanbieden. De reden hiervoor is dat eigenaren met liefhebbersauto's veel minder rijden en aanzienlijk voorzichtiger omspringen dan met 'gewone' auto's en daardoor neemt de kans op schade sterk af. De meeste verzekeraars werken met vaste premies, maar er zijn ook bonus/malus-modellen op de markt.

Verzekering

Er is een aantal voorwaarden aan zo'n klassiekerverzekering verbonden die per maatschappij kunnen verschillen. Zo is de leeftijd van de auto van belang. Sommige assuradeurs accepteren auto's van tien jaar en ouder en bij andere moet de auto minstens twintig jaar oud zijn. Een vuistregel is wel dat de premies dalen naarmate de wagen ouder is. Een tweede voorwaarde is de beperkte kilometrage als gevolg van hobbygebruik. Wie beweert dat hij zijn klassieker als hobby 50.000 kilometer per jaar berijdt, klinkt ongeloofwaardig. Normale beperkingen in kilometrage zijn 5.000 tot 20.000 kilometer per jaar. Hier geldt dat de premies oplopen naarmate de gereden kilometers per jaar toenemen. Een derde voorwaarde is niet bij alle verzekeraars van kracht, maar wel vaak: het hebben van een eerste auto, zodat de hobbyauto de tweede is. Een vierde voorwaarde is de verplichte taxatie bij een (beperkte) casco-verzekering. Verzekeraars werken met een aantal vaste taxateurs die gespecialiseerd zijn in de waardebepaling van klassieke auto's. Er zijn verzekeringsmaatschappijen die een jaarlijkse taxatie eisen en andere vinden een twee- of driejaarlijkse prima. In dat taxatierapport staat

Bij een RDW-keuringsstation inspecteert een keurmeester de ingevoerde klassieker nauwgezet. Als alles in orde is, volgt een bezoek aan de douane voor de BPM-aangifte.

ook de kilometerstand op het moment van taxatie vermeld. Een laatste voorwaarde kan zijn dat de eigenaar van de klassieker lid moet zijn van een merk- of typeclub. Indien een klassiekerverzekering in haar polisvoorwaarden heeft vermeld dat een auto op grond van artikel 275 van het Wetboek van Koophandel is verzekerd, dan is er sprake van een correcte dekking. Dit artikel zegt namelijk dat bij total-loss-schade de laatst bekende taxatiewaarde daadwerkelijk wordt uitgekeerd, mits de klassieker uiteraard vooraf gewaardeerd is door een door de verzekeraar geaccepteerde taxateur. Dat houdt in dat het begrip dagwaarde hier niet van toepassing is. Bij een verlopen taxatierapport gaat dat begrip overigens wel weer meetellen. Een ander aandachtspunt is de repatriëring uit het buitenland in geval van aanrijdingschade of niet snel te verhelpen technische storing. Controleer in de polisvoorwaarden ook het gedeelte dat over vergoeding van onderdelen gaat. Neem geen genoegen met de laatst bekende onderdelenprijs, maar wel met de op het moment van schade courante prijzen. Wie aan clubevenementen deelneemt, we denken aan puzzelritten of behendigheidswedstrijden, doet er verstandig aan in zijn polisvoorwaarden na te kijken of dit risico gedekt is. Kijk bij het tegenwoordig zo in zwang zijnde 'trouwen in een oldtimer' uit voor de mogelijke ellende die dit voor u kan veroorzaken. De paar honderd gulden die het tochtje naar stadhuis of kerk meestal oplevert, is mooi meegenomen maar bedenk in geval van schade tijdens het vervoer van het bruidspaar dat uw verzekeringsmaatschappij dit opvat als taxi rijden en daarvoor bent u vast niet verzekerd.
De premies voor WA- of een all-risk-verzekering lopen uiteen. De ondergrens voor WA ligt momenteel rond de € 36,– per jaar en de bovengrens voor zeer jonge klassiekers (tien jaar oud) rond de € 225,–. Voor de all-risk-verzekering zijn er grotere verschillen in de markt te bespeuren. Er is een scala van 0,75 procent tot 2,75 procent van de taxatiewaarde. Tussen de WA en de all-risk in is er de mogelijkheid van beperkt casco, soms ook wel minicasco genoemd. Hierbij is het risico tegen brand, diefstal en van buiten komend onheil verzekerd. De premies voor die tussenweg-verzekering liggen niet veel lager dan een all-risk en daarom is de volle casco-verzekering te verkiezen. Daarnaast is het mogelijk een dekking af te sluiten voor alleen brand, diefstal, explosie en zelfontbranding. Deze dekking wordt meestal gekozen voor klassiekers waarmee niet of nauwelijks gereden wordt. Het is zelfs mogelijk om voor geschorste klassiekers alleen een casco-, minicasco- of alleen een brand/diefstal-dekking af te sluiten. Dit geschiedt dus zonder een dekking tegen het WA-risico. Deze laatste optie kan bij een restauratieproject van toepassing zijn.

Taxaties

In taxatieland zijn er vele gezichten. Er doen legio verhalen de ronde over taxateurs die bij regen van een afstandje de auto op waarde schatten. Of over experts die nooit de onderkant van een wagen bekijken. Laten we niet vergeten dat deze heren – van een taxatrice hebben we nog nooit gehoord – in de loop der jaren een grote ervaring en intuïtie hebben opgebouwd. Zij zien vrij snel wat voor vlees en blik zij in de kuip hebben. Vol-

doet een taxateur niet aan de eisen van de verzekeraar, dan zal men beslist een ander in de arm nemen. De grond voor deze verhalen kan gevormd zijn doordat een eigenaar – en zeker iemand die zelf zijn auto gerestaureerd heeft – graag alles aan zijn oogappel uitgebreid laat zien en zo'n taxateur heeft ook meer te doen. Vandaar wellicht de vaak heersende onvrede over taxaties. In advertenties in klassiekertijdschriften en jaarboeken als deze treft men de namen en adressen van verzekeringsmaatschappijen (of hun tussenpersonen) en taxateurs aan. Wie een uitgebreidere dekking dan alleen WA voor zijn waardevolle klassieker wenst, dient bij zijn verzekeraar of tussenpersoon te rade te gaan welke taxateurs de verzekeraar accepteert. Dit om teleurstelling te voorkomen dat het taxatierapport niet geaccepteerd wordt. De kosten van taxatie liggen rond de € 95,– tot € 140,–.
Oriëntatie op de verzekering vooraf loont de moeite. Informeer ook – indien er sprake van is – naar de mogelijkheid van het verzekeren tegen klassiekertarieven van auto's die op diesel of LPG rijden. Ook al bent u verzekerd met uw klassieker, een second opinion van een gespecialiseerde adviseur op het gebied van klassiekerverzekeringen kan nooit kwaad.

Een auto met een bijzonder koetswerk – zoals deze Bentley Mk VI Mulliner van 1949 – vormt een leuke uitdaging voor een taxateur. Er zijn slechts zeven exemplaren gebouwd.

DE RESTAURATIE

Het is eigenlijk onmogelijk een algemeen hoofdstuk te schrijven over de werkzaamheden en de kosten van een restauratie. De term alleen al is aanleiding tot verwarring. Waar de een van een restauratie spreekt, heeft de ander het over een opknapbeurt. Daarbij is er een hemelsbreed verschil tussen bijvoorbeeld de restauratie van een auto van een zeldzaam merk uit de jaren vijftig en die van een Fiat 500 van 1970. Vele factoren spelen bij een restauratie een rol: wat kan er zelf gedaan worden, hoe schaars en duur zijn de benodigde onderdelen, hoe grondig moet het project gedaan worden, et cetera. Wie de klassiekertijdschriften bijhoudt, zal gelezen hebben dat de kosten bijzonder veel kunnen verschillen, zelfs voor een zelfde autotype.

We geven enkele tips voor het begin en de verdere aanpak van een restauratie. Voor de rest beperken we ons tot het geven van een overzicht van de reparaties en werkzaamheden plus een schattingsformulier voor de kosten ervan (zie einde hoofdstuk). Uit dat overzicht kan de lezer afleiden wat er allemaal aan de wagen gedaan kan worden. We geven dus geen gedetailleerde tips voor de praktijk. Daar zou alleen al een lijvig boekwerk over te schrijven zijn. Men dient steeds te bedenken dat het hier om niet meer dan een indruk gaat voor de leek van wat er bij de restauratie allemaal komt kijken.

Wie zelf gaat restaureren, moet van tevoren een calculatie maken en deze afzetten tegen de kosten van een kant-en-klaar exemplaar.

Het uitgangspunt

Wie klassiek wil rijden en niet wil restaureren, schaft natuurlijk een zo goed mogelijk exemplaar van zijn geliefde model aan. Wie zelf restaureert of wie de restauratie uitbesteedt, moet een vergelijking maken tussen wat een kant-en-klaar exemplaar kost in verhouding tot een restauratie-object plus de restauratiekosten. Zo veel mogelijk zelf doen drukt de kosten, maar niet iedereen is daartoe in staat. Over de keuze van de auto valt door ons niet veel te zeggen, behalve dan dat de populariteit van de auto voor een belangrijk deel bepa-

lend is voor de onderdelenvoorziening.
Het doel dat doorgaans nagestreefd wordt, is een zeer mooie en strikt originele auto te verkrijgen met prima techniek die voorlopig nog jaren dagelijks inzetbaar is. Een auto in bijna concoursstaat dus, een klasse boven onze C-categorie van de prijsoverzichten. Dat doel wordt helaas niet altijd bereikt. De meeste restaurateurs kennen tevens hun beperkingen: het strakmaken en spuiten, het chroomwerk en het bekleden worden vaak uitbesteed.

Voorbereiding

Zeer belangrijk is een geschikte werkruimte. Niet iedereen heeft thuis een forse loods staan, dus vaak moet men op zoek. Probeer altijd iets te vinden dat redelijk bij uw woonhuis in de buurt ligt. Er kan dan ook een paar uurtjes gewerkt worden, in de avonduren bijvoorbeeld. Verderweg gelegen restauratieruimten hebben dat voordeel niet. Dan is het noodzakelijk dat er verwarming is als er 's winters gewerkt wordt.
Elektriciteit is een voorwaarde en stromend water eigenlijk ook. Maar aan dat laatste kan een mouw gepast worden. Zeer belangrijk is goed licht en de beschikking over voldoende ruimte voor opslag en werkzaamheden. Goed gereedschap is een vanzelfsprekendheid, net als een stevige werkbank op de juiste hoogte en voorzien van een bankschroef. Ook poetsdoeken, schoonmaakmiddelen als thinner, wasbenzine, terpentine, ontvetter, roestomvormer, groene zeep, cleaner en dergelijke moeten aanwezig zijn. Verder zijn voor de schoonmaak alle soorten borstels (tandenborstel, afwaskwasten, nagelborstels, staalborstels), een boormachine met allerhande hulpstukken en schuurpapier nodig. Voor de rubricering en sortering van gedemonteerde delen zijn zakjes met labels en dozen zeer handig. Een potlood, pen en viltstift plus labels in diverse maten zijn eveneens vereist. Niet absoluut vereist maar wel erg welkom is een hobby-compressor.

Wie aan een auto begint die nieuw voor hem is, doet er verstandig aan van tevoren zoveel mogelijk te fotograferen. Aldus kom je later niet in de problemen over wat waar hoort te zitten. Dia's bieden het voordeel dat ze tijdens de opbouw geprojecteerd kunnen worden. Velen realiseren zich pas achteraf dat ze te weinig foto's hebben gemaakt, ook al waren ze slechts voor het plakboek bestemd. Verder zijn een onderdelenhandboek, een werkplaatshandboek en een eventuele vraagbaak natuurlijk van dienst. Daarop dient nooit bespaard te worden.

Demontage

Iedere restauratie begint met de demontage van de auto. Van tevoren is bedacht wat er allemaal af moet. De vraag of de motor er wel of niet uit moet, wordt niet beantwoord op het moment dat het zover zou kunnen zijn. Nee, dat doe je voor je begint. Tenzij er zich verrassingen voordoen.
Alle onderdelen worden in groepen bij elkaar opgeslagen, nadat het ergste vuil eraf is. Aan een portier hoeft natuurlijk geen label met 'portier', maar aan lastiger te determineren onderdelen kan een label geen kwaad. Doe bouten, moeren en ringen zoveel mogelijk in bijeenhorende groepen in dozen, blikjes of zakjes. Bijvoorbeeld alles van de voortrein bij elkaar of alles van de portieren.
Noteer tussendoor op een apart kladblok welke moeren, bouten, ringen of rubbers verloren zijn gegaan. Die kunnen dan aangeschaft worden en dat komt bij de opbouw weer van pas.
De kabelboom is van origine van gekleurde stekkertjes voorzien, maar na verloop van tijd zijn die vaak verschoten. Nummer dus met labeltjes alle bedrading vóór demontage. Handig hierbij zijn bijvoorbeeld de cijferstickertjes die bij blanco videobanden zitten.
Tijdens de demontage krijgt de restaurateur pas goed inzicht in de omvang van het te verwachten

▲ Zorg dat het restauratie-object op een hoogte geplaatst is die prettig werkt.

▶Het is van belang om alle gedemonteerde onderdelen goed te rangschikken. Maak foto's van constructies en bij elkaar horende onderdelen.

▼ Inzetplaatwerk is er in diverse kwaliteiten. Neem een typespecialist of technisch specialist van een club in de arm om uit te vinden wat goed is en wat niet.

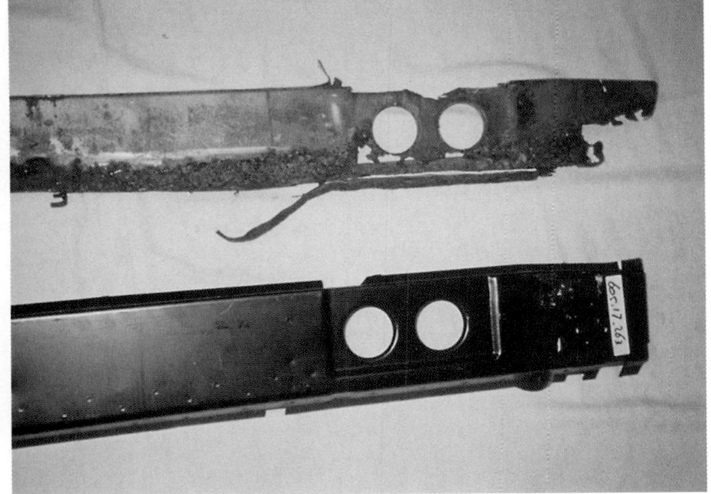

▶ Bij een cabriolet is het verstandig de deuropeningen met steunen te verstevigen om doorzakken te voorkomen.

werk. Menig enthousiasteling is na de demontage met zijn hele project gestopt.

Organisatie

Na de ontmanteling en overzichtelijke opslag van alle delen kan de schoonmaak beginnen. Eerst het restant van de auto zelf; je werkt tenslotte het best aan een zo schoon mogelijke wagen. Daarna begint het verwijderen van de te vervangen chassisdelen, gevolgd door het inzetten van de nieuwe stukken. Op momenten dat er afwisseling nodig is of dat er weinig tijd die dag is, is de schoonmaak van groepen onderdelen aan te bevelen. Het is niet handig om na de schoonmaak van bijvoorbeeld een afdekplaat deze meteen te schuren, in de primer te zetten en daarna af te lakken. Beter is het om alles in porties op te sparen. Dus eerst de reiniging van alles, daarna het in de primer zetten van hele porties metalen delen en ten slotte een 'aflakdag' of -'week'. Hetzelfde geldt voor rubbers. Die maak je ook allemaal achter elkaar schoon en niet op het moment dat zo'n rubber nodig is. Idem voor al het glimwerk: aluminium, roestvrijstaal en verchroomde delen. Het moge duidelijk zijn dat restaureren vaak themadagen kent: we noemen naast de schoonmaak, het voorbewerken en het lakken, bezigheden als uitdeuken van kleine onderdelen, polijsten, kabelboom herstellen, bekleding reinigen (groene zeep), enzovoorts.

Afspraken met revisiebedrijven, plaatwerker, spuiter, bekleder en eventueel typespecialisten dienen goed gepland te zijn. Het is zeer ergerlijk als u zelf zo ver bent om de wagen weer aan de praat te brengen, maar dat de startmotor nog bij het revisiebedrijf ligt. Houd er tevens in uw tijdschema rekening mee dat spuiters en bekleders zelden op tijd klaar zijn.

Binnen deze beperkte ruimte volstaan we eenvoudigweg met de mededeling dat de opbouw niet anders is dan een omgekeerde afbraak. Zij het dat de opbouw veel meer tijd kost. Het aanbrengen van strips op een pas gespoten carrosserie bijvoorbeeld is secuur en dus tijdrovend werk, om maar iets te noemen. Een ander punt is dat een auto na restauratie niet altijd voor honderd procent werkt. De kinderziekten moeten er nog uit. Wie de avond voor de RDW-keuring zijn wagen net afgebouwd heeft, zal zeker niet zonder enig probleem het keuringsstation bereiken. Omdat alles uit elkaar is geweest, zullen zich beslist kleine storingen voordoen. Dat is heel normaal en dient dus ingecalculeerd te worden.

Duur

Zeer lastig is het om de duur van een restauratie weer te geven. Onze ervaring als klassiekerjournalist is dat er mensen zijn die uiterst grondige restauraties in een seizoen volbrengen. Aan de ande-

Restaureren kan in vele gradaties. Als je klassieker er na voltooiing zo uitziet, zou je eigenlijk nooit meer de weg op durven. Gelukkig menen vele liefhebbers terecht dat een auto gemaakt is om ermee te rijden.

Een aardig facet van de klassieker-hobby is het zoeken op beurzen en evenementen naar onderdelen en overige zaken die met je auto te maken hebben. Groot is de voldoening bij het vinden van iets wat je al jaren zocht.

re kant zijn er voorbeelden te noemen van mensen die bijna twintig jaar aan hun auto gewerkt hebben. Dat zal zeker met forse onderbrekingen gebeurd zijn, maar toch is een klus van duizenden uren geen uitzondering! Dan spelen factoren als ervaring en technisch inzicht een belangrijke rol. U zult het ons hopelijk niet euvel duiden dat we niet preciezer op de duur van een restauratie kunnen ingaan. Wie twee avonden per week gedurende vier uur werkt, plus in het weekend nog eens tien tot twaalf uur en dan nog eens tijdens enkele vrije dagen, zal toch minstens een halfjaar bezig zijn. Wie haast heeft, moet niet gaan restaureren.

Kosten

Iedereen die restaureert, zal ervaren dat de kosten altijd aardig oplopen. Dat hangt af van vele factoren. Een motorrevisie bijvoorbeeld kan de kosten hoog opdrijven. Het bekleden van een compleet interieur (zittingen, matten, hemel) kan snel oplopen tot zo'n € 4.500,– maar het dubbele kan eveneens. Iets wat niet vergeten moet worden bij alle facetten van een restauratie, is dat later herstel van een element altijd lastiger is dan wanneer de auto gedemonteerd is. De financiële situatie van de restaurateur-bezitter kan hierbij natuurlijk een rol spelen, zodat sommige delen van de klus uitgesteld worden tot vettere jaren. Dat kan tijdelijk ergernis opleveren, bijvoorbeeld in geval van een schitterende wagen met nog steeds het originele, uitgeleefde interieur erin. Bedenk ook dat een klein butsje in een bumper veel meer opvalt aan een fraaie auto dan aan een rondom morsig exemplaar.
Een leidraad bij de kostenplanning van een zelf te verrichten restauratie kan onderstaand overzicht zijn. Natuurlijk is de opsomming van facetten niet uitputtend. Een automaat, een injectie, een elektrische kap, et cetera kunnen heel andere eindbedragen opleveren.

Kostenplanner restauratie

* Aanschaf			€
* Kosten halen (brandstof/ambulance)			€
mechanisch:			
– revisies:			
motor (ombouw loodvrij)	€		
koppeling/drukgroep	€		
versnellingsbak	€		
startmotor	€		
dynamo	€		
radiateur	€		
remmen	€		
– wielophanging	€		
– stuurinrichting	€	________ +	
			€
nieuwe onderdelen:			
– plaatwerk	€		
– bumpers	€		
(– cabriokap	€	)	
– accu	€		
– uitlaat	€		
– 10.000 km-pakket + oliën	€		
– banden (binnenbanden)	€		
+ montage en balanceren	€		
– schokbrekers	€		
– koplampen/achterlichten	€		
– clignoteurs	€		
– buitenspiegel(s)	€		
– schakelaars	€		
– …	€	________ +	
			€
kleinere nieuwe onderdelen:			
– pakkingen	€		
– rubbers	€		
– leidingen	€		
– stickers	€		
– emblemen	€		
– …	€	________ +	
			€
divers (groot):			
– straler	€		
– plaatwerkerij/spuiterij	€		
– polijsterij/verchromer	€		
– bekleder	€		
– ML- en tectyl-behandeling	€	________ +	
			€
(klein):			
– (oudblauwe) nummerplaten	€	32,–	
– radio (revisie of aanschaf)	€		
– keuring RDW	€	61,25	
(– BPM	€	)	
(– Verwijderingsbijdrage	€	45,–)	
– compleet kenteken	€	41,50	
– primers/lakken	€		
– moeren/bouten/ringen	€		
– taxatie	€		
– …	€	________ +	
			€ ________ +
		totaal	€

ABARTH

Carlo Abarth, op 15 november 1908 in Wenen geboren, kwam direct na de Tweede Wereldoorlog naar Italië waar hij, samen met Ferdinand Porsche, voor Cisitalia werkte. In 1950 begon hij voor zichzelf en stichtte hij de firma Abarth & Co in Turijn. Hij begon met opvoersetjes en uitlaten voordat hij complete auto's ging produceren. De giftige autootjes van zijn hand baseerde hij meestal op Fiats en Simca's. Met het teken van de schorpioen op de neus domineerden ze jarenlang de circuits. In 1971 was Abarth financieel gedwongen zijn bedrijf aan Fiat te verkopen. Hij stierf in 1979 in Wenen.

FIAT-ABARTH BIALBIERO

Een lekkernij op basis van de Fiat 600: de Bialbiero. Samen met de gebroeders Zagato ontwierp Carlo Abarth deze kleine flitser. De carrosserie was natuurlijk van aluminium en van een afstandje verried de 'double bubble' de signatuur van Zagato. Naast meer hoofdruimte voor de inzittenden bood deze voorziening het dak meer stevigheid. Voor normaal gebruik had de wagen draairaampjes en voor de racerij plastic schuiframen. De twee bovenliggende nokkenassen maken het blok technisch interessanter. We komen deze stevig geprijsde Italiaantjes geregeld bij historische races tegen.

Aantal cilinders: 4
Cilinderinhoud in cm³: 982
Vermogen: 84/7000
Topsnelheid in km/uur: 200
Carrosserie/Chassis: zelfdragend
Uitvoering: coupé
Productiejaren: 1960-1963
Productie-aantal: n.b.
In NL: n.b.
Prijzen: A: 8.100 B: 20.300 C: 33.800

FIAT-ABARTH 595, 595 SS, 695 & 695 SS

Deze kleinste en goedkoopste Abarth was meer voor de straat dan voor het circuit bestemd. Op een afstand was de wagen nauwelijks van een gewone Fiat 500 te onderscheiden, maar met zijn sterke motor kon hij het opnemen tegen auto's van de middenklasse. Ze zijn tegenwoordig nog prima geschikt voor historische races, maar veel zullen er niet meer over zijn. Kijk uit voor 'ver-Abarthe' gewone 500's. Zeer zeldzaam zijn de 500-tjes met een body van Zagato. De onderdelenvoorziening is goed.

Aantal cilinders: 2
Cilinderinhoud in cm³: 594 en 695
Vermogen: 27/5000, 32/4900 en 38/5200
Topsnelheid in km/uur: 120 tot 140
Carrosserie/Chassis: zelfdragend
Uitvoering: coach
Productiejaren: 1963-1971
Productie-aantallen: n.b.
In NL: 12
Prijzen: (595) A: 2.300 B: 4.500 C: 6.750

SIMCA-ABARTH 1150, S, SS & CORSA

Hoewel Abarth meestal met Fiat-onderdelen werkte, was dit geen regel. Ook met de Simca als basis zijn er verschillende typen op de straat en op het circuit gekomen. De Simca-Abarth 1150 had de stalen carrosserie van de Simca 1000, maar de Corsa had meer het uiterlijk van een racewagen. Die Corsa had de vloersectie van de Simca 1000 als basis. De hiernaast vermelde prijzen hebben vooral betrekking op de wagens met het gewone Simca 1000 uiterlijk. Voor de Corsa moeten de prijzen verviervoudigd worden.

Aantal cilinders: 4
Cilinderinhoud in cm³: 1137
Vermogen: 55/5600, 65/5600 en 85/6500
Topsnelheid in km/uur: 150 tot 175
Carrosserie/Chassis: zelfdragend
Uitvoering: sedan en coupé
Productiejaren: 1963-1965
Productie-aantallen: n.b.
In NL: 3
Prijzen: (1150) A: 2.700 B: 5.400 C: 8.200

FIAT-ABARTH 850/1000

De eerste sportwagens die onder de naam Abarth aangeboden werden, waren gebaseerd op de Fiat 600. In 1960 werden de viercilinder motoren tot 850 en 1000 cm³ opgeboord, wat niet wegnam dat de auto er nog steeds als een brave Fiat 600 uitzag. In deze vorm wonnen de wagens enige malen de Europese kampioenschappen voor de Groep-1-toerwagens. Een goed exemplaar is tegenwoordig fors geprijsd, maar liefhebbers van historisch racen zullen zo'n bedrag er graag voor betalen. De 1000 kost het dubbele van een 850.

Aantal cilinders: 4
Cilinderinhoud in cm³: 847 en 982
Vermogen: 47/4800 -112/8200
Topsnelheid in km/uur: 130->200
Carrosserie/Chassis: zelfdragend
Uitvoering: coach
Productiejaren: 1960-1970
Productie-aantal: n.b.
In NL: 10
Prijzen: (850) A: 3.400 B: 6.800 C: 9.100

FIAT-ABARTH 750

Naast opgevoerde, maar nog steeds op gewone productiewagens lijkende toerwagens leverde Abarth ook prachtige coupeetjes en cabriolets die van carrosserieën van grootmeesters zoals Zagato, Bertone of Allemano (foto) voorzien werden. De motoren voor deze sportwagens waren meestal tot 750 cm^3 opgeboord. Vanzelfsprekend zijn deze Abarths duurder dan de wagentjes met het originele fabrieks uiterlijk. Andere Italiaanse variaties op dit thema kwamen van Pininfarina, Vignale en Viotti. Richtprijzen voor de 750 zijn moeilijk te geven vanwege de veelheid aan typen.

Aantal cilinders: 4
Cilinderinhoud in cm^3: 747
Vermogen: 33/4000-47/6000
Topsnelheid in km/uur: 150-160
Carrosserie/Chassis: zelfdragend
Uitvoering: coupé en cabriolet
Productiejaren: 1957-1960
Productie-aantal: n.b.
In NL: 4
Prijzen: A: 25.000 B: 35.000 C: 50.000

FIAT-ABARTH 2200

Op de Turijnse Salon die in de herfst van 1959 zijn poorten opende, presenteerde Abarth zijn Fiat 2200-serie. De wagens waren zowel als coupé en als cabriolet verkrijgbaar en werden meestal door Allemano van een body voorzien. Het mechanische deel van de wagen kwam van de Fiat 2100. Dit is ongetwijfeld de meest waardevolle Abarth die op deze pagina's behandeld is en je komt ze zelden tegen. De motor is zeer krachtig, maar aan de andere kant kwetsbaar.

Aantal cilinders: 6
Cilinderinhoud in cm^3: 2162
Vermogen: 135/6000
Topsnelheid in km/uur: 200
Carrosserie/Chassis: zelfdragend
Uitvoering: coupé en cabriolet
Productiejaren: 1959-1961
Productie-aantal: n.b.
In NL: 1
Prijzen: A: 40.000 B: 60.000 C: 85.000

PORSCHE-ABARTH CARRERA GTL

Het zal niet iedereen bekend zijn dat Carlo Abarth zich ook met Porsches heeft beziggehouden. Op basis van een 356B creëerde Abarth een beest van een wagen. De motor met vier nokkenassen was zo razend snel dat de Porsche het GT-wereldkampioenschap drie jaar achtereen won: in '61, '62 en '63. De carrosserieën verschilden onderling. Het afgebeelde model heeft twee extra lampen in de neus, maar niet iedere Porsche-Abarth heeft deze. De 904 Carrera GTS volgde de Porsche-Abarth op. Het heeft geen zin om richtprijzen voor deze exotische wagen te geven. Peperduur, dat is zeker.

Aantal cilinders: 4
Cilinderinhoud in cm^3: 1588
Vermogen: 115-140/6500
Topsnelheid in km/uur: 225
Carrosserie/Chassis: afzonderlijk chassis
Uitvoering: coupé
Productiejaren: 1960-1963
Productie-aantal: 17
In NL: 0
Prijzen: A: n.v.t. B: n.v.t. C: n.v.t.

FIAT-ABARTH OT850, OT1000, OT1300, OT1600 & OT2000

Toen Fiat in mei 1964 zijn 850 introduceerde, duurde het niet lang voordat ook Abarth met zijn versie op de markt verscheen. De auto kon met verschillende motoren besteld worden. Met een één liter motor stond de OT1000 op normale Fiat-wielen, maar de OT1600 herkende men aan zijn gegoten aluminium wielen. De OT2000 had de tweeliter-motor van de Fiat 124. Wie iets klassiek sportiefs wil en over een kleine beurs beschikt, kan met dit type goed uit de voeten. De letters 'OT' staan voor 'Omologato Turismo'.

Aantal cilinders: 4
Cilinderinhoud in cm^3: 843-1946
Vermogen: 44/5400-185/7200
Topsnelheid in km/uur: 165-240
Carrosserie/Chassis: zelfdragend
Uitvoering: coach, coupé en cabriolet
Productiejaar: 1964-1971
Productie-aantallen: n.b.
In NL: 5
Prijzen: (OT850) A: 8.500 B: 15.000 C: 21.000

FIAT-ABARTH OT 1000 COUPÉ

Op basis van de Fiat 850 coupé bouwde Carlo Abarth vanaf 1966 de OT 1000. Hij bood drie verschillende varianten aan. Voor sportieve doeleinden kon de klant naast de 'gewone' OT kiezen uit de OTS en OTR. Die laatste is echt voor het circuit bedoeld en heeft een zeer snelle cilinderkop. Beide wagens hebben overigens de radiateur voorin en sommige versies hebben het reservewiel op de plaats waar ongeveer de voorste kentekenplaat zit. Wellicht voor de gewichtsverdeling of om een stootbuffer te creëren. Was de OT ook nog als spider te koop, de OTS en OTR zijn altijd gesloten.

Aantal cilinders: 4
Cilinderinhoud in cm^3: 982
Vermogen: 70/6150
Topsnelheid in km/uur: 160
Carrosserie/Chassis: zelfdragend
Uitvoering: coupé
Productiejaren: 1966-1969
Productie-aantal: n.b.
In NL: n.b.
Prijzen: A: 10.000 B: 19.500 C: 28.000

FIAT-ABARTH SCORPIONE

Francis Lombardi bouwde op het onderstel van de Fiat 850 zijn G.T. sportcoupés. Abarths versie van deze wagen werd bekend als Fiat Abarth 1300 Scorpione. Hoewel de wagens sprekend op elkaar leken, waren er grote verschillen. Zowel in de carrosserie als in het mechanische deel, waar Abarth de motor tot 1280 cm³ opgeboord had. Deze Abarths zijn bijna tweemaal zoveel waard als die Lombardi-variant. Deze auto is ook aan te treffen met Giannini-emblemen (994 cc motor) en OTAS-emblemen. De versie van Abarth is het duurst.

Aantal cilinders: 4
Cilinderinhoud in cm³: 1280
Vermogen: 75/6000
Topsnelheid in km/uur: 185
Carrosserie/Chassis: zelfdragend
Uitvoering: coupé
Productiejaren: 1968 -1971
Productie-aantal: n.b.
In NL: 3
Prijzen: A: 4.500 B: 9.100 C: 13.600

FIAT-ABARTH 124 RALLY SPIDER

In 1968 kwam Fiat weer officieel terug in de race- en rally-wereld. Vier jaren later, in 1972, kreeg Abarth – in 1971 was de firma in het Fiat-imperium opgenomen – de opdracht de Fiat 124 Spider voor deze doelen bruikbaar te maken. Dat lukte heel goed. Ondanks de productie van meer dan duizend stuks betaalt men voor deze snelle Spiders tegenwoordig een aanzienlijk bedrag. De naam Spider is verraderlijk, aangezien er geen cabrioletdak bij de wagen zat. Uitsluitend in 1975 was er een versie met 16 kleppen.

Aantal cilinders: 4
Cilinderinhoud in cm³: 1756
Vermogen: 128/6200
Topsnelheid in km/uur: >190
Carrosserie/Chassis: zelfdragend
Uitvoering: coupé
Productiejaren: 1972-1976
Productie-aantal: 1.013
In NL: 7
Prijzen: A: 7.900 B: 12.700 C: 17.000

FIAT-ABARTH RALLY 131

In 1974 introduceerde Fiat de 131 Mirafiori waarvan er in tien jaren meer dan 1,5 miljoen verkocht werden. In 1976 ontstond er bij Bertone een Abarth-uitvoering met 16 kleppen die speciaal voor rally's bestemd was. De bak was van Colotti en de onafhankelijke achterwielophanging was afgeleid van de 124 Abarth. De meeste wagens werden door de fabriek ingezet en met veel succes. Met een vijf jaar oude wagen, ze werden alleen maar in 1976 gemaakt, won Markku Alen in 1981 nog een voor het wereldkampioenschap tellende rally in Portugal.

Aantal cilinders: 4
Cilinderinhoud in cm³: 1995
Vermogen: 140/6400
Topsnelheid in km/uur: 200
Carrosserie/Chassis: zelfdragend
Uitvoering: coach
Productiejaren: 1976
Productie-aantal: 400
In NL: 2
Prijzen: A: 5.900 B: 8.400 C: 11.800

FIAT-ABARTH RITMO TC

Als opvolger van de 128 verscheen in 1978 de Ritmo met een voor die tijd nogal vooruitstrevend koetswerk. De gewone versies waren in een drietal motorvolumes en als diesel (na 1980) verkrijgbaar. Dat zijn echter beslist geen liefhebbersauto's geworden. Van Abarth kwam in 1982 de 125 TC met een prachtige motor met dubbele bovenliggende nokkenas. Twee jaar later is er de 130 TC met een dubbele carburateur en in de gedaante van de gemodificeerde carrosserie. Deze Ritmo TC's zijn regelrechte scheurijzers en er is inmiddels in Nederland een enthousiaste club. De 105 TC is geen Abarth.

Aantal cilinders: 4
Cilinderinhoud in cm³: 1995
Vermogen: 125/6200-130/6500
Topsnelheid in km/uur: 190-195
Carrosserie/Chassis: zelfdragend
Uitvoering: coach
Productiejaren: 1982-1984 en 1984-1986
Productie-aantal: n.b.
In NL: 115
Prijzen: A: 1.100 B: 2.200 C: 3.900

AC

In het Engselse district Surrey bouwt AC al sinds 1908 auto's. Naast driewieler bestelwagens (vandaar de naam AC voor Auto Carrier) bouwde men steeds sportieve, luxe wagens. Met de door de Amerikaan Carroll Shelby gecreëerde Cobra werd het merk wereldberoemd. De originele AC Cobra's zijn inmiddels erg hoog geprijsde klassieke sportwagens. Sinds 1987 is het bedrijf in handen van Ford en daarom treffen we in de nieuwste AC Ace en de Cobra Mk III van '90 dan ook een Ford-motor aan. De peperdure sportwagens worden nog steeds mondjesmaat verkocht.

AC 2-LITRE

In 1947 kwam AC met zijn Two Litre terug op de markt. Het was een ruime vierpersoonswagen met sportieve lijnen. Staal was nog moeilijk verkrijgbaar en dus was de opbouw van aluminium plaat dat over een houten frame gemonteerd was. Hoewel AC vóór de oorlog al onafhankelijke voorwielophangingen gebruikt had, vond men in deze wagen voor en achter weer een starre as. Twintig Two Litres zijn na '52 als sedan afgeleverd. Prijzen voor deze oudere AC's staan niet in verhouding tot de sportwagens.

Aantal cilinders:	6
Cilinderinhoud in cm^3:	1991
Vermogen:	74/4500
Topsnelheid in km/uur:	130
Carrosserie/Chassis:	aluminium/buizenchassis
Uitvoering:	coach en sedan
Productiejaren:	1947-1957
Productie-aantal:	1.075
In NL:	3
Prijzen:	A: 3.200 B: 6.400 C: 9.100

AC 2-LITRE DROPHEAD COUPÉ & BUCKLAND TOURER

Een jaar na de introductie van de 2-Litre saloon kwam er een fraaie drophead coupé bij, die de lijnen van de coach volgt. Slechts twintig leverde de fabriek er af, met naar wens zijruiten achter in de kap of een zichtbare of verborgen kapbeugel. In 1949 verscheen de fraaiste variant: de Buckland Tourer van Buckland Body Works in Buntingford bij Londen. De carrosserie is geheel nieuw en zeer elegant omdat de taillelijn lager is. Tot 1954 bleef de Tourer leverbaar. De prijzen hiernaast gelden voor de DHC; de Buckland zou iets meer kunnen kosten.

Aantal cilinders:	6
Cilinderinhoud in cm^3:	1991
Vermogen:	74/4500
Topsnelheid in km/uur:	145
Carrosserie/Chassis:	aluminium/buizenchassis
Uitvoering:	cabriolet
Productiejaren:	1949-1957
Productie-aantal:	75
In NL:	1 en 3
Prijzen:	A: 6.800 B: 12.700 C: 18.200

AC PETITE

Driewielers zijn in Engeland altijd geliefd geweest. Ze konden door mensen met een motorfietsrijbewijs gereden worden en waren goedkoop in de aanschaf en in het onderhoud. AC wilde zijn aandeel in deze markt en veroverde dat met de Petite. De wagen was groot genoeg voor twee volwassenen en twee kinderen en had standaard een roldak. De luchtgekoelde tweetaktmotor van Villiers stond achterin en dreef de achterwielen aan; het voorwiel was onafhankelijk geveerd. De Mk II van '55 heeft een 353 cc blok. Voor wie goedkoop in een heuse AC wil rijden.

Aantal cilinders:	1
Cilinderinhoud in cm^3:	346 en 353
Vermogen:	8/3500
Topsnelheid in km/uur:	80
Carrosserie/Chassis:	aluminium/buizenchassis
Uitvoering:	coupé
Productiejaren:	1952-1957
Productie-aantal:	ca. 4.000
In NL:	n.b.
Prijzen:	A: 900 B: 1.800 C: 3.200

AC ACE & ACE 2.6

In 1953 kwam AC met een nieuw model uit. Het was de AC Ace die door de beroemde designer John Tojeiro ontworpen was en die door een oude en vertrouwde, maar al voor de oorlog ontwikkelde, 2 liter zescilinder OHC-motor aangedreven werd. In 1955 kreeg de wagen een nieuw chassis met rondom onafhankelijke vering. Voor 1956 was er een overdrive en een jaar later zaten er schijfremmen vóór. Vanaf 1956 was de Ace ook leverbaar met een Bristol-motor (zie onder). Vanaf 1961 bouwde de fabriek ook door Ruddspeed getunede Ford Zephyr-motoren in.

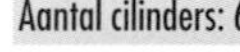

Aantal cilinders:	6
Cilinderinhoud in cm^3:	1991 en 2553
Vermogen:	75/4500-170/5500
Topsnelheid in km/uur:	155-200
Carrosserie/Chassis:	aluminium/buizenchassis
Uitvoering:	roadster
Productiejaren:	1953-1963 en 1961-1963
Productie-aantallen:	223 en 37
In NL:	1 en 1
Prijzen: (Ace)	A: 20.400 B: 34.000 C: 49.900

AC ACECA & ACECA-BRISTOL

Als tegenhanger tot de open AC Ace kwam in 1955 de AC Aceca als coupé op de markt. Technisch waren de beide modellen identiek en ook in aanschafprijs waren ze vrijwel gelijk. Tegenwoordig niet meer, want de open uitvoering is veel meer gezocht dan de coupé, ondanks het feit dat de 'derde deur' voor zijn tijd erg modern was. Originele exemplaren dienen van onderen goed geïnspecteerd te worden, aangezien in het chassis ook hout verwerkt is. Vanaf 1956 was er ook een Bristol-versie. Acht Aceca's zijn van de 2.6-motor voorzien.

Aantal cilinders: 6
Cilinderinhoud in cm^3: 1991 en 1971
Vermogen: 75/4500 en 105-125/5750
Topsnelheid in km/uur: 155 tot 200
Carrosserie/Chassis: aluminium/buizenchassis
Uitvoering: coupé
Productiejaren: 1955-1963
Productie-aantallen: 151 en 169
In NL: 4
Prijzen: (Acera) A: 13.600 B: 22.700 C: 36.300

AC BRISTOL

In 1956 kon de AC Ace ook met een 2 liter Bristol – een verbeterde versie van de oude BMW 328-motor – geleverd worden. De wagen heette nu AC Bristol, was goed voor een topsnelheid van 200 km/uur en in staat om in 9 seconden van 0 naar 100 km/uur te accelereren. De wegligging van de sportwagen was fenomenaal. Dat de wagen goed aansloeg bij het publiek bewijst het voor AC hoge productie-aantal. Tegenwoordig is de Ace-serie bij liefhebbers van exclusieve sportwagens zeer gewild en dat valt aan de hoge prijzen af te lezen.

Aantal cilinders: 6
Cilinderinhoud in cm^3: 1971
Vermogen: 120/5750
Topsnelheid in km/uur: 200
Carrosserie/Chassis: aluminium/buizenchassis
Uitvoering: roadster
Productiejaren: 1956-1963
Productie-aantal: 463
In NL: 2
Prijzen: A: 29.500 B: 45.400 C: 63.500

AC GREYHOUND

Van 1959 tot 1963 leverde AC een vierpersoons auto, de Greyhound. Hij was bestemd voor de AC-liefhebber die nu een gezin had en minstens twee kinderen op de achterbank wilde meenemen. Of vader dat financieel aankon, is een andere zaak, want in Engeland kostte de Greyhound tussen de £ 2670 en £ 2910, afhankelijk van de ingebouwde motor (normaal Bristol, maar Ford 2,6 en AC-blok ook mogelijk.). Ter vergelijking: een Jaguar E coupé kostte toen £ 2100. Hoewel zeldzaam, is dit geen dure AC vanwege zijn minder sportieve karakter.

Aantal cilinders: 6
Cilinderinhoud in cm^3: 1971
Vermogen: 126/6000
Topsnelheid in km/uur: 185
Carrosserie/Chassis: aluminium/buizenchassis
Uitvoering: coupé
Productiejaren: 1959-1963
Productie-aantal: 83
In NL: 0
Prijzen: A: 9.100 B: 15.900 C: 27.200

AC COBRA 260/289

Op de New Yorkse tentoonstelling van 1962 presenteerde de ex-coureur en kippenfokker Carroll Shelby zijn AC Cobra. Het was een geheel nieuwe versie van de AC Ace die het origineel volkomen in de schaduw zette. Shelby's recept was eenvoudig genoeg geweest: een Europese sportwagen met een Amerikaanse motor, in dit geval een Ford V8 met een inhoud van 4,2 en later 4,7 liter. Verder was er een stijver chassis en er waren schijfremmen rondom. De latere 289 Sports (1969) is een body van de 427 met de 'tamme' 4,7 liter motor. Daar zijn er 27 van gemaakt.

Aantal cilinders: V8
Cilinderinhoud in cm^3: 4261 en 4727
Vermogen: 264/5800 en 300/5750
Topsnelheid in km/uur: 230-250
Carrosserie/Chassis: aluminium/buizenchassis
Uitvoering: roadster
Productiejaren: 1962-1963, 1963-1965
Productie-aantallen: 75 en 571
In NL: 0
Prijzen: A: 68.000 B: 91.000 C: 125.000

AC COBRA 427

Begin 1965 ontstond de AC Cobra 427, die in Amerika alleen nog maar onder de naam 'Cobra' aangeboden werd. Hij stond op een nieuw chassis met buizen die een grotere diameter hadden dan men bij de Cobra gewend geweest was. De vroegere bladveren hadden plaats gemaakt voor spiraalveren die de wegligging nog beter maakten. De Cobra 427 was niet alleen voor het dagelijks gebruik geschikt, maar ook voor de racerij. Dat bewees hij door in 1965 het wereldkampioenschap voor GT-constructeuren te winnen. Een legendarisch beest van een auto, deze Cobra.

Aantal cilinders: V8
Cilinderinhoud in cm^3: 6984
Vermogen: 425/6000
Topsnelheid in km/uur: 280
Carrosserie/Chassis: aluminium/buizenchassis
Uitvoering: roadster
Productiejaren: 1965-1968
Productie-aantal: 306
In NL: 0
Prijzen: A: 113.000 B: 159.000 C: 204.000

AC 428

Voor de snelle zakenman bouwde AC in 1966 een coupé en een cabriolet op het chassis van de Cobra. De wielbasis was voor deze gelegenheid van 229 tot 244 cm verlengd, waardoor er achterin de wagen plaats voor twee kinderen ontstond. De carrosserieën van de 428 kwamen uit Italië, waar ze door Frua, die ze ook ontworpen had, uit staalplaat geperst werden. De 428 is nu een zeldzame wagen, want van die paar die er gemaakt zijn, is een gedeelte tot de veel kostbaardere Cobra omgebouwd. De 428 kon zeer snel roesten.

Aantal cilinders: V8
Cilinderinhoud in cm³: 6997
Vermogen: 350/4600
Topsnelheid in km/uur: 240
Carrosserie/Chassis: staal/buizenchassis
Uitvoering: coupé en roadster
Productiejaren: 1966-1973
Productie-aantallen: 51 en 29
In NL: 0
Prijzen: A: 14.700 B: 23.800 C: 34.000

AC 3000 ME

Voor de AC liefhebber was de 3000 ME een teleurstelling. Een prototype van de wagen was al in 1973 vertoond, maar de productie kwam pas zes jaar later op gang. In plaats van een krachtige Ford V8-motor voorin onder de motorkap vond men nu een dwars gemonteerde Ford V6-motor voor de achteras. (ME = Mid Engine). De introductie van de wagen viel midden in de oliecrisis toen niemand behoefte had aan een benzineslurpende coupé. Wellicht een van de redenen dat de wagen zo slecht verkocht werd. Er zijn 17 turboversies gebouwd door Robin Rew van Silverstone.

Aantal cilinders: V6
Cilinderinhoud in cm³: 2994
Vermogen: 138/5000
Topsnelheid in km/uur: 200
Carrosserie/Chassis: kunststof/platformchassis
Uitvoering: coupé
Productiejaren: 1979-1984
Productie-aantal: 106
In NL: 1
Prijzen: A: 9.100 B: 13.600 C: 20.400

AERO

De eerste Aero verscheen in 1929 op de Tsjechische wegen. Het was toen de kleinste wagen die dat land kon aanbieden en de tweetaktmotor was met één cilinder en 499 cc ook geen reus. Er was zelfs een Aero sportwagen met een heel lange motorkap waaronder je de motor werkelijk moest zoeken. De wagens van na de oorlog heetten type 30 en hadden een tweecilinder tweetaktmotor. Ze waren vooral als stationcar erg geliefd, ook al omdat de carrosserie gedeeltelijk van hout was.

AERO MINOR

Wie in de jaren direct na de Tweede Wereldoorlog oud genoeg was om interesse te hebben in auto's, die kent de Aero Minor zeker nog. Het was één van de eerste auto's die direct na de oorlog op de Nederlandse straten kwam. Een product van een Tsjechische fabriek die al voor de oorlog vliegtuigen en personenwagens bouwde. Een prototype van de Minor werd nog tijdens de oorlog in het geheim gebouwd en al in 1945 kon de serieproductie daarvan begonnen worden. Een paar jaar later was het korte succes alweer voorbij. Leuk dat de afgebeelde stationcar bewaard is gebleven.

Aantal cilinders: 2
Cilinderinhoud in cm³: 615
Vermogen: 20/3000
Topsnelheid in km/uur: 90
Carrosserie/Chassis: zelfdragend
Uitvoering: coach en stationcar
Productiejaren: 1945-1952
Productie-aantal: 14.100
In NL: 3
Prijzen: A: 700 B: 1.800 C: 2.900

ALFA ROMEO

Op de Parijse Salon van 1949 stelde Alfa Romeo de 1900 voor, waarmee voor de fabriek een nieuw tijdperk begon. Tot die datum had men vanaf 1910 sport- en racewagens gebouwd en de paar personenwagens die uit de fabriek kwamen, waren te duur geweest voor de doorsnee automobilist. Met deze superauto's was de firma Alfa Romeo in financiële moeilijkheden gekomen en die konden alleen maar door een geheel nieuwe en modernere opzet opgelost worden. Inmiddels is die gewijzigde, naoorlogse strategie niet verkeerd gebleken.

ALFA ROMEO 6C2500

Volgens kenners is dit de laatste echte Alfa, maar daarover valt te discussiëren. Hoewel de Alfa Romeo-fabrieken tijdens de oorlog verschillende malen plat gebombardeerd waren, kon men al in 1947 weer personenwagens produceren. Men begon daar waar men in 1940 mee opgehouden was, namelijk met de 6C2500, een peperdure maar ruime sportwagen. Verschillende carrossiers kochten een rolling chassis om er hun mooiste creaties op te kunnen bouwen. Op onze foto een 6C2500 met een carrosserie van Touring. De prijzen voor coupés en cabriolets liggen zeer hoog.

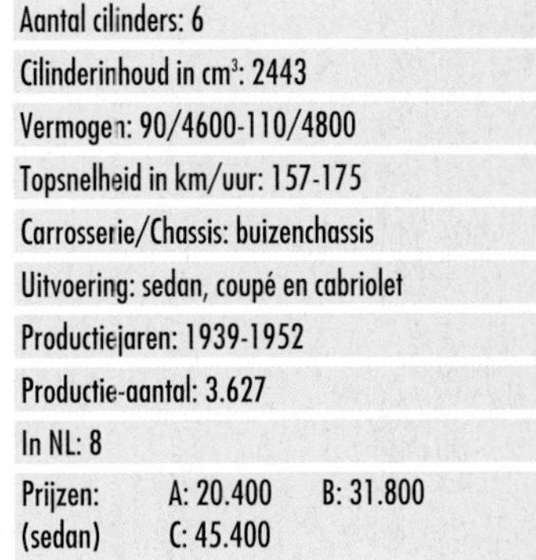
Aantal cilinders: 6
Cilinderinhoud in cm³: 2443
Vermogen: 90/4600-110/4800
Topsnelheid in km/uur: 157-175
Carrosserie/Chassis: buizenchassis
Uitvoering: sedan, coupé en cabriolet
Productiejaren: 1939-1952
Productie-aantal: 3.627
In NL: 8
Prijzen: (sedan) A: 20.400 B: 31.800 C: 45.400

ALFA ROMEO 1900 BERLINA

Dit model werd een mijlpaal in Alfa Romeo's geschiedenis, want de 1900 had alles wat de Alfa's beroemd zou maken: een zelfdragende carrosserie en een prachtige, door Dr. Puliga geconstrueerde motor met twee bovenliggende nokkenassen. De 1900 werd als sedan, coupé of als cabriolet geleverd. De fabriek leverde ook speciaal vervaardigde rolling chassis, zodat ook van dit model vele speciale uitvoeringen bestaan. Vanaf '53 was er standaard de grotere Super-motor. In de periode 1955-57 was er een coach met de naam Primavera, waarvan er slechts 300 geleverd werden.

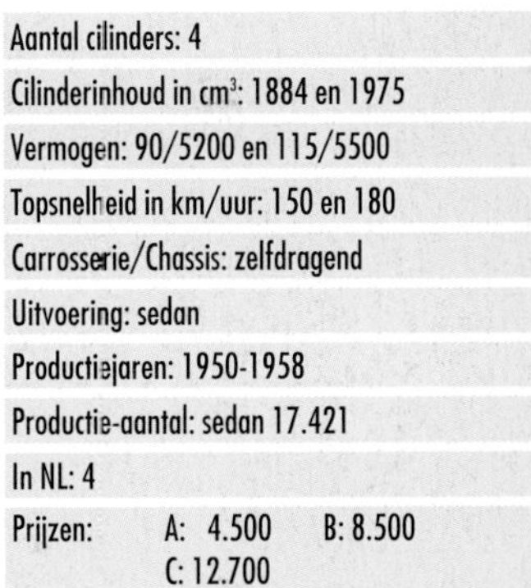
Aantal cilinders: 4
Cilinderinhoud in cm³: 1884 en 1975
Vermogen: 90/5200 en 115/5500
Topsnelheid in km/uur: 150 en 180
Carrosserie/Chassis: zelfdragend
Uitvoering: sedan
Productiejaren: 1950-1958
Productie-aantal: sedan 17.421
In NL: 4
Prijzen: A: 4.500 B: 8.500 C: 12.700

ALFA ROMEO 1900 SPRINT

In vele Alfa Romeo's schuilt een potentiële racewagen en de 1900 maakte hierop geen uitzondering. Nadat de auto drie jaar op de markt was verscheen er een sportversie, een coupé onder de naam Sprint. De wielbasis van de sedan was hiervoor met 13 cm ingekort, de motor werd opgevoerd en er kwam een gestroomlijnde carrosserie. De coupés werden bij Carrozzeria Touring in Milaan van een aluminium opbouw voorzien. Beroemde sportieve 1900's zijn de BAT-creaties van Bertone. De Sprints hebben standaard spaakwielen.

Aantal cilinders: 4
Cilinderinhoud in cm³: 1884
Vermogen: 100/5500
Topsnelheid in km/uur: 180
Carrosserie/Chassis: zelfdragend
Uitvoering: coupé
Productiejaren: 1954-1956
Productie-aantal: 1.796 (incl. Super Sprint)
Aantal in NL: 16
Prijzen: A: 22.700 B: 34.000 C: 45.400

ALFA ROMEO 1900 SUPER SPRINT

De opvolger van de Sprint was de Super Sprint die een grotere cilinderinhoud had en een vijf- in plaats van een vierversnellingsbak. Er waren nu twee dubbele Weber-carburateurs gemonteerd, maar de bandenmaat, 6.00 x 16, was onveranderd gebleven. Ook nu was de coupé bij Touring van een carrosserie voorzien. De spaakwielen waren weer standaard. De koper kon wel kiezen uit vloer- of stuurschakeling. Diverse carrossiers hebben een Super Sprint onder handen genomen. De prijzen hiernaast gelden voor coupés van Touring van de tweede serie.

Aantal cilinders: 4
Cilinderinhoud in cm³: 1975
Vermogen: 115/5500
Topsnelheid in km/uur: 190
Carrosserie/Chassis: zelfdragend
Uitvoering: coupé
Productiejaren: 1955-1958
Productie-aantal: zie hiervoor
In NL: 4
Prijzen: A: 25.000 B: 43.100 C: 63.500

ALFA ROMEO 1900 SUPERGIOELLO

Alfa Romeo liet een aantal carrosseriespecialisten een 1900 SS onder handen nemen en een ervan was Ghia. Hij noemde zijn creatie Supergioello, wat 'superjuweel' betekent. De aluminium body had zeer opvallende en aantrekkelijke lijnen, maar tot productie van enige omvang is niets gekomen. Van de vijf gebouwde exemplaren zijn er drie overgebleven: het oudste exemplaar is de afgebeelde wagen die inmiddels in Nederland is, verder een exemplaar in de collectie van Blackhawk en er is er een in Spanje. Het heeft geen zin om prijsindicaties voor deze uiterst zeldzame Alfa te geven.

Aantal cilinders: 4
Cilinderinhoud in cm³: 1975
Vermogen: 115/5500
Topsnelheid in km/uur: 190
Carrosserie/Chassis: zelfdragend
Uitvoering: coupé
Productiejaren: 1954-1955
Productie-aantal: 5
In NL: 1
Prijzen: A: n.v.t. B: n.v.t. C: n.v.t.

ALFA ROMEO 1900 SUPER SPRINT ZAGATO

De coupés die bij Touring gebouwd waren, boden nog iets van luxe en comfort. Dit miste men in de wagens die bij Carrozzeria Zagato gebouwd waren. Ze waren voor de snelle rijder bestemd die er het circuit mee op wilde of rally's mee wilde winnen. De wagens hadden natuurlijk ook een aluminium carrosserie en een kenmerk waren de twee bobbels in het dak die de rijder en zijn kaartlezer meer hoofdruimte gaven. Gezien het geringe productie-aantal zijn er geen richtprijzen te geven.

Aantal cilinders: 4
Cilinderinhoud in cm³: 1884
Vermogen: 100/5500
Topsnelheid in km/uur: 180
Carrosserie/Chassis: zelfdragend
Uitvoering: coupé
Productiejaren: 1954-1958
Productie-aantal: 18
In NL: 1
Prijzen: A: 84.000 B: 145.000 C: 198.000

ALFA ROMEO 1900 CABRIOLET

Terwijl Carrozzeria Touring voor de fabriekscoupés verantwoordelijk was, bouwde Pinin Farina de open versies. De wagen bood plaats aan vier personen en was dus eerder een gezinswagen dan een sportwagen. Met een leeg gewicht van 1150 kg was hij 100 kg zwaarder dan een coupé en dus ook wat bescheidener in zijn topsnelheid. Ook deze 1900 was er in de Super Sprint-uitvoering. Andere carrossiers die cabriolets hebben gebouwd zijn Worblaufen in Zwitserland en Touring. Die bijzondere creaties zijn natuurlijk nog steviger geprijsd.

Aantal cilinders: 4
Cilinderinhoud in cm³: 1884 en 1975
Vermogen: 100/5500 en 115/5500
Topsnelheid in km/uur: 170-185
Carrosserie/Chassis: zelfdragend
Uitvoering: cabriolet
Productiejaren: 1952-1958
Productie-aantal: 91
In NL: 2
Prijzen: A: 22.700 B: 36.300 C: 45.400

ALFA ROMEO GIULIETTA SPRINT & 1300 SPRINT

Op de tekentafels van Carrozzeria Bertone ontstonden de lijnen voor de carrosserie van de Alfa Giulietta Sprint, een 2+2 coupé. De eerste exemplaren hadden nog een vierbak die door een stuurversnelling geschakeld werd. Latere modellen hadden een langere wielbasis, een sterkere motor en een vijfversnellingsbak met een pook op de vloer. De Sprint Veloce was de snellere uitvoering van de Sprint. Van 1962 tot 1965 werd de coupé als 1300 Sprint naast de van een grotere motor voorziene Giulia geleverd.

Aantal cilinders: 4
Cilinderinhoud in cm³: 1290
Vermogen: 65/6100-90/6500
Topsnelheid in km/uur: 155-170
Carrosserie/Chassis: zelfdragend
Uitvoering: coupé
Productiejaren: 1954-1962, 1962-1965
Productie-aantallen: 27.141 en 1.900
In NL: 25
Prijzen: A: 6.400 B: 9.100 C: 13.600

ALFA ROMEO GIULIA 1600 SPRINT

De carrosserie van deze wagen leek veel op de voorganger, de Giulietta, maar had een kortere wielbasis (235 i.p.v. 238 cm) en een lengte van 408 cm. De wagen werd als 2+2 aangeboden, maar de achterzitjes waren ook voor erg kleine kinderen minder geschikt. Wie de kleinere motor prefereerde, kon altijd nog de 1300 Sprint kopen. De Giulia 1600 Sprint geldt als een van de mooiste auto's die Bertone ooit ontworpen heeft. De wagen liet veel concurrenten achter zich.

Aantal cilinders: 4
Cilinderinhoud in cm³: 1570
Vermogen: 92/6200-112/6500
Topsnelheid in km/uur: 165-180
Carrosserie/Chassis: zelfdragend
Uitvoering: coupé
Productiejaren: 1962-1965
Productie-aantal: 7.107
In NL: 5
Prijzen: A: 6.800 B: 9.100 C: 13.600

ALFA ROMEO GIULIETTA BERLINA & BERLINA Ti

Vanaf 1955 bestond de Giulietta ook als vierdeurs sedan. De Berlina of Berlina Ti had de eigenschappen van een sportwagen met de ruimte van een gezinswagen. Goedkoop was de wagen niet, want in ons land betaalde men voor een Berlina *f* 13.250,–, terwijl Volkswagen *f* 4.525,– voor een standaard-Kever vroeg. Bij Alfa was de toon voor de komende jaren gezet, want sportieve sedans zouden voor Alfa een kenmerk worden. Andere fabrikanten volgden het Italiaanse merk daarin.

Aantal cilinders: 4	
Cilinderinhoud in cm^3: 1290	
Vermogen: van 53/5200 tot 74/6200	
Topsnelheid in km/uur: 140-165	
Carrosserie/Chassis: zelfdragend	
Uitvoering: sedan	
Productiejaren: 1955-1964	
Productie-aantallen: 39.057 en 92.728	
In NL: 15	
Prijzen:	A: 3.400 B: 5.900 C: 8.200

ALFA ROMEO GIULIETTA & GIULIA SPIDER

Een van de mooiste wagens van Pinin Farina is zeker de Giulietta Spider en de vervolgserie met vrijwel hetzelfde koetswerk, de Giulia Spider. Technisch was de wagen identiek aan de Sprint. De getunede Veloce-modellen zijn het meest geliefd, maar vanzelfsprekend zijn deze zeldzaam. Van de Giulietta Veloce zijn er 2796 geleverd en van de Giulia slechts 1091. Na 1962 kwam die Giulia, met een 1,6 liter motor. Niet gerestaureerde exemplaren kunnen zeer roestig zijn, maar de wagens zijn het waard om gered te worden.

Aantal cilinders: 4	
Cilinderinhoud in cm^3: 1290 en 1570	
Vermogen: 65 tot 112/6500	
Topsnelheid in km/uur: 155-180	
Carrosserie/Chassis: zelfdragend	
Uitvoering: cabriolet	
Productiejaren: 1955-1962 en 1962-1965	
Productie-aantallen: 17.096 en 10.341	
In NL: 30	
Prijzen:	A: 8.200 B: 12.300 C: 15.900

ALFA ROMEO SS

Heel duur en nog aantrekkelijker dan de 'gewone' Giulietta's was de Sprint Speciale ofwel SS. De carrosserie was niet alleen door Bertone getekend maar ook bij deze firma gebouwd. De motor van de SS was dezelfde als in de Veloce en leverde 100 pk, zodat de coupé ook bij heuvelklims en circuitraces goed mee kon komen. Ook dit model kon na 1962 als Giulia besteld worden en had dan ook de Veloce-techniek aan boord. Men bedenke echter dat ook nu nog voor een dergelijke wagen ongeveer het dubbele van de prijs van een normale Sprint moet worden betaald.

Aantal cilinders: 4	
Cilinderinhoud in cm^3: 1290 en 1570	
Vermogen: 100 tot 112/6500	
Topsnelheid in km/uur: 200	
Carrosserie/Chassis: zelfdragend	
Uitvoering: coupé	
Productiejaren: 1959-1962 en 1962-1966	
Productie-aantallen: 1.366 en 1.400	
In NL: 5	
Prijzen:	A: 9.100 B: 17.700 C: 25.000

ALFA ROMEO SZ & SZ2

Behalve Pinin Farina en Bertone heeft ook Carrozzeria Zagato mooie Alfa's gebouwd. Zoals de SZ, de Giulietta Sprint Zagato, die een lichte aluminium carrosserie op een Sprint-chassis had. De wagen was in de eerste plaats voor de racerij bedoeld en de lijst met overwinningen is lang en indrukwekkend. Iets meer dan 200 stuks heeft Zagato er tussen 1959 en 1960 gebouwd. De laatste hadden een recht afgesneden in plaats van een ronde achterkant en de allerlaatste hebben rondom schijfremmen. Geen overbodige luxe gezien de topsnelheid, SZ2 kost de helft meer.

Aantal cilinders: 4
Cilinderinhoud in cm^3: 1290
Vermogen: 100/6500
Topsnelheid in km/uur: 200
Carrosserie/Chassis: coupé
Uitvoering: aluminium/platformchassis
Productiejaren: 1959-1960 en 1961-1962
Productie-aantallen: 210 en 44
In NL: 3
Prijzen: (SZ) A: 36.300 B: 52.200 C: 68.100

ALFA ROMEO 2000 BERLINA

Op de Turijnse autotentoonstelling van 1957 vond men een nieuwe Berlina die de verouderde 1900 opvolgde. De technische delen stamden nog van de 1900 en ook de motor was onveranderd overgenomen. De vijfversnellingsbak was wel nieuw en alle versnellingen waren naar de patenten van Porsche gesynchroniseerd. De Alfa 2000 was een grote en dure wagen. Hij had een wielbasis van 272 en een lengte van 472 cm. In Nederland kostte de wagen € 11.118,– en veel zijn er niet verkocht. Het is niet bekend of het enige exemplaar in ons land origineel Nederlands is.

Aantal cilinders: 4
Cilinderinhoud in cm^3: 1975
Vermogen: 105/5300
Topsnelheid in km/uur: 160
Carrosserie/Chassis: zelfdragend
Uitvoering: sedan
Productiejaren: 1958-1962
Productie-aantal: 2.804
In NL: 1
Prijzen: A 2.000 B: 6.400 C: 9.100

ALFA ROMEO 2000 SPIDER

In 1957 verscheen de Alfa Romeo 2000 als opvolger voor de 1900-serie. Ook nu kon de fabriek de auto in drie versies aanbieden: als sedan, als coupé met een carrosserie van Bertone (zie verderop) of als cabriolet met een opbouw van Carrozzeria Touring. Vier trommelremmen en een vijfversnellingsbak met de pook op de vloer behoorden tot de standaarduitrusting van de wagens. Tegen een extra prijsje kon de Spider ook met een hardtop geleverd worden. Kunnen zeer grondig roesten, maar desondanks zijn de prijzen die men ervoor betaalt de laatste tijd redelijk gestegen.

Aantal cilinders: 4
Cilinderinhoud in cm^3: 1975
Vermogen: 115/5500
Topsnelheid in km/uur: 180
Carrosserie/Chassis: zelfdragend
Uitvoering: cabriolet
Productiejaren: 1958-1961
Productie-aantal: 3.443
In NL: 10
Prijzen: A: 7.300 B: 15.900 C: 22.700

ALFA ROMEO 2600 SPIDER

In 1962 werd de tweeliter Spider opgevolgd door de 2600. De carrosserie bleef vrijwel onveranderd. De 2600 is herkenbaar aan zijn veranderde neus en aan het ontbreken van de koelsleuven achter de voorwielen. Onder de motorkap wordt het verschil onmiddellijk duidelijk: men vond er nu een fonkelnieuwe zescilinder motor met natuurlijk twee bovenliggende nokkenassen. De voorwielen hadden schijfremmen en na 1964 waren de trommels bij de achterwielen verdwenen. De 2600 Spider is een sportieve en aantrekkelijke klassieke cabrio.

Aantal cilinders: 6
Cilinderinhoud in cm^3: 2584
Vermogen: 145/5900
Topsnelheid in km/uur: 200
Carrosserie/Chassis: zelfdragend
Uitvoering: cabriolet
Productiejaren: 1962-1965
Productie-aantal: 2.255
In NL: 6
Prijzen: A: 9.100 B: 18.200 C: 26.300

ALFA ROMEO 2600 BERLINA

Een supersnelle wagen was de 2600 Berlina, een sportwagen met een ruime vijfpersoons carrosserie. Deze opbouw was bij Alfa Romeo ontstaan en werd niet door iedereen even mooi gevonden. Exclusief bleef de wagen wel, want in Nederland kostte hij het dubbele van wat men voor een Giulietta Berlina betalen moest, namelijk zo'n € 13.600,–. Gezien de impopulariteit van de wagen toen, zijn goede overgebleven exemplaren tegenwoordig moeilijk te vinden. De firma OSI bouwde 54 eigen versies van deze Alfa. In Brazilië bouwde men de wagen tot '74.

Aantal cilinders: 6
Cilinderinhoud in cm^3: 2584
Vermogen: 145/5900
Topsnelheid in km/uur: 175
Carrosserie/Chassis: zelfdragend
Uitvoering: sedan
Productiejaren: 1962-1968
Productie-aantal: 2.092
In NL: 10
Prijzen: A 3.200 B: 6.400 C: 9.100

ALFA ROMEO OSI 2600

De firma OSI, Officine Stampaggi Industriali, was specialist in het bouwen van showcars en one-offs, maar werkte ook veel voor Carrozzeria Ghia. Een paar maal probeerde OSI een eigen wagen uit te brengen, zoals de OSI-Alfa 2600, een ruime vierzitter op de basis van de Alfa Romeo 2600. De wagen was bedoeld voor de rijke Italiaan die wel in het topmodel van Alfa wilde rijden, maar toch iets anders dan de fabriekswagen wilde. Een groot succes is de wagen nooit geworden en daarom is het ook nu een zeldzaamheid.

Aantal cilinders: 6
Cilinderinhoud in cm³: 2584
Vermogen: 148/5900
Topsnelheid in km/uur: 175
Carrosserie/Chassis: zelfdragend
Uitvoering: sedan
Productiejaar: 1965-1968
Productie-aantal: 54
In NL: 0
Prijzen: A: 3.400 B: 9.100 C: 13.200

ALFA ROMEO 2000/2600 SPRINT

In 1960 verscheen de Alfa Romeo 2000 ook als Sprint en weer was Bertone voor het ontwerp en voor de fabricage van de carrosserie verantwoordelijk. Dubbele koplampen geven de coupé een modern aanzien. Door de korte productieperiode zijn er maar weinig 2000 Sprints geleverd. In 1962 kreeg ook dit model een 2,6 liter zescilinder motor en tegelijkertijd komen er schijfremmen rondom. De twee typen zijn uiterlijk moeilijk van elkaar te onderscheiden. Wederom een roestgevoelige auto. Het exemplaar hiernaast is volledig gerestaureerd.

Aantal cilinders: 4 en 6
Cilinderinhoud in cm³: 1975/2584
Vermogen: 115/5500 en 145/5900
Topsnelheid in km/uur: 180/200
Carrosserie/Chassis: zelfdragend
Uitvoering: coupé
Productiejaren: 1960-1961 en 1962-1965
Productie-aantallen: 700 en 6.999
In NL: 15
Prijzen: A: 4.500 B: 10.000 C: 14.500

ALFA ROMEO 2600 SPRINT ZAGATO

Wie op zoek is naar een heel bijzondere uitgave van de Alfa 2600, moet uitkijken naar een 2600 Sprint Zagato. De wagen had naar goede Zagato-traditie een aluminium carrosserie maar was als snelle reiswagen in plaats van sportwagen bedoeld. Opvallend zijn de grote Alfa-grille en de karakteristieke koplampen. Het geringe productie-aantal is er debet aan dat de prijs die men tegenwoordig voor een dergelijke exclusieve Alfa vraagt, hoog is. Daarbij ziet men ze zelden of nooit te koop aangeboden.

Aantal cilinders: 6
Cilinderinhoud in cm³: 2584
Vermogen: 145/5900
Topsnelheid in km/uur: 210
Carrosserie/Chassis: zelfdragend/alumiunium
Uitvoering: coupé
Productiejaren: 1965-1967
Productie-aantal: 105
In NL: 3
Prijzen: A: 13.600 B: 27.200 C: 36.300

ALFA ROMEO GIULIA

In 1962 kwam Alfa met een 1,6 liter viercilindermotor uit, waarmee de Giulia-serie geboren was. De eerste exemplaren van de berlina hadden nog vier trommelremmen, een stuurversnelling een een doorgaande voorbank, maar al heel gauw werd de auto tot sportieve gezinswagen omgetoverd. Fervente verzamelaars houden beide ogen open naar de Giulia Ti Super waarvan er in 1963 en 1964 501 stuks gemaakt werden. In 1974 volgt de Giulia Nuova, die een strakkere – en volgens velen minder aantrekkelijke – carrosserie meekrijgt.

Aantal cilinders: 4
Cilinderinhoud in cm³: 1290 en 1570
Vermogen: 78/6200 tot 112/6500
Topsnelheid in km/uur: 155-175
Carrosserie/Chassis: zelfdragend
Uitvoering: sedan
Productiejaren: 1962-1978
Productie-aantallen:1300: 258.550; 1600: 228.251
In NL: 700
Prijzen: A: 2.000 B: 3.900 C: 6.800

ALFA ROMEO GIULIA SPRINT GT

De Giulia Sprint is één van de meest verkochte Alfa's geweest. Bijna 15 jaar bleef de wagen in productie zonder dat er uiterlijk grote veranderingen aangebracht moesten worden. Technisch werd de auto natuurlijk wel steeds aangepast en zo vindt men hem met allerlei motorvarianten. De carrosserie is van Bertone en daarom worden deze Alfa's ook wel als Bertones aangeduid. De GTV-uitvoeringen zijn zeer gewild. Vanaf 1967 is er een Junior-variant. De Sprint is zeer geschikt voor dagelijks gebruik, net als de gewone Giulia.

Aantal cilinders: 4
Cilinderinhoud in cm^3: 1290,1570,1779 en 1962
Vermogen: 87/6000 tot 131/5500
Topsnelheid in km/uur: 170-200
Carrosserie/Chassis: zelfdragend
Uitvoering: coupé
Productiejaren: 1963-1977
Productie-aantal: 199.684
In NL: 300
Prijzen: A: 3.200 B: 6.800 C: 11.300

ALFA ROMEO GIULIA TZ 1 & TZ 2

In 1963 verscheen Zagato met een Giulia die eigenlijk niet meer voor het dagelijkse verkeer te gebruiken was. De TZ voor Tubolare Zagato was niets anders dan een buizenchassis, een opgevoerde motor, een lichtgewicht aluminium body en twee stoeltjes die de naam 'stoeltjes' eigenlijk niet verdienden. De isolatie ontbrak geheel zowel tegen de hitte van de motor, versnellingsbak en uitlaat als tegen het geluid. In 1965 en 1966 werden er een paar wagens met een kunststof carrosserie onder de naam TZ2 gebouwd.

Aantal cilinders: 4
Cilinderinhoud in cm^3: 1570
Vermogen: 113/6500 en 170/7500
Topsnelheid in km/uur: 215 en 230
Carrosserie/Chassis: aluminium op buizenchassis
Uitvoering: coupé
Productiejaren: 1963-1964 en 1965-1966
Productie-aantallen: 112 en 12
In NL: 4
Prijzen: A: 59.000 B: 136.000 C: 216.000

ALFA ROMEO GIULIA SPRINT GTA

Voor de racerij in groep 2 ontstond de GTA. De wagen was alleen in details van een 'gewone' Giulia Sprint te onderscheiden daar de meeste verschillen onder de lichtmetalen carrosserie zaten. Er waren geen bumpers gemonteerd. De twinspark motor was opgevoerd bij Autodelta en kon op verzoek 170 pk leveren. De GTA's wonnen waar ze ingezet werden, op de circuits maar ook bij heuvelklims. Vanaf 1968 was er de 1300-motor. Alle GTA's zijn zogenaamde 'twin sparks', iets wat toen zeer opzienbarend was.

Aantal cilinders: 4
Cilinderinhoud in cm^3: 1570 en 1290
Vermogen: 133/6000-110/6000
Topsnelheid in km/uur: 190 en 180
Carrosserie/Chassis: zelfdragend
Uitvoering: coupé
Productiejaren: 1966-1968 en 1968-1972
Productie-aantallen: 394 en 492
In NL: 6
Prijzen: (1300) A: 13.600 B: 25.000 C: 35.000

ALFA ROMEO GIULIA GTC

Met de Giulia GTC hoopte Carrozzeria Touring een gat in de markt gevonden te hebben. De Giulia cabriolets die bij Pininfarina vandaan kwamen, waren tweezitters met achterin hoogstens plaats voor een klein kind. De GTC was echter als volwaardige vierpersoonswagen te beschouwen. Dat dit wel ten koste van de mooie lijnen ging, was maar bijzaak. De GTC stond op het chassis van de Sprint GT en had dus een 10 cm langere wielbasis dan de 1600 Spider die in maart 1966 door Pininfarina gepresenteerd werd. Jammer dat de GTC slechts korte tijd in productie bleef.

Aantal cilinders: 4
Cilinderinhoud in cm^3: 1570
Vermogen: 106/6000
Topsnelheid in km/uur: 180
Carrosserie/Chassis: zelfdragend
Uitvoering: cabriolet
Productiejaren: 1966-1967
Productie-aantal: 1.000
In NL: 3
Prijzen: A: 9.100 B: 15.900 C: 20.400

ALFA ROMEO DUETTO, SPIDER 1300 JUNIOR, SPIDER 1600 & SPIDER 1750 VELOCE

Hoewel ze nog een tijdje naast elkaar gebouwd werden, loste de Duetto de oudere Spider af en de Duetto baarde veel opzien door zijn bijzonder mooie, door Pininfarina ontworpen en gebouwde carrosserie. De Duetto had eerst een 1,6 liter motor maar kon al gauw ook met een 1,3 en een 1,8 liter viercilinder geleverd worden. De spits aflopende achterkant (coda longa) gaf veel kritiek en werd tenslotte door Pininfarina 'afgesneden' (coda tronca).

Aantal cilinders: 4
Cilinderinhoud in cm^3: 1290,1570 en 1779
Vermogen: 87/6000, 109/6000, 113/5000
Topsnelheid in km/uur: 170-190
Carrosserie/Chassis: zelfdragend
Uitvoering: cabriolet
Productiejaren: 1966-1968, 1968-1970 en 1967-1970
Productie-aantallen: 6.325 (Duetto); andere: zie onder
In NL: 50
Prijzen: A: 4.100 B: 8.600 C: 13.600

ALFA ROMEO SPIDER 1300 JUNIOR, 1600 (JUNIOR), 1750 & 2000

In 1970 kreeg de Alfa Romeo Spider van Pininfarina een nieuwe carrosserie. Opvallend was de achterkant die nu recht afgesneden was. Het is een kwestie van smaak welk model men mooier vindt, maar een feit blijft dat de oude en ronde versie meer gezocht is dan de modernere. In de prijsnoteringen gaan we tot het 2.0-model van 1983, aangezien de wagen ook nog als occasion te koop is. De 1750 ligt wat hoger in prijs dan de overige drie versies.

Aantal cilinders: 4
Cilinderinhoud in cm³: 1290,1570,1779 en 1962
Vermogen: 87/6000 tot 131/5500
Topsnelheid in km/uur: 170-200
Carrosserie/Chassis: zelfdragend
Uitvoering: cabriolet
Productiejaren: 1970-1993
Productie-aantallen: 7.237 (1300 Junior); 4.848 (1600 Junior); 8.351 (1600); 8.722 (1750); 59.433 (2000)
In NL: 450
Prijzen: A: 3.600 B: 6.400 C: 9.100

ALFA ROMEO JUNIOR ZAGATO 1.3 & 1.6

Tot nu toe is alles wat Zagato gebouwd heeft na verloop van tijd duurder geworden en daarom is het wel te verwachten dat ook de Alfa Junior Zagato in waarde zal stijgen. Opvallend is dat de typische 'bolle' Zagato-stijlkenmerken aan deze Junior voorbij zijn gegaan. De auto had eerst een 1,3 liter motor, maar deze werd in 1972 vervangen door een 1,6 liter vierpitter die in een iets langer chassis ingebouwd werd. De laatste versie is het zeldzaamst, zeker in West-Europa.

Aantal cilinders: 4
Cilinderinhoud in cm³: 1290 en 1570
Vermogen: 87/6000 en 113/5000
Topsnelheid in km/uur: 170 en 190
Carrosserie/Chassis: zelfdragend
Uitvoering: coupé
Productiejaren: 1969-1972 en 1972-1975
Productie-aantallen: 1.108 en 402
In NL: 30
Prijzen (1300): A: 5.400 B: 10.400 C: 15.900

ALFA ROMEO 1750 & 2000 BERLINA

Terwijl men af en toe nog een oude Giulia Super op straat tegen komt, schijnen zijn grote familieleden, de 1750 en 2000, allemaal gesloopt te zijn. Eigenlijk jammer, want het waren pittige en vooral ruime wagens die indertijd goed verkocht zijn. In 1967 kwam deze Berlina als 1750 op de markt en hij werd in 1970 vergezeld door de 2000. De schaarse overgebleven exemplaren – roest was ook hier de grote vijand – zijn tot op heden vrij bescheiden geprijsd. Dat geldt ook voor wagens die recent uit Italië zijn geïmporteerd.

Aantal cilinders: 4
Cilinderinhoud in cm³: 1779 en 1962
Vermogen: 118/5500 en 132/5500
Topsnelheid in km/uur: 180 en 190
Carrosserie/Chassis: zelfdragend
Uitvoering: sedan
Productiejaren: 1967-1972 en 1970-1977
Productie-aantallen: 101.880 en 89.840
In NL: 100
Prijzen: A: 1.600 B: 3.200 C: 5.400

ALFA ROMEO 33 STRADALE

De Tipo 33 racer was er al in 1965 maar nam in maart '67 voor het eerst aan wedstrijden deel. Voor weggebruik bouwde Autodelta, Alfa's race-afdeling, naar een ontwerp van Franco Scaglione een handvol coupés met een tien cm langere wielbasis. De V8, die ook van Autodelta kwam, was iets getemd om het niet al te gek te maken en hij stond midden in de slechts 99 cm hoge wagen. De zesversnellingsbak en de 230 pk maakten van de 33 geen auto voor een onervaren chauffeur. Bertone bouwde op basis van een dergelijke coupé zijn Carabo.

Aantal cilinders: V8
Cilinderinhoud in cm³: 1995
Vermogen: 230/8800
Topsnelheid in km/uur: 260
Carrosserie/Chassis: buizenchassis
Uitvoering: coupé
Productiejaren: 1967-1969
Productie-aantal: 18
In NL: n.b.
Prijzen: A: n.v.t. B: n.v.t. C: 590.000

ALFA ROMEO MONTREAL

In 1970 was het zo ver: Alfa Romeo liet eindelijk het productiemodel zien van de Montreal, nadat prototypen – toen nog met een middenmotor – al sinds 1967 op de tentoonstellingen verschenen waren. Weer kwam de carrosserie van Bertone maar ditmaal vond men een iets tammere uitvoering van de racewagenmotor onder de kap. Deze aluminium V8 had vier nokkenassen en genoeg kracht om het te kunnen opnemen tegen Porsches, Maserati's of Ferrari's. De betrouwbaarheid van de snelle coupé liet te wensen over. Een dure wagen wat onderhoud betreft.

Aantal cilinders: V8
Cilinderinhoud in cm³: 2593
Vermogen: 200/6500
Topsnelheid in km/uur: 220
Carrosserie/Chassis: zelfdragend
Uitvoering: coupé
Productiejaren: 1970-1977
Productie-aantal: 3.925
In NL: 15
Prijzen: A: 4.500 B: 9.100 C: 13.600

ALFA ROMEO ALFETTA

Met de Alfetta keerde er een naam terug die herinnerde aan de beroemde Grand Prix-wagens waarmee Alfa een paar maal wereldkampioen geworden was. Kosten noch moeite waren voor deze snelle sedan gespaard en zo vond men een gecompliceerde De Dion-achteras in de auto. De versnellingsbak was met het differentieel samen gebouwd en om het onafgeveerde gewicht zo laag mogelijk te houden, waren de schijfremmen bij het differentieel gemonteerd. De introductie vond in mei 1972 in Triest plaats en voor deze gelegenheid was de vijfvoudige wereldkampioen Juan Manuel Fangio uit Argentinië overgekomen.

Aantal cilinders: 4
Cilinderinhoud in cm³: 1570-1962
Vermogen: 108/5600-130/5400
Topsnelheid in km/uur: 170-185
Carrosserie/Chassis: zelfdragend
Uitvoering: sedan
Productiejaren: 1972-1984
Productie-aantal: 472.868
In NL: 1.000
Prijzen: A: 900 B: 1.800 C: 2.700

ALFA ROMEO ALFETTA GT

Eigenlijk was alles anders bij de opvolger van de Bertone Sprint die in 1974 in de aanbieding kwam. De hoekige carrosserie kwam van de tekentafel van Bertones chefdesigner Giugiaro. De wagen was aanzienlijk ruimer dan zijn voorganger en technisch veel moderner. Toch waren de liefhebbers van de vlotte Bertone er niet gelukkig mee. Het summum is overigens de Turbodelta die een 150 pk motor onder de kap heeft. Ook deze Alfa kan bijzonder hard roesten in onze streken. De GT is een heerlijke auto, die nog voor schappelijke prijzen te vinden is.

Aantal cilinders: 4
Cilinderinhoud in cm³: 1570,1779 en 1962
Vermogen: 109/5600-150/5500
Topsnelheid in km/uur: 180-210
Carrosserie/Chassis: zelfdragend
Uitvoering: coupé
Productiejaren: 1974-1986
Productie-aantal: 113.686
In NL: 100
Prijzen: A: 1.600 B: 3.400 C: 5.400

ALFA ROMEO ALFASUD

Toen de Turijnse Salon in november 1971 zijn poorten opende, stroomden de bezoekers naar de Alfa-stand om HET grote nieuws te zien: de Alfa voor de kleine man. Gebouwd in een nieuwe fabriek in het zuidelijke gedeelte van Italië waar bijna iedereen werkloos was. Het was de eerste Alfa met voorwielaandrijving. Technisch viel er niet veel op de auto aan te merken, maar de carrosserieën waren soms al na een paar maanden doorgeroest. Met de Alfasud verloor de fabriek veel van haar goede naam en het duurde lang voordat men die weer terugverdiend had.

Aantal cilinders: 4
Cilinderinhoud in cm³: 1186, 1286, 1350 en 1490
Vermogen: 63/6000-95/5800
Topsnelheid in km/uur: 150-170
Carrosserie/Chassis: zelfdragend
Uitvoering: sedan, coach en stationcar
Productiejaren: 1972-1984
Productie-aantal: 1.008.787 (alle modellen)
In NL: 300
Prijzen: A: 700 B: 1.400 C: 2.300

ALFA ROMEO ALFASUD SPRINT

Nadat de Alfasud in 1973 als 'ti' en dus met een sterkere motor uitgekomen was, volgde de Alfasud Sprint in september 1976. De Sprint was uitsluitend als coupé te krijgen en sloot aan bij de lange en sportieve traditie van Alfa. De eerste Sprint had een 1,3 liter motor met 76 pk, die in 1978 tot 1490 cm³ opgeboord werd, waardoor het vermogen tot 85 pk steeg. Van 1979 tot 1983 werd de Alfasud Sprint Veloce aangeboden, die 95 pk bij 6000 toeren leverde. Met deze wagen kon een top van 185 km/uur gehaald worden. Ook hier is roest vijand nummer 1.

Aantal cilinders: 4
Cilinderinhoud in cm³: 1286 en 1490
Vermogen: 76/6000-95/6000
Topsnelheid in km/uur: 165-185
Carrosserie/Chassis: zelfdragend
Uitvoering: coupé
Productiejaren: 1976-1987
Productie-aantal: 103.053
In NL: 50
Prijzen: A: 1.100 B: 2.200 C: 3.400

ALFA ROMEO ALFETTA GTV6

Zes jaar na de introductie van de viercilinder GT's kwam Alfa met de laatste uitvoering van de sportieve Alfetta. Het was de GTV6 die de aluminium V6-motor van de in '79 voorgestelde Alfa 6 Berlina onder de kap had. Uiterlijk waren de GT's bijna niet uit elkaar te houden. Wel waren er voor de hele GT-serie kleine optische wijzigingen doorgevoerd, zoals andere velgen, bumpers en een nieuw dashboard. Alfisti konden vanaf nu weer in een 'echte' snelle Alfa rijden. Kijk uit voor afgereden exemplaren. Ook deze GTV's worden tegenwoordig uit Italië gehaald.

Aantal cilinders: V6
Cilinderinhoud in cm³: 2492
Vermogen: 160/6000
Topsnelheid in km/uur: 210
Carrosserie/Chassis: zelfdragend
Uitvoering: coupé
Productiejaren: 1980-1986
Productie-aantal: 83.097
In NL: 100
Prijzen: A: 2.300 B: 4.500 C: 7.300

ALFA ROMEO GIULIETTA 1977-1985

In 1977 kwam Alfa weer eens met een naam terug die voor velen goede herinneringen opriep: Giulietta. Technisch leek de wagen op de Alfetta, want ook nu had men de vijfversnellingsbak en de koppeling samen gebouwd met het differentieel van de De Dion-achteras. Aanvankelijk waren er de 1.3 en 1.6 liter, maar vanaf '79 was er de 1.8 en een jaar later de 2.0. In 1981 en 1983 volgden facelifts. Voor sommige markten waren er nog de 2.0Ti, de turbodiesel en de slechts 261 maal gebouwde Turbodelta. Notoire roesters.

Aantal cilinders: 4
Cilinderinhoud in cm³: 1357-1962
Vermogen: 95/6000-170/n.b.
Topsnelheid in km/uur: 165-205
Carrosserie/Chassis: zelfdragend
Uitvoering: sedan
Productiejaren: 1977-1985
Productie-aantal: 379.689
In NL: n.b.
Prijzen: (1.3) A: 200 B: 900 C: 1.700

ALFA ROMEO ALFA 6

Toen deze wagen in april 1979 aan het publiek werd voorgesteld, betrof het de meest luxueuze auto die Alfa kon aanbieden. Hij was ontworpen door de beroemde ingenieur Orazio Satta, die ook voor de Giulietta verantwoordelijk was geweest. De motor was een V6 met een bovenliggende nokkenas per cilinderrij en zes carburateurs. Vier schijfremmen zorgden voor een goede vertraging en een sperdifferentieel voor een goede acceleratie. Het was de eerste Alfa met stuurbekrachtiging. Zal wel duurder worden na het jaar 2004.

Aantal cilinders: V6
Cilinderinhoud in cm³: 2492
Vermogen: 158/5600
Topsnelheid in km/uur: 195
Carrosserie/Chassis: zelfdragend
Uitvoering: sedan
Productiejaren: 1979-1986
Productie-aantal: 12.288
In NL: 10
Prijzen: A: 800 B: 2.000 C: 2.900

ALFA ROMEO ALFA 90

Met een nieuwe carrosserie leefde de Alfetta vanaf 1984 voort als Alfa 90, oftewel de Alfa voor de jaren negentig. Die zou hij echter nooit bereiken. De klant had de keuze uit een viercilinder met of zonder injectie, een diesel en een V6-motor. Een bijzondere gag was de voorspoiler die bij hoge snelheid automatisch uitklapte. De rijeigenschappen van deze grote Alfa Romeo waren uitstekend, maar de vijanden waren ook nu weer het roestspook en de hoge afschrijving in de eerste jaren. Hoewel de wagen redelijk verkocht, verdween hij snel uit het programma.

Aantal cilinders: 4 en V6
Cilinderinhoud in cm³: 1779-2492
Vermogen: 100/4200-158/5600
Topsnelheid in km/uur: 170-200
Carrosserie/Chassis: zelfdragend
Uitvoering: sedan
Productiejaren: 1984-1987
Productie-aantal: 44.585
In NL: n.b.
Prijzen: (V6) A: 900 B: 2.000 C: 3.400

ALLARD

Sidney Allard heeft aanvankelijk sportwagens voor terreinritten gebouwd en na de oorlog personenwagens met Amerikaanse V8-motoren. Aangezien de markt voor zijn producten slechts heel klein was, bouwde Allard, zelf een succesvolle rally-rijder, ook nog kleine driewieler bestelwagentjes om aan de kost te komen. In de late jaren vijftig probeerde de firma in Clapham het nog met toerwagens met een Jaguar-motor, maar ook hier was geen geld mee te verdienen. De zwanenzang van het bedrijf vormde het vertimmeren van Ford Anglia's en in 1960 sloot Allard de poorten.

ALLARD J1, K1, L & M1

Allard was al in 1946 terug op de markt met drie sportwagens: de J1, K1 en L. Ze werden aangedreven door Ford Pilot V8-motoren. De J was een tweezitter op een kort chassis met diep uitgesneden deurtjes en kon naar wens van een Mercury V8-motor voorzien worden. De K (foto) was iets langer en had hogere deuren; de L was nog weer langer en bood vier zitplaatsen. In 1947 kwam een drophead coupé uit onder de naam M1. De prijzen hiernaast slaan niet op de J, aangezien deze extreem zeldzaam is. Een aantal ervan is namelijk later omgebouwd voor trials.

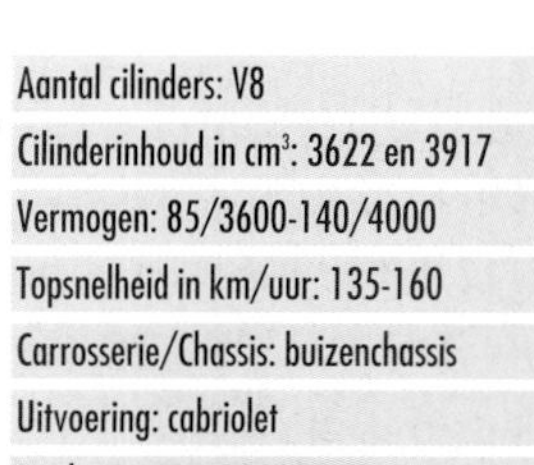

Aantal cilinders: V8
Cilinderinhoud in cm³: 3622 en 3917
Vermogen: 85/3600-140/4000
Topsnelheid in km/uur: 135-160
Carrosserie/Chassis: buizenchassis
Uitvoering: cabriolet
Productiejaren: 1946-1950
Productie-aantallen: 12, 151, 191 en 500
In NL: n.b.
Prijzen: A: 18.200 B: 26.300 C: 34.000

ALLARD K2

In 1950 loste de K2 zijn voorganger af. De neus was meer gestroomlijnd dan de eerste versie en er was een kofferruimte gekomen. Standaard zat de Ford Pilot V8 nog onder de motorkap. Latere versies hadden weer een andere grille en bumper. De afwerking en uitrusting waren verbeterd. Voor de VS – de belangrijkste markt voor Allard – kregen de exportversies motoren van Cadillac of Chrysler en dat maakte deze Allard tot een veel interessantere auto. De bijzondere vormgeving is er debet aan dat je deze wagen prachtig of oerlelijk vindt. Snel zijn ze wel.

Aantal cilinders: V8
Cilinderinhoud in cm³: 3622 en 3917
Vermogen: vanaf 85/3600-140/4000
Topsnelheid in km/uur: 135-160
Carrosserie/Chassis: buizenchassis
Uitvoering: cabriolet
Productiejaren: 1950-1953
Productie-aantal: 119
In NL: n.b.
Prijzen: (K1) A: 20.400 B: 29.500 C: 38.600

ALLARD P1

In 1949 verscheen Allard met een gesloten sportwagen, de P1, die plaats bood aan vier personen. Het werd het meest verkochte Allard-model en toen Sidney Allard zelf met zo'n wagen in 1952 de rally van Monte Carlo won, was dit een reuze publiciteit. De meeste P1's werden met een Mercury V8 met 115 pk geleverd maar de goede oude Ford V8 stond ook steeds ter beschikking. De carrosserie was van aluminium om het gewicht laag te houden. Vanaf 1950 waren er schroefveren. De P2 werd geen succes met zijn slechts 11 gebouwde exemplaren.

Aantal cilinders: V8
Cilinderinhoud in cm³: 3622 en 4375
Vermogen: 86/3600-110/3800
Topsnelheid in km/uur: 145 en 150
Carrosserie/Chassis: buizenchassis
Uitvoering: coach
Productiejaren: 1949-1953
Productie-aantal: 559
In NL: n.b.
Prijzen: A: 12.500 B: 21.600 C: 29.500

ALLARD JX & J2X

De J2 van 1949 is de absolute topper onder alle Allards. De wagen was ongelooflijk snel door de grote motor in de in totaal nog geen ton wegende auto. De gedeelde vooras, De Dion-achteras en de eenvoudig afneembare aluminium body maakten deze J2 buitengewoon sportief. Standaard was er een V8 4,4 liter van Mercury, een V8 van Ford, Chrysler of Cadillac. Die Ford-motor kon ook nog eens opgepept worden met een Ardun-kop. De J2X van 1952 had een andere voortrein en een langere neus. In 1981 verschenen in de VS replica's van de J2X met andere wielmaten als enige verschil.

Aantal cilinders: V8
Cilinderinhoud in cm³: 3917-5420
Vermogen: 110/3800-180/4000
Topsnelheid in km/uur: 160-210
Carrosserie/Chassis: aluminium op buizenchassis
Uitvoering: roadster
Productiejaren: 1949-1952 en 1952-1953
Productie-aantallen: 90 en 83
In NL: n.b.
Prijzen: A: 34.000 B: 56.700 C: 83.900

ALLARD M2X

Nadat de Allard P voor Sidney Allard zo'n succes geworden was, besloot hij in 1951 een cabrioletuitvoering van de wagen op de markt te brengen. Het bleek echter dat de wereld niet direct op de Allard M2X gewacht had, want de verkoopscijfers waren bedroevend. De wagen kon met Cadillac-, Ford-, Mercury- en Chrysler V8-motoren geleverd worden, maar de meeste Allard-klanten kozen er een van Ford. De M2X had een wielbasis van 254 cm en woog, schoon aan de haak, 915 kg. Terwijl de P1 nog stuurversnelling had, kreeg de M2X een vloerpook.

Aantal cilinders: V8
Cilinderinhoud in cm^3: 3622
Vermogen: 91/3600
Topsnelheid in km/uur: 145
Carrosserie/Chassis: aluminium/buizenchassis
Uitvoering: cabriolet
Productiejaren: 1951-1952
Productie-aantal: 25
In NL: n.b.
Prijzen: A: 15.900 B: 26.100 C: 36.300

ALLARD PALM BEACH 1 & 2

Deze wagen werd in het najaar van 1952 als tweepersoons roadster voorgesteld. De klant kon kiezen uit een viercilinder 1,5 liter Ford Consul-motor of uit een 2,3 liter zescilinder uit een Ford Zephyr. De Ford Consul-motor had te weinig vermogen om de auto op een redelijke snelheid te brengen en deze werd dan ook maar achtmaal ingebouwd. De carrosserieën van de wagens waren van aluminiumplaat dat over een frame van essenhout gemonteerd was.

Aantal cilinders: 4 en 6
Cilinderinhoud in cm^3: 1508 en 2262
Vermogen: 47/4400-68/4000
Topsnelheid in km/uur: 120 en 145
Carrosserie/Chassis: aluminium/buizenchassis
Uitvoering: cabriolet
Productiejaren: 1952-1956
Productie-aantallen: 8 en 65
In NL: n.b.
Prijzen: (6 cil.) A: 13.600 B: 25.000 C: 31.800

ALPINE

Jean Rédélé, rallyrijder en Renault-dealer in het Franse stadje Dieppe, bouwde in 1955 zijn eerste eigen auto. De wagen stond op het onderstel van een Renault 4 en werd Alpine A106 gedoopt. Het zou nog enige jaren duren voordat de Alpine in serie gebouwd werd, maar toen de productie eenmaal op gang gekomen was, was zij niet meer te stoppen. De wagens reden van de ene overwinning naar de andere en waren zowel bij rally's als bij circuitraces in hun klasse niet te verslaan. De firma behoort nu aan Renault.

ALPINE A106

De A106 was de eerste Alpine die in een kleine serie gebouwd werd. Men noemde ze ook wel Alpine Mille Miles nadat het eerste exemplaar in 1956 zijn klasse in de Mille Miglia gewonnen had. Deze A106 had een kunststof carrosserie die met een stalen buizenframe verbonden was. Het gewicht van de wagen bedroeg nauwelijks 500 kg zodat de 43 pk's van de Renault 4-motor voldoende waren voor een topsnelheid van meer dan 150 km/uur. De Alpine was al gauw bij de Renault-dealers verkrijgbaar en werd redelijk goed verkocht.

Aantal cilinders: 4
Cilinderinhoud in cm^3: 747
Vermogen: 43/6200
Topsnelheid in km/uur: 150
Carrosserie/Chassis: kunststof op een buizenchassis
Uitvoering: coupé
Productiejaren: 1955-1961
Productie-aantal: ca. 150
In NL: 1
Prijzen: A: 6.800 B: 13.200 C: 18.200

ALPINE A108

Na de A106 Mille Miles volgde in 1961 de A108 die eerst met een Renault 4- en daarna met een Renault Dauphine-motor geleverd werd. Deze laatste motor kon dan nog in verschillende opvoerstadia ingebouwd worden en zo had de klant de keuze uit motoren van 31 tot 68 pk. De A108 was eigenlijk een tussenmodel, want nadat er enkele tientallen exemplaren verkocht waren, verkocht Rédélé de assemblagerechten naar Brazilië waar Willys de auto onder de naam Interlagos verder bouwde. Bij Alpine ontstond op dat moment de A110. In de jaren '63 en '64 bouwde men nog 144 A108's.

Aantal cilinders: 4
Cilinderinhoud in cm^3: 747 en 845
Vermogen: 31/5000-68/6200
Topsnelheid in km/uur: 150-170
Carrosserie/kunststof op een buizenchassis
Uitvoering: coupé
Productiejaren: 1961-1964
Productie-aantal: 177
In NL: 3
Prijzen: A: 7.300 B: 12.700 C: 18.200

ALPINE A110 GT 4

De opvolger van de A108 heette A110 GT 4, waarbij de '4' op de vier zitplaatsen sloeg. Renault had juist zijn R8 uitgebracht en Rédélé gebruikte deze solide krachtbron (met vijfmaal gelagerde krukas) voor zijn nieuwe wagen. De klant kon de motor in verschillende stadia van tuning bestellen, van de originele 44 SAE pk tot aan 95 pk. Voor de liefhebber stond de motor van de Renault Floride S ter beschikking. Daar het dak ver horizontaal doorgetrokken was, konden er ook volwassenen achterin de wagen zitten.

Aantal cilinders: 4
Cilinderinhoud in cm^3: 1108
Vermogen: 44/4900-95/6500
Topsnelheid in km/uur: 145-185
Carrosserie/Chassis: zelfdragend
Uitvoering: coupé
Productiejaren: 1962-1965
Productie-aantal: 112
In NL: n.b.
Prijzen: A: 3.200 B: 7.900 C: 11.300

ALPINE A110

De A110 was (en is) de meest geliefde Alpine. Hij bleef van 1963 tot en met 1977 in productie en veranderde in die tijd alleen in details van uiterlijk. In 1962 werd hij opgebouwd uit Renault 8-onderdelen terwijl de laatste exemplaren een Renault R16-motor als basis hadden. Tot 1969 kon men de A110 als cabriolet, als vierpersoons coupé, de GT4, of als tweepersoons Berlinette kopen. Deze laatste overleefde en kon zo de firma aan grote roem helpen. Assemblage vond ook plaats in Spanje, Mexico, Brazilië en Bulgarije. De 1600S ligt hoger in prijs dan de hiernaast vermelde bedragen.

Aantal cilinders: 4
Cilinderinhoud in cm^3: 956 tot 1647
Vermogen: 48/5200-138/6000
Topsnelheid in km/uur: 175-215
Carrosserie/Chassis: kunststof op een centrale buis
Uitvoering: coupé en cabriolet
Productiejaren: 1963-1977
Productie-aantallen: 8.139 (1,1, 1,3, 1,5 en 1,6 liter)
In NL: 41
Prijzen: (coupé) A: 6.800 B: 11.300 C: 17.000

ALPINE A310

De Alpine A310 verscheen in 1971 op de tentoonstelling van Genève en wel als aanvulling in het programma naast de A110. Achterin de wagen vond men een R16-motor die nu 127 in plaats van 67 DIN pk's leverde. De 2+2 had een gewicht van slechts 830 kilo, zodat de wagen behoorlijk over de 200 km/uur-grens kwam. Toch stond de motorisering in contrast met het snelle uiterlijk en dat probleem werd met de komst van de A310 V6 in 1976 opgelost. De beoogde strijd tegen Porsche kon toen wel beginnen.

Aantal cilinders: 4
Cilinderinhoud in cm^3: 1605-1647
Vermogen: 95/6000-128/6250
Topsnelheid in km/uur: 190-210
Carrosserie/Chassis: kunststof/centrale buis
Uitvoering: coupé
Productiejaren: 1971-1976
Productie-aantal: 2.340
In NL: 5
Prijzen: A: 3.200 B: 7.700 C: 11.300

ALPINE A310 V6

Op de Parijse Salon van 1976 introduceerde Alpine zijn A310 met een V6-motor, waardoor de wagen een rasechte sportwagen geworden was. Hij accelereerde van 0 naar 100 km/uur in 7,5 seconden en ook zijn topsnelheid loog er niet om. Om de wagen ook weer zonder brokken tot stilstand te kunnen brengen, waren nu alle vier wielen van schijfremmen voorzien. De fabriek bood de wagen als 2+2 gezinscoupé aan, maar wees erop dat hij ook heel geschikt was voor het racen in de groep 4-klasse. Vanaf 1978 zijn er vijf versnellingen en vanaf 1981 was er een GT-pakket verkrijgbaar.

Aantal cilinders: V6
Cilinderinhoud in cm^3: 2664
Vermogen: 150/6000
Topsnelheid in km/uur: 225
Carrosserie/Chassis: kunststof/centrale buis
Uitvoering: coupé
Productiejaren: 1976-1984
Productie-aantal: 9.276
In NL: 80
Prijzen: A: 3.600 B: 7.300 C: 10.000

ALVIS

De in 1919 in Warwickshire opgerichte firma Alvis werd vooral in de jaren dertig bekend om zijn sportieve automobielen. Ze konden het opnemen tegen de Bentleys maar kosten dan ook niet veel minder. Na de oorlog ging men – vooral geholpen door Alec Issigonis die als constructeur van de Mini wereldberoemd zou worden – op dezelfde voet verder. Men produceerde prachtige maar erg dure wagens die steeds moeilijker te verkopen waren. In 1965 nam Rover Alvis over om het merk twee jaren later te laten verdwijnen.

ALVIS TA14

De eerste wagen die Alvis na de oorlog uitbracht, was de TA14 die gebaseerd was op de vooroorlogse 12/70. De carrosserie stamt van de Speed 25. In plaats van de aloude 17 inch spaakwielen stond de auto nu op 16 inch schijfwielen en dat was het grootste uiterlijke verschil met zijn voorgangers. De remmen werkten nog mechanisch en in de vierversnellingsbak waren alleen de drie hoogste versnellingen gesynchroniseerd. In '48 werder er een paar cabriolets gebouwd door Carbodies en Tickford en er kwamen ook enkele stationcars uit.

Aantal cilinders: 4
Cilinderinhoud in cm³: 1892
Vermogen: 65/4400
Topsnelheid in km/uur: 120
Carrosserie/Chassis: afzonderlijk chassis
Uitvoering: sedan en cabriolet
Productiejaren: 1946-1950
Productie-aantal: 3.213
In NL: 16
Prijzen: A: 6.800 B: 10.000 C: 13.600

ALVIS TB14

De sportversie van de TA14 verscheen in 1948 onder de naam TB14. De lijnen van de wagen waren op zijn zachtst gezegd opvallend en ze braken met diverse Alvis-tradities. De sobere grille was geweken voor een klaverbladvormig exemplaar met forse afmetingen en de koplampen waren in de schermen geïntegreerd. Technisch was de wagen gelijk aan de TA, afgezien van de twee SU-carburateurs, die voor 3 pk extra zorgden. De neerklapbare voorruit en de zomerkap waren standaard. Ondanks het niet erg harmonische uiterlijk verkocht men er exact honderd in twee jaar tijd.

Aantal cilinders: 4
Cilinderinhoud in cm³: 1892
Vermogen: 68/4000
Topsnelheid in km/uur: 130
Carrosserie/Chassis: afzonderlijk chassis
Uitvoering: cabriolet
Productiejaren: 1948-1950
Productie-aantal: 100
In NL: 2
Prijzen: A: 20.400 B: 27.200 C: 34.000

ALVIS TA21

De TA14 werd in 1950 vervangen door de TA21, die er nog steeds erg conservatief uitzag en door de leek gemakkelijk met een Bentley van die tijd verwisseld kon worden. De zescilinder motor heeft een zeven maal gelagerde krukas, de voorwielophanging is onafhankelijk en de remmen worden hydraulisch bediend. Zo ouderwets is de auto dus toch ook niet. Vanaf 1952 zijn er twee SU-carburateurs die de oude enkele Solex vervangen. Voor de prachtige cabriolet mag het dubbele gerekend worden van de prijs van de sedan.

Aantal cilinders: 6
Cilinderinhoud in cm³: 2993
Vermogen: 84/4000
Topsnelheid in km/uur: 135
Carrosserie/Chassis: afzonderlijk chassis
Uitvoering: sedan en cabriolet
Productiejaren: 1950-1953
Productie-aantal: 1.314
In NL: 10
Prijzen: A: 6.800 B: 11.300 C: 15.900

ALVIS TB21

In 1950 kwam Alvis ook met een nieuwe sportwagen op de markt, gebaseerd op de TB 14. Het uiterlijk paste nu wel weer in de Alvis-traditie. De wagen werd TB21 gedoopt en aangedreven door een 3 liter zescilinder. Hij moest het opnemen tegen de Jaguar XK 120 die een jaar eerder uitgekomen was. Dit lukte hem niet want terwijl Jaguar bijna tienduizend XK 120's verkocht, bleef het bij Alvis maar bij enkele tientallen TB21's. Deze sportieve Alvis 3 liter moet het nog met een enkele carburateur redden. De wagen was dan ook vrij traag in vergelijking met de concurrentie.

Aantal cilinders: 6
Cilinderinhoud in cm³: 2993
Vermogen: 95/4000
Topsnelheid in km/uur: 150
Carrosserie/Chassis: afzonderlijk chassis
Uitvoering: cabriolet
Productiejaar: 1950-1952
Productie-aantal: 31
In NL: 0
Prijzen: A: 18.200 B: 27.200 C: 34.000

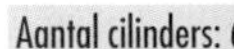

ALVIS TC21 & GREY LADY

De laatste serie TA 21's kreeg de naam TC21 mee. Het zijn de wagens van de bouwjaren 1953-1955. Dank zij de dubbele carburateur nam de topsnelheid toe tot 143 km per uur. Er zijn verder minieme verschillen met de TA te ontdekken, zoals de verchroomde raamstijlen van de portieren. Een speciale versie van de TC21 is de 100 Grey Lady, met spaakwielen en luchthappers op de motorkap. De '100' staat voor de 100 pk die de wagen leverde. Een typisch Engelse sport saloon, waarvan er maar 48 zijn geleverd. Prijzen voor die laatste liggen een derde hoger.

Aantal cilinders: 6
Cilinderinhoud in cm³: 2993
Vermogen: 93/4000 en 100/4000
Topsnelheid in km/uur: 143 en 160
Carrosserie/Chassis: afzonderlijk chassis
Uitvoering: sedan en cabriolet
Productiejaren: 1953-1955 en 1953-1956
Productie-aantallen: 757 en 48
In NL: 4
Prijzen (sedan): A: 7.300 B: 12.500 C: 18.200

ALVIS TC 108 G & TD21

Het was de bekende Zwitserse carrossier Hermann Graber die Alvis aan een nieuwe carrosserie en (korte) toekomst hielp. Graber had al verschillende one-offs op een Alvis chassis gebouwd voordat de fabriek deze creaties in serie ging maken. Het waren elegante en nog steeds dure auto's die zowel open als gesloten geleverd konden worden. Tot de standaarduitvoering behoorde een vijfversnellingsbak, maar na 1959 kon er ook een automaat ingebouwd worden. Graber leverde de auto's ook met eigen carrosserieën. Alvis liet de carrosserieën bij Park Ward bouwen.

Aantal cilinders: 6
Cilinderinhoud in cm³: 2993
Vermogen: 104/4000-130/5000
Topsnelheid in km/uur: 150-180
Carrosserie/Chassis: afzonderlijk chassis
Uitvoering: coach en cabriolet
Productiejaren: 1956-1958 en 1958-1964
Productie-aantallen: 16 en 1.070
In NL: 5
Prijzen: A: 9.100 B: 14.700 C: 22.700

ALVIS TE21 & TF21

In '63 verscheen de TE21, herkenbaar aan de dubbele, vertikaal geplaatste koplampen. Het waren de laatste wagens die Alvis zou bouwen. In 1966 kregen de motoren van de rechts gestuurde wagens meer vermogen door de montage van drie carburateurs. Vanaf toen heette de wagen TF. De links gestuurde wagens met een stuurbekrachtiging moesten het uit ruimtegebrek met twee carburateurs blijven doen. Opties waren o.a. een automatische bak en stuurbekrachtiging. De firma Rover hielp Alvis om zeep.

Aantal cilinders: 6
Cilinderinhoud in cm³: 2993
Vermogen: 150/4750
Topsnelheid in km/uur: 180-193
Carrosserie/Chassis: afzonderlijk chassis
Uitvoering: coach en cabriolet
Productiejaren: 1963-1967
Productie-aantallen: 352 en 106
In NL: 8
Prijzen: A: 11.300 B: 20.400 C: 27.200

AMC

In 1954 hadden Nash en Hudson zich in de American Motors Corporation, AMC, verenigd. Hun basismodel bestond uit de Nash Rambler die nu alleen nog als Rambler van de productiebanden kwam. In 1966 herdoopte men de auto's om ze als American Motors aan te bieden in de hoop het op die manier tegen de Grote Drie te kunnen bolwerken. Vanaf 1968 waren er volledig nieuwe wagens in het programma en het lukte om van enkele succesvolle modellen redelijk grote aantallen te verkopen. AMC hield echter geen stand tegen de concurrentie en sinds 1987 behoort het merk tot het verleden.

AMC RAMBLER

Voor het modeljaar 1964 bood American Motors drie versies van het merk Rambler aan. Voor de Amerikaan die niet veel geld wilde besteden, was er de Rambler American die als coach en met een zescilinder motor $ 1907,– kostte. Het duurste model was de Ambassador die alleen met een V8 geleverd werd en het tussenmodel was de Classic 770 die met beide motorvarianten leverbaar was. De weinig opwindende lijnen zijn er debet aan dat deze wagens nog steeds weinig waard zijn.

Aantal cilinders: 6 en V8
Cilinderinhoud in cm³: 3257 en 4706
Vermogen: 130/4400 en 201/4700
Topsnelheid in km/uur: 150 en 175
Carrosserie/Chassis: zelfdragend
Uitvoering: coach, sedan, coupé en stationcar
Productiejaar: 1964
Productie-aantal: 379.412
In NL: 3
Prijzen: A: 700 B: 2.000 C: 3.900

AMC RAMBLER AMERICAN 1966-1968

De American kreeg voor 1966 een ander, vierkant uiterlijk. Er waren twee series, de 220 en 440. Het verschil zat in de aankleding. In de 440-reeks zaten de cabriolet (tot '68) en de coupé en voor '66 was er een nieuwe hardtopvariant bijgekomen: de Rogue. Voor '67 veranderde er weinig en was er optioneel een 5.6 liter V8 met 280 pk. Voor '68 was er o.a. een nieuwe grille. Standaard zat er een vrij makke zescilinder onder de kap maar tegen meerprijs kon de klant uit een aantal V8-motoren kiezen. De afgebeelde Nederlandse American is van '68 maar heeft een kenteken uit '71.

Aantal cilinders: 6 en V8
Cilinderinhoud in cm³: 3258-3802 en 4703-5621
Vermogen: 128/4400-155/4200 en 198-280/4700
Topsnelheid in km/uur: 150-180
Carrosserie/Chassis: zelfdragend
Uitvoering: coach, sedan, coupé, stationcar en cabriolet
Productiejaren: 1966-1968
Productie-aantal: 250.701
In NL: n.b.
Prijzen: A: 700 B: 1.800 C: 3.200

AMC AMBASSADOR

In 1966 stond men niet meer met het merk Rambler maar met de nieuwe commerciële naam AMC op de tentoonstellingen. De aangeboden wagens en de typenamen waren niet veranderd. Ook aan de AMC Ambassador was niet veel gewijzigd, aangezien dit in 1965 al gedaan was. Opvallend zijn de bovenelkaar geplaatste koplampen. De goedkoopste uitvoering had een zescilinder kopklepmotor maar de meeste afgeleverde Ambassadors hadden een V8 onder de motorkap. Afgebeeld is de Ambassador 990 van 1965.

Aantal cilinders: 6 en V8
Cilinderinhoud in cm³: 3799, V8: 4706 en 5354
Vermogen: 157/4400, 201/4700 en 253/4700
Topsnelheid in km/uur: 160-180
Carrosserie/Chassis: zelfdragend
Uitvoering: coach, sedan, coupé, cabriolet en stationcar
Productiejaren: 1965-1968
Productie-aantal: 215.917
In NL: 6
Prijzen: A: 900 B: 2.500 C: 4.500

AMC MARLIN

Op 10 februari 1965 stelde American Motors een sportcoupé voor die het moest opnemen tegen de succesvolle Ford Mustang. Men noemde de wagen Marlin en hij viel op door zijn sterk aflopende 'fastback' achterkant. Deze auto werd in 1965 geproduceerd als Rambler Marlin; daarna alleen als Marlin. De grote blokletters RAMBLER onder de kofferbak (zie foto) duiden altijd op model 1965; de verschillen met bouwjaar 1966 zijn verder minimaal.

Aantal cilinders: 6 en V8
Cilinderinhoud in cm³: 3800 en 5354
Vermogen: 147/4300 en 201/4700
Topsnelheid in km/uur: 150 of 170
Carrosserie/Chassis: zelfdragend
Uitvoering: coupé
Productiejaren: 1965-1967
Productie-aantal: 17.419
In NL: 3
Prijzen: A: 2.300 B: 4.500 C: 7.700

AMC REBEL

Een van de sportievere modellen van AMC was de Rebel die tot 1968 Rambler Rebel geheten had. De goedkoopste uitvoering had een zescilinder motor met een inhoud van 3,8 liter en de duurste een V8 met 6383 cm³. Deze krachtpatser leverde 345 pk waarmee de wagen een top van meer dan 200 km/uur haalde. De cabriolet is alleen voor modeljaar '68 geproduceerd. In 1970 week de Rebel voor de Matador. De Rebel is geen mooi gelijnde wagen, maar liefhebbers van gespierde Amerikanen kunnen met de snellere typen uit de voeten.

Aantal cilinders: 6 en V8
Cilinderinhoud in cm³: 3799, V8: 4749, 5622 en 6383
Vermogen: 147/4300 tot 345/4800
Topsnelheid in km/uur: 160-210
Carrosserie/Chassis: zelfdragend
Uitvoering: sedan, coupé, cabriolet ('68) en stationcar
Productiejaren: 1968-1970
Productie-aantallen: 79.325, 60.106 en 50.146
In NL: 4
Prijzen: A: 1.100 B: 2.700 C: 4.100

AMC JAVELIN

Nieuw voor 1968 was ook de Javelin, een tweedeurs coupé die, wat uiterlijk betreft, zijn oorsprong in Europa had kunnen hebben en die het op moest nemen tegen Chevrolets Camaro en Fords Mustang. Helaas verging het de Javelin als zovele Amerikaanse auto's voor (en na) hem: hij werd voor 1971 te groot en de verkoop zakte zo ernstig in dat de productie in 1974 maar gestopt werd. Ook hier weer geen schoonheidsprijs maar wel power. Aanvankelijk had de Javelin een zescilinder, maar een V8 was als optie leverbaar.

Aantal cilinders: 6 en V8
Cilinderinhoud in cm³: 3799 en 6383
Vermogen: 147/4300-330/5000
Topsnelheid in km/uur: 160-250
Carrosserie/Chassis: zelfdragend
Uitvoering: hardtop coupé
Productiejaren: 1968-1974
Productie-aantal: 235.497
In NL: 30
Prijzen: A: 2.000 B: 4.300 C: 7.300

AMC AMX

De AMX had men het kleine broertje van de Javelin kunnen noemen; zijn lijnen waren bijna identiek, maar hij bood maar aan twee in plaats van vier personen plaats. De AMX was een nieuw model voor 1968 en daar hij een concurrent voor de Chevrolet Corvette wilde zijn, werd hij uitsluitend met een V8-motor geleverd. Vanaf 1971 werd de AMX gebouwd met de carrosserie van de grotere Javelin. Geschikt voor liefhebbers van veel pk's.

Aantal cilinders: V8
Cilinderinhoud in cm³: 6383
Vermogen: 330/5000
Topsnelheid in km/uur: 250
Carrosserie/Chassis: zelfdragend
Uitvoering: coupé
Productiejaren: 1968-1971
Productie-aantal: 19.134
In NL: 10
Prijzen: A: 2.300 B: 6.100 C: 9.500

AMC HORNET 1970-1972

In augustus 1969 verving de Hornet de Rambler American en kwam een beroemde naam terug op de markt. Met de supersnelle Hudson Hornet uit de jaren vijftig had de wagen echter niet veel gemeenschappelijk. Het was een brave gezinsauto die het gat tussen de kleine compact en de grote Amerikaan vulde. De SST was de meer aangeklede versie. Vanaf 1971 was er een zeer goed verkopende stationcar plus een V8-versie: de SST SC/360. In 1972 waren alle Hornets SST's en was de V8 een optie voor alle typen.

Aantal cilinders: 6 en V8
Cilinderinhoud in cm³: 3257-4899
Vermogen: 128/4400-245/4400
Topsnelheid in km/uur: 150-175
Carrosserie/Chassis: zelfdragend
Uitvoering: coach, sedan en stationcar
Productiejaren: 1970-1972
Productie-aantal: 309.837
In NL: 6
Prijzen: A: 1.600 B: 2.900 C: 4.300

AMC GREMLIN

De Gremlin werd op 1 april 1970 voorgesteld, maar was zeker niet als grapje bedoeld. Het gedrocht was ontstaan door een Hornet achter zijn voorportieren door te snijden en van een nieuwe achterkant te voorzien. De Gremlin was maar 6,5 cm langer dan een Volkswagen Kever, maar had een echte Amerikaanse motor. De Gremlin had zijn aanhangers, die de wagen vooral kochten toen ze hem met een machtige V8-motor konden bestellen. In de laatste twee jaar kon een viercilindermotor van Audi besteld worden in de Gremlin. Die laatste blijft hier buiten beschouwing.

Aantal cilinders: 6 en V8
Cilinderinhoud in cm³: 3799-4981
Vermogen: 100/5000-152/4200
Topsnelheid in km/uur: 145-175
Carrosserie/Chassis: zelfdragend
Uitvoering: coach
Productiejaren: 1970-1978
Productie-aantal: ca. 650.000
In NL: 15
Prijzen: A: 700 B: 1.800 C: 2.900

AMC MATADOR 1971-1973

De Matador van 1971 was de opvolger van de Rebel. Het was een snelle wagen en dat zal de reden zijn dat hij tot het wagenpark van de meeste politiebureaus in Californië behoorde. Er konden zeer veel verschillende motoren ingebouwd worden. De kleinste was een zescilinder met 3799 cc en de grootste een V8 met 6572 cc en 259 echte DIN pk's. Deze motor had een viervoudige carburateur van Motorcraft en kon alleen in combinatie met een automatische versnellingsbak geleverd worden.

Aantal cilinders: 6 en V8
Cilinderinhoud in cm³: 3799-6572
Vermogen: 101/3600-259/4500
Topsnelheid in km/uur: 150-200
Carrosserie/Chassis: zelfdragend
Uitvoering: sedan, coupé en stationcar
Productiejaren: 1971-1973
Productie-aantal: 150.515
In NL: 4
Prijzen: A: 1.600 B: 3.400 C: 5.400

AMC PACER

American Motors is altijd goed geweest voor iets bijzonders. Behalve de Gremlin is er nog een gedurfd model: de Pacer, Amerika's eerste 'kleine maar brede wagen'. Grappig was dat het rechterportier 10 cm breder was dan het linker om het instappen achterin te vergemakkelijken. De Pacer werd in februari 1975 voorgesteld, dus eigenlijk middenin het modeljaar dat in Detroit al in oktober begonnen was. Desondanks verkocht AMC dat eerste modeljaar niet minder dan 64.939 stuks. Voor AMC een heel aantal. De klant had keuze uit twee typen zescilinders of (na '78) een V8. Vanaf '76 is er een stationcarversie.

Aantal cilinders: 6 en V8
Cilinderinhoud in cm³: 3801, 4235 en 4981
Vermogen: 91/3050-132/3200
Topsnelheid in km/uur: 140-165
Carrosserie/Chassis: zelfdragend
Uitvoering: coupé en stationcoupé
Productiejaren: 1975-1980
Productie-aantal: 280.859
In NL: 35
Prijzen: A: 700 B: 2.200 C: 3.200

AMC EAGLE 1979-1987

De Hornet werd voor 1978 omgedoopt in Concord. Voor eind 1979 verscheen het nieuwe topmodel van AMC, de Eagle. Een vierwielaangedreven wagen met automaat onder een naam die via de overname van Jeep binnengekomen was. De Eagle had een iets langere wielbasis dan de Concord en hij stond hoger op z'n wielen om de differentiëlen van het Quadra-Trac systeem de ruimte te geven. Hij was niet echt voor terreingebruik bedoeld, maar om meer veiligheid op de gewone weg te bewerkstelligen. Als in '83 alle AMC-producten door de overname van Renault wijken, blijft de Eagle als sedan en stationcar nog tot '87 leverbaar.

Aantal cilinders: 6
Cilinderinhoud in cm^3: 4228
Vermogen: 110/3500
Topsnelheid in km/uur: 165
Carrosserie/Chassis: zelfdragend
Uitvoering: coach, sedan en stationcar
Productiejaren: 1979-1987
Productie-aantal: 157.939
In NL: n.b.
Prijzen: A: 900 B: 2.700
(stationcar) C: 4.100

AMPHICAR

Hans Trippel was een expert op het gebied van amfibievoertuigen. Hij had moeite om na de oorlog aan de slag te komen, aangezien zijn kennis niet erg gevraagd was. Ook toen de Duitse industrie weer op gang gekomen was, vond hij eerst geen liefhebbers voor zijn plannen en projecten. Tot het Quandt-concern besloot de wagen in productie te nemen. Dat gebeurde in een fabriek in Lübeck waar ook spoorwagons gebouwd werden.

AMPHICAR DWM

De Amphicar was een doorontwikkeling van de uit de oorlog bekende Schwimmwagen. De USA was grootste afnemer. De Amphicar werd aangedreven door een Triumph Herald-motor die achterin de wagen gebouwd was. Op de straat was de auto een hoogbenig geheel dat met moeite een snelheid van 100 km/uur haalde en op het water was het een slechte boot die niet sneller kon dan 10 km/uur. Daar werd hij door twee schroeven aangedreven maar met de voorwielen gestuurd. Er zijn fanatieke liefhebbers voor.

Aantal cilinders: 4
Cilinderinhoud in cm^3: 1147
Vermogen: 38/4750
Topsnelheid in km/uur: 100
Carrosserie/Chassis: zelfdragend
Uitvoering: cabriolet
Productiejaren: 1961-1968
Productie-aantal: ca. 3.000
In NL: n.b.
Prijzen: A: 4.300 B: 7.900
C: 11.300

ARMSTRONG SIDDELEY

De Armstrong Siddeley Motors Ltd was, zoals zo vele Engelse automobielfabrikanten, in Coventry gehuisvest. Men bouwde daar sinds 1919 conservatieve en oerdegelijke auto's. Ook na de oorlog veranderde men niet van taktiek en bouwde men dure voertuigen die het konden opnemen tegen de Jaguars en Bentleys. In 1960, in de tijd van de massaproductie, moest Armstrong Siddeley zijn poorten sluiten. Er was geen plaats meer voor een kleine onafhankelijke fabrikant.

ARMSTRONG SIDDELEY LANCASTER

De Lancaster was een van de eerste nieuwe wagens die de Engelsen na de oorlog te zien kregen. Hij werd in de week dat de oorlog eindigde voorgesteld en vernoemd naar een beroemd oorlogsvliegtuig. In 1939 was dit model voor het eerst gebouwd, maar de 1945-uitvoering had een nieuwe grille met horizontale in plaats van verticale spijlen. Onafhankelijke voorwielophanging, torsievering en een geheel gesynchroniseerde of preselector-versnellingsbak maakten er een redelijk moderne auto van.

Aantal cilinders: 6
Cilinderinhoud in cm^3: 1991 en 2309
Vermogen: 70/4200 en 76/4400
Topsnelheid in km/uur: 125
Carrosserie/Chassis: afzonderlijk chassis
Uitvoering: sedan
Productiejaren: 1945-1952
Productie-aantal: 12.470 (alle typen)
In NL: 2
Prijzen: A: 4.500 B: 9.100
C: 13.600

ARMSTRONG SIDDELEY HURRICANE & TYPHOON

Armstrong Siddeley noemde de cabriolet waar ze in 1945 mee op de markt kwamen Hurricane naar het beroemde jachtvliegtuig uit de Battle of Britain. De wagen baarde veel opzien. Hij had een volledig gesynchroniseerde vierbak, maar kon ook met een preselector-bak van Wilson geleverd worden. Door het gewicht van ruim anderhalve ton was het geen sportwagen. Er was ook een tweedeurs hardtop coupé met een dak van stof onder de naam Typhoon. Die coupé werd op basis van de cabrio gebouwd.

Aantal cilinders: 6
Cilinderinhoud in cm^3: 1991 en 2309
Vermogen: 70/4200 en 76/4400
Topsnelheid in km/uur: 115-125
Carrosserie/Chassis: afzonderlijk chassis
Uitvoering: cabriolet en coupé
Productiejaren: 1945-1953 en 1946-1950
Productie-aantal: zie hiervoor
In NL: 23
Prijzen: (cabrio) A: 5.900 B: 9.500 C: 16.300

ARMSTRONG SIDDELEY WHITLEY 18 HP

Hoewel de afgebeelde wagen van vooroorlogse makelij zou kunnen zijn, kwam hij in 1950 als nieuw model uit. Zeven personen hadden ruim achterin de wagen plaats. Airconditioning behoorde tot de standaarduitvoering evenals twee asbakjes, een klok en losse mohair kussens op de achterbank. De chauffeur hoefde niet te roken en kon wel op een leren bank zitten. Een langere wielbasis was leverbaar evenals een soort stationcar. Die laatste is erg zeldzaam.

Aantal cilinders: 6
Cilinderinhoud in cm^3: 2309
Vermogen: 76/4400
Topsnelheid in km/uur: 130
Carrosserie/Chassis: afzonderlijk chassis
Uitvoering: sedan, limousine en stationcar
Productiejaren: 1950-1953
Productie-aantal: 2.609
In NL: 6
Prijzen: A: 3.200 B: 7.700 C: 11.300

ARMSTRONG SIDDELEY SAPPHIRE (346)

Ondanks zijn hoge prijs, in Nederland kostte een Sapphire 346 als Saloon € 9.212,– en als Limousine € 14.498,–, werd de auto in Engeland goed verkocht. Zijn kopklepmotor kon met twee carburateurs geleverd worden en dan was een topsnelheid van 160 km/uur geen utopie. Er was volop luxe en zo kon de wagen met een automatische Hydra-Matic bak zoals in een Rolls-Royce of met een preselectieve vierversnellingsbak geleverd worden. Als eerste Engelse auto had hij optioneel stuurbekrachtiging.

Aantal cilinders: 6
Cilinderinhoud in cm^3: 3435
Vermogen: 121/4400
Topsnelheid in km/uur: 150
Carrosserie/Chassis: afzonderlijk chassis
Uitvoering: sedan en limousine
Productiejaren: 1952-1958
Productie-aantal: 7.697
In NL: 34
Prijzen: A: 4.500 B: 8.200 C: 15.900

ARMSTRONG SIDDELEY STAR SAPPHIRE

In de herfst van 1958 stelde Armstrong Siddeley de Star Sapphire voor. Het bekende vakblad 'The Autocar' testte de wagen en beschreef hem als 'de beste auto die de fabriek sinds jaren gebouwd heeft'. De wagen had standaard stuurbekrachtiging, bekrachtigde remmen met schijven aan de voorwielen en een automatische bak. Leren bekleding behoorde ook tot de standaarduitvoering evenals een separate verwarming voor de achterpassagiers. Het totaal verouderde uiterlijk leidde tot teleurstellende verkopen.

Aantal cilinders: 6
Cilinderinhoud in cm^3: 3990
Vermogen: 165/4250
Topsnelheid in km/uur: 165
Carrosserie/Chassis: afzonderlijk chassis
Uitvoering: sedan en limousine
Productiejaren: 1958-1960
Productie-aantal: 980
In NL: 12
Prijzen: A: 4.500 B: 10.400 C: 15.900

ARMSTRONG SIDDELEY SAPPHIRE 234 & 236

Uit de type-aanduidingen van de 234 en 236 kon men opmaken wat voor een motor in de (identieke) carrosserie ingebouwd was, want de '4' wees op een viercilinder en de '6' op een zespitter. De Sapphire was al enige jaren in productie geweest voordat de afgebeelde modellen met een geheel gemoderniseerde, minder fraaie carrosserie in oktober 1955 op de Londense tentoonstelling hun debuut vierden. Na 1956 konden de Armstrong Siddeleys ook met een hydraulische stuurbekrachtiging geleverd worden, een première op de Engelse markt.

Aantal cilinders: 4 en 6
Cilinderinhoud in cm^3: 2290 en 2309
Vermogen: 122/5000 en 86/4500
Topsnelheid in km/uur: 150 en 130
Carrosserie/Chassis: afzonderlijk chassis
Uitvoering: sedan
Productiejaren: 1955-1957
Productie-aantallen: 803 en 603
In NL: 2
Prijzen: A: 4.100 B: 7.300 C: 10.000

ARNOLT

Op de Turijnse autoshow van 1952 zag Stanley Harold Arnolt, 'Wacky' voor zijn vrienden, op de stand van Bertone een MG TD die de Italianen van een speciale carrosserie voorzien hadden. Als onder andere MG-importeur voor het middenwesten van Amerika bestelde de Amerikaan er direct 200 stuks van waarmee hij Bertone van een faillisement redde en de wereld er een automerk bij gaf. Daarna deed hij zaken met Bristol.

ARNOLT MG

In 1952 kon Bertone met zijn laatste geld twee MG TD-chassis kopen die met nieuwe carrosserieën op de Turijnse salon tentoongesteld werden. De hierboven genoemde Amerikaan Arnolt redde Bertone aldus. Om Bertone aan het benodigde startkapitaal te kunnen helpen, moest Arnolt meer dan de helft van de Carrozzeria Bertone kopen, wat hem direct tot mede-directeur maakte. De bestelde 200 stuks werden echter slechts voor de helft van het aantal gerealiseerd. Een leuk collectors item voor de gevorderde MG-verzamelaar.

Aantal cilinders: 4
Cilinderinhoud in cm³: 1250
Vermogen: 55/5200
Topsnelheid in km/uur: 120
Carrosserie/Chassis: afzonderlijk chassis
Uitvoering: coupé en cabriolet
Productiejaren: 1952-1956
Productie-aantal: 102
In NL: n.b.
Prijzen: A: 15.900 B: 25.000 C: 34.000

ARNOLT BRISTOL

De Arnolt MG was een zware wagen voor de kleine 1250 cm³ MG-motor en daarom klopte Arnolt in 1953 bij Bristol – voor dat merk was hij importeur in Amerika – aan om hulp. Zonder veel moeite kreeg hij de beschikking over rolling chassis van de Bristol 404, waarmee de Arnolt Bristol ontstond. Met dit model werden Bertone en Arnolt beroemd. Het was niet alleen een prima sportwagen die races kon winnen, hij was bovendien goedkoop. Terwijl een fabrieks-Bristol in de USA $ 10.000,– kostte, vroeg men voor de Arnolt Bristol maar $ 3995,–

Aantal cilinders: 6
Cilinderinhoud in cm³: 1971
Vermogen: 132/5500
Topsnelheid in km/uur: 180
Carrosserie/Chassis: afzonderlijk chassis
Uitvoering: coupé en cabriolet
Productiejaren: 1956-1960
Productie-aantal: ca. 140
In NL: n.b.
Prijzen: A: 25.000 B: 45.400 C: 68.100

ASA

Dat de plannen voor een kleine en goedkope Ferrari niet slecht waren, bewees het succes van de Dino 246 GT in 1968. Orozio De Nora en zijn zoon Niccolo, die fortuinen in de chemische industrie verdiend hadden, moeten dat ook begrepen hebben toen ze het Ferrarina-project van Enzo Ferrari overnamen. Waarom er van de plannen zo weinig terechtgekomen is, is ons ook niet bekend. Het bleef sukkelen en er werden bijna meer prototypen dan productie-auto's gemaakt. Zo verscheen er in 1966 nog een ASA 613 Roll Bar met een kunststof carrosserie, maar deze wagen ging niet in productie.

ASA 1000 GT

Enzo Ferrari had al lang met de plannen rondgelopen om een goedkope kleine Ferrari te bouwen. In 1960 maakte hij een kleine coupé met een motortje dat Bizzarrini had ontwikkeld. Het project werd verkocht aan De Nora, die de firma ASA (Autoconstruzioni Societa per Azioni) oprichtte. De coupé die in 1962 in Turijn als ASA 1000 GT werd aangeboden, was het prototype dat Bertone al een jaar eerder had laten zien van de hand van medewerker Giugiaro. De motor was intussen vergroot tot 1032 cc en hij was voorzien van een bovenliggende nokkenas. De afgebeelde auto is een Nederlands exemplaar.

Aantal cilinders: 4
Cilinderinhoud in cm³: 1032
Vermogen: 97/7000
Topsnelheid in km/uur: 190
Carrosserie/Chassis: buizenchassis
Uitvoering: coupé
Productiejaren: 1962-1967
Productie-aantal: 146
In NL: 2
Prijzen: A: 14.000 B: 27.500 C: 36.500

ASA 1000 GT SPYDER

Op de autotentoonstelling van Turijn in 1963 toonde ASA de spiderversie van de 1000 GT. Hoewel er nog geen enkele coupé naar een klant was gegaan, achtte ASA het verstandig een open versie van de 1000 GT aan te bieden. Bertone was wederom verantwoordelijk voor het ontwerp en Corbetta zou de spider gaan bouwen. Bizzarrini had voor die spider een ander chassis ontworpen met ronde buizen. Het wagentje kreeg bredere wielen dan de coupé. Vanaf '65 was er een fraaie hardtop leverbaar. De prijs van de spider was gelijk aan die van de gesloten versie, maar slechts 23 exemplaren vonden een koper.

Aantal cilinders: 4
Cilinderinhoud in cm³: 1032
Vermogen: 97/7000
Topsnelheid in km/uur: 190
Carrosserie/Chassis: buizenchassis
Uitvoering: coupé en cabriolet
Productiejaren: 1963-1967
Productie-aantal: 23
In NL: 1
Prijzen: A: 9.100 B: 18.200 C: 25.000

ASHLEY

Peter Pellandine en Keith Waddington richtten in 1956 in Essex het bedrijfje Ashley Laminates op, een firma die als een van de eerste carrosserieën maakte van het nieuwe materiaal fiberglas. Op een chassis van Austin ontstond een heus sportwagentje als kit: de Ashley 750. Aan het eind van het jaar vertrok Pellandine om Falcon te stichten. Weddington ging verder, bouwde o.a. carrosserieën voor Elva en bracht in de zomer van '58 de 1172 uit op een Ford-chassis, als coupé en roadster. Hieruit groeide in november 1960 de Sportiva. Al deze typen bleven kitcars.

ASHLEY SPORTIVA

Uit het model 1172 dat in 1958 voorgesteld werd, ontstond eind 1960 de Sportiva. In feite was het een 1172 met een andere neussectie. Latere wagens hadden ook een andere achterkant en een langere wielbasis vanwege een nieuw chassis. Dat chassis kreeg het serienummer MkVI mee. Bouwers konden zelf een motor kiezen en dat werd veelal een BMC- of Ford-krachtbron. In 1962 stopte men de koetsproductie, maar Ashley bleef tot 1972 hardtops voor o.a. de Spitfire leveren. Op de foto zo'n zeldzame Ashley Sportiva met een Belgisch kenteken.

Aantal cilinders: 4
Cilinderinhoud in cm³: 803-1489
Vermogen: 30/4800-53/5000
Topsnelheid in km/uur: 115-150
Carrosserie/Chassis: afzonderlijk chassis/kunststof
Uitvoering: coupé en cabriolet
Productiejaren: 1960-1962
Productie-aantallen: n.b.
In NL: n.b.
Prijzen: A: 1.000 B: 2.500 C: 4.000

ASTON MARTIN

Aston Martin behoort ongetwijfeld tot de beroemdste merken sportwagens. De firma werd in 1914 door Lionel Martin en Robert Bamford gesticht en in 1947 door de tractorkoning David Brown overgenomen. Daarmee is de afkorting 'DB' verklaard die tot 1972 bij alle type-aanduidingen gebruikt werd en sinds maart 1994 voor de DB 7. Een nieuwe Aston Martin is alleen maar voor een kleine groep van liefhebbers betaalbaar en ook de oudere typen worden steeds gewilder en daarom steeds kostbaarder.

ASTON MARTIN 2-LITRE (DB1)

De ontwerpen voor deze Aston werden al tijdens de oorlog gemaakt, maar de eerste exemplaren konden pas in 1948 worden afgeleverd. De fabrieksversie was te zwaar om sportief te zijn, maar een getunede auto won in 1948 de 24-uurs race in Spa, wat voor de nodige publiciteit zorgde. Vanaf 1949 was er de aluminium cabriolet. De voorruit ervan kon plat naar voren geklapt worden. Toen de opvolger als DB2 uitkwam, betitelde men de eerste wagen achteraf met DB1. Gezien de geringe productie is de eersteling zeer zeldzaam.

Aantal cilinders: 4
Cilinderinhoud in cm³: 1970
Vermogen: 90/4750
Topsnelheid in km/uur: 155
Carrosserie/Chassis: buizenchassis
Uitvoering: coupé en cabriolet
Productiejaren: 1948-1950
Productie-aantal: 14
In NL: n.b.
Prijzen: A: 45.400 B: 68.100 C: 81.700

ASTON MARTIN DB2 COUPÉ

Dit is na de DB1 de tweede naoorlogse Aston Martin. De wagen werd aangedreven door een zescilinder motor die door de legendarische W.O. Bentley voor Lagonda ontworpen was. In 1949 kwam de DB2 uit als coupé. Al gauw volgden de Vantage-varianten die een sterkere motor (120 pk) hadden. Het waren echte tweezitters, maar als er een stuurschakeling als optie was, kon er een kind meerijden. Vanaf 1952 is er een voorruit uit één stuk en een andere grille. Volgens kenners is dit de fijnste Aston Martin allertijden.

Aantal cilinders: 6
Cilinderinhoud in cm³: 2580
Vermogen: 105-125/5000
Topsnelheid in km/uur: 175-195
Carrosserie/Chassis: buizenchassis
Uitvoering: coupé en cabriolet
Productiejaren: 1949-1953
Productie-aantal: 362
In NL: 2
Prijzen: A: 22.700 B: 35.400 C: 54.500

ASTON MARTIN DB2 CABRIOLET

Een jaar na de introductie van de DB2 bracht Aston Martin een cabriolet uit. Het was natuurlijk geen koopje en het is dan ook niet verwonderlijk dat er indertijd niet meer dan 49 geleverd zijn. De wagen was als coupé al zo verschrikkelijk mooi en de open versie deed er weinig voor onder. Ook met gesloten kap niet. De cabrio volgt dezelfde evolutie als de coupé, dus ook Vantage-modellen en na '52 een voorruit uit één stuk plus een andere grille. Topexemplaren doen op veilingen vaak uiterst forse prijzen.

Aantal cilinders: 6
Cilinderinhoud in cm³: 2580
Vermogen: 105-125/5000
Topsnelheid in km/uur: 175-195
Carrosserie/Chassis: buizenchassis
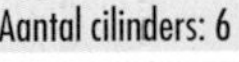
Uitvoering: cabriolet
Productiejaren: 1950-1953
Productie-aantal: 49
In NL: 1
Prijzen: A: 34.000 B: 68.100 C: 90.800

ASTON MARTIN DB2/4 MK I COUPÉ

Op de tentoonstelling die in oktober 1953 te Londen gehouden werd, stond een opvolger voor de DB2. Aston Martin noemde de wagen DB2/4. De carrosserie was, afgezien van een grotere achterruit, achterklep en een hogere daklijn, vrijwel identiek aan die van de voorganger. De wagen bood echter (theoretisch) plaats aan vier personen, vandaar de toevoeging '/4'. Standaard zat de 125 pk sterke Vantage-motor onder de kap. In april 1954 kreeg de DB2/4 een grotere motor en kon men echt van een sportwagen spreken.

Aantal cilinders: 6
Cilinderinhoud in cm³: 2580 en 2922
Vermogen: 125/5000 en 142/5000
Topsnelheid in km/uur: 180 en 200
Carrosserie/Chassis: buizenchassis
Uitvoering: coupé
Productiejaren: 1953-1955
Productie-aantal: 492
In NL: 14
Prijzen: A: 22.700 B: 36.300 C: 45.400

ASTON MARTIN DB2/4 MK I CABRIOLET

In de eerste weken van 1954 kwam de drophead coupé van de DB2/4 uit. De exemplaren die tot april van dat jaar geleverd werden, hadden nog de 2,6 liter motor. Ten opzichte van de open DB2, zijn voorganger dus, had de /4 een veel dikkere achtersectie. Verder hadden de lijnen van de wagen weinig van de vergroting tot een 2+2-model te lijden. Bertone bouwde 3 à 4 in het oog springende spiders op basis van de eerste DB2/4, in opdracht van Stanley 'Wacky' Arnolt, de MG-importeur in de VS. Echte liefhebbers zien wellicht de originele Aston liever.

Aantal cilinders: 6
Cilinderinhoud in cm³: 2580 en 2922
Vermogen: 125/5000 en 142/5000
Topsnelheid in km/uur: 180 en 200
Carrosserie/Chassis: buizenchassis
Uitvoering: cabriolet
Productiejaren: 1954-1955
Productie-aantal: 73
In NL: zie hiervoor
Prijzen: (2,9) A: 27.200 B: 54.500 C: 79.400

ASTON MARTIN DB2/4 MK II COUPÉ

In oktober 1955 verscheen de tweede versie van de DB2/4. Men herkende de wagen aan de achterspatborden die iets hoekiger waren boven de achterlichten. De achteras was verstevigd. Er was een nieuwe hardtop notchback-variant waarvan er 34 gemaakt zijn. David Brown had intussen de carrosseriebouwer Tickford in Newport Pagnell overgenomen en vanaf dat moment kwam er ook een Tickford-embleem op de Aston Martins. De notchback is tegenwoordig zo'n 20 procent duurder dan de gewone coupé.

Aantal cilinders: 6
Cilinderinhoud in cm³: 2922
Vermogen: 142/5000 en 162/5500
Topsnelheid in km/uur: 200 en 210
Carrosserie/Chassis: buizenchassis
Uitvoering: coupé
Productiejaren: 1955-1957
Productie-aantal: 175
In NL: 0
Prijzen: A: 22.700 B: 40.800 C: 56.700

ASTON MARTIN DB2/4 MK II CABRIOLET

De open MK II verscheen gelijktijdig met de coupé, maar hij verdween een jaar eerder uit het programma. De wagen had dezelfde modificaties ondergaan als de dichte versie. Ook hier was er optioneel een 162 pk sterke motor leverbaar. In 1956 realiseerde het Italiaanse carrosseriebedrijf Touring een drietal schitterende spiders, maar ondanks tentoonstelling in diverse grote steden bleven de bestellingen uit. Pas met de DB4 Superleggera zou de samenwerking tussen Aston Martin en Touring een feit worden. De open MK II is zeer zeldzaam met slechts 24 stuks.

Aantal cilinders: 6
Cilinderinhoud in cm³: 2922
Vermogen: 142/5000 en 162/5500
Topsnelheid in km/uur: 200 en 210
Carrosserie/Chassis: buizenchassis
Uitvoering: cabriolet
Productiejaren: 1955-1956
Productie-aantal: 24
In NL: 0
Prijzen: A: 27.200 B: 54.500 C: 79.400

ASTON MARTIN DB2/4 MK III COUPÉ

In 1957 verscheen de DB2 Mk III als laatste versie van dit succesvolle ontwerp. De neus van de wagen was veel lager dan die van zijn voorgangers en dat werd indertijd niet erg gewaardeerd. Wel had de Mk III beduidend meer vermogen in huis. De wagen had nu schijfremmen aan de voorwielen en een hydraulisch bediende koppeling. De laatste exemplaren konden ook met een automatische versnellingsbak geleverd worden. Een overdrive op de handgeschakelde versies was optioneel. Het nieuwe dashboard zou tot in de DB6 meegaan.

Aantal cilinders: 6
Cilinderinhoud in cm³: 2922
Vermogen: 162/5500 en 180/5500
Topsnelheid in km/uur: 210 e n 220
Carrosserie/Chassis: buizenchassis
Uitvoering: coupé
Productiejaren: 1957-1959
Productie-aantal: 467 (incl.5 FHC's)
In NL: 6
Prijzen: A: 18.200 B: 31.800 C: 40.800

ASTON MARTIN DB2/4 MK III CABRIOLET

Tussen oktober '56 en maart '57 moesten de liefhebbers van een open Aston Martin het even zonder stellen, aangezien er alleen nog een dichte MK II leverbaar was. Met de komst van de MK III was er ook weer een drophead coupé. De specificaties waren gelijk aan de dichte coupé. Ook deze open DB kon door de fabriek van drie carburateurs voorzien worden om meer pk's te krijgen. Er verschenen ook 5 Fixed Head Coupés, een soort convertible met vast dak.

Aantal cilinders: 6
Cilinderinhoud in cm³: 2922
Vermogen: 162/5500 en 180/5500
Topsnelheid in km/uur: 210 en 220
Carrosserie/Chassis: buizenchassis
Uitvoering: cabriolet
Productiejaren: 1957-1959
Productie-aantal: 84
In NL: zie hiervoor
Prijzen: A: 31.800 B: 59.000 C: 79.400

ASTON MARTIN DB4 COUPÉ

De in 1958 voorgestelde DB4 was direct al een groot succes en het was jammer dat de meeste liefhebbers vanwege de hoge prijs alleen maar van de wagen konden dromen. De carrosserie was door de Carrozzeria Touring in Milaan ontworpen, maar werd in Engeland uit aluminium plaat geklopt. De zescilinder had twee bovenliggende nokkenassen. Vanaf 1962 was er een supersnelle Vantage-motor leverbaar en die typen zijn ook tegenwoordig aanzienlijk duurder.

Aantal cilinders: 6
Cilinderinhoud in cm³: 3670
Vermogen: 240/5500 en 266/5750
Topsnelheid in km/uur: 225 en 235
Carrosserie/Chassis: aluminium/platformchassis
Uitvoering: coupé
Productiejaren: 1958-1963
Productie-aantal: 1.040
In NL: 8
Prijzen: A: 20.000 B: 45.000 C: 70.000

ASTON MARTIN DB4 CABRIOLET

Drie jaar na de komst van de DB4 met de Italiaanse superleggera carrosserie verscheen er ook een drophead coupé-versie. Het grote succes van de DB4 rechtvaardigde een open variant. Toch bleef de productie mondjesmaat en dat lag zeker ook aan de hoge prijs. Van de wagens met de standaardmotor werden er 38 gebouwd; de overige 32 hadden de Vantage-krachtbron met 266 pk onder de motorkap. Die zijn tegenwoordig natuurlijk uiterst gewild en daarom doen ze op zijn minst tien procent meer in prijs. Echte topstukken brengen aanzienlijk meer op.

Aantal cilinders: 6
Cilinderinhoud in cm³: 3670
Vermogen: 240/5500 en 266/5750
Topsnelheid in km/uur: 225 en 235
Carrosserie/Chassis: aluminium/platformchassis
Uitvoering: cabriolet
Productiejaren: 1961-1963
Productie-aantal: 70
In NL: zie hiervoor
Prijzen: A: 36.300 B: 75.000 C: 115.000

ASTON MARTIN DB4 GT & GT ZAGATO

De zeldzaamste en kostbaarste versies van de DB4 zijn behalve de cabriolet de GT en de GT Zagato (foto). Beide stonden op een kort chassis met een wielbasis van slechts 230 cm en extra licht gebouwd om op de circuits mee te kunnen komen. De wagens hadden een opgevoerde motor met dubbele ontsteking die eerst 240 en later 260 pk en meer leverde. Van de GT werden er weinig gebouwd, maar de Zagato-versie uit Italië is nog zeldzamer, men kan de nevenstaande prijzen met een factor vier vermenigvuldigen.

Aantal cilinders: 6
Cilinderinhoud in cm³: 3670
Vermogen: 302/6000-314/6000
Topsnelheid in km/uur: 240 en 250
Carrosserie/Chassis: aluminium/platformchassis
Uitvoering: coupé
Productiejaren: 1960-1963
Productie-aantallen: 75 en 19
In NL: 1
Prijzen: (DB4 GT) A: 113.000 B: 197.000 C: 272.000

ASTON MARTIN DB5 COUPÉ

De mooiste van alle DB's? Misschien wel. De DB5 werd door James Bond wereldberoemd en hoewel de schietstoel en aanverwante zaken niet tot de standaarduitrusting behoorden, was de wagen heel luxueus uitgevoerd. Er was ook een Vantage die over een sterkere motor beschikte. Daarvan werden er 37 geproduceerd. Deze DB5 is een uiterst gewild raspaard en de prijzen die ervoor betaald worden liegen er niet om. De oudere typen hebben altijd een handgeschakelde versnellingsbak. Exemplaren met een automaat doen tien procent minder in prijs.

Aantal cilinders: 6
Cilinderinhoud in cm³: 3995
Vermogen: 282/5500-314/5750
Topsnelheid in km/uur: 233-260
Carrosserie/Chassis: aluminium/platformchassis
Uitvoering: coupé
Productiejaren: 1963-1965
Productie-aantal: 898
In NL: 10 (incl. cabriolets)
Prijzen: A: 25.000 B: 50.000 C: 76.000

ASTON MARTIN DB5 CABRIOLET

Toen de productieperiode van de gesloten DB5 bijna op z'n eind was, verscheen in 1965 de cabrioletversie die later de naam Volante kreeg. In het Italiaans betekent dat 'vliegend' en dat is gezien de topsnelheid niet onterecht. Alle cabriolets hadden de vijfversnellingsbak die de gesloten DB5 pas later zou krijgen. Ook van de Volante kwamen er Vantage-uitvoeringen uit en deze doen minstens tien procent meer in prijs dan de hiernaast vermelde (fikse) bedragen. Op de laatste 37 onderstellen kwam de carrosserie van de DB6 (zie hierna).

Aantal cilinders: 6
Cilinderinhoud in cm³: 3995
Vermogen: 282/5500-314/5750
Topsnelheid in km/uur: 235-260
Carrosserie/Chassis: aluminium/platformchassis
Uitvoering: cabriolet
Productiejaren: 1965-1966
Productie-aantal: 123
In NL: zie hiervoor
Prijzen: A: 40.800 B: 81.700 C: 104.000

ASTON MARTIN DB5 SHOOTING BRAKE

Carrossier Harold Radford bouwde op basis van de DB5 twaalf Shooting Brakes. Hij liet kant-en-klare DB5's van de fabriek komen en ging ermee aan de slag. De grootste ingreep was het verlengen van het dak en het monteren van de speciaal vervaardigde achterklep. Je kunt je afvragen waarom iemand zo'n fraaie DB5 liet ombouwen naar een 'jachtwagen'; in ieder geval had je dan wel de snelste stationcar ter wereld. Het afgebeelde exemplaar heeft Triumph-achterlichten, maar originele DB5-units waren ook leverbaar.

Aantal cilinders: 6
Cilinderinhoud in cm³: 3995
Vermogen: 282/5500-314/5750
Topsnelheid in km/uur: 230-250
Carrosserie/Chassis: aluminium/platformchassis
Uitvoering: stationcar
Productiejaren: 1965-1967
Productie-aantal: 12
In NL: 0
Prijzen: A: n.v.t. B: 182.000 C: 227.000

ASTON MARTIN DB6

De DB6 bood de verwende automobilist nog meer power en nog meer comfort. Doordat de daklijn nieuw getekend was, hadden de passagiers op de achterbank meer hoofdruimte gekregen, zodat ook volwassenen nu niet meer te klagen hadden. De meeste DB6'en werden met airconditioning en stuurbekrachtiging afgeleverd. De automatische versnellingsbak werd zelden ingebouwd. Ook van de DB6 is er een Vantage-versie verschenen. De laatste 244 wagens heetten vanaf 1969 MKII, herkenbaar aan de randen langs de wielkasten.

- Aantal cilinders: 6
- Cilinderinhoud in cm³: 3995
- Vermogen: 282/5500, 314/5750 en 325/5750
- Topsnelheid in km/uur: 240-250
- Carrosserie/Chassis: aluminium/platformchassis
- Uitvoering: coupé en cabriolet
- Productiejaren: 1965-1970
- Productie-aantal: 1.572
- In NL: 6
- Prijzen: A: 31.800 B: 45.400 C: 54.500

ASTON MARTIN DB6 VOLANTE

De nieuwe DB6 MK I cabriolet van 1966 kreeg een eigen naam: Volante. De 37 short chassis voorserie-Volantes kregen die naam pas achteraf. Na 140 MK I's, waarvan 29 Vantage-typen, bracht modeljaar 1969 de MK II, die niet erg veel van zijn voorganger verschilde, op de wielkastranden na. Stuurbekrachtiging was voortaan standaard. Van de MK II Volante kwamen er 38 op de weg, waarvan 9 Vantages. Enkele MK II's hadden het injectiesysteem van AE Brico. De SWB uit het eerste jaar moet tegenwoordig zo'n drie ton kosten. De MK II zit wat prijs betreft tussen de SWB en de MK I.

- Aantal cilinders: 6
- Cilinderinhoud in cm³: 3995
- Vermogen: 282/5500-325/5750
- Topsnelheid in km/uur: 240-250
- Carrosserie/Chassis: aluminium/platformchassis
- Uitvoering: cabriolet
- Productiejaren: 1965-1970
- Productie-aantal: 178
- In NL: 1
- Prijzen (MK I): A: 45.400 B: 79.400 C: 113.000

ASTON MARTIN DBS

In 1967 verscheen er een nieuwe Aston Martin met de naam DBS. De vierzitter had een nieuwe carrosserie die door Bill Towns getekend was, maar beschikte over dezelfde zescilinder motor als de DB6, die ook nog in productie was. Het technische verschil tussen de beide modellen zat hem in de achteras die bij de DBS naar het systeem van De Dion gebouwd was. Ook hiervan was een Vantage-versie verkrijgbaar. Omdat het hogere gewicht de DBS niet sneller dan de DB6 maakte, kwam men in '69 met een V8-model.

- Aantal cilinders: 6
- Cilinderinhoud in cm³: 3995
- Vermogen: 282/5500-325/5750
- Topsnelheid in km/uur: 225-240
- Carrosserie/Chassis: aluminium/platformchassis
- Uitvoering: coupé
- Productiejaren: 1967-1972
- Productie-aantal: 787
- In NL: 3
- Prijzen: A: 9.100 B: 18.200 C: 27.200

ASTON MARTIN DBS V8

Vanaf september 1969 kon de DBS ook met een V8-motor met twee dubbele bovenliggende nokkenassen en benzine-inspuiting geleverd worden. De wagen had wederom een De Dion-achteras, een vijfversnellingsbak van ZF of een Chrysler-Torqueflite automaat. Stuurbekrachtiging, instelbare vering, vier schijfremmen en een 96 liter benzinetank behoorden tot de standaarduitrusting. De handgeschakelde versie is tegenwoordig aanzienlijk duurder geprijsd dan de automaat. In aanschaf zijn deze Aston Martins niet bijzonder duur, maar de kosten van het onderhoud liegen er niet om.

- Aantal cilinders: V8
- Cilinderinhoud in cm³: 5340
- Vermogen: 345/5000
- Topsnelheid in km/uur: 260
- Carrosserie/Chassis: aluminium/platformchassis
- Uitvoering: coupé
- Productiejaren: 1969-1972
- Productie-aantal: 402
- In NL: 3
- Prijzen: A: 11.300 B: 18.200 C: 27.200

ASTON MARTIN LAGONDA 1974-1976

David Brown had in 1969 een met 12 inches verlengde DBS V8 van een vierdeurs carrosserie laten voorzien. Met dit prototype, dat de naam Lagonda kreeg, reed hij zelf. Toen Brown de zaak in '72 overdeed aan Company Developments besloot men in '74 die Lagonda sedan in kleine serie te gaan bouwen. De wagen kreeg een eigen grille maar verder was hij in feite een vierdeurs DBS V8. De peperdure auto vond slechts zesmaal een klant, aangezien de directeur van AM er zelf ook een hield. Naar verluidt is er momenteel op chassisnummer 8 – dat nooit is afgemaakt – een exemplaar in opbouw.

- Aantal cilinders: V8
- Cilinderinhoud in cm³: 5340
- Vermogen: 340/n.b.
- Topsnelheid in km/uur: 240
- Carrosserie/Chassis: zelfdragend
- Uitvoering: sedan
- Productiejaren: 1974-1976
- Productie-aantal: 7
- In NL: 0
- Prijzen: A: n.v.t. B: n.v.t. C: 90.800

ASTON MARTIN AMV8 SERIES 2 & 3

Begin 1972 werd Aston Martin overgenomen door Company Developments. Na vier maanden startte men weer met de DBS en de DBS V8. Die laatste zou voortaan kortweg 'AMV8' heten. Hij was herkenbaar aan zijn smallere grille en enkele ronde koplampen. Insiders noemen deze wagens Serie 2. Het storingsgevoelige injectiesysteem moest in augustus '73 wijken voor 4 Weber-carburateurs. Hierdoor kwam er een bredere motorkap (Serie 3). Eind '74 stopte de productie en pas in de zomer van '76 pakte een viertal mannen de draad weer op.

Aantal cilinders: V8
Cilinderinhoud in cm³: 5340
Vermogen: 304/n.b.
Topsnelheid in km/uur: 255
Carrosserie/Chassis: zelfdragend
Uitvoering: coupé
Productiejaren: 1972-1973 en 1973-1978
Productie-aantallen: 288 en 967
In NL: n.b.
Prijzen: A: 13.600 B: 22.700 C: 29.500

ASTON MARTIN AMV8 SERIES 4

Vanaf oktober 1978, het jaar waarin ook de Volante verscheen, was er de Series 4 (alias Oscar India, oftewel October Introduction) met als eerste opvallende uiterlijke wijziging de motorkap zonder luchtinlaat. Ook de achterpartij en het dashboard waren opnieuw ontworpen. Voor het eerst sinds de DB2/4 was er weer hout in het dashboard verwerkt. In maart 1980 kwam er een andere motor (de V/580) en in '83 kregen alle AMV8's standaard BBS-velgen. Het aantal 'gewone' AMV8's is gering in vergelijking met de Vantage en de populaire Volante (zie verderop).

Aantal cilinders: V8
Cilinderinhoud in cm³: 5340
Vermogen: 340-438/n.b.
Topsnelheid in km/uur: 255
Carrosserie/Chassis: zelfdragend
Uitvoering: coupé
Productiejaren: 1978-1986
Productie-aantal: 219
In NL: n.b.
Prijzen: A: 18.200 B: 27.200 C: 36.300

ASTON MARTIN V8 VANTAGE

Zeven jaar na de introductie van de V8-motoren verscheen er eindelijk een V8 Vantage. Het was meteen de snelste seriewagen ter wereld. De dikke bobbel op de motorkap moest de batterij Webers de ruimte geven. In oktober 1978 verscheen Series 2, die de evolutie van de gewone V8 Series 4 volgde. De achterspoiler verdween en de bult op de kap was minder opzichtig. Series 3 van '86 had bredere wielen en dientengevolge ook bredere wielkasten. Hij behield de carburateurs, terwijl de gewone versies injectie hadden. Wie de 400 pk niet genoeg vond, kon een 432 pk-versie bestellen.

Aantal cilinders: V8
Cilinderinhoud in cm³: 5340
Vermogen: 400-432/n.b.
Topsnelheid in km/uur: 255
Carrosserie/Chassis: zelfdragend
Uitvoering: coupé
Productiejaren: 1977-1989
Productie-aantal: 320
In NL: n.b.
Prijzen: A: 22.700 B: 38.600 C: 49.900

ASTON MARTIN VOLANTE

Nadat de Volante meer dan een decennium met een zescilinder motor in productie geweest was, kon de klant hem in 1978 ook met een V8-motor bestellen. Het was een van de duurste cabriolets die in serie gebouwd werden en vanzelfsprekend uitgerust met een elektrisch bedienbare linnen kap, airconditioning, leren bekleding en alle technische snufjes die de fabriek kon bedenken. De wagen was groot en zwaar en daarom miste hij de verfijnde rijeigenschappen van de vorige Astons. Hij verkocht echter uitstekend.

Aantal cilinders: V8
Cilinderinhoud in cm³: 5340
Vermogen: ± 340-438/n.b.
Topsnelheid in km/uur: 260
Carrosserie/Chassis: aluminium/platformchassis
Uitvoering: cabriolet
Productiejaren: 1978-1990
Productie-aantal: 915
In NL: 6
Prijzen: A: 34.000 B: 45.400 C: 65.800

ASTON MARTIN LAGONDA

Net als 'old soldiers' sterven beroemde automerken nooit. De reïncarnatie van het beroemde merk Lagonda vond in 1976 plaats en wel op het chassis van een Aston Martin DBS. William Towns had de opvallende carrosserie ontworpen. De autojournalisten beschreven de wagen als de sportieve Rolls-Royce, wat niet eens overdreven was, want de vier inzittenden konden beschikken over alle luxe snufjes die op dat moment op de markt waren. Het latere instrumentarium hoorde eerder in een ruimtecapsule dan in een auto thuis en het zorgde dan ook voortdurend voor problemen.

Aantal cilinders: V8
Cilinderinhoud in cm³: 5340
Vermogen: 280/5000
Topsnelheid in km/uur: 230
Carrosserie/Chassis: aluminium/platformchassis
Uitvoering: sedan
Productiejaren: 1976-1989
Productie-aantal: 631
In NL: 3
Prijzen: A: 13.600 B: 22.700 C: 29.500

ASTON MARTIN VANTAGE ZAGATO

De DB4GT Zagato uit de jaren zestig kreeg in 1985 een opvolger. Als antwoord op de Ferrari 288 GTO van '84 ontwikkelde Aston Martin samen met Giuseppe Mittino van Zagato een Vantage-versie op basis van het aangepaste onderstel van een AMV8. De auto werd 28 cm korter bij een gelijke wielbasis en het gewicht nam in vergelijking met de gewone uitvoering van de AMV8 168 kilo af. De wagen accelereerde in minder dan 5 seconden van 0 tot 100. Niet iedereen was enthousiast over de vormgeving, maar de geplande serie van 50 stuks was meteen uitverkocht.

Aantal cilinders: V8
Cilinderinhoud in cm³: 5340
Vermogen: 432/6400
Topsnelheid in km/uur: 295
Carrosserie/Chassis: zelfdragend
Uitvoering: coupé
Productiejaren: 1985-1986
Productie-aantal: 50
In NL: 1
Prijzen: A: n.v.t. B: 74.900 C: 90.800

AUDI

Met de Audi kwam in het midden van de jaren zestig een beroemd Duits automerk terug op de weg. In 1958 kocht Daimler-Benz de Auto Union GmbH, om die in 1965 aan Volkswagen door te verkopen. Nog in hetzelfde jaar lanceerde men een nieuwe wagen onder de naam Audi. Het merk kreeg een goede reputatie en is nu niet meer uit het verkeer weg te denken. Het bedrijf geeft er tegenwoordig blijk van dat men de sportsuccessen van weleer niet vergeten is. Daarnaast verrast Audi de autowereld geregeld door met opzienbarende modellen te komen.

AUDI 60, 75, 80 & 90

Intern noemde men de Audi F 103, want tenslotte ging het hier om de opvolger van de DKW F 102 die men naast een paar optische verbeteringen een nieuwe viertakt motor met nu vier cilinders gegeven had. Behalve de Audi die het nog zonder verdere aanduiding moest doen, ontstonden er al gauw modellen met sterkere motoren. Erg geliefd was de Super 90. De goede verkoopcijfers gaven het herboren merk bestaansrecht. Als klassieker is deze auto echter nog niet geaccepteerd. De wagen op de foto hiernaast zal een van de weinige gerestaureerde exemplaren in ons land zijn.

Aantal cilinders: 4
Cilinderinhoud in cm³: 1496, 1696 en 1770
Vermogen: 55/4750 tot 90/5200
Topsnelheid in km/uur: 140-165
Carrosserie/Chassis: zelfdragend
Uitvoering: coach, sedan en stationcar
Productiejaren: 1965-1972
Productie-aantal: 416.853
In NL: n.b.
Prijzen: A: 600 B: 1.400 C: 2.300

AUDI 100

Met de '100' die eind november 1968 voorgesteld werd, probeerde Audi in de Mercedes-markt door te dringen. De Audi 100 was in drie varianten te koop, als 100, als 100 S en als 100 LS. Alle drie typen hadden een 1,8 liter motor, maar de vermogens verschilden van 80 en 90 tot 100 pk, wat aan verschillende compressieverhoudingen en carburateurs te danken was. Als enige van de drie kon de 100 LS vanaf april 1970 ook met een automatische versnellingsbak geleverd worden. De GL had een 1,9-liter motor. Hoewel ruim 30 jaar geleden uitgekomen, is het nog geenszins een klassieker.

Aantal cilinders: 4
Cilinderinhoud in cm³: 1760 en 1871
Vermogen: 80/5000-100/5500
Topsnelheid in km/uur: 160-172
Carrosserie/Chassis: zelfdragend
Uitvoering: coach en sedan
Productiejaren: 1968-1976
Productie-aantal: 796.787
In NL: n.b.
Prijzen: A: 600 B: 1.400 C: 2.300

AUDI 100 COUPÉ S

Hoewel de Audi 100 Coupé S al in 1969 op de Frankfortse IAA was voorgesteld, kwamen de eerste exemplaren pas een jaar later van de band. Vooral in Duitsland was de wagen een groot succes want hij was niet alleen een ruime vierzitter maar ook erg snel. Dat hij bovendien ook nog op een Aston Martin leek, zal ook wel een pluspunt geweest zijn. Dit type is de eerste – en enige? – Audi die in een fanatieke kring van liefhebbers populariteit geniet. De onderdelenvoorziening is niet optimaal, aangezien er vrijwel geen enkel carrosseriedeel gelijk is aan de gewone 100.

Aantal cilinders: 4
Cilinderinhoud in cm³: 1871
Vermogen: 115/5500
Topsnelheid in km/uur: 180
Carrosserie/Chassis: zelfdragend
Uitvoering: coupé
Productiejaren: 1970-1976
Productie-aantal: 30.687
In NL: 75
Prijzen: A: 900 B: 2.900 C: 4.500

AUDI 80 1972-1978

De nieuwe 80 moest in 1972 de 'DKW'-Audi opvolgen. De motoren waren nu geheel van Audi zelf en ze hadden alle een bovenliggende nokkenas. De L had een 1,3 liter motor, de LS en GL een 1,5 (tot '75) en vanaf '74 was er een 1,6 die in de GT zat en andere topmodellen. De MacPherson-voorwielophanging bezorgde deze Audi's prima rijeigenschappen. Geen wonder dat vele latere modellen op de vloerplaat van deze 80's zijn gebouwd. Voor '76 kwamen er vierkante koplampen. Inmiddels is er een groep echte liefhebbers voor dit model. Prijzen voor oudste typen.

Aantal cilinders: 4
Cilinderinhoud in cm³: 1296, 1470 en 1588
Vermogen: 55/5500-110/6100
Topsnelheid in km/uur: 145-180
Carrosserie/Chassis: zelfdragend
Uitvoering: coach, sedan en stationcar
Productiejaren: 1972-1978
Productie-aantal: 939.931
In NL: 155
Prijzen: A: 200 B: 1.100 C: 2.000

AUDI QUATTRO 1980-1991

In maart 1980 stelde Audi in Genève de Quattro voor, een vierwielaangedreven coupé met indrukwekkende prestaties dankzij de turbo. Maar liefst 200 pk is niet niks. Vanaf november begint de levering van deze fors geprijsde bolide. Behalve prijsstijgingen van jaar op jaar, veranderde de wagen ook. Zo waren er vanaf '82 LED-instrumenten, vanaf '84 bredere velgen, stuggere vering en ABS. Aan het eind van z'n carrière kostte de Quattro het dubbele van de oorspronkelijke prijs. Een klassieker? Dat was de wagen bij zijn verschijning in feite al, maar er is zeker belangstelling voor deze bijna legendarische Audi.

Aantal cilinders: 5
Cilinderinhoud in cm³: 2144
Vermogen: 200/5800
Topsnelheid in km/uur: 235
Carrosserie/Chassis: zelfdragend
Uitvoering: coupé
Productiejaren: 1980-1991
Productie-aantal: 11.429
In NL: n.b.
Prijzen: A: 4.500 B: 8.200 C: 12.700

AUSTIN

Herbert Austin stichtte nadat hij bij Wolseley weggegaan was in 1906 de Austin Motor Co. Ltd. Tot eind 1951 bleef het een zelfstandige firma om daarna met Morris, MG, Riley en Wolseley opgenomen te worden in de Nuffield-groep, die daarna British Motor Corporation gedoopt werd. BMC was dan wel Europa's grootste autoconcern, maar de verschillende merken deden het niet steeds even goed. De eigen constructies verdwenen of werden door eenheidsoplossingen vervangen. De naam Austin is inmiddels allang van de markt verdwenen.

AUSTIN 8HP & 10HP

Na de oorlog bracht Austin de nogal Amerikaans gelijnde 8 en 10 van 1939 opnieuw uit, zij het uitsluitend als sedan. Het grote verschil met de vooroorlogse versies was de zelfdragende constructie. De 10 was iets groter dan de 8 en hij was vooral aan de randen langs de wielkasten te herkennen (foto). Technisch waren het weinig opwindende wagens, aangezien de 8-motor van de Big Seven van '37 was afgeleid en die van de 10 zelfs van een uit '32. Langzaam, niet makkelijk handelbaar, maar ze brachten Austin er na de oorlog weer bovenop.

Aantal cilinders: 4
Cilinderinhoud in cm³: 900 en 1125
Vermogen: 27/4400 en 32/4000
Topsnelheid in km/uur: 95 en 100
Carrosserie/Chassis: zelfdragend
Uitvoering: coach en sedan
Productiejaren: 1939-1947
Productie-aantallen: 56.103 en 55.521
In NL: 10
Prijzen: A: 1.800 B: 3.900 C: 5.700

AUSTIN 12HP & 16HP

In '39 kwam Austin met een grotere variant van de 8HP, zij het met afzonderlijk chassis. De wagen was erg ruim vanbinnen en had standaard een schuifdak. De 1,5 liter motor was echter veel te klein voor een wagen van dit kaliber en na de oorlog kwam de 2,2 liter als variant uit. Dat was de eerste kopklepper van het merk die in een personenwagen kwam. Vanaf '47 was er een woody stationcar. De 12HP is alleen aan de typebadges van de groter gemotoriseerde Austin te onderscheiden. De 16 komt veel vaker voor vanwege het veel hogere productieaantal.

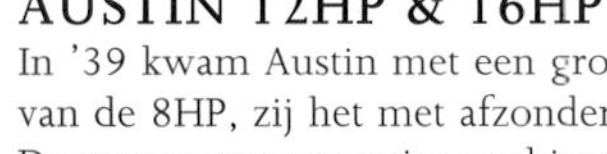

Aantal cilinders: 4
Cilinderinhoud in cm³: 1535 en 2199
Vermogen: 42/4000 en 67/3800
Topsnelheid in km/uur: 105 en 120
Carrosserie/Chassis: afzonderlijk chassis
Uitvoering: sedan en stationcar
Productiejaren: 1939-1947 en 1945-1949
Productie-aantallen: 8.698 en 35.434
In NL: 10
Prijzen: A: 2.300 B: 4.500 C: 6.800

AUSTIN FL1 HIRE CAR

Austin bracht van de taxi's ook steeds een speciale versie uit voor autoverhuurbedrijven, de zogenaamde Hire Car. De variant van de FX3 heette FL1 en hij week van de taxi af door een passagiersportier en een zitplaats voorin. Bij de FX3 zat daar een open bagageruimte. Deze Hire Cars zijn tegenwoordig zeer zeldzaam. In Engeland zelf is er nog een handjevol over en dit witte Nederlandse exemplaar is de enige in het land. Dat verklaart het grote verschil in waarde tussen de FX3 en de FL1.

Aantal cilinders: 4
Cilinderinhoud in cm³: 2199
Vermogen: 52/4000
Topsnelheid in km/uur: 105
Carrosserie/Chassis: afzonderlijk chassis
Uitvoering: sedan
Productiejaren: 1947-1958
Productie-aantal: n.b.
In NL: 1
Prijzen: A: 4.500 B: 11.300 C: 18.200

AUSTIN A40 DORSET & DEVON

In 1947 kwam Austin met zijn eerste nieuwe naoorlogse model op de exportmarkt. De wagen was 'gestroomlijnd', in moderne pastelkleuren in plaats van zwart gespoten en ook technisch up to date. De A40, die in zijn tweedeurs uitvoering Dorset en als vierdeurs Devon heette, had een nieuwe kopklepmotor, onafhankelijke voorwielvering, bladveren achter en hydromechanische remmen. In de zomer van 1947 werd de auto in verschillende Amerikaanse steden – hij was vooral voor de export naar de USA bedoeld – vertoond voordat hij officieel in Parijs geïntroduceerd werd. In '49 verdwijnt de Dorset.

Aantal cilinders: 4
Cilinderinhoud in cm³: 1200
Vermogen: 40/4300
Topsnelheid in km/uur: 115
Carrosserie/Chassis: afzonderlijk chassis
Uitvoering: coach en sedan
Productiejaren: 1947-1951
Productie-aantallen: 15.939 en 273.958
In NL: 5
Prijzen: A: 900 B: 2.300 C: 3.600

AUSTIN A125 SHEERLINE

Deze wagen kon het in vele opzichten, behalve in de beroemde naam, opnemen tegen de Bentley uit de jaren vijftig. De afwerking was even mooi en het leer en de vloermatten van dezelfde goede kwaliteit. Ook technisch was de wagen de moeite waard met zijn hydraulische remmen en onafhankelijk geveerde voorwielen. Vanaf 1949 was er een verlengde uitvoering. Het gewicht van ruim tweeduizend kilo of meer leidde tot een verbruik van 1 op 5 bij een zuinige rijstijl.

Aantal cilinders: 6
Cilinderinhoud in cm³: 3993
Vermogen: 127/3700
Topsnelheid in km/uur: 130
Carrosserie/Chassis: afzonderlijk chassis
Uitvoering: sedan en limousine
Productiejaren: 1948-1954
Productie-aantal: ca 9.000
In NL: 15
Prijzen: A: 2.900 B: 6.800 C: 10.900

AUSTIN A135 PRINCESS

Austin is een van de weinige merken geweest die voor iedere beurs een auto gebouwd heeft. De kleine Seven was voor de man die geen motorfiets meer wilde berijden en de A135 was voor de diplomaten of fabrikanten die om wat voor reden ook geen Rolls-Royce of Bentley konden rijden. De carrosserie was bij Vanden Plas met de hand gemaakt en in de wagen vond men luxe zoals leer en notehout. De wagens hadden een lengte van 490 cm en werden door een moderne kopklepmotor aangedreven. Nieuw waren ook de onafhankelijke voorwielophanging en de hydraulische remmen van Lockheed.

Aantal cilinders: 6
Cilinderinhoud in cm³: 3993
Vermogen: 135/3700
Topsnelheid in km/uur: 135
Carrosserie/Chassis: aluminium/afzonderlijk chassis
Uitvoering: sedan en limousine
Productiejaren: 1947-1956
Productie-aantal: 1.910
In NL: 30
Prijzen: A: 3.200 B: 7.300 C: 11.300

AUSTIN A70 HAMPSHIRE & HEREFORD

In september 1948 verscheen de Austin A70, die als sedan Hampshire werd genoemd. Hij vertoonde de lijnen van de A40. In augustus 1949 kwam de stationcar onder de naam Countryman uit (afgebeeld) die van hout voorzien was. Er zijn er niet meer dan 901 van gemaakt. Vanaf 1950 herdoopte men de opnieuw vormgegeven A70 in Hereford. Deze is onmiddellijk te herkennen aan zijn vier ruiten in plaats van zes. Er verscheen ook een cabriolet, maar die is altijd zeldzaam gebleven met niet meer dan 266 stuks.

Aantal cilinders: 4
Cilinderinhoud in cm³: 2199
Vermogen: 67/3800
Topsnelheid in km/uur: 125
Carrosserie/Chassis: afzonderlijk chassis
Uitvoering: sedan, stationcar en cabriolet
Productiejaren: 1948-1950 en 1950-1954
Productie-aantallen: 35.461 en 50.421
In NL: 5
Prijzen (sedan): A: 1.600 B: 3.200 C: 4.500

AUSTIN A90 ATLANTIC

Direct na de oorlog maakte Leonard Lord als directeur van de Austin Motor Company een zakenreis door Amerika. Het doel was te weten te komen wat de Amerikaan graag wilde rijden. Thuisgekomen gaf hij zijn aanwijzingen die tot de Austin A90 Atlantic leidden. Ronde lijnen, veel chroom en een sterke motor kenmerkten de auto die als cabriolet en als hardtop coupé gebouwd zou worden. Een heel groot succes werd de Atlantic niet en daarom bleven de productie-aantallen aan de lage kant. In de VS verkocht men er 350.

Aantal cilinders: 4
Cilinderinhoud in cm^3: 2660
Vermogen: 88/4000
Topsnelheid in km/uur: 145
Carrosserie/Chassis: platformchassis
Uitvoering: coupé en cabriolet
Productiejaren: 1949-1952
Productie-aantal: 7.981
In NL: 2
Prijzen: (coupé) A: 4.500 B: 7.300 C: 12.700

AUSTIN TAXICAB FX3

Wie op zoek is naar een werkelijk ruime personenwagen die ook met geweld niet kapot te krijgen is, die een dermate kleine draaicirkel heeft dat hij ook in een smalle straat kan keren zonder de stoeprand te raken, waar je niet in STAPT maar in LOOPT, doet er goed aan een London-taxi te kopen zoals Austin die jarenlang onveranderd gebouwd heeft. De mooiste is de Austin FX3, waarvan het linkervoorportier ontbreekt, waardoor er meer bagageruimte ontstond.

Aantal cilinders: 4
Cilinderinhoud in cm^3: 2199
Vermogen: 52/4000
Topsnelheid in km/uur: 100
Carrosserie/Chassis: afzonderlijk chassis
Uitvoering: 3-deurs
Productiejaren: 1947-1958
Productie-aantal: 13.500
In NL: zie FX4
Prijzen: A: 1.800 B: 3.900 C: 6.400

AUSTIN TAXICAB FX4

Door zijn vier i.p.v. drie portieren optisch iets minder interessant dan zijn voorganger. Deze FX4 taxicab wordt ook nu nog veel in Engeland gebruikt. Miljoenen kilometers leggen de wagens af voordat ze verkocht worden en zelfs dan zijn ze nog heel goed bruikbaar. De carrosseriedelen zijn aan elkaar geschroefd en kunnen in korte tijd vervangen worden zonder dat de wagen naar een plaatwerker gebracht moet worden. Zodoende hoeft de wagen na een kleine aanrijding niet lang werkeloos te blijven. Vanaf '70 is er een dieselmotor, tegenwoordig van Nissan.

Aantal cilinders: 4
Cilinderinhoud in cm^3: 2520-diesel (>'72)
Vermogen: 60/3500
Topsnelheid in km/uur: 105
Carrosserie/Chassis: afzonderlijk chassis
Uitvoering: sedan
Productiejaren: 1959-heden
Productie-aantal: 44.000 (tot 1993)
In NL: 250
Prijzen: (Diesel) A: 1.400 B: 3.400 C: 5.900

AUSTIN A30/A35

Dit kleine wagentje, een soort opvolger voor de beroemde vooroorlogse Austin Seven, was oorspronkelijk alleen met vier deuren verkrijgbaar. Eind 1953 kwam er een tweedeurs versie uit en in 1955 een driedeurs stationcar, de Countryman. Het was de eerste Austin met een zelfdragende carrosserie en hij was bedoeld als concurrent voor de Morris Minor die nu echter in hetzelfde concern gemaakt werd. In 1957 vroeg de Nederlandse importeur, de firma Stokvis, € 2.267,– voor een tweedeurs A35, terwijl de Countryman € 622,– meer kostte.

Aantal cilinders: 4
Cilinderinhoud in cm^3: 803 en 948
Vermogen: 30/4800 en 35/4750
Topsnelheid in km/uur: 105-110
Carrosserie/Chassis: zelfdragend
Uitvoering: coach, sedan en stationcar
Productiejaren: 1951-1956 en 1957-1962
Productie-aantallen: 222.264 en 294.892
In NL: 100
Prijzen: A: 900 B: 2.300 C: 3.600

AUSTIN A40 SOMERSET

De A40 is altijd een veel verkochte wagen geweest. De eerste naoorlogse serie, die van 1947 tot 1952 gebouwd werd, had al een kopklepmotor en onafhankelijke voorwielvering. Voor die tijd erg modern, dus. De opvolger van de A40-Devon en Dorset die tot en met 1954 in productie bleef, noemde men Austin Somerset. Aardig is de cabrioversie die in '52 uitkwam. De Somerset bleef kort in productie, want in 1955 kwam de veel moderner gelijnde A40 Cambridge. Ondanks de korte productie zijn er heel wat overgebleven, vooral in Groot-Brittannië zelf.

Aantal cilinders: 4
Cilinderinhoud in cm^3: 1200
Vermogen: 40/4200
Topsnelheid in km/uur: 115
Carrosserie/Chassis: afzonderlijk chassis
Uitvoering: sedan en cabriolet
Productiejaren: 1952-1954
Productie-aantallen: sedan: 166.063; cabrio: 7.243
In NL: 5
Prijzen: (sedan) A: 1.100 B: 2.300 C: 3.600

AUSTIN A40 SPORTS

Zonder twijfel is de Austin A40 Sports een goede tip voor de toekomst. Nog steeds vindt men dit model zonder veel moeite in Engeland en dan vaak voor verbazend weinig geld. De Austin-onderdelen zijn makkelijk verkrijgbaar en goedkoop en zelfs voor de aluminium carrosserie – hij werd bij Jensen gemaakt – schijnen nog delen te koop te zijn. Een nadeel heeft de wagen echter: een echte sportwagen is het niet. De motor kreeg namelijk een extra carburateur en de rest bleef hetzelfde. Een groot deel van de productie is naar Amerika geëxporteerd.

Aantal cilinders: 4
Cilinderinhoud in cm³: 1200
Vermogen: 46/5000
Topsnelheid in km/uur: 125
Carrosserie/Chassis: aluminium op een afzonderlijk chassis
Uitvoering: cabriolet
Productiejaren: 1950-1953
Productie-aantal: 4.011
In NL: 0
Prijzen: A: 3.200 B: 6.400 C: 8.200

AUSTIN A40 & A50

Ook Austin ging over op de zelfdragende carrosserie en de A40 van 1954 was daar de eerste vertegenwoordiger van. De motor van de A40 was een gemoderniseerde Devon-krachtbron en die van de A50 was nieuw met dubbele Zenith-carburateurs. De aanvankelijk voorgestelde coach haalde het productiestadium nooit. De groter gemotoriseerde A50 verkocht veel beter dan de A40. In de uitvoering De Luxe was er extra chroom en een leren interieur. Geen gewilde auto's, ook niet in Groot-Brittannië zelf.

Aantal cilinders: 4
Cilinderinhoud in cm³: 1200 en 1489
Vermogen: 42/4500 en 50/4400
Topsnelheid in km/uur: 112 en 118
Carrosserie/Chassis: zelfdragend
Uitvoering: sedan
Productiejaren: 1954-1956 en 1954-1957
Productie-aantallen: 30.666 en 114.867
In NL: 10
Prijzen: A: 900 B: 1.800 C: 3.200

AUSTIN A55 CAMBRIDGE

Als vervanger voor zowel de A40 als de A50 kwam in 1957 de forsere A55 Cambridge op de markt. Hij had een langere bagageruimte, een grotere achterruit, kleine vinnetjes en doorgaans vloerschakeling. Dat maakte hem tot een modernere auto dan zijn voorgangers. De aanduiding Cambridge zou geprolongeerd gaan worden op de latere Farina's. In Engeland leverde men de bestel- en pick up-versie van de A55-lijn zelfs tot 1971. Net als zijn voorgangers is dit nog steeds geen gewilde auto.

Aantal cilinders: 4
Cilinderinhoud in cm³: 1489
Vermogen: 51/4500
Topsnelheid in km/uur: 125
Carrosserie/Chassis: zelfdragend
Uitvoering: sedan
Productiejaren: 1957-1958
Productie-aantal: ca. 154.000
In NL: 10
Prijzen: A: 1.100 B: 2.300 C: 3.400

AUSTIN A90/A95/A105 WESTMINSTER

Tegelijkertijd met de A40 en A55 kwam de A90 Westminster uit. Afgezien van de portieren was alles aan de zescilinder een maatje groter. Die C-motor was een opgeboorde B-motor met nog steeds één carburateur van Zenith. In mei 1956 kwam er een gemodificeerde A90 als A95 uit. Rechtere achterkant, grotere achterruit, een nieuwe grille, meer chroom en meer vermogen. Daarnaast verscheen de A105 met dubbele SU's, two-tone spuitwerk en overdrive. Naast een Countryman stationcar was er een Vanden Plas-uitvoering met leer en hout van de A95 en A105 leverbaar.

Aantal cilinders: 6
Cilinderinhoud in cm³: 2639
Vermogen: 85/4000-102/4600
Topsnelheid in km/uur: 144-153
Carrosserie/Chassis: zelfdragend
Uitvoering: sedan en stationcar
Productiejaren: 1954-1959
Productie-aantallen: 25.532 en ca. 35.000
In NL: 5
Prijzen (A90): A: 1.600 B: 3.400 C: 5.000

AUSTIN A40 FARINA

In de herfst van 1958 kwam Austin met een geheel nieuwe wagen op de markt. De Italiaanse carrossier Pinin Farina had de opbouw getekend, maar de auto werd in Engeland vervaardigd. Bij de tweedeurs wagen kon de rugleuning van de achterbank neergeklapt worden, waardoor de kofferruimte aanmerkelijk vergroot werd. Vandaag niets nieuws natuurlijk, maar wel in 1958. Vanaf 1959 werd de A40 ook als Countryman ofwel stationcar geleverd. In '61 volgt de Mk II met een nieuwe grille en hydraulische remmen.

Aantal cilinders: 4
Cilinderinhoud in cm³: 948 en 1098
Vermogen: 35/4750 en 48/5100
Topsnelheid in km/uur: 110-130
Carrosserie/Chassis: zelfdragend
Uitvoering: coach en stationcar
Productiejaren: 1958-1967
Productie-aantal: 342.280
In NL: 1
Prijzen: A: 700 B: 1.800 C: 2.900

AUSTIN A55/A60 CAMBRIDGE

De Austin A55 – hij groeide in 1960 tot A60 – was een ander product van Pinin Farina's tekentafel. Het was een middenklasse auto met degelijke eigenschappen. Hij werd vaak met een lederen interieur afgeleverd en ook had de klant de keuze tussen een stuurversnelling en een pook op de vloer. Na 1961 kon de wagen met een automatische bak besteld worden en in 1966 zelfs met een dieselmotor. De A60 miste de vinnetjes achter en voor was er een nieuwe grille. De dieselversie was weinig succesvol, ook niet in station-uitvoering.

Aantal cilinders: 4
Cilinderinhoud in cm³: 1489, 1622 en diesel: 1489
Vermogen: 56/4400, 62/4500 en 40/4000
Topsnelheid in km/uur: 120, 140 en 110
Carrosserie/Chassis: zelfdragend
Uitvoering: sedan en stationcar
Productiejaren: 1959-1969
Productie-aantal: 426.528
In NL: 40
Prijzen: A: 1.100 B: 2.300 C: 4.300

AUSTIN A99 & A110 WESTMINSTER

Een grotere versie van de Cambridge is de zescilinder Westminster, natuurlijk ook van Farina. Vanden Plas en Wolseley leveren eveneens een variant in het badge-engineering programma. Schijfremmen voor en vier versnellingen maken dit tot een modernere wagen dan de kleinere uitvoering. Vanaf '61 verandert de type-aanduiding in A110 en een jaar later is er stuurbekrachtiging te bestellen en zelfs een airco. Kenners waarderen de Mk II met vierbak het meest.

Aantal cilinders: 6
Cilinderinhoud in cm³: 2912
Vermogen: 103/4500-120/4750
Topsnelheid in km/uur: 160-165
Carrosserie/Chassis: zelfdragend
Uitvoering: sedan
Productiejaren: 1959-1968
Productie-aantallen: 15.162 en 26.100
In NL: 10
Prijzen: A: 1.400 B: 2.500 C: 4.500

AUSTIN 1100 & 1300

Met de onsterfelijke Mini van 1959 had Alec Issigonis de weg naar de toekomst gewezen. Het concept van voorwielaandrijving door een dwarsgeplaatste en één geheel met de versnellingsbak vormende motor voorin werd ook in de grotere uitvoering zoals de Austin 1100 en 1300 doorgevoerd. Ook deze modellen hadden de hydrolastic vering van het kleine broertje meegekregen. Ondanks de sterke roestvorming waar de auto last van heeft, ziet men dit type in Engeland nog regelmatig rondrijden. In '69 verschijnt de 1300 GT.

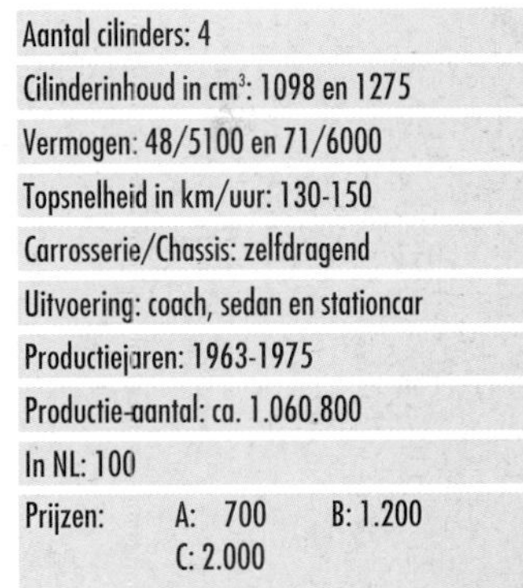
Aantal cilinders: 4
Cilinderinhoud in cm³: 1098 en 1275
Vermogen: 48/5100 en 71/6000
Topsnelheid in km/uur: 130-150
Carrosserie/Chassis: zelfdragend
Uitvoering: coach, sedan en stationcar
Productiejaren: 1963-1975
Productie-aantal: ca. 1.060.800
In NL: 100
Prijzen: A: 700 B: 1.200 C: 2.000

AUSTIN 1800 & 2200

Onder de naam ADO 17 werd deze ruime vijfzitter gebouwd om als Austin 1800 in oktober 1964 tentoongesteld te worden. In vele opzichten was het een vergrote uitvoering van de Mini en Austin 1100. Een overdwars ingebouwde motor die de voorwielen aandreef, hydro-elastische vering en veel ruimte voor een wagen met ogenschijnlijk geringe buitenafmetingen. De zescilinder (ook dwars!) 2200 was er vanaf 1972. Net als de overige gelijkende familieleden geen populaire klassieker.

Aantal cilinders: 4 en 6
Cilinderinhoud in cm³: 1798 en 2227
Vermogen: 80/5000-110/5250
Topsnelheid in km/uur: 145-175
Carrosserie/Chassis: zelfdragend
Uitvoering: sedan
Productiejaren: 1964-1975
Productie-aantallen: ca. 210.000 en ca. 11.000
In NL: 30
Prijzen: (1800) A: 500 B: 1.300 C: 2.300

AUSTIN 3-LITRE

De opvolger van de A110 Westminster Mk II was de 3-Litre die in het najaar van 1967 uitkwam. De wagen leek op een opgeblazen Austin 1800 maar had achterwielaandrijving. Er zat een geheel nieuw ontwikkelde motor in met een zevenmaal gelagerde krukas. Er waren zelfregulerende Hydrolastic achterdempers gemonteerd en stuurbekrachtiging was standaard. De auto had echter te weinig uitstraling en de prestaties waren te mager voor een auto van een dergelijke klasse. Het liep uit op een flop, gezien de geringe productie in vijf jaar tijd.

Aantal cilinders: 6
Cilinderinhoud in cm³: 2912
Vermogen: 124/4500
Topsnelheid in km/uur: 166
Carrosserie/Chassis: zelfdragend
Uitvoering: sedan en stationcar
Productiejaren: 1967-1971
Productie-aantal: 9.992
In NL: 1
Prijzen: A: 900 B: 1.800 C: 3.200

AUSTIN MAXI 1500 & 1750

Austin heeft auto's in alle maten en prijzen geleverd. Naast de 1100/1300 verscheen de Maxi 1500 in 1969 en in 1971 de Maxi 1750 (foto), die er twee jaar later ook in snellere versie was, de HL. De wagen was ongelooflijk ruim maar niet erg mooi. Bij de voorwielen vond men nu schijfremmen; geen overbodige luxe want de wagen haalde een top van bijna 150 km/uur. En dan waren er nog de Austin 1800 en de 2200 die alle volgens hetzelfde systeem gebouwd waren. De matige bouwkwaliteit dreef sommige eigenaren tot wanhoop. De Maxi is geen gemakkelijk verkoopbare auto.

Aantal cilinders: 4
Cilinderinhoud in cm³: 1485 en 1748
Vermogen: 80/5300 tot 91/5000
Topsnelheid in km/uur: 145-158
Carrosserie/Chassis: zelfdragend
Uitvoering: sedan en stationcar
Productiejaren: 1969-1981
Productie-aantal: 472.098
In NL: 50
Prijzen: A: 500 B: 1.100 C: 1.800

AUSTIN ALLEGRO

16 miljoen pond investeerde British Leyland in de fabriek in Longbridge om de opvolger van de beroemde 1100/1300 te kunnen gaan bouwen. Het ontwerp was van Harris Mann. De eerste Austin Allegro kon in 1973 afgeleverd worden. De wagen was ronder gevormd dan zijn voorganger maar kon in de ogen van velen niet overtuigen. Vier motorvarianten stonden ter beschikking: vanaf 1100 tot 1750 cm³, waarbij de 1,3-literversie het meest verkocht werd. Vanaf 1975 was er een opvallende stationcar. Zou deze veel verguisde Allegro in de toekomst nog wat gaan doen?

Aantal cilinders: 4
Cilinderinhoud in cm³: 1098-1748
Vermogen: 44/5250-91/5250
Topsnelheid in km/uur: 130-168
Carrosserie/Chassis: zelfdragend
Uitvoering: coach, sedan en stationcar
Productiejaren: 1973-1982
Productie-aantal: 716.250
In NL: 50
Prijzen (1300): A: 300 B: 800 C: 1.400

AUSTIN-HEALEY

Donald M. Healey, coureur en rallyrijder, had al een lange carrière als ontwikkelingsingenieur bij Riley, Humber en Triumph achter de rug voor hij wagens onder zijn eigen naam ging bouwen. In 1952 stond hij met een tweepersoons sportwagen op de Earls Court Motor Show. De wagen was opgebouwd met Austin-onderdelen en beviel de grote baas van BMC, Leonard Lord, zo goed dat hij de productierechten van Healey nog voor de opening van de show opkocht. Deze koop betekende de grondsteen voor een langdurige samenwerking tussen Healey en Austin.

AUSTIN-HEALEY 100/4 & M

Door het veelvuldig gebruik van goedkope onderdelen uit de Austin-productie verkreeg Donald Healey een relatief goedkope sportwagen. Deze eerste Austin-Healeys hadden nog een 2,6 liter viercilinder motor uit de Austin A90 Atlantic en een drieversnellingsbak met een overdrive. Deze oprecht sportieve wagen werd een echte exporthit: de Amerikanen waren er dol op. Bij de liefhebber zijn vooral de modellen 100 M en 100 S geliefd. De M is herkenbaar aan de rolbeugel. Let echter goed op tot 'M' omgebouwde exemplaren. Is een kwart meer waard.

Aantal cilinders: 4
Cilinderinhoud in cm³: 2660
Vermogen: 90/4000-110/4500
Topsnelheid in km/uur: 165-180
Carrosserie/Chassis: afzonderlijk chassis
Uitvoering: cabriolet
Productiejaren: 1954-1956
Productie-aantal: 14.612
In NL: 100
Prijzen (100): A: 11.300 B: 22.700 C: 31.800

AUSTIN-HEALEY 100 S

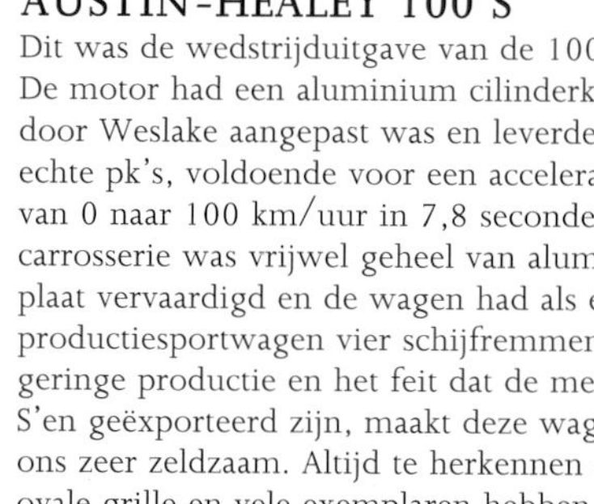

Dit was de wedstrijduitgave van de 100/4. De motor had een aluminium cilinderkop die door Weslake aangepast was en leverde 132 echte pk's, voldoende voor een acceleratie van 0 naar 100 km/uur in 7,8 seconden. De carrosserie was vrijwel geheel van aluminium plaat vervaardigd en de wagen had als eerste productiesportwagen vier schijfremmen. De geringe productie en het feit dat de meeste S'en geëxporteerd zijn, maakt deze wagen bij ons zeer zeldzaam. Altijd te herkennen aan de ovale grille en vele exemplaren hebben een kleine voorruit. Ook hier weer uitkijken voor namaak.

Aantal cilinders: 4
Cilinderinhoud in cm³: 2660
Vermogen: 132/4700
Topsnelheid in km/uur: 195
Carrosserie/Chassis: aluminium op een afzonderlijk chassis
Uitvoering: cabriolet
Productiejaren: 1954-1956
Productie-aantal: 55
In NL: 0
Prijzen: A: 40.800 B: 68.100 C: 90.800

AUSTIN-HEALEY 100/6

In 1956 kwam een geheel nieuwe Healey in de showrooms. De 100/6 had niet alleen een langere wielbasis en daarom meer ruimte in de wagen, maar ook een soepelere zescilinder motor, de BMC C-motor, en een vierversnellingsbak met overdrive. De oudere typen waren wat traag, maar die na 1957 geleverd zijn niet, dank zij de gemodificeerde cilinderkop. Vanaf '58 was er ook een pure tweezitter. Hoewel de 100/6 veel minder geproduceerd is dan zijn navolger met 3 liter, liggen die eerste zespitters een stuk lager in prijs. Dit komt omdat ze minder sportwagen zijn dan de nakomers.

Aantal cilinders: 6
Cilinderinhoud in cm^3: 2639
Vermogen: 102/4600-117/4750
Topsnelheid in km/uur: 170-175
Carrosserie/Chassis: afzonderlijk chassis
Uitvoering: cabriolet
Productiejaren: 1956-1959
Productie-aantal: 14.436
In NL: 140
Prijzen: A: 10.000 B: 18.200 C: 27.200

AUSTIN-HEALEY 3000

Een cilinderinhoud van 2912 cm^3 bracht de Austin-Healey 3000 de bijnaam 'Big Healey'. Deze wagen kwam in 1959 uit en had nu schijfremmen bij de voorwielen. De Mk II van 1961 had drie S.U.-carburateurs, acht pk's meer en een nieuwe versnellingsbak. De Mk III (foto) van 1963 had weer twee carburateurs maar wel bekrachtigde remmen. Tot 1968 bleef dit model in productie. Toen werd het voor de Engelsen te duur om de wagen nog aan de Amerikaanse eisen aan te passen en verdween de Healey van de productiebanden. De Mk III is de duurste.

Aantal cilinders: 6
Cilinderinhoud in cm^3: 2912
Vermogen: 124/4600-148/5250
Topsnelheid in km/uur: 180-195
Carrosserie/Chassis: afzonderlijk chassis
Uitvoering: cabriolet
Productiejaren: 1959-1968
Productie-aantal: 42.926
In NL: 785
Prijzen: (Mk III) A: 15.900 B: 27.200 C: 36.300

AUSTIN-HEALEY SPRITE MK I

Officieel heette deze kleine sportwagen Austin-Healey Sprite maar de liefhebber kent hem onder de naam Frogeye. En inderdaad lijken de koplampen – ze werden zo hoog geplaatst om aan de Amerikaanse wetten te kunnen voldoen – wel iets op de ogen van een kikker. In de wagen zaten delen van Austin, Morris en MG. Een kofferklep ontbreekt. Een echt Engels sportwagentje, dat vanwege zijn lage nieuwprijs een grote groep mensen de gelegenheid gaf een dergelijke auto te berijden. Een groot voordeel is tegenwoordig dat vrijwel alle onderdelen verkrijgbaar zijn.

Aantal cilinders: 4
Cilinderinhoud in cm^3: 948
Vermogen: 43/5000
Topsnelheid in km/uur: 135
Carrosserie/Chassis: zelfdragend
Uitvoering: cabriolet
Productiejaren: 1958-1961
Productie-aantal: 48.987
In NL: 230
Prijzen: A: 4.100 B: 8.200 C: 11.800

AUSTIN-HEALEY SPRITE MK II, III, IV & AUSTIN SPRITE

In 1961 namen Syd Enever en Les Ireland het ontwerp van de door Gerry Coker getekende Sprite onder handen, waardoor de Mk II ontstond. Rekening houdend met de wensen van het publiek situeerden zij de koplampen nu niet langer boven op de motorkap. Bij de Mk II (foto) kon de kofferruimte door een kofferdeksel bereikt worden. Bij de Mk IV was de linnenkap vast aan de wagen bevestigd. Motorinhoud en vermogen groeiden mee. De ruim duizend laatste Sprites kregen alleen de naam Austin mee.

Aantal cilinders: 4
Cilinderinhoud in cm^3: 948, 1098 en 1275
Vermogen: 47/5500, 55/5400 en 65/6000
Topsnelheid in km/uur: 140-155
Carrosserie/Chassis: zelfdragend
Uitvoering: cabriolet
Productiejaren: 1961-1971
Productie-aantal: 80.360
In NL: 500 en 5
Prijzen: A: 2.700 B: 5.200 C: 8.200

AUTOBIANCHI

De firma Autobianchi werd in 1899 in Milaan opgericht. De naam verdween na de oorlog, tot Fiat en Pirelli het aloude bedrijf in 1955 weer nieuw leven inbliezen. En met succes want de kleine auto's – eigenlijk niet veel anders dan Fiats met een mooiere carrosserie – verkochten vooral in Italië goed. Nu is Autobianchi een dochter van Lancia.

AUTOBIANCHI BIANCHINA 500 COUPÉ

In 1957 introduceert Autobianchi een speciale uitvoering van de Fiat 500 Nuova: de Bianchina 500. Aanvankelijk uitsluitend als coupé met een roldak, die in Italië zelf Trasformabile wordt genoemd. De wagen was gebouwd op het (lagere) onderstel van de Fiat 500 Sport. Het was echter zeker geen sportwagen en men vond dan ook tot 1961 het kleine 479 cc-blok achterin, dat wel meer pk's leverde dan het oorspronkelijke blokje in de Fiat. In de jaren erna volgen de drie hierna besproken carrosserievarianten.

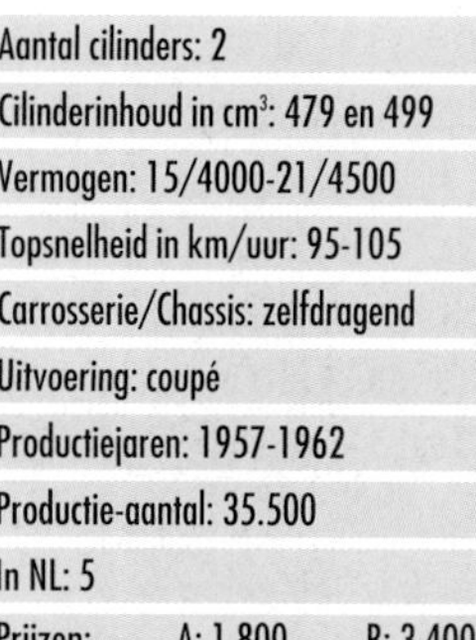

Aantal cilinders: 2
Cilinderinhoud in cm³: 479 en 499
Vermogen: 15/4000-21/4500
Topsnelheid in km/uur: 95-105
Carrosserie/Chassis: zelfdragend
Uitvoering: coupé
Productiejaren: 1957-1962
Productie-aantal: 35.500
In NL: 5
Prijzen: A: 1.800 B: 3.400 C: 5.400

AUTOBIANCHI BIANCHINA 500 CABRIOLET (EDEN ROC)

Ook de versie van Autobianchi kwam er in verschillende uitvoeringen en de tweede was de in 1960 gelanceerde Cabriolet, die in Frankrijk Eden Roc werd genoemd. Het is zonder meer een lief open wagentje. Ideaal voor de Italiaanse of Zuid-Franse vrouwen, die hem vaak als zomerauto gebruikten. De prijzen van de in redelijke aantallen overgebleven cabriolet zijn relatief hoog. Nederlandse liefhebbers koesteren hun exemplaren en je ziet er dan ook zelden een te koop.

Aantal cilinders: 2
Cilinderinhoud in cm³: 499
Vermogen: 21/4500
Topsnelheid in km/uur: 105
Carrosserie/Chassis: zelfdragend
Uitvoering: cabriolet
Productiejaren: 1960-1969
Productie-aantal: 9.300
In NL: 25
Prijzen: A: 2.700 B: 5.000 C: 7.300

AUTOBIANCHI BIANCHINA 500 PANORAMICA

Een ander Autobianchi-model op basis van de Fiat Nuova 500 was de Panoramica, een kleine stationcar die groot genoeg was voor een gezin met twee kinderen en wat bagage. Hij was groter dan de Fiat Giardiniera, want hij had een wielbasis van 194 in plaats van 184 cm. Zelfs na beëindiging van de gewone Bianchina-productie bouwde men deze kleine stationcar door. Daarna nam Autobianchi de vervaardiging van de Giardiniera van Fiat voor zijn rekening. Het is de bestverkochte Bianchina-variant.

Aantal cilinders: 2
Cilinderinhoud in cm³: 479-499
Vermogen: 18/4800
Topsnelheid in km/uur: 95
Carrosserie/Chassis: zelfdragend
Uitvoering: stationcar
Productiejaren: 1960-1970
Productie-aantal: 160.000
In NL: 7
Prijzen: A: 900 B: 2.300 C: 3.400

AUTOBIANCHI BIANCHINA 500

Doorgaans komt er na de introductie van een coach- of sedan-uitvoering van een type auto een afgeleide in de vorm van een coupé of cabriolet. Autobianchi deed dat andersom: eerst een coupé, dan een cabriolet en een bestel en tot slot een 'gewone' in de vorm van een coach. Iets minder alledaags dan een Fiat 500 was de Bianchina 500 een alternatief voor diegenen die wat bijzonders zochten. Hij was er naast de basisversie ook als Special met o.a. enkele pk's meer. Door de hoge daklijn bood hij plaats aan vier volwassenen.

Aantal cilinders: 2
Cilinderinhoud in cm³: 499
Vermogen: 17,5/4600-21/4500
Topsnelheid in km/uur: 100
Carrosserie/Chassis: zelfdragend
Uitvoering: coach
Productiejaren: 1962-1969
Productie-aantal: ca. 69.000
In NL: 15
Prijzen: A: 900 B: 2.300 C: 3.200

AUTOBIANCHI STELLINA

De Autobianchi Stellina was één van de (betaalbare) droomauto's van de Turijnse salon van 1963. De wagen was opgebouwd met de onderdelen van de Fiat 600, maar had een kunststof carrosserie met ruimte voor de chauffeuse en haar vriend. De koplampen waren achter plexiglas gemonteerd en gaven de wagen ook van voren een sportief aanzien. Op de snelweg viel het wagentje echter door de mand, want een topsnelheid van ruim honderd hoort eigenlijk niet bij zo'n vlot ogende wagen. Zeldzaam en daarom naar verhouding nogal prijzig.

Aantal cilinders: 4
Cilinderinhoud in cm³: 767
Vermogen: 32/4800
Topsnelheid in km/uur: 115
Carrosserie/Chassis: zelfdragend
Uitvoering: cabriolet
Productiejaren: 1963-1965
Productie-aantal: 387
In NL: n.b.
Prijzen: A: 3.400 B: 5.900 C: 8.200

AUTOBIANCHI PRIMULA

Wat de Engelsen met hun Mini's en Maxi's (zie Austin) bewezen hadden, kon Fiat natuurlijk ook en zo verscheen er in 1964 een Autobianchi Primula op de Turijnse show die alle snufjes van de toen al bekende Austin 1100 had: voorwielaandrijving door een dwars geplaatste motor, een derde deur en veel ruimte in de betrekkelijk kleine wagen. De coupé is uit de ateliers van Touring afkomstig en deze kost tegenwoordig dan ook het dubbele van de prijs die een coach of sedan vergt. Onderdelen zijn lastig verkrijgbaar en je ziet Primula's hoofdzakelijk in Italië zelf.

Aantal cilinders: 4
Cilinderinhoud in cm³: 1197, 1221 en 1428
Vermogen: 59/5400-75/5500
Topsnelheid in km/uur: 135-155
Carrosserie/Chassis: zelfdragend
Uitvoering: coach, sedan en coupé
Productiejaren: 1964-1970
Productie-aantal: 74.858
In NL: n.b.
Prijzen: A: 700 B: 1.700 C: 2.700

AUTOBIANCHI GIARDINIERA

Het succes van de Giardiniera viel Fiat nogal tegen: slechts veertien procent van de totale Nuova 500-productie bestond uit deze stationcarretjes. De Autobianchi-fabriek werd in 1968 helemaal door Fiat overgenomen. In Desio was nog capaciteit over en men besloot in 1968 de Giardiniera na drie jaar afwezigheid weer te gaan bouwen. De wagen verscheen met een eigen logo op het neusje en hij werd als Autobianchi Giardiniera aangeboden. Tot het eind van de productie in 1977 bleven de zelfmoordportieren in dit wagentje, hoewel de coach wel deurscharnieren aan de voorkant kreeg.

Aantal cilinders: 2
Cilinderinhoud in cm³: 499
Vermogen: 17,5/4600
Topsnelheid in km/uur: 95
Carrosserie/Chassis: zelfdragend
Uitvoering: stationcar
Productiejaren: 1968-1977
Productie-aantal: ca. 166.000
In NL: 75
Prijzen: A: 900 B: 2.500 C: 3.600

AUTOBIANCHI A112

Ook de Autobianchi A112 had de aandrijving à la Mini, die hij vooral in Italië beconcurreerde. De wagen kwam in 1969 op de markt en bleef tot 1986 in productie. De motor van de eerste modellen stamde van de Fiat 850 Sport waar hij echter achterin de wagen gemonteerd was. Later vond men deze motor ook in de Fiat 127 terug. De A112 bood een heleboel rijplezier en in zijn sterkere Abarth-uitvoering kon hij het tegen menige zwaardere wagen opnemen. De Abarth is te herkennen aan zijn matzwarte motorkap, speciale grille en natuurlijk aan de Abarth-emblemen.

Aantal cilinders: 4
Cilinderinhoud in cm³: 903 tot 1050
Vermogen: 44/5600 tot 70/6600
Topsnelheid in km/uur: 135-157
Carrosserie/Chassis: zelfdragend
Uitvoering: coach
Productiejaren: 1969-1986
Productie-aantal: 1.254.178
In NL: n.b.
Prijzen (Abarth): A: 1.100 B: 2.700 C: 3.600

AWZ/ZWICKAU

In Zwickau bouwde VEB Automobilwerk Zwickau in de jaren 1956-1959 een autootje dat onder twee typenamen bekend staat: AWZ P70 Zwickau en Zwickau P70. Hij volgde de IFA F8 (zie IFA) op en hij werd in de oude Audi-fabriek geproduceerd. De typen erna kregen de merknaam Trabant mee. Het zou hét vervoermiddel voor de DDR-burgers worden.

AWZ P70 ZWICKAU

Als opvolger van de IFA F8 kwam in juni 1956 de AWZ P70 Zwickau uit. Het was een coach met dezelfde techniek als de F8, maar met een kortere wielbasis en de motor was voor de vooras geplaatst. De kunststof carrosserie van hout, ijzer en duroplast was de eerste van z'n soort die in een grote serie werd gemaakt. Vanaf het voorjaar van '56 verscheen de stationversie en een jaar later de coupé. Deze P70's zijn te beschouwen als de voorlopers van de Trabant van '58. Tegenwoordig vrij zeldzaam en daarom duurder dan z'n opvolger.

Aantal cilinders: 2
Cilinderinhoud in cm³: 684
Vermogen: 22/3500
Topsnelheid in km/uur: 90
Carrosserie/Chassis: afzonderlijk chassis
Uitvoering: coach, coupé en stationcar
Productiejaren: 1956-1959
Productie-aantal: 36.796
In NL: n.b.
Prijzen: A: 1.100 B: 1.700 C: 2.300

BENTLEY

Walter Owen Bentley stichtte de fabriek die zijn naam droeg in 1920. Al heel gauw waren zijn producten beroemd en berucht. Beroemd bij de rijken van deze aarde die zich een dure luxe wagen konden permitteren en berucht op de circuits waar de Bentley-racewagens met de concurrentie de vloer aanveegden. (Zij wonnen de zware 24 uurs race van Le Mans niet minder dan vijf maal). Ondanks deze goede reclame ging het de fabriek financieel niet best. 'Geen wonder,' riep de concurrentie, 'met voor de eeuwigheid gebouwde auto's kan je geen geld verdienen.' In 1931 nam Rolls-Royce de fabriek over. Bentley bleef dus gespaard, maar verloor wel veel van zijn eigen image.

BENTLEY MK VI

Direct na de oorlog kwam Bentley met een standaard vierdeurs limousine uit die een carrosserie had die bij Pressed Steel gemaakt was. Interessanter waren de wagens die wel het chassis van deze Mk VI hadden, maar de opbouw van een andere carrossier. Zo werden er body's op de rolling chassis gebouwd door specialisten als Park Ward, Mulliner, James Young en Graber. Van de totale productie heeft ongeveer een vijfde deel dergelijke speciale koetswerken. De fabrieksversie van Standard Steel kan flink roesten.
De speciale koetswerken zijn vaak van aluminium.

Aantal cilinders: 6
Cilinderinhoud in cm³: 4257 en 4566
Vermogen: 137 en 150
Topsnelheid in km/uur: 151-165
Carrosserie/Chassis: afzonderlijk chassis
Uitvoering: sedan
Productiejaren: 1946-1951 en 1951-1952
Productie-aantal: 5.202
In NL: n.b.
Prijzen: A: 9.100 B: 17.200 C: 25.000

BENTLEY R-TYPE

De R-Type Bentley die de Mk VI in 1952 opvolgde, was eigenlijk alleen aan zijn vernieuwde achterkant te herkennen. De wagen die nu bijna twee ton op de weegschaal bracht, werd aangedreven door de 4,6 liter zescilinder die men ook in de laatste exemplaren van de Mk VI gemonteerd had. Zuinig was deze motor nooit geweest en daarom moest men met een benzineverbruik van 1 op 5 tevreden zijn. Een automatische bak was een optie. Ondanks de zeer robuuste uitstraling hebben ook deze Bentleys veel last van roestvorming.

Aantal cilinders: 6
Cilinderinhoud in cm³: 4566
Vermogen: 150-160/4500
Topsnelheid in km/uur: 171
Carrosserie/Chassis: afzonderlijk chassis
Uitvoering: sedan
Productiejaren: 1952-1955
Productie-aantal: 2.320
In NL: n.b.
Prijzen: A: 11.300 B: 20.400 C: 29.500

BENTLEY CONTINENTAL R

De meeste R-Types werden met een fabrieks-carrosserie verkocht, enkele gingen als rolling chassis naar een carrossier die de klant had uitgekozen, maar 193 wagens kregen een identieke opbouw bij de specialist H.J. Mulliner. Deze Bentley kon besteld worden als R-Type Continental en zonder twijfel was dit één van de mooiste ontwerpen die ooit op een Bentley-chassis gebouwd zijn. De aërodynamische carrosserie is van lichtmetaal. De latere typen hadden een 4,9 liter motor met meer vermogen. De overige 15 R's kwamen van Franay, Graber, Park Ward en Pinin Farina.

Aantal cilinders: 6
Cilinderinhoud in cm³: 4566 en 4887
Vermogen: 150-160/4500
Topsnelheid in km/uur: 171-188
Carrosserie/Chassis: afzonderlijk chassis
Uitvoering: coupé
Productiejaren: 1952-1955
Productie-aantal: 208
In NL: n.b.
Prijzen: A: 54.500 B: 113.000 C: 136.000

BENTLEY S1

De Bentley S die in 1955 uitkwam, had wel een moderne carrosserie, nieuwe wielophangingen en betere remmen dan zijn voorganger, maar nog dezelfde ouderwetse Rolls-Royce-motor waarin de inlaatkleppen kopkleppen en de uitlaatkleppen zijkleppen zijn. Na 1957 was de S ook met stuurbekrachtiging en een automatische bak leverbaar. Van de limousine – dus de S met langere wielbasis – zijn er niet meer dan enkele tientallen geleverd. Ook voor deze nobele Engelsman geldt: kijk uit voor roestvorming op het chassis.

Aantal cilinders: 6
Cilinderinhoud in cm³: 4887
Vermogen: 160/4500
Topsnelheid in km/uur: 175
Carrosserie/Chassis: afzonderlijk chassis
Uitvoering: sedan en limousine
Productiejaren: 1955-1959
Productie-aantal: 3.107
In NL: n.b.
Prijzen: A: 11.300 B: 22.700 C: 31.800

BENTLEY S1 CONTINENTAL

Aangespoord door het succes van de R-Type Continental bracht Bentley van de S-Series ook Continental-uitvoeringen uit. Helaas misten deze wagens de charme die de R-Type zo aantrekkelijk gemaakt had. De S1 Continental had een andere achterasoverbrenging en een hogere compressie, waardoor de motor meer vermogen leverde. Mulliner (217 stuks) bouwde een coupé-uitvoering die men herkende aan de minivinnetjes achter. Deze firma leverde tevens een sedan: de Flying Spur. Park Ward (187 stuks) kwam zowel met een coupé als met een cabriolet. Overige koetsenbouwers waren Franay, Graber, Hooper en Young.

Aantal cilinders: 6
Cilinderinhoud in cm³: 4887
Vermogen: 160-170/4500
Topsnelheid in km/uur: 190
Carrosserie/Chassis: afzonderlijk chassis
Uitvoering: sedan, coupé en cabriolet
Productiejaren: 1955-1959
Productie-aantal: 431
In NL: n.b.
Prijzen: (cabrio) A: 91.000 B: 145.000 C: 198.000

BENTLEY S2

Het verschil tussen een Bentley S1 en een S2 zit onder de aluminium motorkap. Bij de S2 vindt men daar namelijk een V8 in plaats van de vertrouwde zes-in-lijn. Deze motor had niet alleen meer vermogen maar liep nog rustiger en nu werkelijk bijna geruisloos. Het centrale smeersysteem dat Bentley zo lang ingebouwd had, verdween nu voorgoed. De verlengde versie werd 57 maal gebouwd. Dit is een van de goedkoopste oudere Bentleys in aanschaf. Mulliner leverde de open versies. Een automatische versnellingsbak en stuurbekrachtiging waren standaard ingebouwd.

Aantal cilinders: V8
Cilinderinhoud in cm³: 6230
Vermogen: 190/4500
Topsnelheid in km/uur: 180
Carrosserie/Chassis: afzonderlijk chassis
Uitvoering: sedan en cabriolet
Productiejaren: 1959-1962
Productie-aantal: 1.920
In NL: n.b.
Prijzen: A: 11.300 B: 22.700 C: 31.800

BENTLEY S2 CONTINENTAL

De Bentley S2 had in zijn Continental-uitvoering een aluminium carrosserie en een sterkere motor dan de S2 sedan plus de achterasoverbrenging van de Continental S1 (2,923:1) en remmen met grotere remvoeringen die een totale oppervlakte hadden van 1935 cm^2. Dit was wel noodzakelijk want als coupé bracht de wagen een gewicht van twee ton op de schaal. Er zijn vele uitvoeringen van Mulliner (222), Young (40) en Park Ward (125). De eerste twee leverden o.a. coaches en sedans en van de laatste was er een prachtige cabriolet. Hooper bouwde slechts één S2 Continental.

Aantal cilinders: V8
Cilinderinhoud in cm^3: 6230
Vermogen: 200/4500
Topsnelheid in km/uur: 185
Carrosserie/Chassis: afzonderlijk chassis
Uitvoering: coach, sedan, coupé en cabriolet
Productiejaren: 1959-1962
Productie-aantal: 388
In NL: n.b.
Prijzen: (cabrio) A: 40.800 B: 77.000 C: 115.000

BENTLEY S3

De S3 die van 1962 tot 1965 gebouwd werd, was standaard als sedan verkrijgbaar. Het was de laatste 'echte' Bentley, want zijn opvolgers waren niet veel meer dan een Rolls-Royce met een ander merkplaatje. De modieuze dubbele koplampen van de S3 vielen niet bij iedereen in de smaak. Van de verlengde limousine zijn 32 exemplaren afgeleverd. Mulliner maakte wederom open S3's en die zijn zeer zeldzaam. De standaarduitvoering had een lagere motorkaplijn en andere voorschermen dan de S2.

Aantal cilinders: V8
Cilinderinhoud in cm^3: 6230
Vermogen: 200/4500
Topsnelheid in km/uur: 188
Carrosserie/Chassis: afzonderlijk
Uitvoering: sedan en cabriolet
Productiejaren: 1962-1965
Productie-aantal: 1.318
In NL: n.b.
Prijzen: A: 12.500 B: 22.700 C: 34.000

BENTLEY S3 CONTINENTAL

De S3 was voorlopig de laatste Bentley met een Continental-uitvoering. De chassisnummers liepen van BC 2-174 XA tot en met BC 2-120 XE. De fabriek verkocht een hele reeks 'rolling chassis' aan kleine carrossiers en bood officieel de volgende carrosserie-modellen aan: een sedan van Mulliner (68) of van James Young (20) en een cabriolet en coupé die bij Park Ward (171) gemaakt werden. Die laatste staan als 'Chinese Eye' bekend. Ook zijn er Continentals als Rolls-Royce afgeleverd. In 1963 gaan Mulliner en Park Ward samen en dan verschijnen er S3's van MPW (51). Graber bouwde er één.

Aantal cilinders: V8
Cilinderinhoud in cm^3: 6230
Vermogen: 200/4500
Topsnelheid in km/uur: 195
Carrosserie/Chassis: afzonderlijk chassis
Uitvoering: sedan, coupé en cabriolet
Productiejaren: 1962-1965
Productie-aantal: 312
In NL: n.b.
Prijzen: (sedan) A: 36.300 B: 45.400 C: 56.700

BENTLEY T 1

Met de Bentley T-serie ging ook dit oude merk over tot moderne carrosseriebouw en wel tot de zelfdragende carrosserieën. Maar ook technisch had men zich aangepast, want de T-Type had nu niet alleen vier schijfremmen maar ook onafhankelijke vering voor de vier wielen. De afwezigheid van een zwaar chassis maakte de wagen aanmerkelijk lichter en aangezien de motor ook nog iets in kracht was toegenomen, kon de fabriek een topsnelheid van 190 km/uur opgeven. Het vermogen werd natuurlijk weer niet verklapt. Is meer waard dan de Rolls met dezelfde vormen.

Aantal cilinders: V8
Cilinderinhoud in cm^3: 6230 en 6750
Vermogen: voldoende
Topsnelheid in km/uur: 190
Carrosserie/Chassis: zelfdragend
Uitvoering: sedan, coach en cabriolet
Productiejaren: 1965-1970 en 1970-1977
Productie-aantal: 1.852
In NL: n.b.
Prijzen: (LHD) A: 6.800 B: 14.700 C: 21.800

BENTLEY T2

De Bentley T was een luxe auto geweest, maar de T2 versloeg hem nog op verschillende fronten. De wagen had nu zowel voor als achter een airconditioning en natuurlijk weer een automatische Turbo-Hydra-Matic-versnellingsbak die oorspronkelijk bij General Motors in Amerika gemaakt was, maar in Engeland nog eens uit elkaar gehaald werd voor een laatste controle. De zeldzaamste versie is de limousine, waarvan er slechts 10 gebouwd zijn. De open versie van de T2 van Mulliner Park Ward kreeg een eigen typenaam (zie onder).

Aantal cilinders: V8
Cilinderinhoud in cm^3: 6750
Vermogen: n.b.
Topsnelheid in km/uur: 190
Carrosserie/Chassis: zelfdragend
Uitvoering: sedan en limousine
Productiejaren: 1977-1980
Productie-aantal: 568
In NL: n.b.
Prijzen: (LHD) A: 11.300 B: 17.000 C: 27.200

BENTLEY CORNICHE

De verschillen tussen de Bentley Corniche en de Rolls-Royce van dit type zijn de grille en de productie-aantallen. Terwijl er van de Rolls bijna 5.000 de weg op kwamen bleef het aantal Bentleys heel beperkt met 63 gesloten en 77 open wagens. In maart 1977 kreeg de wagen een gemodificeerde carrosserie en een nieuwe stuurinrichting waarmee de Mk 2 ontstond. Dit model was nu uitsluitend als cabriolet verkrijgbaar en weer werd de carrosserie bij H.J. Mulliner/Park Ward gebouwd. Vanaf 1984 heet de cabriolet Continental.

Aantal cilinders: V8
Cilinderinhoud in cm³: 6750
Vermogen: n.b.
Topsnelheid in km/uur: 195
Carrosserie/Chassis: zelfdragend
Uitvoering: coach en cabriolet
Productiejaren: 1971-1977 en 1977-1984
Productie-aantal: 140
In NL: n.b.
Prijzen: (cabrio) A: 31.800 B: 45.400 C: 54.500

BENTLEY MULSANNE

De opvolger van de T2 was de Mulsanne van 1980, genoemd naar een beroemd, uiterst snel deel van het circuit van Le Mans. De fabriek gaf met deze naamgeving te kennen dat Bentley meer een eigen weg zou gaan. De wagen was minder hoog en had grotere raamoppervlakken en daardoor leek hij veel breder en langer dan de T2. Met de rechthoekige koplampen en de liggende achterlichten zag de Mulsanne er veel moderner uit. In '86 kwam er een injectiesysteem in en ABS voor alle markten. De Mulsanne is 51 maal met de langere wielbasis afgeleverd. De opvolger heette Mulsanne S.

Aantal cilinders: V8
Cilinderinhoud in cm³: 6750
Vermogen: n.b.
Topsnelheid in km/uur: 193-209
Carrosserie/Chassis: zelfdragend
Uitvoering: sedan
Productiejaren: 1980-1987
Productie-aantal: 533
In NL: n.b.
Prijzen: A: 13.000 B: 19.000 C: 25.000

BENTLEY TURBO R

Op de autoshow van Genève in 1985 stelde Bentley de nieuwe Turbo R voor, die naast de Mulsanne Turbo geleverd zou gaan worden. Twee jaar na de introductie van de R staakte men de productie van de Mulsanne echter, omdat de vraag ernaar ernstig teruggevallen was. De Turbo R was een veel beter alternatief, zowel technisch als uiterlijk. De wielophanging was verbeterd en er waren bredere velgen. Vanaf modeljaar 1989 maakten de rechthoekige koplampen plaats voor dubbele ronde exemplaren. In '95 volgde de 'New' Turbo R, die in '97 afgelost werd door de Turbo RT.

Aantal cilinders: V8
Cilinderinhoud in cm³: 6750
Vermogen: 389/4000
Topsnelheid in km/uur: 220-235
Carrosserie/Chassis: zelfdragend
Uitvoering: coach en sedan
Productiejaren: 1985-1995
Productie-aantal: 5.864
In NL: n.b.
Prijzen: A: 27.200 B: 36.300 C: 45.400

BERKELEY

Lawrie (eigenlijk Lawrence) Bond was constructeur bij Berkeley Coachworks die niet alleen caravans maar ook kleine sportwagens bouwde. Deze drie- en vierwielers hadden alle een kunststof carrosserie en een motorfietsmotor van de merken Anzani, Excelsior of Royal Enfield. De voorwielen werden aangedreven en vaak door middel van kettingen, naar goede motorfietsgewoonte dus. Gewicht hadden de wagentjes nauwelijks en daarom waren ze zo snel dat een Engelse journalist na een testrit schreef: 'Een uitdaging aan de moed en het verstand van de rijder.'

BERKELEY B 60 & B 65

De eerste sportwagen van Berkeley was het model B 60 van 1956. Deze tweezitter had een tweecilinder tweetakt motortje van Anzani en een plastic carrosserie die uit drie delen bestond. 15 pk leverde de motor en deze kracht ging via een ketting naar de drieversnellingsbak en via een andere ketting naar het differentieel en de voorwielen. De fabriek gaf een topsnelheid op van 100 km/uur. In 1957 volgde de B 65 de B 60 op en werd er een grotere Excelsior-motor ingebouwd. Door een winst van 6 cm³ en 3 pk haalde dit model een top van 112 km/uur.

Aantal cilinders: 2
Cilinderinhoud in cm³: 322 en 328
Vermogen: 15-18/5000
Topsnelheid in km/uur: 100-112
Carrosserie/Chassis: kunststof/zelfdragend
Uitvoering: cabriolet
Productiejaren: 1956-1957 en 1957-1958
Productie-aantallen: 146 en 1.272
In NL: n.b.
Prijzen: A: 1.800 B: 2.700 C: 3.900

BERKELEY B 90

In 1958 verscheen de B 90 ten tonele, ook wel '492' genoemd. Dit model was zowel met een twee- als met een vierpersoons carrosserie verkrijgbaar. Onder de motorkap vond men een driecilinder tweetakt motor van Excelsior. Dit luchtgekoelde geval had drie carburateurs en een vermogen van 30 pk. Leeg woog de auto nauwelijks 360 kg, zodat de topsnelheid in de buurt van de 130 km/uur lag. Voor hetzelfde geld had de liefhebber van sportwagentjes echter ook bijvoorbeeld een Sprite, die wèl betrouwbaar was.

Aantal cilinders: 3
Cilinderinhoud in cm³: 492
Vermogen: 30/5000
Topsnelheid in km/uur: 130
Carrosserie/Chassis: kunststof/zelfdragend
Uitvoering: coupé en cabriolet
Productiejaren: 1958-1959
Productie-aantal: 666
In NL: n.b.
Prijzen: A: 1.600 B: 3.200 C: 4.500

BERKELEY B 95 & B 105

In 1959 volgde de Berkeley B 95. De typeaanduidingen van het merk stonden voor de (beoogde) topsnelheden in mijlen per uur. De B 95 had een tweecilinder 692 cm³ Royal Enfield viertakt motor. Met een vermogen van 41 pk haalde de wagen een top van 150 km/uur. Voor diegenen die nog sneller wilden, lees durfden, stond een opgevoerde motor met 51 pk en een top van 160 km/uur ter beschikking. Met dit model, de B 105, ging het merk de geschiedenisboeken in. Zeldzaam maar niet duur. De meeste exemplaren gingen naar Amerika.

Aantal cilinders: 2
Cilinderinhoud in cm³: 692
Vermogen: 41/5500 en 51/6250
Topsnelheid in km/uur: 150-160
Carrosserie/Chassis: kunststof/zelfdragend
Uitvoering: cabriolet
Productiejaren: 1959-1960
Productie-aantal: ca. 200
In NL: n.b.
Prijzen: A: 2.000 B: 3.400 C: 5.000

BERKELEY T 60

De Berkeley was de sportwagen voor de kleine man en als deze kleine man heel erg klein was, dan koos hij een wagen van het type 60. Deze stond op drie wielen, gold in Engeland dus niet als auto, wat zich in een lage wegenbelasting weerspiegelde. De voorwielen van de wagen werden door een Excelsior Talisman tweetakt motorfietsmotor aangedreven en het achterwiel hing aan een soort vork onder de wagen. Het werd de meest verkochte Berkeley en dat is wellicht de reden dat het tevens de laagst geprijsde is.

Aantal cilinders: 2
Cilinderinhoud in cm³: 328
Vermogen: 18/5000
Topsnelheid in km/uur: 100
Carrosserie/Chassis: zelfdragend
Uitvoering: coupé en cabriolet
Productiejaren: 1959-1961
Productie-aantal: ca 1.830
In NL: n.b.
Prijzen: A: 1.700 B: 2.700 C: 3.400

BITTER

Erich Bitter is wat men in Duitsland een 'Stehaufmännchen' noemt. Hij komt, verdwijnt weer van het toneel en duikt weer op. Dan eens in Duitsland en dan in Amerika. Hij heeft meer dan 1000 auto's gebouwd, prachtige en ruime coupés die opvielen door hun mooie afwerking. En dan hadden ze natuurlijk het grote voordeel wel de 'Italiaanse' carrosserielijnen te hebben maar de degelijke Duitse of Amerikaanse techniek. Iets wat ze dus op verschillende merken uit het zonnige zuiden vóór hadden. Iedere Opel- of GM-dealer had de onderdelen voor een reparatie en bood ze nog voor een redelijke prijs aan ook.

BITTER CD

In september 1969 presenteerde Opel een 'droomauto'. Diplomat CD noemde Opel de wagen, die uitsluitend als unicum gedacht was. Tot Erich Bitter, coureur en Intermeccanica-importeur voor Duitsland, op de stand verscheen en de mensen van Opel kon overhalen de wagen in een kleine serie te mogen bouwen. In 1973 kon Bitter zijn bij Baur gebouwde Bitter CD aanbieden en daar de luxe coupé niet alleen maar mooi en ruim was, maar ook gemakkelijk in de service, werden er verscheidene van verkocht. In Nederland iets in prijs gezakt. Belastingwetgeving?

Aantal cilinders: V8
Cilinderinhoud in cm³: 5354
Vermogen: 230/4700
Topsnelheid in km/uur: 210
Carrosserie/Chassis: zelfdragend
Uitvoering: coupé
Productiejaren: 1973-1979
Productie-aantal: 395
In NL: n.b.
Prijzen: A: 6.800 B: 12.700 C: 19.300

BITTER SC

Twee jaar na de productiestop van de Opel kon Bitter de CD niet verder bouwen. De opvolger was de SC op de basis van de Opel Senator. De carrosserie was bij Michelotti getekend en de eerste 50 body's werden twee jaar na de presentatie pas gebouwd en wel bij Carrozzeria Ocra in Turijn. Na juni 1982 bouwde Maggiore de carrosserieën van een betere kwaliteit staal. Vanaf maart 1983 nam Steyr-Puch de bouw voor zijn rekening. Optioneel was er een 3,9 liter motor. Vijf SC's zijn als sedan geleverd. Een 4x4 was er vanaf herfst 1984.

Aantal cilinders: 6
Cilinderinhoud in cm³: 2969 en 3849
Vermogen: 180/5800 en 210/5100
Topsnelheid in km/uur: 215-225
Carrosserie/Chassis: zelfdragend
Uitvoering: coupé en sedan
Productiejaren: 1981-1986
Productie-aantal: ca. 575
In NL: n.b.
Prijzen: (coupé) A: 6.800 B: 11.300 C: 15.900

BITTER SC CABRIOLET

De SC cabriolet was speciaal voor de Amerikaanse markt bedoeld en Bitter bracht de wagen in 1984 uit, toen Steyr-Puch in Graz al verantwoordelijk was voor de productie. Natuurlijk kon de klant ook hier weer kiezen tussen de drielitermotor of een 3,9. De meeste exemplaren kregen die grote motor mee, voor een meerprijs van een kleine negenduizend euro. De SC was ook open een aantrekkelijke wagen om te zien, maar de bouwkosten van de cabrio bij de firma Keinath brachten Bitter in financiële nood. Na 30 SC cabriolets stopte Bitter een tijd. Pas in '90 kwam er een opvolger, de Typ 3.

Aantal cilinders: 6
Cilinderinhoud in cm³: 2969 en 3849
Vermogen: 180/5800 en 210/5100
Topsnelheid in km/uur: 215-225
Carrosserie/Chassis: zelfdragend
Uitvoering: cabriolet
Productiejaren: 1984-1986
Productie-aantal: 30
In NL: 1
Prijzen: A: 9.100 B: 18.200 C: 11.300

BIZZARRINI

Dr. Giotto Bizzarrini is wereldberoemd geworden als de constructeur van de befaamde Ferrari 250 GTO. In 1961 verliet Bizzarrini, samen met vrijwel de gehele technische staf, Ferrari in grote woede om voor zich zelf te beginnen. Zijn firma, de Bizzarrini S.p.A. vond zijn tehuis aan de Via Lulli 1 in Livorno en van hier uit verwende men de wereld met prachtige sportwagens. In 1969 sloot men de poorten.

BIZZARRINI GT 5300

In 1963 verscheen deze wagen als race-uitvoering van de Iso Grifo op de tentoonstellingen. Helaas kon Iso geen klanten voor de wagen vinden, zodat Bizzarrini besloot hem zelf onder de naam Bizzarrini A3C op de baan te brengen. In de loop der tijd kwam de wagen als Stradale voor het weggebruik en als Competizione voor het circuit uit de werkplaats, zowel met aluminium als met kunststof carrosserieën van de hand van Giugiaro. Schijven rondom en een De Dion-achteras. Het hoogste hiernaast vermelde vermogen geldt voor de Competizione.

Aantal cilinders:	V8
Cilinderinhoud in cm³:	5354
Vermogen:	360/5400 en 425/6000
Topsnelheid in km/uur:	250-290
Carrosserie/Chassis:	aluminium of kunststof/afzonderlijk chassis
Uitvoering:	coupé en cabriolet
Productiejaren:	1965-1969
Productie-aantal:	149
In NL:	2
Prijzen:	A: 45.400 B: 72.600 C: 99.800

BIZZARRINI 1900 EUROPA

De Bizzarrini's waren steeds met een Amerikaanse V8-motor gebouwd, maar toen de 1900 Europa in 1966 op de markt verscheen, vond men een Opel GT motor onder de lange motorkap. Deze wagen was een verkleinde uitvoering van de grote modellen, maar kon helaas niet veel goedkoper geleverd worden. De opgefokte motor leverde 135 pk en aangezien de vier wielen onafhankelijk geveerd en van schijfremmen voorzien waren, was het een prettige wagen om mee te rijden. Staat echter zelden te koop.

Aantal cilinders:	4
Cilinderinhoud in cm³:	1897
Vermogen:	110-135/5600
Topsnelheid in km/uur:	200
Carrosserie/Chassis:	kunststof/afzonderlijk chassis
Uitvoering:	coupé
Productiejaren:	1966-1969
Productie-aantal:	15
In NL:	0
Prijzen:	A: 22.700 B: 34.000 C: 40.800

BMW

De naoorlogse jaren begonnen voor BMW tamelijk duister. In april 1945 had Hitler zijn bevel 'Tilly' uitgevaardigd, wat inhield dat de Münchener fabriek opgeblazen moest worden. Doch enige tijd later vorderden de Amerikanen de complete inventaris van de fabriek. Kurt Donath, BMW's chef in de donkere dagen, had zowel Hitlers bevel als dat van Amerika weten te negeren en het was aan hem te danken dat BMW overleefde met de fabricage van pannen en ander keukengerei. In 1951 zagen vriend en vijand tot ieders verbazing ineens weer auto's uit de fabriek rijden.

BMW ISETTA 250 & 300

Toen het 'Wirtschaftswunder' echt op gang gekomen was en vele eigenaren van motorfietsen op een auto wilden overstappen, maar dit om financiële redenen nog niet konden, kwam de grote tijd van de dwergauto's. De BMW Isetta met zijn motorfietsmotor behoorde tot de meest succesvolle kleine wagentjes. Hij kon zowel met drie als met vier wielen geleverd worden. Het is een product van de Italiaanse industrieel Renzo Rivolta, dat BMW in licentie mocht bouwen. In 1955 reed een BMW Isetta zelfs in de beroemde Mille Miglia mee. Buiten Duitsland zijn er nog zo'n 41.000 gebouwd.

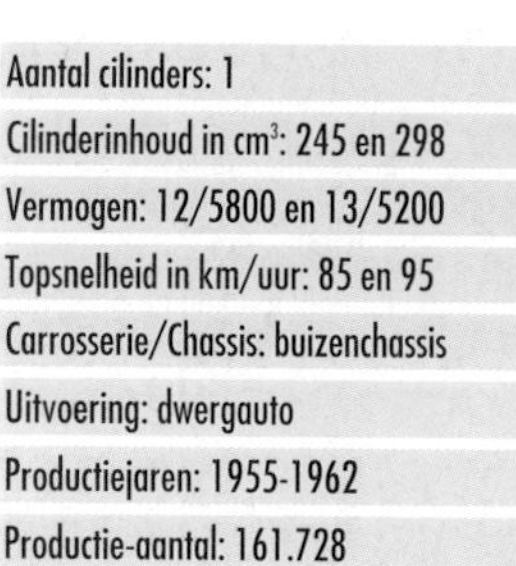

Aantal cilinders:	1
Cilinderinhoud in cm³:	245 en 298
Vermogen:	12/5800 en 13/5200
Topsnelheid in km/uur:	85 en 95
Carrosserie/Chassis:	buizenchassis
Uitvoering:	dwergauto
Productiejaren:	1955-1962
Productie-aantal:	161.728
In NL:	6
Prijzen:	A: 1.800 B: 4.500 C: 6.800

BMW 600

De BMW 600 was bedoeld voor de tevreden Isetta-rijders die toch wel graag iets groters wilden. De 'Dubbele Isetta' werd echter geen succes, wat voor een groot deel aan zijn prijs te wijten was. In Nederland kostte de wagen € 2.267,– en dat was € 25,– meer dan men voor een Volkswagen in zijn standaarduitvoering betalen moest. De BMW 600 bleef dus maar een paar jaar in productie om daarna door een groter model opgevolgd te worden. Er zijn redelijk veel 600's overgebleven en de prijzen die men er voor betaalt nemen in ras tempo toe.

Aantal cilinders: 2
Cilinderinhoud in cm³: 582
Vermogen: 20/4500
Topsnelheid in km/uur: 100
Carrosserie/Chassis: buizenchassis
Uitvoering: dwergauto
Productiejaren: 1957-1959
Productie-aantal: 34.318
In NL: 7
Prijzen: A: 2.300 B: 4.500 C: 7.300

BMW 700 & LS

De BMW 700 is in een hele reeks van carrosserievarianten gebouwd en natuurlijk ook als coach. Eerst met een korte, en dan na 1962 met een langere wielbasis als 700 LS. De carrosserie was een geslaagd ontwerp van de Italiaan Giovanni Michelotti en de BMW 700 vervulde dan ook de wensen die de klant ten aanzien van de BMW 600 vergeefs gezocht had. En BMW had het geld in die tijd hard nodig. De motor zat achterin en de voorwielophanging was onafhankelijk door middel van triangels en Dubonnet-schroefveren.

Aantal cilinders: 2
Cilinderinhoud in cm³: 697
Vermogen: 30/5000, 32/5000en 40/5700
Topsnelheid in km/uur: 120-140
Carrosserie/Chassis: zelfdragend
Uitvoering: coach en coupé
Productiejaren: 1959-1965
Productie-aantallen: 82.037 en 92.416
In NL: n.b.
Prijzen: A: 900 B: 2.000 C: 3.200

BMW 700 SPORT & LS COUPÉ

De BMW 700 was direct ook als coupé verkrijgbaar en tot 1964 zou dit model, eerst met een 30 pk en later met een 32 pk motor, in productie blijven. Voor de liefhebber kwam in 1960 de 700 Sport uit, aanvankelijk als coupé maar vanaf '61 ook als cabriolet van Baur. Deze wagens hadden een 40 pk motor onder de kap en werden daarom al gauw 'arbeiders-Porsche' genoemd. In 1964 en 1965 werd de nu minder gezochte LS-Coupé gebouwd. Vanaf 1963 heette de 700 Sport kortweg 700 CS.

Aantal cilinders: 2
Cilinderinhoud in cm³: 697
Vermogen: 40/5700
Topsnelheid in km/uur: 140
Carrosserie/Chassis: zelfdragend
Uitvoering: coupé
Productiejaren: 1960-1965
Productie-aantallen: 9.436 en 1.730
In NL: n.b.
Prijzen: (Coupé) A: 1.600 B: 3.200 C: 4.300

BMW 700 CABRIOLET

De bekende firma Baur in Stuttgart bouwde vanaf september 1961 de BMW 700 Cabriolet. Het open wagentje had dezelfde techniek als de Sport, dus ook met 40 pk vermogen. De Cabriolet kostte bijna de helft meer dan de gewone 700 en ook nog eens bijna twintig procent meer dan de Sport. Geen wonder dat er slechts 2.592 van gebouwd zijn in ruim drie jaar. Voor € 500,– minder had je ook een Kever Cabriolet, maar dat was natuurlijk niet zo exclusief. Een mooie open 700 is tegenwoordig ook nog stevig geprijsd; je ziet ze echter zelden te koop.

Aantal cilinders: 2
Cilinderinhoud in cm³: 697
Vermogen: 40/5700
Topsnelheid in km/h: 140
Carrosserie/Chassis: zelfdragend
Uitvoering: cabriolet
Productiejaren: 1961-1964
Productie-aantal: 2.592
In NL: n.b.
Prijzen: A: 2.000 B: 6.000 C: 11.000

BMW 501

Eind 1951 was de introductie van de BMW 501 was een sensatie. Niemand had verwacht dat BMW zo kort na de oorlog al weer met een auto op de markt zou verschijnen en dan nog wel met een luxe limousine met een zescilinder motor. De BMW 501 had een prachtige carrosserie en werd vanwege zijn golvende lijnen al spoedig 'Barockengel' genoemd. Kosten noch moeite werden bij de bouw van de 501 gespaard. Er werden echter maar weinig exemplaren verkocht en de fabriek ging er bijna aan failliet. De cabrio is zeer zeldzaam. Tussen '58 en '64 bouwde BMW op bestelling nog 51 wagens.

Aantal cilinders: 6
Cilinderinhoud in cm³: 1971 en 2077
Vermogen: 65/4400 en 72/4500
Topsnelheid in km/uur: 135-140
Carrosserie/Chassis: afzonderlijk chassis
Uitvoering: sedan, coupé en cabriolet
Productiejaren: 1952-1954 en 1955-1958
Productie-aantal: 8.941
In NL: 10
Prijzen: A: 4.100 B: 9.100 C: 13.600

BMW 501 V8, 502, 2600 & 3200

Zonder kinderziekten en productierijp was de grote BMW pas met de V8-motor die in de 501 een inhoud van 2,6 liter had. In de BMW 502 was de inhoud vergroot tot 3,2 liter. De wagen heette later BMW 2600 en BMW 3200 en de laatste mocht zich in zijn Super-uitvoering Duitslands snelste sedan noemen. Evenals bij de zescilinders was de wagen ook leverbaar met speciale carrosserieën waarvan de cabriolets van Baur en Autenrieth beroemd geworden zijn.

Aantal cilinders: V8
Cilinderinhoud in cm³: 2580 en 3168
Vermogen: 95/4800 -160/5600
Topsnelheid in km/uur: 150-190
Carrosserie/Chassis: afzonderlijk chassis
Uitvoering: sedan en cabriolet
Productiejaren: 1954-1963
Productie-aantal: 13.044
In NL: n.b.
Prijzen: A: 5.000 B: 10.400 C: 17.200

BMW 503

In 1955 bestond het BMW-programma uit de Isetta met een ééncilinder motor en een dure sedan met een grote zes- of achtcilinder motor. Voor het weekblad 'der Spiegel' was het een reden te schrijven dat de Bayern auto's bouwden voor dagloners en bankdirecteuren. Er zat iets in en het verwonderde dan ook niemand dat de fabriek steeds meer verlies moest boeken. Het was ook in 1955 dat de fabriek de BMW 503 voorstelde. Deze wagen was een ontwerp van Albrecht Graf Goertz, maar ook hij kon de fabriek niet rijk maken. Men bouwde 273 coupés en 139 cabriolets.

Aantal cilinders: V8
Cilinderinhoud in cm³: 3168
Vermogen: 140/4800
Topsnelheid in km/uur: 195
Carrosserie/Chassis: aluminium/afzonderlijk chassis
Uitvoering: coupé en cabriolet
Productiejaren: 1955-1959
Productie-aantal: 412
In NL: 4
Prijzen: (coupé) A: 18.200 B: 31.800 C: 43.100

BMW 507

Het is vrijwel zeker dat BMW aan alle gebouwde 507's geld verloren heeft. Maar wat voor een auto! Weer was de wagen op de tekentafel van Graf Goertz ontstaan en weer was het gelukt een ongelooflijk mooie wagen te bouwen. In tegenstelling tot zijn grote concurrent, de Mercedes 300 SL, heeft de BMW ondanks zijn aluminium carrosserie geen grote racegeschiedenis geschreven. Wat de huidige prijzen betreft, kan deze snelle BMW aardig meekomen. Maar ook hier leidt de 300 SL nog steeds. Exportmodellen voor de VS hadden een hogere compressieverhouding.

Aantal cilinders: V8
Cilinderinhoud in cm³: 3168
Vermogen: 150/5000
Topsnelheid in km/uur: 220
Carrosserie/Chassis: aluminium/afzonderlijk chassis
Uitvoering: cabriolet en coupé
Productiejaren: 1955-1959
Productie-aantal: 252
In NL: 2
Prijzen: A: 69.000 B: 150.000 C: 229.000

BMW 3200 CS

Deze ruime coupé, een ontwerp van Giugiaro die toen bij de beroemde Italiaanse carrossier Nuccio Bertone werkte, was als opvolger voor de BMW 503 bedoeld. In grote aantallen kon men deze wagen natuurlijk niet verkopen, want daar was de prijs te hoog voor. Maar daarvoor garandeerde hij de gelukkige eigenaar exclusiviteit. Het werd wederom voor BMW geen succes. Men gaf echter niet op en terecht, aangezien het merk wat later wel verkoopresultaten zou boeken met sportcoupés. De aanduiding CS voor (Coupé Sport) zou lang gebruikt worden. Er is één cabriolet gebouwd.

Aantal cilinders: V8
Cilinderinhoud in cm³: 3168
Vermogen: 160/5600
Topsnelheid in km/uur: 200
Carrosserie/Chassis: afzonderlijk chassis
Uitvoering: coupé
Productiejaren: 1961-1965
Productie-aantal: 603
In NL: 10
Prijzen: A: 9.100 B: 20.400 C: 29.500

BMW 1500, 1600, 1800 & 2000

Met de 1500 begon voor BMW een nieuw en bepalend hoofdstuk. Door zijn curieuze productieprogramma had de fabriek zich diep in de schulden gewerkt en de enige oplossing zat in een auto voor de middenklasse. Deze BMW 1500 werd al sinds 1959 in de vakpers genoemd, het duurde tot 1961 voor de auto op de IAA voorgesteld kon worden. De BMW 1500 was een ontwerp van Michelotti en daar de wagen ook technisch goed was, bleef zijn succes niet uit. Er zijn ook 1800 en 2000-versies, die nagenoeg dezelfde prijzen opleveren.

Aantal cilinders: 4
Cilinderinhoud in cm³: 1499, 1573, 1773 en 1990
Vermogen: 80/5700-100/5500
Topsnelheid in km/uur: 150-170
Carrosserie/Chassis: zelfdragend
Uitvoering: sedan
Productiejaren: 1961-1964, 1964-1966, 1963-1972 en 1966-1972
Productie-aantallen: 23.807, 9.728, 134.814 en 120.569
In NL: n.b.
Prijzen: A: 900 B: 2.700 C: 5.000

BMW 1800 TI & TI/SA

Het lukte BMW zijn 'nieuwe' klasse steeds actueel en attractief te houden. Zo ontstond de 1800 TI, de afkorting betekende 'Touring Internazionale', als droomauto voor de sportieve chauffeur. De 1800 TI/SA, met SA voor Sport-Ausführung, werd alleen aan coureurs met een geldige licentie verkocht. Slechts 200 exemplaren werden er van verkocht, zodat ze nu peperduur zijn. De nevenstaande prijzen gelden voor een TI; wie een SA-versie wil, moet de bedragen met een factor twee vermenigvuldigen.

Aantal cilinders: 4
Cilinderinhoud in cm³: 1773
Vermogen: 110/5800 en 130/6100
Topsnelheid in km/uur: 175-190
Carrosserie/Chassis: zelfdragend
Uitvoering: sedan
Productiejaren: 1964-1966 en 1964-1965
Productie-aantallen: 21.116 en 200
In NL: n.b.
Prijzen: A: 2.700 B: 5.900 C: 8.600

BMW 2000 TILUX & 2000 tii

Als afronding naar boven ontstond de BMW 2000 die in verschillende uitvoeringen aangeboden werd. Op het ogenblik is de supersnelle tii met zijn 130 pk sterke motor met benzine-inspuiting van Kugelfischer erg gezocht. Aan de andere kant is ook de 2000 Tilux, die zowel sportief als luxueus is, erg gevraagd. Hij heeft bovendien het voordeel goedkoper te zijn. Als men hem vinden kan, want goed geconserveerde en originele exemplaren zijn schaars. Dat geldt nog meer voor de slechts 1.952 keer geproduceerde 2000 tii.

Aantal cilinders: 4
Cilinderinhoud in cm³: 1990
Vermogen: 120/5500 en 130/5800
Topsnelheid in km/uur: 180 en 185
Carrosserie/Chassis: zelfdragend
Uitvoering: sedan
Productiejaren: 1966-1970 en 1969-1971
Productie-aantallen: 17.440 en 1.952
In NL: n.b.
Prijzen: A: 1.800 B: 3.900 C: 7.300

BMW 2000 C & CS

Voor diegenen die wel een BMW 2000 of 2000 Tilux, maar geen vierdeurs auto wilden, ontwierp Wilhelm Hofmeister een 2000 coupé. Opvallend zijn de dubbele koplampen. De één vond hem mooi, de ander afschuwelijk, maar wie hem kocht, kreeg meer comfort en sportiviteit. Het verschil in prestaties met de sedans was overigens niet erg groot. De 2000 C kon ook met een automatische versnellingsbak geleverd worden. Wie een dergelijke coupé zoekt, raden we beslist de CS-versie aan. Deze BMW's werden bij Karmann gebouwd.

Aantal cilinders: 4
Cilinderinhoud in cm³: 1990
Vermogen: 100/5500 en 120/5500
Topsnelheid in km/uur: 170-185
Carrosserie/Chassis: zelfdragend
Uitvoering: coupé
Productiejaren: 1965-1970
Productie-aantallen: 3.249 en 9.999
In NL: 50
Prijzen: A: 2.300 B: 5.900 C: 9.100

BMW 1600-2 en 1602

In maart 1966 stelde BMW een nieuwe wagen voor op de tentoonstelling te Genève. Het model heette 1600-2 en was in feite niets anders dan een 1600 met twee in plaats van vier portieren. In april 1971 werd het model omgedoopt in BMW 1602 (afgebeeld) en deze wagens zijn te herkennen aan de rubberen lijsten die de wielkasten verbinden, als een soort doorlopende stootbumper dus. Een goed geconserveerde 1600-2 zou tegenwoordig nog steeds een prima wagen voor dagelijks gebruik zijn.

Aantal cilinders: 4
Cilinderinhoud in cm³: 1573
Vermogen: 85/5700
Topsnelheid in km/uur: 160
Carrosserie/Chassis: zelfdragend
Uitvoering: coach
Productiejaren: 1966-1971 en 1971-1975
Productie-aantal: 244.116
In NL: n.b.
Prijzen: (1600-2) A: 900 B: 2.300 C: 3.600

BMW 1600 TI, 2002 ti & 2002 tii

In 1966 verscheen de hierboven beschreven 1600-2 en het duurde niet lang of het programma werd met een snellere TI-versie aangevuld. De wagens bewezen hun kwaliteiten ook bij rally's en op circuits. In 1968 volgde de 2002 ti (de letters werden ineens klein geschreven) de 1600 TI op en als toppunt verscheen de 2002 tii die met zijn injectiemotor nog meer rijplezier bood.

Aantal cilinders: 4
Cilinderinhoud in cm³: 1573 en 1990
Vermogen: 105/6000, 120/5500 en 130/5800
Topsnelheid in km/uur: 175-190
Carrosserie/Chassis: zelfdragend
Uitvoering: coach
Productiejaren: 1967-1968, 1968-1971 en 1971-1975
Productie-aantallen: 8.670; 16.448 en 38.703
In NL: n.b.
Prijzen: A: 1.800 B: 3.400 C: 6.100

BMW 1802 & 2002

Natuurlijk kwamen er sterker gemotoriseerde versies in de 02-serie. In januari 1968 debuteerde de 2002. Hij was te herkennen aan z'n zwarte grille met twee verchroomde spijlen links en rechts van de nieren. De tweeliter was een doorslaand succes en dat is aan de productiecijfers af te lezen; de assemblage in Portugal en Uruguay is hierin overigens niet begrepen. In april '71 kwam de 1802 tussen de 1602 en de 2002 in. De evolutie van deze wagens is gelijk aan die van de 1602. Nadat in '75 de productie stopte, leverde BMW de VS nog tot 1976 nieuwe 2002's.

Aantal cilinders: 4
Cilinderinhoud in cm³: 1766 en 1990
Vermogen: 90/5250-100/5500
Topsnelheid in km/uur: 168 en 175
Carrosserie/Chassis: zelfdragend
Uitvoering: coach
Productiejaren: 1971-1975 en 1968-1975
Productie-aantallen: 83.351 en 381.068
In NL: n.b.
Prijzen: A: 1.100 B: 2.700 C: 4.100

BMW TOURING

Voor automobilisten die graag zoiets als een stationcar wilden, maar de sportiviteit van een BMW niet wilden missen, ontstond de BMW Touring. De kopers stonden niet in de rij voor het model, misschien ook omdat hij een beetje staartlastig geworden was en daarom komt men deze driedeurs BMW nog maar zelden tegen. Vreemd genoeg wordt dit type tegenwoordig hoger gewaardeerd dan de gewone BMW's. Ze kunnen ernstig door roest aangetast zijn. De aangegeven prijzen gelden voor de basismodellen. De tweeliters doen meer.

Aantal cilinders: 4
Cilinderinhoud in cm³: 1573, 1766 en 1990
Vermogen: 85/5700, 90/5250 en 130/5800
Topsnelheid in km/uur: 160-190
Carrosserie/Chassis: zelfdragend
Uitvoering: hatchback
Productiejaren: 1971-1972 (1600) en 1971-1974
Productie-aantal: 30.206
In NL: 200
Prijzen: A: 1.200 B: 3.400 C: 5.400

BMW 2002 TURBO

Hoewel hij zijn tijd vooruit was, bleef de 2002 Turbo maar korte tijd in productie. En misschien verdiende hij niet beter, want in vergelijking tot de gelijktijdig leverbare 2002 tii was hij te duur. Hij verbruikte heel veel benzine en had bij lage toerentallen geen vermogen. Neem daarbij de oliecrisis en de turbo-techniek die nog in de kinderschoenen stond en het debacle is te begrijpen. Tegenwoordig vergeeft de fan hem dergelijke gebreken. Op de eerste exemplaren stond de aanduiding '2002 Turbo' voorop in spiegelschrift.

Aantal cilinders: 4
Cilinderinhoud in cm³: 1990
Vermogen: 170/5800
Topsnelheid in km/uur: 210
Carrosserie/Chassis: zelfdragend
Uitvoering: coach
Productiejaren: 1973-1974
Productie-aantal: 1.672
In NL: 70
Prijzen: A: 6.800 B: 10.400 C: 14.500

BMW 1600 CABRIO

Eigenlijk had de BMW 1600 als cabriolet een hit moeten zijn, want er werden begin 1970 maar weinig open vierpersoons auto's aangeboden. De firma Baur bouwde de carrosserieën zonder de storende targabeugel, maar het nadeel was dat de opbouw daardoor minder stabiel was. Roest was de grootste vijand van deze wagens. Dat gegeven en de lage verkoopcijfers zijn er debet aan dat het een zeldzame, jonge klassieker is. De prijzen liggen echter niet exorbitant hoog. Wellicht een goede tip voor de toekomst.

Aantal cilinders: 4
Cilinderinhoud in cm³: 1573
Vermogen: 85/5700
Topsnelheid in km/uur: 160
Carrosserie/Chassis: zelfdragend
Uitvoering: cabriolet
Productiejaren: 1967-1971
Productie-aantal: 1.682
In NL: n.b.
Prijzen: A: 4.100 B: 7.900 C: 11.300

BMW 2002 CABRIO

De 1600 cabriolet was niet 'stijf' genoeg voor de sportieve rijstijl van de gemiddelde BMW-rijder. Bij de 2002 werd dit probleem opgelost door gebruik te maken van de targa-constructie. Er waren echter in 1971 nog 256 oude volledig open carrosserieën op voorraad, die toen van de tweeliter motor werden voorzien. De hiernaast gegeven prijzen gelden voor de Targa. Van de geheel open 2002 zullen er niet veel overgebleven zijn. Ze mogen 20 procent meer dan een 1600 cabrio kosten.

Aantal cilinders: 4
Cilinderinhoud in cm³: 1990
Vermogen: 100/5500
Topsnelheid in km/uur: 170
Carrosserie/Chassis: zelfdragend
Uitvoering: cabriolet (met targa beugel)
Productiejaren: 1971-1975
Productie-aantal: 2.317
In NL: n.b.
Prijzen: A: 3.200 B: 6.800 C: 9.500

BMW 1502

De opvolger van de 1602 was de 1502. De wagen was € 800,– goedkoper dan de 1602 en tevreden met normale benzine i.p.v. super. De motorinhoud was niet veranderd maar de compressieverhouding was van 8,3 naar 8,0:1 teruggebracht. De 1502 was de goedkoopste auto die BMW in die tijd kon leveren en het werd een groot succes. De wagen verbruikte iets meer dan 1 op 10 en had schijfremmen aan de voorwielen. De waardevermindering in de eerste jaren na de productiestop was zeer groot. De 3-serie liep immers ook al vanaf 1975. Wie tegenwoordig een 02 zoekt, zal niet meteen een 1502 nemen.

Aantal cilinders: 4
Cilinderinhoud in cm³: 1573
Vermogen: 75/5800
Topsnelheid in km/uur: 155
Carrosserie/Chassis: zelfdragend
Uitvoering: coach
Productiejaren: 1975-1977
Productie-aantal: 71.564
In NL: n.b.
Prijzen: A: 500 B:1.800 C: 3.200

BMW 2500 & 2800

De 2500 en 2800 waren prachtig afgewerkte en sportieve gezinswagens. Ze bleven lang in productie en werden optisch nauwelijks veranderd. Technisch verbeterde de fabriek de wagens wel steeds en ook ontstond er in '75 een 2.8L met een 10 mm langere wielbasis. Nog zijn deze modellen relatief goedkoop te vinden, want in kringen van klassiekerfans zijn ze niet zo geliefd. Roest heeft veel van deze typen de das omgedaan. Langzamerhand komt de import van fraaie overblijvers op gang.

Aantal cilinders: 6
Cilinderinhoud in cm3: 2494 en 2788
Vermogen: 150/6000 en 170/6000
Topsnelheid in km/uur: 190-200
Carrosserie/Chassis: zelfdragend
Uitvoering: sedan
Productiejaren: 1968-1977
Productie-aantallen: 92.415 en 44.092
In NL: n.b.
Prijzen: (2500) A: 1.000 B: 2.300 C: 3.600

BMW 3.0 & 3.3

In 1971 vergrootte BMW de boring van zijn grote zescilinder. Aldus ontstonden de 3.0 S en 3.0 Si, die naast de 2.5 en 2.8 leverbaar werden. Vanaf '75 was er ook van deze wagen een L-versie met langere wielbasis. In '74 en '75 stond de 3.3 L in de folder, een wagen zonder injectie met een nog grotere motor. Na 1.622 stuks volgde de 3.3 Li, die iets minder motorvolume had, maar wel een ingespoten motor. Die laatste is de meest gezochte en de prijzen liggen bijna op het dubbele van die voor de 3.0 S. Dat komt mede door de geringe productie van slechts 1.401 stuks.

Aantal cilinders: 6
Cilinderinhoud in cm³: 2985, 3210 en 3295
Vermogen: 180/6000-200/5700
Topsnelheid in km/uur: 195-210
Carrosserie/Chassis: zelfdragend
Uitvoering: sedan
Productiejaren: 1971-1977
Productie-aantallen: 58.398 en 2.973
In NL: n.b.
Prijzen: (3.0) A: 1.600 B: 3.200 C: 4.500

BMW 2.5 CS, 2800 CS, 3.0 CS & CSi

Het was bijna traditie geworden dat BMW bij iedere sedan ook een coupé-uitvoering aanbood. Bij de 2500/2800-serie maakte men geen uitzondering. Deze tweedeurs wagens, men noemde ze weer CS, leken van achteren op de 2000 CS, maar hadden een langere motorkap en daardoor een mooiere lijn. Het was dus geen wonder dat ze goed verkocht werden, ook al omdat ze op de circuits bijna niet te verslaan waren. De 2800 CS werd in 1971 afgelost door de 3.0 CS. De 2.5 CS van 1974 was een spaarversie.

Aantal cilinders: 6
Cilinderinhoud in cm³: 2494, 2788 en 2985
Vermogen: 150/6000 tot 200/6000
Topsnelheid in km/uur: 200-220
Carrosserie/Chassis: zelfdragend
Uitvoering: coupé
Productiejaren: 1968-1975
Productie-aantallen: 844, 9.599, 10.893 en 8.142
In NL: 300
Prijzen: A: 2.700 B: 4.500 C: 9.100

BMW 3.0 CSL

De CSL zag er uit als een normale coupé, maar was hier toch niet mee te vergelijken. Het was een pure racewagen die in de handen van Stuck, Amon, Hezemans en Quester de concurrentie van de baan veegde. De cilinderinhoud werd in 1972 en 1973 vergroot. Het nevenstaande vermogen betreft de 'personenwagen'; de racer (de 'Batmobile') had vaak het dubbele aantal paarden onder de kap. Daarvan zijn er 39 geleverd. De 'L' van de CSL stond voor lichtgewicht en dat werd bereikt door o.a. aluminium carrosseriedelen en plexiglas voor de zijramen.

Aantal cilinders: 6
Cilinderinhoud in cm³: 2985, 3003 en 3153
Vermogen: ca. 205-210/5600
Topsnelheid in km/uur: 220
Carrosserie/Chassis: zelfdragend
Uitvoering: coupé
Productiejaren: 1971-1977
Productie-aantal: 1.265
In NL: 25
Prijzen: A: 6.800 B: 12.700 C: 20.400

BMW 5-SERIE 1972-1981

Nadat de BMW 2000 zijn plichten gedaan had, werd de wagen in september 1972 op de IAA afgelost door de 5-serie. Technisch was er vrijwel niets veranderd, maar de nieuwe wagen kreeg wel een geheel nieuwe carrosserie die drie jaren later ook voor de 3-serie gebruikt werd. De serie begon met de 520 en 520i, waarbij de laatste een motor met benzine-inspuiting had, en deze werd in 1973 aangevuld met de 525, in 1974 met de 518, in 1977 met de 528 en 528i en ten slotte, in 1979 met de M 535i. Die laatste was ruim 220 kilometer per uur snel en hoofdzakelijk bestemd voor competities.

Aantal cilinders: 4 en 6
Cilinderinhoud in cm³: 1766-3453
Vermogen: 90/5500-218/5200
Topsnelheid in km/uur: 160-220
Carrosserie/Chassis: zelfdragend
Uitvoering: sedan
Productiejaren: 1972-1981
Productie-aantal: 612.539
In NL: n.b.
Prijzen: A: 700 B: 1.700 C: 1.200

BMW 630 CS & 633 CSi

Toen de 2,5- en 3-liter coupés in 1975 uitgediend waren, introduceerde BMW in 1976 zijn 630-serie. De wagens waren met een leeggewicht van 1450 kg 50 kg zwaarder dan hun voorgangers, maar daar hadden de prestaties niet onder te lijden. Integendeel. De wegligging was veel verbeterd nadat de technici het chassis en de wielophangingen nog eens onder handen genomen hadden. De 630 en de 633 deelden de carrosserie, maar hadden verschillende motoren, de eerste met een dubbele Solex carburateur, de tweede met benzine-inspuiting van Bosch.

Aantal cilinders: 6
Cilinderinhoud in cm³: 2986 en 3210
Vermogen: 185/5800 en 200/5500
Topsnelheid in km/uur: 210 en 215
Carrosserie/Chassis: zelfdragend
Uitvoering: coupé
Productiejaren: 1976-1979 en 1976-1982
Productie-aantallen: 5.766 en 23.432
In NL: 1.000
Prijzen: A: 1.100 B: 3.200 C: 5.000

BMW 635 CSi & M 635 CSi

Het neusje van de zalm wat BMW coupés betreft is wel de 635 CSi die vanaf 1978 aangeboden werd. Hij viel onmiddellijk op door de spoilers die voor-, onder- en achterop de wagen gemonteerd waren, door zijn speciale wielen en zijn sportieve 'psychopaten'-strepen over de carrosserie. De motor was een rasechte racemotor die voor de coupé van iets minder steile nokkenassen voorzien was. Ook de vijfbak kwam uit een racer. De M 635 CSi was een wolf in schaapskleren, ofwel een racewagen onder een 635-coupé carrosserie: twee bovenliggende nokkenassen, vier kleppen per cilinder en een 7 maal gelagerde krukas.

Aantal cilinders: 6
Cilinderinhoud in cm³: 3453
Vermogen: 218/5800 en 286/6500
Topsnelheid in km/uur: 225 en 248
Carrosserie/Chassis: zelfdragend
Uitvoering: coupé
Productiejaren: 1978-1989 en 1984-1989
Productie-aantallen: 45.213 en 5.855
In NL: 200
Prijzen: A: 3.000 B: 6.400 C: 9.500

BMW 628 CSi

Als opvolger van de 630 CS verscheen in juni 1979 de 628 CSi. De prestaties waren nagenoeg gelijk aan die van de 630, maar de 628 had een kleinere motor en hij verbruikte ook minder brandstof. Voor 1982 kregen alle modellen in de 6-serie achterbumpers die doorliepen tot de achterste wielkastrand. Voor zo'n € 1.400,– minder had je een 6-model dat er een seconde langer over deed als je van 0 tot 100 optrok dan de 633 CSi. Toch kozen weinigen voor die kleinere motor, gezien de nog geen 6.000 stuks in acht productiejaren.

Aantal cilinders: 6
Cilinderinhoud in cm³: 2788
Vermogen: 184/5800
Topsnelheid in km/uur: 215
Carrosserie/Chassis: zelfdragend
Uitvoering: coupé
Productiejaren: 1979-1987
Productie-aantal: 5.950
In NL: n.b.
Prijzen: A: 900 B: 2.700 C: 4.300

BMW 3-SERIE 1975-1983

In juli 1975 kwamen de eerste auto's van de BMW 3-serie in de showrooms. De 316, 318, 320 en 320i leken sprekend op elkaar en men herkende de laatste twee aan hun dubbele koplampen. Alle hadden ze een viercilinder motor met een bovenliggende nokkenas maar in september 1977 kregen de 320 en 320i een zescilinder motor, waarna ze als 323 en 323i aangeboden werden. Speciale versies zoals de Alpina waren erg snel. Vanaf 1980 kon er ook een vijfversnellingsbak geleverd worden. In '81 kwam de spaarversie 315. Nog niet klassiek.

Aantal cilinders: 4 en 6
Cilinderinhoud in cm³: 1573-2316
Vermogen: 90/6000-143/6000
Topsnelheid in km/uur: 160-190
Carrosserie/Chassis: zelfdragend
Uitvoering: coach
Productiejaren: 1975-1983
Productie-aantal: 1.364.039
In NL: n.b.
Prijzen: A: 500 B: 1.400 C: 2.900

BMW 3-SERIE BAUR CABRIOLET 1977-1982

De carrossier Baur kreeg in 1977 de opdracht om voor een cabriolet-uitvoering van de 3-serie te zorgen zonder veel aan de geleverde carrosserie te veranderen. Een werkelijk mooie wagen werd het niet. Het was een soort targa-model met een uitneembaar plastic dak tussen de voorruit en de rolbeugel en een linnen kap tussen deze beugel en de kofferdeksel. De prijs van deze auto lag één derde hoger dan van een sedan. De wagen was met verschillende motoren leverbaar. Nu nog goedkoop.

Aantal cilinders: 4
Cilinderinhoud in cm³: 1573
Vermogen: 90/6000
Topsnelheid in km/uur: 160
Carrosserie/Chassis: zelfdragend
Uitvoering: cabrio-limousine
Productiejaren: 1978-1982
Productie-aantal: 4.595
In NL: n.b.
Prijzen: A: 900 B: 3.200 C: 3.900

BMW 3-SERIE BAUR CABRIOLET 1983-1991

Vanaf november 1982 was de nieuwe 3-serie er onder de interne aanduiding E 30. Aan de buitenzijde niet ingrijpend gewijzigd, maar wat constructie betreft wel, o.a. vanwege het feit dat er sedans geleverd zouden worden vanaf eind '83. Baur ging door met de levering van de zogenaamde hardtop-cabriolets en verlangde daarvoor in Duitsland zelf een meerprijs van € 3.500,–. Toen vanaf mei 1986 BMW zelf met een echte cabrio kwam, ging Baur gewoon door, aangezien er een vaste klantenkring voor deze conversies was.

Aantal cilinders: 4 en 6
Cilinderinhoud in cm³: 1596-2303 en 1990-2693
Vermogen: 90/5500-215/6750 en 86/4600-171/5800
Topsnelheid in km/uur: 165 - 240
Carrosserie/Chassis: zelfdragend
Uitvoering: cabriolet
Productiejaren: 1983-1991
Productie-aantal: 14.455
In NL: n.b.
Prijzen: A: 1.400 B: 2.700 C: 4.500

BMW 7-SERIE 1977-1986

Voor de man die geen Mercedes wilde maar wel klasse, bouwde BMW de 7-serie. De wagens werden in mei 1977 voorgesteld als 728, 730 en 733i waarbij de laatste het paradepaard uit de stal was. De motor had een L-Jetronic indirecte benzine-inspuiting van Bosch. In 1979 kregen alle wagens uit de 7-serie injectiemotoren: de 728i, 732i en 735i. Die laatste was er 2.004 maal in Executive-versie. Voor '80 verscheen het topmodel 745i. Grote BMW's kelderen altijd zeer snel in waarde en de 7-serie kost tegenwoordig dan ook erg weinig in aanschaf.

Aantal cilinders: 6
Cilinderinhoud in cm³: 2788-3453
Vermogen: 170/5800-252/5200
Topsnelheid in km/uur: 190-230
Carrosserie/Chassis: zelfdragend
Uitvoering: sedan
Productiejaren: 1977-1986
Productie-aantal: 292.280
In NL: n.b.
Prijzen: A: 500 B: 1.600 C: 3.400

BMW M1

Met de M1 wilde BMW in de racerij terugkomen. Het lukte niet, want het grote geld ging in een Formule 1-motor zitten en de productie van de sportwagen kwam te laat op gang. De carrosserie was door Giugiaro ontworpen en de wagen zou bij Lamborghini gebouwd worden. Toen de Italianen in financiële moeilijkheden kwamen, verlegde BMW de productie naar Baur in Stuttgart. De BMW M1 was een seizoen lang te zien in de Pro-Car races, races voor Formule-1-coureurs op de zaterdag voor hun grote optreden. Een gedeelte van de productie bestond uit wagens voor het wegverkeer,

Aantal cilinders: 6
Cilinderinhoud in cm³: 3453
Vermogen: 277/6500
Topsnelheid in km/uur: 260
Carrosserie/Chassis: kunststof/buizenchassis
Uitvoering: coupé
Productiejaren: 1979-1980
Productie-aantal: 453
In NL: 2
Prijzen: A: 36.300 B: 68.100 C: 90.800

BMW Z1

Met de techniek van de 325i aan boord verscheen in 1988 de prachtige Z1 roadster. Opvallend waren de elektrisch bediende portieren die in de dorpels zakten bij opening. De in- en uitstap was lastig, zeker voor dames met korte jurk of strakke rok. Na een aanvankelijke run – men dacht dat het een prima beleggingsobject zou zijn – zakte de verkoop dramatisch en al in '91 stopte BMW met de Z1. De wagen had een prima wegligging, maar de 325i-motor is eigenlijk te gecultiveerd voor een dergelijke sportieve roadster. Was duur en blijft duur.

Aantal cilinders: 6
Cilinderinhoud in cm³: 2494
Vermogen: 170/5800
Topsnelheid in km/uur: 220
Carrosserie/Chassis: kunststof/stalen chassis
Uitvoering: roadster
Productiejaren: 1988-1991
Productie-aantal: 8.012
In NL: 137
Prijzen: A: 13.600 B: 19.500 C: 25.000

BOND

The name is Bond, nee, niet James, maar Lawrie; de man die ook voor de Berkeley verantwoordelijk geweest was. Al in 1949 had hij kleine driewielers onder zijn naam gebouwd en in het midden der jaren zestig waren daar 'echte' auto's met vier wielen bijgekomen die tot in 1971 in productie zouden blijven. In 1969 werd de firma Bond door Reliant opgekocht.

BOND MINICAR

Vrijwel direct na de oorlog, toen de vraag naar transportmiddelen het grootst was, verscheen Bond met zijn Minicar. De wagen stond op drie wielen, waarvan alleen het voorste aangedreven werd, en werd in diverse carrosserievarianten en met een verscheidenheid aan motoren te koop aangeboden. De eerste typen hadden een ongeremd voorwiel, geen achtervering en een motorfietsblok van Villiers. In '51 verscheen de Mark B en een jaar later de C. De D van '56 kreeg een elektrische installatie van 12 volt. De F van '58 had een 246 cc-motor. De laatste was de G (foto).

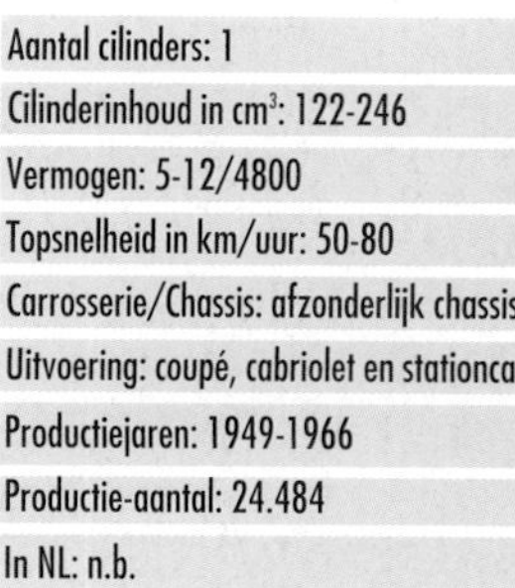

Aantal cilinders: 1
Cilinderinhoud in cm^3: 122-246
Vermogen: 5-12/4800
Topsnelheid in km/uur: 50-80
Carrosserie/Chassis: afzonderlijk chassis
Uitvoering: coupé, cabriolet en stationcar
Productiejaren: 1949-1966
Productie-aantal: 24.484
In NL: n.b.
Prijzen: A: 900 B: 3.200 C: 3.600

BOND 875

Dankzij de ervaring met kunststof die Bond met de Equipe opgedaan had, verscheen in 1965 de 875 als opvolger van de Minicar. Er waren nog steeds drie wielen, maar er konden vier personen in het wagentje, dat door een geknepen Hillman Imp-motor tamelijk snel was voor z'n afmetingen en gewicht. De Mark II van '67 had vierkante koplampen in een gemodificeerde neus. Toen Reliant in '69 Bond overnam, gooiden de nieuwe bazen de 875 gauw eruit, aangezien het een concurrent was van hun Regal. Het gigantische overstuur van deze 875 was beangstigend.

Aantal cilinders: 4
Cilinderinhoud in cm^3: 875
Vermogen: 34/4800
Topsnelheid in km/uur: 130
Carrosserie/Chassis: afzonderlijk chassis
Uitvoering: coach en stationcar
Productiejaren: 1965-1970
Productie-aantal: 3.431
In NL: n.b.
Prijzen: A: 500 B: 1.100 C: 1.800

BOND EQUIPE

De Bond Equipe was als cabriolet en als fastback coupé te koop. Onder de kunststof carrosserie verborgen zich de mechanische delen van Triumph; vanaf 1963 met de 1,2 en 1,3 liter viercilinder van de Herald en Spitfire en vanaf 1967 met de zescilinder uit de Vitesse. Er bestonden plannen deze laatste uitvoering ook in Duitsland te gaan bouwen, maar hoewel de Duitse folders al gedrukt waren, kwam hier niets van terecht. De prijs geldt voor de zescilinder. De vierpitter is lager geprijsd. De zescilinder is te herkennen aan zijn vierkante koplampunits.

Aantal cilinders: 4 en 6
Cilinderinhoud in cm^3: 1147, 1296 en 1998
Vermogen: 63-105
Topsnelheid in km/uur: 150-175
Carrosserie/Chassis: kunststof/centrale buis
Uitvoering: coupé en cabriolet
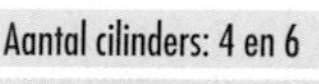
Productiejaren: 1963-1971 (4 cilinders) 1967-1970 (6 cilinders)
Productie-aantal: 2.956 en 1.432
In NL: n.b.
Prijzen: A: 1.100 B: 2.700 C: 4.100

BOND BUG 700 E & ES

Nee, dit is niet die geflopte ligfiets, maar een heuse auto van Bond. Het idee van de driewieler heeft Bond en Reliant nooit losgelaten en zo verscheen de Bond Bug in de standaard kleur oranje en met een futuristisch aandoende carrosserie. Tom Karen van Ogle-design had hem ontworpen, maar met zijn naar voren klappend dak was de wagen zelfs voor Swingin' London te onpraktisch. De wielen waren 10 inch. De ogenschijnlijk nogal wankele driewieler heeft een uitstekend weggedrag. De motor van dit typische product van de jaren zeventig is van Reliant afkomstig.

Aantal cilinders: 4
Cilinderinhoud in cm^3: 701 en 748
Vermogen: 29/5000 en 32/5000
Topsnelheid in km/uur: 120 en 125
Carrosserie/Chassis: kunststof/afzonderlijk chassis
Uitvoering: coupé
Productiejaren: 1970-1974
Productie-aantal: 2.269
In NL: n.b.
Prijzen: A: 900 B: 3.200 C: 3.400

RENÉ BONNET

Al voor de oorlog hadden de heren Charles Deutsch en René Bonnet sportwagens gebouwd onder de firmanaam CD. In 1961 scheidden hun wegen zich en begonnen ze ieder aan een eigen carrière. Deutsch bleef de onderdelen van Panhard trouw en René Bonnet verkocht zijn wagens opgebouwd met Renault-onderdelen. Zijn eerste wagen was de Djet 4 GT.

RENÉ BONNET DJET

René Bonnet begon dus opnieuw en gebruik makend van Renault-motoren bouwde hij tussen 1961 en 1964 de Djet met middenmotor. Daarmee was het de eerste auto voor gewoon straatgebruik met een motor op die plaats.
Mooi was de Djet niet, maar wel goed en sterk, want hij won in 1962 en in 1963 zijn klasse in de 24 uurs race van Le Mans. De firma werd later verkocht aan Matra die de Djet verder zou bouwen vanaf 1964. Zie aldaar voor de rest van de geschiedenis ervan. Men ziet het woord Djet ook wel eens als D'jet gespeld.

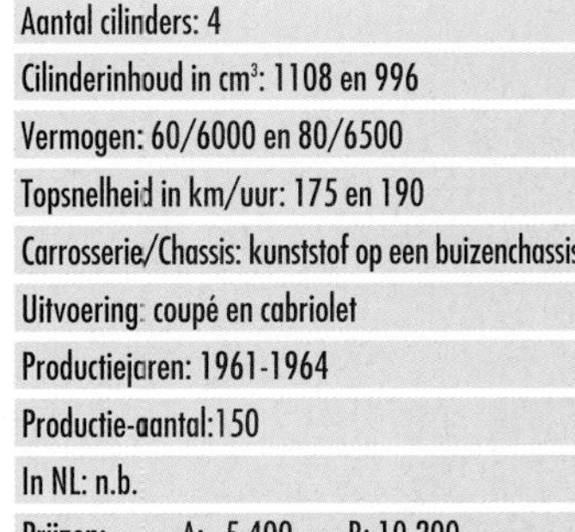

Aantal cilinders: 4
Cilinderinhoud in cm³: 1108 en 996
Vermogen: 60/6000 en 80/6500
Topsnelheid in km/uur: 175 en 190
Carrosserie/Chassis: kunststof op een buizenchassis
Uitvoering: coupé en cabriolet
Productiejaren: 1961-1964
Productie-aantal:150
In NL: n.b.
Prijzen: A: 5.400 B: 10.200 C: 13.600

BORGWARD

Het lukte Carl F. Borgward niet alleen zijn imperium bestaande uit de merken Borgward, Goliath en Lloyd veilig door de oorlog heen te sluizen, maar tevens zijn zelfstandigheid te bewaren. Ondanks de goede kwaliteiten van zijn producten kwam Borgward tegen het einde der jaren vijftig in financiële moeilijkheden. Dit was onder meer te wijten aan de prestigieuze maar overbodige zescilinders en de moeizame ontwikkeling van de kleine Lloyd Arabella. Alle reddingspogingen mislukten en zo verdwenen de firma's in september 1961 in een, naar later zou blijken, onnodig faillisement.

BORGWARD 1500, 1800 & 1800 DIESEL

Deze in 1949 voorgestelde auto's zetten de producten van de concurrentie volledig in de schaduw. De Borgwards hadden een supermoderne ponton carrosserie, een betrouwbare kopklepmotor en achter pendelassen. De motoren werden groter en sterker, de versnellingsbak kreeg vier gesynchroniseerde versnellingen en tenslotte rondde een wagen met een dieselmotor het programma in 1953 af. Voor de vormgeving had men naar de Amerikaanse Kaiser gekeken.

Aantal cilinders: 4
Cilinderinhoud in cm³: 1498 en 1758
Vermogen: 48/4000, 60/4200; diesel: 42/3700
Topsnelheid in km/uur: 105-130
Carrosserie/Chassis: centrale buis
Uitvoering: coach, sedan en stationcar
Productiejaren: 1949-1952, 1952-1954 en 1953-1954
Productie-aantallen: 22.504, 8.111 en 3.226
In NL: n.b.
Prijzen: A: 1.600 B: 4.100 C: 7.900

BORGWARD HANSA 2400

De grote Borgward Hansa 2400 heeft het nooit kunnen opnemen tegen de Opel Kapitän of de Mercedes 220. En toch had de wagen – in 1953 kwam er ook een Pullmanuitvoering met een langere wielbasis uit – technisch veel te bieden. Zo kon er op verzoek een automatische versnellingsbak ingebouwd worden. De populaire filmster Heinz Rühmann reed een dergelijke wagen, maar ook dat kon de verkoop niet op gang brengen. Opmerkelijk zijn de elektrisch bedienbare ramen die er standaard inzaten. Vanaf '55 is er de 2240 cc-motor met minder volume maar meer vermogen.

Aantal cilinders: 6
Cilinderinhoud in cm³: 2337 en 2240
Vermogen: 82/4500 en 100/5000
Topsnelheid in km/uur: 145-155
Carrosserie/Chassis: zelfdragend
Uitvoering: sedan
Productiejaren: 1952-1955 en 1955-1958
Productie-aantallen: 1.032 en 356
In NL: n.b.
Prijzen: A: 3.400 B: 7.500 C: 11.300

BORGWARD ISABELLA, TS & TS DE LUXE

Het meeste succes heeft Dr. Carl F. Borgward met zijn Isabella gehad, waaraan hij zelf intensief heeft meegewerkt. De wagen was niet alleen erg mooi van lijn maar ook technisch erg goed, terwijl de wegligging mede dank zij de spiraalveren voortreffelijk te noemen was. In 1955 kwam de Isabella TS als Touren Sport uit en in 1957 sloot men het programma af met de luxe uitvoering daarvan. Bij goed onderhoud zijn deze auto's onverslijtbaar. De prijzen liggen vrij laag, gezien de kwaliteit en natuurlijk de historische waarde. De TS is een kwart duurder.

Aantal cilinders: 4
Cilinderinhoud in cm³: 1493
Vermogen: 60/4700 en 75/5200
Topsnelheid in km/uur: 135-150
Carrosserie/Chassis: zelfdragend
Uitvoering: coach en stationcar
Productiejaren: 1954-1961 en 1955-1961
Productie-aantal: 193.310
In NL: n.b.
Prijzen: A: 1.800 B: 5.000 C: 7.700

BORGWARD ISABELLA COUPÉ & ISABELLA TS COUPÉ

In diverse publicaties hebben de journalisten de Isabella coupé als één van de mooiste Duitse auto's aangeprezen. De wagen was van 1957 tot 1961 in productie voor liefhebbers die een comfortabele maar toch sportieve wagen zochten. Dat deze eigenschappen geld kostten is wel duidelijk, gezien de prijs van € 7.011,– die Rosiers' Automobielbedrijven in Den Haag ervoor vroeg. Een troost: tegenwoordig kost zij – Isabella is een vrouw – beduidend meer. Ook voor de coupé geldt de bijzondere duurzaamheid.

Aantal cilinders: 4
Cilinderinhoud in cm³: 1493
Vermogen: 75/5200
Topsnelheid in km/uur: 150
Carrosserie/Chassis: zelfdragend
Uitvoering: coupé
Productiejaren: 1957-1961
Productie-aantal: 9.537
In NL: n.b.
Prijzen: A: 4.100 B: 8.600 C: 13.600

BORGWARD ISABELLA COUPÉ CABRIOLET

Op bestelling veranderde de cabriolet-specialist Deutsch in Keulen een Isabella in een 2 plus 2 of vijfpersoons cabriolet. Bracht men een coupé voor de ombouw naar Deutsch, dan kwam er nog eens de helft van de nieuwprijs bij en eventueel een hardtop. Kijk uit voor later onthoofde coupés. De prijzen hiernaast zijn bovenal een indicatie. Men ziet deze Borgwards zelden of nooit te koop, gezien het productie-aantal van 15.

Aantal cilinders: 4
Cilinderinhoud in cm³: 1493
Vermogen: 75/5200
Topsnelheid in km/uur: 150
Carrosserie/Chassis: zelfdragend
Uitvoering: cabriolet
Productiejaren: 1957-1961
Productie-aantal: 15
In NL: n.b.
Prijzen: A: 11.300 B: 25.000 C: 36.300

BORGWARD P100

Ondanks de slechte resultaten die met de Hansa 2400 geboekt waren, wilde Carl Borgward in de hogere prijsklasse meedoen. En zo kwam in 1959 de P100 of te wel de Borgward 2,3 liter uit. De wagen zag er in zijn tijd 'Amerikaans' en dus modern uit en had de 2,3 liter zescilinder motor van de vroegere Hansa. Op verzoek kon de auto ook met luchtvering geleverd worden. Na het faillisement van Borgward werd de auto in Mexico verder gebouwd. Zeldzaam en niet goedkoop in aanschaf, vanwege fanatieke (Duitse) Borgward-liefhebbers die deze wagens zoeken.

Aantal cilinders: 6
Cilinderinhoud in cm³: 2240
Vermogen: 100/5000
Topsnelheid in km/uur: 160
Carrosserie/Chassis: zelfdragend
Uitvoering: sedan
Productiejaren: 1959-1961
Productie-aantal: 2.587
In NL: n.b.
Prijzen: A: 3.600 B: 8.200 C: 12.500

BRICKLIN

Malcolm Bricklin was een man van honderd ambachten. Toen hij 19 was, begon hij in Florida een bedrijfje met bouwmaterialen. Zes jaar later was deze zaak uitgegroeid tot een keten van winkels die één miljoen dollar opbracht toen Bricklin de zaak verkocht. Hij werd importeur van Subaru voor Amerika, raakte zijn geld kwijt en begon in 1974, op 35-jarige leeftijd, een nieuw leven als automobielproducent. De auto was veelbelovend maar het verwachte aantal van 50.000 stuks per jaar was nogal overdreven.

BRICKLIN

Malcolm Bricklin begon in 1974 met geleend geld in Amerika en later in Canada een 'veiligheids-sportwagen' te bouwen. De auto had vleugeldeuren zoals de Mercedes 300 SL die gehad had en een V8-motor van AMC. De kunststof carrosserie zag er wel mooi uit, maar had een groot aantal fouten. Onder andere was zij, vooral bij de deuren, niet waterdicht. Bricklin ging met een schuld van 23 miljoen dollar failliet. Het is nogal opmerkelijk dat er in korte tijd zoveel Bricklins verkocht zijn. Zes ervan zijn in Nederland terechtgekomen.

Aantal cilinders: V8	
Cilinderinhoud in cm^3: 5896	
Vermogen: 223/4400	
Topsnelheid in km/uur: 200	
Carrosserie/Chassis: kunststof op buizenchassis	
Uitvoering: coupé	
Productiejaren: 1974-1975	
Productie-aantal: 2.897	
In NL: 6	
Prijzen:	A: 4.500 B: 9.100 C: 15.900

BRISTOL

Zoals zovele vliegtuigfabrieken begon ook Bristol na de oorlog met de productie van personenwagens. In 1947 kon men de eerste Bristol voorstellen en al gauw werd het duidelijk dat de producten uit de stad Bristol voor een klantenkring bestemd waren die bereid was voor luxe en comfort te betalen. De ook in de racerij bekend geworden firma werd in 1960 aan de toenmalige directeur van Bristol George White en aan de coureur Tony Crook verkocht. Het merk bestaat nog altijd.

BRISTOL 400

De opvallende gelijkenis tussen de vooroorlogse BMW 327 en de nieuwe Bristol 400 was geen toeval, want voor de oorlog had de Engelse firma Frazer Nash de Duitse BMW 327 en 328 in licentie gefabriceerd. In 1945 kreeg de firma Frazer Nash de toestemming de BMW in een iets veranderde vorm als Bristol 400 te bouwen. De wagen had standaard een radio aan boord en dat was een halve eeuw geleden niet gewoon. De afgebeelde cabrioletversie is slechts tweemaal gebouwd. Een hele mooie auto, zij het met weinig vermogen.

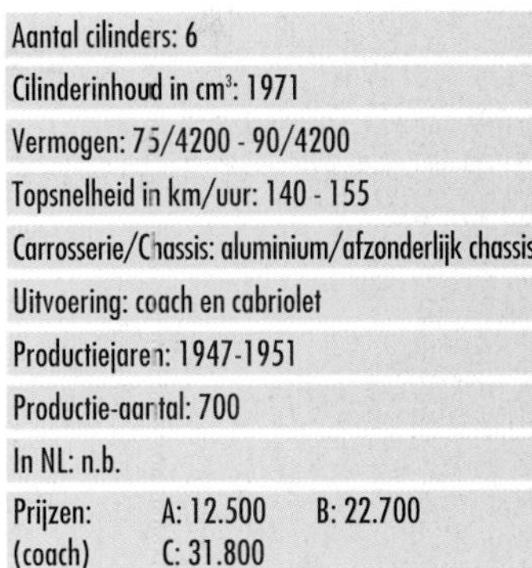

Aantal cilinders: 6	
Cilinderinhoud in cm^3: 1971	
Vermogen: 75/4200 - 90/4200	
Topsnelheid in km/uur: 140 - 155	
Carrosserie/Chassis: aluminium/afzonderlijk chassis	
Uitvoering: coach en cabriolet	
Productiejaren: 1947-1951	
Productie-aantal: 700	
In NL: n.b.	
Prijzen: (coach)	A: 12.500 B: 22.700 C: 31.800

BRISTOL 401, 402 & 403

In 1949 kwam Bristol met een tweede model uit, de succesvolle Bristol 401. De carrosserie was nu bij Touring in Italië ontworpen en volgens het door hen gepatenteerde systeem gebouwd. Dit hield in dat aluminium plaat over een frame van dunne stalen buisjes gemonteerd was, dat licht in gewicht en goedkoop was. Ook deze Bristol was als coach bedoeld voor 4 tot 5 personen. De cabrioletuitvoering van deze Bristol, de 402, werd slechts 20 maal verkocht. De 403 is een 401 met een sterkere motor en een verbeterd remsysteem.

Aantal cilinders: 6	
Cilinderinhoud in cm^3: 1971	
Vermogen: 86/4500 en 100/5000	
Topsnelheid in km/uur: 165	
Carrosserie/Chassis: aluminium op buizenchassis	
Uitvoering: coach en cabriolet	
Productiejaren: 1949-1953 en 1953-1955	
Productie-aantallen: 650, 20 en 281	
In NL: n.b.	
Prijzen: (coach)	A: 9.100 B: 20.400 C: 31.800

BRISTOL 404 & 405 SALOON & CABRIOLET

De Bristol 404 herkende men aan zijn naar achteren geplaatste grille. De vierdeurs uitvoering van deze wagen was de Bristol 405 die een iets langere wielbasis had. Ook deze wagen was nog van de oude BMW 328-motor met een inhoud van bijna 2 liter voorzien. De 405 was er van 1954 tot 1956 ook als tweedeurs cabriolet van de hand van de firma Abbott in Farnham in een kleine oplage. De vermelde prijzen betreffen de 405 Saloon; de 404 is een coupé en deze kost ongeveer het drievoudige bedrag.

Aantal cilinders: 6
Cilinderinhoud in cm³: 1971
Vermogen: 107/5000
Topsnelheid in km/uur: 175
Carrosserie/Chassis: aluminium/afzonderlijk chassis
Uitvoering: coupé, sedan en cabriolet
Productiejaren: 1953-1955 en 1954-1958
Productie-aantallen: 52; 265 en 43
In NL: n.b.
Prijzen: A: 8.200 B: 13.600 C: 18.200

BRISTOL 406

In 1958 kreeg de Bristol een nieuwe carrosserie en noemde men de nieuwe wagen 406. Mechanisch was er niet veel veranderd, maar de zescilinder motor had nu een inhoud van 2,2 liter bij een gelijkblijvend vermogen. Vier schijfremmen zorgden voor een goede vertraging bij de 406, terwijl ook een overdrive tot de standaarduitrusting behoorde. De Bristol 406 werd ook als rolling chassis verkocht aan specialisten zoals Zagato en Beutler in Zwitserland. Inmiddels had men bij Bristol besloten op zoek te gaan naar een geschikte V8-motor.

Aantal cilinders: 6
Cilinderinhoud in cm³: 2216
Vermogen: 107/4700
Topsnelheid in km/uur: 175
Carrosserie/Chassis: aluminium/afzonderlijk chassis
Uitvoering: coach
Productiejaren: 1958-1961
Productie-aantal: 174
In NL: 2
Prijzen: A: 6.800 B: 12.300 C: 17.200

BRISTOL 406 ZAGATO GT

In opdracht van de Engelse Bristol-dealer Anthony Crook Motors Ltd. bouwde Carrozzeria Zagato in Milaan in 1959 een heel klein aantal specials op de basis van de 406. De auto's hadden een kortere wielbasis, daarom ook minder ruimte, maar wel een iets krachtiger motor. De koplampen stonden achter plastic afdekkappen. De wagens die in 1960 gemaakt werden, hadden een facelift gekregen en hadden nu afgeronde in plaats van rechthoekige zijruiten.
De Zagato-versie is extreem zeldzaam, gezien de productie van slechts zeven stuks.

Aantal cilinders: 6
Cilinderinhoud in cm³: 2216
Vermogen: 132/5750
Topsnelheid in km/uur: 192
Carrosserie/Chassis: afzonderlijk chassis
Uitvoering: coupé
Productiejaren: 1959-1961
Productie-aantal: 7
In NL: n.b.
Prijzen: A: 38.600 B: 56.700 C: 68.100

BRISTOL 407

Hoewel de Bristol 407 erg op zijn voorganger leek, waren de verschillen groot. De 2,2 liter zescilinder had nu plaats moeten maken voor een geweldige V8 van Chrysler, wat niet zonder veranderingen aan het chassis mogelijk geweest was. Onder andere had men de voorwielvering moeten wijzigen en aangezien ze nu met schroef- in plaats van met bladveren werkte, was ook de wegligging veel verbeterd. Het grootste deel van de 88 gebouwde 407's ging naar de VS. Alle wagens hadden standaard een Torque-Flite drietraps automaat.

Aantal cilinders: V8
Cilinderinhoud in cm³: 5130
Vermogen: 250/4400
Topsnelheid in km/uur: 200
Carrosserie/Chassis: aluminium/afzonderlijk chassis
Uitvoering: coach
Productiejaren: 1961-1963
Productie-aantal: 88
In NL: n.b.
Prijzen: A: 8.200 B: 12.500 C: 19.300

BRISTOL 408 & 409

Ook de Bristol 408 was voor de klanten in Amerika bestemd. Dit model was technisch identiek aan de 407, maar had een nieuwe grille en dubbele koplampen. De 409 die in de herfst van 1965 uitkwam, onderscheidde zich van de 408 door een iets, tot 5211 cm³, opgeboorde motor en enkele technische verbeteringen zoals een nieuwe startmotor, betere stuurinrichting, Girling-remmen, de wisselstroomdynamo en een parkeerslot in de transmissie. Deze Bristols stralen klasse uit en ze bieden zeer goede prestaties, naast een prima afwerkingsniveau.

Aantal cilinders: V8
Cilinderinhoud in cm³: 5130 en 5211
Vermogen: 253/4400 en 254/4400
Topsnelheid in km/uur: 200 en 210
Carrosserie/Chassis: aluminium/afzonderlijk chassis
Uitvoering: coach
Productiejaren: 1964-1965 en 1966-1967
Productie-aantallen: 83 en 74
In NL: 2
Prijzen: A: 9.100 B: 15.900 C: 21.600

BRISTOL 410 & 411

Op de London Motor Show van 1968 stond de Bristol 410 die men herkennen kon aan de chroomlijsten die nu over de hele lengte van de wagen liepen. Men had zich speciaal op de veiligheid van de wagen geconcentreerd en o.a. een gescheiden remcircuit gemonteerd en het chassis verstevigd. Een jaar later, in 1969, verscheen de 411 die nu een Chrysler V8 motor had met een inhoud van 6,3 liter welke in 1973, in de Bristol 411 S IV, door een 6556 cm³ V8 vervangen werd. De S V had een matzwarte grille. Optioneel was er airconditioning.

Aantal cilinders: V8
Cilinderinhoud in cm³: 5211 en 6277
Vermogen: 254/4400 en 340/5200
Topsnelheid in km/uur: 210 en 220
Carrosserie/Chassis: aluminium/afzonderlijk chassis
Uitvoering: coach
Productiejaren: 1967-1969 en 1969-1976
Productie-aantallen: 79 en 287
In NL: n.b.
Prijzen: (410) A: 9.100 B: 15.900 C: 22.700

BRISTOL 412

De Bristol 412 was geen echte cabriolet maar meer een 'targa'-model waarvan een gedeelte van het dak bleef staan. Convertible saloon noemen de Engelsen dit type. De carrosserie was bij Zagato in Italië ontworpen en gemaakt, maar de rest van de auto was typisch Bristol. In 1978 kreeg de V8-motor een kleinere cilinderinhoud en ontstond de 412/S2. In 1980 is de Beaufighter ervan afgeleid. De allereerste 412's zijn wel echte convertibles en deze liggen daarom hoger geprijsd. Alle typen hebben leer en hout.

Aantal cilinders: V8
Cilinderinhoud in cm³: 6556 en 5898
Vermogen: 210/4400 en 172/4000
Topsnelheid in km/uur: 225 en 220
Carrosserie/Chassis: aluminium op platform chassis
Uitvoering: cabriolet en coupé m.u.d.
Productiejaren: 1975-1986
Productie-aantal: n.b.
In NL: n.b.
Prijzen: A: 7.900 B: 15.900 C: 22.700

BRISTOL 603 E & 603 S

Op 1 oktober 1976 werd de Bristol 603 geïntroduceerd als de opvolger van de 411. De auto had een aluminium carrosserie die wel van een Italiaanse tekentafel afkomstig had kunnen zijn. Bij zijn introductie kon de klant nog uit twee verschillende Chrysler-motoren kiezen. De E was de Economy en de S de Sports. Na 1977 bleef alleen de grote V8 nog ingebouwd. De automatische versnellingsbak was ook bij Chrysler ingekocht en van het type Torque-Flite. Alle vier wielen werden door Girling-schijfremmen afgeremd. In 1982 ging het type over in de Brigand en de Britannia.

Aantal cilinders: V8
Cilinderinhoud in cm³: 5210 en 5898
Vermogen: 147/4000 en 172/4000
Topsnelheid in km/uur: 180 en 200
Carrosserie/Chassis: afzonderlijk chassis
Uitvoering: coupé
Productiejaren: 1976-1982
Productie-aantallen: n.b.
In NL: n.b.
Prijzen: A: 7.900 B: 13.200 C: 18.200

BRISTOL BEAUFIGHTER

De derde serie 412's kreeg in 1980 een naam mee die van de Bristol Aeroplane Company afkomstig was: de Beaufighter. Hij had veel weg van de oude 412 en de dubbele rechthoekige koplampen vormden het opvallendste onderscheid. De wagen had dezelfde motor als zijn voorganger, maar nu zat er een Rotomaster turbocharger op en dat verklaart de verhoging in de motorkap. In 1984 zou er een cabriolet bijkomen met de naam Beaufort, maar voor zover bekend is er daar slechts één van gebouwd. Gek genoeg bleef het type Beaufort tot '94 in de folders staan.

Aantal cilinders: V8
Cilinderinhoud in cm³: 5898
Vermogen: n.b.
Topsnelheid in km/uur: 240
Carrosserie/Chassis: aluminium op platform-chassis
Uitvoering: coupé m.u.d.
Productiejaren: 1980-1993
Productie-aantal: n.b.
In NL: n.b.
Prijzen: A: 7.900 B: 15.900 C: 22.700

BRÜTSCH

Egon Brütsch begon in 1951 in Stuttgart zijn Fahrzeugbau. De zeer originele constructies die hij bedacht, haalden geen van alle een productie-aantal van enige omvang. In '53 stelde hij zijn Ford 12M-versie voor onder de naam Brütsch 1200, een cabriolet met een aluminium carrosserie. Het bleef bij een prototype en Brütsch ging verder met dwergauto's. In zijn bedrijf bouwde hij onder licentie de Zwitserse Belcar en de Franse Avolette. Eigen producten waren de Rollera (8 stuks) en de Mopetta.

BRÜTSCH MOPETTA

De grappige Mopetta was een open driewieler met een bromfietsmotor erin, die het voorwiel aandreef. Het was een eenpersoons vervoermiddel en waarschijnlijk de kleinste auto ter wereld, gezien de lengte van 1,70 meter en de breedte van 88 cm. Georg von Opel – jawel, van de beroemde Opels – was zo gecharmeerd van de Mopetta dat hij een licentie verwierf en het ding uitbracht als Opelit Mopetta. De paar Mopetta's die overgebleven zijn, staan nooit te koop en een prijsindicatie heeft dus weinig zin. Een mooi exemplaar zal meer dan tien mille kosten.

Aantal cilinders:	1
Cilinderinhoud in cm³:	49
Vermogen:	2,3/5250
Topsnelheid in km/uur:	45
Carrosserie/Chassis:	afzonderlijk chassis
Uitvoering:	dwergauto
Productiejaren:	1956-1958
Productie-aantal:	14
In NL:	n.b.
Prijzen:	A: n.v.t. B: n.v.t. C: >4.500

BUGATTI

'Old soldiers never die' en oude automerken komen steeds weer terug. Denkt u maar aan Audi, aan MG of aan Bugatti. Voor de oorlog gold een Bugatti als het mooiste wat men zich kon wensen. In 1951 probeerde de tweede zoon van Ettore Bugatti, Roland, in de voetsporen van zijn vader te treden en zo ontstond de T 101. Toen de firma voldoende aan de oorlog in Indochina verdiend had, kon hij zelfs een Grand Prix wagen met een middenmotor, de T 251, bouwen. In 1956 ontstond de T 252, een tweepersoons sportwagen met een V12 motor, maar ook hier hadden we wederom met een prototype te maken. De naam is tegenwoordig van VW.

BUGATTI 101 & 101 C

Het Type 101 waarmee Bugatti na de oorlog terug probeerde te komen, was in 1934 modern geweest toen hij als Type 57 furore maakte. In 1951 waren starre voor- en achterassen uit de tijd. Ook maakte de achtcilinder lijnmotor met zijn dubbele nokkenassen en al of niet een compressor (101 C) te weinig indruk om het grote geld uit de beurs te lokken. Slechts een handvol auto's kon verkocht worden voor de Bugatti-fabriek door Hispano-Suiza werd overgenomen en de productie gestaakt werd. Alle zeven 101's zijn rechtsgestuurd.

Aantal cilinders:	8
Cilinderinhoud in cm³:	3257
Vermogen:	135/5500 en 190/5400
Topsnelheid in km/uur:	150 en 180
Carrosserie/Chassis:	afzonderlijk chassis
Uitvoering:	coupé en cabriolet
Productiejaren:	1951-1954
Productie-aantal:	7
In NL:	n.b.
Prijzen:	A: 90.800 B: 113.000 C: 136.000

BUICK

De in 1903 door David Buick opgerichte firma behoort sinds 1908 tot de General Motors Corporation. De Buicks hadden altijd al een goede naam en een klantenkring die het merk trouw bleef. In de prijslijsten stond het merk direct achter Cadillac die bij GM de toon aangaf. Eronder zaten Oldsmobile en Pontiac. In Nederland is Buick een bekende naam, waarbij het opvallend is dat vrijwel iedereen de naam verkeerd uitspreekt (Bie-joek in plaats van het correcte Bjoe-ik).

BUICK SUPER 1947-1948

De eerste naoorlogse Buicks waren gebaseerd op de modellen die de fabriek in 1942 uitgebracht had. Ook nu hadden de wagens weer een 8-in-lijn motor, een kopklepper die veel benzine gebruikte, maar daarvoor bijzonder rustig liep. Interessant was de constructie van de motorkap die zowel naar links als naar rechts scharnieren kon. De grille van de wagen laat zien waarom men in die jaren van een 'Dollar smile' sprak. De '40 Special' was de kleinste uitvoering, dan kwam de '50 Super' en de '70 Roadmaster' die een grotere motor had.

Aantal cilinders: 8
Cilinderinhoud in cm³: 4067 en 5249
Vermogen: 110/3600 en 145/3600
Topsnelheid in km/uur: 130 en 140
Carrosserie/Chassis: afzonderlijk chassis
Uitvoering: coach, sedan, stationcar en cabriolet
Productiejaren: 1947-1948
Productie-aantallen: 277.134 en 229.718
In NL: n.b.
Prijzen: A: 3.600 B: 6.800 C: 11.300

BUICK SPECIAL 1949-1950

Hoewel de duurdere typen Super en Roadmaster voor modeljaar 1949 al een geheel nieuwe carrosserie hadden gekregen, moest de populaire Special wachten tot half 1949 op iets soortgelijks. Dankzij die stimulerende achterstand kreeg de wagen echter wel de eer ook het uiterlijk van zijn twee grotere familieleden te bepalen voor '50. De 'bucktooth'-grille van dat jaar sprong het meest in het oog. Bij vroege Specials moest men de motorkap via een ventiport openen, bij latere kon dat van binnenuit. Voor wie een weelderiger interieur en meer chroom wilde, was er de uitvoering DeLuxe.

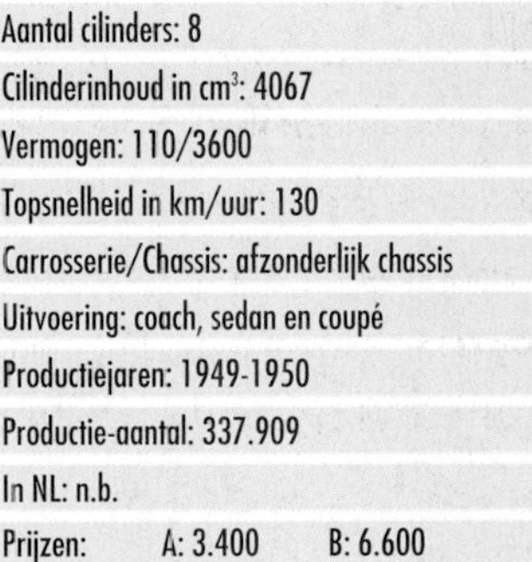

Aantal cilinders: 8
Cilinderinhoud in cm³: 4067
Vermogen: 110/3600
Topsnelheid in km/uur: 130
Carrosserie/Chassis: afzonderlijk chassis
Uitvoering: coach, sedan en coupé
Productiejaren: 1949-1950
Productie-aantal: 337.909
In NL: n.b.
Prijzen: A: 3.400 B: 6.600 C: 9.500

BUICK SPECIAL 1951-1952

De zeer opvallende 'bucktooth'-grille van 1950 was geweken voor een wat normalere bumper met daarboven een grille met verticale smalle spijlen. In de Special-reeks waren de uitvoeringen Standard en Deluxe. Die eerste had nog een voorruit met spijl en de laatste reeds een ruit uit één stuk. Geen wonder dat ruim 98 procent van de kopers voor een Deluxe koos, mede gezien het prijsverschil van $46,–. Modeljaar '52 bracht zo goed als geen wijzigingen. Buick verkocht in '51 prima, maar voor '52 vielen de productiecijfers met een vijfde terug.

Aantal cilinders: 8
Cilinderinhoud in cm³: 4315
Vermogen: 120/3600
Topsnelheid in km/uur: 135
Carrosserie/Chassis: afzonderlijk chassis
Uitvoering: sedan, coupé en cabriolet
Productiejaren: 1951-1952
Productie-aantal: 284.781
In NL: n.b.
Prijzen: A: 3.400 B: 6.400 C: 9.100

BUICK SKYLARK 1953-1954

Zonder twijfel behoort de Skylark van 1953 tot de meest gezochte Buicks uit de jaren vijftig. De wagen was een ontwerp van Harley Earl. Hij was korter en lager dan de andere cabriolets van Buick en stond op echte spaakwielen. De Skylark werd alleen in 1953 en 1954 gebouwd maar de wagens van het laatste jaar waren niet meer zo mooi als de oorspronkelijke modellen. De '53-ers ziet men zelden te koop en als er een veil staat, dan is hij uiterst prijzig. Kost in Amerika meer dan in Europa. De volledige naam was Skylark Anniversary Convertible.

Aantal cilinders: V8
Cilinderinhoud in cm³: 5276
Vermogen: 188/4000
Topsnelheid in km/uur: 165
Carrosserie/Chassis: afzonderlijk chassis
Uitvoering: cabriolet
Productiejaren: 1953-1954
Productie-aantallen: 1.690 en 836
In NL: n.b.
Prijzen: A: 11.300 B: 26.100 C: 38.600

BUICK ROADMASTER STATIONCAR 1953

In 1953 had de klant de keuze uit een Buick Special, Super of Roadmaster. De laatste was de duurste serie en voor de goedkoopste Roadmaster, een stationcar, moest $ 3254,– op tafel gelegd worden. Het was het laatste jaar dat Buick 'Woodies' bouwde en ook in 1953 was de vraag naar een dergelijke wagen klein. De populariteit van een dergelijke carrosserievariant zou pas jaren later ontstaan. In de jaren zeventig herleeft de woody-look in de afgrijselijke trend van nep hout. De V8-motor was nieuw voor '53.

Aantal cilinders: V8
Cilinderinhoud in cm³: 5276
Vermogen: 190/4000
Topsnelheid in km/uur: 160
Carrosserie/Chassis: afzonderlijk chassis
Uitvoering: stationcar
Productiejaren: 1953
Productie-aantal: 670
In NL: n.b.
Prijzen: A: 5.900 B: 12.700 C: 20.400

BUICK SUPER 1954

Voor modeljaar 1954 waren de Supers van Buick lager en breder. De panoramische voorruit met verticaal geplaatste stijlen onderscheidt ze onmiddellijk van de typen van het jaar ervoor. De Super-reeks zat in rangorde boven de Special en de Century, maar onder de Roadmaster en Skylark. De wagen had veel details gemeen met de duurdere typen, zoals de horizontale snelheidsmeter en het chroomwerk. De convertible had standaard leren bekleding en elektrisch bedienbare ramen, stoelen en kap. De hardtop coupé (foto) was de best verkochte variant.

Aantal cilinders: V8
Cilinderinhoud in cm³: 5277
Vermogen: 177/4100-182/4100
Topsnelheid in km/uur: 155-160
Carrosserie/Chassis: afzonderlijk chassis
Uitvoering: sedan, coupé en cabriolet
Productiejaar: 1954
Productie-aantal: 118.630
In NL: n.b.
Prijzen: A: 3.400 B: 5.400 C: 8.200

BUICK SUPER 1955

Voor 1955 ondergingen alle Buicks een forse restyling: nieuwe spatborden rondom met achter 'tower'-lichten in de ontluikende vleugeltjes en natuurlijk een nieuwe grille. De voor het merk typische ventiports in de voorschermen waren nu rond van vorm en de Super had er vier (tegenover drie stuks voor de Special). De Super-serie had de grote, ronde C-carrosserie van GM, maar was technisch gelijk aan de middenserie Century. Het prijsverschil met die laatste reeks bedroeg ongeveer tien procent.

Aantal cilinders: V8
Cilinderinhoud in cm³: 5277
Vermogen: 236/4600
Topsnelheid in km/uur: 160
Carrosserie/Chassis: afzonderlijk chassis
Uitvoering: sedan, coupé en cabriolet
Productiejaar: 1955
Productie-aantal: 132.463
In NL: n.b.
Prijzen: (sedan) A: 3.600 B: 6.800 C: 9.100

BUICK SPECIAL 1956

Natuurlijk waren er voor modeljaar 1956 een andere grille en nieuwe achterlichten. Opvallend was dat de fraaie sweapspear – de sierstrip langs de zijkant van de wagen – dit jaar bleef. De wielkastuitsnijdingen achter waren voortaan rond. De klanten zullen blij geweest zijn met de vergroting van de motor met maar liefst ruim 950 cc en dat was goed voor bijna 70 pk meer in vergelijking met de Specials van 1955. De fraaiste kleurencombinaties in two-tone en tri-tone waren weer als optie leverbaar, zoals deze in Nederland geïmporteerde Special aantoont.

Aantal cilinders: V8
Cilinderinhoud in cm³: 5277
Vermogen: 220/4400
Topsnelheid in km/uur: 165
Carrosserie/Chassis: afzonderlijk chassis
Uitvoering: coach, sedan, coupé, stationcar en cabriolet
Productiejaar: 1956
Productie-aantal: 334.017
In NL: n.b.
Prijzen: A: 3.200 B: 5.500 C: 7.700

BUICK SPECIAL SERIES 40 1957

Voor het modeljaar 1957 kreeg de Buick Special een nieuwe carrosserie. De wagen was breder en lager geworden en zag er daardoor beter uit dan zijn voorgangers. Het interieur van de cabriolet was in tweekleurig nylon en in het dashboard vond men zelfs een toerenteller. Ook technisch was er het een en ander veranderd. De motoren waren sterker geworden en de klant had in 1957 de keuze uit twee verschillende V8's met 247 of 253 SAE pk. De exportuitvoering had een automatische versnellingsbak van het type Dynaflow, maar in Amerika kon de wagen ook met een driebak geleverd worden.

Aantal cilinders: V8
Cilinderinhoud in cm³: 5957
Vermogen: 247/4400 of 253/4400
Topsnelheid in km/uur: 170 en 180
Carrosserie/Chassis: afzonderlijk chassis
Uitvoering: sedan, stationcar, coupé en cabriolet
Productiejaar: 1957
Productie-aantal: 220.242
In NL: n.b.
Prijzen: A: 3.200 B: 5.700 C: 7.700

BUICK CENTURY 1958

Een geheel nieuwe lijn – de Airborn Buick – kenmerkte de Buicks van 1958. De Century van dat jaar had dezelfde carrosserie als de Special en het prijsverschil zat hem in een paar extra's zoals betere tapijten op de vloeren, een bekleed dashboard, een elektrische klok en een tweetonige claxon. Als bekleding had men nylon gekozen, het wondermateriaal uit die tijd, en in de cabriolet werden de portierruiten elektrisch bediend. De '58'er Buicks werden in hun tijd verguisd, maar tegenwoordig zijn de liefhebbers van deze barokke auto's er dol op.

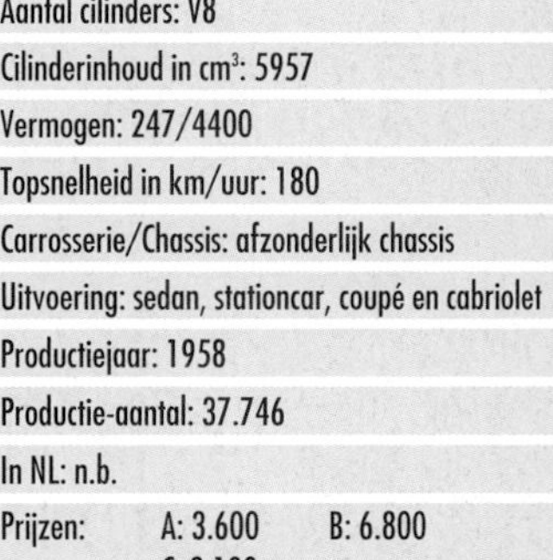

Aantal cilinders: V8
Cilinderinhoud in cm³: 5957
Vermogen: 247/4400
Topsnelheid in km/uur: 180
Carrosserie/Chassis: afzonderlijk chassis
Uitvoering: sedan, stationcar, coupé en cabriolet
Productiejaar: 1958
Productie-aantal: 37.746
In NL: n.b.
Prijzen: A: 3.600 B: 6.800 C: 9.100

BUICK LESABRE 1959-1960

De LeSabre was in 1959 een geheel nieuw model in de Buick-showroom. Alleen de blokjesgrille herinnerde nog aan '58. De wagen viel op door zijn gewaagde lijnen, iets wat men bij Buick niet gewend was. Op de achterspatborden vond men gemeen scherpe vinnen zoals de concurrentie die in die jaren ook had. De goedkoopste uitvoering was de coach waarvan er in 1959 13.492 stuks verkocht werden. De duurste uit het nest was de stationcar (8286 stuks). Met een aantal van 51.379 stuks was de sedan de meest gevraagde LeSabre. In 1960 onderging de carrosserie lichte wijzigingen.

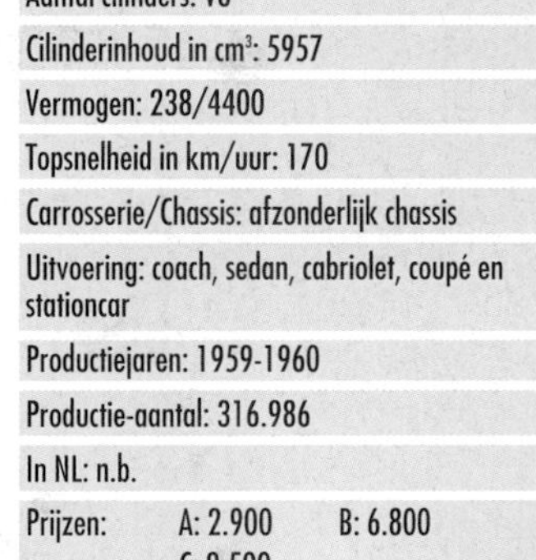

Aantal cilinders: V8
Cilinderinhoud in cm³: 5957
Vermogen: 238/4400
Topsnelheid in km/uur: 170
Carrosserie/Chassis: afzonderlijk chassis
Uitvoering: coach, sedan, cabriolet, coupé en stationcar
Productiejaren: 1959-1960
Productie-aantal: 316.986
In NL: n.b.
Prijzen: A: 2.900 B: 6.800 C: 9.500

BUICK SPECIAL 1961-1962

De Buick Special van 1961 leek op een verkleinde uitgave van de grote Buicks. In de nieuwe trend van compact cars kon Buick natuurlijk niet achterblijven. De Special was de goedkoopste wagen die Buick kon aanbieden en hij was er ook in Deluxe-uitvoering. In 1962 kwamen er V6-motoren bij en er was een convertible, die altijd nog honderden dollars goedkoper was dan de goedkoopste grote Buick. De Special zou in de jaren erna steeds groter worden, zodat het uiteindelijk toch een immense wagen werd. Zo verging het overigens vele compact cars in de VS.

Aantal cilinders: V6 en V8
Cilinderinhoud in cm³: 3245 en 3532
Vermogen: 135/4600 en 155/4600
Topsnelheid in km/uur: 150 en 160
Carrosserie/Chassis: zelfdragend
Uitvoering: coach, sedan, cabriolet, coupé en stationcar
Productiejaren: 1961-1962
Productie-aantal: 197.658
In NL: n.b.
Prijzen: A: 2.000 B: 4.100 C: 6.400

BUICK ELECTRA 225 1962-1966

De 'Big Buick' onderscheidde zich van zijn compactere broers door onder andere de vier ontluchtingsgaten in de voorspatborden, de zogenaamde ventiports, in plaats van drie. De populairste versie was de hardtop sedan. De toevoeging '225' sloeg vanaf 1959 op de lengte van de wagen. In 1965 was de komst van de sjiekere uitvoering: Electra 225 Custom. De meeste kopers kozen onmiddellijk voor die extra luxe van met name het interieur. De Electra was een dure wagen, hij scheelde maar 7 à 800 dollar met een Cadillac.

Aantal cilinders: V8
Cilinderinhoud in cm³: 6572
Vermogen: 330 SAE/4400
Topsnelheid in km/uur: 175
Carrosserie/Chassis: afzonderlijk chassis
Uitvoering: sedan, cabriolet en coupé
Productiejaren: 1962-1966
Productie-aantal: 365.272
In NL: n.b.
Prijzen: A: 3.200 B: 5.900 C: 8.200

BUICK SKYLARK 1963

In 1963 was de goedkoopste Buick de Special en de duurste uitvoering van deze serie ging als Buick Special Skylark 4300 de straat op. Vanaf de zomer van 1961 was de roemruchte typenaam Skylark na zeven jaar afwezigheid weer terug. In tegenstelling tot zijn goedkopere broers die ook met een V6-motor geleverd konden worden, was de Skylark er uitsluitend met een V8. Van de ruim 42.000 gebouwde wagens waren er 10.212 als vijfpersoons cabriolet geleverd. De rest bestond uit hardtop coupés.

Aantal cilinders: V8
Cilinderinhoud in cm³: 3532
Vermogen: 203/5000
Topsnelheid in km/uur: 165
Carrosserie/Chassis: zelfdragend
Uitvoering: coupé en cabriolet
Productiejaar: 1963
Productie-aantal: 42.321
In NL: n.b.
Prijzen: A: 3.200 B: 4.300 C: 5.900

BUICK SKYLARK 1964-1965

De Skylark van 1964 had veel weg van de Special, maar hij bekleedde een middenpositie in Buicks aanbod. Technisch was de Skylark identiek aan de twee goedkopere Specialseries, maar de extra emblemen, sierstrips, dorpelbeplating en armsteunen vormden naast het gecapitonneerde dashboard, het speciale stuur, de wieldoppen en het tapijt een surplus in uitvoering. Voor een meerprijs van slechts $71 had de klant een V8. Voor 1965 kwam er een coach bij en was er de Gran Sport-optie met een 325 pk-motor. De stationcar zat in een afzonderlijke reeks, de Sportwagen.

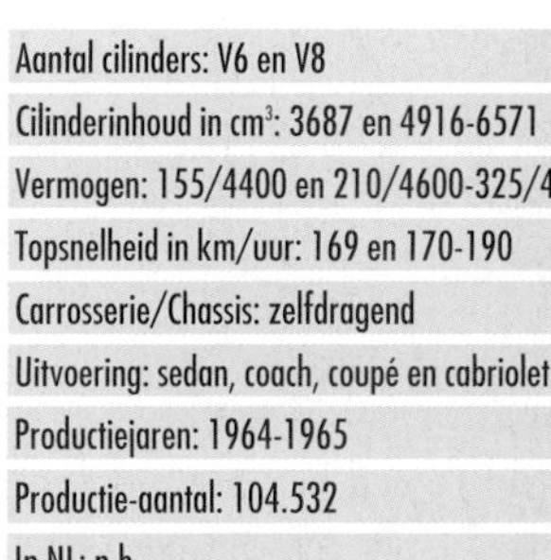

Aantal cilinders: V6 en V8
Cilinderinhoud in cm³: 3687 en 4916-6571
Vermogen: 155/4400 en 210/4600-325/4400
Topsnelheid in km/uur: 169 en 170-190
Carrosserie/Chassis: zelfdragend
Uitvoering: sedan, coach, coupé en cabriolet
Productiejaren: 1964-1965
Productie-aantal: 104.532
In NL: n.b.
Prijzen: A: 3.200 B: 4.100 C: 6.100

BUICK RIVIERA 1963-1965

Bill Mitchell, die Harley Earl als chef design van General Motors opvolgde, was verantwoordelijk voor de lijnen van de Buick Riviera. De wagen moest het opnemen tegen de Thunderbird, wat hem ook heel goed lukte. Het was een zeer dure Buick: alleen de grote Electra 225 cabriolet was dertig dollar duurder. De klant kreeg echter zeer veel als standaard uitrusting. Het werd meteen een verkoopsucces en de Riviera gaf het merk een nieuwe status. De productie-aantallen hiernaast zijn per afzonderlijk bouwjaar aangegeven.

Aantal cilinders: V8
Cilinderinhoud in cm³: 6569 en 6970
Vermogen: 325/4400, 345/4400 en 365/4400
Topsnelheid in km/uur: 180 en 190
Carrosserie/Chassis: afzonderlijk chassis
Uitvoering: hardtop coupé
Productiejaren: 1963-1965
Productie-aantal: 112.244
In NL: n.b.
Prijzen: A: 3.400 B: 7.300 C: 11.300

BUICK RIVIERA 1966-1970

De Rivièra van het modeljaar 1966 was een grote auto. Zijn nieuwe carrosserie had een lengte van 537 en een breedte van 202 cm. In zijn standaarduitvoering had de wagen een automaat, bekrachtigde schijfremmen en stuurinrichting en een dubbel uitlaatsysteem. Tot 1970 zou de wagen, afgezien van kleine facelifts, onveranderd doorgebouwd worden. Het bleef een zeer prijzige wagen en wie wilde kon nog dieper in de buidel tasten voor de Grand Sport-optie. Wel goed voor zo'n 360 pk en veel toeters en bellen. In 1970 kwam er een 7,5 liter motor als optie.

Aantal cilinders: V8
Cilinderinhoud in cm³: 6572 en 7468
Vermogen: 330/4400-360/5000
Topsnelheid in km/uur: 210
Carrosserie/Chassis: zelfdragend
Uitvoering: coupé
Productiejaren: 1966-1970
Productie-aantal: 227.639
In NL: n.b.
Prijzen: A: 2.700 B: 5.400 C: 8.200

BUICK WILDCAT 1965-1966

Er zijn altijd klanten die iets aparts willen en daarom bracht Buick voor 1962 een speciale Invicta-optie uit voor het coupémodel van die reeks: het Wildcat-pakket, dat voor een meerprijs van $200 veel opsmuk bood. Groot succes, dus vanaf '63 was er een afzonderlijke modellenreeks onder de naam Wildcat. Vanaf '65 deelde de nieuwe Wildcat de carrosserie met de LeSabre. Iets completer uitgeruste versies heetten DeLuxe ('65), Custom en Gran Sport ('66). Er waren een andere grille en nepluchtinlaten achter de voorwielen. Voor '66 kwam er een speciaal Wildcat-ornament op de neus (foto).

Aantal cilinders: V8
Cilinderinhoud in cm³: 6572
Vermogen: 325/4600
Topsnelheid in km/uur: 200
Carrosserie/Chassis: zelfdragend
Uitvoering: sedan, coupé en cabriolet
Productiejaren: 1965-1966
Productie-aantal: 132.199
In NL: n.b.
Prijzen: A: 2.000 B: 3.750 C: 5.500

BUICK SPECIAL 1964-1967

In 1964 waren de Buicks groter dan ooit te voren. De Special groeide niet minder dan 30 cm en stond dat jaar op een 8 cm langere wielbasis dan het jaar ervoor. En toch gold de Special met een lengte van 517 cm als een compact car. Hij had dan ook een V6-motor met een inhoud van 'nog niet eens' vier liter. Vanaf '66 is er een coupé-uitvoering. De cabrio werd in 1967 niet meer geleverd. Wellicht zullen de prijzen van Amerikaanse wagens uit de jaren zestig de komende jaren iets gaan stijgen. Nu nog goedkoop in aanschaf, het verbruik is echter fors.

Aantal cilinders: V6 en V8
Cilinderinhoud in cm³: 3692 en 4923
Vermogen: 155/4400 en 210/4500
Topsnelheid in km/uur: 160 en 170
Carrosserie/Chassis: zelfdragend
Uitvoering: coach, sedan, cabriolet, coupé en stationcar
Productiejaren: 1964-1967
Productie-aantal: 169.161
In NL: n.b.
Prijzen: A: 1.800 B: 3.200 C: 5.000

BUICK ELECTRA 1967-1968

Voor 1967 onderging de Electra een facelift, net als de overige grote Buicks. De serie had een eigen grille en ter onderscheiding kreeg hij weer vier ventiports. De achterschermen die recht afgesneden waren had alleen de Electra. Weer was er een Custom-optie met meer luxe voor een paar honderd dollar meer en op de vierdeurs hardtop sedan was er zelfs een Custom Limited-mogelijkheid. De convertible (foto) was er uitsluitend als 225 Custom en als extra kon je er vinyl kuipstoelen in bestellen. Voor 1968 waren er vrijwel geen wijzigingen. Alle Electra's hadden standaard een Super Turbine automaat.

Aantal cilinders: V8
Cilinderinhoud in cm³: 7046
Vermogen: 360/5000
Topsnelheid in km/uur: 195
Carrosserie/Chassis: zelfdragend
Uitvoering: sedan, coupé en cabriolet
Productiejaren: 1967-1968
Productie-aantal: 215.666
In NL: n.b.
Prijzen: A: 2.300 B: 4.500 C: 7.300

BUICK SKYLARK 1968-1969

De Skylark van 1968 leek meer op de goedkopere Special dan de jaren ervoor. De opvallende sweepspear – de strip vanaf de koplamp tot de achterwielkast – onderscheidde de Skylark echter. In de zescilinderreeks waren een sedan en coupé leverbaar en in de V8-serie, die Custom heette, zaten naast die twee typen ook de hardtop sedan en de convertible. Die Custom bood tevens meer glimwerk en een luxueuzer interieur. Wie toch een V8-blok in een zescilinder model wenste, werd overigens voor $105 meer keurig door Buick bediend. Voor 1969 weinig wijzigingen.

Aantal cilinders: 6 en V8
Cilinderinhoud in cm³: 4097 en 5735
Vermogen: 155/4200 en 230/4400-280/4600
Topsnelheid in km/uur: 160 en 175-190
Carrosserie/Chassis: zelfdragend
Uitvoering: sedan, coupé en cabriolet
Productiejaren: 1968-1969
Productie-aantal: 252.790
In NL: n.b.
Prijzen: A: 2.000 B: 4.100 C: 6.100

BUICK GS 400

Buicks contributie aan het muscle car-avontuur was de Skylark Gran Sport die in 1966 ten tonele verscheen. In 1968 kreeg de wagen niet alleen een nieuwe carrosserie, maar werd hij ook tot eigen model in de Skylark-familie gepromoveerd. Men sprak nu van Buick GS met een nummer als nadere aanduiding. In 1968 kende men de GS 350 en GS 400 waarbij het nummer het aantal kubieke inches van de motor aangaf. In 1970 volgt de GS 455 de beide typen op. Indertijd was de nu wat plomp aandoende GS een populaire wagen.

Aantal cilinders: V8
Cilinderinhoud in cm³: 6554
Vermogen: 345/5000
Topsnelheid in km/uur: 200
Carrosserie/Chassis: zelfdragend
Uitvoering: coupé en cabriolet
Productiejaren: 1968-1969
Productie-aantal: 20.729
In NL: n.b.
Prijzen: A: 2.700 B: 5.400 C: 7.700

BUICK LESABRE 1969-1970

Met een prijs van $ 3.216,– was de LeSabre de goedkoopste grote Buick in 1969. De vierdeurs hardtop uitvoering kostte natuurlijk iets meer, maar ook hier ging het maar om $ 140,–. Tot de standaarduitvoering van alle Buicks van 1969 behoorden nu veiligheidsriemen voor de voorbanken, hoofdsteunen en een stuurslot. Een luxueuze LeSabre kreeg de toevoeging Custom mee. De gespierde versies zijn bij liefhebbers populair, zeker in cabriolet-uitvoering maar die zijn slechts mondjesmaat geproduceerd. Tegenwoordig populair in Amerikaanse videoclips.

Aantal cilinders: V8
Cilinderinhoud in cm³: 5724-7468
Vermogen: 233/4400 tot 375/4600
Topsnelheid in km/uur: 180-200
Carrosserie/Chassis: zelfdragend
Uitvoering: sedan, cabriolet & coupé
Productiejaren: 1969 en 1970
Productie-aantal: 380.923
In NL: n.b.
Prijzen: A: 1.800 B: 3.200 C: 4.500

BUICK ELECTRA 225 1969-1970

Tot de grootste wagens die Buick in 1969 kon aanbieden, behoorde de Electra 225. De wagen was in alle opzichten 'reusachtig'. De sedan had een lengte van 574 cm, een gewicht van 2015 kg en haalde een top van meer dan 200 km/uur. Een dergelijke snelheid was alleen maar op een kaarsrechte weg en zonder zijwind verantwoord, want de wegligging van de 'Amerikanen' liet in die jaren te wensen over. De Electra had in zijn standaarduitvoering een automatische bak, stuur-en rembekrachtiging en schijfremmen aan de voorwielen.

Aantal cilinders: V8
Cilinderinhoud in cm³: 7046
Vermogen: 360/5000
Topsnelheid in km/uur: 220
Carrosserie/Chassis: afzonderlijk chassis
Uitvoering: sedan, coupé en cabriolet
Productiejaren: 1969-1970
Productie-aantal: 305.719
In NL: n.b.
Prijzen: A: 2.300 B: 4.500 C: 7.300

BUICK SKYLARK 1970-1972

Voor modeljaar 1970 kreeg de Skylark een nieuw aanzien. De opvallende sweepspear (de strip en knik die van de koplampen naar de achterwielen liepen) die de modellen van 1968/'69 typeerde, was geweken voor een strakkere lijn en verder geopende wielkasten. Naast de basisversie Skylark waren er nog de twee subreeksen 350 en Custom. In de twee jaar erna waren er slechts detailwijzigingen, aangezien GM al wist dat het type zou verdwijnen. Wel kwam er voor '71 een stationcar bij, onder de naam Sportwagon. Pas in 1979 keerde de goed ingeburgerde naam terug.

Aantal cilinders: 6 en V8
Cilinderinhoud in cm³: 4093 en 5724
Vermogen: 112/3600 en 157/3300
Topsnelheid in km/uur: 160 en 200
Carrosserie/Chassis: zelfdragend
Uitvoering: coach, sedan, cabriolet, coupé en stationcar
Productiejaren: 1970-1972
Productie-aantal: 563.324
In NL: n.b.
Prijzen: A: 1.800 B: 3.400 C: 5.400

BUICK SKYLARK CONVERTIBLE 1970-1972

De nieuwe Skylark van 1970 was als convertible alleen te koop in de serie Skylark Custom. De wagens hadden andere strips en emblemen en vele waren voorzien van kuipstoelen voor. Een open auto was in die beginjaren zeventig niet erg gewild en vandaar dat het geproduceerde aantal van 12.555 in drie jaar schril afsteekt bij de ruim half miljoen gesloten typen. In de drie productiejaren van deze voorlopig laatste generatie Skylarks is er weinig aan het uiterlijk van de auto gewijzigd. Wie er een zoekt, zal waarschijnlijk een V8-motor willen.

Aantal cilinders: 6 en V8
Cilinderinhoud in cm³: 4093 en 5724
Vermogen: 112/3600 en 157/3300
Topsnelheid in km/uur: 160 en 200
Carrosserie/Chassis: zelfdragend
Uitvoering: cabriolet
Productiejaren: 1970-1972
Productie-aantal: 12.555
In NL: n.b.
Prijzen: A: 2.700 B: 6.400 C: 9.100

BUICK LE SABRE 1971-1972

Voor modeljaar 1971 kreeg de LeSabre een nieuwe en grotere carrosserie. Opvallend was de reliëflijn die vanaf de koplampen naar de achterlichten liep. De wagen kreeg een eigen grille die afweek van de overige Buicks. De duurdere versie heette weer Custom en daarin zat de afgebeelde convertible. Die bleef met nog geen 4.000 stuks op een totaal van ruim 360.000 wagens zeer zeldzaam. Voor '72 waren er weinig wijzigingen, op het verdwijnen van de louvres in de kofferklep na. De keuze uit motoren met uiteenlopende vermogens was groot.

Aantal cilinders: V8
Cilinderinhoud in cm³: 5735-7456
Vermogen: 230/4200-330/4600
Topsnelheid in km/uur: 160-200
Carrosserie/Chassis: zelfdragend
Uitvoering: sedan, coupé en cabriolet
Productiejaren: 1971-1972
Productie-aantal: 364.011
In NL: n.b.
Prijzen: (cabrio) A: 4.500 B: 8.200 C: 11.000

BUICK RIVIERA 1971-1973

In 1971 was Buick met een sensationeel mooie Riviera uitgekomen van de hand van Donald Lesky. De wagen viel op door zijn prachtig uitgevoerde 'boattail'-achterkant. Er was een Gran Sport-optie verkrijgbaar, waardoor de wagen 330 pk sterk werd. Voor '72 is de carrosserie iets gewijzigd. De Riviera was uitsluitend als zespersoons coupé te koop en ook voor de welgestelde Amerikanen was de wagen niet goedkoop. Hij kostte in 1972 $ 5149,– terwijl dat jaar een Buick Skylark coupé $ 2925,– moest opbrengen. Door zijn opvallende achterkant tegenwoordig geliefd.

Aantal cilinders: V8
Cilinderinhoud in cm³: 5735-7456
Vermogen: 250/4000-330/4600
Topsnelheid in km/uur: 200
Carrosserie/Chassis: zelfdragend
Uitvoering: coupé
Productiejaren: 1971-1973
Productie-aantal: 135.428
In NL: n.b.
Prijzen: A: 3.400 B: 7.700 C: 11.800

BUICK CENTURION

Voor modeljaar 1971 loste een nieuwe serie Buicks de Wildcat af. De wagen straalde kracht uit en was sober van uiterlijk en zelfs de ventiports ontbraken. Er waren een hardtop sedan, een coupé en een convertible. Voor '72 was er een nieuwe grille. Een jaar later werd de Centurion opgenomen in de LeSabre-reeks, maar de van meet af aan tegenvallende verkoopcijfers van deze op een na grootste Buick leidden tot het geheel schrappen van naam en model. De afgebeelde convertible is een zeldzame auto gebleven, want in drie jaar tijd leverde men slechts zo'n 10.000 open Centurions af.

Aantal cilinders: V8
Cilinderinhoud in cm^3: 7456
Vermogen: 315/4600-330/4600
Topsnelheid in km/uur: 195-205
Carrosserie/Chassis: zelfdragend
Uitvoering: sedan, coupé en cabriolet
Productiejaren: 1971-1973
Productie-aantal: 110.489
In NL: n.b.
Prijzen: (cabrio) A: 4.500 B: 8.400 C: 11.300

BUICK CENTURY REGAL COUPÉ 1973-1974

In 1973 komt GM met een nieuwe serie wagens in de middenklasse: de Century, Luxus en Regal. Opvallend zijn de B-stijlen die in 'Colonnade'-hardtop look zijn. Zelfs de sedans hebben het typerende achterste zijruitje meegekregen. De Regal is het topmodel in die middenserie, te herkennen aan een distinctieve grille. In '73 uitsluitend als coupé in het programma maar in 1974 verkoopt Buick naast bijna 60.000 coupés ook ruim 9.000 sedans. Een optie is het Gran Sport-pakket.

Aantal cilinders: V8
Cilinderinhoud in cm^3: 5735
Vermogen: 150/3800
Topsnelheid in km/uur: 165
Carrosserie/Chassis: zelfdragend
Uitvoering: coupé en sedan
Productiejaren: 1973-1974
Productie-aantal: 158.402
In NL: n.b.
Prijzen: A: 1.100 B: 2.900 C: 4.100

BUICK APOLLO 1975

In april 1973 maakte Buick een rentree op de markt voor compacts met z'n 'nieuwe' Apollo. Vanwege de oliecrisis achtte men het verstandig om met een kleine wagen te komen. Op de X-bodyshell van de Chevy Nova van 1968(!) verscheen de Apollo met dezelfde zespitter als van die Chevrolet, maar een V8 was kort erna leverbaar. Voor '75 kreeg de wagen met een brede grille en lage taillelijn een Europeser uiterlijk, maar een succes werd het geenszins en na nog geen drie jaar schrapte men de naam en ging het model vrijwel ongewijzigd op in de Skylark-reeks.

Aantal cilinders: 6, V6 en V8
Cilinderinhoud in cm^3: 4097, 3785 en 4261
Vermogen: 105/4000, 110/4000 en 110/4000
Topsnelheid in km/uur: 150-160
Carrosserie/Chassis: zelfdragend
Uitvoering: sedan
Productiejaar: 1975
Productie-aantal: 23.379
In NL: n.b.
Prijzen: A: 450 B: 1.350 C: 2.250

BUICK ESTATE WAGON 1977-1978

Vanaf het modeljaar 1970 bracht Buick voor het eerst sinds zes jaar weer een full-size stationcar uit. Hij verscheen als een aparte reeks onder de naam Estate Wagon en wat afwerking betreft was het een LeSabre. Een jaar erna kreeg de wagon de karakteristieken van de Electra mee en dat zou zo blijven. Voor 1977 haalde GM flink de kaasschaaf over de modellen, waardoor er in feite nieuwe wagens ontstaan waren. De wielbasis en lengte van de Estate waren flink teruggebracht, zodat hij zelfs iets minder lang was dan de Electra sedan.

Aantal cilinders: V8
Cilinderinhoud in cm^3: 5724-6595
Vermogen: 157/3400-188/3600
Topsnelheid in km/uur: 170-190
Carrosserie/Chassis: zelfdragend
Uitvoering: stationcar
Productiejaren: 1977-1978
Productie-aantal: 51.039
In NL: n.b.
Prijzen: A: 700 B: 2.000 C: 3.200

BUICK RIVIERA COUPÉ 1979-1980

Eind 1978 kwam Buick met een heel ander soort Riviera dan men gewend geweest was en tot in 1980 zou de wagen onveranderd gebouwd worden. Het was een minder grote auto geworden met een lengte van 'slechts' 525 cm. In 1977 was hij nog 555 cm lang geweest. Nieuw was ook de voorwielaandrijving, de V6 turbo-motor en de onafhankelijke achterwielophanging. De auto kon natuurlijk nog wel met een V8 geleverd worden. De opvolger voor 1981 had een andere daklijn. Nog geen collectors item, maar dat kan nog komen.

Aantal cilinders: V6 en V8
Cilinderinhoud in cm^3: 3791-5737
Vermogen: 170/4000-185/4000
Topsnelheid in km/uur: 185
Carrosserie/Chassis: zelfdragend
Uitvoering: coupé
Productiejaren: 1978-1980
Productie-aantal: 100.802
In NL: n.b.
Prijzen: A: 900 B: 2.700 C: 4.100

CADILLAC

Cadillac is sinds 1909 in het General Motors-concern en daarin verantwoordelijk voor de exclusieve auto's die het moeten opnemen tegen de Lincolns en Imperials van Ford en Chrysler. Hoewel de Amerikaanse presidenten graag in Lincolns rijden, vindt men de Cadillacs bij vele andere staatshoofden in de garage. In Nederland is de naam Cadillac bijna spreekwoordelijk voor 'een grote slee', een kwalificatie die met name in de jaren dertig en vijftig is verdiend. Onder liefhebbers van grote vinnen is het modeljaar 1959 veruit het populairst.

CADILLAC SERIES 62 1946-1947

Net als vele andere Amerikaanse merken bracht ook Cadillac in 1946 een wagen uit naar het model van voor de oorlog. Er waren de Series 61, 62 en 75 Fleetwood. De 62 zat dus in het midden en had een iets langere wielbasis dan de 61. De styling was notchback voor alle typen, behalve de afgebeelde Club Coupe, die een fastback had. Voor '47 was er een iets andere grille met massievere horizontale spijlen (foto) en er kwam een V-embleem op de neus. De motor was een V8 zijklepper; de kopklepper zou pas in '49 debuteren.

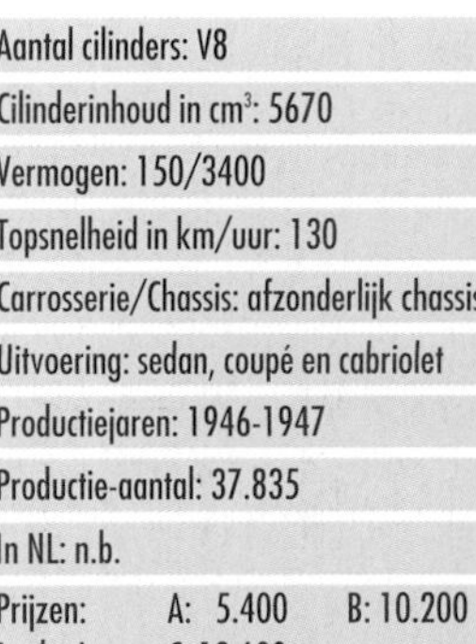

Aantal cilinders: V8		
Cilinderinhoud in cm³: 5670		
Vermogen: 150/3400		
Topsnelheid in km/uur: 130		
Carrosserie/Chassis: afzonderlijk chassis		
Uitvoering: sedan, coupé en cabriolet		
Productiejaren: 1946-1947		
Productie-aantal: 37.835		
In NL: n.b.		
Prijzen: (sedan)	A: 5.400	B: 10.200
	C: 13.600	

CADILLAC SERIES 60 SPECIAL FLEETWOOD 1946-1947

Naast de hiervoor genoemde series was er nog een bijzondere reeks 60 Special Fleetwood, die tussen de gewone Cadillacs van de Series 62 en de lange 75 Fleetwoods in zat. Door de iets langere deuren was de 60 S in totaal vier inches gegroeid. Hij was aan de buitenzijde van de 62 te onderscheiden door vier schuin omhoog geplaatste louvres in de achterste dakstijl. Daarbij had iedere deuropening een eigen regengoot. Voor '47 kwam er een Fleetwood-embleem op de kofferklep en een spatschild op beide achterschermen.

Aantal cilinders: V8		
Cilinderinhoud in cm³: 5670		
Vermogen: 150/3400		
Topsnelheid in km/uur: 130		
Carrosserie/Chassis: afzonderlijk chassis		
Uitvoering: sedan		
Productiejaren: 1946-1947		
Productie-aantal: 14.200		
In NL: n.b.		
Prijzen:	A: 5.500	B: 10.000
	C: 13.600	

CADILLAC COUPE DEVILLE 1949

1949 was voor Cadillac een belangrijk jaar. Men kon de éénmiljoenste wagen uit de fabriek rijden en die had voor het eerst in Cadillacs geschiedenis een V8-motor met kopkleppen. Men had bij Cadillac sinds 1915 volop V8-krachtbronnen ingebouwd, maar dan steeds met zijkleppen. Nieuw voor 1949 was ook de Coupe DeVille Hardtop Convertible, die geen cabriolet was, maar een coupé. Deze hardtop-uitvoering was voor Cadillac geheel nieuw. Overigens kwamen in '48 de eerste nieuwe naoorlogse modellen uit.

Aantal cilinders: V8		
Cilinderinhoud in cm³: 5424		
Vermogen: 160/3800		
Topsnelheid in km/uur: 160		
Carrosserie/Chassis: afzonderlijk chassis		
Uitvoering: coupé		
Productiejaar: 1949		
Productie-aantal: 2.150		
In NL: n.b.		
Prijzen:	A: 5.700	B: 10.400
	C: 15.900	

CADILLAC SERIES 60 SPECIAL FLEETWOOD 1950-1951

Nadat in '48 de eerste echt nieuwe carrosserieën van Cadillac verschenen, volgde de eerste ingrijpende facelift voor modeljaar 1950. De achterkant was langer, de voorschermen vloeiender van lijn, maar de verticale chromen 'onderbreking' van de lijnen van het achterscherm viel het meest in het oog. Wederom de Series 61, 62 en 75 met de 60 Special Fleetwood als middellang model ertussenin. Door de ietwat langere wielbasis leek de 60 lager. De acht verticale sierstripjes op de achterdeuren vormden de distinctieve eigenschap.

Aantal cilinders: V8		
Cilinderinhoud in cm³: 5424		
Vermogen: 160/3800		
Topsnelheid in km/uur: 160		
Carrosserie/Chassis: afzonderlijk chassis		
Uitvoering: sedan		
Productiejaren: 1950-1951		
Productie-aantal: 32.386		
In NL: n.b.		
Prijzen:	A: 5.700	B: 10.200
	C: 14.700	

CADILLAC SERIES 62 1950-1951

Voor 1950 ondergingen Cadillacs een flinke facelift. Ze oogden zwaarder en hadden langere achterkanten. De Series 62 zat boven de 61 en het verschil zat in de hoeveelheid opsmuk en luxe; onder dat laatste viel ook de standaard aanwezige Hydra-Matic automaat. De sedan (foto) was verreweg de best verkochte Cadillac in die jaren. Voor '51 waren er weinig veranderingen. Een experiment dat weinig succes had waren de 756 CKD-kits die voor de export verscheept werden voor assemblage elders. De coupé en de convertible hadden elektrische ramen af-fabriek.

Aantal cilinders: V8		
Cilinderinhoud in cm³: 5424		
Vermogen: 160/3800		
Topsnelheid in km/uur: 160		
Carrosserie/Chassis: afzonderlijk chassis		
Uitvoering: sedan, coupé en cabriolet		
Productiejaren: 1950-1951		
Productie-aantal: 141.662		
In NL: n.b.		
Prijzen:	A: 5.500	B: 9.000
	C: 12.300	

CADILLAC '62' 1952-1953

In 1952 kon Cadillac zijn 50ste verjaardag vieren en ter ere van dit jubileum vond de koper van een 52'er Caddy een nieuwe V8 met 192 in plaats van 162 pk onder de motorkap. De inhoud van de motor had men niet veranderd, maar een reusachtige viervoudige Rochester-carburateur was één van de redenen voor deze winst in vermogen. Wat vooral de huisvrouw verheugde was het feit dat men in 1952 een stuurbekrachtiging kon bestellen die vooral het parkeren veel makkelijker maakte.

Aantal cilinders: V8		
Cilinderinhoud in cm³: 5424		
Vermogen: 192/4000		
Topsnelheid in km/uur: 165		
Carrosserie/Chassis: afzonderlijk chassis		
Uitvoering: sedan, coupé en cabriolet		
Productiejaren: 1952-1953		
Productie-aantal: 148.765		
In NL: n.b.		
Prijzen:	A: 3.400	B: 6.800
	C: 11.800	

CADILLAC ELDORADO CONVERTIBLE COUPE 1953

Exclusiviteit ten top: de Eldorado Convertible Coupe. Hij werd slechts 532 maal verkocht. De reden was natuurlijk weer de prijs, want deze wagen kostte met $ 7.750,– bijna twee maal zoveel als men voor een Cadillac '62' cabriolet vroeg. De wagen was volgestopt met alle mogelijke accessoires en ondanks zijn hoge gewicht kon de wagen een aardige snelheid bereiken. Een dergelijk zeldzame open Cadillac kost tegenwoordig ook nog veel geld, dat spreekt voor zich.

Aantal cilinders: V8		
Cilinderinhoud in cm³: 5424		
Vermogen: 210/4000		
Topsnelheid in km/uur: 170		
Carrosserie/Chassis: afzonderlijk chassis		
Uitvoering: cabriolet		
Productiejaar: 1953		
Productie-aantal: 532		
In NL: n.b.		
Prijzen:	A: 36.300	B: 68.100
	C: 99.800	

CADILLAC ELDORADO 1954

Na de peperdure Eldorado van '53 bracht Cadillac voor 1954 een wat minder exclusieve variant uit. Het was in feite een Series 62 met goudkleurige scripts, aluminium sierplaten achter de achterwielen, monogrammen op de portieren, spaakwielen en extra chique bekleding. Dat kostte de klant $1.334 meer dan een gewone open 62, maar hij reed dan exclusiever. Vanaf 1955 zou het uiterlijk van de Eldorado steeds meer gaan afwijken van de Series 62. Alleen kenners konden namelijk de verschillen tussen de beide convertibles van 1954 zien.

Aantal cilinders: V8		
Cilinderinhoud in cm³: 5424		
Vermogen: 230/4400		
Topsnelheid in km/uur: 160-170		
Carrosserie/Chassis: afzonderlijk chassis		
Uitvoering: cabriolet		
Productiejaar: 1954		
Productie-aantal: 2.150		
In NL: n.b.		
Prijzen:	A: 22.700	B: 43.100
	C: 61.300	

CADILLAC COUPE DEVILLE 1954-1956

In het achtste naoorlogse jaar van de 62-Series was de Coupe DeVille wederom een van de aantrekkelijkste varianten. In 1954 had de laatste ingrijpende facelift plaatsgevonden en de minst dure Cadillacs waren net als hun grotere familieleden lager en slanker geworden. Tot 1956 (foto) bleef de 62 vrijwel onveranderd, afgezien van de grille en enkele kleinere zaken. Wel was er dat jaar een grotere motor met bijna zes liter volume. De luxueuze Coupe DeVille was ruim tien procent duurder dan de gewone coupé. Tegen meerprijs was er een 305 pk sterke motor.

Aantal cilinders: V8		
Cilinderinhoud in cm³: 5424 en 5972		
Vermogen: 230/4400-305/4600		
Topsnelheid in km/uur: 165-170		
Carrosserie/Chassis: afzonderlijk chassis		
Uitvoering: coupé		
Productiejaren: 1954-1956		
Productie-aantal: 76.096		
In NL: n.b.		
Prijzen:	A: 5.400	B: 9.100
	C: 13.600	

CADILLAC SERIES 62 CONVERTIBLE 1954-1956

Wat voor de Coupe DeVille geldt, gaat ook voor de convertible uit diezelfde reeks op. Vanaf '54 kreeg de 62-serie een langere wielbasis en de open versie uit die reeks leek met z'n twee deuren langer dan ooit. Het was de enige open Cadillac uit het programma en de klant die veel meer uit wilde geven ($1300), kon de wagen ook in Eldorado-uitvoering krijgen vanaf medio '53. Die 62 Eldorado verkocht ondanks flinke jaarlijkse prijsstijgingen steeds beter en voor '56 was er ook een coupéversie onder de naam Seville. De open 62 kost nu bijna het dubbele van de Coupe DeVille.

Aantal cilinders: V8
Cilinderinhoud in cm³: 5424-5981
Vermogen: 230/4400-305/4700
Topsnelheid in km/uur: 160-170
Carrosserie/Chassis: afzonderlijk chassis
Uitvoering: cabriolet
Productiejaren: 1954-1956
Productie-aantal: 22.760
In NL: n.b.
Prijzen: A: 10.500 B: 18.000 C: 25.000

CADILLAC COUPE DEVILLE 1957

De Series 62 was de best verkopende Cadillac. Na drie jaren met weinig uiterlijke wijzigingen bracht 1957 wagens op nieuwe X-vormige onderstellen. Door de toegenomen stevigheid konden de Caddy's lager worden. Amerikanen wijzigden jaarlijks de grille en '57 was het jaar van de rubberen punten op de Dagmar-bumpers (vernoemd naar een tv-presentatrice met vormen die zich laten raden) en dubbele parkeerlichten in de onderste bumperdelen. Ook de zijkanten en achterlichten waren anders. De Coupe DeVille had een naamplaatje op de voorschermen.

Aantal cilinders: V8
Cilinderinhoud in cm³: 5972
Vermogen: 300/4800
Topsnelheid in km/uur: 170
Carrosserie/Chassis: afzonderlijk chassis
Uitvoering: coupé
Productiejaar: 1957
Productie-aantal: 23.813
In NL: n.b.
Prijzen: A: 5.400 B: 11.300 C: 17.000

CADILLAC 75 FLEETWOOD 1957-1958

Na de oorlog ging Cadillac door met een aparte reeks limousines onder de naam 75 Fleetwood. In '48 wilde men ermee stoppen, maar om met de concurrentie mee te komen, bleef GM deze wagens met verlengde wielbases leveren. Vanaf 1952 waren er behalve een rollend chassis voor bijvoorbeeld ambulances en lijkwagens nog slechts twee versies over: de limousine met of zonder separatieruit. Toen voor '57 alle carrosserieën wijzigden, deed de Fleetwood natuurlijk mee. In de productie-aantallen zijn de 4.084 kale chassis niet opgenomen. Vanwege z'n lengte niet erg geschikt voor dagelijks gebruik.

Aantal cilinders: V8
Cilinderinhoud in cm³: 6158
Vermogen: 300/4800
Topsnelheid in km/uur: 170
Carrosserie/Chassis: afzonderlijk chassis
Uitvoering: limousine
Productiejaren: 1957-1958
Productie-aantal: 3.432
In NL: n.b.
Prijzen: A: 6.800 B: 11.300 C: 14.700

CADILLAC ELDORADO BIARRITZ 1957-1958

De uit de Series 62 gegroeide Eldorado-uitvoeringen werden steeds luxueuzer en duurder. Was in '54 het verschil tussen een gewone open 62 en de Eldorado $1.334, in 1957 bedroeg dit al $2.061. Aan de buitenzijde van de imposante Biarritz convertible viel o.a. het V-embleem op de neus op. De modellen van '57 en '58 ontlopen elkaar niet veel, op de grille na. De geringe productie-aantallen maken deze Cadillacs zeer prijzig. Met name het model '58 met de tien verticale louvres voor het achterwiel (foto) is zeer zeldzaam. De Eldorado week steeds meer af van de Series 62.

Aantal cilinders: V8
Cilinderinhoud in cm³: 5981
Vermogen: 325/4800
Topsnelheid in km/uur: 170
Carrosserie/Chassis: afzonderlijk chassis
Uitvoering: cabriolet
Productiejaren: 1957-1958
Productie-aantal: 2.615
In NL: n.b.
Prijzen: A: 11.300 B: 25.000 C: 38.600

CADILLAC ELDORADO COUPE SEVILLE 1957-1958

Voor dezelfde nieuwprijs als de imposante Biarritz convertible bood Cadillac sinds 1956 een coupé aan in de Eldorado-reeks onder de naam Coupe Seville. Ook deze wagen onderscheidde zich van de Series 62 door de opvallende, puntige staartvinnetjes. De beide Eldorado's van 1957 en 1958 – de convertible en de coupé – hadden dezelfde carrosserielijnen. In 1957 leverde Cadillac ook nog vier Sedans Seville af en in 1958 ook één Special Eldorado Coupe. De dure Eldorado Coupe bleef tot 1960 leverbaar, maar werd slechts mondjesmaat verkocht.

Aantal cilinders: V8
Cilinderinhoud in cm³: 5981
Vermogen: 325/4800
Topsnelheid in km/uur: 170
Carrosserie/Chassis: afzonderlijk chassis
Uitvoering: coupé
Productiejaren: 1957-1958
Productie-aantal: 2.955
In NL: n.b.
Prijzen: A: 8.500 B: 16.000 C: 22.000

CADILLAC ELDORADO BROUGHAM 1957-1958

De duurste Cadillac uit de naoorlogse jaren werd eind 1956 voorgesteld om als model 1957 in productie te gaan. De Eldorado Brougham kostte $ 13.074,– (een 'gewone' Cadillac Sedan DeVille kostte toen $ 4.713,–), wat de reden was dat er niet veel verkocht konden worden. De wagen had alles wat de verwende automobilist zich kon bedenken, van een gepolijst roestvrij stalen dak tot luchtvering toe. De dubbele koplampen waren toen nog bijna uniek, vanaf 1958 zitten ze op bijna alle Amerikanen.

Aantal cilinders: V8
Cilinderinhoud in cm³: 5972
Vermogen: 330/4800 en 310/4800
Topsnelheid in km/uur: 190
Carrosserie/Chassis: afzonderlijk chassis
Uitvoering: sedan
Productiejaren: 1957 en 1958
Productie-aantal: 704
In NL: n.b.
Prijzen: A: 15.900 B: 31.800 C: 45.400

CADILLAC COUPE DEVILLE 1958

1958 was geen best jaar voor de auto-industrie. GM verkocht 600.000 wagens minder dan in 1957 en ook bij Cadillac liep de verkoop terug. En dat ondanks het feit dat de wagens een facelift gekregen hadden die een nieuwe grille en nog gemenere staartvinnen dan voorheen inhield. En met de hoogte van de staartvinnen steeg het aantal pk's, zodat de Coupe DeVille over niet minder dan 287 SAE-paarden beschikte. Dit slagschip had een lengte van 538 cm en woog schoon aan de haak 2140 kg.

Aantal cilinders: V8
Cilinderinhoud in cm³: 5972
Vermogen: 310/4800
Topsnelheid in km/uur: 170
Carrosserie/Chassis: afzonderlijk chassis
Uitvoering: coupé
Productiejaar: 1958
Productie-aantal: 18.414
In NL: n.b.
Prijzen: A: 5.000 B: 9.100 C: 14.700

CADILLAC COUPE DEVILLE 1959

Een van de laatste wapenfeiten van de beroemde designer Harley Earl waren de gigantische vinnen op de Cadillacs van 1959. Deze wagen haal je van verre uit een groep tijdgenoten vanwege zijn imposante staartvinnen met raketachtige lichten. De DeVille-serie bestond uit twee sedans en een coupé en deze modellen waren iets luxueuzer dan de standaard 62-serie. Zo waren er elektrisch bedienbare ramen en stoelen. Intussen behoren de '59'er Caddy's vanwege hun vormen tot de meest geliefde Amerikaanse auto's.

Aantal cilinders: V8
Cilinderinhoud in cm³: 6390
Vermogen: 325/4800
Topsnelheid in km/uur: 180
Carrosserie/Chassis: afzonderlijk chassis
Uitvoering: coupé
Productiejaar: 1959
Productie-aantal: 21.924
In NL: n.b.
Prijzen: A: 9.100 B: 13.600 C: 18.200

CADILLAC SERIES 62 CONVERTIBLE 1959

Naast de geliefde Coupe DeVille van hiervoor, bood de 62-Series ook een prachtige convertible. De sjiekste cabriolet van Cadillacs 1959-programma is natuurlijk de Eldorado Biarritz, maar met slechts 1320 geproduceerde wagens is dat een zeldzaamheid. Makkelijker te vinden is deze 62 Convertible Coupe. Ook voor dit type geldt dat alle technische snufjes in de koopprijs inbegrepen waren. Bijvoorbeeld een automatische bak, servoremmen en -besturing, een ruitensproeier en ruitenwissers die met twee snelheden konden werken.

Aantal cilinders: V8
Cilinderinhoud in cm³: 6390
Vermogen: 309/4600
Topsnelheid in km/uur: 180
Carrosserie/Chassis: afzonderlijk chassis
Uitvoering: cabriolet
Productiejaar: 1959
Productie-aantal: 11.130
In NL: n.b.
Prijzen: A: 11.300 B: 22.700 C: 36.300

CADILLAC COUPE DEVILLE 1960

De opvallende Coupe DeVille van 1959 werd voor 1960 door Bill Mitchell, de opvolger van chef-designer Harley Earl, van een belangrijk kenmerk ontdaan: de opvallende vleugelpartij werd minder prominent. Er bleef een zeer sierlijke vleugel over. De grille en bumper waren eveneens anders. De wagen zag er door die andere vleugels veel strakker en gladder uit. Voor de $360 die de DeVille meer kostte dan de gewone Series 62 coupé had de koper weer diverse elektrisch bedienbare snufjes. Je moest echter wel het embleem op de voorschermen missen.

Aantal cilinders: V8
Cilinderinhoud in cm³: 6390
Vermogen: 325/4800
Topsnelheid in km/uur: 180
Carrosserie/Chassis: afzonderlijk chassis
Uitvoering: coupé
Productiejaar: 1960
Productie-aantal: 21.585
In NL: n.b.
Prijzen: A: 5.900 B: 10.000 C: 14.700

CADILLAC ELDORADO SEVILLE 1960

Een exclusieve subreeks binnen het Cadillac-aanbod vormden de modellen Eldorado (en Brougham). Een verchroomde dorpelplaat plus Eldorado-belettering op de voorschermen maakten de wagens herkenbaar. Er zat een grotere motor in en er was een lange reeks extra's om de meerprijs van 40 procent ten opzichte van een gewone hardtop coupé te verantwoorden. De open versie heette weer Biarritz. De $7.401 die de Eldorado Seville moest kosten, was er debet aan dat de productie gering bleef. Wellicht is dit afgebeelde exemplaar het enige in Nederland?

Aantal cilinders: V8
Cilinderinhoud in cm³: 6391
Vermogen: 345/4800
Topsnelheid in km/uur: 180
Carrosserie/Chassis: afzonderlijk chassis
Uitvoering: coupé
Productiejaar: 1960
Productie-aantal: 1.075
In NL: n.b.
Prijzen: A: 7.300 B: 13.600 C: 18.200

CADILLAC COUPE DEVILLE 1961

De Cadillac Coupe DeVille van 1961 leek veel op zijn voorganger van 1960. Er was geen reden geweest de carrosserie nieuw te ontwerpen – wat de verkoopscijfers bewezen – en zo hadden de designers alleen het dak iets vlakker getekend en de voorruitstijlen nieuw ontworpen. In 1959 en 1960 waren die vreemd gebogen geweest, wat de naam 'doglegs' opgeleverd had. De Sedan DeVille was met een aantal van 26.415 exemplaren de meest verkochte Cadillac in 1961, maar de Coupe DeVille is tegenwoordig meer geliefd.

Aantal cilinders: V8
Cilinderinhoud in cm³: 6390
Vermogen: 330/4800
Topsnelheid in km/uur: 180
Carrosserie/Chassis: afzonderlijk chassis
Uitvoering: coupé
Productiejaar: 1961
Productie-aantal: 20.156
In NL: n.b.
Prijzen: A: 4.500 B: 8.200 C: 11.800

CADILLAC PARK AVENUE

De DeVille-reeks kreeg er voor 1962 een nieuw model bij dat de Town Sedan van 1961 opvolgde: de Park Avenue. Het was een sedan met vier zijruiten. Voor dat modeljaar had GM de 'vleugeltjes' aan de onderzijde van de achterschermen iets anders vormgegeven. Ook de grille onderging een subtiele wijziging. Hoewel de DeVille zeer goed verkocht (71.883 stuks), bleef de nieuwe Park Avenue ver achter bij de overige drie carrosserievarianten. Na 4.175 stuks in twee jaar verdween het type. De wagen is redelijk zeldzaam maar niet hoger geprijsd dan de elegantere coupé.

Aantal cilinders: V8
Cilinderinhoud in cm³: 6384
Vermogen: 325/4800
Topsnelheid in km/uur: 175
Carrosserie/Chassis: afzonderlijk chassis
Uitvoering: sedan
Productiejaar: 1962-1963
Productie-aantal: 4.175
In NL: n.b.
Prijzen: A: 3.600 B: 6.800 C: 9.100

CADILLAC FLEETWOOD 60 SPECIAL 1963-1964

Cadillac begon 1963 met een geheel nieuwe motor. Goed, de cilinderinhoud was nog steeds 6384 cm³ en het vermogen was ook nog steeds 330 pk, maar hij was beduidend kleiner en daarom 23 kg lichter in gewicht dan zijn voorgangers. Deze motor werd in 1963 in alle Caddy's ingebouwd. Ook in deze Fleetwood Sixty Special, die de op een na duurste lijn vormde. Boven de 62-Series en onder de 75. De wagen oogt sjiek en de hardtop sedan-constructie voegt nog iets speciaals toe.

Aantal cilinders: V8
Cilinderinhoud in cm³: 6390
Vermogen: 330/4800
Topsnelheid in km/uur: 190
Carrosserie/Chassis: afzonderlijk chassis
Uitvoering: sedan
Productiejaren: 1963-1964
Productie-aantal: 28.550
In NL: n.b.
Prijzen: A: 2.700 B: 5.900 C: 9.100

CADILLAC COUPE DEVILLE 1964

De Series 62 Coupe DeVille had sinds 1961 regelmatig een facelift gekregen en 1964 was het laatste jaar van dit model. Technisch was er veel veranderd voor '64. De motor was vergroot tot 7025 cc en de Turbo-Hydra-Matic automaat had de oude Hydra-Matic vervangen. Vanaf 1965 was er nog wel een Coupe DeVille leverbaar, maar niet meer van de fameuze 62-serie. De lijst van opties voor deze Coupe Deville van '64 was bijna onuitputtelijk. De populariteit van de Caddy's uit de beginjaren zestig neemt snel toe, zeker in de VS zelf.

Aantal cilinders: V8
Cilinderinhoud in cm³: 7030
Vermogen: 345/4600
Topsnelheid in km/uur: 190
Carrosserie/Chassis: zelfdragend
Uitvoering: coupé
Productiejaar: 1964
Productie-aantal: 38.195
In NL: n.b.
Prijzen: A: 4.500 B: 7.900 C: 11.300

CADILLAC CALAIS 1965-1966

Als opvolger voor de aloude 62-serie (het type had er precies 25 jaar opzitten) kwam in 1965 de Calais uit. Zo'n $400 onder DeVille-reeks geprijsd, bood dit nieuwe model vele typische Cadillac-items, zoals de verticaal geplaatste dubbele koplampen van dat jaar. De vinvorm was in het achterscherm geïntegreerd. De gebogen zijramen hadden geen stijlen en er was voor het eerst sinds '56 weer een sedan met B-stijlen. Voor '66 waren er afzonderlijke 'side-markers' in de voorschermen en de hoeveelheid chroom werd teruggebracht.

Aantal cilinders: V8
Cilinderinhoud in cm³: 7030
Vermogen: 340/4600
Topsnelheid in km/uur: 180
Carrosserie/Chassis: zelfdragend
Uitvoering: sedan en coupé
Productiejaren: 1965-1966
Productie-aantal: 62.891
In NL: n.b.
Prijzen: A: 2.700 B: 5.200 C: 7.700

CADILLAC COUPE DEVILLE 1966-1968

In 1966 werden er bij Cadillac records gebroken: op 27 oktober werden er 1017 auto's gemaakt, in één week in december 5570 en in het kalenderjaar voor het eerst meer dan 200.000. Een kwart van de productie bestond uit Coupe DeVilles, die in 1966 alleen nog met een automatische Turbo-Hydramatic versnellingsbak en een pneumatische niveau-regulering geleverd werden. Immense auto's, maar typerend voor de periode. Ze zijn echter minder karakteristiek dan de modellen uit de eerste helft van de jaren zestig.

Aantal cilinders: V8
Cilinderinhoud in cm³: 7030
Vermogen: 345/4600
Topsnelheid in km/uur: 180
Carrosserie/Chassis: zelfdragend
Uitvoering: coupé
Productiejaren: 1966-1968
Productie-aantal: 167.420
In NL: n.b.
Prijzen: A: 3.600 B: 5.900 C: 8.600

CADILLAC COUPE DEVILLE 1969-1970

Voor modeljaar 1969 gaf Cadillac alle modellen een 'Eldorado-look' mee: de neussectie met horizontale koplampunits, langere achterste zijruiten en een langere motorkap. Toch waren de lengte en het karakter van de wagen niet veranderd. De sedan verkocht iets beter, maar de Coupe DeVille had wellicht de mooiste lijnen. Velen hadden het gemis van de achterportieren ervoor over. Voor 1970 veranderde de grille iets en werd het randje boven de koplampen in de kleur gespoten. Dat jaar zou het laatste zijn voor de cabriolet (zie hierna) en de sedan met middenstijl.

Aantal cilinders: V8
Cilinderinhoud in cm³: 7729
Vermogen: 380/4400
Topsnelheid in km/uur: 200
Carrosserie/Chassis: zelfdragend
Uitvoering: coupé
Productiejaren: 1969-1970
Productie-aantal: 141.798
In NL: n.b.
Prijzen: A: 3.600 B: 6.400 C: 8.400

CADILLAC ELDORADO 1967-1970

Eén van de meest interessante auto's die Cadillac na de oorlog gebouwd heeft, is wel de Eldorado van 1967 geweest. Deze wagen had namelijk voorwielaandrijving. Hij deelde de carrosserie met de Buick Riviera en de Oldsmobile Toronado en deze werd bij Fisher gemaakt. De Buick had op het laatste moment 'normale' achterwielaandrijving gekregen. De Oldsmobile was al in 1967 op de markt gekomen en toen had men er 41.000 stuks van kunnen verkopen. Vanaf 1968 verkocht de Eldorado beter.

Aantal cilinders: V8
Cilinderinhoud in cm³: 7030, 7729 en 8194
Vermogen: 345/4600, 380/4400 en 406/4400
Topsnelheid in km/uur: 185-195
Carrosserie/Chassis: zelfdragend
Uitvoering: coupé
Productiejaren: 1967-1970
Productie-aantal: 65.791
In NL: n.b.
Prijzen: A: 4.100 B: 7.900 C: 12.300

CADILLAC ELDORADO 1971-1978

In 1971 kwam Cadillac met de tweede oplage voorwielaangedreven Eldorado's uit en hij was weer als cabriolet te koop! Tot 1976. De wagen stond nu op een langer chassis waarvan de wielbasis van 305 tot 321 cm verlengd was en hij mat nu 563 cm tussen zijn bumpers. Om aan de strengere milieu-voorschriften te kunnen voldoen was onder andere de compressieverhouding van de motor van 9,4 naar 8,5:1 teruggebracht. Natuurlijk ten koste van het vermogen, dat nu 168 SAE pk minder bedroeg.

Aantal cilinders: V8
Cilinderinhoud in cm³: 8194
Vermogen: 238/3800
Topsnelheid in km/uur: 200
Carrosserie/Chassis: zeldragend
Uitvoering: coupé en cabriolet
Productiejaren: 1971-1978
Productie-aantal: 347.401
In NL: n.b.
Prijzen: (cabrio) A: 4.100 B: 8.600 C: 12.700

CADILLAC FLEETWOOD SIXTY BROUGHAM 1969-1973

Technisch was de Fleetwood Sixty Brougham identiek aan de goedkopere Calais- en De Ville-series. Het grote prijsverschil zat hem dus in de accessoires waar de auto mee volgestopt was. Het was de sjiekere versie van de gewone Fleetwood Sixty sedan, die in 1971 wegens te geringe verkopen uit de folder verdween. De Brougham woog schoon aan de haak 2260 kg en liep niet veel zuiniger dan 1 op 3. Achter vond men een pneumatische niveauregulering, die de wagen horizontaal hield ook als de koffer vol bagage zat.

Aantal cilinders: V8
Cilinderinhoud in cm^3: 7729
Vermogen: 380/4400
Topsnelheid in km/uur: 205
Carrosserie/Chassis: zelfdragend
Uitvoering: sedan
Productiejaren: 1969-1973
Productie-aantal: 94.963
In NL: n.b.
Prijzen: A: 3.600 B: 5.900 C: 8.200

CADILLAC DEVILLE CONVERTIBLE 1969-1970

In 1969 werden alle Cadillacs overgoten met een Eldorado-sausje, omdat dat type het paradepaard van het merk was. De DeVille was als convertible nog tot en met 1970 te koop. De vraag naar open wagens was aanmerkelijk gedaald en men reed liever met een gesloten wagen, vanzelfsprekend met airconditioning, ook als die een extra 54 kilo woog. Bij de voorwielen vond men bekrachtigde schijfremmen en op verzoek kon een pneumatische niveauregulering ingebouwd worden. Kijk uit voor (snel) opgelapte exemplaren.

Aantal cilinders: V8
Cilinderinhoud in cm^3: 7729
Vermogen: 380/4400
Topsnelheid in km/uur: 205
Carrosserie/Chassis: zelfdragend
Uitvoering: cabriolet
Productiejaren: 1969-1970
Productie-aantal: 31.617
In NL: n.b.
Prijzen: A: 6.800 B: 10.200 C: 12.900

CADILLAC SEVILLE 1975-1979

In april 1975 kwam Cadillac met een 'kleine' wagen uit, de Seville. De wagen had een wielbasis van 291 cm, de kleinste maat sinds 65 jaar. De kleine Cadillac was een directe hit en er werden in 1975 al meer dan 50.000 stuks van verkocht. Tot 1980 onderging de Seville ieder jaar een kleine facelift maar werd daarna van een geheel nieuwe carrosserie voorzien. Het is zeker nog geen klassieker, maar wie weet wat de toekomst brengt. Voor de strakke, maar elegant gelijnde auto zullen zich beslist liefhebbers melden.

Aantal cilinders: V8
Cilinderinhoud in cm^3: 5737
Vermogen: 183/4400
Topsnelheid in km/uur: 180
Carrosserie/Chassis: zelfdragend
Uitvoering: sedan
Productiejaren: 1975-1979
Productie-aantal: 215.659
In NL: n.b.
Prijzen: A: 2.300 B: 4.500 C: 6.800

CADILLAC DEVILLE 1977-1984

Ook na vele generaties DeVilles – het veruit best verkopende type Cadillac sinds het begin van de jaren zestig – hield GM die serie in het programma. Voor 1977 slankten alle Caddy's flink af en dat was al te zien aan de wielbasis die van 130 inches terugging naar 121,5. Het leverde een gewichtsbesparing op van twintig procent. Al vanaf '70 bestond de reeks uit een sedan en een coupé, waarbij die laatste tot '81 het best verkocht. De vraag naar vierdeurs modellen groeide echter in de jaren tachtig en die trend geldt tot op heden. De V8's werden allengs steeds kleiner en dus zuiniger.

Aantal cilinders: V8
Cilinderinhoud in cm^3: 4080-6964
Vermogen: 135/3600-195/4400
Topsnelheid in km/uur: 180
Carrosserie/Chassis: zelfdragend
Uitvoering: sedan en coupé
Productiejaren: 1977-1984
Productie-aantal: 1.214.049
In NL: n.b.
Prijzen: A: 1.400 B: 3.400 C: 5.400

CADILLAC SEVILLE 1980-1985

De carrosserie van de Seville, zoals die tussen 1980 en 1985 gebouwd werd, stamde van de tekentafel van Wayne Cady. Cady gaf de wagen een eigen gezicht en iedereen herkende hem onmiddellijk aan zijn vreemde kofferdeksel. Technisch was er ook veel veranderd, want de wagen had nu voorwielaandrijving en kon zelfs met een dieselmotor geleverd worden. Er zijn intussen echte liefhebbers voor dit opvallende type Cadillac, vandaar de iets hogere prijzen dan van zijn voorganger. Typisch een auto die over zo'n twintig jaar peperduur kan zijn.

Aantal cilinders: V8 (benzine)
Cilinderinhoud in cm^3: 6045
Vermogen: 147/3600
Topsnelheid in km/uur: 175
Carrosserie/Chassis: zelfdragend
Uitvoering: sedan
Productiejaren: 1980-1985
Productie-aantal: 198.155
In NL: n.b.
Prijzen: A: 3.400 B: 5.400 C: 6.800

CADILLAC ELDORADO 1979-1980

Met deze wagen begon voor Cadillac een nieuw tijdperk. Het was de kleinste Eldorado tot dan toe en dan werd hij nog maar in één carrosserievorm geleverd: als hardtop coupé met voorwielaandrijving. De Biarritz was weer de meest aangeklede versie. De klant kon kiezen uit twee motoren die beide bij Oldsmobile gemaakt waren. De één was een V8 met benzine-inspuiting en de ander een diesel met een inhoud van 5737 cc en 127 pk/3600. De topsnelheid bedroeg in het laatste geval 155 km/u. De technische gegevens hiernaast betreffen de benzineversie.

Aantal cilinders: V8	
Cilinderinhoud in cm³: 5737	
Vermogen: 172/4200	
Topsnelheid in km/uur: 180	
Carrosserie/Chassis: zelfdragend	
Uitvoering: coupé	
Productiejaren: 1979-1980	
Productie-aantal: 120.121	
In NL: n.b.	
Prijzen:	A: 3.400 B: 6.600 C: 9.100

CATERHAM

De rechten op de Lotus Seven gingen in 1973 over in handen van Caterham Cars, dat vanaf 1970 verantwoordelijk was voor de marketing van deze Lotussen. Dit bedrijf in Caterham onder leiding van Graham Nearn was Lotus-dealer en het had zich voorgenomen de Sevens beter te bouwen dan Lotus had gedaan. Caterham bestaat nog steeds en dat toont aan dat Nearn in zijn opzet geslaagd is.

CATERHAM SUPER SEVEN

Caterham begon met de productie van de niet erg populaire S4, maar schakelde na 38 stuks terug naar de S3. De componenten waren een aangepast chassis van de Lotus Twin Cam Super Seven, een dito motor, een vierbak van Ford plus een achteras van de Ford Escort. Vanaf '81 gebruikte men een as van de Morris Ital. Er kwamen in de jaren tachtig diverse opgevoerde Ford-motoren. Vanaf '85 was er een De Dion-achteras en een jaar later een vijfbak. Wie een snelle, Spartaanse maar zeer onpraktische sportwagen wil, kope een Caterham SS. Goedkoper én beter dan een echte Lotus.

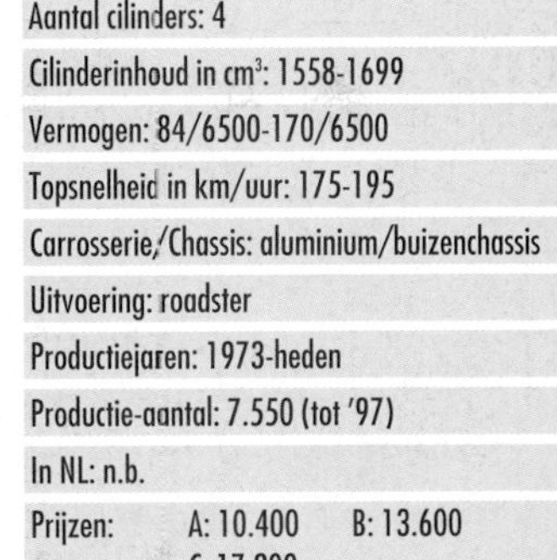

Aantal cilinders: 4	
Cilinderinhoud in cm³: 1558-1699	
Vermogen: 84/6500-170/6500	
Topsnelheid in km/uur: 175-195	
Carrosserie/Chassis: aluminium/buizenchassis	
Uitvoering: roadster	
Productiejaren: 1973-heden	
Productie-aantal: 7.550 (tot '97)	
In NL: n.b.	
Prijzen:	A: 10.400 B: 13.600 C: 17.200

CHAMPION

Hermann Holbein was voor de oorlog een bekende coureur geweest. Na de oorlog verdiende hij zijn geld met het ontwerpen van kleine auto's die door de tandwielfabriek ZF in Friedrichshafen gebouwd werden. Een eerste prototype ontstond in 1946 maar dit vehikel kon nauwelijks een auto genoemd worden. Het had geen portieren en geen dak en de 200 cc motorfietsmotor stond open en bloot tussen de achterwielen. Het geval begon er pas een beetje aantrekkelijker uit te zien nadat de Fransman Louis Lepoix een carrosserie voor hem getekend had.

CHAMPION 250, 400 & (MAICO) 500

Direct na de oorlog ontwierp Hermann Holbein een paar prototypen van mini-auto's die door de bekende tandwielenfabriek ZF gebouwd werden. Eén ervan kreeg de naam Champion 250. Het was eigenlijk niet meer dan een motorfiets op vier wielen. Grotere verkoopcijfers bereikten de modellen 400 en 500. Alle hadden ze een kleine tweetaktmotor. Ze werden door vele fabrikanten gebouwd. In 1955 echter nam de motorfietsfabriek Maico de zaken over en die verkocht 6301 500's (met Heinkel-motor) plus 10 cabriolets van Beutler.

Aantal cilinders: 1 en 2	
Cilinderinhoud in cm³: 248, 398 en 452	
Vermogen: 6/4700-20/4500	
Topsnelheid in km/uur: 60-100	
Carrosserie/Chassis: buizenchassis	
Uitvoering: coach, cabriolet, cabrio-limousine en stationcar	
Productiejaren: 1949-1958	
Productie-aantallen: 300, 5.050 en 6.301	
In NL: n.b.	
Prijzen:	A: 1.400 B: 2.900 C: 4.100

CHECKER

De Checker Cab Manufacturing Corporation begon in 1923 in Kalamazoo, Michigan, auto's te bouwen. Omdat de concurrentie toen al groot was, specialiseerde men zich in de bouw van taxi's. En hier had men succes! De Checkers waren ruim, zuinig in het onderhoud en vrijwel onverwoestbaar. De vooroorlogse wagens waren meestal met een viercilinder motor uitgerust, maar na 1945 hadden ze een zes-in-lijn en later een V8. Vanaf 1960 konden de Checkers ook door particulieren gekocht worden. De firma bouwt nu geen auto's meer. De laatste gele taxi kwam op 12 juli 1982 van de band en vond een plaatsje in het Gilmore museum in Hickory Comers, Michigan.

CHECKER SUPERBA/ MARATHON & AEROBUS

Checker bouwde auto's die niet aan de mode meededen, die veel ruimte boden en vrijwel onverslijtbaar waren. Dat moest ook wel, want ze waren tot 1960 uitsluitend, en daarna voor het allergrootste deel, als taxi gebouwd. In 1960 kregen de Checkers, die tot die datum een Continental-zijklep motor gehad hadden, een zescilinder kopklepper ingebouwd en was de auto ook als niet-taxi te koop. Ook was er enkele jaren later een V8-motor leverbaar. De naam Superba verdween vanaf '64 en de Marathon bleef over. De Aerobus is een 8-deurs versie.

Aantal cilinders: 6 en V8
Cilinderinhoud in cm³: 3704-4098; V8: 4638-5737
Vermogen: 142/4400-300/4800
Topsnelheid in km/uur: 130-185
Carrosserie/Chassis: afzonderlijk chassis
Uitvoering: sedan en stationcar
Productiejaren: 1960-1982
Productie-aantal: ca. 110.000
In NL: n.b.
Prijzen: A: 1.800 B: 4.100 C: 7.300

CHEVROLET

Sinds men zich kan herinneren vechten Chevrolet en Ford om de eerste plaats wat verkochte auto's betreft en meestal komt Chevrolet als winnaar uit de bus. In 1911 werd de firma opgericht om zes jaren later een deel van General Motors te worden. In dit imperium is Chevrolet voor de goedkopere wagens verantwoordelijk, wat niet betekent dat men geen interessante auto's gemaakt heeft. Integendeel, neem bijvoorbeeld de Corvette, na een moeizame start nu nog steeds Amerika's sportwagen Nummer Een.

CHEVROLET STYLEMASTER 1946-1948

Om zo goed mogelijk aan de enorme vraag naar nieuwe wagens te kunnen voldoen, kwam Chevrolet, zoals bijna alle Amerikaanse fabrieken, met een vrijwel onveranderd vooroorlogs model in 1945 op de markt terug. Ook de wagens van de twee jaren erna verschilden alleen maar in details van hun voorgangers. De goedkoopste reeks was de Stylemaster, die een van de andere twee series afwijkende grille had. Die overige twee reeksen waren de Fleetmaster en de Fleetline.

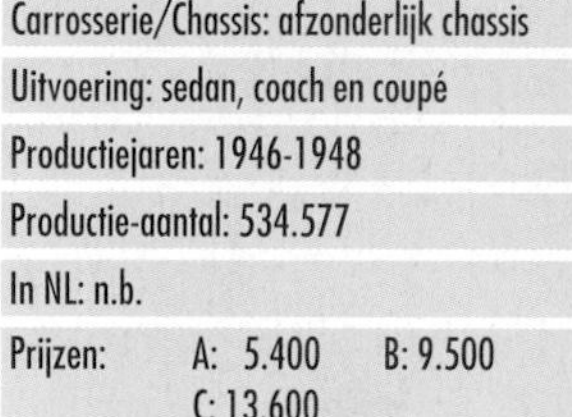

Aantal cilinders: 6
Cilinderinhoud in cm³: 3547
Vermogen: 92/3300
Topsnelheid in km/uur: 110
Carrosserie/Chassis: afzonderlijk chassis
Uitvoering: sedan, coach en coupé
Productiejaren: 1946-1948
Productie-aantal: 534.577
In NL: n.b.
Prijzen: A: 5.400 B: 9.500 C: 13.600

CHEVROLET FLEETMASTER CONVERTIBLE 1946-1948

Boven de goedkopere Stylemaster zat de reeks die Fleetmaster heette. Daarin zat de enige open Chevrolet van het programma. In 1946 (foto) verkocht GM er slechts 4.508, zodat die modellen vrij zeldzaam zijn. Modeljaar 1947 had o.a. een nieuw merkembleem op de neus plus een andere grille en de sierstrip over de gehele zijkant van de wagen was verdwenen. Voor '48 wederom een nieuwe grille met verticale, centrale spijl en weer een nieuw neusembleem. De verkoop van de convertibles nam overigens in die twee laatste jaren fors toe.

Aantal cilinders: 6
Cilinderinhoud in cm³: 3547
Vermogen: 92/3300
Topsnelheid in km/uur: 130
Carrosserie/Chassis: afzonderlijk chassis
Uitvoering: cabriolet
Productiejaren: 1946-1948
Productie-aantal: 53.422
In NL: n.b.
Prijzen: A: 4.500 B: 10.000 C: 14.800

CHEVROLET DELUXE 1949-1950

Chevrolet kwam voor 1949 voor het eerst sinds de oorlog met geheel nieuwe auto's: lager en met een soort pontoncarrosserie. Op het gebogen bovenste grille-deel stond de merknaam in blokletters. De series heetten Special en DeLuxe met als onderreeksen de Styleline en de Fleetline, die een ronde rug had. Het verschil in prijs was te verwaarlozen. Voor 1950 kwam er natuurlijk een andere grille zonder de verticale stijltjes van het jaar ervoor. Ook nieuwe emblemen. De nieuwe Chevy's DeLuxe waren een kassucces: GM verkocht er meer dan een miljoen per jaar!

Aantal cilinders: 6
Cilinderinhoud in cm³: 3548
Vermogen: 90/3300
Topsnelheid in km/uur: 110
Carrosserie/Chassis: afzonderlijk chassis
Uitvoering: coach, sedan, stationcar en cabriolet
Productiejaren: 1949-1950
Productie-aantal: 2.003.239
In NL: n.b.
Prijzen: A: 2.300 B: 4.500 C: 7.700

CHEVROLET DELUXE 1951

In 1951 begon in Amerika de niets ontziende strijd om pk's. De motoren moesten steeds sterker worden en ook de stationcar waarmee de vrouw des huizes boodschappen deed, moest de kracht kunnen ontwikkelen van een Formule 1-auto. De Chevrolet-klant had er nog geen last van. De zescilinder kopklepper in zijn vierdeurs DeLuxe leverde nog maar 92 pk en dat was voldoende voor een gangetje van 110 km/uur. Meer dan een miljoen klanten kochten dat jaar een dergelijk DeLuxe! De prijzen voor deze indertijd zo gewone auto liggen laag.

Aantal cilinders: 6
Cilinderinhoud in cm³: 3858
Vermogen: 92/3400
Topsnelheid in km/uur: 120
Carrosserie/Chassis: afzonderlijk chassis
Uitvoering: coach, sedan, coupé, stationcar en cabriolet
Productiejaar: 1951
Productie-aantal: 1.044.896
In NL: n.b.
Prijzen: A: 2.300 B: 4.500 C: 7.900

CHEVROLET DELUXE 1952

In 1952 zagen de bekende 'tanden' in de grilles van Chevrolet het levenslicht. De duurste reeks van de twee gevoerde was wederom de DeLuxe, die gemakkelijk aan de sierstrips op de portieren en de voorschermen te herkennen was. Nieuw voor '52 was het tweespaaks stuur met claxonring. Wie de wagen in 'sedannette'-look wilde, kon dat jaar voor het laatst de Fleetline kiezen voor een identieke prijs, maar uitsluitend als tweedeurs. Een op de drie Chevy's van het hier behandelde bouwjaar had de Power Glide-automaat.

Aantal cilinders: 6
Cilinderinhoud in cm³: 3858
Vermogen: 92/3400
Topsnelheid in km/uur: 120
Carrosserie/Chassis: afzonderlijk chassis
Uitvoering: sedan, coupé, cabriolet en stationcar
Productiejaar: 1952
Productie-aantal: 708.546
In NL: n.b.
Prijzen: A: 2.700 B: 5.400 C: 8.600

CHEVROLET BEL AIR 1953-1954

In 1953 kwam Chevrolet met geheel nieuwe carrosserieën die opvielen door hun panoramische ruiten die nu uit één stuk glas bestonden. Ook de motoren waren nieuw en ze werden nu onder de naam Blue Flame aangeboden. Nieuw voor 1953 was ook de Bel Air-serie, die de duurste modellen omvatte wat aankleding betreft. Die Bel Airs waren uiterlijk herkenbaar aan de brede strip op het achterscherm. Het prijsverschil met de middenserie DeLuxe was overigens marginaal. In '54 kwam er ook een stationversie in de reeks.

Aantal cilinders: 6
Cilinderinhoud in cm³: 3859
Vermogen: 108/3600-125/4000
Topsnelheid in km/uur: 135-140
Carrosserie/Chassis: afzonderlijk chassis
Uitvoering: coach, sedan, coupé, cabriolet en stationcar ('54)
Productiejaren: 1953-1954
Productie-aantal: 1.000.019
In NL: n.b.
Prijzen: A: 2.900 B: 6.100 C: 8.200

CHEVROLET BEL AIR 1955-1956

De Chevrolets van 1955 en de jaren erna zagen er veel moderner uit dan hun voorgangers. De achterschermen waren nu vloeiend in de carrosserie opgenomen, de grille was een stuk vlotter en er was een panoramische voorruit. De Bel Air was weer het topmodel en hij was leverbaar met een zes- of achtcilinder motor. Voor '56 kleedde GM de wagen aan de buitenzijde met meer opsmuk aan – met name het witte gedeelte aan de zijkant stond de Bel Air erg goed – en kwam er een hardtop sedan bij. De tweedeurs Nomads van '55-'57 worden hieronder afzonderlijk besproken.

Aantal cilinders: 6 en V8
Cilinderinhoud in cm³: 3859 en 4342-4637
Vermogen: 138/4000 en 170/4400-220/4800
Topsnelheid in km/uur: 140-170
Carrosserie/Chassis: afzonderlijk chassis
Uitvoering: coach, sedan, stationcar en cabriolet
Productiejaren: 1955-1956
Productie-aantal: 1.426.019
In NL: n.b.
Prijzen: A: 3.200 B: 6.800 C: 9.500

CHEVROLET NOMAD

Er bestonden tweedeurs hardtop-modellen en tweedeurs stationcars maar de combinatie daarvan had men alleen als Dreamcar in 1954 op de Motorshow gezien. In 1955 ging een dergelijke wagen in productie onder de naam Bel Air Nomad. In 1958 werd hij ook nog gemaakt, maar daarna verdween de Nomad. De verkopen bleven achter bij de verwachtingen. De vormgeving van de wagen was overigens een inspiratiebron voor de ontwerper van de Citroën DS Break en enkele andere stationcars. Geliefd bij liefhebbers van Amerikaanse stationcars.

Aantal cilinders: 6 en V8
Cilinderinhoud in cm³: 3859 en 4342
Vermogen: 121/3800 en 182/4600
Topsnelheid in km/uur: 135-165
Carrosserie/Chassis: afzonderlijk chassis
Uitvoering: stationcar
Productiejaren: 1955-1957
Productie-aantal: 22.378
In NL: n.b.
Prijzen: A: 6.800 B: 14.700 C: 22.700

CHEVROLET ONE-FIFTY & TWO-TEN 1955-1957

Toen in '53 de fastbackmodellen verdwenen, schrapte Chevrolet ook de serienamen Styleline en Fleetline. De goedkoopste auto van het merk heette One-Fifty en daarboven zat de Two-Ten. De duurste modelreeks behield de naam Bel Air. De 210 had meer chroom en luxe en meer carrosserietypen, waaronder in '56 een Sport Sedan (foto). Beide typen volgen wat uiterlijke wijzigingen betreft dezelfde evolutie als de hieronder besproken Bel Air. Voor '58 verdwijnen de typeaanduidingen met de drie cijfers en komen de series Del Ray en Biscayne uit.

Aantal cilinders: 6 en V8
Cilinderinhoud in cm³: 3859 en 4342
Vermogen: 123/3800-140/420 en 162/4200-220/4800
Topsnelheid in km/uur: 140-170
Carrosserie/Chassis: afzonderlijk chassis
Uitvoering: coach, sedan, coupé en stationcar
Productiejaren: 1955-1957
Productie-aantal: 2.494.030
In NL: n.b.
Prijzen: A: 2.500 B: 5.400 C: 7.700

CHEVROLET BEL AIR 1957

Het modeljaar 1957 had weer een andere grille en aankleding van de zijkanten. Het zijvlak van '56 liep niet langer tot bijna aan de koplampen door, maar tot net voorbij het achterwiel en daarbij was het opgevuld met geanodiseerd aluminium. Andere wijzigingen zijn de goudkleurige emblemen en de drie chevrons op de voorschermen. Onder liefhebbers zijn die '57'ers het meest gezocht, vandaar de iets hogere prijzen voor dit bouwjaar in vergelijking met de twee jaren ervoor. Technisch is er geen nieuws. De prachtige convertible wordt hierna apart behandeld.

Aantal cilinders: 6 en V8
Cilinderinhoud in cm³: 3859 en 4342-4637
Vermogen: 138/4000 en 170/4400-220/4800
Topsnelheid in km/uur: 140-170
Carrosserie/Chassis: afzonderlijk chassis
Uitvoering: coach, sedan en stationcar
Productiejaar: 1957
Productie-aantal: 648.555
In NL: n.b.
Prijzen: A: 3.600 B: 6.800 C: 10.400

CHEVROLET BEL AIR CONVERTIBLE COUPE 1957

De Chevrolets van de jaren 1955, '56 en '57 zijn in Amerika, waar men van Tri-Chevy spreekt, bij de verzamelaars erg in trek. Naast de Nomad is één van de meest gezochte modellen de Bel Air Convertible van 1957, ondanks het feit dat er tamelijk veel van gebouwd zijn. Indertijd was dit een typische auto voor de middenklasse. Het vele chroom en het two-tone spuitwerk was toen trendy. Wie nu in een dergelijke Chevy rijdt, oogst over het algemeen bewondering. Zowel in Europa als in de VS.

Aantal cilinders: 6 en V8
Cilinderinhoud in cm³: 3859 en 4342-4637
Vermogen: 138/4200 en 170/4400-220/4800
Topsnelheid in km/uur: 140-170
Carrosserie/Chassis: afzonderlijk chassis
Uitvoering: cabriolet
Productiejaar: 1957
Productie-aantal: 47.562
In NL: n.b.
Prijzen: A: 7.700 B: 20.000 C: 33.500

CHEVROLET DELRAY & BISCAYNE 1958

De typeaanduidingen '150' en '210' verdwenen voor 1958, omdat GM bij de komst van nieuwe veiligheidschassis en een complete restyling van uiterlijk en techniek ook voor nieuwe serienamen koos. De basisreeks was de Delray en daarna kwam de Biscayne (foto). Luxe versies als coupés en convertibles waren er alleen in de Bel Air- en Impalareeksen. De kopers van een Chevy die geen tamme zescilinder wilden, hadden de keuze uit zes verschillende V8-motoren, waarvan de snelste 315 pk leverde. De stationcars heetten Brookwood en Yeoman.

Aantal cilinders: 6 en V8
Cilinderinhoud in cm³: 3859 en 4637-5702
Vermogen: 145/4200 en 185/4600-315/5600
Topsnelheid in km/uur: 140-200
Carrosserie/Chassis: afzonderlijk chassis
Uitvoering: coach, sedan en stationcar
Productiejaar: 1958
Productie-aantal: n.b.
In NL: n.b.
Prijzen: A: 2.000 B: 4.100 C: 5.900

CHEVROLET CORVETTE 1953-1955

Chevrolets antwoord op de invasie van Europese sportwagens was de Corvette, een avontuurlijke kruising tussen een Italiaanse sportwagen en een product van Detroit. Een dun linnen kapje en plastic steekraampjes stonden in contrast met de panoramische voorruit en het jukebox-achtige dashboard. Ook de wegligging en het motorvermogen leken nergens op, zodat de eerste, uitsluitend wit gespoten Corvettes een grote flop werden. De keus was stoppen of sterk innoveren. Gelukkig koos men het laatste alternatief en is een Corvette nog steeds nieuw te koop.

Aantal cilinders: 6
Cilinderinhoud in cm^3: 3859 en 4342
Vermogen: 150/4200 en 195/5000
Topsnelheid in km/uur: 165-175
Carrosserie/Chassis: kunststof/afzonderlijk chassis
Uitvoering: cabriolet
Productiejaren: 1953-1955
Productie-aantal: 4.640
In NL: 6
Prijzen: A: 13.600 B: 27.200 C: 40.800

CHEVROLET CORVETTE 1956-1962

Waarschijnlijk had Chevrolet het mislukte Corvette-project begraven en vergeten als de aartsvijand, Ford, niet in 1955 met zijn Thunderbird uitgekomen was. Ook heeft de plastic sportwagen veel aan zijn voorvechter Zora Arkus Duntov te danken. Onder zijn leiding kreeg de Corvette een echte motor en werd zijn wegligging aan het nieuwe vermogen aangepast. De verkoopcijfers schoten omhoog en tegenwoordig is dit een prijzige klassieke sportwagen, die wereldwijd bewonderaars kent.

Aantal cilinders: V8
Cilinderinhoud in cm^3: 4342 en 5359
Vermogen: 225/5200 en 360/6000
Topsnelheid in km/uur: 185-220
Carrosserie/Chassis: kunststof/afzonderlijk chassis
Uitvoering: cabriolet
Productiejaren: 1956-1962
Productie-aantal: 64.375
In NL: 20
Prijzen: A: 11.300 B: 22.700 C: 34.000

CHEVROLET CORVETTE STING RAY 1963-1967

De eerste Corvettes waren op de tekentafel van Harley Earl ontstaan, maar de Sting Ray van 1963 was een ontwerp van Bill Mitchell. De 'split window coupé' werd alleen in 1963 gemaakt en is daarom nu erg gezocht. Maar pas op: toen de coupé in 1964 een grote achterruit kreeg, zaagden vele eigenaars van een wagen van 1963 de tussenspijl weg. Toen de '63'er coupé in waarde begon te stijgen, werd hij er weer ingeplakt en het is niet uitgesloten dat dit 'per ongeluk' ook in '64'er wagens gebeurde.

Aantal cilinders: V8
Cilinderinhoud in cm^3: 5359 en 6997
Vermogen: 250/4400 en 435/5800
Topsnelheid in km/uur: 190-240
Carrosserie/Chassis: kunststof/afzonderlijk cahssis
Uitvoering: coupé en cabriolet
Productiejaren: 1963-1967
Productie-aantallen: coupés: 45.546 en cabriolets: 72.418
In NL: 60
Prijzen: A: 10.000 B: 20.000 C: 30.000

CHEVROLET CORVETTE STING RAY 1967-1974

In 1967 kreeg de Corvette een nieuwe carrosserievorm die al gauw als 'Coke-Bottle-Shape' bekend werd. Weer kon men de wagen als cabriolet of als coupé bestellen. De gesloten uitvoering had een dak, dat uit twee uitneembare dakdelen bestond. De achterruit was ook uitneembaar. De Corvette kon met allerlei verschillende motoren geleverd worden tot en met een V8 met een inhoud van 7,4 liter en een vermogen van 465 pk toe. Voor '73 kwam er een kunststof voorbumper en een andere motorkap.

Aantal cilinders: V8
Cilinderinhoud in cm^3: 5359 en 7440
Vermogen: 300/4800 en 465/5200
Topsnelheid in km/uur: 200-250
Carrosserie/Chassis: kunststof/afzonderlijk chassis
Uitvoering: Coupé (T-top) en cabriolet
Productiejaren: 1967-1974
Productie-aantallen: coupés: 135.458 en cabriolets: 65.955
In NL: 300
Prijzen (5,4 l): A: 8.200 B: 13.200 C: 18.200

CHEVROLET CORVETTE 1974-1977

Voor 1974 onderging de Corvette weer eens een facelift. De achterkant liep schuin naar buiten af in plaats van naar binnen en de conventionele achterbumper is geweken voor een kunststoffen exemplaar in de kleur van de wagen. Er was ook maar één motor verkrijgbaar en in 1975 werden (voorlopig) de laatste cabriolets gebouwd. In dat jaar kwam er tevens een katalysator. 1976 bracht met 46.558 verkochte wagens een nieuw record en in 1977 kon een cruise control (in verbinding met een automaat) als een optie besteld worden.

Aantal cilinders: V8
Cilinderinhoud in cm^3: 5733
Vermogen: 167/3800
Topsnelheid in km/uur: 200
Carrosserie/Chassis: kunststof/afzonderlijk chassis
Uitvoering: coupé en cabriolet (<'76)
Productiejaren: 1974-1977
Productie-aantal: 171.738
In NL: n.b.
Prijzen: A: 5.400 B: 9.500 C: 12.700

CHEVROLET CORVETTE 1978

Ook al viel het niet direct op, de Vette van 1978 was een geheel nieuwe wagen. Hij vierde het 25-jarige jubileum en deed dat met een nieuwe achterkant waardoor de ruimte achter de stoelen vergroot werd en een geheel nieuw dashboard. De Corvette mocht dat jaar de meute in Indianapolis aanvoeren en daarom bood de fabriek de pacecar als replica aan, waarvan er 6.502 stuks gebouwd werden. Voor iedere Amerikaanse dealer één, waar hij al gauw voor meer dan het dubbele van zijn prijs ($13.653) verkocht werd.

Aantal cilinders: V8
Cilinderinhoud in cm³: 5733
Vermogen: 188/4000-220/4000
Topsnelheid in km/uur: 200
Carrosserie/Chassis: kunststof/afzonderlijk chassis
Uitvoering: coupé
Productiejaar: 1978
Productie-aantal: 47.667
In NL: n.b.
Prijzen: A: 4.500 B: 8.200 C: 11.300

CHEVROLET CORVETTE 1979-1982

De wagens die in deze periode gebouwd zijn, leken sprekend op hun voorgangers en zijn in feite de laatste van de 'originele' Corvettes. Goed, ze kregen in 1979 nieuwe stoelen en in 1980 andere bumpers, maar belangrijker was dat de carrosserie en de ruiten om gewicht te sparen van dunner materiaal waren. De auto's die voor Amerika en de export bestemd waren, hadden de vertrouwde 350 c.i.d.-V8 maar de klant in Californië moest het met een 305 c.i.d.-motor doen.

Aantal cilinders: V8
Cilinderinhoud in cm³: 5733
Vermogen: 193/4400
Topsnelheid in km/uur: 200
Carrosserie/Chassis: kunststof/afzonderlijk chassis
Uitvoering: coupé en cabriolet
Productiejaren: 1979-1982
Productie-aantal: 160.434
In NL: n.b.
Prijzen: A: 4.100 B: 6.800 C: 10.000

CHEVROLET CORVETTE 1983-1990

Vroeg in 1983 kwam de zesde generatie Corvettes uit als model 1984. Officieel bestaat er dus geen Corvette voor '83. Het was een zeer strak gelijnde wagen die de smaak van die dagen goed weergaf. De aërodynamica was met bijna een kwart verbeterd en het gewicht met 75 kg afgenomen. De achterruit die als kofferklep fungeerde bleef en de in z'n geheel wegklappende neus kwam de bereikbaarheid van de V8 zeer ten goede. Jaarlijks kleine wijzigingen aan uiterlijk en grotere aan techniek. Vanaf modeljaar '86 keerde de cabriolet terug na tien jaar afwezigheid.

Aantal cilinders: V8
Cilinderinhoud in cm³: 5735
Vermogen: 205/4400-385/5000
Topsnelheid in km/uur: 210-250
Carrosserie/Chassis: zelfdragend
Uitvoering: coupé en cabriolet (>'85)
Productiejaren: 1983-1990
Productie-aantal: 229.864
In NL: n.b.
Prijzen: A: 4.500 B: 7.300 C: 10.400

CHEVROLET IMPALA 1958

Rond de € 9.000,– moest men bij General Motors Continental SA in Rotterdam, de importeur van Chevrolet, voor een Bel Air Impala Sport Coupé betalen. Voor die prijs kreeg men 1635 kg auto. De motor was de V8 'Turbo-Fire' die 16 liter per 100 km verbruikte mits men niet al te hard reed. De topsnelheid bedroeg volgens de fabriek 190 km/uur maar dan lag het verbuik bij de 30 liter. De auto kon met een handgeschakelde driebak of met een automaat geleverd worden. Er zijn ook Impala's met zescilinders geleverd.

Aantal cilinders: 6 en V8
Cilinderinhoud in cm³: 3859 en 4637-5702
Vermogen: 145/4200-315/5600
Topsnelheid in km/uur: 140-200
Carrosserie/Chassis: afzonderlijk chassis
Uitvoering: coupé en cabriolet
Productiejaar: 1958
Productie-aantallen: cabriolet: 55.989; coupé: n.b.
In NL: n.b.
Prijzen: A: 3.600 B: 7.900 C: 11.300

CHEVROLET IMPALA 1959

Viel Cadillac in '59 op door de hoge vinnen, Chevrolet introduceerde zijn 'Spread Wing'-look voor dat jaar. Vleugels die vanuit een punt net boven de kentekenplaat flauw schuin naar boven liepen. De achterlichten lagen als amandelen parallel eronder. Die vleugelpartij maakte ook de Chevy's van '59 onmiddellijk van verre herkenbaar. Inmiddels is deze in onze ogen mooie Amerikaan ook een geliefde klassieker, zij het dat de prijzen die men ervoor vraagt lager liggen dan die van bijvoorbeeld de modellen van 1958.

Aantal cilinders: 6 en V8
Cilinderinhoud in cm³: 3859 en 4637-5702
Vermogen: 135/4000-315/5600
Topsnelheid in km/uur: 140-200
Carrosserie/Chassis: afzonderlijk chassis
Uitvoering: sedan, coupé, stationcar en cabriolet
Productiejaar: 1959
Productie-aantallen: sedan en stationcar: n.b.; coupé: 164.901
In NL: n.b.
Prijzen: A: 2.700 B: 5.900 C: 8.600

CHEVROLET IMPALA CONVERTIBLE 1959

De Impala-serie was in 1958 nog een type dat onder de Bel Air-reeks hoorde. In 1959 werd het een zelfstandige lijn en de convertible was de enige open Chevrolet van dat jaar. Natuurlijk ook hier weer die mooie vleugels die onderdeel uitmaakten van de voor dat jaar geïntroduceerde Chevy-trend 'Slimline Design'. Ze waren zelfs terug te vinden op de El Camino pick-up (zie hieronder). Open Impala's van '59 doen heel wat meer in prijs dan de dichte versies.

Aantal cilinders: 6 en V8
Cilinderinhoud in cm³: 3859 en 4637-5702
Vermogen: 135/4000-315/5600
Topsnelheid in km/uur: 140-200
Carrosserie/Chassis: afzonderlijk chassis
Uitvoering: cabriolet
Productiejaar: 1959
Productie-aantal: 72.765
In NL: n.b.
Prijzen: A: 5.700 B: 9.100 C: 20.400

CHEVROLET EL CAMINO 1959

Een carrosserietype dat in Europa nooit erg populair is geworden, is de pick-up. In Amerika zelf en in landen als Australië is zo'n wagen voor velen een goed compromis tussen een gewone personenwagen en een klein vrachtwagentje. De laatste jaren halen liefhebbers deze pick-ups uit de VS. Chevrolet heeft zijn afzonderlijke El Camino reeks, waarvan het modeljaar 1959 met zijn opvallende vleugels tegenwoordig geliefd is. De wagen had Bel Air-specificaties en was met een zescilinder of V8 leverbaar. De wielen van dit rode exemplaar zijn niet origineel.

Aantal cilinders: 6 en V8
Cilinderinhoud in cm³: 3850 en 4637
Vermogen: 135/4000 en 185/4600
Topsnelheid in km/uur: 140 en 160
Carrosserie/Chassis: afzonderlijk chassis
Uitvoering: pick-up
Productiejaar: 1959
Productie-aantal: n.b.
In NL: n.b.
Prijzen: A: 3.600 B: 6.400 C: 8.600

CHEVROLET IMPALA 1960

Voor 1960 waren er bij Chevrolet opvallende wijzigingen. De ovale grille met de daarin opgenomen koplampen aan de voorzijde en achter de vleugels die niet langer uit één punt boven de kentekenplaathouder kwamen, maar meer rechthoekig vanuit de hoekpunten ervan. Verder waren de drie separate achterlichten nieuw. Aan de zijkant een opvallende witte sierstrip vanaf het achterlicht tot halverwege de wagen, met daarin de naam Impala en een set racevlaggen. De meest gespierde motor was voor '60 de 335 pk sterke 5,7 liter V8. Van de convertible werden er 79.903 verkocht.

Aantal cilinders: 6 en V8
Cilinderinhoud in cm³: 3859 en 4638-5702
Vermogen: 135/4000 en 185/4600-335/5600
Topsnelheid in km/uur: 140-200
Carrosserie/Chassis: afzonderlijk chassis
Uitvoering: sedan, coupé en cabriolet
Productiejaar: 1960
Productie-aantal: n.b.
In NL: n.b.
Prijzen: (sedan) A: 2.700 B: 5.400 C: 8.200

CHEVROLET IMPALA SS 409 1961

Van de vele Impala's die Chevrolet in 1961 gebouwd heeft, kwamen er maar 453 als Impala SS (= Super Sport) uit de fabriek en van dit kleine aantal hadden er maar 142 de speciale 409-motor. Met een Impala SS 409 kon men een race winnen. De auto accelereerde in 7 seconden van 0 naar 100 km/uur, wat geen slechte prestatie was voor een auto die 1580 kg woog. De compressieverhouding van de motor was 11,25:1 en de carburateur was een viervoudige van het merk Rochester.

Aantal cilinders: V8
Cilinderinhoud in cm³: 6704
Vermogen: 360/5800
Topsnelheid in km/uur: 225
Carrosserie/Chassis: afzonderlijk chassis
Uitvoering: coupé
Productiejaar: 1961
Productie-aantal: 142
In NL: n.b.
Prijzen: A: 3.600 B: 9.100 C: 13.600

CHEVROLET CORVAIR 1959-1964

In 1959 werden er 600.000 auto's in Amerika geïmporteerd. Het waren vrijwel allemaal kleine wagens, zodat men zelfs in Detroit begon in te zien dat hier toch wel vraag naar was. Hun antwoord was de compact car die de maten van een grote Mercedes of Opel had. Chevrolet schiep dus de Corvair en had direct iets bijzonders: een kleine auto met een luchtgekoelde zescilinder boxermotor achterin. De Corvair was een dweil op de weg aangezien het zwaartepunt veel te ver naar achteren lag.

Aantal cilinders: 6
Cilinderinhoud in cm³: 2287
Vermogen: 80/4400
Topsnelheid in km/uur: 140
Carrosserie/Chassis: zelfdragend
Uitvoering: sedan, coach, stationcar en cabriolet
Productiejaren: 1959-1964
Productie-aantal: 1.271.089
In NL: n.b.
Prijzen: A: 1.400 B: 2.900 C: 4.100

CHEVROLET CORVAIR MONZA 1962-1964

De Corvair was in de herfst van 1959 als vierdeurs sedan uitgekomen. Een jaar later kwam de coupé-uitvoering en vlak voor de zomervakantie van 1962 de open uitvoering daarvan. Deze coupé en cabriolet waren ook als Monza Spyder te koop en hadden dan een turbomotor die 150 pk leverde bij 4400 toeren per minuut. Dat speciaal deze uitvoering nu gezocht is, behoeft geen betoog. Gewone Corvairs zijn echter nog steeds niet erg gewild. De negatieve reputatie die het type opliep, is nog steeds niet vergeten.

Aantal cilinders: 6
Cilinderinhoud in cm³: 2688
Vermogen: 152/4400
Topsnelheid in km/uur: 170
Carrosserie/Chassis: zelfdragend
Uitvoering: coupé en cabriolet
Productiejaren: 1962-1964
Productie-aantallen: coupé: 25.001; cabriolet: 14.807
In NL: n.b.
Prijzen: (cabrio) A: 2.700 B: 4.500 C: 6.800

CHEVROLET CORVAIR 1965-1969

Na zes jaar kreeg de Corvair voor '65 een geheel nieuw uiterlijk en een betere wegligging. De toonaangevende Italiaanse stijl was goed te herkennen in de nieuwe Corvair. Er waren drie series: de 500, Monza en Corsa. Alleen de laatste twee hadden een convertible. De Corvair was werkelijk schitterend, maar de negatieve publiciteit over de veiligheid van de wagen door het boek van Ralph Nader leidde ertoe dat de verkopen snel ineenstortten. Van ruim 200.000 in '65 naar 73.000 een jaar later tot 18.000 in '67. Het aantal modellen en carrosserietypen nam jaarlijks af. De laatste Corvair liep in mei '69 van de band.

Aantal cilinders: 6
Cilinderinhoud in cm³: 2687
Vermogen: 95/3600-180/5200
Topsnelheid in km/uur: 140-175
Carrosserie/Chassis: zelfdragend
Uitvoering: sedan, coupé en cabriolet
Productiejaren: 1965-1969
Productie-aantal: 387.923
In NL: n.b.
Prijzen: A: 1.400 B: 2.700 C: 4.100

CHEVROLET CHEVY II 1962-1963

Ford's kleine Falcon was een reuze succes geworden maar het duurde tot 1962 voordat de Chevrolet-dealers een tegenhanger in hun showroom hadden. De wagen heette Chevy II en was in niet minder dan 11 uitvoeringen te koop. De klant had de keuze uit een vier- of een zescilindermotor. De Nova 400 Sport Coupé was in 1962 uitsluitend met een zespitter te koop. De Chevy II stond model voor de latere Opel Rekord A. Een weinig opwindende Chevrolet.

Aantal cilinders: 4 en 6
Cilinderinhoud in cm³: 2512 en 3185
Vermogen: 90/4000 en 122/4400
Topsnelheid in km/uur: 130 en 150
Carrosserie/Chassis: zelfdragend
Uitvoering: coach, sedan, coupé, stationcar en cabriolet
Productiejaren: 1962-1963
Productie-aantal: 699.233
In NL: n.b.
Prijzen: (6 cil.) A: 1.100 B: 2.300 C: 3.900

CHEVROLET CHEVY II 1964-1965

In 1964 kreeg de Chevy II een andere grille die de wagen een vierkanter aanzien van voren gaf. In het topmodel Super Sport (19.676 stuks geleverd in '64/'65) was een V8 leverbaar en ook dat was voor het eerst in deze compact car, die in zijn basisuitvoering een viercilinder had. De Nova-serie had altijd minstens een zescilinder. Voor 1965 was er weer een nieuwe grille en voor de sedans een andere daklijn. Helaas was de convertible uit het Chevy II-programma verdwenen.

Aantal cilinders: 4, 6 en V8
Cilinderinhoud in cm³: 2512-5351
Vermogen: 90/4000-304/5000
Topsnelheid in km/uur: 130-195
Carrosserie/Chassis: zelfdragend
Uitvoering: coach, sedan, coupé en stationcar
Productiejaren: 1964-1965
Productie-aantal: 253.691
In NL: n.b.
Prijzen: (6 cil.) A: 1.100 B: 2.300 C: 3.900

CHEVROLET IMPALA 1963-1964

Chevrolet wilde zijn modellen voor 1963 sterker op luxe wagens laten lijken. De meer in het oog springende delen als bumpers, grille, zijpanelen en dergelijke waren geheel nieuw. De topreeks Impala was in feite een (goedkopere) Biscayne of Bel Air met meer luxe. En het bracht succes: Chevrolet had dat jaar 30 procent van de thuismarkt in handen met het ruimste aanbod dat het merk ooit had gehad. Voor 1964 was er een iets andere neussectie met een verder naar onderen doorlopende motorkap. Topmodel was de Impala Super Sport (SS).

Aantal cilinders: 6 en V8
Cilinderinhoud in cm³: 3768 en 4737-6702
Vermogen: 142/4400 en 198/4800-345/5000
Topsnelheid in km/uur: 160-200
Carrosserie/Chassis: afzonderlijk chassis
Uitvoering: sedan en coupé
Productiejaren: 1963-1964
Productie-aantal: n.b.
In NL: n.b.
Prijzen: A: 2.000 B: 4.000 C: 5.900

CHEVROLET IMPALA CONVERTIBLE 1963-1964

De open Chevrolet Impala kostte in 1963 een derde meer dan de open Chevy Nova. Toch verkocht de Impala bijna driemaal zo goed. Voor modeljaar 1964 scheidde GM de Impala Super Sport van de gewone reeks. Hoewel je voor ongeveer $150 (= vijf procent van de nieuwprijs) een Super Sport convertible had, kozen verreweg de meeste kopers voor de normale Impala zonder dak. Technisch waren de beide wagens identiek; het verschil zat in de aankleding. Wel is het zo dat nogal wat kopers bij de aanschaf van een SS een dikke motor in hun Chevrolet bestelden.

Aantal cilinders: 6 en V8
Cilinderinhoud in cm^3: 3768 en 4737-6702
Vermogen: 142/4400 en 198/4800-345/5000
Topsnelheid in km/uur: 160-200
Carrosserie/Chassis: afzonderlijk chassis
Uitvoering: cabriolet
Productiejaren: 1963-1964
Productie-aantal: 164.566
In NL: n.b.
Prijzen: A: 3.400 B: 7.700 C: 11.400

CHEVROLET IMPALA CONVERTIBLE 1965-1966

1966 was een goed jaar voor Chevrolet. Met een verkoop van 1.499.876 auto's had men meer verkocht dan Ford en Plymouth samen. De populaire Impala's kwamen met reusachtige motoren uit de fabriek. De kleinste V8 had een inhoud van 4,5 liter en de grootste 7 liter. Een dergelijke krachtpatser met een viervoudige Holley-carburateur en een dubbel uitlaatsysteem liep bij rustig rijden één op vier. Die snelle Impala's heetten weer SS en daarvan zijn er ongeveer 27.000 in 1965 als cabriolet geleverd.

Aantal cilinders: V8
Cilinderinhoud in cm^3: 4638 tot 6974
Vermogen: 198/4800 tot 431/5600
Topsnelheid in km/uur: 160 tot 220
Carrosserie/Chassis: zelfdragend
Uitvoering: cabriolet
Productiejaren: 1965-1966
Productie-aantallen: 72.760 en n.b. ('66)
In NL: n.b.
Prijzen: A: 3.900 B: 8.200 C: 12.500

CHEVROLET CHEVELLE 1964-1965

Voor 1964 bracht Chevrolet een nieuw model uit dat het gat tussen de 'kleine' Chevy II en de grote modellen moest dichten. De wagen heette Chevelle en deze naam zou erg lang gevoerd blijven. Er waren twee typen: de 300 en de Malibu en beide waren met een zescilinder lijnmotor of V8 leverbaar. De buitengewoon rechthoekige auto had net als de Chevy II een weinig opwindend uiterlijk. De convertible was er uitsluitend als Malibu en daarvan werden er 42.923 in twee jaar verkocht. Voor 1965 was er een iets andere grille en kwamen de types 300 DeLuxe, Super Sport en SS-396 erbij.

Aantal cilinders: 6 en V8
Cilinderinhoud in cm^3: 3177-4097 en 3786-6489
Vermogen: 120-140/4400 en 195/4800-375/5000
Topsnelheid in km/uur: 140-190
Carrosserie/Chassis: zelfdragend
Uitvoering: coach, sedan, coupé, stationcar en cabriolet
Productiejaren: 1964-1965
Productie-aantal: 428.086
In NL: n.b.
Prijzen (sedan): A: 1.600 B: 3.200 C: 4.500

CHEVROLET CHEVELLE 1966-1967

De Chevelles van 1966 hadden een geheel nieuwe carrosserie die wat minder hoekig was dan de eersteling. Een hele vooruitgang volgens velen. De Super Sport (SS) kreeg standaard de toevoeging '396' mee vanwege het aantal cubic inches. Voor $2276 had je dan een coupé met een beest van een motor aan boord; de convertible kostte $2984. Modeljaar 1967 bracht subtiele wijzigingen aan het plaatwerk, met name op de hoeken van de spatborden. Nieuw was de subreeks Concours die een luxueuze stationcar omvatte in woody-look.

Aantal cilinders: 6 en V8
Cilinderinhoud in cm^3: 3769-4097 en 3769-6489
Vermogen: 140-150/4400 en 195/4800-325/4800
Topsnelheid in km/uur: 140-195
Carrosserie/Chassis: zelfdragend
Uitvoering: coach, sedan, coupé, stationcar en cabriolet
Productiejaren: 1966-1967
Productie-aantal: 913.772
In NL: n.b.
Prijzen (sedan): A: 1.600 B: 3.200 C: 4.500

CHEVROLET CHEVELLE 1968-'72

De nieuwe 'look' was een lange neus en een korte achterkant. De sedan had een langere wielbasis. Er waren maar liefst vijf subseries: de 300 met een coupé en een stationcar, 300 DeLuxe met twee extra modellen: de sedan en de Nomad-wagon, de Malibu met als extra koetstype een cabriolet, de Concours met een speciale stationcar en de SS-396 als meest sportieve variant. Voor '69 is er een nieuw front en zijn er nog de series 300 DeLuxe en Malibu over, de overige series zijn gewoon opties geworden. Voor '70 verdween ook die eerste naam. Daarna waren er steeds detailwijzigingen; de wagen bleef in grote lijnen gelijk.

Aantal cilinders: 6 en V8
Cilinderinhoud in cm^3: 3769-4097 en 5031-6555
Vermogen: 110-140/4400 en 170/4600-325/4800
Topsnelheid in km/uur: 140-190
Carrosserie/Chassis: zelfdragend
Uitvoering: sedan, coupé, stationcar en cabriolet
Productiejaren: 1968-1972
Productie-aantal: ca. 1.985.000
In NL: n.b.
Prijzen (sedan): A: 1.800 B: 3.600 C: 5.000

CHEVROLET CAPRICE HARDTOP 1966-1967

Op de tentoonstelling die in februari 1965 te Chicago gehouden werd stond een nieuwe Chevrolet, de Caprice. De wagen ging als modeljaar 1966 in serie en wel direct met een nieuwe motor, de Turbo Jet 396. Hij was er als hardtop in twee carrosserievarianten, waarvan de afgebeelde coupé het meest interessant is. Ook was er nog een stationversie, die hier geheel buiten beschouwing blijft. Chevrolet zou vanaf '65 de naam Caprice zeer lang voeren. Ze hadden een uiterlijk dat van de andere grote Chevrolets, de Bel Air en Impala, afweek.

Aantal cilinders: V8
Cilinderinhoud in cm³: 6489
Vermogen: 431/6400
Topsnelheid in km/uur: 200
Carrosserie/Chassis: zelfdragend
Uitvoering: sedan en coupé
Productiejaren: 1966-1967
Productie-aantal: ca. 305.500
In NL: n.b.
Prijzen: A: 2.000 B: 5.000 C: 8.200

CHEVROLET CAPRICE 1967-1968

Wie in 1965 een Impala hardtop sedan kocht, kon tegen meerprijs een Caprice Custom Sedan-optie nemen. Dat hield een hoop uiterlijke opsmuk plus een stijver onderstel in. Voor 1966 werd de Caprice een aparte modellenreeks met drie verschillende carrosserieën, die een jaar later volledig herzien werden. Deze opgedirkte Impala's waren de duurste en weelderigst aangeklede Chevy's, met vooral tamelijk barokke stationcaruitvoeringen. In het productie-aantal hiernaast zijn deze stationcars niet opgenomen, aangezien daarvan geen cijfers beschikbaar zijn.

Aantal cilinders: V8
Cilinderinhoud in cm³: 5031-6489
Vermogen: 200/4600-325/4800
Topsnelheid in km/uur: 180-200
Carrosserie/Chassis: zelfdragend
Uitvoering: sedan, coupé en stationcar
Productiejaren: 1967-1968
Productie-aantal: 364.500
In NL: n.b.
Prijzen (sedan): A: 1.800 B: 4.500 C: 7.300

CHEVROLET CAPRICE 1969-1970

Voor '69 kreeg ook de chique Caprice een nieuwe carrosserie. De geïntegreerde bumper-grille maakte het vooraanzien wat smaller, hoewel de wagen even breed was als het jaar ervoor. Van de full-size reeksen (met de Biscayne, Bel Air, Impala) was de Caprice wederom het topmodel wat luxe betreft. Altijd zat er een V8 in, die naar wens gespierder kon. De afgebeelde Sport Coupé had standaard het Astro Ventilation systeem. Voor '70 wijzigden de voor- en achterkant. In het productieaantal hiernaast is de Kingswood stationcar van 1970 niet inbegrepen.

Aantal cilinders: V8
Cilinderinhoud in cm³: 5354-6997
Vermogen: 235/4800-390/5000
Topsnelheid in km/uur: 180-200
Carrosserie/Chassis: zelfdragend
Uitvoering: sedan, coupé en stationcar
Productiejaren: 1969-1970
Productie-aantal: 258.900
In NL: n.b.
Prijzen: A: 1.800 B: 4.500 C: 6.800

CHEVROLET CAMARO CONVERTIBLE 1967-1969

De introductie van de Chevrolets voor het modeljaar 1967 viel op 21 september 1966 en het model waar de dealers wel het meest op gewacht hadden was de nieuwe Camaro. Chevrolet bracht zijn Ford-Mustang-concurrent meteen als coupé en als cabriolet. De gesloten wagen zou meer verkocht worden dan de cabrio. Met een open wagen, een SS (Super Sport) zoals op onze foto, kon Chevrolet in 1967 de Indianapolis 500-race als pacecar openen. Dat betekende vanzelfsprekend een reusachtige reclame.

Aantal cilinders: 6 en V8
Cilinderinhoud in cm³: 3769 en 5354
Vermogen: 142/4400 en 213/4600
Topsnelheid in km/uur: 150-170
Carrosserie/Chassis: zelfdragend
Uitvoering: cabriolet
Productiejaren: 1967-1969
Productie-aantal: 62.100
In NL: n.b.
Prijzen: A: 4.500 B: 8.600 C: 12.500

CHEVROLET CAMARO RS & SS 1967-1969

De Ford Mustang was een daverend succes, mede dank zij de vele motoropties die Ford bood. De nieuwe ponycar van Chevrolet, de Camaro, kon ook in verschillende staten van tuning besteld worden en het zijn de SS (Super Sport) en de RS (Rallye Sport) modellen die gezocht zijn. Na een spoiler- en painting-rage zien de ware liefhebbers deze wagens nu het liefst origineel. Sommige Camaro's zijn indertijd geleverd met zowel het SS- als het RS-pakket.

Aantal cilinders: V8
Cilinderinhoud in cm³: 5737-6490
Vermogen: 255/4600 tot 375/4800
Topsnelheid in km/uur: 190-210
Carrosserie/Chassis: zelfdragend
Uitvoering: coupé en cabriolet
Productiejaren: 1967-1969
Productie-aantallen: RS: 143.592; SS: 96.275
In NL: n.b.
Prijzen (coupé): A: 3.600 B: 7.300 C: 11.300

CHEVROLET CAMARO 1970-1973

Voor het modeljaar 1970 hadden de designers de Camaro-carrosserie voor het eerst grondig onder handen genomen. Intussen waren de Amerikaanse wetten wat veiligheid en milieuvervuiling betreft steeds strenger geworden. De bumpers van de wagens waren daarom zwaarder uitgevoerd en de motoren verloren aan kracht. De cabrioletuitvoering was na 1969 (voorlopig) niet meer te koop. Vanaf '74 is er de derde generatie met de dikke bumpers.

Aantal cilinders: 6 en V8
Cilinderinhoud in cm^3: 4093 en 5025
Vermogen: 101/3600 en 117/3600
Topsnelheid in km/uur: 160 en 170
Carrosserie/Chassis: zelfdragend
Uitvoering: coupé
Productiejaren: 1970-1973
Productie-aantal: 390.512
In NL: n.b.
Prijzen: A: 1.800 B: 3.900 C: 7.300

CHEVROLET CAMARO 1974-1977

Voor het modeljaar 1974 kreeg de Camaro een nieuwe carrosserie die tot eind 1977 vrijwel onveranderd zou blijven. Met de nieuwe aluminium bumpers en de puntige neus was de eens zo fraaie Camaro er niet mooier op geworden. Daarnaast was hij langer en vanwege de nieuwe veiligheidsvoorschriften ook zwaarder. Er waren wederom diverse uitvoeringen zoals de LT en half 1977 keerde het aloude optiepakket Z/28 terug (14.349 stuks), met voortaan naast extra spierballen verbeterde rij-eigenschappen. Ook waren er speciale kleuren voor de Z.

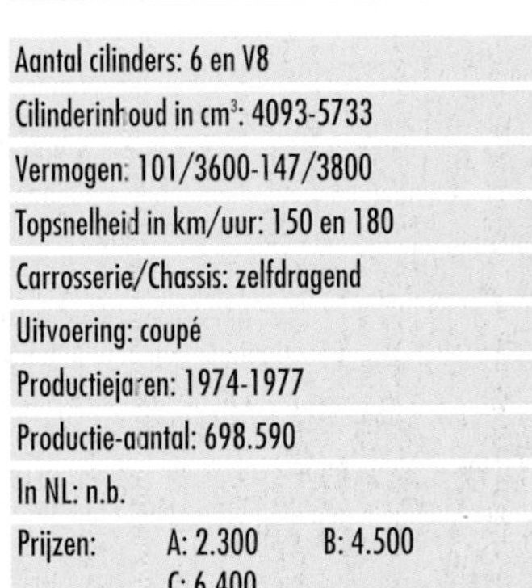

Aantal cilinders: 6 en V8
Cilinderinhoud in cm^3: 4093-5733
Vermogen: 101/3600-147/3800
Topsnelheid in km/uur: 150 en 180
Carrosserie/Chassis: zelfdragend
Uitvoering: coupé
Productiejaren: 1974-1977
Productie-aantal: 698.590
In NL: n.b.
Prijzen: A: 2.300 B: 4.500 C: 6.400

CHEVROLET CAMARO Z28 1978-1981

De Camaro's van het modeljaar 1978 kwamen met een gefacelifte carrosserie uit de fabriek. De bumpers waren nu in de carrosserie opgenomen. De top of the line was weer de supersnelle Z28 die uitsluitend met een V8 geleverd werd. In 1978 kon Chevrolet voor het eerst meer Camaro's verkopen dan Ford zijn Mustangs en in Europa was het de meest verkochte Amerikaan. In Amerika kostte de Z28 $5.603 en dat is $1.185 meer dan de goedkoopste Camaro. Voor 1982 kreeg de Camaro een totaal herzien koetswerk.

Aantal cilinders: V8
Cilinderinhoud in cm^3: 5733
Vermogen: 172/3800
Topsnelheid in km/uur: 200
Carrosserie/Chassis: zelfdragend
Uitvoering: coupé
Productiejaren: 1978-1981
Productie-aantal: 228.193
In NL: n.b.
Prijzen: A: 2.900 B: 5.000 C: 7.900

CHEVROLET IMPALA 1969-1970

Voor modeljaar 1969 bleef de wielbasis van de Impala gelijk, maar dankzij de nieuwe carrosserie groeide de wagen een inch en de stationcars zelfs drie. De wielkasten bolden iets op en de wagen had een zeer snel voorkomen, zeker als coupé of cabriolet. Met kleine wijzigingen kwamen de zeventigers uit. Van de 9.562 convertibles van 1970 kwam er in ieder geval één naar Nederland, getuige de foto, en die overleefde ook nog. Een zeer gering aantal overigens als je de totale productiecijfers bekijkt. Maar ja, cabrio's waren in die tijd 'uit'.

Aantal cilinders: 6 en V8
Cilinderinhoud in cm^3: 4097 en 5350-6997
Vermogen: 145/4200 en 245/4800-390/5000
Topsnelheid in km/uur: 170 en 185-205
Carrosserie/Chassis: zelfdragend
Uitvoering: sedan, coupé, stationcar en cabriolet
Productiejaren: 1969-1970
Productie-aantal: ca. 1.389.800
In NL: n.b.
Prijzen: (sedan) A: 1.600 B: 4.100 C: 6.400

CHEVROLET IMPALA 1971-'72

Het kon nog groter: alle full-sized Chevrolets namen voor 1971 in formaat toe. Daarbij was er een geheel nieuwe carrosserie, die uitblonk in strakheid. Er waren weer de subseries Biscayne, Bel Air, Impala en Caprice. Alle vier hadden een eigen stationversie (respectievelijk Brookwood, Townsman en Kingswood (2x)) die niet in de productie-aantallen hiernaast is opgenomen. De Impala en Caprice hadden een coupévariant. Voor 1972 was er natuurlijk een nieuwe grille, die doorliep onder de bumper, en werden de wagens langer. De meeste Impala's hadden een achtcilindermotor. De wielen van de afgebeelde auto zijn niet origineel.

Aantal cilinders: 6 en V8
Cilinderinhoud in cm^3: 4097 en 5735
Vermogen: 145/4200 en 245/4800
Topsnelheid in km/uur: 170 en 190
Carrosserie/Chassis: zelfdragend
Uitvoering: sedan, coupé en stationcar
Productiejaren: 1971-1972
Productie-aantal: 1.025.200
In NL: n.b.
Prijzen: (sedan) A: 1.100 B: 3.200 C: 5.000

CHEVROLET IMPALA 1973-1976

Voor 1973 ondergingen de drie grote Chevrolets een restyling met een ander front en een dito achterkant. De bovenlijn van de grille was gelijk aan die van de koplampen. De speciale namen voor de stationcars waren geschrapt. Voor '74 was er weer een ander vooraanzicht en de stadslichten verhuisden van de bumper naar de hoeken van de voorschermen (foto). Voor '75 – het jaar dat de katalysator kwam – en '76 werd de grille van de Impala nog iets strakker van lijn. De motoren waren optioneel met maximaal 100 SAE-pk's sterker te verkrijgen.

Aantal cilinders: V8
Cilinderinhoud in cm³: 5735-7440
Vermogen: 145/4000-245/4800
Topsnelheid in km/uur: 170 en 190
Carrosserie/Chassis: zelfdragend
Uitvoering: sedan, coupé en stationcar
Productiejaren: 1973-1976
Productie-aantal: 1.532.922
In NL: n.b.
Prijzen: (sedan) A: 900 B: 2.300 C: 4.100

CHEVROLET MONTE CARLO 1970-1972

In 1970 introduceerde Chevrolet de Monte Carlo die het moest gaan opnemen tegen Fords Thunderbird. De wagen had hetzelfde platform als de Pontiac Grand Prix van 1969 en hij was 23 cm langer dan de Chevelle. De wagen was alleen met een V8-motor te koop maar ook daarin had de klant een ruime keuze. Er was uitsluitend een coupé. Vanaf 1973 werd de wagen uiterlijk geheel veranderd. De tamelijk lomp ogende achterkant is er wellicht schuldig aan dat dit type weinig geliefd is, anno nu.

Aantal cilinders: V8
Cilinderinhoud in cm³: 5733, 6570 en 7443
Vermogen: 304/5800, 335/4800 en 365/4400
Topsnelheid in km/uur: 190-200
Carrosserie/Chassis: zelfdragend
Uitvoering: coupé
Productiejaren: 1970-1972
Productie-aantal: 439.393
In NL: n.b.
Prijzen: A: 1.400 B: 2.900 C: 4.500

CHEVROLET MONTE CARLO 1973-1977

Voor 1973 onderging de Monte Carlo forse wijzigingen. De nogal lompe lijnen van de voorganger waren geweken voor opvallende rondingen boven de wielen. Naast de hardtop coupé – vanaf '74 alleen nog in S-uitvoering verkrijgbaar – was er nu ook een Landau met meer luxe, standaard een vinyl dak en een iets andere carrosserie onder de taillelijn. Voor '74 en '75 weinig nieuws behalve de jaarlijkse nieuwe grille en achterlichten. Modeljaar '77 had als opvallendste kenmerk dubbele verticaal geplaatste koplampen, die de wagen er beslist niet mooier op maakten.

Aantal cilinders: V8
Cilinderinhoud in cm³: 5735-7440
Vermogen: 145/4000-245/4800
Topsnelheid in km/uur: 170-190
Carrosserie/Chassis: zelfdragend
Uitvoering: coupé
Productiejaren: 1973-1977
Productie-aantal: 1.626.129
In NL: n.b.
Prijzen: A: 1.350 B: 2.500 C: 4.100

CHEVROLET CAPRICE CLASSIC CONVERTIBLE 1973-1975

Voor 1973 waren er drie 'full-sized' Chevrolets in het programma: de Bel Air, Impala en Caprice Classic. Immense wagens die een relict waren van de jaren zestig. De enige open versie was de Caprice, die in '73 en '74 slechts zeven promille van de verkoop van deze grote typen betekende. Geen wonder dat GM het model in 1975 voor het laatst aanbood. De verkopen ervan waren dat jaar bijna het dubbele van het jaar ervoor. Het was immers de laatste kans om een grote convertible van Chevrolet te kopen. Op de foto een origineel Nederlands exemplaar.

Aantal cilinders: V8
Cilinderinhoud in cm³: 6555
Vermogen: 150/3200
Topsnelheid in km/uur: 180
Carrosserie/Chassis: zelfdragend
Uitvoering: cabriolet
Productiejaren: 1973-1975
Productie-aantal: 20.358
In NL: n.b.
Prijzen: A: 4.100 B: 7.500 C: 10.200

CHEVROLET VEGA 1974-1977

De Vega kwam in 1971 uit en was een kind van John Z. DeLorean. GM wilde er de Volkswagen Kever mee verdrijven uit Amerika. De Vega was maar $23 duurder dan een Kever, maar heel wat slechter van kwaliteit. De eerste exemplaren zaten vol constructiefouten die met de jaren weggewerkt werden. Interessant was de Vega met een tweeliter-Cosworth-motor met twee in plaats van één bovenliggende nokkenassen. Deze Engelse constructie had vier kleppen per cilinder en elektronische benzine-inspuiting van Bendix. Kostte wel het dubbele van een gewone Vega.

Aantal cilinders: 4
Cilinderinhoud in cm³: 2287 en 1994
Vermogen: 71/4400 en 112/5600
Topsnelheid in km/uur: 150 en 180
Carrosserie/Chassis: zelfdragend
Uitvoering: coupé en stationcar
Productiejaren: 1974-1977
Productie-aantalv: 901.250
In NL: n.b.
Prijzen: A: 500 B: 900 C: 2.300

CHEVROLET NOVA 1975-1979

Voor die klanten die de Chevrolet Vega te klein vonden, bouwde Chevrolet nog steeds de Nova. Voor 1975 kreeg de wagen een andere daklijn en een groter glasoppervlak. De LN was een luxe versie, die voor '76 herdoopt werd in Concours. De Nova was goed voor 15 procent van Chevrolets verkopen en in '75 was het Amerika's best verkochte compact. Ook in Europa – waar het een zeer grote wagen was – liep de verkoop goed, vooral met de zes-in-lijn motor. In 1980 loste de nieuwe Citation de Nova af.

Aantal cilinders: 6 en V8
Cilinderinhoud in cm³: 4093-5733
Vermogen: 105/3800-172/3800
Topsnelheid in km/uur: 150-180
Carrosserie/Chassis: zelfdragend
Uitvoering: sedan en coupé
Productiejaren: 1975-1979
Productie-aantal: 1.358.777
In NL: n.b.
Prijzen: A: 500 B: 1.400 C: 2.500

CHEVROLET MONZA & MONZA S

Eind 1974 verscheen er een bijna Europese Chevrolet: de Monza, met een hatchback-lijn. Er was een vertrouwde naam van stal gehaald voor deze nieuweling, die eigenlijk Chapparal zou gaan heten. Hij was leverbaar met een vier- of achtpitter, waarbij de eerste aanvankelijk van aluminium was en uit de Vega kwam. In april 1975 is er een tweede carrosserievariant in de vorm van de Monza S die als modelomschrijving Towne Car mee kreeg. De hatchback had iets van de Ferrari 365 GTC/4 weg. Later is er een V6. In Europa is de Monza slechts enkele jaren geleverd.

Aantal cilinders: 4, V6 en V8
Cilinderinhoud in cm³: 2287-2471, 3791 en 4301-5737
Vermogen: 72/4400-115/3600
Topsnelheid in km/uur: 155-180
Carrosserie/Chassis: zelfdragend
Uitvoering: coupé en hatchback
Productiejaren: 1974-1980
Productie-aantal: 718.290
In NL: n.b.
Prijzen: (4 cil) A: 500 B: 1.100 C: 2.500

CHEVROLET IMPALA 1977-1979

Modeljaar 1977 begon voor de Chevy Impala met een vermageringskuur. In zijn lengte kromp de wagen van 566 naar 539 cm en in zijn gewicht nam de coupé zelfs met 275 tot 1670 kg af. Een dergelijke 'kleine' en 'lichte' wagen kwam natuurlijk ook met een kleinere motor goed vooruit en daarom kwamen er voor het eerst ook weer Impala's met een zescilinder motor van de band. Dat er voor de liefhebber ook nog wel een echte V8 gebouwd werd, spreekt voor zich. De grille ziet er jaarlijks anders uit. Voor 1980 volgt er een eerste wat ingrijpender facelift.

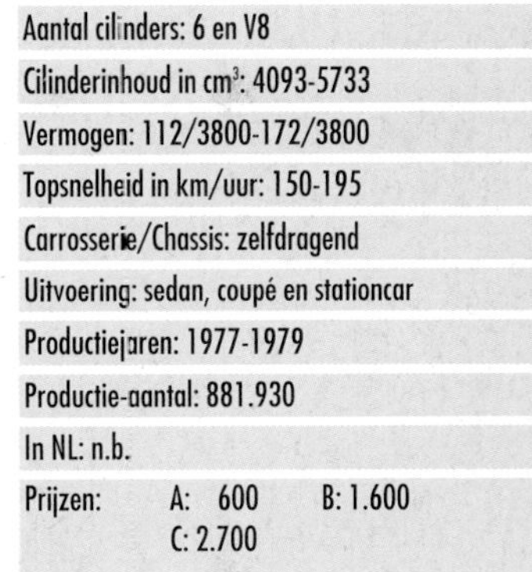

Aantal cilinders: 6 en V8
Cilinderinhoud in cm³: 4093-5733
Vermogen: 112/3800-172/3800
Topsnelheid in km/uur: 150-195
Carrosserie/Chassis: zelfdragend
Uitvoering: sedan, coupé en stationcar
Productiejaren: 1977-1979
Productie-aantal: 881.930
In NL: n.b.
Prijzen: A: 600 B: 1.600 C: 2.700

CHEVROLET CAPRICE CLASSIC 1977-1979

De Caprice ontkwam voor '77 ook niet aan de afslankkuur van GM. Het deed de wagen veel goeds en hij behoorde bij de meest verkochte auto's in de VS. IJzersterk, probleemloos in het onderhoud en groot genoeg voor de hele familie plus vakantiebagage. Het minst verkochte model was de Landau coupé en het best natuurlijk de sedan. Een forse wagen met z'n lengte van 539 cm. Vanwege het gewicht dat varieerde van 1640 tot 1865 kilo waren de geventileerde schijfremmen aan de voorwielen geen luxe. Aan de achterwielen vond men echter nog trommelremmen.

Aantal cilinders: 6 en V8
Cilinderinhoud in cm³: 4093 en 5001
Vermogen: 117/3800 en 132/3200
Topsnelheid in km/uur: 150 en 175
Carrosserie/Chassis: zelfdragend
Uitvoering: sedan, coupé en stationcar
Productiejaren: 1977-1979
Productie-aantal: 980.226
In NL: n.b.
Prijzen: A: 600 B: 1.800 C: 3.200

CHEVROLET MALIBU CLASSIC 1978-1980

De naam Malibu duikt voor modeljaar 1972 voor het eerst op in de Chevelle-reeks. De toevoeging Classic is er twee jaar later, en in '75 krijgt een zelfstandige reeks stationcars de naam. Pas in 1978 wijkt de naam Chevelle en is er de zelfstandige Malibu-serie, die tussen de Nova en de Impala/Caprice komt, met een klassiek gelijnde carrosserie, die veelal in two-tone afgeleverd wordt. Er is een ruime keuze in motorisatie en koetswerken en dat zal ertoe bijgedragen hebben dat de Malibu een uitstekend verkochte wagen werd, ook in Nederland.

Aantal cilinders: 6 en V8
Cilinderinhoud in cm³: 3277-5735
Vermogen: 95/4000-170/3600
Topsnelheid in km/uur: 145-165
Carrosserie/Chassis: zelfdragend
Uitvoering: sedan, coupé en stationcar
Productiejaren: 1978-1980
Productie-aantal: 1.049.133
In NL: n.b.
Prijzen: A: 600 B: 1.600 C: 2.700

CHRYSLER

Enige jaren geleden leek het er op dat de Chrysler Corporation failliet zou gaan en het was aan Lee Iacocca te danken dat de firma de zware crisis overleefde. Toch was Chrysler, als nummer drie van de 'Grote Drie', in de jaren veertig en vijftig een begrip. In deze Corporation zaten namelijk naast Chrysler ook De Soto, Dodge, Imperial en Plymouth. Momenteel doet Chrysler het in Europa erg goed, vooral door de Voyager en de kleinere typen. De Imperial was van 1955 tot 1975 een submerk; hier echter worden Chrysler en Imperial gezamenlijk behandeld.

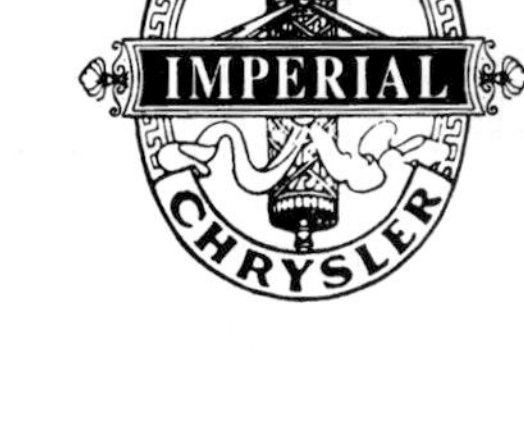

CHRYSLER TOWN & COUNTRY 1946-1948

Toen het staal vlak voor en in de oorlog schaars werd, vervingen de autofabrieken grote delen van de carrosserieën door houten panelen. In de meeste gevallen betrof het toen stationcars, maar na de oorlog probeerde Chrysler dit systeem net als Ford met succes ook in de duurdere personenwagens. 'Woody' noemde de eigenaar zijn auto die hem als 'Town and Country' verkocht was. Tegenwoordig zijn die zeer nostalgisch ogende wagens niet goedkoop, maar dat waren ze indertijd ook niet.

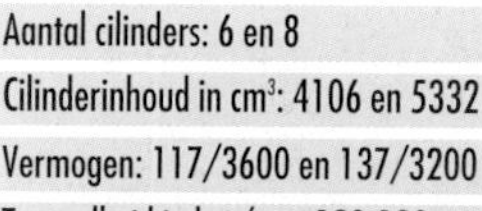

Aantal cilinders: 6 en 8
Cilinderinhoud in cm³: 4106 en 5332
Vermogen: 117/3600 en 137/3200
Topsnelheid in km/uur: 120-130
Carrosserie/Chassis: gedeeltelijk hout/afzonderlijk chassis
Uitvoering: coach, sedan, cabriolet, stationcar
Productiejaren: 1946-1948
Productie-aantal: 4.001
In NL: n.b.
Prijzen: A: 7.900 B: 17.000 C: 31.800

CHRYSLER CROWN IMPERIAL 1946-1948

In 1946 kwam Chrysler met vijf verschillende series op de markt terug. Ze werden aangeboden onder de namen Royal, Windsor, Saratoga, New Yorker en Crown Imperial, waarvan de laatste (foto) de duurste was. Hij stond op een verlengd chassis en werd aangedreven door een machtige achtcilinder lijnmotor. De wagen had twee wegklapbare stoeltjes tussen de ruime voor- en achterbank, zodat hij ook als taxi goed te gebruiken was. De sedan had geen separatieruit, de limousine wel.

Aantal cilinders: 8
Cilinderinhoud in cm³: 5299
Vermogen: 137/3400
Topsnelheid in km/uur: 140
Carrosserie/Chassis: afzonderlijk chassis
Uitvoering: sedan en limousine
Productiejaren: 1946-1948
Productie-aantal: 1.400
In NL: n.b.
Prijzen: A: 3.600 B: 6.800 C: 11.300

CHRYSLER WINDSOR 1949-'52

In Chryslers jubileumjaar 1949 mochten de eerste echt nieuwe naoorlogse wagens begroet worden. De vier modelreeksen bleven onder dezelfde namen. De Windsor was de op een na goedkoopste serie en hij had alleen een zescilinder onder de kap. Voor het eerst sinds '42 was er weer een stationcar. Hij kreeg net als de Town & Country-modellen een woodylook. Voor '50 was de station vervangen door een Traveller sedan met bijna dezelfde gebruiksmogelijkheden. Ook kwam er een Newport hardtop coupé bij. Het jaar '51 bracht de eerste echte uiterlijke wijzigingen en werd de Windsor de goedkoopste Chrysler.

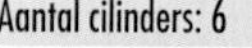

Aantal cilinders: 6
Cilinderinhoud in cm³: 4107-4334
Vermogen: 116/3600-119/3600
Topsnelheid in km/uur: 110
Carrosserie/Chassis: afzonderlijk chassis
Uitvoering: sedan, coupé, limousine, cabriolet en stationcar
Productiejaren: 1949-1952
Productie-aantal: 309.064
In NL: n.b.
Prijzen: (sedan) A: 2.300 B: 5.700 C: 8.200

CHRYSLER TOWN & COUNTRY NEWPORT 1950

Een echte topauto van Chrysler was de Town & Country Newport hardtop coupé van 1950. In '49 was er uitsluitend een convertible T & C en een jaar erna alleen een coupé. Voor $4.003 was het verreweg de duurste wagen die het merk bood en dat was bijna het dubbele van de prijs van een Royal Club Coupé! Het werd het laatste jaar van de woodies, die in de eerste vijf naoorlogse jaren in diverse gedaantes uitgekomen zijn, maar zelden zo geslaagd als deze Newport. De naam Town & Country bleef nog decennia in het program voor stationcars, MPV's en cabriolets.

Aantal cilinders: 8
Cilinderinhoud in cm³: 5301
Vermogen: 135/3200
Topsnelheid in km/uur: 140
Carrosserie/Chassis: afzonderlijk chassis
Uitvoering: coupé
Productiejaar: 1950
Productie-aantal: 700
In NL: n.b.
Prijzen: A: 11.300 B: 29.500 C: 43.100

CHRYSLER WINDSOR 1953-1954

Voor het eerst sinds de legendarische Airflow van halverwege de jaren dertig verscheen er een Chrysler met een voorruit uit één stuk: de Windsor van '53. Nieuw waren ook de daklijn en de voor- en achterzijde. De limousine en de stationcars hielden overigens de achterkant van '51-'52. Voor 1954 verdween de standaard-Windsor en was er alleen nog de DeLuxe-uitvoering. Nieuwe grille (foto), strips en achterlichten en binnenin een gemodificeerd dashboard. Het werd het laatste jaar voor de zespitter én voor de koetsvariant Club Coupé.

Aantal cilinders: 6	
Cilinderinhoud in cm³: 4334	
Vermogen: 119/3600	
Topsnelheid in km/uur: 120	
Carrosserie/Chassis: afzonderlijk chassis	
Uitvoering: sedan, coupé, limousine, cabriolet en stationcar	
Productiejaren: 1953-1954	
Productie-aantal: 128.346	
In NL: n.b.	
Prijzen:	A: 2.300 B: 5.700 C: 8.200

CHRYSLER NEW YORKER TOWN & COUNTRY 1954

1954 was met een verkoop van 105.030 auto's een slecht jaar geweest voor Chrysler. Zelfs Cadillac had het beter gedaan. Slechts 1.750 stationcars had Chrysler verkocht en deze waren gebouwd op de chassis van de Windsor en van de New Yorker (foto). De New Yorker werd als Town & Country aangeboden, maar was nu geheel van staal, wat misschien de reden was dat er zo weinig vraag naar was. De populariteit van de stationcar moest nog komen, maar Chrysler heeft in dat marktsegment nimmer de toon aangegeven.

Aantal cilinders: V8	
Cilinderinhoud in cm³: 5426	
Vermogen: 197/4000	
Topsnelheid in km/uur: 165	
Carrosserie/Chassis: afzonderlijk chassis	
Uitvoering: stationcar	
Productiejaar: 1954	
Productie-aantal: 1.100	
In NL: n.b.	
Prijzen:	A: 3.200 B: 6.100 C: 9.100

CHRYSLER WINDSOR 1955-1956

De Chryslers van 1955 waren in ieder opzicht anders dan hun voorgangers. De zescilinder motor was niet langer beschikbaar en alle modellen hadden een V8. Opvallender waren echter de carrosserieën die door de toen al beroemde designer Virgil Exner ontworpen waren. Hij had al meerdere Dreamcars voor de Chrysler Corporation getekend. De Windsor was de goedkoopste Chrysler in '55. Voor '56 was er een nieuwe, brede grille en een grotere en veel sterkere motor. Ook kwam er een hardtop sedan bij.

Aantal cilinders: V8	
Cilinderinhoud in cm³: 4925 en 5426	
Vermogen: 188/4400 en 225/4400	
Topsnelheid in km/uur: 160 en 170	
Carrosserie/Chassis: afzonderlijk chassis	
Uitvoering: sedan, coach, cabriolet en stationcar	
Productiejaren: 1955-1956	
Productie-aantal: 184.954	
In NL: n.b.	
Prijzen:	A: 2.900 B: 61.000 C: 9.100

CHRYSLER WINDSOR 1957-1959

Voor '57 waren de grote vleugels nieuw bij Chrysler en het basismodel Windsor had ze vanzelfsprekend ook. Kort na de productiestart kregen alle wagens dubbele koplampen. Voor '58 was er een aantal uiterlijke wijzigingen, maar technisch veel meer. Zo kwam er een Dodge-chassis onder de Windsor. Aan het eind van het modeljaar stelde Chrysler de Convertible voor, waarvan er twee gebouwd werden. In de folder van '59 was die open versie gewoon een productiemodel. Intussen was de motor weer vergroot en het aantal pk's nam toe tot 305. De afgebeelde wagen is van '59.

Aantal cilinders: V8	
Cilinderinhoud in cm³: 5801-6276	
Vermogen: 285-305/4600	
Topsnelheid in km/uur: 180	
Carrosserie/Chassis: afzonderlijk chassis	
Uitvoering: sedan, coupé, stationcar en cabriolet ('59)	
Productiejaren: 1957-1959	
Productie-aantal: 110.503	
In NL: n.b.	
Prijzen:	A: 2.500 B: 5.500 C: 8.200

CHRYSLER WINDSOR 1960-1961

Ook voor de Windsor zouden de jaren '60-'61 de laatste zijn met de vinnen van Exner. Ze hadden echter wel een geheel andere vorm dan die van de drie jaren ervoor: voortaan liepen de vleugels met een knik vanaf de taillelijn naar buiten en in de inham zaten de achterlichten gemonteerd. De grille was in 300-stijl. Door de komst van de Newport in '61 steeg het type in rang en daarom bouwde men dat jaar de Windsor op de langere wielbasis van de verdwenen Saratoga en waren er nog maar drie carrosserievarianten. Er werd een nieuwe motor met hetzelfde volume en vermogen ingebouwd.

Aantal cilinders: V8	
Cilinderinhoud in cm³: 6276	
Vermogen: 305/4600	
Topsnelheid in km/uur: 180	
Carrosserie/Chassis: afzonderlijk chassis	
Uitvoering: sedan, coupé, stationcar('60) en cabriolet('60)	
Productiejaren: 1960-1961	
Productie-aantal: 58.494	
In NL: n.b.	
Prijzen:	A: 3.200 B: 6.000 C: 8.200

CHRYSLER NEW YORKER DELUXE 1955

Net als de Windsor kreeg de New Yorker voor '55 ook een geheel nieuwe carrosserie van Exner. Aan de bumpers en de grille kon men de New Yorker van zijn goedkopere broer onderscheiden. En natuurlijk bij het optrekken, aangezien de New Yorker 62 pk meer had. Zeer succesvol was de coupé St. Regis, die voor $38 meerprijs met opvallend two-tone spuitwerk geleverd werd. De cabrioversie werd slechts 946 keer verkocht en dat maakt hem zeer zeldzaam. Voor modeljaar 1956 was er een facelift en verdwenen de opvallende achterlichten.

Aantal cilinders: V8		
Cilinderinhoud in cm³: 5426		
Vermogen: 250/4600		
Topsnelheid in km/uur: 165		
Carrosserie/Chassis: afzonderlijk chassis		
Uitvoering: coach, sedan, coupé, cabriolet en stationcar		
Productiejaar: 1955		
Productie-aantal: 52.178		
In NL: n.b.		
Prijzen:	A: 3.200 C: 8.200	B: 5.900

CHRYSLER 300 HARDTOP COUPÉ 1955

De reeds genoemde race om paardekrachten was door Chrysler ontketend. Ook in 1955 lag men aan de kop met een record van 300 pk in een productie-auto. De motor was de beroemd geworden 'Hemi' V8 en de aanduiding Hemi sloeg op de hemispherische of halfbolvormige verbrandingsruimten in de cilinderkoppen. Deze motor vond men in 1955 in de Chrysler 300, die door Virgil Exner als coupé getekend was en die dat jaar Amerika's snelste seriewagen was.

Aantal cilinders: V8		
Cilinderinhoud in cm³: 5426		
Vermogen: 306/5200		
Topsnelheid in km/uur: 200		
Carrosserie/Chassis: afzonderlijk chassis		
Uitvoering: coupé		
Productiejaar: 1955		
Productie-aantal: 1.725		
In NL: n.b.		
Prijzen:	A: 8.200 C: 27.200	B: 18.200

(CHRYSLER) IMPERIAL 1955-1956

De Imperial was sinds de jaren 20 een Chrysler, die wat vormgeving betreft op zijn minder dure familieleden leek. Vanaf 1955 werd het een submerk van Chrysler en de eerste modellen werden goed verkocht. Ze heetten Imperial en waren er als sedan of coupé. Opvallend waren de los op het scherm gemonteerde achterlichten. De achtpersoons modellen met rechthoekig aflopend dak werden Crown Imperial genoemd en daarvan was ook een limousine. Voor 1956 hadden de achterschermen een prille vleugelvorm in zich en nam de V8 in volume toe. Crowns zijn zeer zeldzaam.

Aantal cilinders: V8		
Cilinderinhoud in cm³: 5426 en 5786		
Vermogen: 250/4600 en 280/4600		
Topsnelheid in km/uur: 160-170		
Carrosserie/Chassis: afzonderlijk chassis		
Uitvoering: sedan, coupé en limousine		
Productiejaren: 1955-1956		
Productie-aantal: 22.058		
In NL: n.b.		
Prijzen: (Imperial)	A: 4.500 C: 13.600	B: 10.200

CHRYSLER NEW YORKER 1957-1959

In de '57'er Chrysler New Yorker vond men de grootste productiemotor die dat jaar in Amerika in een personenwagen ingebouwd was. De cilinderinhoud was in vergelijking met het jaar ervoor met tien procent gestegen. Onder de slogan 'The most glamorous cars in a generation', bood men de tweede editie van Chryslers 'Forward Look' aan. Het publiek reageerde bescheiden op de wagens met de in het oog springende vleugels. Voor '58 weinig wijzigingen maar wel 20 pk meer. In 1959 kwam er een nieuwe motor en een andere grille.

Aantal cilinders: V8		
Cilinderinhoud in cm³: 6423-6768		
Vermogen: 325/4600-350/4600		
Topsnelheid in km/uur: 190		
Carrosserie/Chassis: afzonderlijk chassis		
Uitvoering: sedan, coupé, cabriolet en stationcar		
Productiejaren: 1957-1959		
Productie-aantal: 68.359		
In NL: n.b.		
Prijzen: (sedan)	A: 2.300 C: 7.900	B: 5.400

(CHRYSLER) IMPERIAL CROWN 1957-1959

Voor 1957 weken de Imperial-modellen nog verder af van de overige wagens van Chrysler. De achterlichten zaten nu in de vinnen en de koplampen kregen wenkbrauwen die doorliepen in de voorschermen. De Imperial Crown – niet te verwarren met de veel duurdere Crown Imperial van Ghia – zat tussen de reeksen Imperial en LeBaron. Er was sinds jaren weer een convertible. Uiterlijk was het model te herkenen aan het kroontje op de tweede 'I' in de type-aanduiding. Voor '58 was er een andere grille en voor '59 een uitbreiding van de standaardluxe.

Aantal cilinders: V8		
Cilinderinhoud in cm³: 6435-6771		
Vermogen: 325-350/4600		
Topsnelheid in km/uur: 170-180		
Carrosserie/Chassis: afzonderlijk chassis		
Uitvoering: sedan, coupé en cabriolet		
Productiejaren: 1957-1959		
Productie-aantal: 33.183		
In NL: n.b.		
Prijzen:	A: 3.200 C: 9.500	B: 6.800

CHRYSLER 300 F 1960

De Chrysler 300 serie werd jaarlijks verbeterd en zo ontstond in 1960 de 300 F die, met een 406 pk V8, weer tot de snelste Amerikaan gekozen werd. Deze wagen had nu een zelfdragende carrosserie en kon zowel met een handgeschakelde, in Frankrijk bij Pont-à-Mousson gemaakte, vierbak als met een automaat geleverd worden. De 300 F was de wagen voor clubraces en toen Andy Granatelli een turbolader op zijn motor bouwde, verbeterde hij een record door met een snelheid van 276,16 km/uur over de zoutvlakten van Bonneville te scheuren. Nu zeer gezocht.

Aantal cilinders: V8
Cilinderinhoud in cm³: 6768
Vermogen: 380/5000 en 400/5200
Topsnelheid in km/uur: 210 en 220
Carrosserie/Chassis: zelfdragend
Uitvoering: coupé en cabriolet
Productiejaar: 1960
Productie-aantallen: 964 en 248
In NL: n.b.
Prijzen: (coupé) A: 5.700 B: 11.300 C: 18.200

CHRYSLER NEWPORT 1961

Om het marktsegment te vergroten kwam Chrysler in 1961 terug met de naam Newport, die tot 1956 was gebruikt voor een hardtop-model New Yorker. Nu was het de basis-Chrysler die onder de Windsor gesitueerd was. Men voorzag een Windsor van 1960 van een iets kleinere motor, een andere grille, vleugels en achterlichten en ziedaar de nieuwe Newport. Het zou het laatste jaar voor die opvallende vinnen van Virgil Exner zijn, want voor 1962 waren de achterzijden afgerond. De Newport kostte met $2964 bijna de helft van de duurste Chrysler van dat jaar (de 300 G convertible). Vooral de sedan verkocht goed.

Aantal cilinders: V8
Cilinderinhoud in cm³: 5916
Vermogen: 265/4400
Topsnelheid in km/uur: 170
Carrosserie/Chassis: zelfdragend
Uitvoering: sedan, coupé, cabriolet en stationcar
Productiejaar: 1961
Productie-aantal: 57.102
In NL: n.b.
Prijzen: A: 3.200 B: 6.100 C: 8.200

CHRYSLER 300 G 1961

De lettercar 300 van 1961 kreeg vanzelfsprekend de G als serieletter mee. De uiterlijke wijzigingen waren conform die van de overige modellen, dus ook hier de ten opzichte van de modellen van 1960 omgekeerde grille en de schuine dubbele koplampen. De vinnen bleven voor het laatste jaar de achterzijde sieren. Ook in '61 was er keuze uit twee vermogens voor de V8. Wie een luxueuze wagen met ontzettend veel pk's wenste, kon voor bijna zesduizend dollar zo'n uiterst exclusieve 300 G kopen. Zeldzaam, maar (nog) niet erg duur.

Aantal cilinders: V8
Cilinderinhoud in cm³: 6768
Vermogen: 375/5000 en 400/5200
Topsnelheid in km/uur: 210 en 220
Carrosserie/Chassis: zelfdragend
Uitvoering: coupé en cabriolet
Productiejaar: 1961
Productie-aantallen: 1.280 en 337
In NL: n.b.
Prijzen: A: 5.400 B: 10.900 C: 15.900

CHRYSLER 300 H 1962

Voor 1962 was de oude naam Windsor vervangen door 'Chrysler 300' wat veel verwarring gaf aangezien dat jaar ook de Chrysler 300 H uitgekomen was. De eerste was een brave familiekoets en de laatste een vermomde racewagen. Daar kwam nog bij dat beide modellen dezelfde carrosserie hadden en op een zelfde chassis, nu dat van de Newport, stonden. Met een 'echte' 300 H verbeterde Granatelli zijn eigen record. Hij monteerde ditmaal twee McCulloch turbo's en haalde een snelheid van 303,84 km/uur uit zijn wagen.

Aantal cilinders: V8
Cilinderinhoud in cm³: 6781
Vermogen: 385/5200-405/5200
Topsnelheid in km/uur: 210-220
Carrosserie/Chassis: zelfdragend
Uitvoering: coupé en cabriolet
Productiejaar: 1962
Productie-aantallen: 435 en 123
In NL: n.b.
Prijzen: (coupé) A: 5.700 B: 10.400 C: 15.900

CHRYSLER 300 J 1963

De 'letter-cars' van Chrysler waren er echt niet om winst mee te maken. De verkoopcijfers van deze peperdure bolides tonen dat aan. Voor '63 was de logische opvolger van de H de 300 J, die uitsluitend als coupé te koop was, net als in 1955 en 1956. Met standaard leren bekleding, verstevigde vering en Ram-Tube inlaatspruitstukken was de 300 J weer het summum voor Chrysler. Maar liefst 390 pk sterk en ruim 215 km/uur snel; optioneel was er een 415 pk-V8. Aan de speciale 'J'-emblemen was de wagen uiterlijk van de gewone 300-serie te onderscheiden.

Aantal cilinders: V8
Cilinderinhoud in cm³: 6781
Vermogen: 390/4800
Topsnelheid in km/uur: 215
Carrosserie/Chassis: zelfdragend
Uitvoering: coupé
Productiejaar: 1963
Productie-aantal: 400
In NL: n.b.
Prijzen: A: 6.800 B: 12.300 C: 16.800

CHRYSLER 300 K 1964

In 1963 was de 300 J niet als cabriolet te koop geweest maar toen de 300 K uitkwam, had de klant weer de keuze uit een gesloten of een open wagen. Van de 300 J had Chrysler slechts 400 stuks kunnen verkopen, maar met de 'K' ging het weer iets beter. De reden was dat de prijs met $ 1000,– verlaagd was. Dit ging niet ten koste van de boekhouding maar van de klant die nu op vinyl i.p.v. leer moest zitten en in de standaarduitvoering een motor met maar één carburateur vond. Wilde hij echter meer power, dan kon hij een 'Short Ram'-motor laten inbouwen die de hiernaast vermelde specificaties had.

Aantal cilinders: V8
Cilinderinhoud in cm³: 6769
Vermogen: 395/4800
Topsnelheid in km/uur: 225
Carrosserie/Chassis: zelfdragend
Uitvoering: coupé en cabriolet
Productiejaar: 1964
Productie-aantallen: 3.022 en 625
In NL: n.b.
Prijzen: (coupé) A: 4.500 B: 9.500 C: 13.600

(CHRYSLER) IMPERIAL 1961

Op de Turijnse Salon van 1960 konden de Europeanen kennis maken met de Chrysler Imperial van het modeljaar 1961. Veel nieuws kon men niet vinden, want de wagen had maar een kleine facelift gekregen. De vinnen op de achterspatborden waren weer iets gegroeid en nu de scherpste die Chrysler ooit op een auto gebouwd heeft. Voor de vinnen werd het overigens het laatste jaar want in 1962 waren ze weer verdwenen. Het is puur een modetrend geweest, veel nut hebben ze nooit gehad.

Aantal cilinders: V8
Cilinderinhoud in cm³: 6768
Vermogen: 350/4600
Topsnelheid in km/uur: 180
Carrosserie/Chassis: zelfdragend
Uitvoering: sedan, limousine, coupé en cabriolet
Productiejaar: 1961
Productie-aantal: 12.258
In NL: n.b.
Prijzen: A: 2.300 B: 4.500 C: 8.400

(CHRYSLER) IMPERIAL CROWN & LE BARON 1964-1965

Voor 1964 ondergingen de Imperials een forse restyling. Het meest in het oog springend was de gescheiden grille met daarin de dubbele koplampen. Over de gehele wagenlengte liep een verchroomde strip over de zijkanten. Aan de achterzijde was een continental kit-look te zien, die echter geen wiel bevatte. Dankzij de ex-Ford designer Elwood Engle die door Chrysler was ingehuurd, leken de wagens sterk op Lincoln Continentals. Naast de Imperial Crown was er weer een chiquere sedan met de naam LeBaron en een limousine die Crown Imperial heette.

Aantal cilinders: V8
Cilinderinhoud in cm³: 6771
Vermogen: 340/4600
Topsnelheid in km/uur: 190
Carrosserie/Chassis: zelfdragend
Uitvoering: sedan, coupé, limousine en cabriolet
Productiejaren: 1964-1965
Productie-aantal: 40.704
In NL: n.b.
Prijzen: A: 2.700 B: 5.000 C: 6.800

(CHRYSLER) CROWN IMPERIAL & LE BARON 1966

De wijzigingen aan de de Imperials van 1966 waren hoofdzakelijk aan de voorzijde te vinden. Er was een 'ijsblokjesbak-grille' (letterlijke vertaling) en de dubbele koplampen hadden een chromen rand als omlijsting. Gek genoeg heette de Imperial Crown voortaan Crown Imperial omdat de dure en onrendabele limousine-reeks met die laatste naam geschrapt was, net als in 1962 was gebeurd. De van binnen luxueuzer aangeklede Imperial heette weer LeBaron; uiterlijk waren beide Imperials identiek. De nieuwprijs zakte iets, maar de verkoop daalde met bijna een derde.

Aantal cilinders: V8
Cilinderinhoud in cm³: 7210
Vermogen: 350/4400
Topsnelheid in km/uur: 200
Carrosserie/Chassis: zelfdragend
Uitvoering: sedan, coupé en cabriolet
Productiejaar: 1966
Productie-aantal: 13.742
In NL: n.b.
Prijzen: A: 2.600 B: 4.600 C: 6.500

CHRYSLER NEWPORT 1965-1966

In 1965 pakte Chrysler de zaken resoluut aan. Alle modellen werden technisch en optisch ingrijpend herzien en de prijzen begonnen nog steeds net iets onder de $3.000. Dat leidde tot een verkoopstijging van meer dan vijftig procent voor '65. Het nieuwe model Town Sedan met zes zijruiten sloeg meteen goed aan, maar dat succes duurde slechts een jaar. Voor '66 was er een iets andere grille (foto) en hoewel de prijzen nu met een zesde stegen, namen de verkopen weer met een achtste toe. Op de foto een vierdeurs hardtop.

Aantal cilinders: V8
Cilinderinhoud in cm³: 6276
Vermogen: 270/4400-315/4400
Topsnelheid in km/uur: 180-190
Carrosserie/Chassis: zelfdragend
Uitvoering: sedan, coupé, cabriolet en stationcar
Productiejaren: 1965-1966
Productie-aantal: 293.466
In NL: n.b.
Prijzen: A: 2.300 B: 5.000 C: 7.700

CHRYSLER NEWPORT 1967-'68

Het Chrysler-management achtte het verstandig om voor 1967 de Newport-serie op te waarderen met een speciale Custom-reeks. Meer luxe en enkele technische snufjes kostten de klant een paar honderd dollar meer. Ten opzichte van het model van '66 was er een andere grille en achterkant. De sierstrip opzij was verdwenen en er kwamen spats in de achterwielkasten. Een jaar later waren er weer wijzigingen aan de grille en achterkant. Als optie kon de klant een 7210 cc V8 bestellen, die 375 pk leverde. Na een terugval voor 1967 namen de verkopen in '68 met dertig procent toe.

Aantal cilinders: V8
Cilinderinhoud in cm³: 6276-7210
Vermogen: 270/4400-375/4600
Topsnelheid in km/uur: 180-195
Carrosserie/Chassis: zelfdragend
Uitvoering: coach, sedan, coupé, cabriolet en stationcar
Productiejaren: 1967-1968
Productie-aantal: 250.752
In NL: n.b.
Prijzen: A: 2.700 B: 5.700 C: 7.900

(CHRYSLER) IMPERIAL, CROWN & LE BARON 1967-1968

In 1967 verscheen een geheel nieuwe Imperial bij de dealers. De wagen had de grootste veranderingen ondergaan sinds 1957 en dit was wel nodig want voor het eerst had men de Imperial met een zelfdragende carrosserie gebouwd. Onder de lange motorkap lag een V8 die 355 pk leverde en de 2,5 ton zware wagen op een top van 200 km/uur kon brengen. Om hem ook weer te kunnen stoppen had de chauffeur nu de beschikking over schijfremmen aan de voorwielen. Voor '68 een nieuwe grille en het basismodel Imperial was verdwenen.

Aantal cilinders: V8
Cilinderinhoud in cm³: 7206
Vermogen: 355/4400
Topsnelheid in km/uur: 200
Carrosserie/Chassis: zelfdragend
Uitvoering: sedan, coupé en cabriolet
Productiejaar: 1967-1968
Productie-aantal: 32.975
In NL: n.b.
Prijzen: A: 2.700 B: 5.400 C: 8.200

CHRYSLER 300 1963-1964

De naam Windsor week in 1962 voor de aanduiding 300 Sport, die door velen met de fameuze lettercars verward werd. Niet verwonderlijk, aangezien de coupé en de convertible hetzelfde uiterlijk als die snelle rakker hadden. Wie wilde, kon z'n gewone 300 overigens net zo snel maken, gezien het grote scala aan motoren. Voor 1963 was er een nieuwe carrosserie en was de 300 Pace Car bij de Indianapolis 500 mijlen-race. Dat leidde tot speciale versies dat jaar. Voor modeljaar 1964 (foto) was de naam 'Sport' vervallen. De afgebeelde convertible is slechts 1.401 maal geleverd.

Aantal cilinders: V8
Cilinderinhoud in cm³: 6276-6981
Vermogen: 305/4600-425/4800
Topsnelheid in km/uur: 180-200
Carrosserie/Chassis: afzonderlijk chassis
Uitvoering: sedan, coupé en cabriolet
Productiejaren: 1963-1964
Productie-aantal: 57.982
In NL: n.b.
Prijzen: (sedan) A: 3.600 B: 6.800 C: 9.100

CHRYSLER 300 1965-1967

De 300-serie was gericht op de klant die de Newport niet kocht omdat dat het goedkoopste model was. Wie meer te besteden had, koos voor de New Yorker. Voor '65 was er een facelift en de wagen week onder de taillelijn af van de 300L van dat jaar, overigens voor lange tijd de laatste Letter-Car. Voor '66 weinig nieuws, maar een jaar later was er een geheel nieuwe achterzijde voor de 300. Ruim dertig jaar later zou Chrysler het Letter-Car idee weer oppakken met de succesvolle 300M.

Aantal cilinders: V8
Cilinderinhoud in cm³: 6276-7221
Vermogen: 315-350/4400
Topsnelheid in km/uur: 185-195
Carrosserie/Chassis: zelfdragend
Uitvoering: sedan, coupé en cabriolet
Productiejaren: 1965-1967
Productie-aantal: 99.170
In NL: n.b.
Prijzen: A: 2.500 B: 5.700 C: 8.400

CHRYSLER NEWPORT (CUSTOM) 1969-1971

De Newport van 1969 was helemaal nieuw en had niets meer weg van het model ervoor. De rechte lijnen en scherpe knikken waren geweken voor rondingen in de stijl van een vliegtuigromp. De grote bumper met grille erin viel nogal in het oog. De stationcars waren uit het Newport-programma geschrapt. In de duurdere Custom-reeks zat nog steeds geen cabriolet. Voor 1970 was er een nieuwe grille, een 440-optie (7,2-liter motor) en een Cordoba-uitvoering. Modeljaar 1971 bracht de Newport Royal, een $100 goedkopere versie met een 5.9-liter V8.

Aantal cilinders: V8
Cilinderinhoud in cm³: 5899-7210
Vermogen: 255/4000-370/4600
Topsnelheid in km/uur: 170-190
Carrosserie/Chassis: zelfdragend
Uitvoering: sedan, coupé en cabriolet
Productiejaren: 1969-1971
Productie-aantal: 378.649
In NL: n.b.
Prijzen: A: 1.800 B: 3.400 C: 4.500

CHRYSLER NEWPORT (ROYAL) 1972-1973

Op zondag 29 augustus 1971 kwam Chrysler met een nieuwe uitvoering van de Newport uit. Kilo's chroom waren in de neus van de wagen verwerkt, maar desondanks zag de auto er goed uit. Het was de goedkoopste wagen die Chrysler dat jaar kon aanbieden en de prijzen varieerden in Amerika van $ 4557 voor een sedan tot $ 4692 voor een vierdeurs hardtop. Voor 1973 kwam er een andere neussectie. Het zijn tegenwoordig geen makkelijk te verhandelen auto's. Je moet er van houden.

Aantal cilinders: V8
Cilinderinhoud in cm³: 5897
Vermogen: 177/4000
Topsnelheid in km/uur: 180
Carrosserie/Chassis: zelfdragend
Uitvoering: sedan en coupé
Productiejaren: 1972-1973
Productie-aantal: 187.022
In NL: n.b.
Prijzen: A: 1.400 B: 2.700 C: 4.100

CHRYSLER NEW YORKER 1969-1971

Het topmodel van Chrysler was sinds '66 – toen de lettercars verdwenen waren – de New Yorker. Voor 1969 hadden alle Chryslers een nieuw uiterlijk gekregen en de New Yorker natuurlijk ook. Ter onderscheiding van de gelijkende Newport had de New Yorker een andere grille en stonden de koplampen wijder uit elkaar. Voor de meerprijs van twintig procent ten opzichte van de Newport kreeg de klant vooral meer luxe. Voor '70 en '71 wijzigde de grille iets. De afgebeelde coupé is vrij zeldzaam, aangezien er maar zo'n 18.000 gebouwd werden in drie jaar.

Aantal cilinders: V8
Cilinderinhoud in cm³: 5899-7210
Vermogen: 255/4000-370/4600
Topsnelheid in km/uur: 170-190
Carrosserie/Chassis: zelfdragend
Uitvoering: sedan en coupé
Productiejaren: 1969-1971
Productie-aantal: 116.124
In NL: n.b.
Prijzen: A: 2.300 B: 3.900 C: 5.500

(CHRYSLER) IMPERIAL CROWN & LE BARON 1969-1973

Tussen de twee typen Imperial zat zo weinig onderscheid dat vrijwel iedere koper voor een paar honderd dollar meer de LeBaron nam. De verkoop van de voor '69 vernieuwde Imperial Crown liep van zo'n 2500 terug naar 1500 in '70 en een jaar later was alleen de LeBaron er nog. Aan de wagen met zijn verborgen koplampen veranderde in de vier loopjaren weinig, alleen de grille zag er steeds iets anders uit. De wagen op de foto is van 1972, maar zou zo voor een model van een jaar ervoor of erna door kunnen gaan.

Aantal cilinders: V8
Cilinderinhoud in cm³: 7210
Vermogen: 335/4400-350/4400
Topsnelheid in km/uur: 200
Carrosserie/Chassis: zelfdragend
Uitvoering: sedan en coupé
Productiejaren: 1969-1973
Productie-aantal: 77.974
In NL: n.b.
Prijzen: A: 2.300 C: 4.500 C: 6.800

CHRYSLER CORDOBA 1974-1979

In de herfst van 1974 had Chrysler een nieuw model voorgesteld, de Cordoba, die veel weg had van de Dodge Charger. Het was de kleinste wagen van het merk sinds de oorlog. De klant kon zijn coupé met drie verschillende motoren bestellen, van een 5,2 liter tot een 6,6 liter met 193 pk, en altijd uitsluitend met een automaat. In het eerste jaar werden er anderhalf maal zoveel Cordoba's verkocht als alle andere Chryslers bij elkaar. Jaarlijks kleine wijzigingen en voor '80 was er een tweede generatie Cordoba's.

Aantal cilinders: V8
Cilinderinhoud in cm³: 5162-6555
Vermogen: 150/4000-193/3600
Topsnelheid in km/uur: 160-185
Carrosserie/Chassis: zelfdragend
Uitvoering: coupé
Productiejaren: 1974-1979
Productie-aantal: 666.553
In NL: n.b.
Prijzen: A: 700 B: 1.600 C: 3.200

CHRYSLER LEBARON 1977-1979

Ondanks de adellijke naam was dit in 1978 de goedkoopste Chrysler en de spaarzame klant kon hem met een zescilinder motor en een handgeschakelde vierbak kopen. De wagen was in februari 1977 voorgesteld, maar de stationcar-uitvoering kwam pas in de herfst van dat jaar op de markt. In dat geval sprak men van een Town & Country, een immense wagen met ruimte voor vijf personen. De carrosserie deelde de LeBaron met de Dodge Aspen en de Plymouth Volare. De duurdere versies hadden de toevoeging Medallion.

Aantal cilinders: 6 en V8
Cilinderinhoud in cm³: 3678-5898
Vermogen: 112/3600-157/3600
Topsnelheid in km/uur: 150-185
Carrosserie/Chassis: zelfdragend
Uitvoering: sedan, coupé en stationcar
Productiejaren: 1977-1979
Productie-aantal: 326.040
In NL: n.b.
Prijzen: A: 700 B: 1.600 C: 2.900

CHRYSLER (F)

In 1958 begon het Amerikaanse Chrysler aandelen van Simca over te nemen en vanaf mei 1970 besloot men het aloude Simca om te dopen in Chrysler France als onderdeel van Chrysler Europe, vanwege het bezit van bijna 97 procent van de Simca-aandelen. Een aantal courante typen bleef Simca heten, maar de deels in Groot-Brittannië ontworpen 160 en 180 van oktober '70 heetten Chrysler. Na vele jaren was de naam Simca voor het eerst niet meer op de Salon te vinden en met Chrysler Europe zou dat ook al snel gebeuren.

CHRYSLER 160 & 180

In de herfst van 1970 stelde Chrysler de nieuwe 160 en 180 voor als de eerste in Frankrijk gebouwde Chryslers. Dat was niet helemaal waar, aangezien de wagens in Engeland ontworpen waren, met de Hillman Avenger als inspiratiebron. Rootes was namelijk ook door Chrysler ingelijfd. De Amerikaans gestileerde wagens met de hoge taillelijn waren technisch even oninteressant als de buitenkant en we mogen gerust zeggen dat ze geflopt zijn. Peugeot, Renault en Citroën waren mooi een concurrent kwijt. Toen en nu totaal ongeliefd.

Aantal cilinders: 4
Cilinderinhoud in cm³: 1639 en 1812
Vermogen: 80/5600 en 100/5800
Topsnelheid in km/uur: 160 en 170
Carrosserie/Chassis: zelfdragend
Uitvoering: sedan
Productiejaren: 1970-1980
Productie-aantal: n.b.
In NL: n.b.
Prijzen: A: 300 B: 800 C: 1.400

CHRYSLER 2-LITRES

In januari 1973 vulde de 2-Litres het programma van de 160 en 180 aan. De wagen had behalve de grotere cilinderinhoud ook een andere grille. Veelal zat er een automatische versnellingsbak in deze tweeliter en het vinyldak was standaard. De bedoeling was dat de 2-Litres de tegenvallende verkopen van de 160 en 180 zou opkrikken. Het werd inderdaad het best verkochte model. In Nederland zijn er inmiddels enkele liefhebbers voor deze alom misprezen Chryslers. Dat heeft echter op de huidige prijzen nagenoeg geen invloed.

Aantal cilinders: 4
Cilinderinhoud in cm³: 1981
Vermogen: 110/5600
Topsnelheid in km/uur: 175
Carrosserie/Chassis: zelfdragend
Uitvoering: sedan
Productiejaren: 1973-1980
Productie-aantal: n.b.
In NL: n.b.
Prijzen: A: 300 B: 800 C: 1.400

CISITALIA

In 1946 begon Piero Dusio, die in de oorlog een fortuin verdiend had met het maken van militaire uniformen, met de bouw van sport- en racewagens. Zijn bedrijf heette Compagnia Industriale Sportiva Italia. Op de basis van de Fiat 600, 1100 en 1400 ontstonden de mooiste sportwagens die bekende carrossiers als Pininfarina, met wie Dusio bevriend was, en Bertone van een opbouw voorzagen. Tot 1964 bleef de kleine firma auto's bouwen, die een uitstekende reputatie genoten. Het merk oogst nog steeds veel bewondering bij autoliefhebbers.

CISITALIA 202

Vele Cisitalia's zijn als enkeling op de straat gekomen. Het model 202 maakte hier een uitzondering op, want hiervan zijn er minstens 170 stuks gebouwd. De carrosserie was een meesterwerk van Pinin Farina dat ook in Amerika gewaardeerd werd, want in het New Yorkse Museum for Modern Art staat deze wagen tentoongesteld. De motor van de wagen is een opgevoerde versie van de Fiat 1100-krachtbron. In '47 werd een 202 tweede in de Mille Miglia. De wagen wordt gewaardeerd vanwege het ontwerp ervan. De prestaties zijn vrij matig te noemen.

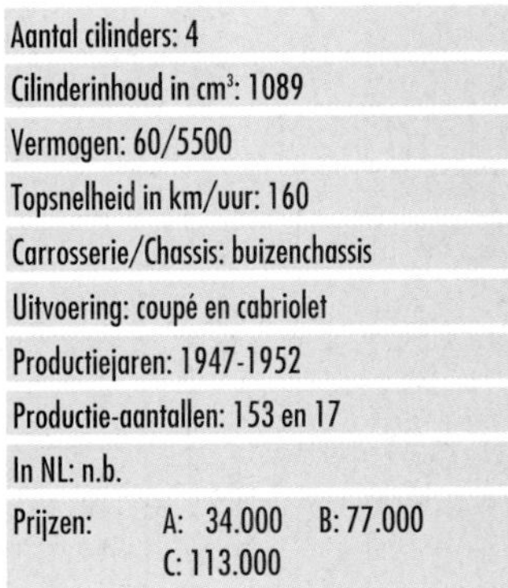

Aantal cilinders: 4
Cilinderinhoud in cm³: 1089
Vermogen: 60/5500
Topsnelheid in km/uur: 160
Carrosserie/Chassis: buizenchassis
Uitvoering: coupé en cabriolet
Productiejaren: 1947-1952
Productie-aantallen: 153 en 17
In NL: n.b.
Prijzen: A: 34.000 B: 77.000 C: 113.000

CISITALIA 850

In de jaren zestig hield Cisitalia zich voornamelijk bezig met het bouwen van speciale carrosserieën op Fiat-chassis. Dusio was toen allang naar Argentinië verhuisd, na zijn bedrijf verkocht te hebben. De nieuwe bazen trachtten vol elan de gloriedagen van de 202 te laten herleven. Zo ontstond bijvoorbeeld deze spider op basis van de Fiat 850. De verkoopaantallen zijn ons onbekend. Dat het echter geen succes werd, staat vast.
De nogal hoge waarde is het resultaat van de bewondering door velen van het merk.

Aantal cilinders: 4
Cilinderinhoud in cm³: 847
Vermogen: 54/6200
Topsnelheid in km/uur: 160
Carrosserie/Chassis: zelfdragend
Uitvoering: coupé en cabriolet
Productiejaren: 1961-1964
Productie-aantal: n.b.
In NL: n.b.
Prijzen: A: 5.900 B: 11.300 C: 17.000

CITROËN

André Citroën begon in 1919 met de bouw van auto's die zijn naam zouden dragen. Hij had al spoedig veel succes, mede vanwege het feit dat hij het Amerikaanse systeem van de lopende band als eerste in Frankrijk invoerde. In 1934 verscheen de legendarische Traction Avant die, samen met DKW, de voorwielaandrijving bekend zou maken. André Citroën was toen al geen eigenaar van zijn firma meer. Verkeerd financieel beleid had er toe geleid dat de bandenkoning Michelin de firma kon overnemen. Meest opzienbarende model: de DS van 1955.

CITROËN 11CV

Hoewel de geniale constructie van deze wagen van 1934 dateert, bleef hij tot 1957 in productie. En niet omdat er geen opvolger voor was, maar domweg omdat de wagen nog te veel aanhangers had. De oersterke Traction Avant is er in een versie met koffer en een met wiel achterop. Vooral in de jaren zeventig waren de Tractions erg gewild in studentenkringen. Coupés en cabrio's zijn alleen voor de oorlog geproduceerd. Een van de populairste klassieke auto's in ons land. De langere Familiale-versie wordt verderop afzonderlijk behandeld.

Aantal cilinders: 4
Cilinderinhoud in cm³: 1911
Vermogen: 46/3800 en 59/4000
Topsnelheid in km/uur: 115-120
Carrosserie/Chassis: zelfdragend
Uitvoering: sedan
Productiejaren: 1934-1957
Productie-aantal: 759.123
In NL: 2.000
Prijzen: A: 2.700 B: 6.400 C: 10.000

CITROËN 11 CV FAMILIALE 1954-1957

De eerste Familiale in de Traction-reeks verscheen al in 1936. De achterklep was in twee delen uitklapbaar. De wagen bood plaats aan acht personen vanwege de twee of drie strapontins – klapstoeltjes – tussen de voorstoelen en de achterbank. Ook de zescilinders kenden zo'n uitvoering. Pas een jaar voor de komst van de opvolger, de DS 19, bracht Citroën na 13 jaar afwezigheid de Traction Familiale weer uit. De achterklep bestond nu uit één groot geheel. De zakenuitvoering van deze lange Tractions heette Commerciale.

Aantal cilinders: 4
Cilinderinhoud in cm³: 1911
Vermogen: 59/4000
Topsnelheid in km/uur: 115
Carrosserie/Chassis: zelfdragend
Uitvoering: sedan
Productiejaren: 1954-1957
Productie-aantal: zie hiervoor
In NL: zie hiervoor
Prijzen: A: 3.000 B: 6.500 C: 10.000

CITROËN 15CV

De 15CV was het mooiste dat Citroën kon bieden. De wagen werd aangedreven door een ijzersterke zescilinder motor. Door de lange wielbasis van de 15CV en zijn rustig lopende motor was de auto ideaal voor lange reizen. Ook van dit model zijn er Familiale-versies verschenen en enkele cabrio's. Na '47 heette de auto 15 Six. In de laatste twee productiejaren werden er 3079 wagens met een hydropneumatische vering van de achteras afgeleverd; deze worden met 15 Six H aangeduid. Deze zespitters zijn onverwoestbaar. In Frankrijk zelf is de geliefdheid van de Six snel toegenomen.

Aantal cilinders: 6
Cilinderinhoud in cm³: 2867
Vermogen: 77/3800 en 80/4000
Topsnelheid in km/uur: 135
Carrosserie/Chassis: zelfdragend
Uitvoering: sedan
Productiejaren: 1938-1955
Productie-aantal: 47.670
In NL: 100
Prijzen: A: 6.800 B: 12.700 C: 18.200

CITROËN 2CV (tot '54)

Hoewel de Citroën 2CV al voor de oorlog ontworpen werd, vierde hij zijn officiële debuut op 6 oktober 1948 op de Parijse Salon waar hij meteen voor grote opschudding zorgde. De 2CV, ook wel 'Lelijke Eend' genoemd, bleef meer dan 40 jaren in productie en hoewel hij technisch steeds verbeterd werd, behield hij zijn oorspronkelijke lijnen. In ons land, waar de 2CV vanaf '52 te koop was, werd deze anti-auto al snel populair onder de wat alternatieve bevolkingsgroepen. In 1997 vond men drie prototypen terug in een schuur nabij een testcentrum.

Aantal cilinders: 2	
Cilinderinhoud in cm³: 375	
Vermogen: 9/3500	
Topsnelheid in km/uur: 65	
Carrosserie/Chassis: dragend/chassis	
Uitvoering: sedan	
Productiejaren: 1949-1954	
Productie-aantal (tot '61): 128.685	
In NL: n.b.	
Prijzen: A: 2.000 C: 5.700	B: 3.900

CITROËN 2CV & 2CV AZ 1955-1961

De 2CV ontvangt voor '55 zowaar een tweede achterlicht! In 1954 komt er een grotere motor beschikbaar, die in het type AZ komt (AZU als bestel). Het lange roldak – tot net boven de kentekenplaat – krijgt in december 1956 een grotere achterruit en weer een jaar later is er een metalen kofferdeksel leverbaar op het luxe model AZLP. Daardoor moet het roldak op die L-typen ingekort worden, maar dat overkomt een jaar later ook de andere Eenden. In 1960 ('61 voor de bestel) wijkt de bekende ribbelkap.

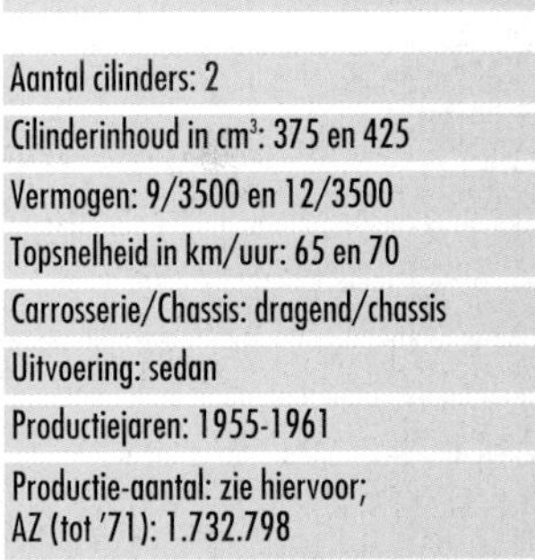

Aantal cilinders: 2	
Cilinderinhoud in cm³: 375 en 425	
Vermogen: 9/3500 en 12/3500	
Topsnelheid in km/uur: 65 en 70	
Carrosserie/Chassis: dragend/chassis	
Uitvoering: sedan	
Productiejaren: 1955-1961	
Productie-aantal: zie hiervoor; AZ (tot '71): 1.732.798	
In NL: n.b.	
Prijzen: A: 900 C: 3.900	B: 2.300

CITROËN 2CV 1961-1970

Eind 1961 neemt het vermogen van de Eend iets toe. De oer-versie met 375 cc is dan uit het programma genomen. Vanaf '63 heetten alle typen sedans AZ en beschikten ze over 18 pk's. Er komt een luxere AZAM-uitvoering, die de Eend van lieverlede wat meer veren geeft. Als het wagentje in 1970 zelfs 26 pk krijgt (bij 6750 tpm) en er een 2CV 6-versie komt met 33 pk's, dan achtten de aanhangers van de oer-Eend de glorietijd van deze typische fransoos voorbij. Vandaar een clubnaam als Enige Echte Eendenclub.

Aantal cilinders: 2	
Cilinderinhoud in cm³: 425	
Vermogen: 12/3500, 13,5/4000 en 18/5000	
Topsnelheid in km/uur: 70, 85 en 95	
Carrosserie/Chassis: dragend/chassis	
Uitvoering: sedan	
Productiejaren: 1961-1970	
Productie-aantal: zie hiervoor	
In NL: n.b.	
Prijzen: A: 700 C: 3.400	B: 2.000

CITROËN 2CV 4 & 6 1970-1990

In 1970 volgt de 2CV 4 met 26 pk de oude AZ op. Hij is herkenbaar aan zijn ronde clignoteurs. Vanaf dat jaar is er ook een ruim 600 cc-metende motor leverbaar in het type 2CV 6. In 1974 monteert Citroën tot ontzetting van de fans een plastic grille en rechthoekige koplampen. Later komen er weer ronde op de typen Spécial en Charleston. Vanaf '82 zijn er schijfremmen voor. Na 1988 maakt alleen Portugal nog twee jaar lang Eenden. De schare echte fans dunt uit, maar de Eend heeft absoluut toekomst. Vanwege de roestgevoeligheid kan er beter niet voor de laatste bouwjaren gekozen worden.

Aantal cilinders: 2	
Cilinderinhoud in cm³: 435 en 602	
Vermogen: 26/6750 en 33/7000	
Topsnelheid in km/uur: 102 en 110	
Carrosserie/Chassis: dragend/chassis	
Uitvoering: sedan	
Productiejaren: 1971-1990	
Productie-aantallen: 548.038 en 1.334.394	
In NL: n.b.	
Prijzen: A: 300 C: 1.700	B: 1.100

CITROËN 2CV BESTEL

In 1951 brengt Citroën de Besteleend uit onder de naam AU; vanaf 1954 AZU. Hij volgt natuurlijk de evolutie van de gewone 2CV, zij het soms iets later. In 1963 is het bovenste laadgedeelte niet langer geribbeld. In '63 volgt een zwaardere versie: de AK 350 met een Ami-motor erin. Deze krijgt de AK 400 in 1970 als opvolger. De naam is inmiddels '250' geworden. In maart 1978 verdwijnt tot spijt van velen dit typische Franse bestelwagentje dat moest wijken voor de Acadiane. Het Nederlands is met de term 'Besteleend' een woord rijker geworden.

Aantal cilinders: 2	
Cilinderinhoud in cm³: 375, 425, 435 en 602	
Vermogen: 9/3500 tot 33/5750	
Topsnelheid in km/uur: 65-105	
Carrosserie/Chassis: dragend/chassis	
Uitvoering: bestelwagen	
Productiejaren: 1951-1978	
Productie-aantal: 1.246.334	
In NL: 600	
Prijzen:	A: 700 B: 1.400 C: 2.700

CITROËN 2CV SAHARA

Citroën staat bekend om het fabriceren van vreemde auto's. De Eend was al curieus, maar het summum voor de liefhebber is zeker de Sahara-uitvoering van de 2CV, die zowel voor als achter een tweecilinder motor plus versnellingsbak heeft. Geschakeld wordt door één gemeenschappelijke pook, maar rijden kan men met één van de motoren of met allebei. Opvallend is de tankvuldop in de bijrijdersdeur. De woestijnrat werd in zijn redelijk lange productietijd mondjesmaat verkocht. Nummer 694 werd in 1971 gebouwd. Onder Eenden-liefhebbers een voor velen onvervulbare droom.

Aantal cilinders: 2 + 2	
Cilinderinhoud in cm³: 2 x 425	
Vermogen: 1 x 12, 2 x 16,5	
Topsnelheid in km/uur: 100-105	
Carrosserie/Chassis: dragend/chassis	
Uitvoering: sedan	
Productiejaren: 1958-1966	
Productie-aantal: 694	
In NL: n.b.	
Prijzen:	A: 5.000 B: 12.000 C: 18.000

CITROËN BIJOU

In Slough (GB) bouwde Citroën de 2CV ook, maar de Britten wilden er maar moeilijk aan. Een flink aantal chassis bleef over en men besloot er een coupeetje op te bouwen. De kunststofcarrosserie kreeg ook wat elementen van de grote DS mee. Het resultaat was vanwege het grotere gewicht een nogal traag wagentje dat op geen enkele manier indruk kon maken. Op de krappe achterbank konden hooguit twee kinderen mee. Na ruim tweehonderd stuks in vijf jaar stopte men ermee. Tegenwoordig geliefd onder Citroën 2CV-freaks. Enkele cabrio's bekend.

Aantal cilinders: 2	
Cilinderinhoud in cm³: 425	
Vermogen: 12/3500-18/5000	
Topsnelheid in km/uur: 100	
Carrosserie/Chassis: dragend/chassis	
Uitvoering: coupé	
Productiejaren: 1959-1964	
Productie-aantal: 207	
In NL: 5	
Prijzen:	A: 2.000 B: 4.000 C: 6.000

CITROËN DS 19 & 21 1955-1967

In 1955 verscheen de waarschijnlijk meest sensationele auto die de wereld na de oorlog te zien gekregen heeft: de DS 19. In de DS, alias Snoek, was alles anders dan men gewend geweest was. Technisch bood de wagen interessante details zoals een geheel nieuw veersysteem op basis van olie en gas. Toen de DS na twee decennia uit productie genomen werd, was het nog steeds een moderne auto. Vanaf 1964 waren er extra luxe versies onder de naam Pallas. De meeste exemplaren hebben een halfautomaat.

Aantal cilinders: 4	
Cilinderinhoud: 1911, 1985 en 2175	
Vermogen: 63/4500 tot 109/5250	
Topsnelheid in km/uur: 135-178	
Carrosserie/Chassis: zelfdragend met bodemliggers	
Uitvoering: sedan	
Productiejaren: 1955-1967	
Productie-aantal:1.360.462 (sedans)	
In NL: 600	
Prijzen:	A: 2.000 B: 5.900 C: 10.000

CITROËN DS BERLINE 1967-1975

Nadat men in 1966 van de 'rode' hydraulische olie op de 'groene' was overgegaan, kwam de eerste grote uiterlijke wijziging in september 1967. De koplampen zaten voortaan achter een ruitje. Op sommige typen draaiden de binnenste lampen met het stuur mee en dat baarde alom veel opzien. De typen evolueerden via de DS 20 en DS 21 tot DS 23, waarbij vanaf 1970 een elektronische injectieversie leverbaar was. Ook een Borg-Warner volautomaat kwam in het programma. Op 24 april 1975 zat de carrière van de Godin erop.

Aantal cilinders: 4	
Cilinderinhoud in cm³: 1985, 2175 en 2347	
Vermogen: 90/5250-141/5500	
Topsnelheid in km/uur: 165-188	
Carrosserie/Chassis: zelfdragend	
Uitvoering: sedan	
Productiejaren: 1967-1975	
Productie-aantal: zie hiervoor	
In NL: 2.300	
Prijzen:	A: 2.000 B: 5.700 C: 9.800

CITROËN DS & ID CABRIOLET

Het duurde tot 1961 voor de fabriek een DS cabriolet aan kon bieden. Deze carrosserievariant ontstond bij de Parijse carrossier Henri Chapron, die ook zelf cabrio's en coupés op DS-basis afleverde. De décapotable was een dure wagen, want hij kostte bijna het dubbele van een gewone DS. Niet meer dan 1365 open Snoeken zijn er verkocht, exclusief de door Chapron zelf geleverde speciale DS'en in cabrio-versie. Tegenwoordig worden voor de 'cabrio usine' zeer pittige prijzen gevraagd. Kijk goed uit voor latere 'onthoofdingen' of nieuw gebouwde exemplaren als u iets origineels zoekt.

Aantal cilinders: 4
Cilinderinhoud in cm³: 1911;1985 en 2175
Vermogen: 83/4000 tot 109/5250
Topsnelheid in km/uur: 135-175
Carrosserie/Chassis: zelfdragend met bodemliggers
Uitvoering: cabriolet
Productiejaren: 1961-1971
Productie-aantallen: ID: 112; DS: 1.253
In NL: 50
Prijzen: A: 13.600 B: 28.000 C: 42.000

CITROËN ID 19 1957-1967

In 1957 kwam er een goedkopere uitvoering van de DS op de markt voor de klanten die de complexe hydraulische elementen van de DS niet zo zagen zitten. Uiterlijk waren de wagens moeilijk van elkaar te onderscheiden en daarom vond men de verschillen onder de huid. De versnellingsbak moest bijvoorbeeld met de hand geschakeld worden en ook het rempedaal was 'gewoon'. Velen zoeken rijkelijk aangeklede DS'en, maar de 'kale' ID's hebben veel charme. Hier een ID van eind 1966: een 'oude neus, groen systeem'. Die tussenversie is onder liefhebbers zeer geliefd.

Aantal cilinders: 4
Cilinderinhoud in cm³: 1911 en 1985
Vermogen: 62/4000 -84/5250
Topsnelheid in km/uur: 135-170
Carrosserie/Chassis: zelfdragend met bodemliggers
Uitvoering: sedan
Productiejaren: 1957-1967
Productie-aantal: zie DS Berline
In NL: 600
Prijzen: A: 1.600 B: 4.300 C: 7.300

CITROËN ID BERLINE 1967-1975

Ook de goedkopere ID kreeg het nieuwe vooraanzien in '67. De ID 20 volgde in 1968 en weer een jaar later herdoopte men de ID's in DSpécial voor de goedkoopste versie en DSuper voor de iets completere. Vanaf 1972 was er de DSuper 5, in feite een DS 21 M met een vijfbak. Veel in ons land rijdende D-typen zijn van die laatse ID-series. Helaas worden ze soms ver-pallast – dus voorzien van een leren interieur en andere spullen van de duurdere typen. Overigens zijn die basisversies heerlijke wagens voor alledag.

Aantal cilinders: 4
Cilinderinhoud in cm³: 1985-2147
Vermogen: 84/5250-115/5750
Topsnelheid in km/uur: 158-175
Carrosserie/Chassis: zelfdragend
Uitvoering: sedan
Productiejaren: 1967-1975
Productie-aantal: zie hiervoor
In NL: 2.900
Prijzen: A: 1.800 B: 4.500 C: 7.500

CITROËN ID BREAK/FAMILIALE

De ID Break en Familiale stonden voor het eerst op de Parijse Salon van 1958, maar het duurde tot 1960 voordat de wagen ook in Nederland geïmporteerd werd. De Familiale is een echte personenwagen met zeven zitplaatsen. De andere versies beschikken over meer laadruimte. In de loop der jaren kregen deze grote stationwagens DS-elementen als het remsysteem en de motor. De evolutie van de berlines werd gevolgd, dus ook hier zijn er type-aanduidingen als 19, 20, 21 en 23. De Familiale is vrij zeldzaam.

Aantal cilinders: 4
Cilinderinhoud in cm³: 1911/1985/2175 en 2347
Vermogen: 62/4000 en 84/5250
Topsnelheid in km/uur: 135-175
Carrosserie/Chassis: zelfdragend met bodemliggers
Uitvoering: stationcar
Productiejaren: 1959-1975
Productie-aantal: 93.919
In NL: 500
Prijzen: A: 2.000 B: 6.100 C: 10.400

CITROËN AMI 6 BERLINE

In april 1961 kwam de Ami 6 als 'mooie' eend uit de fabriek. De wagen stond op het onderstel van de 2 CV, maar had een motor met iets meer inhoud. Een kenmerk voor de wagen was zijn achterruit die aan de onderkant naar binnen verzet was. Van voren herkende men hem aan zijn hoekige schijnwerpers. De meer luxueuze versie heet Club. Het waren handige en betrouwbare wagentjes, die goed verkochten. Langzamerhand krijgt de Ami wat meer aanhangers in de klassiekerscene en terecht: deze auto is een typisch relict uit de jaren zestig.

Aantal cilinders: 2
Cilinderinhoud in cm³: 602
Vermogen: 20/4500
Topsnelheid in km/uur: 105
Carrosserie/Chassis: dragend/chassis
Uitvoering: sedan
Productiejaren: 1961-1969
Productie-aantal: 483.986
In NL: 175
Prijzen: A: 700 B: 2.000 C: 3.400

CITROËN AMI 6 BREAK

De concurrentie van de Renault 4 met zijn achterklep was groot in 1963 en Citroën introduceert in '64 een Break-versie van zijn Ami 6. Een wijs besluit, aangezien die versie veel beter zou gaan verkopen dan de sedan. In sommige jaren zelfs driemaal zoveel. Vooral mensen die de typische achterruit van de Ami niet kunnen waarderen, zijn met de Break uit de brand. Als in 1969 de productie van de gewone Ami stopt, loopt die van de stationcar nog twee jaar door. Er is ook hiervan een luxe-versie met dubbele koplampen onder de naam Club verschenen.

Aantal cilinders: 2
Cilinderinhoud in cm³: 602
Vermogen: 20/4500
Topsnelheid in km/uur: 105
Carrosserie/Chassis: dragend
Uitvoering: stationcar
Productiejaren: 1964-1971
Productie-aantal: 551.880
In NL: 70
Prijzen: A: 700 B: 1.600 C: 2.700

CITROËN AMI 8

Citroën had de autotentoonstelling van Genève in 1969 uitgezocht om zijn Ami 8 aan het publiek te presenteren. De wagen had een geheel andere carrosserie dan zijn voorganger. Verdwenen was de typische achterruit en ook de grille was nieuw ontworpen. De 8 wordt door weinigen mooi gevonden en dat is niet erg verwonderlijk. De distinctieve eigenschappen die de 6 nog had, zijn weg. De Ami 8 werd als Luxe, Confort en Club aangeboden. De langere looptijd en toegenomen welvaart zorgden wel voor hogere verkoopcijfers.

Aantal cilinders: 2
Cilinderinhoud in cm³: 602
Vermogen: 32/5750
Topsnelheid in km/uur: 120
Carrosserie/Chassis: dragend/chassis
Uitvoering: sedan, stationcar en bestelwagen
Productiejaren: 1969-1979
Productie-aantal: 755.955
In NL: 195
Prijzen: A: 500 B: 1.400 C: 2.700

CITROËN AMI 8 SUPER

In 1972 levert Citroën de viercilinder GS-motor in een Ami onder de toevoeging Super. Het werd een zeer snelle rakker vanwege de lichte koets. Zo trok de wagen van 0 tot 100 in ruim 16 seconden. Bij hoge snelheden werd het lawaai voor de inzittenden fors. Na enkele jaren stopte men met de levering en daarom zijn deze super-Ami's tegenwoordig schaars. Voor mooie, originele exemplaren wordt door de ware liefhebbers goed betaald. Veel exemplaren zijn echter teloorgegaan omdat de motor te sterk was voor de lichte carrosserie.

Aantal cilinders: 4
Cilinderinhoud in cm³: 1015
Vermogen: 61/6750
Topsnelheid in km/uur: 145
Carrosserie/Chassis: dragend/chassis
Uitvoering: sedan, stationcar en bestelwagen
Productiejaren: 1972-1976
Productie-aantal: 44.820
In NL: 40
Prijzen: A: 700 B: 1.600 C: 2.900

CITROËN M 35

Citroën gaat een experiment aan met de wankelmotor en zoekt daarom 500 trouwe klanten die 30.000 km of meer per jaar willen rijden met de vanaf 1 januari 1970 geproduceerde M 35. Onder toeziend oog van de fabriek en met optimale servicemogelijkheden. Het wagentje is een van de Ami 8 afgeleide 2+2 coupé met hydraulische vering à la DS. Op de voorschermen staat 'Prototype Citroën M 35 No...' gespoten. Uiteindelijk worden er 267 gerealiseerd, waarvan er nog flink wat over zijn in handen van liefhebbers. De motoren hebben overigens een zeer korte levensduur.

Aantal cilinders: monorotor
Cilinderinhoud in cm³: 995
Vermogen: 49/5500
Topsnelheid in km/uur: 144
Carrosserie/Chassis: zelfdragend
Uitvoering: coupé
Productiejaren: 1970-1971
Productie-aantal: 267
In NL: 2
Prijzen: A: 3.200 B: 5.000 C: 7.300

CITROËN DYANE

De Dyane werd als 'Eend van de toekomst' in 1967 in het programma opgenomen. Hij zou de 2CV vervangen, maar kon het niet. De Eend overleefde zijn mooie (?) broer, want de 2CV-rijder zocht niet naar luxe. De Dyane had een roldak dat ook voor de helft geopend kon worden en zijn grote kofferklep maakte het transport van grote voorwerpen mogelijk. Vandaag de dag is de positie van de Dyane weinig veranderd: in kringen van liefhebbers van de kleinere Citroëns is voor de Dyane nog steeds een stiefmoederlijke rol weggelegd.

Aantal cilinders: 2
Cilinderinhoud in cm³: 425, 435 en 602
Vermogen: 18/4500-33/7000
Topsnelheid in km/uur: 105-115
Carrosserie/Chassis: dragend/chassis
Uitvoering: sedan
Productiejaren: 1967-1984
Productie-aantal: 1.443.583
In NL: 700
Prijzen: A: 500 B: 1.400 C: 2.300

CITROËN MÉHARI

De Méhari was de ideale strandauto en daarom vooral in het zuiden van Frankrijk erg geliefd. In Duitsland mocht de wagen niet geïmporteerd worden, aangezien de carrosserie niet geheel onbrandbaar bleek te zijn. De wagen werd aangedreven door de motor van de Dyane en werd geleverd met snel monteerbare deuren, zijruiten en een stofdak. Dat de Méhari vooral in Frankrijk ook als kleine vrachtwagen dienst deed, spreekt vanzelf. De schare Méhari-fans groeit, zowel in Frankrijk als in andere landen. Er is een 4x4-versie verschenen, waarvan er 1213 gemaakt zijn.

Aantal cilinders: 2
Cilinderinhoud in cm³: 602
Vermogen: 33/7000
Topsnelheid in km/uur: 105-115
Carrosserie/Chassis: kunststof; dragend/ chassis
Uitvoering: jeep
Productiejaren: 1968-1987
Productie-aantal: 144.953
In NL: n.b.
Prijzen: A: 1.100 B: 2.700 C: 4.500

CITROËN GS

De techniek van de revolutionaire DS toegepast op een kleine middenklasser levert in 1970 de GS op. Ruim, comfortabel, voorzien van snufjes als een futuristisch dashboard en vier schijfremmen, maar een echte Citroën. En dat betekent vooral een auto voor citrofielen en minder voor het grote publiek.
De luchtgekoelde viercilinder boxermotor is in den beginne niet probleemloos. In zijn klasse biedt de GS heel veel rijcomfort. Er komt een luxe Pallas-versie en vanaf 1972 is er een Break. In 1979 volgt de GSA, die een vijfde deur heeft. Voor oudere GS'en in Pallas-versie zijn er nu liefhebbers.

Aantal cilinders: 4
Cilinderinhoud in cm³: 1015, 1129, 1222 en 1299
Vermogen: 56/6500-65/5500
Topsnelheid in km/uur: 149-158
Carrosserie/Chassis: zelfdragend
Uitvoering: sedan en stationcar
Productiejaren: 1970-1980
Productie-aantallen: sedan: 1.347.252; stationcar: 360.005
In NL: 200
Prijzen: A: 300 B: 1.100 C: 2.000

CITROËN GS BIROTOR

Het wankel-experiment met de M 35 krijgt in 1973 een vervolg met de Birotor. De motor ontvangt de naam Comotor en deze beschikt over twee rotors. Stil en snel is deze gemodificeerde GS wel. Helaas is het benzineverbruik erg hoog en dat bevordert de verkoop (vanaf '74) zeker niet. Citroën realiseert zich al snel dat ook dit experiment niets gaat worden en er wordt dus geen nieuwe carrosserie voor ontwikkeld, zoals de bedoeling was. Na 847 wagens stopt het project. Net als de M 35 is het typisch een verzamelaarsauto, die niet gemakkelijk verkoopbaar is.

Aantal cilinders: 2 rotors
Cilinderinhoud in cm³: 1990
Vermogen: 107/6500
Topsnelheid in km/uur: 175
Carrosserie/Chassis: zelfdragend
Uitvoering: sedan
Productiejaren: 1973-1975
Productie-aantal: 847
In NL: 10
Prijzen: A: 2.300 B: 3.600 C: 6.400

CITROËN SM

In 1968 nam Citroën een groot deel van de Maserati-aandelen over en twee jaar later stond een product van dit huwelijk op de tentoonstelling te Genève. SM noemde men de wagen en dit betekende naar alle waarschijnlijkheid zoveel als Sa Majesté. De V6-motor met 2 x 2 bovenliggende nokkenassen was typisch Maserati en de rest van de wagen, zoals de vering, de stuurinrichting en de remmen, typisch Citroën. Problemen met de motor (distributieketting en koppakkingen) bezorgden deze prachtige wagen helaas al ras een slechte reputatie. In ons land zijn er 99 geleverd.

Aantal cilinders: V6
Cilinderinhoud in cm³: 2670 en 2965
Vermogen: 180/6250 en 188/5500
Topsnelheid in km/uur: 220
Carrosserie/Chassis: zelfdragend met bodemliggers
Uitvoering: coupé
Productiejaren: 1970-1975
Productie-aantal: 12.920
In NL: 160
Prijzen: A: 3.600 B: 7.700 C: 11.300

CITROEN LN & LNA

Door in de licht gewijzigde carrosserie van de Peugeot 104 coupé een tweecilinder van Citroën te bouwen, ontstond de LN. Een klein en zuinig wagentje voor mensen die geen Eend of Ami wilden. Het was een echte mengeling van de twee merken. Zo kwam het dashboard uit de 104, maar het stuur weer niet. Eind '78 kwam de LNA uit, met de 652 cc-motor van de nieuwe Visa. In de zomer van '82 volgde de 11E en 11RE met de vierpitter van de Peugeot 104. De LN werd geen echt succes; in Nederland is het wagentje tegenwoordig nog zelden te zien.

Aantal cilinders: 2 en 4
Cilinderinhoud in cm³: 602, 652 en 1124
Vermogen: 32/7000-57/6250
Topsnelheid in km/uur: 120-140
Carrosserie/Chassis: zelfdragend
Uitvoering: coach
Productiejaren: 1976-1979 en 1978-1986
Productie-aantallen: 128.611 en 225.341
In NL: n.b.
Prijzen: A: 200 B: 600 C: 1.100

CITROËN CX 1974-1985

Als opvolger voor de succesvolle DS verschijnt de CX, genoemd naar de luchtweerstandscoëfficiënt. Een auto met de vergrote lijnen van de GS en het comfort van zijn voorganger. In het begin is er de (dwarsgeplaatste) tweeliter en vanaf '75 is er een 2200-versie. Ook van de CX komt er een Pallas-uitvoering en in januari 1976 introduceert men de indrukwekkende Break (zie verderop). Inmiddels zijn er ook dieselmotoren leverbaar. Er komen steeds grotere motoren, desgewenst met injectie en turbo. Dit eerste type is momenteel sterk in opkomst.

Aantal cilinders: 4
Cilinderinhoud in cm³: 1985, 2175, 2347 en 2500
Vermogen: 70/4250-168/5000
Topsnelheid in km/uur: 155-220
Carrosserie/Chassis: zelfdragend
Uitvoering: sedan
Productiejaren: 1974-1985 (Série 1)
Productie-aantal: ca. 830.000
In NL: n.b.
Prijzen: A: 700 B: 1.800 C: 3.600

CITROËN CX BREAK 1976-1985

In januari 1976 volgt de CX Break de DS van dat model op. De wagen mist de elegantie van zijn voorganger, maar het is beslist weer een typische Citroën. De wielbasis is 25 cm langer dan die van de Berline. Aanvankelijk is er een 2000 benzine en een 2200 diesel. In oktober '76 komt de Familiale uit, met zeven zitplaatsen. De Breaks volgen de evolutie van de gewone CX'en, maar net als bij de DS verschijnt er geen Pallas-versie. Vanaf '78 bouwde Augereau ongeveer 40 verlengde, luxueuze Breaks met de naam Évasion. Vele Breaks waren echte kilometervreters en goede exemplaren zijn inmiddels schaars.

Aantal cilinders: 4
Cilinderinhoud in cm³: 1985, 2175, 2347 en 2500
Vermogen: 70/4250-168/5000
Topsnelheid in km/uur: 155-175
Carrosserie/Chassis: zelfdragend
Uitvoering: break
Productiejaren: 1976-1985
Productie-aantal: ca. 90.000
In NL: n.b.
Prijzen: A: 500 B: 1.600 C: 3.200

CITROËN CX PRESTIGE & LIMOUSINE 1976-1985

In februari 1976 bouwde Citroën op het onderstel van de CX Break een vanaf de B-stijl verlengde CX. Aldus ontstond de CX Prestige met de 2347 cc benzinemotor uit de DS 23 die net een jaar uit productie was. Hiermee bleef men de traditie trouw die ooit met de DS Prestige begonnen was. De lengte van de wagen was met 25 centimeter gegroeid en dat gaf een zee aan binnenruimte. Aan het eind van 1979 kwam er een iets minder chique dieselvariant, de CX Limousine. Het was de carrosserie van de Prestige met een 2500 dieselmotor erin. Tegenwoordig geliefde CX'en.

Aantal cilinders: 4
Cilinderinhoud in cm³: 2347 en 2500
Vermogen: 120/5500 en 75/4250
Topsnelheid in km/uur: 185 en 156
Carrosserie/Chassis: zelfdragend
Uitvoering: limousine
Productiejaren: 1976-1985 en 1979-1985
Productie-aantallen: ca. 18.000 en ca.4.500
In NL: n.b.
Prijzen: A: 1.100 B: 3.400 C: 6.800

CITROËN CX 1985-1991

In juli 1985 kwam de CX Serie 2 uit met als opvallendste noviteit kunststof bumpers in de kleur van de carrosserie. Verder was het achterscherm onderaan horizontaal en zat er een spoilertje op de achterklep. Het instrumentarium had weer conventionele meters. De typen waren voortaan 20 RE, 22 TRS, 25 RI, GTI en GTI Turbo. Ook waren er weer diesels. Vele liefhebbers prefereren het eerste model, maar een prachtige GTI van het tweede model is ook niet te versmaden. Een speciale serie was de Leader, die ook al als serie 1 verkrijgbaar was. De berline verdween in '89.

Aantal cilinders: 4
Cilinderinhoud in cm³: 1985-2500
Vermogen: 106/3250-168/5000
Topsnelheid in km/uur: 175-220
Carrosserie/Chassis: zelfdragend
Uitvoering: sedan, stationcar en limousine
Productiejaren: 1985-1991
Productie-aantal: 104.669
In NL: n.b.
Prijzen: (22 TRS) A: 350 B: 1.800 C: 3.600

CITROËN CX 25 PRESTIGE & LIMOUSINE 1985-1989

Van de CX Série 2 verschenen wederom een Prestige en een Limousine. Beide motoren hadden dezelfde inhoud. De Prestige kon vanaf '86 ook met de GTI-Turbo-motor geleverd worden, de Limousine had standaard een Turbodiesel onder de kap, die de wagens tien procent sneller maakte dan de gewone versies. Alle mogelijke luxe stond de klant tot zijn beschikking, maar lang niet alles was standaard. Voor bijvoorbeeld leer of ABS moest extra betaald worden. Er was ook weer een gepantserde versie verkrijgbaar die 680 kg meer woog en dus aangepaste vering en remmen had.

Aantal cilinders: 4
Cilinderinhoud in cm³: 2500
Vermogen: 138-168/5500 en 75-95/4250
Topsnelheid in km/uur: 200-220 en 158-175
Carrosserie/Chassis: zelfdragend
Uitvoering: limousine
Productiejaren: 1985-1989
Productie-aantal: opgenomen in aantal CX '85-'91
In NL: n.b.
Prijzen: (Prestige) A: 1.100 B: 3.900 C: 6.800

CITROËN VISA DÉCAPOTABLE

Een van de laatste typische Citroëns was de in 1978 voorgestelde Visa. Leverbaar met twee of vier cilinders werd dit praktische wagentje een succes. Of het een klassieker gaat worden, valt te betwijfelen. De bijzondere versies als de Chrono (3/82), de GTI (11/84) en de Décapotable zijn inmiddels wel geliefd. De open Visa werd in februari 1983 uitgebracht. Het was een onthoofde Visa II Super E, die in '84 11 RE ging heten. Wie goedkoop open wil rijden en vier deuren wil, moet zo'n Visa zoeken.

Aantal cilinders: 4
Cilinderinhoud in cm³: 1124
Vermogen: 57/6250
Topsnelheid in km/uur: 144
Carrosserie/Chassis: zelfdragend
Uitvoering: cabrio-limousine
Productiejaren: 1983-1986
Productie-aantal: n.b.
In NL: n.b.
Prijzen: A: 1.200 B: 2.000 C: 2.900

CITROËN VISA CHRONO

Vanwege de successen van de Visa Trophée in de sport, besloot Citroën in maart 1982 een speciale serie van duizend sport-Visa's voor de openbare weg uit te brengen onder de naam Chrono. Met de 1,4 liter motor die 93 pk leverde, moest deze Chrono in competities succes gaan boeken. Rallydashboard, voorspoiler, verbrede schermen, striping, lichtmetalen stervelgen, kortom, alles was aanwezig. In Nederland werden de laatste pas in '85 nieuw verkocht. Deze bijzondere Visa's zijn inmiddels gezochter dan de 'gewone' GTI met 115 pk, die in januari 1985 werd geïntroduceerd.

Aantal cilinders: 4
Cilinderinhoud in cm³: 1360
Vermogen: 93/5800
Topsnelheid in km/uur: 175
Carrosserie/Chassis: zelfdragend
Uitvoering: sedan
Productiejaren: 1982-1983
Productie-aantal: 1.000
In NL: n.b.
Prijzen: A: 1.200 B: 2.500 C: 3.900

CITROËN VISA MILLE PISTES 4x4

In 1983 bracht Citroën voor het verkrijgen van de homologatie in Groep B van de autosport de Visa Mille Pistes uit. Het was een vierwielaangedreven 1.360 cc Visa met in de zijstriping de woorden '4 Roues Motrices' (= 4 aangedreven wielen). Het merk startte zelfs een aparte competitie voor vrouwen om deze snelle rakker successen te laten boeken. Slechts tweehonderd stuks werden er geproduceerd en het is dan ook niet verwonderlijk dat deze Visa's tegenwoordig pittig geprijsd zijn. Buiten Frankrijk zijn ze amper bekend.

Aantal cilinders: 4
Cilinderinhoud in cm³: 1360
Vermogen: 93/5800
Topsnelheid in km/uur: 175
Carrosserie/Chassis: zelfdragend
Uitvoering: sedan
Productiejaar: 1983
Productie-aantal: 200
In NL: n.b.
Prijzen: A: 2.600 B: 4.500 C: 6.900

CITROËN BX 4 TC

Voor de autosport in Groep B ontstond eind 1985 de BX 4 TC Série 200 met vier aangedreven wielen en een turbomotor die 200 pk vermogen had. Voor de homologatie bood Citroën 200 exemplaren te koop aan, die in Trappes gebouwd werden. Een langere neus, uitgebouwde schermen en een vleugel achterop waren de meest in het oog springende uiterlijke kenmerken. Twintig stuks kregen de naam Évolution en deze bolides hadden voor de wereldkampioenschappen een motor onder de kap met niet minder dan 380 pk. Ze waren niet erg succesvol en PSA ging wat de autosport betreft verder met de Peugeot 205.

Aantal cilinders: 4
Cilinderinhoud in cm³: 2141
Vermogen: 200/n.b.
Topsnelheid in km/uur: n.b.
Carrosserie/Chassis: zelfdragend
Uitvoering: sedan
Productiejaar: 1985
Productie-aantal: 200
In NL: 0
Prijzen: A: 4.600 B: 7.500 C: 10.000

CLAN

De Clan Motor Company werd in 1971 door de 31-jarige Paul Haussauer opgericht. De elektro-ingenieur had lang bij Lotus gewerkt en wilde nu een goedkope uitvoering van de Lotus Europa op de markt brengen. De wagen kreeg een zelfdragende kunststof carrosserie en werd aangedreven door een vóór de achteras gemonteerde Hillman Imp motor. In november 1973 moest de firma het personeel ontslaan, wat het einde voor de Clan fabriek betekende.

CLAN CRUSADER

Paul Haussauer en John Frayling bouwden de Clan Crusader vanaf 1971 met een kunststof carrosserie. Toen de auto met een prijs van £ 1400,– te duur bleek (in Nederland kostte hij € 5.876,–), bood de firma de wagen ook als bouwpakket aan. De oliecrisis en belastingverhogingen nekten Clan. Ook latere pogingen om de aardige wagen weer te gaan produceren, liepen op niets uit. Het mag opvallend genoemd worden dat er ondanks het zeer geringe productie-aantal meer dan tien in Nederland rondrijden.

Aantal cilinders: 4
Cilinderinhoud in cm³: 875
Vermogen: 51/6100
Topsnelheid in km/uur: 160
Carrosserie/Chassis: kunststof/zelfdragend
Uitvoering: coupé
Productiejaren: 1971-1974
Productie-aantal: 315
In NL: 11
Prijzen: A: 1.100 B: 2.500 C: 4.100

CLÉNET

Vooral in Amerika is de neoklassieker een geliefde auto geworden: moderne techniek in een opvallende 'nostalgische' carrosserie. De Fransman Alain Jean-Marie Clénet, woonachtig in Californië en designer bij AMC, presenteerde in 1976 zijn Clénet. Na 15 maanden had Clénet al 50 mensen in dienst die de wagens met de hand opbouwden. In 1982 sloot men de poort maar opende deze weer in 1985. Daarna verwoede pogingen om door te gaan.

CLÉNET SERIES I & II

De wagens van de eerste serie hadden motor en automaat van Lincoln/Mercury, wielophanging van Ford en het geheel stond op het chassis van een Lincoln Continental Mark IV. De stoelen waren met dure materialen bekleed en het dashboard was rijkelijk van hout voorzien. Daar Clénet het plan had niet meer dan 250 stuks te bouwen, hoefde hij zijn wagen geen crashproef te laten ondergaan. In de zomer van 1979 volgde Series II met een Ford V8 en later verschenen de Series III en IV, in een oplage van 36 en 7 stuks.

Aantal cilinders: V8
Cilinderinhoud in cm³: 6590
Vermogen: 168/3800
Topsnelheid in km/uur: 200
Carrosserie/Chassis: afzonderlijk chassis
Uitvoering: cabriolet
Productiejaren: 1976-1982
Productie-aantallen: 249 en 175
In NL: n.b.
Prijzen: A: 9.100 B: 22.700 C: 34.000

CONNAUGHT

Twee Bugatti-specialisten besloten zelf een auto te bouwen. Hij moest op de openbare weg en op het circuit bruikbaar zijn. Het resultaat werd in 1948 de Connaught. Het merk zal onder kenners beter bekend zijn vanwege zijn Formule 2 en Formule 1 auto's dan om zijn sportwagens. Deze werden dan ook maar in bijzonder kleine hoeveelheden gemaakt, een paar per jaar en dan alleen op bestelling. In de jaren vijftig richtte men zich puur op de racerij.

CONNAUGHT L1, L2 & L3

Op het ingekorte chassis van een Lea Francis 14HP Sports met de mechanische delen van dezelfde herkomst was er de Connaught L1. In een kleine werkplaats in Send, Surrey, bouwen de twee firmanten het rolling chassis op, waarna het bij Leacroft in Egham van een carrosserie voorzien werd. Aanvankelijk waren er rondom half-elliptische bladveren, maar latere wagens hadden onafhankelijke voorwielophanging. Als optie was er een brandstofsysteem op basis van alcohol of een opgevoerde motor van Lea Francis met dubbele nokkenas.

Aantal cilinders: 4	
Cilinderinhoud in cm³: 1484 en 1767	
Vermogen: 98/5500-140/6000	
Topsnelheid in km/uur: 165-200	
Carrosserie/Chassis: aluminium/afzonderlijk chassis	
Uitvoering: cabriolet	
Productiejaren: 1949-1954	
Productie-aantallen: 6, 5 en 5	
In NL: n.b.	
Prijzen:	A: n.b. B: n.b. C: 45.400

CORD

Er zijn verschillende firma's geweest die de beroemde Cord 810 als replica op de markt gebracht hebben en daar de vraag naar dit model nog steeds bestaat, zal er altijd wel iemand te vinden zijn die met frisse moed opnieuw begint. De nieuwe Cord bood natuurlijk alle snufjes die een verwende liefhebber zich kon wensen en daarom behoorden een automatische versnellingsbak, gekleurd glas, stuurbekrachtiging en elektrisch bediende zijruiten tot de standaarduitrusting.

CORD 8/10 REPLICA

In 1936 verblufte Cord de automobielwereld met de Cord 810, een ontwerp van de beroemde designer Gordon M. Buehrig. Toen vooroorlogse wagens door verzamelaars gezocht werden, stond deze Cord bovenaan de verlanglijst. De vraag was zo groot dat er in 1965 een 'Cord Automobile Company' in Tulsa werd opgericht die de wagen op schaal 8:10 (vandaar zijn naam) bouwde. De auto kreeg de motor van de Chevrolet Corvair onder zijn plastic motorkap en deze luchtgekoelde zescilinder drijft de voorwielen aan. Geen volbloed klassieker dus, maar wel leuk om in te rijden.

Aantal cilinders: 6	
Cilinderinhoud in cm³: 2372 en 2684	
Vermogen: 103/4400-182/4000	
Topsnelheid in km/uur: 170-190	
Carrosserie/Chassis: afzonderlijk chassis	
Uitvoering: cabriolet	
Productiejaren: 1964-1972	
Productie-aantal: 91	
In NL: n.b.	
Prijzen:	A: 7.900 B: 11.300 C: 18.200

CROSLEY

Powel Crosley had met alles succes, behalve met zijn auto's. Al in 1907 bouwde hij een kleine wagen maar dat bleef een eenling. In 1912 probeerde hij het een tweede en in 1916 een derde maal tevergeefs. In 1939 kwamen er weer kleine auto's met zijn naam op de radiateur maar de gemiddelde Amerikaan wilde niet in een klein wagentje zitten. In 1946 was Crosley weer terug op de markt. Kort voordat Crosley in 1961 op 74- jarige leeftijd stierf, heeft hij een journalist verteld dat zijn autohobby hem meer dan drie miljoen dollar gekost heeft.

CROSLEY CC

De zakenman Powel Crosley bouwde in 1939 een kleine 5.000 auto's, maar de oorlog verhinderde de continuïteit. In '45 kwam hij met de CC met een aluminium koets en een viercilinder COBRA-motor met bovenliggende nokkenas die voor militair gebruik ontwikkeld was. Helaas vielen er in vele motoren gaten door elektrolyse en in '47 kwam er een gietijzeren blok. Vele Crosleys zijn toen al voorzien van die betere motor. Vanaf 1949 is er het model CD met een gemoderniseerde carrosserie. Voor de export heette de wagen Crosmobile om verwarring met het Engelse Crossley te voorkomen.

Aantal cilinders: 4
Cilinderinhoud in cm³: 725
Vermogen: 26,5/5400
Topsnelheid in km/uur: 96
Carrosserie/Chassis: afzonderlijk chassis
Uitvoering: coach, cabriolet en stationcar
Productiejaren: 1946-1948
Productie-aantal: 52.527
In NL: n.b.
Prijzen: A: 900 B: 2.300 C: 4.100

CROSLEY CD

Met een gemoderniseerde carrosserie verscheen voor '49 de CD als opvolger van de CC. De neus was breder met zijn grille over de hele breedte en de koplampen in de voorschermen. Crosley had zijn prijzen iets verlaagd maar desondanks stortte de verkoop ineen: van een kleine 30.000 in '48 naar nog geen 7.500 in '49, toen de bekende merken hun eerste nieuwe naoorlogse wagens voorstelden. Voor '51 kwam er weer een andere neussectie (zie foto), maar het bleef sukkelen met het merkje. Hoewel de slogan 'America's Most Needed Car' luidde, stopte de productie in juli van 1952.

Aantal cilinders: 4
Cilinderinhoud in cm³: 725
Vermogen: 26,5/5400
Topsnelheid in km/uur: 105
Carrosserie/Chassis: afzonderlijk chassis
Uitvoering: coach, stationcar en cabriolet
Productiejaren: 1949-1952
Productie-aantal: 20.414
In NL: n.b.
Prijzen: A: 900 B: 2.700 C: 4.500

CROSLEY CD HOTSHOT & SUPER SPORTS ROADSTER

Met een nieuw motorblok onder de naam CIBA (= Cast-Iron Block Assembly) verscheen de CD in 1949. Naast de coach, wagon en cabriolet bracht Crosley ook een opvallende roadster uit met losse bolle koplampen erop: de deurloze Hotshot. Een jaar later kwam de versie met deurtjes en die heette Super Sports. Ze verkochten matig, hoewel het rappe wagentjes waren. Op Sebring won het merk in '51 zelfs een snelheidsprijs. Latere Hotshots kregen ook portiertjes. Toen het doek viel in '52, was de jaarproductie teruggevallen van ruim 700 naar de helft van dat aantal. Leuk collectors item.

Aantal cilinders: 4
Cilinderinhoud in cm³: 725
Vermogen: 26,5/5400
Topsnelheid in km/uur: 145
Carrosserie/Chassis: afzonderlijk chassis
Uitvoering: roadster
Productiejaren: 1949-1952
Productie-aantal: 2.498
In NL: 1
Prijzen: A: 4.100 B: 8.200 C: 11.300

■ CUNNINGHAM

Briggs Swift Cunningham was een zoon van goeden huize die een groot deel van zijn fortuin in automobielen stak. Hij racete in Le Mans met auto's van zijn eigen merk met gemengd succes. De auto's hadden meestal een Chrysler V8-motor, maar in 1954 reed een Cunningham met een Ferrari-motor mee in Le Mans en in 1955 met een viercilinder Meyer Drake-motor. Die wagen viel voortijdig uit.

CUNNINGHAM ROADSTER

Nadat Cunningham in 1951 met een van de drie ingezette wagens als 18de in Le Mans gefinisht was, bouwde men in Florida onder de aanduiding C-2 roadsters naar model van de Le Mans-auto's. In 1952 werd een wagen vierde en de versie voor de verkoop noemde men C-4R. In 1954 volgde de C-5R, wederom met een Chrysler Hemi V8 onder de kap. De transmissie was van Siata. In '55 verscheen de laatste telg, de C-6R met een Meyer-Drake viercilinder.
Zeldzaam, duur en nooit 'in het wild' waarneembaar.

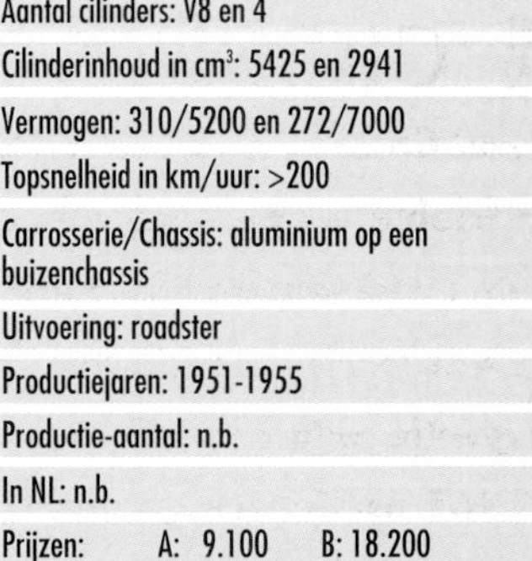

Aantal cilinders: V8 en 4
Cilinderinhoud in cm³: 5425 en 2941
Vermogen: 310/5200 en 272/7000
Topsnelheid in km/uur: >200
Carrosserie/Chassis: aluminium op een buizenchassis
Uitvoering: roadster
Productiejaren: 1951-1955
Productie-aantal: n.b.
In NL: n.b.
Prijzen: (V8) A: 9.100 B: 18.200 C: 36.300

CUNNINGHAM C3 CONTINENTAL

In 1953 besloot Cunningham een coupé te laten ontwerpen door Vignale. Deze schitterende, C-3 genoemde sportwagen had een aluminium body die ook in Italië gebouwd werd. De ovale grille sprak de ontwerpers van het merk Nash zo aan dat ze hem maar kopieerden voor hun eigen auto's. De motor was weer een Chrysler V8 maar ditmaal niet zo extreem opgepept als in de roadster. Hij kostte driemaal zoveel als een Corvette en er zijn er dan ook slechts 26 van verkocht. Zie ook de slotzin van de vorige Cunningham.

Aantal cilinders: V8
Cilinderinhoud in cm³: 5425
Vermogen: 223/4400
Topsnelheid in km/uur: 190
Carrosserie/Chassis: afzonderlijk chassis
Uitvoering: coupé (Vignale)
Productiejaren: 1953-1954
Productie-aantal: 26
In NL: n.b.
Prijzen: A: 9.100 B: 17.000 C: 34.000

DAF

Nadat de gebroeders Van Doorne een internationaal bekende naam hadden opgebouwd als fabrikanten van vrachtwagens en aanhangwagens, stortte men zich in 1958 in het personenwagenavontuur. De DAF 600 was een kleine tweedeurs wagen en ook zijn tweecilinder luchtgekoelde motor was niets bijzonders. Het geheim van de auto was echter de versnellingsbak, of beter het ontbreken daarvan, want men trof een Variomatic aan, een uitvinding van Van Doorne. Halverwege de jaren zeventig moest de naam DAF wijken voor die van Volvo.

DAF 600

Nadat de journalisten kranten vol geschreven hadden met speculaties over de nieuwe Nederlandse personenwagen, kon men de DAF 600 in februari 1958 op de RAI in Amsterdam bewonderen. Het duurde echter tot in de herfst van 1959 voordat de eerste exemplaren afgeleverd konden worden. De achterwielen van de DAF werden via de Variomatic met twee rubber riemen aangedreven en theoretisch kon men met de wagen even snel achter- als vooruit rijden. Intussen kennen de oude Dafjes een fanatieke schare aanhangers.

Aantal cilinders: 2
Cilinderinhoud in cm³: 590
Vermogen: 19/4000
Topsnelheid in km/uur: 95
Carrosserie/Chassis: zelfdragend
Uitvoering: coach en stationcar
Productiejaren: 1959-1963
Productie-aantal: 30.563
In NL: n.b.
Prijzen: A: 1.100 B: 2.900 C: 4.500

DAF 750 & DAFFODIL

Omdat de motor van de DAF 600 vooral in heuvelachtige gebieden te zwak was, ontstond de opvolger, de DAF 750 met een grotere en 7 pk sterkere motor. De luxe-uitvoering heette Daffodil en deze herkende men aan de speciale grille met de horizontale balk. In de herfst van 1963 verdween de DAF 750 en bood de fabriek alleen nog de Daffodil aan. Niemand minder dan Michelotti tekende eind 1963 de nieuwe grille en hoekiger daklijn van het tweede type Daffodil. Tevens kwam er een ander dashboard en betere stoelen. Voor 1966 gingen de neus en de koffer een stuk omhoog.

Aantal cilinders: 2
Cilinderinhoud in cm^3: 746
Vermogen: 26/4000
Topsnelheid in km/uur: 110
Carrosserie/Chassis: zelfdragend
Uitvoering: coach en stationcar
Productiejaren: 1961-1963 en 1961-1967
Productie-aantallen: 29.946 en 125.240
In NL: n.b.
Prijzen: A: 900 B: 2.700 C: 4.500

DAF 33

In 1967 ontstond uit de Daffodil de DAF 33. Op de neus zit een bredere strip met aan de linkerkant een type-aanduiding. De boxermotor leverde voortaan 28 pk, waardoor een topsnelheid van ruim 110 km mogelijk werd. Er was een nieuw dashboard en aan de rest van het interieur waren detailwijzigingen aangebracht. Goed onderhouden 33's kunnen erg lang mee. De 33 stamt natuurlijk direct van de oer-DAF af, maar de prijzen die liefhebbers er tegenwoordig voor betalen, blijven op de helft steken van die voor de drie eerste typen.

Aantal cilinders: 2
Cilinderinhoud in cm^3: 746
Vermogen: 28/4200
Topsnelheid in km/uur: 115
Carrosserie/Chassis: zelfdragend
Uitvoering: coach en stationcar
Productiejaren: 1967-1974
Productie-aantal: 131.618
In NL: n.b.
Prijzen: A: 500 B: 1.200 C: 1.800

DAF 33 PICK-UP

Voor mensen in het kleinbedrijf die niet wilden schakelen, bracht DAF in 1961 de 600 pick-up uit. De keuze uit pick-ups was in die jaren nog uiterst beperkt en daarom was dit DAFje al dan niet met huif voor menigeen een uitkomst. De pick-up was er later ook als 750 en Daffodil. Toen de 33 in '67 uitkwam, leverde men wederom dit model. Vele zijn er finaal afgereden, maar gelukkig restaureren liefhebbers de weinige overgebleven exemplaren. Sommigen denken wel eens dat deze DAF met laadbak een in eigen beheer afgezaagde stationcar is, maar dat is dus beslist niet het geval.

Aantal cilinders: 2
Cilinderinhoud in cm^3: 746
Vermogen: 28/4200
Topsnelheid in km/uur: 110
Carrosserie/Chassis: zelfdragend
Uitvoering: pick-up
Productiejaren: 1967-1971
Productie-aantal: 1.528
In NL: n.b.
Prijzen: A: 800 B: 2.200 C: 3.600

DAF 44 & 46

In het najaar van 1966 kreeg de Daffodil er een grote broer bij, de DAF 44. Hij had een 20 cm langere wielbasis en was tussen zijn bumpers 23 cm gegroeid. Michelotti had een nieuwe carrosserie voor de wagen getekend en dit was wel het grootste pluspunt dat de wagen meegekregen had. De motor was weer iets sterker geworden, maar had nog steeds twee luchtgekoelde cilinders. In 1974 verschijnt de DAF 46 met vrijwel dezelfde technische specificaties. Is soms nog in handen van oorspronkelijke eigenaren.

Aantal cilinders: 2
Cilinderinhoud in cm^3: 844
Vermogen: 34/4500
Topsnelheid in km/uur: 125
Carrosserie/Chassis: zelfdragend
Uitvoering: coach en stationcar
Productiejaren: 1966-1974 en 1974-1976
Productie-aantallen: 167.905 en 32.353
In NL: n.b.
Prijzen: A: 500 B: 1.600 C: 2.700

DAF 55

Met de DAF 55 probeerden de Eindhovenaren hun geluk in 1967 in de middenklasse. De carrosserie was nog dezelfde als van de 44 maar nu vond men een viercilinder Renault 10-motor onder de kap. Schakelen behoefde men de Variomatic nog steeds niet en daarom was de DAF 55 één van de weinige kleine auto's met een 'automatische versnellingsbak'. En niemand twijfelde nog aan deze automaat, nadat Rob Slotemaker en Rob Jansen met een DAF 55 goede zeventiende geworden waren in de zware London-Sydney Marathon 1968/69.

Aantal cilinders: 4
Cilinderinhoud in cm^3: 1108
Vermogen: 45/5000
Topsnelheid in km/uur: 135
Carrosserie/Chassis: zelfdragend
Uitvoering: coach en stationcar
Productiejaren: 1967-1972
Productie-aantal: 164.231 (alle modellen)
In NL: n.b.
Prijzen: A: 500 B: 1.000 C: 2.000

DAF 55 COUPÉ

Het duurde lang voordat DAF de naam van 'verpleegster-auto' verloor. De fabriek troostte zich moeite genoeg. Er werden rally-auto's gesponsord, er reed een Formule 3-auto met een Variomatic en er verscheen in 1968 een coupé-uitvoering van de DAF 55. Weer was de Italiaan Michelotti voor het ontwerp verantwoordelijk geweest. Officieus kon de 55 coupé ook met een Renault Alpine-motor geleverd worden. Deze zeldzame auto's beschikten dan over 125 en 140 pk al naar gelang de ingebouwde motor.

Aantal cilinders: 4
Cilinderinhoud in cm^3: 1108
Vermogen: 45/4500-140/6000
Topsnelheid in km/uur: 135-190
Carrosserie/Chassis: zelfdragend
Uitvoering: coupé
Productiejaren: 1968-1972
Productie-aantal: 21.039
In NL: n.b.
Prijzen: A: 600 B: 1.500 C: 2.500

DAF 55 MARATHON

De naam Marathon sloeg op het succes dat de DAF 55 in de tocht van Londen naar Sydney geboekt had. Nauwelijks waren die twee wagens terug uit Australië of de fabriek bood de DAF 55 Marathon aan, die een iets opgevoerde motor had met een hogere compressie, lichtmetalen wielen en verbeterde wielophangingen. Dergelijke Marathon-sets konden ook voor de DAF 44 (zonder motorwijzigingen) en voor de DAF 55 coupé geleverd worden. Ze werden dan door de dealer ingebouwd. Tegenwoordig de hoogst geprijsde DAF.

Aantal cilinders: 4
Cilinderinhoud in cm^3: 1108
Vermogen: 55/5600
Topsnelheid in km/uur: 145
Carrosserie/Chassis: zelfdragend
Uitvoering: coupé en coach
Productiejaren: 1971-1972
Productie-aantal: 10.967
In NL: n.b.
Prijzen: A: 900 B: 2.700 C: 4.300

DAF 66

Afgezien van zijn neus leek de 66 als twee druppels water op zijn voorganger, de 55, maar de geheimen zaten onder het blik. De Variomatic was van een geheel nieuw ontwerp en een dure maar prachtige De Dion achteras-constructie had de oude achteras vervangen, wat de wegligging veel verbeterde. De Renault-motor leverde 2 pk meer en ook de koppeling was nieuw, sterker en betrouwbaarder. De 66 was de laatste DAF, want toen Volvo de fabriek in 1976 overgenomen had, sprak men alleen nog maar van een Volvo 66. Ook hier Marathon-versies.

Aantal cilinders: 4
Cilinderinhoud in cm^3: 1108-1289
Vermogen: 47/5000-57/5200
Topsnelheid in km/uur: 135-145
Carrosserie/Chassis: zelfdragend
Uitvoering: coach, coupé en stationcar
Productiejaren: 1972-1976
Productie-aantal: 146.297
In NL: n.b.
Prijzen: A: 350 B: 1.100 C: 2.300

DAF 66 COUPÉ

Ook van de 66 komt er een coupé uit, aangezien de 55 met de schuin aflopende daklijn het goed had gedaan in de verkoop. De meest begeerde versie was ook hier de Marathon, tezamen met de stationcar met Marathonpakket. Vanaf 1973 was er de optie van een 1300-motor van Renault, die onder andere ook in de R10, R12 en R5 gemonteerd werd. Het was geen goedkoop Dafje, want voor de ruim dertienduizend gulden die de coupé in 1976 moet kosten, heb je ook een Triumph Spitfire 1500 of een Capri 1300 L.

Aantal cilinders: 4
Cilinderinhoud in cm^3: 1108-1289
Vermogen: 47/5000-57/5200
Topsnelheid in km/uur: 135-150
Carrosserie/Chassis: zelfdragend
Uitvoering: coupé
Productiejaren: 1972-1976
Productie-aantal: 9.003
In NL: n.b.
Prijzen: A: 700 B: 2.000 C: 3.400

DAF-HAVAS

Zijn eerste auto bouwde de Hilversummer Hans van As als dienstplichtig soldaat. Er volgden nog een paar sportwagens waarmee hij met succes over het circuit van Zandvoort boenderde voordat hij, met toestemming van de DAF-fabriek, de HAVAS strandwagens bouwde. De eerste exemplaren stonden op de bodemgroep van de DAF 33, latere wagens hadden de onderdelen van de DAF 44, 55 en 66. Toen Volvo de DAF-fabriek overnam, werd het Van As verboden verdere Havassen te bouwen. Hij moest zich toen redden met tweedehands exemplaren.

Aantal cilinders: 2 en 4
Cilinderinhoud in cm^3: 746, 844 en 1108
Vermogen: 28/4200, 34/4500 en 45/5000
Topsnelheid in km/uur: 130
Carrosserie/Chassis: zelfdragend
Uitvoering: cabriolet
Productiejaren: 1973-1976
Productie-aantal: ca. 30
In NL: n.b.
Prijzen: A: 1.400 B: 3.600 C: 5.400

DAIMLER

De firma Daimler Motor Syndicate Ltd. werd in 1893 in Coventry opgericht met het doel de Duitse Daimler-motoren in licentie te gaan bouwen. Al spoedig fabriceerde men complete auto's die o.a. door de Engelse koninklijke familie gebruikt werden. Na de oorlog probeerde men nog eens in de luxe klasse terug te komen, maar met weinig succes. De fabriek draaide met verlies en werd ten slotte in 1960 door Jaguar overgenomen. Onder het nieuwe regime ontstond o.a. de V8 250 , die niets anders was dan een Jaguar Mk II met de Daimler V8-motor. Ook de huidige Jaguar-serie is als Daimler verkrijgbaar, maar nu zit het verschil alleen nog maar in de uitvoering.

DAIMLER DE 36

In 1946 kwam Daimler alweer met personenwagens terug op de markt. Er stonden twee zescilinder motortypen ter beschikking met 2,5 en 4 liter inhoud en een achtcilinder lijnmotor met een inhoud van 5,5 liter. Deze vond men terug in de limousines die bestemd waren voor de zeer rijken van deze wereld, o.a. Koningin Wilhelmina. Voor het normale gebruik was de wagen een beetje aan de lange kant, want hij had een wielbasis van 373 en een lengte van 564 cm. De koetsen werden door Hooper, Freestone & Webb en Windover gebouwd.

Aantal cilinders: 8
Cilinderinhoud in cm³: 5460
Vermogen: 152/3600
Topsnelheid in km/uur: 140
Carrosserie/Chassis: afzonderlijk chassis
Uitvoering: sedan, limousine en cabriolet
Productiejaren: 1946-1953
Productie-aantal: 205
In NL: n.b.
Prijzen: A: 13.600 B: 22.700 C: 34.000

DAIMLER DB18 SPORTS SPECIAL EMPRESS

In juli 1946 kwamen de Daimlers van het (vooroorlogse) type DB 18 alweer van de band in Coventry. Het chassis was vrijwel onveranderd overgenomen en de 11 inch trommelremmen werden nog mechanisch bediend. In 1948 volgt de Sports Special met een dubbele carburateur. De Empress, die een carrosserie van Hooper had meegekregen, was een typisch klassiek gelijnde Engelse auto. Dit model was zo geliefd dat het, met diverse motoren bijna tien jaar in productie zou blijven.

Aantal cilinders: 6
Cilinderinhoud in cm³: 2522
Vermogen: 86/4300
Topsnelheid in km/uur: 135
Carrosserie/Chassis: afzonderlijk chassis
Uitvoering: sedan
Productiejaren: 1946-1953
Productie-aantal: 97
In NL: 2
Prijzen: A: n.b. B: n.b. C: n.b.

DAIMLER DB 18 DHC

Een open versie van de DB 18 Sports Special kwam in 1948 van de hand van carrosseriebouwer Barker. De lichtmetalen opbouw stond op het deels van essenhout vervaardigde chassis. Ondanks de dubbele carburateurs was het vermogen van 86 pk veel te weinig om de drophead coupé met ruim 1.600 kilo eigen gewicht ook maar enige sportiviteit mee te geven. Mooi was hij wel en stil ook, dus kochten ruim 500 klanten zo'n gedistingeerde Daimler. De technische evolutie liep gelijk met die van de Consort (zie verderop).

Aantal cilinders: 6
Cilinderinhoud in cm³: 2522
Vermogen: 86/4300
Topsnelheid in km/uur: 125
Carrosserie/Chassis: afzonderlijk chassis
Uitvoering: cabriolet
Productiejaren: 1948-1953
Productie-aantal: 511
In NL: n.b.
Prijzen: A: 6.800 B: 13.600 C: 20.400

DAIMLER DB 18 CONSORT

Na de oorlog bracht Daimler zijn DB 18 met 2,5 liter motor weer uit. De eerste facelift onderging de wagen in 1949 en ter onderscheiding kreeg deze de toevoeging Consort mee. De koplampen waren nu in de voorschermen opgenomen, de grille liep evenals de voorbumper gebogen en technisch waren er hydraulisch bediende remmen en een hypoïde eindoverbrenging. Er was ook een drophead coupé met een aluminium carrosserie van Barker, maar die blijft hier buiten beschouwing. De Consort is een statige wagen, maar indertijd al vrij ouderwets.

Aantal cilinders: 6
Cilinderinhoud in cm³: 2522
Vermogen: 70/4200
Topsnelheid in km/uur: 125
Carrosserie/Chassis: afzonderlijk chassis
Uitvoering: sedan
Productiejaren: 1949-1953
Productie-aantal: 4.250
In NL: n.b.
Prijzen: A: 2.300 B: 5.700 C: 9.500

DAIMLER CONQUEST ROADSTER

Daimler heeft verschillende malen geprobeerd op de sportwagenmarkt een stok tussen de deur te krijgen. Een dergelijke poging was de Conquest, een driepersoons cabriolet die in 1953 uitkwam. De auto had een aluminium carrosserie, maar woog desondanks meer dan 1200 kg. Te veel voor een echte sportwagen dus en de auto had 19,7 seconden nodig om van 0 naar 100 km/uur te accelereren. In 1956 volgt er een gemodificeerde versie onder de naam New Drophead Coupé. Ook dit werd geen verkoopsucces.

Aantal cilinders: 6
Cilinderinhoud in cm^3: 2433
Vermogen: 101/4400
Topsnelheid in km/uur: 160
Carrosserie/Chassis: afzonderlijk chassis
Uitvoering: cabriolet
Productiejaren: 1953-1957
Productie-aantal: 119
In NL: n.b.
Prijzen: A: 9.100 B: 14.700 C: 20.400

DAIMLER CONQUEST & CONQUEST CENTURY

De in 1949 verschenen Consort was niets anders dan een opgewaardeerde DB 18 en in 1953 werd dit model vervangen door de Conquest (met dezelfde carrosserie als de Lanchester 14). De nieuwe wagen was lichter en sneller. In 1956 verscheen de Conquest Mk II met kleine exterieure wijzigingen. De vierpersoons open versie heet Century DHC en deze had een 100 pk sterke motor en een deels elektrisch te bedienen dak. Vanaf '54 is die motor ook in de sedan leverbaar en zo ontstond de Conquest Century.

Aantal cilinders: 6
Cilinderinhoud in cm^3: 2433
Vermogen: 75/4000-101/4400
Topsnelheid in km/uur: 130-145
Carrosserie/Chassis: afzonderlijk chassis
Uitvoering: sedan en cabriolet
Productiejaren: 1953-1957
Productie-aantal: 9.620
In NL: 5
Prijzen: A: 2.300 B: 5.000 C: 7.700

DAIMLER SPORTSMAN

Als sportieve tegenhanger voor de zware luxe limousines ontstond de Sportsman, een Regency 2-variant. Deze '4-Light Saloon' was groot genoeg voor 4 tot 5 personen en zijn zescilinder motor sterk genoeg om de 1870 kg zware wagen naar een top van 140 km/uur te brengen. De auto kon met een handgeschakelde vierbak – de vierde was een overdrive – of met een preselector versnellingsbak geleverd worden. De versie van Hooper heette weer Empress (39 stuks). Als optie was er een 4,6 liter motor leverbaar.

Aantal cilinders: 6
Cilinderinhoud in cm^3: 3468 en 4617
Vermogen: 129/3600-167/3800
Topsnelheid in km/uur: 140-158
Carrosserie/Chassis: afzonderlijk chassis
Uitvoering: sedan
Productiejaren: 1954-1956
Productie-aantal: 69
In NL: n.b.
Prijzen: A: 4.500 B: 10.200 C: 15.900

DAIMLER SP 250

De SP 250 was Daimlers laatste poging een sportwagen te bouwen. Ditmaal lukte het beter, want in vijf jaar verkocht de SP redelijk. De bijna 200 km/uur snelle wagen had een V8-motor onder zijn kunststof motorkap en vier schijfremmen. De wagen had een paar nadelen die terug te voeren waren op het feit dat Daimler al bijna failliet was toen de wagen van de tekentafels kwam. Zo was het chassis te zwak, waardoor de carrosserie graag scheurde. De auto's die na 1961 gebouwd zijn waren beter, want toen had Jaguar deze fout hersteld.

Aantal cilinders: V8
Cilinderinhoud in cm^3: 2548
Vermogen: 140/5800
Topsnelheid in km/uur: 195
Carrosserie/Chassis: kunststof/afzonderlijk chassis
Uitvoering: cabriolet
Productiejaren: 1959-1964
Productie-aantal: 2.645
In NL: 10
Prijzen: A: 6.800 B: 15.000 C: 23.000

DAIMLER MAJESTIC

De Majestic die in 1958 met een 3,8 liter zescilinder motor uitgekomen was, was bestemd voor de eigenaar die zelf reed. Het kon een rappe wagen genoemd worden, gezien zijn vermogen en prestaties. Tot de standaarduitvoering behoorden leren bekleding, vier schijfremmen en een automatische versnellingsbak van Borg-Warner. De Majestic was ook als zevenpersoons limousine verkrijgbaar en heette met een V8-motor Majestic Major. Van die laatste zijn er 1180 geproduceerd. De limousine-versie heette DR450 en die vond 864 maal een koper.

Aantal cilinders: 6
Cilinderinhoud in cm^3: 3794
Vermogen: 147/4400
Topsnelheid in km/uur: 160
Carrosserie/Chassis: afzonderlijk chassis
Uitvoering: sedan
Productiejaren: 1958-1962
Productie-aantal: 1.490
In NL: 5
Prijzen: A: 2.900 B: 6.800 C: 10.200

DAIMLER 2½-LITRE & V8 250

Door Edward Turners V8 (ook in de SP 250 te vinden) in een Jaguar Mk II-koets te bouwen, ontstond de 2½-Litre. Deze combinatie leverde een goed verkopende Daimler op, die door velen voor een Jaguar aangezien werd. De motor met zijn kleine volume is absoluut indrukwekkend, maar waarschijnlijk toch minder betrouwbaar dan de zespitters van Jaguar zelf. De evolutie van de carrosserie werd gewoon gevolgd, maar de Daimlers zijn volgens kenners roestgevoeliger dan de Jags. Vaststaat dat ze tegenwoordig minder duur zijn. Na '67 heette de wagen V8 250.

Aantal cilinders: V8
Cilinderinhoud in cm³: 2548
Vermogen: 140/5800
Topsnelheid in km/uur: 180
Carrosserie/Chassis: zelfdragend
Uitvoering: sedan
Productiejaren: 1962-1969
Productie-aantal: 17.880
In NL: 65
Prijzen: A: 5.900 B: 12.500 C: 18.200

DAIMLER DS 420

In 1968 kwam Daimler met een nieuwe prestigeauto, de DS 420, die de 4,2 liter motor had die Jaguar in de Mk X en 420 G bouwde. Ook de overige mechanische delen stamden uit deze serie maar daarvoor was de achtpersoons carrosserie een speciale constructie van VandenPlas. De wagen bleef tot in de jaren negentig vrijwel onveranderd in productie en ze zijn dus nog regelmatig op de Engselse wegen aan te treffen. Er zit standaard een automatische versnellingsbak in. Een dure wagen om te restaureren, maar er zijn nog volop goede exemplaren te vinden. Helaas veel rechtsgestuurde modellen.

Aantal cilinders: 6
Cilinderinhoud in cm³: 4235
Vermogen: 248/5500
Topsnelheid in km/uur: 190
Carrosserie/Chassis: zelfdragend
Uitvoering: limousine
Productiejaren: 1968-1992
Productie-aantal: 5.043
In NL: n.b.
Prijzen: A: 4.600 B: 11.000 C: 17.000

DAIMLER SOVEREIGN SERIES 1

Toen de Sovereign – de 420-uitvoering met de naam Daimler – in '69 verdween, bracht Jaguar een XJ6 uit met een Daimler-naamplaatje. Natuurlijk ontbraken de typische ribbeltjes in de grille niet en deze kwamen terug op het ornament dat het kofferklepslot omringde. Het interieur en de uitrusting weken in positieve zin af van de 'gewone' Jaguars, met andere woorden: er was meer luxe, en er zat op wagens met een handgeschakelde bak standaard een overdrive. Slechts een op de vijf Sovereigns had de 2,8 aan boord. Men leverde 386 wagens met lange wielbasis af.

Aantal cilinders: 6
Cilinderinhoud in cm³: 2792 en 4235
Vermogen: 149/5750 en 186/5200
Topsnelheid in km/uur: 185 en 200
Carrosserie/Chassis: zelfdragend
Uitvoering: sedan
Productiejaren: 1969-1972
Productie-aantal: 15.141
In NL: n.b.
Prijzen: (4.2) A: 2.500 B: 6.800 C: 10.900

DAIMLER DOUBLE SIX SERIES 1

Ook van de XJ12 bracht Coventry een Daimler-versie uit. Onder de naam Double Six had die wagen weer alle distinctieve kenmerken van het merk (embleem). Vanaf september '72 kwam er een Vanden Plas bij. Als er een besteld werd (in NL: € 32.490,-), plukte men een gewone XJ12 met de lange wielbasis van de band om hem naar Vanden Plas in Londen te brengen, waar de wagen alle door de klant gewenste zaken kreeg. Vele extra's, waaronder een Everflex vinyldak, verchroomde zijstrips en mistlampen, sierden deze peperdure Daimlers. Slechts 351 kopers hapten toe.

Aantal cilinders: V12
Cilinderinhoud in cm³: 5343
Vermogen: 253/6000
Topsnelheid in km/uur: 235
Carrosserie/Chassis: zelfdragend
Uitvoering: sedan
Productiejaren: 1972-1973
Productie-aantal: 885
In NL: 3.
Prijzen: A: 4.300 B: 9.100 C: 13.600

DAIMLER SOVEREIGN SERIES 2

In de Daimler Sovereign Series 2 was de kleine motor niet langer leverbaar. De ruim 3.000 stuks die met een 2,8 liter in Series 1 waren verschenen, waren de oorzaak hiervan. De Daimler werd voor het leeuwendeel met de lange wielbasis besteld: 14.351 stuks tegenover 2.435 SWB's. In verhouding tot de Jaguars van hetzelfde model was ongeveer één op de vijf Series 2-wagens een Daimler en dat lag natuurlijk aan het feit dat een Daimler luxueuzer en dus duurder was (en is). De afgebeelde Sovereign heeft overigens een kenteken van later datum dan het bouwjaar.

Aantal cilinders: 6
Cilinderinhoud in cm³: 4235
Vermogen: 170/4500
Topsnelheid in km/uur: 200
Carrosserie/Chassis: zelfdragend
Uitvoering: sedan
Productiejaren: 1973-1979
Productie-aantal: 16.786
In NL: n.b.
Prijzen: A: 2.300 B: 6.100 C: 9.100

DAIMLER DOUBLE SIX SERIES 2

Het kon natuurlijk niet uitblijven dat van de Series 2 XJ12's er wederom een Daimler in het programma kwam. Dat terwijl de geringe V12-productie van de Series 1 niet veel hoop bood en de benzinecrisis een feit was. De klant met een dikkere beurs moest echter welkom blijven. De Daimler was beslist mooier dan de Jaguar, zeker de grille. Ook was er weer een Vanden Plas-uitvoering, later zelfs ook voor de zescilinder 4.2. Van die zeer chique Double Six kwamen er 1.726 op de weg. Helaas gold de indertijd slechte kwaliteit van het Jaguar-metaal ook voor de Daimlers.

Aantal cilinders: V12
Cilinderinhoud in cm³: 5343
Vermogen: 285/5750
Topsnelheid in km/uur: 240
Carrosserie/Chassis: zelfdragend
Uitvoering: sedan
Productiejaren: 1973-1979
Productie-aantal: 4.334
In NL: n.b.
Prijzen: A: 3.400 B: 6.800 C: 10.400

DAIMLER SOVEREIGN & DOUBLE SIX SERIES 3

Het wordt eentonig voor wie deze paragrafen achter elkaar leest, maar ook de XJ Series 3 kende een Daimler-variant. Verkrijgbaar als Sovereign (zescilinder) en Double Six (V12) en tot 1983 was er van die laatste een Vanden Plas-versie. In '83 verloor Jaguar de rechten op die naam en werden deze barok aangeklede wagens in de eigen fabriek gebouwd en niet langer in Londen. Toen de Jaguar XJ12 in '91 uit productie ging, maakte men de laatste carrosserieën op en zodoende bleef de Daimler tot november 1992 leverbaar.

Aantal cilinders: 6 en V12
Cilinderinhoud in cm³: 4235 en 5343
Vermogen: 200/5000 en 285/5750
Topsnelheid in km/uur: 205 en 235
Carrosserie/Chassis: zelfdragend
Uitvoering: sedan
Productiejaren: 1979-1987 en 1979-1992
Productie-aantallen: 22.268 en 10.029
In NL: n.b.
Prijzen: (Sov. 4.2) A: 2.500 B: 5.400 C: 8.200

DATSUN

Onder de namen DAT, Datson en Datsun zijn er in Japan al sinds 1912 personenwagens gebouwd. In 1934 nam Nissan de zaken over en sinds 1983 spreekt men in ons land van een Nissan auto als men een Datsun bedoelt. Het duurde lang voordat Datsun voor ons interessante auto's begon te maken. Maar ze zijn gekomen en dat is de hoofdzaak. Vooral de 240Z van '69 kent een schare liefhebbers.

DATSUN SPORTS, FAIRLADY

Onder de naam Nissan Fairlady werd de sportwagen in Japan en als Datsun Sports 1500 in Amerika bekend. De auto leek een mengsel van MGB en Fiat 1500 maar dat hinderde de Amerikaanse koper niet. Voor hem was het een goedkope sportieve wagen waar men veel plezier mee kon beleven. In Europa werd dit model minder verkocht. Maar omdat de waarde van de dollar zo verminderd is, zijn er toch nog wat van deze auto's onze kant op gekomen. De versie met tweeliter motor (optioneel) is het aardigst. Is hier niet makkelijk te verhandelen.

Aantal cilinders: 4
Cilinderinhoud in cm³: 1488, 1595 en 1982
Vermogen: 85-150
Topsnelheid in km/uur: 155-195
Carrosserie/Chassis: zelfdragend
Uitvoering: cabriolet
Productiejaren: 1961-1969
Productie-aantal: ca. 42.000
In NL: 10
Prijzen: A: 2.300 B: 5.700 C: 9.100

DATSUN CEDRIC 1966-1968

Toen Datsun in 1966 in Nederland voor het eerst auto's aanbood, verkocht het Japanse merk dat jaar 99 Bluebirds (een marktaandeel van 0,05%). Een jaar later durfde men de Sunny en de Cedric – een in 1960 geïntroduceerd type – in het leveringsprogramma voor ons land op te nemen. De Cedric van '66 was een fraaie wagen, die vooral met zescilinders interessant was. Het ontwerp was van Pinintarina. In totaal kochten 129 Nederlanders in drie jaar tijd zo'n auto, waarvan alleen de afgebeelde over is. Inmiddels in handen van een verzamelaar.

Aantal cilinders: 4 en 6
Cilinderinhoud in cm³: 1982 en 1992-1998
Vermogen: 100/5000 en 109/5200-123/5400
Topsnelheid in km/uur: 140 en 150-160
Carrosserie/Chassis: zelfdragend
Uitvoering: sedan en stationcar
Productiejaren: 1966-1968
Productie-aantal: n.b.
In NL: 1
Prijzen: A: 900 B: 3.200 C: 4.500

DATSUN 1800 & 2000 1968-1972

De opvolger van de Cedric was de 2000 van 1968, die ook met een 1,8 liter viercilinder leverbaar was. Net als de kleinere Bluebird had de wagen natuurlijk onafhankelijke voorwielophanging en schijfremmen voor. In afwijking van Europese wagens in diezelfde klasse hadden de grote Datsuns veel zaken standaard aan boord. De 2000 kostte evenveel als bijvoorbeeld een Peugeot 504, een BMW 2002 of een Ford 20M RS. In rijtests kreeg de wegligging nogal wat kritiek. Veel werden er dan ook niet verkocht. Voor sommige markten had men de naam Laurel toegevoegd.

Aantal cilinders: 4 en 6
Cilinderinhoud in cm^3: 1815 en 1998
Vermogen: 105/5600 en 115/5200
Topsnelheid in km/uur: 150 en 160
Carrosserie/Chassis: zelfdragend
Uitvoering: sedan en stationcar
Productiejaar: 1968-1972
Productie-aantal: 164.985
In NL: n.b.
Prijzen: A: 900 B: 2.300 C: 3.600

DATSUN BLUEBIRD 1967-1972

In 1959 bracht Datsun de Bluebird, een middenklasser die op de eigen markt 310 genoemd werd. Het werd een succes, want in 1962 was een Bluebird de miljoenste Nissan sedert 1934. Eind '67 kwam de vierde generatie van dat model uit. Hij was er als 1300, 1400 en 1600 en steeds met vloerschakeling en vier versnellingen. De coupé (type 510) werd in ons land niet geleverd. De Bluebird zat in dezelfde prijsklasse als zijn Europese concurrenten, maar toch kochten 3.877 Nederlanders indertijd een dergelijke Datsun.

Aantal cilinders: 4
Cilinderinhoud in cm^3: 1299-1595
Vermogen: 67/5200-96/5600
Topsnelheid in km/uur: 140-160
Carrosserie/Chassis: zelfdragend
Uitvoering: sedan en stationcar
Productiejaren: 1968-1972
Productie-aantal: n.b.
In NL: 5
Prijzen: A: 700 B: 1.800 C: 2.700

DATSUN 1000 SUNNY 1967-1970

In Tokio introduceerde Datsun/Nissan in '66 de 1000 Sunny. In nog geen vijf maanden tijd kochten 30.000 Japanners zo'n Sunny. De vlot gelijnde 1000 was in Europa voorbestemd om te concurreren met verkoopsuccessen als de Opel Kadett, Ford Escort, Simca 1000 en de Renault 10. Een enigszins opvallende lijn, de afwerking en de gunstige nieuwprijs moesten de doorslag geven, naast de betrekkelijke exclusiviteit in landen waar al heel lang een beperkt aantal grote namen de dienst uitmaakte. Sedan en coupé niet voor Nederland.

Aantal cilinders: 4
Cilinderinhoud in cm^3: 988
Vermogen: 62/6000
Topsnelheid in km/uur: 135
Carrosserie/Chassis: zelfdragend
Uitvoering: coach en stationcar
Productiejaren: 1967-1970
Productie-aantal: 435.877
In NL: 13
Prijzen: A: 600 B: 1.400 C: 2.600

DATSUN 240Z

Met deze auto lukte het Nissan op de Amerikaanse en Europese markt terrein te winnen in deze klasse. De auto had alles wat men zich kon wensen en kostte maar half zo veel als men verwachtte. Albrecht Graf Goertz (de man van de BMW 507) had de carrosserie ontworpen. Met deze coupé begon een nieuw tijdperk in de sportwereld en vele MG-, Porsche- of Triumph-verkopers moeten de dag dat de Z uit de fabriek gekomen is, vervloekt hebben. Het werd tenslotte de op dat moment best verkochte sportwagen ter wereld.

Aantal cilinders: 6
Cilinderinhoud in cm^3: 2393
Vermogen: 130/5600
Topsnelheid in km/uur: 190
Carrosserie/Chassis: zelfdragend
Uitvoering: coupé
Productiejaren: 1969-1974
Productie-aantal: 150.076
In NL: 60
Prijzen: A: 2.300 B: 5.700 C: 9.100

DATSUN 260Z

De opvolger van de 240Z was de 260Z en hij verscheen in 1974 ten tonele. En direct in twee uitvoeringen, met of zonder achterbankje. Veel had men aan de 240Z niet behoeven verbeteren en daarom leek de nieuwe wagen ook sprekend op zijn voorganger. De Amerikaanse regering had nieuwe bumpers, veiligheidsriemen en nog een paar voor hen belangrijke zaken verplicht gesteld, maar verder was alles bij het oude gebleven. Behalve onder de motorkap waar nu een grotere motor stond. De 2+2 is ongeveer een kwart minder waard.

Aantal cilinders: 6
Cilinderinhoud in cm^3: 2565
Vermogen: 126/5000
Topsnelheid in km/uur: 200
Carrosserie/Chassis: zelfdragend
Uitvoering: coupé
Productiejaren: 1973-1978
Productie-aantal: 80.369
In NL: 60
Prijzen: A: 1.400 B: 3.900 C: 6.400

DATSUN 280ZX

De 280ZX was de laatste variatie van het 240Z-thema. De carrosserie leek onveranderd, maar was het wel degelijk. De wagen was langer en breder. Comfort stond hoog in het vaandel en zo had de 280ZX allerlei accessoires in de standaarduitvoering. De motor had nu benzine-inspuiting en rondom vond men schijfremmen die aan de voorwielen geventileerd waren. In Amerika zijn er 31.701 wagens van dit type met een tweeliter-motor geleverd. De coupé met uitneembaar dakpaneel kwam pas in 1981 in Europa op de markt. De 280ZX biedt veel sportwagen voor (momenteel nog) weinig geld.

Aantal cilinders: 6
Cilinderinhoud in cm³: 2734
Vermogen: 140/5200
Topsnelheid in km/uur: 205
Carrosserie/Chassis: zelfdragend
Uitvoering: coupé en coupé m.u.d. (>'81)
Productiejaren: 1978-1983
Productie-aantal: 440.059
In NL: 80
Prijzen: A: 1.100 B: 2.700 C: 5.700

DATSUN 160B & 180B 1976-1979

De Bluebird werd in 1971 vervangen door de typen 160B en 180B. Op het onderstel van die laatste twee verscheen in 1976 de tweede generatie B's met eveneens dezelfde motoren. De tweeliter zespitter kwam nooit naar Europa. Een gewilde variant was de SSS hardtop coupé, die indertijd bijna € 9.000,– moest kosten. Het B-type droeg er toe bij dat Datsun een forse groei doormaakte: in negen jaar tijd liepen er bijna twee miljoen van de band. Inmiddels niet vaak meer te zien en toch zeer weinig waard. De enkele Datsun-adepten in de lage landen koesteren mooie overblijvers.

Aantal cilinders: 4
Cilinderinhoud in cm³: 1595 en 1770
Vermogen: 81-88/5600
Topsnelheid in km/uur: 160 en 170
Carrosserie/Chassis: zelfdragend
Uitvoering: sedan, coupé en stationcar
Productiejaren: 1976-1979
Productie-aantal: 722.923
In NL: n.b.
Prijzen: A: 200 B: 600 C: 1.150

DATSUN LAUREL 1977-1981

Al in de jaren zestig gebruikte Datsun voor sommige afzetmarkten de naam Laurel voor de grotere modellen. Vanaf 1975 verscheen de Laurel 200, die in '72 debuteerde, ook met een zescilinder motor. De opvolger ervan kwam in 1977 uit, met hetzelfde onderstel en dito techniek. De viercilinder motor was geschrapt, maar nog wel in Japan leverbaar. De grille van de Laurel deed aan een Mercedes denken. Europa bleef verstoken van de coupé- en de dieselversie, maar vanaf de zomer van '79 kregen we wel de 2,4 liter krachtbron.

Aantal cilinders: 6
Cilinderinhoud in cm³: 1998-2393
Vermogen: 97/5600-113/5200
Topsnelheid in km/uur: 165-170
Carrosserie/Chassis: zelfdragend
Uitvoering: sedan
Productiejaren: 1977-1981
Productie-aantal: 423.209
In NL: n.b.
Prijzen: A: 200 B: 600 C: 1.350

■ DAVRIAN

Davrian

Adrian Evans uit Londen bewees dat er ook in de jaren zeventig nog een markt was voor kitcars. Hij had een paar maal een roadster voor zichzelf gemaakt voordat hij de zaken professioneel aanpakte en goedkope kits begon te verkopen. De wagens bestonden uit een kunststof monocoque en de keuze aan motoren was bijna onbegrensd.

DAVRIAN IMP

Uit experimenten van Evans in 1965 ontstond de Imp. Te koop als kit maar ook compleet met Hillman Imp-techniek maar zonder wielen en motor. Vele motoren konden er ingebouwd worden. Ondanks dat werden de meeste wagens van een motor van de Hillman Imp voorzien. Een klein aantal wagens is indertijd geëxporteerd. De gesloten versie heette Demon. Vanaf 1973 wendde men motoren van de Mini en de Kever aan. Na 1976 heet het merk Darrian.

Aantal cilinders: 4
Cilinderinhoud in cm³: 875
Vermogen: 37/4800
Topsnelheid in km/uur: 170
Carrosserie/Chassis: kunststof monocoque
Uitvoering: coupé en cabriolet
Productiejaren: 1967-1972
Productie-aantal: ca. 200
In NL: 1
Prijzen: A: n.b. B: n.b. C: n.b.

DB

Charles Deutsch en René Bonnet bouwden hun eerste special in 1939 maar hadden er pas na de oorlog werkelijk plezier van. In 1945 konden ze al een paar races winnen en dit succes was een aansporing om meer auto's te gaan produceren. Ze waren opgebouwd met onderdelen van de Citroën Traction Avant maar leken uiterlijk veel op een Porsche. Toen Citroën geen onderdelen meer wilde leveren, schakelde de firma DB over op die van Panhard. Deze luchtgekoelde tweecilindermotoren waren de krachtbron in de DB sportwagens maar ook in de kleine formule-3-auto's die de firma leverde.

DB HBR 5

Na de oorlog begon men professioneel te werken en werd het merk bekend met zijn sport- en racewagens. Eén van de bekendste modellen van DB is wel de HBR 5 die in 1954 op de Parijse salon voor sensatie zorgde. Voor zijn tijd was de wagen super modern. Het gewicht van de wagen bedroeg 640 kg en de motor was een tot 850 cm³ opgeboorde Panhard Twin. De carrosserie was van glasfiber. Jammer dat het duo in 1961 stopte, want de DB is absoluut een prima sportcoupé.

Aantal cilinders: 2
Cilinderinhoud in cm³: 851 en 954
Vermogen: 58/6200-70/6000
Topsnelheid in km/uur: 155-180
Carrosserie/Chassis: kunststof op een centrale buis
Uitvoering: coupé
Productiejaren: 1955-1961
Productie-aantal: 660
In NL: n.b.
Prijzen: A: 6.800 B: 12.700 C: 18.200

DB LE MANS

Op de Salon van Genève van 1950 toonde DB zijn eerste cabriolet, die vormgegeven was door carrossier Antem. Het bleven vrij unieke creaties. Vanaf 1959 was er een echt productiemodel, de Le Mans, met een wielbasis van 240 cm in plaats van de 212 van de HBR. Dat die naam gekozen is, mag niet verwonderlijk heten, gezien de vele successen van het merk op het circuit van Le Mans. In '59 deed men met niet minder dan zeven wagens mee en won DB de toen net ingestelde prijs voor de deelnemer met het zuinigste energieverbruik. Als in '61 het duo uiteenvalt, stopt de productie van deze cabriolet.

Aantal cilinders: 2
Cilinderinhoud in cm³: 851 en 954
Vermogen: 58/6200-70/6000
Topsnelheid in km/uur: 155-180
Carrosserie/Chassis: kunststof op een centrale buis
Uitvoering: cabriolet
Productiejaren: 1959-1961
Productie-aantal: n.b.
In NL: 2
Prijzen: A: 4.500 B: 10.200 C: 13.600

DELAGE

De auto's van Louis Delage behoorden voor de oorlog tot de mooiste die in Frankrijk gemaakt werden. Er kwamen race-, sport- en gezinswagens uit de fabriek in Courbevoie aan de Seine, maar veel geld verdiende Delage met zijn auto's niet. Geen wonder dus dat zijn grootste concurrent, Emile Delahaye, zijn firma in 1935 kon opkopen. Emile Delahaye heeft Delage niet direct laten sterven, maar sloot de fabriek in Courbevoie om de productie van de Delages in zijn eigen fabriek in Parijs voort te zetten.

DELAGE D6

Als een laatste poging om de glorierijke tijden van weleer te laten herleven, kwam Delage in 1946 met de vooroorlogse D6 terug op de markt. Zoals men bij wagens in die prijsklasse gewend was, kocht de klant het liefst een rolling chassis om bij een carrossier van eigen keuze een opbouw te laten maken. Wilde men die moeite niet doen, dan kon de D6 als sedan rechtstreeks bij de fabriek met een carrosserie van Guilloré besteld worden. De afgebeelde wagen is een sedan van carrosseriehuis Autobineau. In 1954 verdween het nobele merk van de markt.

Aantal cilinders: 6
Cilinderinhoud in cm³: 2988
Vermogen: 82/4000 en 100/4500
Topsnelheid in km/uur: 130-145
Carrosserie/Chassis: afzonderlijk chassis
Uitvoering: sedan, coach en cabriolet
Productiejaren: 1946-1954
Productie-aantal: ca. 250
In NL: n.b.
Prijzen (sedan): A: 7.300 B: 13.200 C: 18.200

DELAHAYE

De producten van Emile Delahaye hadden veel overeenkomst met die van Delage. Het waren ook sportieve wagens voor de beter gestelden en ook Delahaye bouwde wagens waarmee men races kon winnen. De wagens konden het dan ook in ieder opzicht opnemen tegen die van Bugatti, Bentley of Mercedes-Benz. Maar na de oorlog was er geen plaats meer voor een kleine fabriek met peperdure auto's en daarom moest ook Delahaye in 1954 de handdoek in de ring werpen en ging de zaak over naar Hotchkiss. Onze prijsnoteringen hebben betrekking op de goedkoopste carrosserievarianten, dus veelal de coach of sedan met fabrieksbody.

DELAHAYE 135 M & MS

Deze elegante wagens waren de meest verkochte typen van Delahaye. Technisch waren ze nog van vooroorlogse constructie en een rolling chassis woog dan ook meer dan 1000 kg. De motor had één of drie carburateurs (MS) en geschakeld werd met een elektromagnetische versnellingsbak van Cotal. Kritiek ging uit naar de remmen, die voor een snelle wagen als de MS niet voldoende werking hadden. Op onze foto een carrosserie van Henri Chapron. Open 135's zijn buitengewoon duur geworden. Overigens hebben alle 135's het stuur aan de rechterkant.

Aantal cilinders: 6
Cilinderinhoud in cm³: 3557
Vermogen: 95/3200 en 135/4200
Topsnelheid in km/uur: 140-170
Carrosserie/Chassis: afzonderlijk chassis
Uitvoering: coach, coupé en cabriolet
Productiejaren: 1936-1952
Productie-aantal: ca. 2.000
In NL: 6
Prijzen: A: 11.300 B: 22.700
(coach) C: 36.300

DELAHAYE 148 L

De 148 leverde Delahaye vanaf 1936 als limousine en carrossier Henri Chapron realiseerde vanaf '38 een berline. In 1946 mocht de fabriek weer auto's bouwen en de 148 keerde terug in het program. Vele ateliers gingen aan de slag met de 148, net zoals ze voor de oorlog gewend waren geweest. In een kleine serie ging de afgebeelde berline in productie bij het carrosseriebedrijf Autobineau, een filiaal van het beroemde Letourneur & Marchand. Verder zijn er vele versies coaches, cabrio's en limousines van de 148 L verschenen.

Aantal cilinders: 6
Cilinderinhoud in cm³: 3557
Vermogen: 90/3800
Topsnelheid in km/uur: 135
Carrosserie/Chassis: afzonderlijk chassis
Uitvoering: coach, sedan, cabriolet en limousine
Productiejaren: 1946-1953
Productie-aantal: n.b.
In NL: n.b.
Prijzen: A: 7.700 B: 17.000
(sedan) C: 25.000

DELAHAYE 175, 178 & 180

De Delahaye 175 verscheen in 1947 op de tentoonstellingen met een geheel nieuw chassis en moderne wielophangingen. De motor had een grotere inhoud gekregen en de remmen werkten nu hydraulisch. De typen 178 en 180 waren indentiek aan de 175, maar hadden een langere wielbasis en een motor met 130 in plaats van 140 pk. Deze grote Delahayes werden ook door staatshoofden gereden, vooral in Noord-Afrika, waar Frankrijk enkele koloniën had. Vele carrossiers hebben deze Delahayes in hun ateliers gehad.

Aantal cilinders: 6
Cilinderinhoud in cm³: 4455
Vermogen: 130/4000-185/4000
Topsnelheid in km/uur: 160
Carrosserie/Chassis: afzonderlijk chassis
Uitvoering: coach en cabriolet
Productiejaren: 1948-1952
Productie-aantal: n.b.
In NL: n.b.
Prijzen: A: 45.400 B: 68.100
C: 90.800

DELAHAYE 235

De 235 was de laatste creatie van Delahaye. De wagen kwam in 1951 uit en was een opvolger voor de 135 MS. Weer stond de wagen op een wielbasis van 295 cm en weer had de motor drie Solex-carburateurs. De cilinderkop was echter verbeterd en daarom haalde men nu 152 pk uit de 3557 cm³. Ook de 235 kon weer als rolling chassis besteld worden, zodat het type met allerlei carrosserievarianten gevonden kan worden. Bekende carrossiers van de 235 zijn Chapron, Letourneur & Marchand, Vanden Plas en Figoni & Falaschi.

Aantal cilinders: 6
Cilinderinhoud in cm³: 3557
Vermogen: 152/4200
Topsnelheid in km/uur: 180
Carrosserie/Chassis: afzonderlijk chassis
Uitvoering: coach, coupé en cabriolet
Productiejaren: 1951-1955
Productie-aantal: 83
In NL: n.b.
Prijzen: A: 18.200 B: 34.000
C: 45.400

DELOREAN

De geschiedenis van John Zacharias DeLorean laat zich lezen als een misdaadroman met de Amerikaan als de hoofdrolspeler. In 1973 verdiende hij als vice-president bij General Motors nog een salaris van $650.000 maar hij verliet deze firma met ruzie toen het hem verboden werd een sportwagen te bouwen. Hij bouwde zijn droomauto zelf met veel geleend geld in Noord-Ierland, maar door uiteenlopende oorzaken mislukte het project al snel. In 1998 stond zijn naam weer in de vakbladen. Hij zocht geldgevers voor de bouw van een nieuwe sportwagen!

DELOREAN DMC-12

DeLorean startte met geld van de Engelse regering in Noord-Ierland een autofabriek. Van daaruit zou een vleugeldeurcoupé met ongespoten roestvrijstalen carrosserie vele harten van autofreaks moeten veroveren. Een PRV6-motor achterin de Giugiaro-koets, op een van Lotus afkomstig chassis. Na twee jaar plus een cocaïneschandaal was het avontuur voorbij. De wagens vertoonden nogal wat kinderziektes, maar inmiddels zullen die door de liefhebbers van deze bijzondere auto wel verholpen zijn. Er is sinds '99 een enthousiaste club in Nederland.

Aantal cilinders: 6
Cilinderinhoud in cm^3: 2849
Vermogen: 132/5500
Topsnelheid in km/uur: 200
Carrosserie/Chassis: r.v.s./centrale buis
Uitvoering: coupé
Productiejaren: 1981-1983
Productie-aantal: 8.583
In NL: ca. 30
Prijzen: A: 9.100 B: 13.600 C: 18.200

DENZEL

Wie wel eens in Oostenrijk geweest is, zal de naam Denzel niet onbekend zijn. Wolfgang Denzel heeft daar namelijk een imperium van garages opgebouwd dat er zijn mag en bovendien is hij importeur van bekende automerken. Voor ons is de man van belang vanwege de auto's die hij gebouwd heeft en dat waren er minstens 300. Ze hadden een zelfdragende aluminium carrosserie, waren als coupé en als cabriolet te koop en dan met verschillende motoren van VW, Porsche of – later – Fiat.

DENZEL/WD

Denzel begon zijn carrière als autofabrikant direct na de oorlog, toen hij houten carrosserieën op VW Kübelwagens bouwde. Al gauw volgden sportievere auto's, waarvoor weer de onderdelen van Volkswagen gebruikt werden. De Kever-motoren werden opgevoerd en van twee carburateurs voorzien en ook kon men de wagen met een Porsche-motor bestellen. In Europa werd de auto als Denzel aangeboden, in Amerika onder de naam WD. Inmiddels zijn de Denzels dure super-Kevers geworden.

Aantal cilinders: 4
Cilinderinhoud in cm^3: 1281 en 1488
Vermogen: 61/5400 en 85/5400
Topsnelheid in km/uur: 160 en 180
Carrosserie/Chassis: afzonderlijk chassis
Uitvoering: cabriolet
Productiejaren: 1953-1960
Productie-aantal: ca. 300
In NL: n.b.
Prijzen: A: 7.900 B: 14.700 C: 20.400

DESOTO

Evenals Plymouth en Dodge behoorde DeSoto tot het Chrysler-concern. Technisch en optisch leken de wagens erg op de Chryslers, ook als ze iets goedkoper waren. Wie in de jaren vijftig een DeSoto kocht – de firma was in 1928 door Walter Chrysler opgericht – die speelde met vuur, getuige type-aanduidingen als: Firesweep, Fireflite of Firedome. De verkoop van de DeSoto's was echter alles behalve vurig en daarom verdween het merk in 1961 van de markt.

DESOTO SUBURBAN 1946-1948

In november 1946 kwam de Suburban als een aanvulling naar boven voor de DeSoto Custom-serie op de markt. De wagen met drie banken was groot genoeg voor negen personen, die hun bagage dan nog in de grote koffer of op het dak kwijt konden. Hij was bedoeld voor hotels, vliegvelden en rijke particulieren die luxe en ruimte op prijs stelden. Het interieur is rijkelijk van houtwerk voorzien. Hij was met zijn $ 2.175 nog duurder dan de Custom Limousine van dat jaar.

Aantal cilinders: 6
Cilinderinhoud in cm³: 3858
Vermogen: 109/3600
Topsnelheid in km/uur: 125
Carrosserie/Chassis: afzonderlijk chassis
Uitvoering: sedan
Productiejaren: 1946-1948
Productie-aantal: 7.500
In NL: n.b.
Prijzen: A: 3.200 B: 7.300 C: 11.300

DESOTO DELUXE 1949-1950

'Drive a DeSoto before you decide!' adverteerde de fabriek in 1950, maar ook na een proefrit kon men maar weinig verschil met de auto's van 1949 merken. Goed, de grille was iets anders en met een liniaal kon men vaststellen dat de ruiten iets meer oppervlakte gekregen hadden. Er waren weer twee series: de DeLuxe en de Custom en beide waren met allerlei carrosserievormen verkrijgbaar en met twee verschillende wielbases. Voor Detroit was 1950 een topjaar en DeSoto deelde mee in het succes.

Aantal cilinders: 6
Cilinderinhoud in cm³: 3568
Vermogen: 113/3600
Topsnelheid in km/uur: 140
Carrosserie/Chassis: afzonderlijk chassis
Uitvoering: sedan, coupé, cabriolet en stationcar
Productiejaren: 1949-1950
Productie-aantal: 56.822
In NL: n.b.
Prijzen: A: 3.400 B: 5.700 C: 8.600

DESOTO FIREDOME 1952-1954

1952 was voor DeSoto geen best jaar. Er werden bijna één vijfde minder wagens verkocht dan het jaar ervoor en ook voor de Cranbrook als Club Coupé stonden de klanten niet in de rij. Geen wonder, want de wagen kostte $ 2.718,–. Niet meer dan 5699 coupés vonden aftrek. Het grote nieuws was dat DeSoto voor het eerst sinds 21 jaren een V8 motor kon leveren. De fabriek noemde hem FireDome 8 en deze V8 had de beste inhoud/vermogen-verhouding van de Amerikaanse productie-motoren.

Aantal cilinders: V8
Cilinderinhoud in cm³: 4524
Vermogen: 162/4400-170/4400
Topsnelheid in km/uur: 160
Carrosserie/Chassis: afzonderlijk chassis
Uitvoering: sedan, coupé, cabriolet en stationcar
Productiejaar: 1952-1954
Productie-aantal: 189.707
In NL: n.b.
Prijzen: A: 2.900 B: 6.400 C: 9.100

DESOTO FIREFLITE 1955-1956

Twee of meer kleuren was troef in de tweede helft van de jaren vijftig en zo verscheen de DeSoto Fireflite in deze combinatie in de showrooms. Van de Fireflite werden er in 1956 7.479 exemplaren als tweedeurs hardtop coupé verkocht. De fabriek bood ze aan als 2-Door Sportsman. Er was ook een vierdeurs Sportsman, maar die verkocht slecht. Het meest spectaculaire type was de Pacesetter Convertible: een cabrio in de stijl van de Indianapolis Pace car van DeSoto. Voor modeljaar 1956 verschenen er kleine vleugels achter.

Aantal cilinders: V8
Cilinderinhoud in cm³: 5328, 5594 en 5652
Vermogen: 248/4400-299/4600
Topsnelheid in km/uur: 155-180
Carrosserie/Chassis: afzonderlijk chassis
Uitvoering: sedan, coupé en cabriolet
Productiejaar: 1955-1956
Productie-aantal: 68.246
In NL: n.b.
Prijzen: A: 3.600 B: 6.100 C: 8.600

DESOTO FIRESWEEP 1957-1959

Voor 1957 was er veel nieuw aan een DeSoto: de carrosserie met haar trendy vleugelpartijen en het onderstel. De nieuwe Firesweep was de goedkoopste serie. In feite was de Firesweep een Dodge met een andere buitenkant, hij werd ook door de Dodge Division gebouwd. De overige typen waren overigens wel echte DeSoto's. Voor '58 was er een nieuwe grille, een set dubbele koplampen, andere zijstrips, meer vermogen en een convertible. Modeljaar '59 werd het laatste voor de Firesweep. Weer waren er gewijzigde voor- en zijkanten en nam het vermogen toe.

Aantal cilinders: V8
Cilinderinhoud in cm³: 5326-5916
Vermogen: 245/4400-295/4600
Topsnelheid in km/uur: 160-175
Carrosserie/Chassis: afzonderlijk chassis
Uitvoering: sedan, coupé, stationcar en cabriolet (>'58)
Productiejaren: 1957-1959
Productie-aantal: 81.517
In NL: n.b.
Prijzen: A: 4.500 B: 6.800 C: 10.000

DESOTO FIREFLITE 1960

Was de Fireflite in 1959 nog een van de duurdere DeSoto's, voor modeljaar 1960 was het de goedkoopste omdat de Firesweep en Firedome waren verdwenen. De wagen had een geheel nieuwe vormgeving gekregen op basis van de zelfdragende Chrysler-body. Ze leken ook erg op Chryslers. Er waren geen cabriolets en stationcars meer. Eigenlijk voelde iedereen al aankomen dat de dagen van DeSoto geteld waren. Alle wagens voor 1961 (3.034 stuks) werden nog in 1960 gebouwd. Het bleken de allerlaatste te zijn. Hoewel nieuw van vorm, liep de productie ervan slechts 47 dagen.

Aantal cilinders: V8
Cilinderinhoud in cm³: 5916
Vermogen: 295/4600
Topsnelheid in km/uur: 180
Carrosserie/Chassis: zelfdragend
Uitvoering: sedan en coupé
Productiejaar: 1960
Productie-aantal: 14.484
In NL: n.b.
Prijzen: (coupé) A: 3.600 B: 6.800 C: 10.000

DESOTO 1961

Zoals hierboven reeds gezegd is: DeSoto's van 1961 bestaan niet, wel van modeljaar 1961. De hier afgebeelde hardtop coupé is zeer zeldzaam, met een productie van slechts 911 stuks. De Adventurer voor '61 – het enige overgebleven type, dat ook wel met RS1-L aangeduid wordt – was een rondom herziene versie van '60 met een geknepen motor van de Fireflite van '59 onder de kap. Aldus was er 44 pk minder. Toch was de wagen in z'n geheel verouderd wat uiterlijk betreft en kopers durfden geen DeSoto-avontuur meer aan. Na 32 jaar werd de naam historie.

Aantal cilinders: V8
Cilinderinhoud in cm³: 5916
Vermogen: 265/4400
Topsnelheid in km/uur: 180
Carrosserie/Chassis: zelfdragend
Uitvoering: sedan en coupé
Productiejaar: 1960
Productie-aantal: 3.034
In NL: n.b.
Prijzen: (sedan) A: 4.500 B: 8.200 C: 11.300

DE TOMASO

Alejandro de Tomaso, een kind van goeden huize, emigreerde van Argentinië naar Italië om in Europa als coureur beroemd te worden. Het lukte niet erg, en daarom begon hij in 1957 maar met de bouw van automobielen. Hij bouwde auto's voor alle klassen tot en met Formule 1-wagens toe, maar vrijwel steeds bleven het prototypen. Financieel ondersteund door zijn Amerikaanse vrouw kocht hij automobielbedrijven, zoals Maserati, Ghia of Vignale. De Vallelunga was De Tomaso's eerste 'productie-auto' en met de Pantera werd hij de grootste onder de Italiaanse fabrikanten van exotische auto's. Wat aantallen betreft, wel te verstaan.

DE TOMASO VALLELUNGA

Op de Turijnse salon van 1963 had De Tomaso een klein hoekje gereserveerd voor zijn nieuwe creatie, de Vallelunga. Er hing een chassis en de geïnteresseerde bezoeker zag dat hier van een bijzonder ontwerp sprake kon zijn, aangezien het maar uit één centrale buis bestond. De motor was van de Engelse Ford Cortina en leverde in de De Tomaso-uitvoering 102 pk. De carrosserie van de kleine coupé was van kunststof en werd bij Ghia gemaakt. Er bestond ook een open uitvoering van de Vallelunga, maar dat was een unicum. Let op scheuren in de carrosserie.

Aantal cilinders: 4
Cilinderinhoud in cm³: 1499
Vermogen: 102/6000
Topsnelheid in km/uur: 190
Carrosserie/Chassis: kunststof op een centrale buis
Uitvoering: coupé
Productiejaren: 1963-1967
Productie-aantal: ca. 50
In NL: n.b.
Prijzen: A: 13.600 B: 27.200 C: 36.300

DE TOMASO MANGUSTA

De Tomaso heeft meestal met Ford-motoren gewerkt en zo vond men ook een dergelijke V8 in de Mangusta van 1967. De wagen was bedoeld als concurrent voor Shelby's Cobra (de mangoest is het enige dier dat niet voor een cobra bang behoeft te zijn). De Mangusta was een Vallelunga met 'alles een beetje groter en zwaarder'. Weer bestond het chassis uit een centrale balk en weer stond de motor voor de achteras. De carrosserie was grotendeels van staal en werd bij Ghia gemaakt. De designer was Giugiaro. De auto heeft een zeer beperkte binnenruimte.

Aantal cilinders: V8
Cilinderinhoud in cm³: 4778
Vermogen: 305/6000
Topsnelheid in km/uur: 240
Carrosserie/Chassis: centrale buis
Uitvoering: coupé
Productiejaren: 1966-1972
Productie-aantal: 401
In NL: n.b.
Prijzen: A: 11.300 B: 22.700 C: 34.000

DE TOMASO PANTERA

Henry Ford II had zo graag de Ferrari-fabrieken gekocht. Toen dit niet lukte stelde hij zich tevreden met De Tomaso's Pantera. De Pantera was voor het eerst in 1970 te zien. Het ontwerp was van Tom Tjaarda. Hij had toen een Ford V8-Cleveland-motor die meer dan 300 pk leverde. De vroege Pantera's hadden meer technische fouten dan een hond vlooien en het heeft Ford vermogens aan garantieclaims gekost. Dit was wel de grootste reden dat Ford er na korte tijd mee ophield de Pantera te importeren. De Pantera bleef tot 1991 te koop. Van '91 tot '95 was er de Nuova Pantera (38 stuks).

Aantal cilinders: V8
Cilinderinhoud in cm³: 5796
Vermogen: 310/5400
Topsnelheid in km/uur: 250
Carrosserie/Chassis: zelfdragend
Uitvoering: coupé
Productiejaren: 1970-1973
Productie-aantal: ca. 700
In NL: n.b.
Prijzen: A: 9.500 B: 18.200 C: 27.200

DE TOMASO PANTERA GTS

De Pantera werd in talrijke variaties gebouwd. Een bekend model is de GTS die in 1973 op de tentoonstelling van Genève werd voorgesteld. De wagen was eigenlijk voor het circuit bestemd, maar daar heeft hij nooit veel indruk gemaakt. Hij was iets lichter dan een gewone Pantera en had bredere wielen en banden, die onder uitgebouwde spatborden stonden. De motor van de GTS leverde volgens de fabriek tegen de 350 pk. In 1980 volgde de GT 5 en in 1984 nog eens de GT 5-5. De roestpreventie was inmiddels flink verbeterd.

Aantal cilinders: V8
Cilinderinhoud in cm³: 5796
Vermogen: 350/6000
Topsnelheid in km/uur: 260
Carrosserie/Chassis: zelfdragend
Uitvoering: coupé
Productiejaren: 1973-1989
Productie-aantal: ca. 6.500
In NL: n.b.
Prijzen: A: 11.300 B: 19.500 C: 29.500

DE TOMASO DEAUVILLE

In 1970 verscheen De Tomaso's eerste vierdeurs wagen. De wagen was weer door Tom Tjaarda getekend en de carrosserie kon in 1972 bij Ghia in productie gaan. De wagen had een zelfdragende carrosserie en vanzelfsprekend een Ford V8-motor, nu voorin. Het prototype had een motor met bovenliggende nokkenassen maar de productiewagens hadden de normale Ford-koppen. De Deauville had alles wat een verwende klant zich kon wensen: automatische bak, leren bekleding, airconditioning en een houten dashboard. De grote storingsgevoeligheid en roest waren echter grote vijanden.

Aantal cilinders: V8
Cilinderinhoud in cm³: 5796
Vermogen: 270/5600
Topsnelheid in km/uur: 230
Carrosserie/Chassis: zelfdragend
Uitvoering: sedan
Productiejaren: 1971-1988
Productie-aantal: 244
In NL: n.b.
Prijzen: A: 6.600 B: 13.000 C: 19.000

DE TOMASO LONGCHAMP

De Longchamp moest het opnemen tegen de Mercedes 450 SLC en BMW coupés, wat niet helemaal lukte. Tjaarda had de wagen wederom getekend en het eerste exemplaar was in 1972 in Turijn te zien. Mechanisch was de auto identiek aan de Deauville en weer waren alle snufjes en lekkernijen ingebouwd. In zijn standaardversie had de coupé een automatische bak, maar op verzoek kon ook een handgeschakelde vijfbak ingebouwd worden. Er is ook een handjevol Longchamps als cabriolet afgeleverd. Later zou deze wagen ook als Maserati Kyalami verkocht gaan worden.

Aantal cilinders: V8
Cilinderinhoud in cm³: 5796
Vermogen: 270/5600
Topsnelheid in km/uur: 230
Carrosserie/Chassis: zelfdragend
Uitvoering: coupé en cabriolet
Productiejaren: 1972-1988
Productie-aantal: 412
In NL: n.b.
Prijzen: A: 6.600 B: 14.500 C: 22.000

DIVA

Het merk Diva heeft maar een paar jaren bestaan en ook het aantal auto's dat die naam draagt is niet overweldigend. Ze zagen eruit als gemoedelijke coupés maar waren in feite niet veel anders dan racewagens die het hun tegenstanders op het circuit heel moeilijk konden maken. Op de Racing Car Show van 1965 stond de firma Diva met een nieuw model, de Valkyr, een coupé met een middenmotor, maar dit bleef een prototype.

DIVA GT

In 1962 kwam Don Sim in dienst bij Tunex Conversions in Londen voor wie hij een kleine sportwagen ontwierp. Men noemde de auto Diva GT en bood hem aan als racewagen of sportwagen voor dagelijks gebruik. In 1965 werd de firma omgedoopt in Diva Cars Ltd. Onder de plastic body stond een Fordmotor, de vier wielen waren onafhankelijk geveerd en werden afgeremd door schijfremmen. In 1964 kon een Diva GT zijn klasse winnen in de 1.000 km-race op de Nürburgring. De Diva kon ook als bouwpakket besteld worden.

Aantal cilinders: 4
Cilinderinhoud in cm³: 997-1598
Vermogen: 70/5500-140/n.b.
Topsnelheid in km/uur: 200
Carrosserie/Chassis: kunststof op een buizenchassis
Uitvoering: coupé
Productiejaren: 1962-1968
Productie-aantal: 65
In NL: n.b.
Prijzen: A: n.b. B: n.b. C: n.b.

DKW/AUTO UNION

Tussen de Wereldoorlogen had DKW een goede naam opgebouwd met zijn kleine, maar mooi afgewerkte auto's. Ze hadden voorwielaandrijving en vrijwel allemaal een tweetaktmotor. Dat men na de oorlog niet direct weer aan de slag kon, kwam doordat de fabrieken zich nu in Oost-Duitsland bevonden. Zo kon de Auto Union GmbH de productie pas in 1950 oppakken en wel in Düsseldorf. Acht jaar later, in 1958, kocht Daimler-Benz de firma op om hem in 1965 aan Volkswagen door te verkopen, die er even later Audi van maakte.

DKW MEISTERKLASSE (F89)

De eerste naoorlogse DKW had een gestroomlijnde stalen carrosserie, maar nog wel de oude tweecilinder tweetaktmotor. De driecilinder motor waar DKW later mee uit zou komen, was op papier allang klaar, maar aangezien de Russen de tekeningen niet wilden overhandigen, kwam men maar weer met de oude tweecilinder terug. De DKW-klant vond het niet erg. Hij was allang blij weer een nieuwe DKW te kunnen kopen. Wie op het model valt, doet er verstandig aan een later exemplaar met de driecilinder te zoeken.

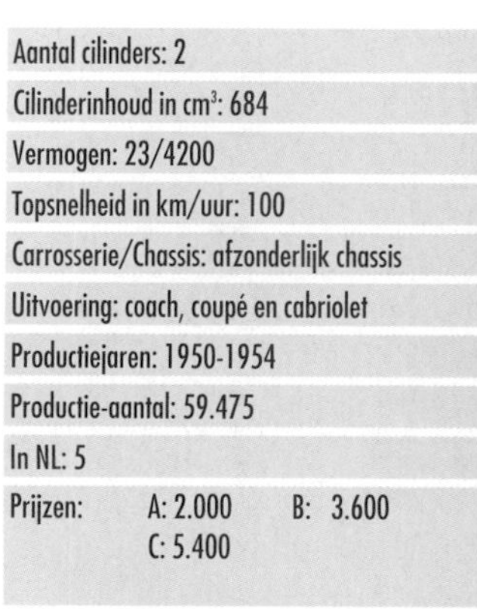

Aantal cilinders: 2
Cilinderinhoud in cm³: 684
Vermogen: 23/4200
Topsnelheid in km/uur: 100
Carrosserie/Chassis: afzonderlijk chassis
Uitvoering: coach, coupé en cabriolet
Productiejaren: 1950-1954
Productie-aantal: 59.475
In NL: 5
Prijzen: A: 2.000 B: 3.600 C: 5.400

DKW MEISTERKLASSE UNIVERSAL

Ook in Duitsland bestond een vraag naar stationcars en daarom bouwde DKW zijn uitvoeringen op het chassis van de Meisterklasse. Naar Amerikaans voorbeeld hadden de wagens van 1951 tot 1953 een gedeeltelijk houten carrosserie, maar in 1953 was deze geheel van staal. In totaal zijn er 4.285 exemplaren van de DKW Kombi gebouwd en het is duidelijk dat de houten uitvoering het meest gezocht is. De prijzen hiernaast hebben op deze typen betrekking. Er zullen niet veel overgebleven zijn.

Aantal cilinders: 2
Cilinderinhoud in cm³: 684
Vermogen: 23/4200
Topsnelheid in km/uur: 100
Carrosserie/Chassis: afzonderlijk chassis
Uitvoering: stationcar
Productiejaren: 1951-1954
Productie-aantal: 6.415
In NL: 0
Prijzen: (hout) A: 3.200 B: 5.400 C: 8.200

DKW SONDERKLASSE & LUXUS COUPÉ (F91)

In 1953 kwam DKW eindelijk met zijn lang verwachte driecilindermotor uit. Maar dat was niet het enige nieuws van 1953, er stond ook een nieuwe coupé in de showroom. De Luxus-Coupé, een tweedeurs wagen met volledig wegdraaibare zijruiten en een panoramische achterruit. In 1954 verving dit model – maar nu met normale zijruiten en in een eenvoudigere uitvoering – de coach. De stationcaruitvoering liep nog tot 1957 van de band. Een cabrioletversie van dit type is nooit verschenen.

Aantal cilinders: 3
Cilinderinhoud in cm³: 896
Vermogen: 34/4000
Topsnelheid in km/uur: 115
Carrosserie/Chassis: afzonderlijk chassis
Uitvoering: coach, coupé en stationcar
Productiejaren: 1953-1955 (stationcar tot 1957)
Productie-aantal: 55.857
In NL: 12
Prijzen: A: 2.000 B: 3.900 C: 5.900

DKW 3=6, 'GROSSER DKW' (F93/94)

In 1955 verscheen de 'Grote DKW' met meer pk's, meer luxe en vooral een 10 cm bredere carrosserie. Zoals voorheen kon men de wagen als cabriolet, als stationcar, als coach en als tweedeurs hardtop – Luxe coupé – genoemd, bestellen. Nieuw in het programma was een sedan die op dezelfde, 10 cm langere, wielbasis als de kombi stond. Opvallend was dat dit model evenals de kombi de voordeuren nog 'verkeerd' gemonteerd had. Deze twee versies heetten F94. Het summum is de vierpersoons cabriolet.

Aantal cilinders: 3
Cilinderinhoud in cm³: 896
Vermogen: 38/4200 en 40/4250
Topsnelheid in km/uur: 120-125
Carrosserie/Chassis: afzonderlijk chassis
Uitvoering: coach, sedan, coupé, stationcar en cabriolet
Productiejaren: 1955-1957 en 1957-1959
Productie-aantal: 157.330
In NL: 37
Prijzen: A: 1.400 B: 3.400 C: 5.400

DKW 1000 & 1000S

De DKW 1000, later ook Auto Union 1000 genoemd, leek sprekend op zijn voorgangers. Ook technisch was er niet veel veranderd, afgezien van het feit dat men de motorinhoud tot 1000 cm³ vergroot had. Die motor leverde in de 'S'-uitvoering niet minder dan 50 pk. Naar de mode van die tijd had de wagen een panoramische voorruit en een vertikale snelheidsmeter, in Duitsland 'koortsthermometer' genoemd. Op de IAA van 1961 verscheen de wagen met schijfremmen op de voorwielen. De cabriolet werd uit het programma genomen.

Aantal cilinders: 3
Cilinderinhoud in cm³: 981
Vermogen: 44/4500 en 50/4500
Topsnelheid in km/uur: 130-135
Carrosserie/Chassis: afzonderlijk chassis
Uitvoering: coach, sedan, coupé en stationcar
Productiejaren: 1958-1963
Productie-aantal: 171.008
In NL: 103
Prijzen: A: 1.100 B: 7.000 C: 4.500

DKW MONZA

De DKW Monza ontstond naar een idee van de coureur Günther Ahrens. Bij de firma Dannenhauser & Stauss ontstonden de eerste exemplaren met een kunststof carrosserie, maar nadat in Stuttgart 15 auto's gebouwd werden, namen de carrossiers Massholder (ca. 90 auto's) en tenslotte Wenk (ca. 50 auto's) de productie over. Toen DKW met zijn AU 1000 Sp op de markt kwam, betekende dit het einde voor de dure Monza. De meeste overgebleven exemplaren zijn in het bezit van Duitse verzamelaars.

Aantal cilinders: 3
Cilinderinhoud in cm³: 896 en 981
Vermogen: 38/4200, 40/4250 en 44/4500
Topsnelheid in km/uur: 140-150
Carrosserie/Chassis: kunststof/afzonderlijk chassis
Uitvoering: coupé
Productiejaren: 1955-1958
Productie-aantal: 155
In NL: 1
Prijzen: A: 6.800 B: 10.900 C: 14.700

DKW 1000 Sp COUPÉ

Voor velen was de 1000 Sp de mooiste wagen die destijds in Duitsland gemaakt werd. Hij was modern en met zijn panoramische voorruit en zijn kleine staartvleugeltjes leek hij op een verkleinde uitgave van de imposante Ford Thunderbird. De wagen stond in 1957 op de tentoonstelling in Frankfurt, twee jaar nadat Ford zijn T-bird had laten zien. Onder DKW-liefhebbers is de Sp-serie een gezochte wagen. De carrosserie werd bij Baur vervaardigd. Als hij indertijd niet veel te duur zou zijn geweest, had de productie wellicht een stuk hoger gelegen.

Aantal cilinders: 3
Cilinderinhoud in cm³: 981
Vermogen: 55/4500
Topsnelheid in km/uur: 140
Carrosserie/Chassis: afzonderlijk chassis
Uitvoering: coupé
Productiejaren: 1958-1965
Productie-aantal: 5.000
In NL: 13
Prijzen: A: 3.200 B: 5.900 C: 8.200

DKW 1000 Sp ROADSTER

In 1961 kwam de open uitvoering van de 1000 Sp op de markt en weer was het het Stuttgartse carrosseriebedrijf Baur geweest dat de carrosserieën voor DKW gemaakt had. Een mooi wagentje maar wat prestaties betreft, viel hij tegen. Deze open uitvoering werd niet zo veel verkocht en is dus voor de verzamelaar beduidend meer waard dan de gesloten wagen. De prijzen die voor de roadster gevraagd worden, kunnen aardig oplopen. Deze roadster wordt wel eens een mini-Thunderbird genoemd.

Aantal cilinders: 3
Cilinderinhoud in cm³: 981
Vermogen: 55/4500
Topsnelheid in km/uur: 140
Carrosserie/Chassis: afzonderlijk chassis
Uitvoering: cabriolet
Productiejaren: 1961-1965
Productie-aantal: 1.640
In NL: 12
Prijzen: A: 4.100 B: 9.100 C: 13.600

DKW JUNIOR & JUNIOR DE LUXE

Lang had de pers over een 'kleine' DKW geschreven – in 1957 had men zelfs een prototype met een tweecilinder motor laten zien – voordat de wagen in 1959 eindelijk officieel voorgesteld werd. DKW Junior doopte men de auto die nu toch met een driecilinder motor uitgekomen was. Twee jaar later, toen DKW aan Daimler-Benz behoorde, kreeg de wagen wat meer snufjes ingebouwd en sprak men van de Junior de Luxe. Vanaf 1960 was er een automatische koppeling -Saxomat-leverbaar.

Aantal cilinders: 3
Cilinderinhoud in cm³: 741 en 796
Vermogen: 30/4300 en 34/4300
Topsnelheid in km/uur: 110 en 115
Carrosserie/Chassis: afzonderlijk chassis
Uitvoering: coach
Productiejaren: 1959-1962 en 1961-1963
Productie-aantallen: 118.968 en 118.619
In NL: 31 en 18
Prijzen: A: 900 B: 2.000 C: 3.200

DKW F11, F12 & F12 ROADSTER

Als opvolger voor de DKW Junior de Luxe verscheen de DKW F12 en zijn eenvoudigere en zwakkere broer de F11. Het hoogtepunt uit deze serie was de F12 als roadster die in 1964 uitgebracht werd. De carrossserie van deze wagen werd ook bij Baur gemaakt en de wagen was een echte concurrent voor de veel duurdere AU 1000 Sp. Hij verkocht weliswaar iets beter dan die Sp, maar een klapper werd het niet. De roadster kost ongeveer het dubbele van de hiernaast vermelde prijzen.

Aantal cilinders: 3
Cilinderinhoud in cm³: 796 en 889
Vermogen: 34/4300, 40/4300 en 45/4500
Topsnelheid in km/uur: 120-130
Carrosserie/Chassis: afzonderlijk chassis
Uitvoering: coach en cabriolet
Productiejaren: 1963-1965
Productie-aantallen: 30.738 en 82.506 (incl.2794 Roadsters)
In NL: 21, 17 en 8
Prijzen: A: 700 B: 2.000 C: 3.400

DKW F102

In de geheel nieuwe F102 vond men de driecilinder tweetaktmotor voor het laatst. Deze wagen had een zelfdragende ponton-carrosserie en werd eerst met twee, later ook met vier deuren gebouwd. Met kleine uiterlijke veranderingen en een nieuwe viertaktmotor zou deze F102 tot Audi verheven worden, toen Volkswagen Auto Union overgenomen had. De verkopen van de laatste DKW vielen niet eens tegen, maar als Audi deed de wagen het toch heel wat beter. De ronde koplampen laten de DKW op afstand al herkennen. De opvallende clignoteurs verhuisden naar beneden.

Aantal cilinders: 3
Cilinderinhoud in cm³: 1175
Vermogen: 60/4500
Topsnelheid in km/uur: 135
Carrosserie/Chassis: zelfdragend
Uitvoering: coach en sedan
Productiejaren: 1964-1966
Productie-aantal: 52.753
In NL: 14
Prijzen: A: 700 B: 1.800 C: 2.900

AUTO UNION MUNGA

Jarenlang heeft geen autoliefhebber omgekeken naar de Munga (Mehrzweck-Universal-Geländefahrzeug mit Allrad-Antrieb) die veertien jaren lang bij DKW gebouwd is. Nu de vraag naar 4x4 terreinwagens zo gestegen is, komt ook de Munga weer in de belangstelling. Ontwikkeld werd de wagen voor de Duitse Bundeswehr, maar ook de politie en brandweer reden er mee, evenals een handjevol burgers die de wagen ook konden kopen. In enkele gevallen is de driecilinder tweetaktmotor door een Ford Taunus-motor vervangen.

Aantal cilinders: 3
Cilinderinhoud in cm³: 896 en 980
Vermogen: 38/4200 en 44/4500
Topsnelheid in km/uur: 95 en 100
Carrosserie/Chassis: afzonderlijk chassis
Uitvoering: jeep
Productiejaren: 1954-1957 en 1958-1968
Productie-aantal: 46.750
In NL: 59
Prijzen: A: 1.800 B: 4.500 C: 6.800

DODGE

Dodge ligt wat prijs betreft tussen Plymouth en DeSoto in het Chrysler-concern. Interessant waren die modellen die in de jaren vijftig door de topdesigner Virgil Exner getekend zijn en die dan bij carrozzeria Ghia in Turijn verwezenlijkt werden. Vanaf 1960 bouwde Dodge als één van de eerste Amerikaanse fabrieken zijn auto's met een zelfdragende carrosserie. Gezocht zijn nu ook de militaire wagens die Dodge tijdens de oorlog gebouwd heeft. Bekend en geliefd is bijvoorbeeld de Dodge Wapon Carrier, een soort vergrote jeep.

DODGE CUSTOM 1946-1948

In maart 1946 kon men bij Dodge weer een nieuwe wagen kopen. Het aanbod was direct al weer groot en liep van een driepersoons coupé tot en met een zevenpersoons sedan. Bij de afgebeelde Custom Town Sedan gingen de deuren tegenovergesteld open. De verkopen van dit type sedan waren gering in verhouding tot de gewone Custom sedan. Zoals zovele Amerikanen van net na de oorlog is het geen gewilde wagen tegenwoordig, tenzij het een cabriolet betreft.

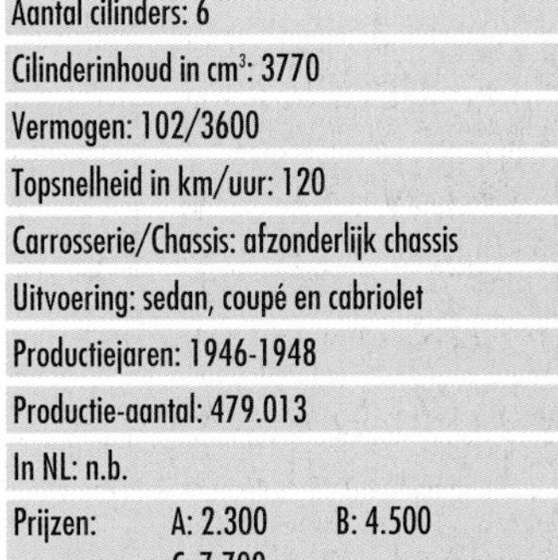

Aantal cilinders: 6
Cilinderinhoud in cm³: 3770
Vermogen: 102/3600
Topsnelheid in km/uur: 120
Carrosserie/Chassis: afzonderlijk chassis
Uitvoering: sedan, coupé en cabriolet
Productiejaren: 1946-1948
Productie-aantal: 479.013
In NL: n.b.
Prijzen: A: 2.300 B: 4.500 C: 7.700

DODGE CUSTOM CLUB COUPE

Een gezochte Dodge van direct na de oorlog is de zespersoons Custom Club Coupe. In 1946 en de twee jaren erna toen de wagen nieuw werd aangeboden, gaven de meeste klanten de voorkeur aan deze Custom Club Coupe omdat de driepersoons DeLuxe Coupe veel minder praktisch was. Vanzelfsprekend verkocht de sedan veel beter dan de coupé. In principe waren de Dodges niets anders dan opgewarmde uitgaven van het model 1942, maar wie direct na de oorlog echt een auto nodig had, was blij dat hij een nieuwe kon kopen, ouderwets of niet.

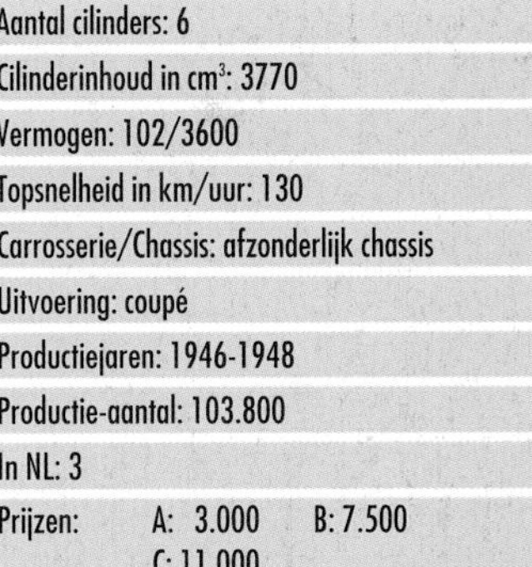

Aantal cilinders: 6
Cilinderinhoud in cm³: 3770
Vermogen: 102/3600
Topsnelheid in km/uur: 130
Carrosserie/Chassis: afzonderlijk chassis
Uitvoering: coupé
Productiejaren: 1946-1948
Productie-aantal: 103.800
In NL: 3
Prijzen: A: 3.000 B: 7.500 C: 11.000

DODGE MEADOWBROOK 1949-1950

Tussen de series Wayfarer en Coronet zat een reeks met uitsluitend sedans: de Meadowbrook. In feite was het niets meer dan een vierdeurs Wayfarer en je kunt je afvragen waarom Dodge zo ingewikkeld deed om een afzonderlijke serie voor de sedan te bedenken. De Coronet sedan kostte $80 meer en voor dat geld had je behalve de naam een iets luxueuzer interieur. Waarschijnlijk zag Dodge zelf ook in dat de gevoerde modelindeling niet erg helder was want in 1953 ging de Wayfarer-reeks op in een uitgebreide serie Meadowbrooks (vijf modellen).

Aantal cilinders: 6
Cilinderinhoud in cm³: 3770
Vermogen: 105/3600
Topsnelheid in km/uur: 140
Carrosserie/Chassis: afzonderlijk chassis
Uitvoering: sedan
Productiejaren: 1949-1950
Productie-aantal: ca. 100.000
In NL: n.b.
Prijzen: A: 3.000 B: 6.500 C: 9.500

DODGE WAYFARER 1949-1950

In februari 1949 kon Dodge eindelijk geheel nieuwe modellen aanbieden. Ze hadden wat hun uiterlijk betrof niet meer veel met de vooroorlogse wagens van doen en vonden daarom al direct een grote markt. De goedkoopste Dodge – hij kostte $ 1.611, – was in 1949 de Wayfarer als tweedeurs driepersoons coupé. Er was ook een roadster-versie van, die ruim $ 100,- meer kostte. Dat kleine prijsverschil geldt tegenwoordig niet meer, aangezien de roadster ongeveer drie maal zo duur is als de coupé. Voor 1950 was er een nieuwe grille.

Aantal cilinders: 6
Cilinderinhoud in cm³: 3770
Vermogen: 105/3600
Topsnelheid in km/uur: 140
Carrosserie/Chassis: afzonderlijk chassis
Uitvoering: coach, coupé en cabriolet
Productiejaren: 1949-1950
Productie-aantal: 139.219
In NL: n.b.
Prijzen: A: 2.700 B: 5.400 C: 8.600

DODGE CORONET CONVERTIBLE 1950

In 1950 begon men bij Dodge weer trucks te bouwen en ditmaal voor de oorlog in Korea. In tegenstelling tot 1942 hoefde de productie van de personenwagens er niet onder te lijden en zo was het aanbod niet veel kleiner dan in 1949. De wagens hadden voor 1950 een facelift gekregen en zo zag de Coronet er als cabriolet uit. Het was niet de duurste auto die Dodge kon bieden, maar hij kostte in de USA wel $ 2.329,–. De stationcars en de verlengde sedan waren duurder.

Aantal cilinders: 6
Cilinderinhoud in cm³: 3770
Vermogen: 105/3600
Topsnelheid in km/uur: 130
Carrosserie/Chassis: afzonderlijk chassis
Uitvoering: cabriolet
Productiejaar: 1950
Productie-aantal: 1.800
In NL: n.b.
Prijzen: A: 4.500 B: 9.500 C: 14.500

DODGE CUSTOM ROYAL 1955-1956

Na twee jaar met een tamelijk ouderwets ogend uiterlijk kwam Dodge voor 1955 met aantrekkelijke, geheel nieuw ontworpen wagens. Ze waren zes inches langer en daarbij breder en lager en hadden een krachtiger V8 als het een Royal of Custom Royal betrof. De verkopen waren geweldig en Dodge veranderde voor '56 vrijwel niets, afgezien van de prille vleugeltjes achterop om met de trend in Detroit mee te gaan. Nieuw dat jaar was een vierdeurs hardtop sedan. De wagens verschilden onderling sterk wat de hoeveelheid verchroomde zijstrips betreft.

Aantal cilinders: V8
Cilinderinhoud in cm³: 4424
Vermogen: 175-193/4400
Topsnelheid in km/uur: 130 en 150
Carrosserie/Chassis: afzonderlijk chassis
Uitvoering: sedan, coupé en cabriolet
Productiejaren: 1955-1956
Productie-aantal: 138.597
In NL: n.b.
Prijzen: A: 2.500 B: 4.500 C: 6.400

DODGE CORONET 1957

In het kader van de 'Forward Look' van Chrysler kreeg de Coronet van Dodge voor 1957 een geheel nieuw uiterlijk, met o.a. dubbele koplampen onder een soort wenkbrauwen. Het waren de breedste, laagste en langste Dodges uit de historie van het merk. Nieuw was ook de torsiestaafvering aan de voorzijde. De Coronet was de goedkoopste reeks van de drie die Dodge er had. Hij was er ook als hardtop-variant en in alle typen kon de klant een V8-motor bestellen. Een D500-optie omvatte een motor met 285 of 310 pk (Super D500).

Aantal cilinders: 6 en V8
Cilinderinhoud in cm³: 3767 en 5323
Vermogen: 138/4000 en 245/4400
Topsnelheid in km/uur: 160 en 175
Carrosserie/Chassis: afzonderlijk chassis
Uitvoering: coach, sedan, coupé en cabriolet
Productiejaar: 1957
Productie-aantal: 160.979
In NL: n.b.
Prijzen: A: 1.800 B: 3.900 C: 5.900

DODGE ROYAL 1957-1959

De Royals van 1957 waren ook gerestyled en o.a. voorzien van dubbele koplampen. De zeer snelle Dodge-klant kon een motor met 338 SAE pk's laten monteren. Deze extra kracht werd verkregen door de montage van een Bendix-benzine-inspuiting. Betrouwbaar was dit systeem niet en de fabriek heeft de wagens dan ook teruggeroepen om carburateurs te monteren. De cabriolet-versie van de Royal was er uitsluitend nog in 1957. De Royal was er ook, net als de andere typen van het merk, in Lancer-aankleding. Voor '58 en '59 waren er facelifts.

Aantal cilinders: V8
Cilinderinhoud in cm³: 5734 en 5907
Vermogen: 299/4600-329/4800
Topsnelheid in km/uur: 180-200
Carrosserie/Chassis: afzonderlijk chassis
Uitvoering: coach, sedan en cabriolet
Productiejaren: 1957-1959
Productie-aantal: 71.400
In NL: n.b.
Prijzen: A: 2.000 B: 4.100 C: 6.100

DODGE DART PHOENIX 1960

In 1960 verkocht Dodge 411.666 auto's. Een heleboel dus als men weet dat de productie in 1959 maar 192.798 stuks geweest was. Eén van de redenen voor deze vooruitgang was wel de Dart. Deze 'kleine' wagen had een zelfdragende carrosserie en was in drie modellen leverbaar, als Seneca, als Pioneer of Phoenix. De twee laatste hadden een V8-motor van 5,2, 5,9 of 6,3 liter inhoud en vooral met deze laatste was de Phoenix een sportwagen.

Aantal cilinders: 6 en V8
Cilinderinhoud in cm³: 3682 en 5208-6286
Vermogen: 147/4000 en 233/4400-330/4600
Topsnelheid in km/uur: 145-210
Carrosserie/Chassis: zelfdragend
Uitvoering: sedan, coupé en cabriolet
Productiejaar: 1960
Productie-aantal: 70.700
In NL: n.b.
Prijzen: A: 1.400 B: 3.200 C: 5.900

DODGE DART PHOENIX 1961

Voor 1961 ondergingen de Darts vrij ingrijpende wijzigingen aan het uiterlijk. Opvallend waren de 'omgedraaide' vleugels op de achterschermen. De grille bestond uit een groot rooster dat de wagen aan de voorzijde een nogal plomp uiterlijk verschafte. De verkoop van de Phoenix zakte dan ook vrij spectaculair in. Het toppunt van spierkracht was natuurlijk de Super Ram-tuned D500 V8, die 375 pk leverde en een top van boven de 200 mogelijk maakte. Van de afgebeelde convertible zijn er nog geen tweeduizend gebouwd.

Aantal cilinders: 6 en V8
Cilinderinhoud in cm³: 2786 en 3687; 5211-6767
Vermogen: 101/4400 en 145/4000; 230/4400-375/5000
Topsnelheid in km/uur: 140-210
Carrosserie/Chassis: zelfdragend
Uitvoering: sedan, coupé en cabriolet
Productiejaar: 1961
Productie-aantal: 37.300
In NL: n.b.
Prijzen: A: 3.600 B: 7.900
(cabrio) C: 11.300

DODGE DART 1962-1964

Na twee jaar Darts kwam er voor '62 een totaal nieuwe Dart uit die vooral door zijn nogal vreemd gesitueerde koplampen opviel (de binnenste twee lampen zaten hoger dan de ver naar buiten staande andere twee). De serie-indeling was gewijzigd: er waren de Dart, de 330 en de 440. Voor '63 (foto) waren er enkele koplampen en daarmee kreeg de Dart een heel wat acceptabeler uiterlijk. Modeljaar '63 bracht de nieuwe typen Dart 170, 270 en GT, naast de 330 en 440. Voor '64 veranderde de grille iets, maar voor de rest bleven de wagen en het programma hetzelfde als het jaar ervoor.

Aantal cilinders: 6 en V8
Cilinderinhoud in cm³: 2786 en 3687; 5211-6981
Vermogen: 101/4400 en 145/4000; 230/4400-425/5600
Topsnelheid in km/uur: 140-215
Carrosserie/Chassis: zelfdragend
Uitvoering: sedan, coupé, stationcar en cabriolet
Productiejaren: 1962-1964
Productie-aantal: ca. 355.600
In NL: n.b.
Prijzen: A: 800 B: 1.600
C: 2.500

DODGE LANCER 1961-1962

In 1961 zette Dodge een voor Amerikaanse begrippen erg kleine wagen in de showroom: de Lancer. Eigenlijk was de wagen niet veel anders dan een Plymouth Valiant. Omdat deze echter niet door de Dodge-dealers verkocht kon worden, creëerde men de Lancer, om ook deze garagehouders een 'compact' te geven. De Lancer had een wielbasis van 270 en een lengte van 478 cm en kon met twee verschillende zescilindermotoren geleverd worden.

Aantal cilinders: 6
Cilinderinhoud in cm³: 2789 en 3682
Vermogen: 102/4400 en 147/4000
Topsnelheid in km/uur: 140-160
Carrosserie/Chassis: zelfdragend
Uitvoering: coach, sedan, coupé en stationcar
Productiejaren: 1961-1962
Productie-aantal: 139.044
In NL: n.b.
Prijzen: A: 1.300 B: 2.300
C: 3.600

DODGE POLARA 500 1962

In 1960 loste de Polara het topmodel Custom Royal van '59 en de jaren ervoor af. Het uiterlijk kwam overeen met de kleinere Dodges, maar alles was iets groter en zeker de motor en het vermogen. Een jaar later was de Polara de enige grote Dodge en hij leek weer op de compacte modellen. Modeljaar 1962 bracht nieuwe Darts en de Polara van dat jaar was een super-Dart voor een meerprijs van tien procent. De afgebeelde sedan kwam pas in november '61 uit, toen de beide andere modellen er al zes weken waren. Staat bekend als een vertegenwoordiger van de 'ugly Dodge era'.

Aantal cilinders: V8
Cilinderinhoud in cm³: 5916-6883
Vermogen: 305/4800-420/5400
Topsnelheid in km/uur: 180-200
Carrosserie/Chassis: zelfdragend
Uitvoering: sedan, coupé en cabriolet
Productiejaar: 1962
Productie-aantal: 12.268
In NL: n.b.
Prijzen: A: 2.300 B: 4.600
C: 7.300

DODGE POLARA 1963

De Polara was leverbaar met een tamme zescilinder, maar slechts 2.200 kopers zagen daar wat in. Het andere uiterste was een bijna 400 pk sterke V8. De convertible was er in de gewone Polara-reeks en als Polara 500 met meer snufjes en standaard een minstens 265 pk sterke krachtbron. Wie een Polara te opzichtig vond kon de nog meer luxueuze Custom 880 aanschaffen die een wat conventionelere vormgeving meegekregen had. Omdat de zespitter in de Polara zo goed als niet geleverd is, vermelden we alleen de V8-gegevens. Het was de duurste Dodge.

Aantal cilinders: V8
Cilinderinhoud in cm³: 6286-6769
Vermogen: 265/4400-383/4800
Topsnelheid in km/uur: 190-200
Carrosserie/Chassis: zelfdragend
Uitvoering: sedan, coupé en cabriolet
Productiejaar: 1963
Productie-aantal: 39.800
In NL: n.b.
Prijzen: A: 3.200 B: 6.800
C: 9.800

DODGE POLARA CONVERTIBLE 1965-1966

Voor modeljaar 1965 onderging de Polara een complete gedaanteverandering, net als de Custom- en Monaco-series. De marketingafdeling had tot '65 de Polara als top-Dodge verkocht, maar voor '65 zou die rol door de Custom 880 vervuld gaan worden. Voor '66 was er een iets andere grille en deltavormige achterlichten. De Custom verdween dat jaar en nu was de Monaco-lijn de duurste en meest weelderige bij Dodge. De cabriolet was op de stationcar na de duurste Polara. In '66 was het de enige open full-sized Dodge. Tegenwoordig vrij zeldzaam.

Aantal cilinders: V8
Cilinderinhoud in cm³: 6276
Vermogen: 270/4400
Topsnelheid in km/uur: 180-200
Carrosserie/Chassis: zelfdragend
Uitvoering: cabriolet
Productiejaren: 1965-1966
Productie-aantal: n.b.
In NL: n.b.
Prijzen: A: 3.200 B: 6.800 C: 9.500

DODGE MONACO 1967-1968

Voor 1965 bouwde Dodge de nieuwe, fraai gelijnde Monaco coupé om de strijd met de Grand Prix van Pontiac aan te gaan. Er was volop luxe en vanwege de prijs-kwaliteitverhouding verkocht de wagen uitstekend. Een jaar later had de Monaco dezelfde carrosserie als de Polara en voegde Dodge een sedan en stationcar toe. Nieuw was ook de nog luxueuzere 500. Het jaar 1967 bracht nog langere, lagere en bredere Monaco's en in feite waren het extra aangeklede Polara's. De Monaco 500 was in '68 nog steeds de duurste Dodge.

Aantal cilinders: V8
Cilinderinhoud in cm³: 6276-7210
Vermogen: 325/4800-375/4400
Topsnelheid in km/uur: 200
Carrosserie/Chassis: zelfdragend
Uitvoering: sedan, coupé en stationcar
Productiejaren: 1967-1968
Productie-aantal: 38.400
In NL: n.b.
Prijzen: A: 2.700 B: 6.100 C: 8.200

DODGE CORONET 1965

Als tussenmodel tussen de 'kleine' en de grote Dodge verscheen in 1965 de Dodge Coronet. Die naam was in 1959 voor het laatst gebruikt. De nieuwe Coronet moest het opnemen tegen de Fairlane van Ford en de Chevelle van Chevrolet. Het lukte aardig, want al in dat eerste jaar van zijn optreden kon er een groot aantal verkocht worden. De wagens in de duurdere 500-serie hadden veel meer chroom en luxe. De V8 was in zes verschillende versies leverbaar in de Coronet. Het vermogen van de sterkste bedroeg ruim het dubbele van de tamste variant..

Aantal cilinders: 6 en V8
Cilinderinhoud in cm³: 3687 en 4474-5981
Vermogen: 145/4000 en 180/4200-365/4800
Topsnelheid in km/uur: 160 en 170-195
Carrosserie/Chassis: zelfdragend
Uitvoering: coach, sedan, station, coupé en cabriolet
Productiejaar: 1965
Productie-aantal: 209.392
In NL: n.b.
Prijzen: (coupé) A: 1.400 B: 3.600 C: 6.800

DODGE CORONET 1966-1967

De Coronet kreeg voor 1966 een geheel nieuw uiterlijk en volgens kenners zijn de modellen van '66-'67 de aantrekkelijkste Coronets uit de historie. De carrosserie was iets korter, maar ook breder geworden en bovenal zeer elegant van lijn. De drie series - Deluxe, 440 en 500 – van 1965 waren geprolongeerd en de keuze aan motoren bleef eveneens groot. Modeljaar 1967 bracht behalve kleine carrosseriewijzigingen zelfs een R/T-versie met 375 pk. Daarvan vonden er 10.181 een koper en slechts 628 exemplaren daarvan waren convertibles.

Aantal cilinders: 6 en V8
Cilinderinhoud in cm³: 3687 en 4474-7210
Vermogen: 145/4000 en 180/4200-375/4400
Topsnelheid in km/uur: 160 en 170-200
Carrosserie/Chassis: zelfdragend
Uitvoering: coach, sedan, coupé, stationcar en cabriolet
Productiejaren: 1966-1967
Productie-aantal: 430.425
In NL: n.b.
Prijzen: (V8) A: 2.100 B: 3.400 C: 4.700

DODGE CORONET 1968-1970

De Coronet van '68 was geheel nieuw ontworpen. Hij kreeg rondere lijnen en het charmante knikje boven de achterwielkast werd iets gedurfder. Een Coronet kon je kopen met een tamme 145 pk zespitter, maar er waren vele varianten in de series 440, 500 en R/T. Een minder prijzig alternatief voor die gespierde R/T was de Super Bee met een 6,2 liter blok. Voor '69 een nieuwe grille en achterlichten en voor '70 nog eens hetzelfde, zij het ingrijpender met een grille die uit twee delen bestond, gescheiden door een brede spijl.

Aantal cilinders: 6 en V8
Cilinderinhoud in cm³: 3687 en 4474-7210
Vermogen: 145/4000 en 180/4200-375/4400
Topsnelheid in km/uur: 160 en 170-200
Carrosserie/Chassis: zelfdragend
Uitvoering: sedan, coupé, stationcar en cabriolet
Productiejaren: 1968-1970
Productie-aantal: 525.394
In NL: n.b.
Prijzen: (V8) A: 2.000 B: 3.200 C: 4.500

DODGE DART GT 1965-1969

De 'top-of-the-line' onder de Dodge Darts was ook in 1967 de Dart GT. De goedkope uitvoering kostte $ 2.499,– en had een 2,8 liter zescilinder motor onder de kap, terwijl er ook een 3,7 liter variant ter beschikking stond. De dure GT kostte in gesloten versie $ 2.627,– en kwam met een V8 uit de fabriek. De Dart ziet er weinig spectaculair uit en dat zal de reden zijn dat het huidige prijsniveau zo laag ligt. De prestaties van de V8-modellen zouden echter een wat hogere waarde rechtvaardigen.

Aantal cilinders: 6 en V8
Cilinderinhoud in cm³: 4490 en 6286
Vermogen: 182/4200 en 238/5200 of 284/4200
Topsnelheid in km/uur: 175 en 200
Carrosserie/Chassis: zelfdragend
Uitvoering: coupé en cabriolet
Productiejaren: 1965-1969
Productie-aantal: 153.500
In NL: n.b.
Prijzen: A: 1.400 B: 2.700 C: 5.000

DODGE DART 1970-1972

Door een restyling van de voor- en achterzijde zagen de Darts voor 1970 er geheel anders uit. In ieder geval oogde hij brutaler door zijn ietwat schuin aflopende neus en gescheiden grille. De Swinger was geen subreeks meer, maar de benaming voor de snelste van de twee hardtop-modellen. De GT-reeks was geschrapt en de voor 1970 duurste Dart werd de in een subreeks geprogrammeerde Dart Custom, die als sedan of coupé leverbaar was. In de jaren '71 en '72 verschenen de Darts vrijwel ongewijzigd in drie series: de standaard Dart, de Swinger en de Custom. Naar keuze leverbaar met een zescilinder of een V8.

Aantal cilinders: 6 en V8
Cilinderinhoud in cm³: 3245-3687 en 5211
Vermogen: 100/4400-145/4000 en 240/4800
Topsnelheid in km/uur: 160-180
Carrosserie/Chassis: zelfdragend
Uitvoering: sedan en coupé
Productiejaren: 1970-1972
Productie-aantal: 595.353
In NL: n.b.
Prijzen: (V8) A: 1.100 B: 2.700 C: 4.100

DODGE DART 1973-1976

Wederom ontstond door het opnieuw ontwerpen van de voor- en achterkant van de Dart een nieuwe generatie wagens van dit type en het zou tevens de laatste zijn. De in '71 naast de Dart gesitueerde Demon werd voor dit modeljaar omgedoopt in Dart Sport, omdat velen moeite hadden met de naam ervan. Deze sportcoupé valt hier echter buiten het bestek. Tot en met het laatste jaar, 1976, waren er slechts detailwijzigingen aan de vorm van de Darts. Nieuw voor '74 was het topmodel Special Edition met volop luxe. De opvolger van de Dart was de Aspen.

Aantal cilinders: 6 en V8
Cilinderinhoud in cm³: 3245-3687 en 5211
Vermogen: 95/4400-105/4000 en 150-220/4000
Topsnelheid in km/uur: 160-185
Carrosserie/Chassis: zelfdragend
Uitvoering: sedan en coupé
Productiejaren: 1973-1976
Productie-aantal: 613.611
In NL: n.b.
Prijzen: (V8) A: 900 B: 2.000 C: 3.650

DODGE CHARGER R/T 1969

Voor 1969 kreeg de Dodge Charger een nieuwe grille. De wagen was nu in drie modellen te koop. De goedkoopste had een zescilinder motor en de twee duurdere een V8 als standaardkrachtbron. Het neusje van de zalm was de R/T (voor Road and Track) die in Amerika $ 3.592,– kostte en die over 375 pk bij 4600 toeren per minuut beschikte. Op verzoek kon het vermogen zelfs opgepept worden tot niet minder dan 425 pk. De wagen is in beperkte oplage geproduceerd en dat komt tot uitdrukking in de prijzen die men er nu voor betaalt.

Aantal cilinders: V8
Cilinderinhoud in cm³: 7206
Vermogen: 380/4600
Topsnelheid in km/uur: 210
Carrosserie/Chassis: zelfdragend
Uitvoering: coupé
Productiejaar: 1969
Productie-aantal: 20.100
In NL: n.b.
Prijzen: A: 3.600 B: 8.200 C: 12.700

DODGE CHALLENGER R/T 1970

Op 27 augustus 1969 stelde Dodge zijn modellen voor 1970 voor. Nieuw voor 1970 was de Challenger die het moest opnemen tegen de Chevrolet Camaro en de Ford Mustang. Ook deze wagens waren zowel met een zes- als met een achtcilinder motor te koop en ze kwamen als coupé of als cabriolet uit de fabriek. Ook van de Challenger is er een R/T-versie, die echter matig verkocht. Dat juist deze wagens nu gezocht zijn, is wel duidelijk.

Aantal cilinders: 6 en V8
Cilinderinhoud in cm³: 3682 en V8: 5210 tot 7206
Vermogen: 147/4000 en V8: 233-431/5000
Topsnelheid in km/uur: 170-230
Carrosserie/Chassis: zelfdragend
Uitvoering: coupé en cabriolet
Productiejaar: 1970
Productie-aantallen: coupé: 18.868; cabriolet: 1.070
In NL: n.b.
Prijzen: A: 3.900 B: 7.300 C: 10.900

DODGE CHALLENGER 1973-1974

Voor modeljaar 1973 was de Challenger uitsluitend met een V8-motor leverbaar. De snelle versie met de naam Rallye was verdwenen en voortaan was er nog maar één type. Afgezien van de grille was de Challenger nog steeds vrijwel gelijk aan de eersteling van 1970. Voor '74 weinig nieuws en de verkopen halveerden dat jaar. Dodge besloot met het type te stoppen en gaf de uitdagende naam Challenger later aan een in Japan gebouwde Dodge compact car. Originele wagens zijn tegenwoordig zeldzaam, aangezien ze veel vertimmerd zijn.

Aantal cilinders: V8
Cilinderinhoud in cm³: 5211-5572
Vermogen: 150/4000-240/4800
Topsnelheid in km/uur: 170-190
Carrosserie/Chassis: zelfdragend
Uitvoering: coupé
Productiejaren: 1973-1974
Productie-aantal: 49.033
In NL: n.b.
Prijzen: A: 2.700 B: 5.900 C: 9.100

DODGE ASPEN 1975-1980

In september 1975 had Dodge de Aspen als compactcar voorgesteld, leverbaar met een zes- of achtcilinder. Helaas werd het met z'n familielid Volare van Plymouth de meest teruggeroepen auto uit de geschiedenis, vanwege een armzalige afwerking en onstuitbare roestvorming. Het summum onder de Aspens was de R/T met een T-Roof, een dak dat uit twee afzonderlijk wegneembare delen bestond. De letters R en T duiden op road en track en gaven dus aan dat er ook sportief gereden kon worden. Eind '81 volgt de Aries (de zogenaamde K-car) de Aspen op.

Aantal cilinders: 6 en V8
Cilinderinhoud in cm³: 3678 en 5210-5898
Vermogen: 101/3600 en 147/4000-157/3600
Topsnelheid in km/uur: 150-185
Carrosserie/Chassis: zelfdragend
Uitvoering: sedan, coupé en stationcar
Productiejaren: 1975-1980
Productie-aantal: 958.855
In NL: n.b.
Prijzen: A: 1.000 B: 2.750 C: 5.000

EDSEL

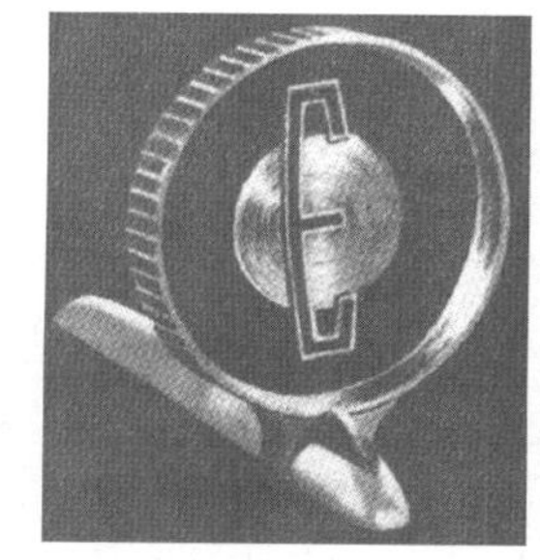

Bij Ford had men lang gerekend om tot de slotsom te komen dat de mogelijkheid bestond om in 1958 200.000 exemplaren van de nieuwe Edsel te verkopen. Men had zich vergist en toen de rekening werd opgemaakt had men er met moeite 63.110 kunnen slijten. Dat betekende een verlies van 300 miljoen dollar. De Edsel was geen slechte wagen, integendeel, maar hij kwam op een verkeerd moment, namelijk toen de doorsnee-Amerikaan naar een goedkopere wagen uitkeek en een Volkswagen bestelde. Tegenwoordig in de VS een cult-auto.

EDSEL RANGER 1958-1959

De met zeer veel tamtam aangekondigde Edsel moest het prijsgat vullen tussen de duurste Ford en de goedkoopste Mercury. De basisversie was de Ranger, gevolgd door de Pacer, Corsair en Citation. Daarnaast was er een afzonderlijke reeks stationcars (zie onder). In '58 hadden alle Edsels nog een V8, maar vanaf '59 was in de goedkopere typen een zescilinder leverbaar. De heftige kritiek op de wagen resulteerde in een reeks detailwijzigingen voor '59. Het prominente paardenhoofdstel bleef de neus sieren. Ondanks de ongeveer 1300 dealers in de VS, liep de verkoop meer dan bedroevend.

Aantal cilinders: 6 en V8
Cilinderinhoud in cm³: 3655 en 4785-5916
Vermogen: 145/4000 en 200/4400-303/4600
Topsnelheid in km/uur: 160 en 180-190
Carrosserie/Chassis: afzonderlijk chassis
Uitvoering: coach, sedan en coupé
Productiejaren: 1958-1959
Productie-aantal: 48.232
In NL: n.b.
Prijzen (V8): A: 10.000 B: 20.000 C: 30.000

EDSEL PACER

De tweede Edsel in rangorde van onderaf was de Pacer. De wagen had dezelfde carrosserie als de Ranger, maar dan meer aangekleed, met een luxueuzer interieur en met extra voorzieningen. Aan de strip op de voorschermen en -deur kon je een Pacer onmiddellijk herkennen. Ook was hij er als cabriolet en dat onderscheidde de reeks ook van de basisversie Ranger. Die slechts 1.876 maal gebouwde cabriolet kostte wel ruim $1000,– meer dan een sedan of coupé. Voor '59 dunde Ford vanwege de tegenvallende verkopen het scala uit en zo bleef de Pacer een type dat slechts één jaar in de folders stond.

Aantal cilinders: V8
Cilinderinhoud in cm³: 4785-5916
Vermogen: 200/4400-303/4600
Topsnelheid in km/uur: 180-190
Carrosserie/Chassis: afzonderlijk chassis
Uitvoering: sedan, coupé en cabriolet
Productiejaar: 1958
Productie-aantal: 19.057
In NL: n.b.
Prijzen: A: 5.000 B: 10.000 C: 15.000

EDSEL CORSAIR 1958-1959

De derde Edsel-reeks heette Corsair en de twee modellen daarvan waren beide hardtop. Na ruim 9.000 wagens van het type '59 verkocht te hebben, besloot Ford de typen Pacer en Citation te schrappen en de Corsair-serie uit te breiden met een gewone sedan en een convertible. In feite werd het een Ranger met een grotere motor en meer extra's. Aan de zijstrip kon men het verschil tussen de twee typen zien, tenzij het de cabriolet betrof. Ondanks alle inspanningen wisten de vele dealers niet meer te verkopen dan het jaar ervoor. De open Corsair is momenteel een topper wat prijzen betreft.

Aantal cilinders: V8
Cilinderinhoud in cm³: 6719
Vermogen: 225/4000-345/4600
Topsnelheid in km/uur: 180-190
Carrosserie/Chassis: afzonderlijk chassis
Uitvoering: sedan en coupé; '59: cabriolet
Productiejaren: 1958-1959
Productie-aantal: 17.845
In NL: n.b.
Prijzen: A: 12.000 B: 24.000 C: 34.000

EDSEL VILLAGER

De drie stationcars waarmee Edsel debuteerde waren de tweedeurs Roundup, de vierdeurs Villager in zes- of negenpersoons uitvoering en als topmodel de Bermuda (zie onder). Omdat er van de overige twee nog geen duizend wagens per type verkocht werden, bleef voor '59 alleen de Villager over. Die kwam uiterlijk overeen met de Ranger, afgezien van de achterkant natuurlijk. De geheel anders gelijnde modellen van 1960 kenden ook weer een Villager-variant en daarvan zijn er zeer weinig verkocht, aangezien Edsel toen al op sterven na dood was.

Aantal cilinders: V8
Cilinderinhoud in cm³: 4785-5916
Vermogen: 200/4400-303/4600
Topsnelheid in km/uur: 180
Carrosserie/Chassis: afzonderlijk chassis
Uitvoering: stationcar
Productiejaren: 1958-1960
Productie-aantal: 11.884
In NL: n.b.
Prijzen: A: 11.000 B: 22.000 C: 32.000

EDSEL BERMUDA

De zeldzaamste Edsel van 1958 werd de Bermuda, naar wens in zes- of negenpersoons uitvoering verkrijgbaar. Deze technisch aan de Villager en Roundup gelijk zijnde stationcar had meer luxe en een woody look meegekregen. De klant moest er wel $3155 voor neertellen en daarvoor kreeg hij ook nog rubbermatten in de kleur van de auto en een verchroomde binnenspiegel. Voor bijna een kwart minder kon hij ook een Ford stationcar aanschaffen. De Bermuda stond alleen voor 1958 in de folders. Tegenwoordig een zeer gezocht collectors item waarvan de waarde in snel tempo toeneemt.

Aantal cilinders: V8
Cilinderinhoud in cm³: 5916
Vermogen: 303/4600
Topsnelheid in km/uur: 180
Carrosserie/Chassis: afzonderlijk chassis
Uitvoering: stationcar
Productiejaar: 1958
Productie-aantal: 892
In NL: 1
Prijzen: A: 4.500 B: 10.900 C: 15.900

EDSEL RANGER 1960

De Edsels van het modeljaar 1960 waren al in 1959 gemaakt. In september had men 889 stuks gemaakt, in oktober 1.767 stuks en toen de dealers nog steeds geen nieuwe wagens wilden bestellen, kwamen in november 1959 de laatste 190 wagens van de band. Een van die weinige was de afgebeelde Ranger, het enige model naast de stationcar dat voor 1960 gebouwd werd. De Ranger was er in acht verschillende uitvoeringen. De klant kon desgewenst een zescilinder als krachtbron bestellen.

Aantal cilinders: 6 en V8
Cilinderinhoud in cm³: 3655 en 4785
Vermogen: 147/4000 en 203/4000
Topsnelheid in km/uur: 160 en 170
Carrosserie/Chassis: afzonderlijk chassis
Uitvoering: coach, sedan, coupé en cabriolet
Productiejaren: 1960
Productie-aantal: 2.846
In NL: n.b.
Prijzen: A: 4.100 B: 7.700 C: 11.300

ELVA

Zonder twijfel speelde Elva jarenlang een belangrijke rol in de wereld van de Engelse sportwagens, wat wel iets wil zeggen in een tijd dat de kleine fabriekjes kwamen en gingen. Frank Nichols stichtte zijn firma Elva (uit het Frans: elle va = zij gaat) in 1955 in het Engselse stadje Bexhill and Hastings. Hij begon met racewagens, vooral voor de Formule-junior, maar bouwde later ook auto's voor de straat.

ELVA COURIER

De Courier kwam in 1958 uit. Hij stond op een buizenframe en had een MGA-motor en de wielophanging van een Triumph onder zijn kunststof carrosserie. De auto was zowel compleet of als bouwpakket te koop en een groot succes. In 1961 ging Elva failliet om overgenomen te worden door de firma Trojan Ltd. Deze ging met de fabricage verder en ontwikkelde een nieuw chassis voor de Courier, waardoor de Mark III (foto) ontstond. De Mk IV bleef tot het definitieve einde van Elva, in 1968, in productie. In die IV kon de Cortina GT-motor ingebouwd worden.

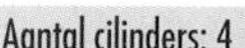

Aantal cilinders:	4
Cilinderinhoud in cm³:	1489, 1498, 1588, 1622 en 1798
Vermogen:	68/5500-95/5400
Topsnelheid in km/uur:	160-185
Carrosserie/Chassis:	kunststof op een buizenchassis
Uitvoering:	coupé en cabriolet
Productiejaren:	1958-1968
Productie-aantal:	ca. 610
In NL:	n.b.
Prijzen:	A: 4.500 B: 8.200 C: 11.300

ELVA-BMW GT 160

Een prachtige, elegante en zeldzame auto: de Elva-BMW GT. Hij heeft een buizenchassis met een BMW-motor voor de achteras en een aluminium carrosserie die ontworpen is door niemand minder dan de Italiaanse specialist Fiore. De motor kreeg een drysump mee voor het circuit. Een topsnelheid van 250 km per uur was in 1964 een sensatie. Tijdens Le Mans 1965 finishte een Elva-BMW GT als snelste Britse wagen. Jammer dat deze wagen nooit in serie gebouwd is, want verkooppotentie had hij beslist! De wagen werd bij Fissore in Italië gebouwd.

Aantal cilinders:	4
Cilinderinhoud in cm³:	1991
Vermogen:	182/7200
Topsnelheid in km/uur:	220-260
Carrosserie/Chassis:	aluminium op een buizenchassis
Uitvoering:	coupé
Productiejaar:	1964
Productie-aantal:	3
In NL:	n.b.
Prijzen:	A: n.v.t B: n.v.t. C: 36.300

ENZMANN

De groep Enzmann-adepten is niet groot maar wel erg actief. De eigenaren van deze exclusieve sportwagens ontmoeten elkaar regelmatig en konden het niet laten in 1985 naar Zwitserland te reizen toen Emil Enzmann daar zijn 85ste verjaardag vierde.

ENZMANN 506

Hoewel Zwitserland veel te bieden heeft, zijn er maar een paar autobouwers. En daarom verbaasden de bezoekers van de Frankfurtse tentoonstelling zich in 1957 toen daar een Zwitsers merk te zien was. Vader en zoon Enzmann hadden de productie van een open sportwagen op gang gebracht en nog met succes ook. De familie Enzmann doopte hun wagen 506 toen zij de stand met dat nummer in Frankfurt kregen toegewezen. De Enzmann was een open wagen zonder deuren met een kunststof carrosserie op een chassis van de VW Kever.

Aantal cilinders:	4
Cilinderinhoud in cm³:	1192, 1285 en 1295
Vermogen:	30/3400-52/4250
Topsnelheid in km/uur:	125-150
Carrosserie/Chassis:	kunststof op een centrale buis
Uitvoering:	cabriolet
Productiejaren:	1957-1968
Productie-aantal:	106
In NL:	n.b.
Prijzen:	A: 4.500 B: 10.000 C: 14.700

EXCALIBUR

De eerste Excalibur bouwden Brooks Stevens en zijn zoons David en Steve in acht weken. Meer tijd hadden ze niet want de wagen moest op tijd klaar zijn om zijn première op de New York Motor Show van 1964 te kunnen vieren. Het lukte allemaal best. Op de show werden er twee auto's verkocht en er volgden dat jaar nog 25 stuks. De lijst van (ex-)Excalibur-eigenaren is indrukwekkend en omvat namen zoals Frank Sinatra, Steve McQueen, Bill Cosby, Tony Curtis, Dean Martin en Dick van Dyke. De firma had zijn ups en downs, veranderde regelmatig van eigenaar en is momenteel in het bezit van Duitse autohandelaren.

EXCALIBUR SERIES I

Dat wat men nu 'neo-klassieker' noemt, stamt allemaal af van de Excalibur die 1964 door Brooks Stevens op de wielen gezet werd. De wagen ziet er uit als iets uit de late jaren twintig, maar maakt gebruik van moderne techniek. De Excalibur SS stond op het chassis van een Studebaker en had ook diens motor. Toen Studebaker van het beeldscherm verdwenen was, bouwde men Chevrolet Corvette-motoren in. Er waren naast de SSK nog twee modellen: de roadster en de phaeton. Velen vinden dit een foute replica, maar toch zijn de oudere typen duur geworden.

Aantal cilinders: V8
Cilinderinhoud in cm³: 5351
Vermogen: 304/5000
Topsnelheid in km/uur: 190
Carrosserie/Chassis: afzonderlijk chassis
Uitvoering: cabriolet
Productiejaren: 1964-1969
Productie-aantal: 359
In NL: n.b.
Prijzen: A: 13.600 B: 20.400 C: 27.200

EXCALIBUR SERIES II-IV

De Series II van 1970 hadden een andere wielbasis en de 5,7 liter V8-motor van de Corvette. De oorspronkelijke SSK-roadster was geweken voor een nieuw model en er was weer een phaeton. In '71 lag de productie helemaal plat, maar een jaar later bouwde men er 65. In 1975 volgde de Series III met een veiliger constructie en grotere motor. Vanaf 1980 volgt de Series IV met een zeer lange wielbasis en volop luxe. Na diverse dreigingen van faillissementen komt in 1987 de Series V uit.

Aantal cilinders: V8
Cilinderinhoud in cm³: 4996-7436
Vermogen: 155/n.b. -300/5000
Topsnelheid in km/uur: 170-200
Carrosserie/Chassis: zelfdragend
Uitvoering: cabriolet
Productiejaren: 1970-1987
Productie-aantal: ca. 2.850
In NL: n.b.
Prijzen: A: 11.300 B: 17.200 C: 22.700

FACEL VEGA

Slechts 10 jaar, van 1954 tot 1964, heeft Jean Daninos auto's gebouwd. Maar wat voor wagens! Met hun oerdegelijke en sterke Amerikaanse V8-motoren behoorden de Facel Vega's tot de snelste en comfortabelste reiswagens. En toch ging het met Facel Metallon steeds slechter. Men verweet Daninos dat zijn wagens bastaarden waren en niet te vergelijken met merken zoals Jaguar of Ferrari. In 1959 bewees Daninos dat hij wel degelijk een geheel Franse auto kon produceren, maar deze Facellia betekende eveneens het einde voor Facel. In de herfst van 1964 werden de poorten gesloten. Overigens heeft de firma in de jaren vijftig ook carrosserieën voor Simca, Ford en Panhard gemaakt.

FACEL VEGA FVS & HK 500

In de jaren 1954 tot 1957 ontstonden bij Facel verschillende modellen die in heel kleine aantallen werden gebouwd:

FV en FV-1	1955	45 stuks
FV-2	1955/56	103 stuks
FV-3 en 4	1956/57	207 stuks

Elf hiervan kwamen als cabriolet uit.
Uit deze FVS-modellen ontstond in 1958 de HK 500, waarmee de fabriek meer succes had. De wagen was leverbaar met een Chrysler-motor die gekoppeld was aan een handgeschakelde vierbak of aan een automaat. Vanaf 1960 zit er standaard stuurbekrachtiging op en zijn er schijfremmen.

Aantal cilinders: V8
Cilinderinhoud in cm³: 5907 en 6286
Vermogen: 335/4600 en 360/5200
Topsnelheid in km/uur: 230
Carrosserie/Chassis: buizenchassis
Uitvoering: coupé en cabriolet
Productiejaren: 1954-1957 en 1958-1961
Productie-aantallen: 355 en 482
In NL: 8 en 10
Prijzen (HK): A: 8.200 B: 20.400 C: 31.800

FACEL VEGA EXCELLENCE

Eén van de meest opzienbarende grote wagens uit de jaren vijftig was wel de Excellence, die wat prijs betrof met een Rolls-Royce te vergelijken was. Mechanisch was de wagen niet anders dan de HK 500, maar de carrosserie had vier deuren zonder tussenstijl, zodat de achterste 'verkeerd' openden. Deze constructie was geen groot succes en wie een dergelijke wagen wil kopen, moet erop toezien dat hij niet 'doorzakt'. Vanaf '59 was er de grotere motor en vanaf '60 waren er schijfremmen. De laatste exemplaren hadden een minder ronde voorruit en de staartvinnetjes ontbraken.

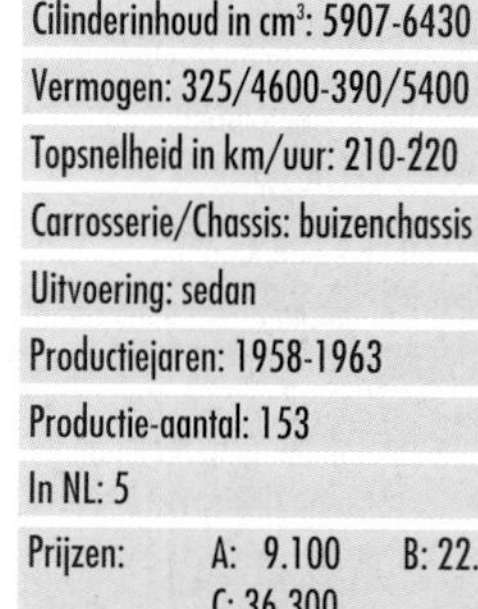

Aantal cilinders: V8
Cilinderinhoud in cm³: 5907-6430
Vermogen: 325/4600-390/5400
Topsnelheid in km/uur: 210-220
Carrosserie/Chassis: buizenchassis
Uitvoering: sedan
Productiejaren: 1958-1963
Productie-aantal: 153
In NL: 5
Prijzen: A: 9.100 B: 22.700 C: 36.300

FACEL II

Evenals zijn voorganger, de HK 500, had de Facel II een grote, en nog sterkere, Chrysler-motor onder de kap. De carrosserie leek veel op die van de HK 500, maar was iets eenvoudiger en daarom wellicht mooier. Verkopen kon men de auto echter niet zo goed en dat kwam omdat er op deze markt veel concurrentie ontstaan was: Jensen had zijn CV8, Iso Rivolta zijn coupé, Ferrari zijn GTE, enzovoort. De Borani-wielen zijn standaard, evenals de servo-bediende schijfremmen. Dit is zonder meer de meest gezochte Facel. De onderhoudskosten lopen echter fors in de papieren.

Aantal cilinders: V8
Cilinderinhoud in cm³: 6286-6767
Vermogen: 355/4800-400/5400
Topsnelheid in km/uur: 220-240
Carrosserie/Chassis: buizenchassis
Uitvoering: coupé
Productiejaren: 1961-1964
Productie-aantal: 184
In NL: 4
Prijzen: A: 11.300 B: 31.800 C: 49.900

FACEL FACELLIA

In 1959, toen de zaken helemaal niet zo slecht liepen, kwam Jean Daninos met zijn kleine Facellia uit. De wagen was 'geheel Frans' en had een viercilinder motor die speciaal voor de Facellia bij de versnellingsbakken-fabriek Pont à Mousson gemaakt was. Hij had twee bovenliggende nokkenassen, maar was van een dermate slechte kwaliteit dat de fabriek de garantiegevallen nauwelijks of niet verwerken kon. De naam Facel Vega was bedorven en kon ook met andere motoren niet meer hersteld worden.Vanaf 1961 was er namelijk de betere FS2-motor met naar wens dubbele Webers.

Aantal cilinders: 4
Cilinderinhoud in cm³: 1647
Vermogen: 115/6400-126/6400
Topsnelheid in km/uur: 180-190
Carrosserie/Chassis: buizenchassis
Uitvoering: coupé en cabriolet
Productiejaren: 1959-1962
Productie-aantal: 1.258
In NL: 7
Prijzen: (cabrio) A: 6.800 B: 14.700 C: 22.700

FACEL III & 6

Zelfs toen de kinderziekten van de viercilindermotor genezen waren, bleven de klanten weg. Men had geen vertrouwen meer in de Franse motor en daarom reageerde Daninos door een serie wagens met een Volvo B18-motor uit te rusten. Het was echter al te laat, want niemand interesseerde zich nog voor de Facel III zoals de wagen nu heette. Ook toen de fabriek de Facel 6, een Facellia met de Austin Healey-motor, presenteerde, wilde men hem niet. Dat deze laatste serie met een productie van 42 stuks nu erg gezocht is, spreekt voor zich. Kost bijna het dubbele.

Aantal cilinders: 4 en 6
Cilinderinhoud in cm³: 1780 en 2860
Vermogen: 108/6000 en 150/5250
Topsnelheid in km/uur: 175 en 195
Carrosserie/Chassis: buizenchassis
Uitvoering: coupé en cabriolet
Productiejaren: 1963-1964
Productie-aantallen: ca. 400 en 42
In NL: 5
Prijzen: (coupé) A: 4.500 B: 9.100 C: 13.600

FAIRTHORPE

Toen Don. T.C. ('Pathfinder') Bennett in 1954 als luchtmaarschalk bij de RAF met groot verlof ging, begon hij sportwagens te bouwen. Hij verkocht ze als 'auto' of als bouwpakket in verschillende typen zoals de Caribbean waarvan er meer dan 2.000 stuks verkocht werden, de Bermuda (ca. 200 stuks), de Falcon, waarvan er drie in 1963 in Le Mans meereden, de Electron en de Peregrine. In 1964 nam Torix Bennett de zaken van zijn vader over. Hij bouwde nog een paar modellen maar met minder geluk dan zijn vader. Toen Don Bennett in 1986 stierf, werd de fabriek opgedoekt.

Fairthorpe

FAIRTHORPE ELECTRON MINOR

In het Engelse dorpje Gerrads Cross bouwde de Fairthorpe Ltd vanaf 1954 goedkope sportwagens. Men begon met kleine wagentjes die door een BSA motorfiets-motor werden voortbewogen. Al gauw volgden 'echte' auto's. De Electron waarvan men er 30 produceerde was zo'n echt sportwagentje. Voor de man met de smalle beurs kwam er een goedkope versie uit, de Electron Minor aangedreven door een Triumph Herald-, later Spitfire-motor. De meeste wagens zijn als bouwpakket verkocht.

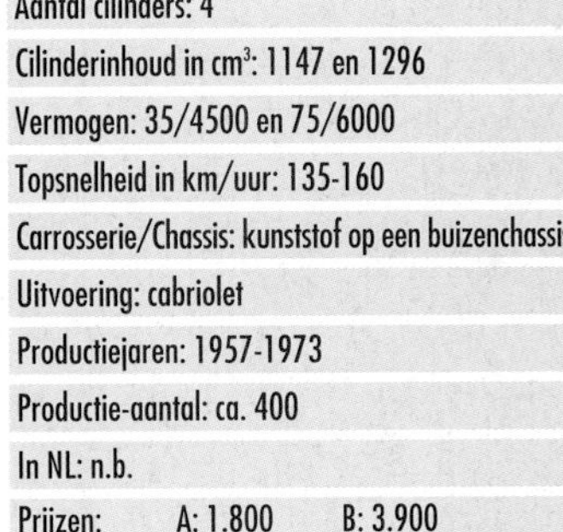

Aantal cilinders: 4
Cilinderinhoud in cm³: 1147 en 1296
Vermogen: 35/4500 en 75/6000
Topsnelheid in km/uur: 135-160
Carrosserie/Chassis: kunststof op een buizenchassis
Uitvoering: cabriolet
Productiejaren: 1957-1973
Productie-aantal: ca. 400
In NL: n.b.
Prijzen: A: 1.800 B: 3.900 C: 5.400

FALCON

De firma Falcon Shells Ltd, in Waltham Abbey, was een andere fabrikant van kit-cars. Oorspronkelijk leverde het bedrijf kunststof carrosseriedelen aan derden, maar in de tweede helft van de jaren vijftig begon men zelf auto's te ontwerpen. Klanten konden een Falcon als bouwpakket kopen; de mechanische delen moest de bouwer van een Ford 100E slopen. Behalve echte sportwagentjes voor op het circuit waren er ook straatmodellen. Toen directeur Peter Pellandine verongelukte, sloot de firma zijn deuren.

FALCON CARIBBEAN & BERMUDA

Het meest verkochte model was de Falcon Caribbean waarvan er meer dan 2000 gebouwd zijn op basis van kits. Het chassis was ontworpen door Len Terry en de koets was van glasfiber. Er worden veel onderdelen van de Ford Ten gebruikt. De vierzitter-versie heette Bermuda. Naar wens kon de bouwlustige klant ook MG- of Coventry-Climax-motoren inbouwen. De meeste Falcons bleven in Engeland zelf. Van de genoemde Bermuda zijn er vanwege zijn onaantrekkelijke lijnen maar weinig verkocht.

Aantal cilinders: 4
Cilinderinhoud in cm³: 1498
Vermogen: 70/4700
Topsnelheid in km/uur: 175
Carrosserie/Chassis: buizenchassis
Uitvoering: coupé
Productiejaren: 1957-1963
Productie-aantallen: >2.000 en 200
In NL: n.b.
Prijzen: A: 1.100 B: 1.800 C: 3.200

FALCON 515

In 1963 verscheen de mooie Falcon 515 op de Engelse markt, getekend door de Braziliaan Tom Rohonyi. Hij moest kant en klaar geleverd gaan worden. De mechanische delen stamden van de Ford Cortina en aan de voorwielen vond men schijfremmen van de firma Girling. Falcon leverde de Ford-motor met twee SU-carburateurs, maar men kon ook twee Webers 40 DCO's leveren. De carrosserie was van kunststof en zo licht dat de gehele wagen niet meer dan 500 kg woog. Hoewel een bijna Ferrari-achtige wagen wat lijn betreft, is het geen succes geworden.

Aantal cilinders: 4
Cilinderinhoud in cm³: 1498
Vermogen: 64/4600
Topsnelheid in km/uur: 165
Carrosserie/Chassis: afzonderlijk chassis
Uitvoering: coupé
Productiejaren: 1963-1964
Productie-aantall 25
In NL: n.b.
Prijzen: A: 3.600 B: 6.800 C: 9.100

FERRARI

Waar het bijna aan hysterie grenzende enthousiasme voor het merk Ferrari vandaan komt, heeft nooit iemand precies kunnen zeggen. Alleen aan de bijzonder kleurrijke persoonlijkheid van Enzo Ferrari kan het niet liggen, ook niet aan de talloze kampioenschappen en racesuccessen. Aan de legendarische V12-motor evenmin, want de meeste moderne Ferrari's hebben nu een V8-motor onder de kap. Het moet dus wel een mengsel van de genoemde kwaliteiten zijn, die de naam zo groot en de gebruikte wagens zo duur gemaakt hebben. Wat prijzen betreft is een grote slag om de arm raadzaam: voor Ferrari's hantere men het begrip 'dagprijs'.

FERRARI 166

De Tipo 166 was de eerste Ferrari die in Modena ook voor het weggebruik gemaakt werd. Het model kon als Sport en als Inter besteld worden, waarbij de laatste de meest verkochte was. De V12 motor stamde van de tekentafel van de beroemde designer Gioachinno Colombo die voor de oorlog veel voor Alfa Romeo had gedaan. De carrosserieën van de 166 werden door Allemano, Touring, Vignale, Ghia, Bertone en Farina gemaakt. Winnaar in Le Mans 1949 en de Mille Miglia. Hoewel we richtprijzen geven, kan de prijs sterk variëren.

Aantal cilinders: V12
Cilinderinhoud in cm³: 1995
Vermogen: 95/6000 en 140/7000
Topsnelheid in km/uur: 160-200
Carrosserie/Chassis: staal of aluminium op een buizenchassis
Uitvoering: coupé en cabriolet
Productiejaren: 1948-1950
Productie-aantal: 37
In NL: 2
Prijzen: A: 91.000 B: 113.000 C: 136.000

FERRARI 195 INTER

Geleidelijk werd de cilinderinhoud van de V12 vergroot en zo kwam de tweede productiewagen, de 195, als opvolger voor de 166. Ditmaal werden de carrosserieën door Ghia, Touring, Vignale (de meeste) en Ghia-Aigle gemaakt en weer kon de klant veel van de uitvoering van de wagen zelf bepalen. Die eerste typen van Ferrari worden hier voor de volledigheid vermeld. Verhandeld worden ze bijna nooit en de prijzen liggen op een absoluut topniveau. De type-aanduiding slaat overigens op de inhoud van één cilinder. Het model Sport had aanzienlijk meer vermogen (160-180 pk).

Aantal cilinders: V12
Cilinderinhoud in cm³: 2341
Vermogen: 130/6000
Topsnelheid in km/uur: 180
Carrosserie/Chassis: staal of aluminium op een buizenchassis
Uitvoering: coupé en cabriolet
Productiejaren: 1950-1952
Productie-aantal: 28
In NL: 2
Prijzen: A: 113.000 B: 136.000 C: 170.000

FERRARI 340, 342 & 375 AMERICA

Voor de F1-wagens bouwde Aurelio Lampredi een 4,1-liter V12. Deze geweldige motor kwam ook in een 166-chassis terecht en wel in de America-sportwagens, die vanaf 1950 geleverd werden als 340, 342 en 375 in race- of straatuitvoering. Zo was er een 340 Mexico die uitsluitend voor het circuit was. De 340 en 342 hadden de 4,1 maar de 375 – met een langere wielbasis – kreeg een 4,5 liter met 300 pk vermogen. Het zijn extreem zeldzame en onbetaalbare wagens. Een groot deel van de carrosserieën stamde van Vignale (foto).

Aantal cilinders: V12
Cilinderinhoud in cm³: 4101 en 4523
Vermogen: 200/5000-300/6300
Topsnelheid in km/uur: 195-240
Carrosserie/Chassis: buizenchassis
Uitvoering: coupé en cabriolet
Productiejaren: 1950-1955
Productie-aantallen: 22, 6 en 13
In NL: n.b.
Prijzen: (375) A: 182.000 B: 272.000 C: 318.000

FERRARI 212

In 1951 werd de cilinderinhoud nogmaals vergroot waardoor de 212 ontstond. De 212 was met verschillende motorvermogens leverbaar want de wagen was, evenals de 166-serie, erg geschikt voor de racerij. Vooral de 212 Export, met een kortere wielbasis dan de Inter, leende zich daar uitstekend voor. En weer stortten de carrozzeria zich op de chassis om er hun mooiste creaties op te bouwen. De meeste 212's werden aangekleed door Touring, Ghia, Vignale en Pinin Farina. Ook deze bolide is tegenwoordig zeer prijzig. De prijzen verschillen ook nog eens per carrossier.

Aantal cilinders: V12
Cilinderinhoud in cm³: 2562
Vermogen: 150 tot 170/6500
Topsnelheid in km/uur: 200
Carrosserie/Chassis: staal of aluminium op een buizenchassis
Uitvoering: coupé en cabriolet
Productiejaren: 1951-1952
Productie-aantal: 79
In NL: 1
Prijzen: (cabrio) A: 91.000 B: 136.000 C: 182.000

FERRARI 225 S SPIDER

De eerste Ferrari was voor het circuit bestemd: een 125 S van eind '46. In de jaren erna volgden de diverse competitiemodellen elkaar in ras tempo op. In '52 ontstond op een chassis van de 212 de 225 S met een 2,7 liter V12. Ferrari bouwde slechts 14 van deze chassis en die waren snel verkocht. Touring bouwde er één en de overige dertien gingen naar Vignale (foto) die er verschillende carrosserieën op bouwde. De wagens boekten in '52 zes overwinningen, waaronder Monte Carlo met Vittorio Marzotto aan het stuur. Onbetaalbaar en nooit te koop.

Aantal cilinders: V12
Cilinderinhoud in cm³: 2715
Vermogen: 210-250/7200
Topsnelheid in km/uur: 250
Carrosserie/Chassis: buizenchassis
Uitvoering: cabriolet
Productiejaar: 1952
Productie-aantal: 14
In NL: 0
Prijzen: A: n.v.t. B: n.v.t. C: n.v.t.

FERRARI 250 MM BERLINETTA

Een van de eerste ontwerpen van Pinin Farina voor Enzo Ferrari was de 250 MM die in maart 1953 in Genève debuteerde. Uitgangspunt was de 250 S waarmee Bracco de Mille Miglia van '52 had gewonnen. De verantwoordelijke tekenaar van de 250 MM, Francesco Salomone, had een uiterst geslaagde coupé neergezet, die door velen als een van de mooiste Ferrari's aller tijden wordt beschouwd. In ieder geval is de wagen voor de jaren vijftig een trendsetter gebleken. De afgebeelde auto is echter de nog mooiere, unieke versie van Vignale en inmiddels helaas niet meer in Nederland.

Aantal cilinders: V12
Cilinderinhoud in cm³: 2953
Vermogen: 240/7000
Topsnelheid in km/uur: 210
Carrosserie/Chassis: buizenchassis
Uitvoering: coupé
Productiejaar: 1953
Productie-aantal: 19
In NL: 0
Prijzen: A: n.v.t. B: n.v.t. C: n.v.t.

FERRARI 375 MM BERLINETTA COMPETIZIONE

De 375 MM was er in drie uitvoeringen: als berlinetta stradale, berlinetta competizione en als spider. De wagens waren in '53 vijfmaal succesvol bij langeduurraces. Met de afgebeelde 375 MM van 1953 nam Umberto Maglioli aan de Carrera Panamericana deel. In de loop van het seizoen vergrootte Ferrari de motoren van de 375. Tot en met '55 bleven de diverse 375's in productie. Van de gesloten competitiewagen zijn er slechts vijf gebouwd. Een 375 MM wordt vrijwel nooit te koop aangeboden en de aangegeven waarde is slechts een indicatie.

Aantal cilinders: V12
Cilinderinhoud in cm³: 4522
Vermogen: 300-340/7000
Topsnelheid in km/uur: 260
Carrosserie/Chassis: buizenchassis
Uitvoering: coupé en cabriolet
Productiejaren: 1953-1955
Productie-aantal: 5
In NL: 0
Prijzen: A: n.v.t. B: n.v.t. C: ca. 454.000

FERRARI 250 EUROPA

In 1952 boorde Colombo een 225 Sportmotor op tot hij een inhoud van 2953 cm³ verkreeg. En hiermee was de beroemdste aller Ferrari's, de 250 GT serie, geboren. In mei 1952 won een prototype, een 250 Sport, de Mille Miglia, waarna deze racewagens tot 250 MM omgedoopt werden, en in 1953 verscheen de weguitvoering, de 250 GT Europa, waarvoor Pinin Farina (die de voorkeur had van Ferrari zelf) de bodies bouwde. Op de foto een van een origineel Nederlands kenteken voorzien exemplaar.

Aantal cilinders: V12
Cilinderinhoud in cm³: 2953
Vermogen: 200/6000
Topsnelheid in km/uur: 200
Carrosserie/Chassis: staal of aluminium op een buizenchassis
Uitvoering: coupé
Productiejaren: 1953-1955
Productie-aantal: 71
In NL: 1
Prijzen: A: 91.000 B: 113.000 C: 136.000

FERRARI 250 EUROPA GT VIGNALE COUPÉ

Op één auto na kwamen alle 250 Europa GT's uit de ateliers van Pinin Farina. In 1954 namelijk bestelde het Belgische koningshuis voor prinses Liliane de Réthy een coupé bij Vignale. Het duo Michelotti en Vignale nam dit als een van hun laatste gezamenlijke klussen aan. De auto met chassisnummer 0359GT had een opvallende daklijn in combinatie met een panoramische voor- en achterruit. Het zicht rondom was daardoor uitstekend. Inmiddels is de auto in Nederlands bezit en geregeld op evenementen te bewonderen. Hier op het concours van Het Loo in het jaar 2000.

Aantal cilinders: V12
Cilinderinhoud in cm³: 2953
Vermogen: 240/7000
Topsnelheid in km/uur: >200
Carrosserie/Chassis: buizenchassis
Uitvoering: coupé
Productiejaar: 1954
Productie-aantal: 1
In NL: 1
Prijzen: A: n.v.t. B: n.v.t. C: n.v.t.

FERRARI 410 SUPERAMERICA

De Superamerica was voor het eerst op de Brusselse tentoonstelling van 1956 te zien. Pinin Farina had de wagen getekend en de carrosserie gebouwd. De wagen was peperduur, werd uitsluitend op bestelling geleverd en dan aan geselecteerde persoonlijkheden. Geen twee Superamerica's hadden dezelfde carrosserie en ook mechanisch konden grote verschillen vastgesteld worden. Een van de mooiste wagens stond op de Turijnse Salon van 1957. Verkocht was hij toen al en wel aan een Amerikaan met een typisch Hollandse naam: Jan de Vroom.

Aantal cilinders: V12
Cilinderinhoud in cm³: 4962
Vermogen: 340/6000
Topsnelheid in km/uur: 200
Carrosserie/Chassis: buizenchassis
Uitvoering: coupé en roadster
Productiejaren: 1956-1959
Productie-aantal: 38
In NL: 0
Prijzen: A: 204.000 B: 363.000 C: 454.000

FERRARI 400 SUPERAMERICA COUPÉ

De 400 SA coupé was ook een peperdure wagen die uitsluitend op bestelling gemaakt werd. De carrosserie was weer door Pininfarina getekend en werd ook door deze firma in Turijn gebouwd, voordat hij gespoten en bekleed naar de Ferrari-fabriek getransporteerd werd voor de montage van de mechanische delen. Het grootste gedeelte is als coupé geleverd, met weliswaar onderlinge verschillen in lijn.
De type-aanduiding sloeg nu op de totale motorcapaciteit in deciliters.

Aantal cilinders: V12
Cilinderinhoud in cm³: 3967
Vermogen: 340/7000
Topsnelheid in km/uur: 300
Carrosserie/Chassis: buizenchassis
Uitvoering: coupé
Productiejaren: 1960-1964
Productie-aantal: 37
In NL: 1
Prijzen: A: 182.000 B: 227.000 C: 272.000

FERRARI 400 SUPERAMERICA CABRIOLET

Van de 400 Superamerica kwamen er elf als cabriolet op de weg. Het eerste tentoongestelde exemplaar – in Brussel 1960 – was dan ook een open uitvoering. In het begin gaf Ferrari een vermogen van 400 pk op, maar later werd dit naar het correcte 340 bijgesteld. De afgebeelde auto stond op de show van New York in 1962, want Amerika was een belangrijke markt voor deze zeer pittig geprijsde wagens. Je kon voor hetzelfde bedrag ook twee 'gewone' Ferrari's kopen. Een van de elf wagens is gebouwd door Scaglietti; de rest door Pininfarina. De laatste 4 stuks noemt men Serie 2.

Aantal cilinders: V12
Cilinderinhoud in cm³: 3967
Vermogen: 340/7000
Topsnelheid in km/uur: 300
Carrosserie/Chassis: buizenchassis
Uitvoering: cabriolet
Productiejaren: 1960-1963
Productie-aantal: 11
In NL: 0
Prijzen: A: n.v.t. B: 318.000 C: 386.000

FERRARI 250 GT 'BOANO'

Langzaam had Pinin Farina – pas in 1958 zou men de naam in één woord schrijven – zich tot de hofleverancier van Ferrari-carrosserieën opgewerkt. En als Pinin Farina de bodies niet zelf kon maken, dan had men ze in de meeste gevallen wel ontworpen en het werk uitbesteed. Dit was ook het geval bij de 250 GT die twee jaar lang door Carrozzeria Boano en Ellena naar de tekeningen van Pinin Farina gebouwd werden. Dit Franse exemplaar is inmiddels in Het Autotron te Rosmalen te bewonderen.

Aantal cilinders: V12
Cilinderinhoud in cm³: 2953
Vermogen: 220/7000
Topsnelheid in km/uur: 200
Carrosserie/Chassis: staal (soms aluminium) op een buizenchassis
Uitvoering: coupé
Productiejaren: 1956-1958
Productie-aantal: 128
In NL: 2
Prijzen: A: 61.000 B: 113.000 C: 159.000

FERRARI 250 GT CABRIOLET

In december 1957 bouwde Carrozzerie Scaglietti voor ontwerper Pinin Farina een prototype van een open GT. De wagen stond op het lange chassis met de wielbasis van 260 cm. De techniek bleef ongewijzigd. In beperkte serie leverde Ferrari tot 1959 deze fraaie cabriolets. Met een hardtop erop leek de wagen niet op de coupé aangezien de taillelijn met het mooie knikje voor het achterwiel alleen voor de cabrio was. De cabriolets van '57-'59 staan bekend als Serie 1. Dat sommigen nog meer wilden, bewijst de auto hieronder: de 250 GT California.

Aantal cilinders: V12
Cilinderinhoud in cm³: 2953
Vermogen: 220/7000
Topsnelheid in km/uur: 200
Carrosserie/Chassis: buizenchassis
Uitvoering: cabriolet
Productiejaren: 1957-1959
Productie-aantal: 41
In NL: 0
Prijzen: A: 104.000 B: 272.000 C: 431.000

FERRARI 250 GT

In 1958 tekende Pininfarina de 250 GT coupé nogmaals waardoor een modernere wagen ontstond. Inmiddels had men ook vrije fabrieksruimte gekregen, zodat de nieuwe wagens bij Pininfarina in Turijn van een carrosserie voorzien werden. De allereerste exemplaren hadden nog de 'oude' motor waarbij de kleppen door haarnaaldveren bediend werden. De latere auto's hadden 'normale' klepveren en een veel betrouwbaardere motor. Na 1960 werden de wielen door schijfremmen afgeremd.

Aantal cilinders: V12
Cilinderinhoud in cm³: 2953
Vermogen: 240/7000
Topsnelheid in km/uur: 200
Carrosserie/Chassis: buizenchassis
Uitvoering: coupé
Productiejaren: 1958-1960
Productie-aantal: 350
In NL: 2
Prijzen: A: 27.200 B: 48.000 C: 69.000

FERRARI 250 GT TOUR DE FRANCE

Als herinnering aan de goede resultaten die Ferrari in de beroemde Tour de France, een wegrace dwars door Frankrijk, behaalde, ontstond de 250 GT Tour de France. Het was een wedstrijdcoupé die gebaseerd was op de 250 GT coupé. Het ontwerp kwam van Farina, maar de carrosserie werd door Scaglietti gemaakt. De motor was iets opgevoerd en het comfort was wat minder, wat niet betekende dat men niet gewoon met de wagen op straat kon rijden. Dit is een van de beste en dus meest gewaardeerde Ferrari's. Niet te betalen.

Aantal cilinders: V12
Cilinderinhoud in cm³: 2953
Vermogen: van 230 tot 280/7000
Topsnelheid in km/uur: >200
Carrosserie/Chassis: aluminium op buizenchassis
Uitvoering: coupé
Productiejaren: 1955-1959
Productie-aantal: 84
In NL: 2
Prijzen: A: 229.000 B: 485.000 C: 732.000

FERRARI 250 GT LWB ZAGATO TOUR DE FRANCE

Hoewel vrijwel alle 250 GT's Tour de France van Scaglietti (bouw) en Farina (ontwerp) waren, bouwde het beroemde Zagato er vijf. De eerste twee uit 1956 (foto) hadden het 'double bubble'-dak dat zo typerend voor het merk was. Van de twee wagens uit '57 had de een wel zo'n dak, maar de andere niet. Wel zaten bij beide auto's de koplampen achter plexiglas. De vijfde Zagato 250 GT ging in 1959 naar een klant. De auto week flink af van z'n vier voorgangers en hij viel op door zijn dunne bumpertjes. Het plexiglas voor de lampen zou een aantal jaren typisch Zagato blijven.

Aantal cilinders: V12
Cilinderinhoud in cm³: 2953
Vermogen: 230-260/7000
Topsnelheid in km/uur: >200
Carrosserie/Chassis: buizenchassis
Uitvoering: coupé
Productiejaren: 1956-1959
Productie-aantal: 5
In NL: 1
Prijzen: A: n.v.t. B: n.v.t. C: n.v.t.

FERRARI 250 GT CALIFORNIA

Naar een idee van twee Ferrari-dealers in de VS, Luigi Chinetti en John von Neumann, verscheen in december '58 een onthoofde Berlinetta Tour de France met de aanduiding California. De wagen had een iets opgevoerde motor en kon desgewenst ook met een aluminium carrosserie besteld worden. Het was dus de sportievere variant van de gewone open GT, geschikt voor het circuit en de straat. Beroemdheden als Roger Vadim en Brigitte Bardot reden in een California. Bijna elke California verschilt in detail van andere exemplaren. Gezocht en duur.

Aantal cilinders: V12
Cilinderinhoud in cm^3: 2953
Vermogen: 240/7000
Topsnelheid in km/uur: 220
Carrosserie/Chassis: staal of aluminium op een buizenchassis
Uitvoering: cabriolet
Productiejaren: 1958-1960
Productie-aantal: 49
In NL: 1
Prijzen: A: 363.000 B: 635.000 C: 909.000

FERRARI 250 GT CABRIOLET SERIES 2 & SWB CALIFORNIA

In 1959 verscheen de tweede versie van Pininfarina's 250 GT cabriolet en een nieuwe California die nu een kortere, SWB betekent short wheel base, wielbasis van 240 in plaats van 260 cm had. Ook stond de California, in tegenstelling tot de normale cabriolet, op 15 in plaats van 16 inch wielen. Daar een 250 GT cabriolet veel meer waard is dan een coupé, zijn er in de loop der jaren heel wat gesloten wagens 'geopend'. Dit is een van de duurste oude Ferrari's en we zien ze zelden te koop.

Aantal cilinders: V12
Cilinderinhoud in cm^3: 2953
Vermogen: 240/7000 en 280/7000
Topsnelheid in km/uur: 200 en 220
Carrosserie/Chassis: buizenchassis
Uitvoering: cabriolet
Productiejaren: 1959-1962 en 1960-1963
Productie-aantallen: 200 en 55
In NL: 0
Prijzen: (Calif.:) A: n.v.t. B: 908.000 C: 1.270.000

FERRARI 250 GT SWB BERLINETTA

Achter deze benaming verschuilt zich één van de meest gezochte oude Ferrari's. De prijzen die voor dit model betaald worden zijn enorm en daarom is het niet verwonderlijk dat hele industrieën zich, vooral in Italië, bezig houden met de bouw van replica's. De 250 SWB, zoals het model in de wandeling genoemd wordt, kon met een stalen of met een aluminium carrosserie geleverd worden. Ook waren er verschillende motor-vermogens leverbaar. De firma Scaglietti was weer verantwoordelijk voor de bouw.

Aantal cilinders: V12
Cilinderinhoud in cm^3: 2953
Vermogen: 280/7000
Topsnelheid in km/uur: 210-270
Carrosserie/Chassis: staal of aluminium op een buizenchassis
Uitvoering: coupé
Productiejaren: 1959-1962
Productie-aantal: 175
In NL: 5
Prijzen: A: 340.000 B: 681.000 C: 908.000

FERRARI 250 GTE

Vrijwel steeds heeft Ferrari een 2+2 als gezinswagen in zijn programma gehad. De 250 GTE was, voor een sportwagen, een ruime auto waar ook twee volwassenen (niet te lang) achterin konden zitten, ondanks het feit dat de wielbasis met 260 cm dezelfde was als van de normale coupé. Daar de echte liefhebber naar een tweepersoons auto zoekt, is de GTE de ideale auto voor de bouwers van replica's. Carrosserieonderdelen van gesloopte wagens zijn er genoeg te vinden. Vanaf 1962 heette de wagen 250 GT 2+2. Een van de 'goedkopere' oude Ferrari's.

Aantal cilinders: V12
Cilinderinhoud in cm^3: 2953
Vermogen: 235/7000
Topsnelheid in km/uur: 190
Carrosserie/Chassis: buizenchassis
Uitvoering: 2+2 coupé
Productiejaren: 1960-1963
Productie-aantal: 950
In NL: 10
Prijzen: A: 27.200 B: 43.100 C: 56.700

FERRARI 250 GT BERLINETTA LUSSO

De 'Lusso' was, zoals de naam al zegt, de luxe uitvoering van de berlinetta. Geraced werd er dus niet met de Lusso, ook al had de motor hier genoeg pk's voor. De wagen stond op het korte 240 cm chassis maar was als toerwagen bedoeld. Pininfarina was natuurlijk weer verantwoordelijk geweest voor het ontwerp, dat bij Scaglietti in Modena gebouwd werd. Ondanks alle luxe was het vrijwel onmogelijk een radio in de wagen in te bouwen. Dit werd de laatste auto uit de beroemde GT-serie.

Aantal cilinders: V12
Cilinderinhoud in cm^3: 2953
Vermogen: 240/7500
Topsnelheid in km/uur: 220
Carrosserie/Chassis: staal (soms aluminium) op buizenchassis
Uitvoering: coupé
Productiejaren: 1962-1964
Productie-aantal: 350
In NL: 2
Prijzen: A: 68.000 B: 113.000 C: 159.000

FERRARI 250 GTO

Terecht of niet, de GTO is de meest gezochte en daarom duurste Ferrari. In de glorietijd van de Ferrari's, in de late jaren tachtig, werden prijzen tot 25 miljoen gulden betaald. Dat bracht enkele slimme mensen ertoe hun 'goedkope' Ferrari tot een GTO om te bouwen. De GTO was de laatste racewagen die ook op de straat gebruikt kon worden. Hij won waar hij mee mocht doen. 'Mocht', jawel, want daar de fabriek de vereiste 100 exemplaren nooit gebouwd heeft, kon de GTO niet voor circuit-races gehomologeerd worden. De laatste drie exemplaren hadden een 4-liter motor en een nieuwe carrosserie.

Aantal cilinders: V12
Cilinderinhoud in cm³: 2953
Vermogen: 290/7500
Topsnelheid in km/uur: 280
Carrosserie/Chassis: buizenchassis
Uitvoering: coupé
Productiejaren: 1962-1963
Productie-aantal: 39
In NL: 1
Prijzen: A: n.v.t. B: n.v.t. C: n.v.t.

FERRARI 250 LM BERLINETTA

Voor Ferrari-klanten die wilden racen, bouwde Modena de 250 LM (= Le Mans), de eerste Berlinetta van het merk met middenmotor. In feite was het de 250 P-racer met een dakje erop. Bij MIRA in Groot-Brittannië werd de wagen in de windtunnel getest en dat was nieuw voor het merk. De eerste 250 LM had een drieliter motor, de volgende exemplaren kregen een 3,3, en dus had de wagen eigenlijk 275 LM moeten heten. Een 250 LM won Le Mans, maar het was natuurlijk geen echte circuitauto. De homologatie als GT werd niet bereikt, aangezien voor die kwalificatie honderd stuks geproduceerd moeten zijn.

Aantal cilinders: V12
Cilinderinhoud in cm³: 3286
Vermogen: 310/7500
Topsnelheid in km/uur: 300
Carrosserie/Chassis: buizenchassis
Uitvoering: coupé
Productiejaren: 1964-1966
Productie-aantal: 32
In NL: 0
Prijzen: A: n.v.t. B: n.v.t. C: n.v.t.

FERRARI 500 SUPERFAST

Op de tentoonstelling van maart 1964 in Genève stond een waardige opvolger voor de Ferrari Superamerica: de 500 Superfast. Weer stamde de carrosserie van Pininfarina – hij schreef zijn naam nu in één woord – en weer was het een prachtige wagen geworden. De motor was sterker dan die van zijn voorganger, het interieur nog exclusiever en zijn prijs nog hoger. De laatste van de eerste serie, de 12 wagens die in 1966 gebouwd werden noemde Ferrari Serie 2, ging in september 1965 naar de Engelse filmster Peter Sellers.

Aantal cilinders: V12
Cilinderinhoud in cm³: 4961
Vermogen: 400/6500
Topsnelheid in km/uur: 210
Carrosserie/Chassis: buizenchassis
Uitvoering: coupé en roadster
Productiejaren: 1964-1965
Productie-aantal: 37
In NL: 1
Prijzen: A: 113.000 B: 159.000 C: 193.000

FERRARI 275 GTB & GTB4

De 275 GTB was de natuurlijke opvolger van de 250 GT Berlinetta. De motor was groter van inhoud en de wagen veel moderner. De versnellingsbak bevond zich nu bij het differentieel. De oorspronkelijke 275 GTB had één nokkenas per cilinderrij, maar de GTB4 die in 1966 in Parijs te zien was, had er twee. Met beide typen kon geracet worden, maar het was vooral de GTB2 die de prijzen naar Maranello bracht. Van de GTB2 zijn 200 cabriolets afgeleverd en die heetten 275 GTS. De motoren daarvan leverden 'slechts' 260 pk. De GTB4 is een kwart duurder dan de GTB.

Aantal cilinders: V12
Cilinderinhoud in cm³: 3285
Vermogen: 280/7600 (GTB4 300/8000)
Topsnelheid in km/uur: 260 en 270
Carrosserie/Chassis: aluminium of staal op buizenchassis
Uitvoering: coupé en cabriolet
Productiejaren: 1964-1966 (GTB4 1966-1968)
Productie-aantallen: 460 en 350
In NL: 4
Prijzen (GTB): A: 91.000 B: 182.000 C: 250.000

FERRARI 275 GTS

Op verzoek van de Amerikaanse Ferrari-importeur bouwde de fabriek de 275 GTS als opvolger voor de 250 GT SWB California. De auto was beter geschikt voor het dagelijks verkeer dan zijn voorganger, maar miste de mooie lijnen. Eigenlijk lijkt de 275 GTS meer op een open uitvoering van de 330 GTC, terwijl de 330 GTS de lange en mooiere neus van de 275 GTB heeft. De carrosserie was weer bij Pininfarina ontworpen en gebouwd en er was ook een hardtop leverbaar. Vanaf 1965 is de neus iets langer en zit er een bult op de motorkap.

Aantal cilinders: V12
Cilinderinhoud in cm³: 3285
Vermogen: 260/7000
Topsnelheid in km/uur: 250
Carrosserie/Chassis: staal op een buizenchassis
Uitvoering: cabriolet
Productiejaren: 1964-1966
Productie-aantal: 200
In NL: 0
Prijzen: A: 45.000 B: 10.000 C: 150.000

FERRARI 330 GT

Van de 275-serie heeft men nooit een 2+2 gemaakt, maar daarvoor ontstond de 330 GT met een nog grotere motor. Voor een vierpersoons auto was de 330 uiterst snel. De wagen had eerst twee dubbele koplampen en een elektrische overdrive, maar de tweede serie had een vijfbak en enkele lampen. De koplampen zijn een kwestie van smaak, de vijfbak echter is wel veel steviger dan de overdrive. Opties waren stuurbekrachtiging en airconditioning. Ook voor de spaakwielen moest voortaan extra betaald worden. Geen zeer gewilde Ferrari's, maar de belangstelling neemt toe.

Aantal cilinders: V12
Cilinderinhoud in cm³: 3967
Vermogen: 300/6600
Topsnelheid in km/uur: 240
Carrosserie/Chassis: buizenchassis
Uitvoering: 2+2 coupé
Productiejaren: 1964-1967
Productie-aantal: 1.080
In NL: 8
Prijzen: A: 18.200 B: 29.500 C: 40.800

FERRARI 330 GTC & GTS, 365 GTC & GTS

De tweepersoons uitvoering van de 330 GT noemde men GTC met de 'C' voor 'corte' en de open versie kreeg de 'S' voor spyder. Met zijn onafhankelijke voor- en achterwielvering was de 330 GTC/S één van de fijnste Ferrari's voor de grote weg. Toen men bij Ferrari een nieuwe 4,4 liter motor ontwikkeld had, kwam deze ook in de GTC en GTS, waardoor de 365-serie ontstond. De open wagens waren in die tijd minder gevraagd, want van de 330 GTS werden 100 en van de 365 GTS maar 20 stuks verkocht.

Aantal cilinders: V12
Cilinderinhoud in cm³: 3967 en 4390
Vermogen: 300/7000 en 320/6600
Topsnelheid in km/uur: 240 en 245
Carrosserie/Chassis: buizenchassis
Uitvoering: coupé en cabriolet
Productiejaren: 1966-1968 en 1968-1969
Productie-aantallen: 598 en 100; 200 en 20
In NL: 5
Prijzen: (coupé) A: 39.000 B: 77.000 C: 113.000

FERRARI 365 GT CALIFORNIA

De chassisnummers van de 365 GT California's vond men tussen 8347 en 10369. Ook deze cabriolet stamde uit het huis van Pininfarina, was een duidelijke tweezitter en optisch een opvolger van de 500 Superfast. De motor had twee bovenliggende nokkenassen en was een afleiding van de V12 uit de 365 P racewagen. In tegenstelling tot de andere Ferrari's was de wegligging van de 365 California slecht, wat misschien samen met de hoge prijs een reden was dat er maar 20 stuks verkocht werden.

Aantal cilinders: V12
Cilinderinhoud in cm³: 4390
Vermogen: 320/6600
Topsnelheid in km/uur: 250
Carrosserie/Chassis: buizenchassis
Uitvoering: cabriolet
Productiejaren: 1966-1967
Productie-aantal: 20
In NL: 1
Prijzen: A: 227.000 B: 386.000 C: 545.000

FERRARI 365 GTB/4 DAYTONA

In oktober 1968 stond er een nieuwe berlinetta op de Parijse salon, de 365 GTB4 Daytona, wat dus betekende dat de wagen een 4390 cm³ motor met vier bovenliggende nokkenassen had. De toevoeging 'Daytona' kwam niet van Ferrari zelf, maar werd door de pers bedacht. De Daytona was een zeer fraai gelijnde Ferrari en al snel werden liefhebbers dol op het model. De prijzen liggen de laatste jaren vrij stabiel.

Aantal cilinders: V12
Cilinderinhoud in cm³: 4390
Vermogen: 352/7500
Topsnelheid in km/uur: 280
Carrosserie/Chassis: buizenchassis
Uitvoering: coupé
Productiejaren: 1968-1973
Productie-aantal: 1.260
In NL: 4
Prijzen: A: 45.500 B: 91.000 C: 127.000

FERRARI 365 GTS/4 DAYTONA SPYDER

Een jaar na de introductie van de hierboven besproken Daytona kwam Ferrari op de autoshow in Frankfurt met de cabrioletuitvoering voor de dag. De wagen bleef ook dakloos goed gelijnd. Liefhebbers die aan de autosport meededen verkozen natuurlijk de veel veiliger coupé, maar de Spyder is beslist een prachtige Ferrari. In verhouding tot de dichte versie is de cabriolet weinig verkocht. Helaas kwamen sommige coupébezitters op het morbide idee hun wagen te onthoofden. Hoedt u dus voor neppers.

Aantal cilinders: V12
Cilinderinhoud in cm³: 4390
Vermogen: 352/7500
Topsnelheid in km/uur: 280
Carrosserie/Chassis: buizenchassis
Uitvoering: cabriolet
Productiejaren: 1969-1973
Productie-aantal: 125
In NL: n.b.
Prijzen: A: 182.000 B: 340.000 C: 454.000

FERRARI 365 GT 2+2

De ruime vierpersoons uitvoering in de 365 serie kwam in 1967 uit. Een echte sportwagen kon men hem niet noemen en in de lange tijd dat de wagen als gebruikte auto vrijwel onverkoopbaar was, sprak men graag van de 'Queen Mary', want groot was hij wel. Op de snelweg was het een fijne auto met ruimte voor vier volwassenen. Airconditioning, elektrische zijruiten (ook de ventilatieraampjes) en een radio met 8-sporen cassette behoorden tot de standaarduitrusting. Voor het eerst monteerde Ferrari een zich automatisch regelende achtervering van Koni.

Aantal cilinders: V12
Cilinderinhoud in cm³: 4390
Vermogen: 320/6600
Topsnelheid in km/uur: 240
Carrosserie/Chassis: buizenchassis
Uitvoering: 2+2 coupé
Productiejaren: 1967-1971
Productie-aantal: 801
In NL: 5
Prijzen: A: 20.000 B: 34.000 C: 43.000

DINO 206, 246 GT & GTS

Toen Ferrari voor het seizoen 1967 een nieuwe F2-wagen wilde bouwen, kon hij deze met een 'normale' motor bouwen en homologeren als hij maar bewijzen kon dat er minstens 500 motoren gebouwd waren. Samen met Fiat lukte dit. Fiat nam de motor voor zijn sportwagens en Ferrari stopte hem, behalve in de F2-wagen, in de Dino. De dwars achterin geplaatste motor werd al gauw opgeboord tot 2,4 liter. Deze Dino 246 was ook als coupé met uitneembaar dakpaneel (246 GTS) te koop. De 206 is ongeveer één derde duurder.

Aantal cilinders: V6
Cilinderinhoud in cm³: 1987 en 2418
Vermogen: 180/8000 en 195/7500
Topsnelheid in km/uur: 220 en 230
Carrosserie/Chassis: buizenchassis
Uitvoering: coupé (246 ook als coupé m.u.d.)
Productiejaren: 1967-1969, 246 GT en GTS: 1969-1974 en 1972-1974
Productie-aantallen: 152, 2.487 en 1.274
In NL: 10
Prijzen: (246) A: 29.500 B: 45.400 C: 59.000

FERRARI 365 GTC/4

Ferrari presenteert graag nieuwe modellen in Genève. Zo ook in 1971 toen de Italianen een nieuwe wagen meebrachten die niet veel anders was dan een geciviliseerde Daytona. De 365 GTC/4 kwam in de plaats van de 365 GT 2+2 maar bood achterin beduidend minder plaats. Technisch was de wagen identiek aan de Daytona, maar de standaard stuurbekrachtiging deed de wagen veel prettiger rijden dan de tweezitter. De motor van de 365 GTC/4 had ook vier bovenliggende nokkenassen en zes carburateurs, maar omdat de wagen nooit voor races bedoeld was, was het vermogen iets geknepen.

Aantal cilinders: V12
Cilinderinhoud in cm³: 4390
Vermogen: 320/6200
Topsnelheid in km/uur: 240
Carrosserie/Chassis: buizenchassis
Uitvoering: coupé
Productiejaren: 1971-1972
Productie-aantal: 500
In NL: 2
Prijzen: A: 22.700 B: 43.100 C: 61.300

FERRARI 365 GT4 2+2

De 365 GT 2+2 werd in het begin van 1971 uit de productie genomen, maar het duurde tot de herfst van 1972 voor er een opvolger aangeboden kon worden. De nieuwe wagen was de 365 GT4 2+2 die, zoals de '4' aanduidt, een vier nokkenassen-motor in het vooronder had. De wagen was langer, breder en lager dan zijn voorganger, bood nog meer luxe en was daarom ook iets duurder. Alle snufjes die het rijden prettig maakten, waren aanwezig. Alle zijruiten werden elektrisch bediend, het stuur was bekrachtigd, evenals de remmen, en er zat een airconditioning in.

Aantal cilinders: V12
Cilinderinhoud in cm³: 4390
Vermogen: 340/7000
Topsnelheid in km/uur: 220
Carrosserie/Chassis: buizenchassis
Uitvoering: coupé
Productiejaren: 1972-1976
Productie-aantal: 470
In NL: 5
Prijzen: A: 13.600 B: 25.000 C: 34.000

FERRARI 365 GT4 BB & 512 BB

Toen Lamborghini zijn Miura en Maserati de Bora met middenmotoren brachten, kon Ferrari alleen nog maar een Daytona met de motor voorin aanbieden. De 365 GT4 BB bracht hier verandering in. De auto was bij Scaglietti naar een ontwerp van Pininfarina gebouwd, had een aluminium carrosserie en een twaalfcilinder boxermotor met vier nokkenassen voor de achteras. De opvolger was de 512 BB met een grotere motor, die nu in tegenstelling tot de 365 BB een dry-sumpsmering had. De aanduiding 512 betekent 5 liter en 12 cilinders.

Aantal cilinders: 12
Cilinderinhoud in cm³: 4391 en 4942
Vermogen: 344/7000 en 360/6200
Topsnelheid in km/uur: 300 en 305
Carrosserie/Chassis: buizenchassis
Uitvoering: coupé
Productiejaren: 1973-1976 en 1976-1981
Productie-aantallen: 387 en 929
In NL: 2
Prijzen: (512 BB) A: 29.500 B: 49.900 C: 68.100

FERRARI 512i BB

In de herfst van 1981 kwam Ferrari met een 512 BB die voorzien was van een Bosch K-Jetronic injectie en daarmee was de BB 512i geboren. Het vermogen nam 20 pk af maar het koppel was verbeterd. Uiterlijke wijzigingen waren een luchtuitlaat in de carrosseriekleur, een smallere grille, nieuwe mistlampen en parkeerlichten en bredere banden. Gedurende de drie leveringsjaren veranderde er niets aan de 512i. Hij verkocht beter dan zijn voorganger, hoewel de verkoop wel te lijden had van de 288 GTO en de reeds aangekondigde opvolger: de Testarossa.

Aantal cilinders: 12
Cilinderinhoud in cm³: 4943
Vermogen: 340/6000
Topsnelheid in km/uur: 300
Carrosserie/Chassis: buizenchassis
Uitvoering: coupé
Productiejaren: 1981-1984
Productie-aantal: 1.007
In NL: n.b.
Prijzen: A: 23.000 B: 42.000 C: 60.000

FERRARI 400 GT & GTi AUTOMATIC

De 365 GT4 2+2 had voor een paar liefhebbers toch nog een nadeel: de vijfbak moest met de hand geschakeld worden. Om deze ergernis uit de wereld te helpen, bouwden Ferrari en Pininfarina de 400 GT 2+2 die uitsluitend met een automatische bak geleverd werd. De automaat werd bij General Motors ingekocht en was van hetzelfde type als Rolls-Royce en Cadillac inbouwden. In 1979 kreeg de motor een K-Jetronic benzine-inspuitsysteem van Bosch, waardoor de 400 GTi ontstond.

Aantal cilinders: V12
Cilinderinhoud in cm³: 4823
Vermogen: 340/6500
Topsnelheid in km/uur: 240
Carrosserie/Chassis: buizenchassis
Uitvoering: coupé
Productiejaren: 1976-1979 en 1979-1985
Productie-aantallen: 502 en 1.308
In NL: 4
Prijzen: (GTi) A: 15.900 B: 22.700 C: 31.800

FERRARI 308 GT4

In 1974 begon voor Ferrari een nieuw tijdperk met V8-motoren voor zijn 'personenwagens'. En hoe succesvol die wagens nu ook mogen zijn, het begin was maar povertjes. De 308 GT4 leek niet op een Ferrari. Op zijn neus stond tot in 1978 'Dino' geschreven en de carrosserie kwam niet – zoals men gewend was – uit de fabrieken van Pininfarina maar uit die van Bertone. Voor Bertone moet het een bijna onmogelijke opgave geweest zijn een bruikbare auto te construeren, want de opdracht omvatte een 2+2 met de V8-motor voor de achteras.

Aantal cilinders: V8
Cilinderinhoud in cm³: 2926
Vermogen: 250/7700
Topsnelheid in km/uur: 250
Carrosserie/Chassis: buizenchassis
Uitvoering: coupé
Productiejaren: 1974-1980
Productie-aantal: 2.826
In NL: 10
Prijzen: A: 9.100 B: 15.900 C: 22.700

FERRARI 308 GTB & GTS

In oktober 1975 kreeg de 308 GT4 er een broertje bij, de 308 GTB, die ditmaal bij Pininfarina op papier gezet was. Het was een pure tweezitter die het mechaniek van de voorganger mee gekregen had. De eerste serie van 808 stuks had een kunststof carrosserie, maar helaas schakelden de fabrikanten al gauw over op staal, wat de wagen 100 kg zwaarder maakte. In september 1977 kwam er een open versie uit. Bij deze GTS sprak men weliswaar van een spider, maar omdat de achterruit bleef staan, was het eerder een coupé met uitneembaar dakpaneel dan een cabriolet.

Aantal cilinders: V8
Cilinderinhoud in cm³: 2926
Vermogen: 255/7700
Topsnelheid in km/uur: 250
Carrosserie/Chassis: buizenchassis
Uitvoering: coupé en coupé m.u.d.
Productiejaren: 1975-1980 en 1977-1980
Productie-aantallen: 2.897 en 3.219
In NL: 100
Prijzen: (kunststof) A: 20.400 B: 27.200 C: 38.600

FERRARI 208 GTBi, GTSi & TURBO

Speciaal voor de Italiaanse markt kwam Ferrari in 1980 met de 208 GTBi en GTSi uit. De fiscus aldaar gaat voor heffingen van het motorvolume uit en de 208 had een voor Ferrari kleine tweeliter aan boord. Uiterlijk is hij vrijwel niet te onderscheiden van zijn grotere broer. Vanaf 1982 was er een Turbo, die ruim de helft meer vermogen bood. Deze is herkenbaar aan de voorspoiler, het dakspoilertje en de extra luchtinlaat vóór het achterwiel. In de motorkap zijn louvres aangebracht.

Aantal cilinders: V8
Cilinderinhoud in cm³: 1991
Vermogen: 155/6800-242/7000
Topsnelheid in km/uur: 210-240
Carrosserie/Chassis: zelfdragend
Uitvoering: coupé en coupé m.u.d.
Productiejaren: 1980-1982 en 1982-1986
Productie-aantallen: 703, 1.743 en 1.136
In NL: 2
Prijzen: (Turbo) A: 11.300 B: 17.000 C: 22.700

FERRARI 328 GTB & GTS

De herziene 308 debuteerde in de herfst van 1985 in Frankfurt. Onder de typenaam 328 waren er weer een coupé (GTB) en een coupé m.u.d. (GTS) en voor het eerst sinds 1975 had Ferrari het motorvolume van het model vergroot naar 3,2 liter. De carrosserie was gladder en een hele reeks onderdelen was in de wagenkleur meegespoten. Ook was er een nieuw interieur en andere deurgrepen en buitenspiegels. Voor '88 kwam de eerste modificatie: als de klant ABS (van Teves) bestelde, kreeg hij ook Mondial-wielen. De GTS kost tegenwoordig zo'n tien procent meer.

Aantal cilinders: V8
Cilinderinhoud in cm³: 3185
Vermogen: 270/7000
Topsnelheid in km/uur: 250
Carrosserie/Chassis: buizenchassis
Uitvoering: coupé en coupé m.u.d.
Productiejaren: 1985-1989
Productie-aantallen: 1.344 en 3.067
In NL: n.b.
Prijzen: A: 15.900 B: 25.000 C: 31.800

FERRARI MONDIAL 8 2.9

In het voorjaar van 1980 wordt de Mondial 8 voorgesteld, een auto die in concept op de 308 GT/4 leek. De koets was wederom van Pininfarina en binnenin de auto was er volop luxe. Standaard was er airco en centrale vergrendeling. Het Connolly-leer straalde klasse uit. Kortom: het was een ideale grand-routier. Kritiek betrof de enigszins teleurstellende prestaties, maar daar kwam verandering in met de hieronder besproken opvolger Quattrovalvole van 1982. De Mondial 8 is geen door Ferrari-liefhebbers gezochte wagen.

Aantal cilinders: V8
Cilinderinhoud in cm³: 2926
Vermogen: 214/6500
Topsnelheid in km/uur: 220
Carrosserie/Chassis: buizenchassis
Uitvoering: coupé
Productiejaren: 1980-1982
Productie-aantal: 703
In NL: 4
Prijzen: A: 8.200 B: 12.500 C: 16.800

FERRARI MONDIAL QUATTROVALVOLE

Toen de Mondial in de herfst van 1982 een motor met nieuwe cilinderkoppen gekregen had, schoot de verkoop van de wagen omhoog. Met zijn vier kleppen per cilinder was de wagen niet langer 'langzaam' te noemen. Evenals zijn voorganger met zestien kleppen was het een luxe wagen. Zo was de Mondial de eerste Ferrari waarvan de stuurkolom verstelbaar was. Ook kon er tegen een meerprijs een elektrisch bediend schuifdak gemonteerd worden. Is een kwart meer waard dan de gewone Mondial.

Aantal cilinders: V8
Cilinderinhoud in cm³: 2927
Vermogen: 240/7000
Topsnelheid in km/uur: 240
Carrosserie/Chassis: buizenchassis
Uitvoering: coupé
Productiejaren: 1982-1985
Productie-aantal: 1.145
In NL: 4
Prijzen: A: 9.100 B: 13.600 C: 19.300

FERRARI MONDIAL CABRIOLET

Toen Ferrari de Mondial in het najaar van 1983 als cabriolet voorstelde, zakte de verkoop van de coupés in landen zoals Amerika in elkaar. Een Mondial was door de ferrarist nooit echt geaccepteerd, maar bij een open 2+2 lag dat iets anders. De cabriolet kreeg direct al de vierkleppenmotor en was dus, op het dak na, identiek aan de gesloten uitvoering. Door de plompe bumpers van de Amerikaanse uitvoering was de open Mondial in die gedaante acht centimeter langer.

Aantal cilinders: V8
Cilinderinhoud in cm³: 2927
Vermogen: 240/7000
Topsnelheid in km/uur: 240
Carrosserie/Chassis: buizenchassis
Uitvoering: cabriolet
Productiejaren: 1983-1985
Productie-aantal: 629
In NL: 4
Prijzen: A: 13.600 B: 22.700 C: 29.500

FERRARI TESTAROSSA

Als opvolger van de 512 BB verscheen in 1984 de Testarossa. Dit staat voor 'roodhuid' in het Italiaans. Natuurlijk was Pininfarina weer de ontwerper van deze bolide met een aluminium carrosserie, waarin brede luchtinlaten aan weerszijden. Die waren nodig om de koellucht naar de beide achterin geplaatste radiateurs te leiden. De 12-cilinder boxermotor had een inhoud van vijf liter en natuurlijk vier kleppen per cilinder. Een injectiesysteem van Bosch maakte een vermogen van 390 pk mogelijk. Een ideale wagen om snel mee naar Zuid-Frankrijk te rijden. Verkocht voor een 12-cilinder Ferrari extreem goed.

Aantal cilinders: 12
Cilinderinhoud in cm³: 4942
Vermogen: 390/6300
Topsnelheid in km/uur: 285
Carrosserie/Chassis: aluminium/buizenchassis
Uitvoering: coupé
Productiejaren: 1984-1991
Productie-aantal: 7.177
In NL: n.b.
Prijzen: A: 29.500 B: 38.600 C: 50.000

FERRARI 288 GTO

Op basis van de 308 GTB verscheen in maart 1984 een nieuwe super-Ferrari: de 288 GTO. Dankzij twee turboladers kon de wagen de 300-kilometergrens doorbreken. Ferrari wilde er 200 bouwen voor de homologatie van Groep B, maar de vraag was groot en er kwamen er 272 op de weg. Uiterlijke verschillen met de 308 zijn de 12 cm langere wielbasis, de vier extra lampen, de hoge buitenspiegels en een andere achterkant met zichtbare versnellingsbak. Een 288 (2,8 liter V8) was erg prijzig met een nieuwprijs indertijd van € 136.000,–, maar dat is niets vergeleken bij de huidige waarde.

Aantal cilinders: V8
Cilinderinhoud in cm³: 2855
Vermogen: 400/7000
Topsnelheid in km/uur: 305
Carrosserie/Chassis: buizenchassis
Uitvoering: coupé
Productiejaren: 1984-1986
Productie-aantal: 272
In NL: n.b.
Prijzen: A: n.v.t. B: 200.000 C: 275.000

FERRARI 412 1985-1989

De opvolger van de 400i was voor het eerst in maart '85 te Genève te zien. Hij had nu hetzelfde motorvolume als de Testarossa en een injectiesysteem van Magneti Marelli. De carrosserie was inmiddels 13 jaar oud en enige modificaties waren dus op hun plaats. De bumpers waren meegespoten, er waren nieuwe velgen, de kofferbaklijn was verhoogd en het interieur was nieuw. Het was de eerste Ferrari met ABS. Er was ook weer een automaat leverbaar. Gedurende de vijf productiejaren waren er geen wijzigingen aan de grote coupé.

Aantal cilinders: V12
Cilinderinhoud in cm³: 4942
Vermogen: 340/6600
Topsnelheid in km/uur: 250
Carrosserie/Chassis: buizenchassis
Uitvoering: coupé
Productiejaren: 1985-1989
Productie-aantal: 576
In NL: n.b.
Prijzen: A: 18.200 B: 29.500 C: 38.600

FERRARI F40

Ferrari bestond in 1988 veertig jaar en dat moest natuurlijk een jubileummodel opleveren. Het werd de F40, een wagen die de betekenis van het woord sportwagen zou doen veranderen. Uit experimentele GTO-opvolgers ontstond de F40, met wederom een supersnelle V8. Goed voor 478 pk en een top van 325. De F40 zou in beperkte oplage verschijnen in een sportversie en een wat comfortabeler variant, maar de grote vraag leidde ertoe dat de peperdure wagen ruim 1.300 kopers vond. Vooral in de eerste jaren was de F40 het slachtoffer van speculanten.

Aantal cilinders: V8
Cilinderinhoud in cm³: 2936
Vermogen: 478/7000
Topsnelheid in km/uur: 325
Carrosserie/Chassis: buizenchassis
Uitvoering: coupé
Productiejaren: 1987-1992
Productie-aantal: 1.331
In NL: n.b.
Prijzen: A: n.v.t. B: 160.000 C: 215.000

FERRARI MONDIAL T

De vierde generatie Mondials kreeg wederom een grotere motor. De auto was wat lijnen betreft ondanks de modificaties nog steeds een echte Mondial. Vanzelfsprekend kreeg de auto ook een nieuw, ruimer interieur en een nieuw dashboard. De toevoeging 't' stond voor de transversaal ingebouwde versnellingsbak. Gelijktijdig met de 2+2 coupé stond op de show van Genève in maart '89 de cabriolet en beide wagens zouden tot en met het voorjaar van 1994 onveranderd gebouwd worden. Officieel stopte de productie in '93 maar de verkoop liep een half jaar door.

Aantal cilinders: V8
Cilinderinhoud in cm³: 3405
Vermogen: 300/7200
Topsnelheid in km/uur: 250
Carrosserie/Chassis: buizenchassis
Uitvoering: coupé en cabriolet
Productiejaar: 1989-1993
Productie-aantal: 1.850
In NL: n.b.
Prijzen: (coupé) A: 12.500 B: 18.000 C: 23.000

FIAT

Hoewel Fiat voor iedere beurs een auto gebouwd heeft en deze politiek nog steeds volgt, heeft men het meeste succes gehad met de kleinere wagens. Fiat, Fabbrica Italiana Automobili Torino, begon in 1899 met de bouw van auto's, maar is vandaag op praktisch ieder terrein vertegenwoordigd. De laatste jaren zijn er enkele opzienbarende modellen verschenen. In 1999 is het honderdjarig bestaan op grote schaal gevierd en dat mag een teken zijn dat het Fiat nog steeds voor de wind gaat.

FIAT 500 & 500 B

Dr. Dante Giacosa ontwierp met Antonia Fessia in 1936 een kleine auto die in Italië zo geliefd werd dat men hem Topolino ofwel klein muisje noemde. De tweezitter was groot genoeg voor de hele (Italiaanse) familie en daarom was het geen wonder dat de productie van de Fiat 500 na de oorlog weer opgenomen werd. In 1948 verscheen de 500 B die nu een motor met kopkleppen had. Na een jaar werd die B door een gemoderniseerde 'muis' opgevolgd. In Frankrijk werd de 500 als Simca 5 in licentie gebouwd. Kan tegenwoordig nog steeds op het Italiaanse platteland gevonden worden.

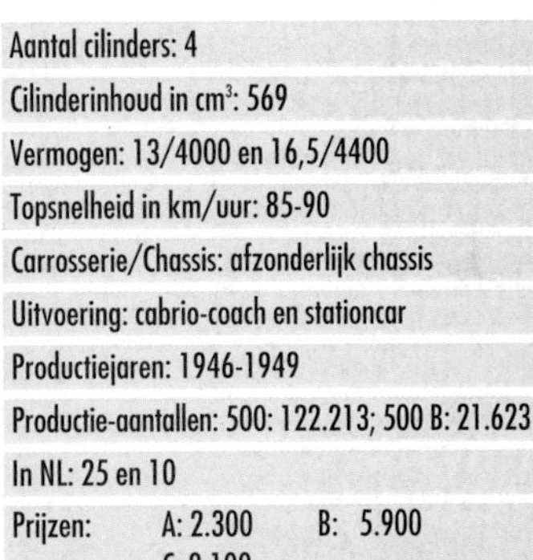

Aantal cilinders: 4
Cilinderinhoud in cm³: 569
Vermogen: 13/4000 en 16,5/4400
Topsnelheid in km/uur: 85-90
Carrosserie/Chassis: afzonderlijk chassis
Uitvoering: cabrio-coach en stationcar
Productiejaren: 1946-1949
Productie-aantallen: 500: 122.213; 500 B: 21.623
In NL: 25 en 10
Prijzen: A: 2.300 B: 5.900 C: 9.100

FIAT 500 C

In 1949 kwam de laatste uitvoering van de Fiat 500 uit. Men sprak van een 'Amerikaanse' carrosserie en inderdaad was de wagen veel gestroomlijnder dan zijn voorgangers. De koplampen zitten nu in de voorschermen. Hoewel Volkswagen een goedkope Kever aanbood en Renault zijn 4CV voor een concurrerende prijs kon aanbieden, bleef men de kleine Italiaan met succes verkopen. Alle 500's beschikten over het aangename roldak. Een leuke klassieke Italiaan die ook in ons land fanatieke liefhebbers kent.

Aantal cilinders: 4
Cilinderinhoud in cm³: 569
Vermogen: 16,5/4400
Topsnelheid in km/uur: 95
Carrosserie/Chassis: afzonderlijk chassis
Uitvoering: cabrio-coach
Productiejaren: 1949-1955
Productie-aantal: 376.371 (alle typen)
In NL: 200
Prijzen: A: 2.300 B: 4.500 C: 6.800

FIAT 500 C GIARDINIERA/BELVEDERE

Van de 500 C verscheen natuurlijk ook weer een stationcarversie met de naam Giardiniera. In feite is dat het vierzitsmodel van de 500. Hierboven is de Amerikaanse stijl van de coupé reeds genoemd. De Giardiniera had deze kwalificatie nog duidelijker: hij was in woody-stijl gebouwd. Helaas voor de liefhebbers verdween het hout in 1951, als de woody-look helemaal passé is, om voor staal plaats te maken. Het spuitwerk was wel in twee kleuren. Op sommige markten heette het wagentje Belvedere. De versies met hout doen meer in prijs dan de hier vermelde bedragen.

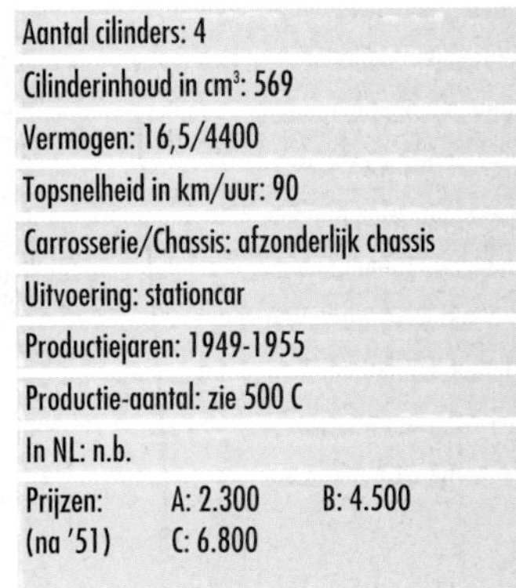

Aantal cilinders: 4
Cilinderinhoud in cm³: 569
Vermogen: 16,5/4400
Topsnelheid in km/uur: 90
Carrosserie/Chassis: afzonderlijk chassis
Uitvoering: stationcar
Productiejaren: 1949-1955
Productie-aantal: zie 500 C
In NL: n.b.
Prijzen: (na '51) A: 2.300 B: 4.500 C: 6.800

FIAT NUOVA 500

Twee jaren moest men het zonder Fiat 500 doen, maar toen kwam de Nuova, ofwel nieuwe, 500 als waardige opvolger. Ditmaal stond er een luchtgekoelde tweecilinder achterin de wagen in plaats van een watergekoelde vierpitter voorin. En weer was de auto groot genoeg voor vier Italianen. Tot 1965 had de wagen de portieren 'verkeerd', maar bij de 500 F vond men de scharnieren bij de voorspatborden. Het motorvermogen werd ook steeds opgevoerd. Zeer gezocht is de 500 Sport van 1958 met gesloten dak. De 500 R heeft de 594 cc motor uit de Fiat 126.

Aantal cilinders: 2
Cilinderinhoud in cm³: 479 ;499 en 594
Vermogen: 13/4000 tot 18/4500
Topsnelheid in km/uur: 90-105
Carrosserie/Chassis: zelfdragend
Uitvoering: coach
Productiejaren: 1957-1975
Productie-aantal: 3.427.648
In NL: 3.230
Prijzen: (D, F, R) A: 900 B: 2.300 C: 3.400

FIAT NUOVA 500 GIARDINIERA

In 1960 komt Fiat met de 500 stationcar onder de traditionele naam Giardiniera (tuinman). Het wagentje was 21 cm langer dan de coach en had ook een iets langere wielbasis. Het motortje werd op zijn kant onder de laadvloer gemonteerd, een knap stukje ingenieurswerk van de Italianen. De achterklep scharnierde aan de zijkant. Omdat deze Giardiniera het slechts tot 14 procent van de totale 500-productie bracht, stopte Fiat ermee in 1965. Vanaf '68 bouwde Autobianchi het wagentje weer (zie aldaar).

Aantal cilinders: 2
Cilinderinhoud in cm³: 499
Vermogen: 17,5/4600
Topsnelheid in km/uur: 95
Carrosserie/Chassis: zelfdragend
Uitvoering: stationcar
Productiejaren: 1960-1965
Productie-aantal: ca. 161.000
In NL: 40
Prijzen: A: 900 B: 2.300 C: 3.600

FIAT 600

Op de tentoonstelling die in Genève in het voorjaar van 1955 zijn poorten opende, stond een geheel nieuwe Fiat, de 600. Een ruime maar toch kleine wagen. De wagen had zijn (lawaaiige) watergekoelde motor achterin. Dit werd één van de meest succesvolle Fiats, want toen de 600 in 1960 door de 600 D werd opgevolgd, had de fabriek er al bijna één miljoen stuks van verkocht. Vanaf '64 scharnieren de portieren aan de voorzijde. In Spanje bouwde men het model nog tot 1973 en in voormalig Joegoslavië tot 1986. Puristen kiezen uitsluitend voor de Fiat-versie.

Aantal cilinders: 4
Cilinderinhoud in cm³: 633 en 767
Vermogen: 22/4600 en 29/4800
Topsnelheid in km/uur: 100
Carrosserie/Chassis: zelfdragend
Uitvoering: coach
Productiejaren: 1955-1969
Productie-aantal: 2.452.107
In NL: 800
Prijzen: A: 900 B: 1.800 C: 2.900

FIAT 600 MULTIPLA

Een heel interessante wagen was de 600 Multipla, een soort voorloper van de huidige space-wagons. Hoewel de voortrein van de Fiat 1100 stamde, was de wagen opgebouwd uit Fiat 600-onderdelen. De Multipla was in drie uitvoeringen verkrijgbaar, voor vier of zes personen of als taxi, en vooral in deze laatste uitvoering zag men hem in Italië veel voor de stations staan. In Nederland was deze wagen bij kleine middenstanders geliefd. Na 1960 was er de grotere motor en die was zeer welkom bij volledige belasting. Kon erg snel roesten.

Aantal cilinders: 4
Cilinderinhoud in cm³: 633 en 767
Vermogen: 22/4600 en 29/4800
Topsnelheid in km/uur: 90-110
Carrosserie/Chassis: zelfdragend
Uitvoering: coach
Productiejaren: 1956-1966
Productie-aantal: 160.260
In NL: 5
Prijzen: A: 1.600 B: 4.000 C: 6.400

FIAT 850

Als opvolger voor de Fiat 600 verscheen de 850 in mei 1964. Technisch gezien was er niet veel veranderd: de watergekoelde motor stond achterin en dreef de achterwielen aan. In de wagen was ruimte voor 4 tot 5 personen. Geheel nieuw was echter de carrosserie en na 1966 kon de wagen zelfs met een automatische versnellingsbak besteld worden. In 1968 verscheen de 850 Special die de sterkere motor van de 850 coupé had plus schijfremmen voor. De 850 is tegenwoordig geen gewilde auto en dat is in de prijzen terug te vinden.

Aantal cilinders: 4
Cilinderinhoud in cm³: 843
Vermogen: 34/4800-47/6400
Topsnelheid in km/uur: 120-135
Carrosserie/Chassis: zelfdragend
Uitvoering: coach
Productiejaren: 1964-1971
Productie-aantal: 1.780.000
In NL: 200
Prijzen: A: 500 B: 1.200 C: 1.800

FIAT 850 COUPÉ

In 1965 presenteerde Fiat de 850 als coupé en als cabriolet, in Italië ook wel spider genaamd. De coupé was bij Fiat thuis ontwikkeld. De cilinderinhoud van de ingebouwde motoren was nog steeds 843 cm³, maar het vermogen had men drastisch opgevoerd. In maart 1968 kwam de tweede versie van de wagen uit, nu met een 903 cm³ motor. De nieuwe coupé herkende men aan zijn dubbele koplampen en aan de rubber bumperrozetten. Vanaf de introductie had de coupé al schijfremmen voor. Een leuk coupeetje voor een bescheiden prijs.

Aantal cilinders: 4
Cilinderinhoud in cm³: 843 en 903
Vermogen: 47/6200 en 52/6400
Topsnelheid in km/uur: 135-145
Carrosserie/Chassis: zelfdragend
Uitvoering: coupé
Productiejaren: 1965-1971
Productie-aantal: 342.873
In NL: 150
Prijzen: A: 1.100 B: 2.000 C: 3.400

FIAT 850 SPIDER

Gelijktijdig met de 850 coupé werd ook de open versie geïntroduceerd. Deze spider stamde van de tekentafels van Bertone die dan ook de carrosserieën mocht bouwen. Ook deze wagen kreeg in 1968 een sterkere motor en een kleine facelift die o.a. verticale koplampen inhield. De chroomlijsten opzij van de wagen waren nu verdwenen en op de bumpers vond men rubber rozetten. Het wagentje was beslist snel te noemen. Er is door Bertone ook nog een hardtopversie gebouwd. Ook deze 850-telg is nog voor redelijke prijzen te koop.

Aantal cilinders: 4
Cilinderinhoud in cm³: 843 en 903
Vermogen: 49/6400 en 52/6400
Topsnelheid in km/uur: 135-145
Carrosserie/Chassis: zelfdragend
Uitvoering: cabriolet
Productiejaren: 1965-1972
Productie-aantal: 124.600
In NL: 175
Prijzen: A: 2.300 B: 4.300 C: 6.400

FIAT 1100 S MM

Eén van de eerste modellen die Fiat na de oorlog op de markt terug bracht was de 1100 S MM. Deze wagen was een directe nakomeling van de 508 C-M.M. die de fabriek in de jaren 1937 en 1938 gebouwd had. De titel Mille Miglia had de wagen gekregen nadat hij in 1938 in deze race zijn klasse gewonnen had met een recordgemiddelde van 112 km/uur. In die jaren had de motor 42 pk geleverd, maar de naoorlogse versie kreeg 9 paarden meer onder de aluminium motorkap. De carrosserie was van Fiat zelf. Het zicht naar achteren was zeer beperkt.

Aantal cilinders: 4
Cilinderinhoud in cm³: 1089
Vermogen: 51/5200
Topsnelheid in km/uur: 150
Carrosserie/Chassis: afzonderlijk chassis
Uitvoering: coupé
Productiejaren: 1947-1950
Productie-aantal: 401
In NL: 2
Prijzen: A: 22.700 B: 40.900 C: 56.700

FIAT 1100 1947-1953

Vanzelfsprekend kwam ook de onverwoestbare 1100 na de oorlog terug. Dit model was in 1939 voorgesteld als opvolger van de 508 C Balilla waar hij nog steeds erg op leek. Ook in 1947 deed Fiat geen grote moeite de wagen te veranderen. Nadat Fiat van 1939 tot 1948 meer dan 74.000 exemplaren verkocht had, volgde in 1948 de 1100B. De laatste uitgave was de 1100 E die van 1949 tot 1953 verkocht werd. De interessantste uitvoering is de sedan met het grote roldak. Die laatste kost tegenwoordig het dubbele van een Sedan.

Aantal cilinders: 4
Cilinderinhoud in cm³: 1089
Vermogen: 32/4400
Topsnelheid in km/uur: 100
Carrosserie/Chassis: afzonderlijk chassis
Uitvoering: sedan en cabrio-limousine
Productiejaren: 1947-1953
Productie-aantal: 154.000
In NL: n.b.
Prijzen: A: 1.800 B: 3.400 C: 5.000

FIAT 1100-103, 1100 D & 1100 R

In 1953 kreeg de vooroorlogse 1100 eindelijk een geheel nieuw aanzien. De carrosserie was nu zelfdragend en bood ruimte aan vijf personen. De 1100 sedan was er in twee uitvoeringen, met twee separate voorstoelen of met een doorlopende voorbank. In dit geval konden er drie personen voorin zitten daar de wagen een stuurversnelling had. Eind 1953 kwam de snellere versie, de 1100 TV (Turismo Veloce) uit en in 1954 een stationcaruitvoering. Met de 1100 D in 1962 kwamen er 'normale' voorportieren. Die D-versie kreeg de 1,2-liter motor.

Aantal cilinders: 4
Cilinderinhoud in cm³: 1089 en 1221
Vermogen: 34/4400 en 52/5200
Topsnelheid in km/uur: 115-135
Carrosserie/Chassis: zelfdragend
Uitvoering: sedan en stationcar
Productiejaren: 1953-1969
Productie-aantal: 1.768.375
In NL: n.b.
Prijzen: A: 900 B: 1.800 C: 3.100

FIAT 1100 TV FISSORE

Carrozzeria Fissore is al een oud bedrijf. Vanaf 1921 bouwden de vier broers Fissore er wagens voor boeren en rijtuigen voor diegenen die nog geen auto wilden rijden. Goed, er werden wel carrosserieschades gerepareerd, maar echte speciale carrosserieën op autochassis kwamen pas in 1937 uit de werkplaats. Na de oorlog kwam de firma pas goed op gang. Er werd met Fiat-chassis gewerkt, maar ook met die van Osca, Opel, De Tomaso en dan natuurlijk Monteverdi. Hier een coupé van Fissore op basis van de Fiat 1100 TV.

Aantal cilinders: 4
Cilinderinhoud in cm³: 1089
Vermogen: 50/5200
Topsnelheid in km/uur: 135
Carrosserie/Chassis: afzonderlijk chassis
Uitvoering: coupé
Productiejaren: 1954-1958
Productie-aantal: ca. 300
In NL: 1
Prijzen: A: 4.500 B: 9.100 C: 13.600

FIAT 1100 SPIDER

In 1955 verraste Fiat de wereld met een spideruitvoering van de 1100/103. Pinin Farina had de carrosserie getekend en onder de motorkap vond men de motor van de 1100 TV. Tot in het najaar van 1957 bleef de wagen – in Italië ook wel Trasformabile genoemd – in productie, toen werd hij opgevolgd door de 1100-103E Convertible met een 1221 cm³ motor, die dus in feite een 1200 spider is. Veel van deze sportieve Fiats zullen door de roest geveld zijn. Je moet van het model houden.

Aantal cilinders: 4
Cilinderinhoud in cm³: 1089 en 1221
Vermogen: 50/5400 en 55/5300
Topsnelheid in km/uur: 130 en 140
Carrosserie/Chassis: zelfdragend
Uitvoering: cabriolet
Productiejaren: 1955-1957 en 1957-1959
Productie-aantallen: 571 en 2.363
In NL: n.b.
Prijzen: A: 5.000 B: 7.700 C: 10.900

FIAT 1200 GRANLUCE

De Fiat 1200 stond in 1957 op de Turijnse tentoonstelling als een opvolger voor de 1100 TV. De carrosserieën waren in de grondlijnen vrijwel identiek maar de grilles van de wagens waren verschillend en de 1200 had ook een groter glasoppervlak. Opvallend was de flinke portie chroom die de wagen opsierde. De motor had nu een inhoud van 1221 cm³. De fabriek bood de wagen aan als 1200 Granluce. Het spuitwerk was altijd two-tone. Voor Fiat werd het een bestseller, tegenwoordig lastig te verhandelen.

Aantal cilinders: 4
Cilinderinhoud in cm³: 1221
Vermogen: 55/5300
Topsnelheid in km/uur: 140
Carrosserie/Chassis: zelfdragend
Uitvoering: sedan
Productiejaren: 1957-1960
Productie-aantal: 400.066
In NL: n.b.
Prijzen: A: 1.000 B: 2.300 C: 3.400

FIAT 1300 & 1500

In 1935 had Fiat een '1500' gebouwd die de basis zou worden voor de 1500 die tot 1948 in productie zou blijven. Uiterlijk was de wagen bijna identiek aan de 1100 uit die jaren, maar de motor had een inhoud van 1,5 liter en zes cilinders. Van 1949 tot 1950 werden de laatste exemplaren met de oude carrosserie en een zespitter afgeleverd. Het werd stil rond de 1500 en pas in 1961 kon hij weer aangeboden worden. Hij deelde de carrosserie toen met de 1300 die de 1200 Granluce opvolgde. De 1500 L van '64 had rondom schijfremmen.

Aantal cilinders: 4
Cilinderinhoud in cm³: 1295 en 1481
Vermogen: 65 en 72/5200
Topsnelheid in km/uur: 140 en 150
Carrosserie/Chassis: zelfdragend
Uitvoering: sedan en stationcar
Productiejaren: 1961-1968
Productie-aantal: 600.000 exclusief de 1500L
In NL: n.b.
Prijzen: A: 900 B: 2.500 C: 3.600

FIAT 1200 & 1500 CABRIOLET

In 1959 verscheen de 1200 spider van Pininfarina's hand. Geen opvallende koets, maar zeker niet lelijk. De nieuwe open Fiat was geen snelheidsmonster, het was eerder een leuke zomerwagen met veel comfort. Na een redelijke verkoop volgde in 1963 de 1500-versie de 1200 op. Die nieuwe spider beschikte over schijfremmen voor. Wie echt sportiever wilde rijden, kon de S-uitvoering van de spiders aanschaffen. Vele Fiats zijn roestgevoelig en deze spiders zijn dat helaas ook.

Aantal cilinders: 4
Cilinderinhoud in cm³: 1221 en 1491
Vermogen: 58/5300 en 75/5400
Topsnelheid in km/uur: 140 en 165
Carrosserie/Chassis: zelfdragend
Uitvoering: cabriolet
Productiejaren: 1959-1963 en 1963-1966
Productie-aantallen: 11.851 en 22.630 (inclusief de coupé)
In NL: n.b.
Prijzen: A: 2.900 B: 6.100 C: 9.100

FIAT 1200 & 1500 COUPÉ

De coupévariant van de 1200 en 1500 is veel minder bekend dan zijn open naaste verwant. In Nederland bood importeur Leonard Lang de wagen als 'Farina Coupé' aan en hij was maar liefst een kwart duurder dan de spider. Veel zullen er niet verkocht zijn. De roestgevoeligheid heeft vele exemplaren de das omgedaan en een cabriolet wilde men indertijd nog wel eens – zelfs in zeer beroerde staat – restaureren, maar een dichte wagen ging eerder richting sloop. Jammer, want het waren goed ogende en prima rijdende coupés.

Aantal cilinders: 4
Cilinderinhoud in cm³: 1221 en 1491
Vermogen: 58/5300 en 75/5400
Topsnelheid in km/uur: 140 en 165
Carrosserie/Chassis: zelfdragend
Uitvoering: coupé
Productiejaren: 1959-1963 en 1963-1966
Productie-aantal: zie hiervoor
In NL: n.b.
Prijzen: A: 1.800 B: 4.300 C: 6.800

FIAT 1500S & 1600S

Verbeterde – of liever gezegd: snellere – uitgaven van de Fiat spider van hierboven vond men in de vorm van de S-typen. Op de Salon van Turijn in 1958 toonde Pininfarina een prototype van een open Fiat met een OSCA-motor met twee bovenliggende nokkenassen. Fiat nam die motor over, zij het ietwat geknepen, voor de 1500S. Het uiterlijk van de S-typen verschilde weinig van de gewone versie; men herkent de S aan de andere grille en de luchthapper op de kap. De 1600S volgde de 1200 in 1963 op en had vier in plaats van twee koplampen.

Aantal cilinders: 4
Cilinderinhoud in cm³: 1481 en 1568
Vermogen: 75/5200 en 90/6000
Topsnelheid in km/uur: 160 en 175
Carrosserie/Chassis: zelfdragend
Uitvoering: cabriolet en coupé
Productiejaren: 1959-1962 en 1963-1966
Productie-aantallen: 1500S: 80; 1600S: 3.089
In NL: n.b.
Prijzen: A: 4.500 B: 9.100 C: 13.600

FIAT 8V

Toen Fiat in 1952 een nieuwe sportwagen met een V8-motor mee naar Genève nam, moet men meer aan reclame dan aan geld verdienen gedacht hebben. De coupé had een V8-motor onder zijn aluminium motorkap en deze wagen was de eerste Fiat met onafhankelijke vering aan alle wielen. Een paar maal deed een 8V mee aan races, maar een echte racewagen is het nooit geworden. In 1954 stond er één 8V met een kunststof carrosserie op de tentoonstellingen en de motor van deze wagen leverde 127 pk/6600. Vrijwel onbetaalbaar en niet te vinden.

Aantal cilinders: V8
Cilinderinhoud in cm³: 1996
Vermogen: 105/6000
Topsnelheid in km/uur: 190
Carrosserie/Chassis: aluminium/zelfdragend
Uitvoering: coupé
Productiejaren: 1952-1954
Productie-aantal: 114
In NL: 1
Prijzen: A: 40.800 B: 68.100 C: 90.800

FIAT 1400

Met de 1400 begon voor Fiat een nieuw tijdperk. Het was de eerste geheel nieuwe naoorlogse auto en ditmaal met een zelfdragende carrosserie. Zijn première vierde de 1400 in 1950 op de show in Genève. In 1954 kwam er een diesel-uitvoering van op de markt waarvan er in twee jaren 13.500 verkocht werden. Van 1954 tot 1956 bood men de 1400A aan die een beetje meer motorvermogen had. De laatste uitgave van de 1400 was de B die van 1956 tot 1958 met een iets veranderde, en in twee kleuren gespoten, carrosserie aangeboden werd.

Aantal cilinders: 4
Cilinderinhoud in cm³: 1395; diesel: 1901
Vermogen: 44/4400-58/4600
Topsnelheid in km/uur: 100-130
Carrosserie/Chassis: zelfdragend
Uitvoering: sedan, coupé en cabriolet
Productiejaren: 1950-1958
Productie-aantal: 120.356
In NL: n.b.
Prijzen (sedan): A: 900 B: 2.700 C: 4.500

FIAT 1900

In oktober 1952 zag men in Parijs de grote broer van de Fiat 1400, de 1900. De wagens hadden veel gemeen, maar het grote verschil zat natuurlijk onder de motorkap. De 1900 was het topmodel van Fiat en de lieveling van de carrossiers. Interessant was de politie-uitvoering van de 1900, een 1400 cabriolet met een opgevoerde 1900 motor. De 1900B had dezelfde modificaties als de 1400B waarmee hij gelijktijdig in 1954 werd voorgesteld. In 1956 verscheen de 1900B met dezelfde carrosserie als de 1400B. Afgebeeld is de coupé Granluce.

Aantal cilinders: 4
Cilinderinhoud in cm³: 1901
Vermogen: 60/4300
Topsnelheid in km/uur: 150
Carrosserie/Chassis: zelfdragend
Uitvoering: sedan, coupé en cabriolet
Productiejaren: 1952-1958
Productie-aantal: 15.759
In NL: n.b.
Prijzen: A: 1.100 B: 3.200 C: 5.400

FIAT 1800 & 2100

In 1959 verscheen Fiat weer met een zescilinder motor. Men vond hem in de 1800 en 2100 die, uiterlijk hetzelfde, alleen in cilinderinhoud van elkaar afweken. De wagens waren uiterlijk en technisch modern. De vierversnellingsbak was nu geheel gesynchroniseerd en de trommelremmen waren bekrachtigd. Er bestond ook een 2100 Speciale die 16 cm langer was en meer ruimte bood. In 1961 verscheen de 1800B (de 2100 was inmiddels vervangen door de 2300) die als grote verbetering schijfremmen aan alle wielen had. De 1800 is herkenbaar aan zijn enkele koplampen.

Aantal cilinders: 6
Cilinderinhoud in cm³: 1795 en 2054
Vermogen: 75/5000 en 82/5000
Topsnelheid in km/uur: 140 en 150
Carrosserie/Chassis: zelfdragend
Uitvoering: sedan en stationcar.
Productiejaren: 1959-1968 en 1959-1961
Productie-aantal: 185.000 (incl. 2300)
In NL: n.b.
Prijzen: A: 1.100 B: 3.200 C: 5.400

FIAT 2300

De 2300 van 1961 loste de 2100 af. Met een aangepast koetswerk van de 1800 – dat overigens van de hand van Pininfarina was – met daarin dubbele koplampen en een dito chroomstrip over de zijkant van de wagen was de 2300 een elegante verschijning. Naar wens was er een overdrive of een automatische bak en de 2300 had van meet af aan schijfremmen rondom. Heel bijzonder was de 2300 President limousine met zes zijruiten die de 2100 Speciale verving. Er was wat kritiek op de wegligging van de grote Fiat, maar zijn rustige rijgedrag oogstte bewondering.

Aantal cilinders: 6
Cilinderinhoud in cm³: 2279
Vermogen: 105/5300
Topsnelheid in km/uur: 175
Carrosserie/Chassis: zelfdragend
Uitvoering: sedan, limousine en stationcar
Productiejaren: 1961-1968
Productie-aantal: zie hiervoor
In NL: n.b.
Prijzen: A: 1.400 B: 3.600 C: 5.900

FIAT 2300 & 2300 S COUPÉ

De 2300 kon ook als coupé geleverd worden. De opvallende carrosserie kwam van Ghia en hij stond op de vloerplaat van de sedan. De schijfremmen rondom waren bekrachtigd, er zat een dubbele carburateur op en het vermogen was naar wens 115 of 130 pk. Die laatste versie heette dan 2300 S. Standaard waren er elektrische ramen. Vanaf 1963 was er een gescheiden remsysteem en na '65 was er meer chroomwerk. Deze 'Ferrari voor de smalle beurs' bood prima prestaties, maar stuurde zwaar en roestte ongelooflijk snel. De productiecijfers zitten net als die van de 2300 sedan in het totaal van de 1800/2100.

Aantal cilinders: 6
Cilinderinhoud in cm³: 2279
Vermogen: 115/5300-130/5600
Topsnelheid in km/uur: 175-190
Carrosserie/Chassis: zelfdragend
Uitvoering: coupé
Productiejaren: 1961-1968
Productie-aantallen: zie hiervoor
In NL: n.b.
Prijzen: A: 2.300 B: 5.900 C: 9.100

FIAT 124

In 1966 scheen bij Fiat een nieuwe wind te waaien. Er kwamen nieuwe modellen en ze kregen nieuwe namen die niet langer op de inhoud van de motor sloegen. Zoals de Fiat 124 die in maart 1966 in Genève op de stand stond. De wagen was nieuw en modern in ieder opzicht en verving de 1300/1500-serie die er nu wel ouderwets uitzag. In oktober 1968 verscheen de 124 Special als luxe uitvoering van de 124. Hij had een nieuw dashboard en was aan de buitenkant aan zijn dubbele koplampen te herkennen. Onder de kap zat de 1,4-liter motor.

Aantal cilinders: 4
Cilinderinhoud in cm³: 1197 en 1438
Vermogen: 60/5600 en 80/5800
Topsnelheid in km/uur: 140 en 160
Carrosserie/Chassis: zelfdragend
Uitvoering: sedan en stationcar
Productiejaren: 1966-1974
Productie-aantal: 1.543.000
In NL: 10
Prijzen: A: 300 B: 800 C: 1.400

FIAT 124 SPIDER

Weer was het Pininfarina die in de roos schoot toen Fiat een sportwagen wilde hebben op basis van de 124. De spider kwam in 1966 uit en werd een veel gekochte en lang gebouwde auto. De motor had twee bovenliggende nokkenassen en de versnellingsbak vijf gesynchroniseerde versnellingen. Deze eerste versie had een 1,4 liter motor maar er volgden nog 1,6 en 1,8 versies. Voor Amerika werd de 124 nog langer gebouwd, zelfs met een tweeliter blok en een turbo. Veel van die wagens worden nu weer terug naar Europa gehaald. Vanaf '82 bouwde Pininfarina de 124 zelf.

Aantal cilinders: 4
Cilinderinhoud in cm³: 1438, 1608 ,1756 en 1995
Vermogen: 90/6000-135/5500
Topsnelheid in km/uur: 165-190
Carrosserie/Chassis: zelfdragend
Uitvoering: cabriolet
Productiejaren: 1966-1985
Productie-aantal: 208.333
In NL: n.b.
Prijzen: (1800) A: 2.000 B: 5.400 C: 9.100

FIAT 124 COUPÉ

De coupé was technisch identiek aan de open versie van de 124, maar het aanbod van motorvarianten liep niet parallel met die van de spider. De carrosserie was in Fiats designstudios getekend en bood goed plaats aan vier personen. In 1970 onderging de auto een facelift en in 1972 nogmaals. De sportieve 124 bleek al snel extreem roestgevoelig te zijn en dat is de voornaamste reden dat er van de bijna 300.000 verkochte coupés nog maar weinig over zijn. De prijzen liggen echter nog laag omdat het model weinig uitstraling heeft.

Aantal cilinders: 4
Cilinderinhoud in cm³: 1438, 1608 en 1758
Vermogen: 90/6000-118/6000
Topsnelheid in km/uur: 170
Carrosserie/Chassis: zelfdragend
Uitvoering: coupé
Productiejaren: 1967-1975
Productie-aantal: 279.672
In NL: 80
Prijzen: A: 1.100 B: 2.900 C: 4.500

FIAT 125

Als iets grotere broer van de 124, wat zowel de afmetingen als de motor betrof, verscheen de 125 in april 1967. De wagen bood iets meer ruimte, maar het grote verschil zat onder de motorkap want daar stond de viercilinder met de twee bovenliggende nokkenassen die ook in de sportcoupé en cabriolet gebruikt werd. In 1968 verscheen de 125 S, voor Special, die iets meer chroom had en een 100 pk motor. Verder nog een vijfbak en dubbele koplampen. Heeft net als de 124 last van het Lada-effect. Roestgevoeliger dan de gemiddelde Fiat.

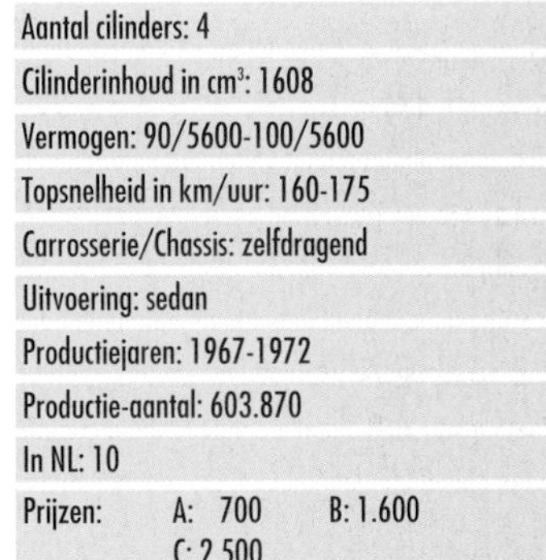
Aantal cilinders: 4
Cilinderinhoud in cm³: 1608
Vermogen: 90/5600-100/5600
Topsnelheid in km/uur: 160-175
Carrosserie/Chassis: zelfdragend
Uitvoering: sedan
Productiejaren: 1967-1972
Productie-aantal: 603.870
In NL: 10
Prijzen: A: 700 B: 1.600 C: 2.500

FIAT 130

Nadat Fiat zijn welgestelde klanten jarenlang naar de concurrentie had moeten sturen, kwam de fabriek in maart 1969 weer met een prestigieuze wagen op de markt. Hij kreeg de typeaanduiding 130 mee en volgde in feite de 2300 van weleer op. De wagen woog meer dan 1.500 kilo en dat maakte hem niet echt snel. Vanaf '72 kwam de grotere motor erin en was er standaard stuurbekrachtiging. De meeste 130's zijn met een Borg-Warner-automaat afgeleverd, maar er was ook een vijfbak. Roest heeft vele 130's geveld, maar uit Italië komen nog fraaie overblijvers.

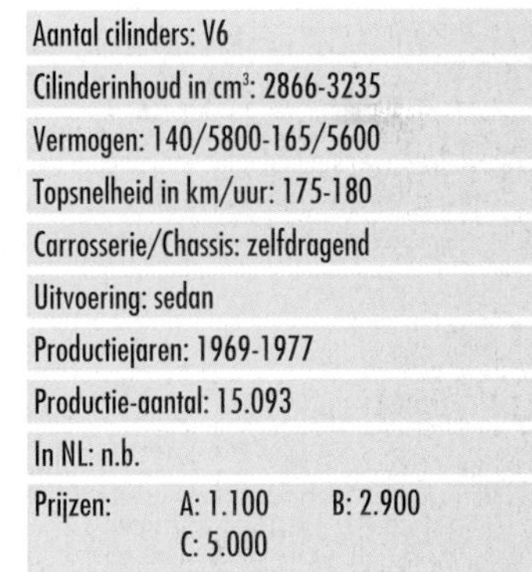
Aantal cilinders: V6
Cilinderinhoud in cm³: 2866-3235
Vermogen: 140/5800-165/5600
Topsnelheid in km/uur: 175-180
Carrosserie/Chassis: zelfdragend
Uitvoering: sedan
Productiejaren: 1969-1977
Productie-aantal: 15.093
In NL: n.b.
Prijzen: A: 1.100 B: 2.900 C: 5.000

FIAT 130 COUPÉ

In 1971 kwam er een coupé op basis van de 130 uit. De wagen was onmiddellijk als typisch Pininfarina-product herkenbaar. Hij was langer dan de sedan, maar oogde veel minder lomp. Van meet af aan zat de grotere motor erin, die de sedan pas voor '72 kreeg. Ook hier vrijwel altijd een automaat, maar er waren ook klanten die de vijfbak van ZF prefereerden. De coupé was nog zwaarder dan de vierdeurs en daarom werd het geen echt sportieve wagen. Mooi is hij wel en daarom mag er voor echt fraaie exemplaren tegenwoordig flink in de buidel getast worden.

Aantal cilinders: V6
Cilinderinhoud in cm³: 3235
Vermogen: 165/5600
Topsnelheid in km/uur: 180
Carrosserie/Chassis: zelfdragend
Uitvoering: coupé
Productiejaren: 1971-1975
Productie-aantal: 4.491
In NL: n.b.
Prijzen: A: 2.700 B: 5.900 C: 9.500

FIAT 128

Eind maart 1969 werd de Fiat 1100 vervangen door de Fiat 128. Bij de nieuwe wagen stond de motor – voor het eerst in een Fiat – dwars onder de kap om van daaruit de voorwielen aan te drijven. Interessant was dat de motor een bovenliggende nokkenas had. De 128 was een regelrechte verkoophit. Ook hier is de roestgevoeligheid de oorzaak dat de 128 in razend tempo uit ons straatbeeld verdwenen is In 1976 verschijnt de 128 Nuova, die nog enkele jaren zou meegaan. De auto is overigens in zijn basisuitvoering totaal niet geliefd. De bodemplaat werd later ook voor de Ritmo gebruikt.

Aantal cilinders: 4
Cilinderinhoud in cm³: 1116
Vermogen: 55/6000
Topsnelheid in km/uur: 130
Carrosserie/Chassis: zelfdragend
Uitvoering: coach, sedan en stationcar
Productiejaren: 1969-1982
Productie-aantal: 2.776.000
In NL: 250
Prijzen: A: 200 B: 600 C: 900

FIAT 128 SPORT COUPÉ

Op basis van de Fiat 128 ontstond in 1971 een coupé die de opvolger van de geliefde Fiat 850 coupé moest zijn. De wagen kon met twee verschillende motoren als 'S' of 'SL' besteld worden en hoewel de auto ook met zijn sterkste motor nog geen echte racewagen geworden was, bood hij toch veel rijplezier. En ruimte, want ook als coupé was de 128 een echte vierpersoonsauto. Beide varianten waren compleet uitgerust met een ruitensproeier, een ruitenwisser met twee snelheden, slaapstoelen voorin en een achteruitrijlamp. Kleinigheden die nu bij ieder merk tot de standaarduitrusting behoren maar die toen in de advertenties vermeld werden.

Aantal cilinders: 4
Cilinderinhoud in cm³: 1116 en 1290
Vermogen: 64/6000 en 75/6600
Topsnelheid in km/uur: 150-160
Carrosserie/Chassis: zelfdragend
Uitvoering: coupé
Productiejaren: 1971-1975
Productie-aantal: 330.897 (incl. 3P)
In NL: 25
Prijzen: A: 900 B: 1.800 C: 3.200

FIAT 128 3P

Na '73 is de 1116 cc motor niet meer leverbaar in de exportmodellen van de sportieve 128-versie. Vanaf 1975 verschijnt de 128 Sport Coupé met een derde deur en dan heet hij Berlinetta 3P. Technisch blijft deze strak vormgegeven wagen identiek aan de gewone 128. In onze ogen is deze 3P veel minder aantrekkelijk dan zijn voorganger. Dat valt ook af te lezen aan het prijsverschil tussen beide wagens. Wie echter beslist een 'derde deur' wil, moet de 3P kiezen.

Aantal cilinders: 4
Cilinderinhoud in cm³: 1290
Vermogen: 75/6400
Topsnelheid in km/uur: 160
Carrosserie/Chassis: zelfdragend
Uitvoering: 3-deurs stationcar
Productiejaren: 1975-1979
Productie-aantal: zie hiervoor
In NL: 50
Prijzen: A: 900 B: 1.700 C: 2.700

FIAT DINO SPIDER

Zoals bij de Ferrari Dino vermeld staat, moest Ferrari bewijzen minstens 500 motoren gebouwd te hebben om zijn F2 wagen te kunnen homologeren. Een deel van deze motoren verwerkte Fiat in zijn sportwagens waarmee de eerste Fiat met een motor met vier nokkenassen ontstaan was. Pininfarina tekende de Dino spider, een 2+2, die in tegenstelling tot de Ferrari Dino de V6 voorin de wagen had. Toen Ferrari's Dino een 2,4 liter motor kreeg, nam ook Fiat in 1969 deze V6 over. Een prachtige auto die de laatste jaren wel in waarde is gedaald.

Aantal cilinders: V6
Cilinderinhoud in cm³: 1987 en 2418
Vermogen: 160/7200 en 180/6600
Topsnelheid in km/uur: 200-210
Carrosserie/Chassis: zelfdragend
Uitvoering: cabriolet
Productiejaren: 1966-1973
Productie-aantallen: 1.163 en 420
In NL: 80 (incl. coupé)
Prijzen: A: 11.300 B: 17.200 C: 22.700

FIAT DINO COUPÉ

Een jaar na het verschijnen van de Fiat Dino Spider kwam er een gesloten uitvoering uit op de tentoonstelling in Genève. De carrosserie werd bij Bertone gemaakt, want deze specialist had hem ook getekend. De 2+2 had dezelfde technische specificaties als de Spider. In tegenstelling tot de cabrio is deze mooie coupé weinig geliefd en dus voor een interessante prijs aan te schaffen. Vergeet niet dat de koper wel met een Ferrari-blok rijdt en ruim 200 km in een uur kan afleggen. Het is geen eenvoudige auto om zelf aan te sleutelen.

Aantal cilinders: V6
Cilinderinhoud in cm³: 1987 en 2418
Vermogen: 160/7200 en 180/6600
Topsnelheid in km/uur: 200-210
Carrosserie/Chassis: zelfdragend
Uitvoering: coupé
Productiejaren: 1967-1973
Productie-aantallen: 3.670 en 2.398
In NL: zie hiervoor
Prijzen: A: 4.500 B: 9.100 C: 12.700

FIAT 127

De Fiat 127 kwam in april 1971 op de markt om de 850 op te volgen. De auto had de voorwielaandrijving en de wielophangingen, inclusief de remmen, van de Fiat 128. De motor was echter identiek aan die uit de 850 Sport, zodat eigenlijk alleen de carrosserie iets geheel nieuws was. In 1972 werd de auto tot 'Auto van het jaar' gekozen. De 'derde deur' (vanaf '72 leverbaar) en de omklapbare achterleuning maken van de auto een kleine stationcar. In 1977 komt de 1050 en in 1981 is er de 1300 Sport. Voor Fiat was de 127 een groot succes, maar een geliefde klassieker zal hij niet gauw worden.

Aantal cilinders: 4
Cilinderinhoud in cm³: 903, 1049 en 1301
Vermogen: 47/6200-70/6500
Topsnelheid in km/uur: 140-160
Carrosserie/Chassis: zelfdragend
Uitvoering: coach
Productiejaren: 1971-1983
Productie-aantal: 3.730.000
In NL: 1.700
Prijzen: A: 200 B: 500 C: 900

FIAT 126

Fiat heeft altijd aan de gewone man gedacht die eigenlijk geen geld had om auto te rijden, maar het toch wel graag wilde. In 1936 ontstond de 500 Topolino, in 1957 de Nuova 500 en in 1972 de 126 als moderne opvolger. Vanaf januari 1974 was de in Polen gebouwde 126 ook met een vouwdak te koop en in juli 1977 werd de inhoud van de motor tot 652 cm³ vergroot, waardoor het vermogen naar 24 pk steeg. Vanaf 1987 is er de in Polen gebouwde 126 Bis met een grotere motor en een derde deur. Tot '92 is dit type leverbaar gebleven.

Aantal cilinders: 2
Cilinderinhoud in cm³: 594 en 652
Vermogen: 23/4800-24/4800
Topsnelheid in km/uur: 105
Carrosserie/Chassis: zelfdragend
Uitvoering: coach
Productiejaren: 1972-1987
Productie-aantal: 1.970.000
In NL: 600
Prijzen: A: 500 B: 2.000 C: 3.250

FIAT X 1/9

Carrozzeria Bertone heeft een groot aantal droomauto's gemaakt waarmee men op de autoshows de aandacht trok. Meestal bleven het prototypen maar soms werd het de basis voor een productiewagen. Zoals de Fiat X 1/9. Een sportwagen met de motor voor de achteras. De carrosserie werd bij Bertone gemaakt, bekleed en gespoten en vandaar naar Fiat gebracht waar de mechanische delen werden ingebouwd. Vanaf september 1981 bouwde de carrossier de wagen geheel zelf om ze onder het merk 'Bertone' aan te bieden.

Aantal cilinders: 4
Cilinderinhoud in cm³: 1290 en 1498
Vermogen: 66/6000 en 85/6000
Topsnelheid in km/uur: 170-180
Carrosserie/Chassis: zelfdragend
Uitvoering: coupé m.u.d.
Productiejaren: 1972-1988
Productie-aantal: 141.108
In NL: 550
Prijzen: A: 1.600 B: 3.400 C: 5.400

FIAT 132 & ARGENTA

De opvolger van de 125 kon in 1972 een topper worden: een dubbele bovenliggende nokkenas, vijfbak in bijna alle modellen en volop ruimte. Grote Fiats zit het echter zelden mee en de onopvallende vormgeving speelde de wagen parten. In Italië zelf liep de verkoop prima. Vanaf '78 ook dieselversies en vanaf september 1979 was er een uitvoering met een tweeliter motor met benzine-inspuiting, een L-Jetronic van Robert Bosch. In 1982 veranderde de naam in Argenta.

Aantal cilinders: 4
Cilinderinhoud in cm³: 1585-2445
Vermogen: 59/4200-132/5300
Topsnelheid in km/uur: 150-175
Carrosserie/Chassis: zelfdragend
Uitvoering: sedan
Productiejaren: 1972-1984
Productie-aantal: 975.970
In NL: n.b.
Prijzen: A: 150 B: 700 C: 1.600

FIAT 131 MIRAFIORI

Als opvolger voor de Fiat 124 werd in oktober 1974 de Fiat 131 Mirafiori voorgesteld. De middenklassewagen kon met twee verschillende motoren gekocht worden, een 1300 of een 1600. In 1978 kwam er een Sport uit met een grotere motor met dubbele nokkenas en een vijfbak, goed voor 115 pk. Hij was er alleen als coach en viel op door de dubbele koplampen, verbrede wielkasten, spoiler en speciale grille. Er kwam ook een diesel uit en vanaf 1981 hebben alle 131's een bovenliggende nokkenas. Roest is eerder regel dan uitzondering.

Aantal cilinders: 4
Cilinderinhoud in cm³: 1297-2445
Vermogen: 60/4400-115/5800
Topsnelheid in km/uur: 145-180
Carrosserie/Chassis: zelfdragend
Uitvoering: coach, sedan en stationcar
Productiejaren: 1974-1984
Productie-aantal: 1.513.800
In NL: n.b.
Prijzen: A: 150 B: 600 C: 1.400

FIAT 133

Met een Fiat-embleem bracht het Italiaanse concern een Spaanse Seat op de markt onder de aanduiding Fiat 133. Het was de opvolger van de oude 850 waarvan het wagentje het onderstel en de motor meekreeg. Hij leek op een kruising van de 850 en de 127. Het interieur geleek op dat van die laatste. Hoewel deze Spaanse Fiat nogal roestgevoelig is, zien we er nog een redelijk aantal van op de Nederlandse wegen. De schare liefhebbers is klein en de prijzen liggen laag voor deze niet erg interessante auto.

Aantal cilinders: 4
Cilinderinhoud in cm³: 843
Vermogen: 34/4800
Topsnelheid in km/uur: 120
Carrosserie/Chassis: zelfdragend
Uitvoering: coach
Productiejaren: 1974-1980
Productie-aantal: n.b.
In NL: n.b.
Prijzen: A: 200 B: 500 C: 900

FIAT RITMO CABRIOLET

Eén van de trekpleisters op de tentoonstelling in Frankfurt was in 1981 de Fiat Ritmo in een cabriolet-uitvoering van Bertone. Drie jaar ervoor was de gewone Ritmo voorgesteld – vreemd is dat de wagen in Engeland Strada heette – en het werd een groot succes. In de herfst van 1982 kwam een verbeterde versie uit, de Super 85. Vanaf juni 1984 was er ook een variant met een kleinere motor en deze 70 Super was speciaal voor Italië bestemd. In 1985 verscheen de supercabrio 100S met de motor van de Abarth 105TC..

Aantal cilinders: 4
Cilinderinhoud in cm³: 1585 en 1301
Vermogen: 85-100/5800 en 68/5700
Topsnelheid in km/uur: 175 en 145
Carrosserie/Chassis: zelfdragend
Uitvoering: cabriolet
Productiejaren: 1981-1988
Productie-aantal: 13.877
In NL: n.b.
Prijzen: A: 900 B: 1.900 C: 2.700

FORD DUITSLAND

Zoals vele grote concerns had ook de Amerikaanse Ford-fabriek een filiaal in Duitsland en zo werden er al in 1925 T-Fordjes in Berlijn geassembleerd. Op 2 oktober 1930 kon Henry Ford samen met Dr. Konrad Adenauer, de toenmalige burgemeester van Keulen, in Keulen-Niehl de eerste steen leggen voor een nieuwe fabriek waaruit al gauw de eerste personenwagens van de band kwamen. En met succes naar tegenwoordig blijkt.

FORD TAUNUS 1948-1952

In het voorjaar van 1939 volgde de Taunus de Ford Eifel op. Na de oorlog werd deze Taunus de basis voor de nieuwe productie. In 1948 kwamen de eerste exemplaren van de band en ze leken als twee druppels water op hun vooroorlogse broertjes. Binnen vielen een nieuw tweespakig stuurwiel op en een ander dashboard. In 1948 was slechts één uitvoering verkrijgbaar, in 1949 en 1950 kon men ook een 'Spezial' bestellen en in 1951 en 1952 was er ook nog een 'De Luxe'. Een cabriolet was er vanaf 1949. Deze Ford kreeg in '51 als eerste auto een landelijk Nederlands kenteken: ND-00-01.

Aantal cilinders: 4
Cilinderinhoud in cm³: 1172
Vermogen: 34/4250
Topsnelheid in km/uur: 105
Carrosserie/Chassis: afzonderlijk chassis
Uitvoering: coach, stationcar en cabriolet
Productiejaren: 1948-1952
Productie-aantal: 74.128
In NL: 4.
Prijzen: A: 2.300 B: 5.400 C: 8.200

FORD TAUNUS 12M & 15M 1952-1962

In de Ford fabriek sprak men over de G13 toen de opvolger van de 'Buckel' Taunus ter sprake kwam. De wagen had een geheel nieuwe pontoncarrosserie maar nog steeds het oude zijklepmotortje. Voor diegenen die meer kracht nodig hadden, bestond de mogelijkheid een 1,5 liter kopklepmotor in te laten bouwen. De 15M uit die dagen was niets anders dan een 12M met een grotere motor en een andere grille. Van die 15M werden er 134.127 stuks verkocht. De 12M Super had de motor van de 15M.

Aantal cilinders: 4
Cilinderinhoud in cm³: 1172 en 1498
Vermogen: 38-43/4250 en 55-60/4500
Topsnelheid in km/uur: 110 en 130
Carrosserie/Chassis: zelfdragend
Uitvoering: coach, stationcar en cabriolet
Productiejaren: 1952-1962 en 1955-1962
Productie-aantal: 430.736
In NL: n.b.
Prijzen: A: 1.800 B: 3.400 C: 5.000

FORD TAUNUS 17M (P2)

De P2 had alle uiterlijke 'schoonheden' van een Amerikaanse wagen uit de jaren vijftig. Ondanks dat kon de 17M het niet goed opnemen tegen de aartsvijand Opel die juist met zijn Olympia Rekord uitgekomen was. Hij heeft overeenkomsten met de Engelse Consul, die dezelfde veerpoten, remmen en motor heeft. Deze 'Barock-Taunus' is tegenwoordig vooral in Duitsland een populaire klassieker. Gewilde opties zijn een overdrive en de Saxomat automatische koppeling. Vrijwel altijd geleverd in two-tone kleurenschema.

Aantal cilinders: 4
Cilinderinhoud in cm³: 1698
Vermogen: 55/4250
Topsnelheid in km/uur: 130
Carrosserie/Chassis: zelfdragend
Uitvoering: coach, sedan, stationcar en cabriolet
Productiejaren: 1957-1960
Productie-aantal: 239.978
In NL: n.b.
Prijzen: A: 1.800 B: 3.900 C: 5.900

FORD TAUNUS 17M & 17MTS (P3)

Na de P2 met zijn ponton carrosserie volgde de P3 met 'verstandigere' lijnen. De wagen zag er eleganter uit dan zijn voorganger en toen de TS uitvoering (Touren Sport) met meer pk's en een sportiever interieur uitkwam, had Ford ook een veel gevraagde wagen. De TS-motor leverde eerst 70 maar later zelfs 75 pk. In Nederland wordt deze wagen – net als in zijn stamland – al heel lang 'badkuip' genoemd. De stationcar heette Turnier. Vanaf '63 zijn er schijfremmen voor.

Aantal cilinders: 4
Cilinderinhoud in cm³: 1698 en 1758
Vermogen: 60/4250, 70/4500 en 75/4500
Topsnelheid in km/uur: 135-155
Carrosserie/Chassis: zelfdragend
Uitvoering: coach, sedan, stationcar en cabriolet
Productiejaren: 1960-1964
Productie-aantal: 669.731
In NL: n.b.
Prijzen: A: 1.100 B: 2.900 C: 4.500

FORD TAUNUS 17M, 20M & 20M TS (P5)

Hoewel de P5 nog de grondlijnen van de P3 had, leek de carrosserie iets ronder, iets meer opgeblazen. Maar dit scheen precies dat te zijn wat het grote publiek mooi vond, want de verkoopscijfers waren hoger dan ooit. De wagens hadden nu een V-motor met 4 of 6 cilinders in plaats van de oude viercilinder lijnmotor. In deze serie bestond ook een hardtop coupé en een vijfdeurs stationcar die wederom Turnier heette. De coupé is vrij zeldzaam en zonder meer het mooist. In het Belgische Genk zijn er 13.761 P5's gebouwd.

Aantal cilinders: V4 en V6
Cilinderinhoud in cm³: 1699 en 1998
Vermogen: 65/4500 tot 90/5000
Topsnelheid in km/uur: 135-160
Carrosserie/Chassis: zelfdragend
Uitvoering: coach, sedan, stationcar, coupé en cabriolet
Productiejaren: 1964-1967
Productie-aantal: 710.023
In NL: n.b.
Prijzen: A: 700 B: 2.000 C: 3.600

FORD TAUNUS 12M & 12M TS (P4)

De P4 was een geheel nieuw soort Ford want voor het eerst had de wagen voorwielaandrijving. Ontworpen was de auto bij de grote bazen in Dearborn bij Detroit, waar hij het onder de naam Cardinal had moeten opnemen tegen de stroom van geïmporteerde kleine auto's. Toen Lee Iacocca bij Ford aan het roer kwam, stuurde hij het ontwerp in het verbanning, d.w.z. naar Keulen, waar verder ontwikkeld werd. Indertijd een populaire auto, maar tegenwoordig beslist niet.

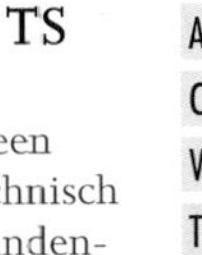

Aantal cilinders: V4
Cilinderinhoud in cm³: 1183 en 1498
Vermogen: 40/4500 tot 65/4500
Topsnelheid in km/uur: 125-145
Carrosserie/Chassis: zelfdragend
Uitvoering: coach, sedan, coupé, cabriolet en stationcar
Productiejaren: 1962-1966
Productie-aantal: 672.695
In NL: n.b.
Prijzen: A: 700 B: 2.000 C: 3.200

FORD TAUNUS 12M, 15M, TS & RS (P6)

De opvolger van de P4 was de P6, die een totaal andere carrosserie had en ook technisch verbeterd was. Was de P4 al geen opwindende vorm toebedeeld, bij deze P6 is het nog erger. Grote verschillen tussen de 12 en 15 M bestonden er niet en aan de grille kon men ze herkennen. De TS- en RS-uitvoeringen waren voor de sportieve rijder bestemd. Ze waren vaak in twee kleuren gespoten. Ruim een half miljoen exemplaren zijn in het Belgische Genk gebouwd. Geen liefhebbersauto, maar het exemplaar hiernaast is in werkelijk schitterende staat.

Aantal cilinders: V4
Cilinderinhoud in cm³: 1183, 1288, 1498 en 1699
Vermogen: 45/4500 tot 75/5000
Topsnelheid in km/uur: 125-160
Carrosserie/Chassis: zelfdragend
Uitvoering: coach, sedan, coupé en stationcar.
Productiejaren: 1966-1970
Productie-aantal: 668.187
In NL: n.b.
Prijzen: A: 600 B: 1.500 C: 2.600

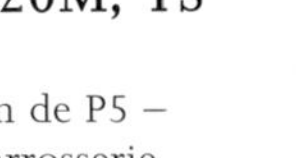

FORD TAUNUS 17M, 20M, TS & RS (P7a)

De Taunus P7 – de opvolger van de P5 – kreeg ook een geheel nieuwe carrosserie. Helaas voor Ford viel die zo weinig in de smaak van het publiek, dat er al heel gauw een nieuwe ontworpen werd. Zo was de RS uitvoering maar vier maanden in productie, wat hem nu zeldzaam maakt. Zijn 2,3 liter V6 leverde 108 pk. Ondanks de korte looptijd zijn de P7-typen geen van alle gewilde klassiekers. De wagens zijn wel zo sterk dat er nu nog 'gewone' gebruikers in rondrijden.

Aantal cilinders: V4 en V6
Cilinderinhoud in cm³: 1699, 1998 en 2293
Vermogen: 60/4800 tot 108/5100
Topsnelheid in km/uur: 135-170
Carrosserie/Chassis: zelfdragend
Uitvoering: coach, sedan, stationcar, coupé en cabriolet
Productiejaren: 1967-1968
Productie-aantal: 155.780
In NL: n.b.
Prijzen: A: 700 B: 1.800 C: 3.200

FORD TAUNUS 17M, 20M, 26M & RS (P7b)

De opvolger van de P7 heette niet P8 of 9 maar weer P7. Waarom? Het zal wel een intern geheim blijven. De nieuwe wagen had een geheel nieuwe carrosserie die meer op de oudere P5 dan op de voorganger leek. Het topmodel was de 26M die als sedan en als 2-deurs hardtop coupé geleverd kon worden en nu tot de meest gezochte behoort. Ook van deze Ford-modellen zien we in de Duitstalige landen er nog geregeld een op de weg. Nog voor zeer lage prijzen te vinden, tenzij het een cabriolet is.

Aantal cilinders: V4 en V6
Cilinderinhoud in cm³: 1699, 1797, 1998, 2293 en 2550
Vermogen: 60/4800 tot 125/5300
Topsnelheid in km/uur: 135-180
Carrosserie/Chassis: zelfdragend
Uitvoering: coach, sedan, stationcar, coupé en cabriolet.
Productiejaren: 1968-1971
Productie-aantal: 567.842
In NL: n.b.
Prijzen: A: 700 B: 1.800 C: 3.200

FORD OSI

In 1966 verscheen er een sportcoupé op de show in Genève. De wagen was gebouwd door OSI (Officine Stampaggi Industriali) in Italië op het chassis van een Taunus 20M. In 1967 en 1968 mocht OSI de wagen voor Ford Keulen bouwen, die hem via zijn dealernet verkocht. Dat idee – Duitse techniek in een Italiaans jasje – is niet van Ford zelf. We hoeven alleen maar aan de Karmann-Ghia te denken. Ford had veel OSI's kunnen verkopen als het Italiaanse bedrijf niet op de fles was gegaan. Er liepen nog bestellingen genoeg.

Aantal cilinders: V6
Cilinderinhoud in cm³: 1998 en 2293
Vermogen: 90/5000 en 108/5100
Topsnelheid in km/uur: 165-180
Carrosserie/Chassis: zelfdragend
Uitvoering: coupé
Productiejaren: 1967-1968
Productie-aantal: ca. 2.200
In NL: n.b.
Prijzen: A: 3.600 B: 7.700 C: 10.900

FORD CAPRI 1

Met zijn lange neus, zijn korte achterkant en zijn vier zitplaatsen naar het Mustang-recept zorgde de Beau de Cologne voor opzien. De Capri was in een groot aantal varianten leverbaar, van goedkope gezinsauto tot snelle race- en rallywagen. In 1972 werden de V4's uitgewisseld tegen viercilinder lijnmotoren. De 1 is inmiddels een gearriveerde liefhebbersauto. We geven de prijzen voor de goedkoopste versie; die van de snellere typen liggen relatief veel hoger, zo kost de 2600 RS ongeveer driemaal zoveel.

Aantal cilinders: V4, V6 en 4 cilinder lijnmotor
Cilinderinhoud in cm³: 1293-2637
Vermogen: 50/5000 tot 150/5300
Topsnelheid in km/uur: 135-200
Carrosserie/Chassis: zelfdragend
Uitvoering: coupé
Productiejaren: 1969-1973
Productie-aantal: 1.172.900
In NL: n.b.
Prijzen: (1600) A: 1.100 B: 2.700 C: 4.500

FORD CAPRI 2

Nadat de Capri vier jaren lang vrijwel onveranderd in productie geweest was, kreeg hij in 1974 een nieuwe carrosserie waarin de grondlijnen van de oorspronkelijke Capri vastgehouden werden. Weer kwam de wagen in verschillende uitvoeringen uit en wel als L, als XL, GT of Capri Ghia, waarbij de laatste de meest luxueuze was. Ook bij de motoren had de klant weer een ruime keuze. De viercilinders hadden een inhoud van 1,3 of 1,6 en de V6-motoren van 2,3 en 3,0 liter. Alle wagens werden met een gesynchroniseerde vierbak geschakeld.

Aantal cilinders: 4 en V6
Cilinderinhoud in cm³: 1297, 1593, 1999, 2294 en 2993
Vermogen: 54/5500-138/5000
Topsnelheid in km/uur: 140-200
Carrosserie/Chassis: zelfdragend
Uitvoering: coupé
Productiejaren: 1974-1977
Productie-aantal: 403.612
In NL: n.b.
Prijzen: (V6) A: 900 B: 2.300 C: 3.900

FORD CAPRI 3

De Capri 3 volgde in maart 1978. Van voren is hij onmiddellijk herkenbaar aan de dubbele koplampen. De derde deur van de 2 was natuurlijk geprolongeerd. De 1300-motor was er tot '82 alleen voor Engeland. In het najaar van 1979 was er de Capri GT 4 met een motor met bovenliggende nokkenas. In februari '81 loste de 2.8 injectie de 3-liter af en enkele maanden erna was er de 2.8 Turbo. In 1984 sloten de Super GT en de 2.8 Super Injection de historie van de Capri af. Voor de Britse markt bouwde Keulen tot in 1987 door.

Aantal cilinders: 4 en V6
Cilinderinhoud in cm³: 1297-1993 en 1999-2993
Vermogen: 55/5500-188/5500
Topsnelheid in km/uur: 140-220
Carrosserie/Chassis: zelfdragend
Uitvoering: coupé
Productiejaren: 1978-1987
Productie-aantal: 324.045
In NL: n.b.
Prijzen: (V6) A: 800 B: 1.800 C: 3.400

FORD ESCORT 1968-1974

De Escort van '68 kwam in Engeland van de tekentafels, maar hij werd tegelijkertijd gebouwd in Duitsland en Groot-Brittannië en later ook in andere landen. De 'hondenkluif'-vorm deed het goed bij de talrijke kopers. De basisversies waren de 1100 en 1300. Tot '73 was er de GT met 75 pk en deze heette na '73 1300E. Het type Sport was technisch aan de GT gelijk maar had het uiterlijk van de Mexico (zie hierna). De GT en 1300E kosten tegenwoordig meer dan het dubbele van een gewone Escort. Er zijn nog redelijk wat van deze weinig opwindende Escortjes overgebleven.

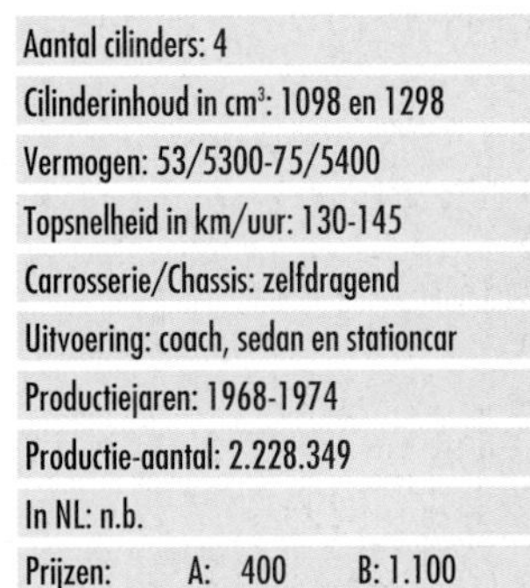

Aantal cilinders: 4
Cilinderinhoud in cm³: 1098 en 1298
Vermogen: 53/5300-75/5400
Topsnelheid in km/uur: 130-145
Carrosserie/Chassis: zelfdragend
Uitvoering: coach, sedan en stationcar
Productiejaren: 1968-1974
Productie-aantal: 2.228.349
In NL: n.b.
Prijzen: A: 400 B: 1.100 C: 1.800

FORD ESCORT MEXICO

In november 1970 stond er een speciale uitvoering van de Escort in de showrooms. Men noemde de wagen Mexico en eigenlijk was het een iets tammere uitvoering van de echte sport-Escort, de Twin Cam. De wagen had namelijk geen motor met bovenliggende nokkenassen, maar een iets opgevoerde kopklepper uit de Cortina GT met een Webercarburateur van het type 32/36 DGV. Ook ontbrak de oliekoeler die de Twin Cam wel had, maar de prestaties zijn redelijk goed.

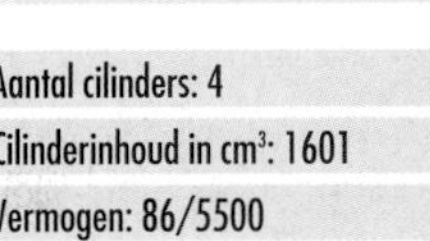

Aantal cilinders: 4
Cilinderinhoud in cm³: 1601
Vermogen: 86/5500
Topsnelheid in km/uur: 170
Carrosserie/Chassis: zelfdragend
Uitvoering: coach
Productiejaren: 1970-1975
Productie-aantal: 9.382
In NL: n.b.
Prijzen: A: 1.800 B: 3.200 C: 5.000

FORD ESCORT RS 2000

De Escort is in Engeland ontwikkeld en daar is hij dan ook volop gebouwd. Maar ook de Duitse Ford Escort heeft furore gemaakt. Hij trad daar in zijn normale versie met succes tegen de Opel Kadett aan en versloeg in zijn RS-uitvoering menig sterkere tegenstander. De RS 2000 was wat uiterlijk betreft nauwelijks van zijn tamme broer te onderscheiden. De speciale wielen met bredere banden en de brede streep over de flanken verrieden hem echter. Onder de kap stond de Ford Pintomotor met een bovenliggende nokkenas. De eerste 2000 stuks zijn in Engeland gemaakt.

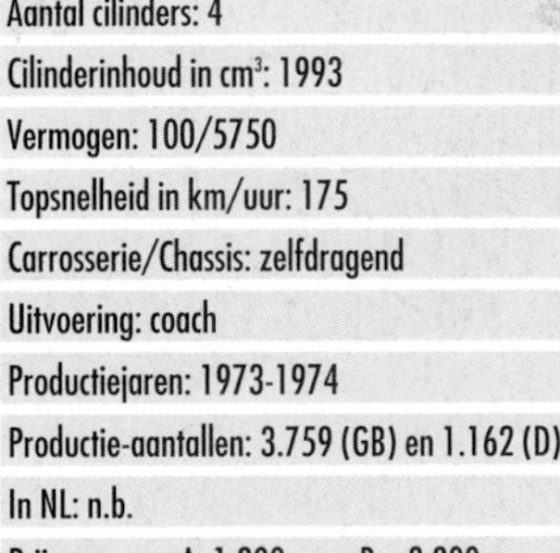

Aantal cilinders: 4
Cilinderinhoud in cm³: 1993
Vermogen: 100/5750
Topsnelheid in km/uur: 175
Carrosserie/Chassis: zelfdragend
Uitvoering: coach
Productiejaren: 1973-1974
Productie-aantallen: 3.759 (GB) en 1.162 (D)
In NL: n.b.
Prijzen: A: 1.800 B: 3.900 C: 5.400

FORD ESCORT RS 2000 MK 2

De Mk 2, of wel de tweede uitgave van de RS 2000, had de moderne carrosserie die alle Escorts hadden die na januari 1975 gebouwd waren. Twee maanden na de introductie van deze nieuwe Escort stond de RS 2000 op de show van Genève en weer had men hier met een wolf in schaapskleren te maken. Technisch was de wagen vrijwel identiek aan zijn voorganger, maar aangezien de wielophangingen veranderd waren, was de wegligging nog verder verbeterd. Bij de voorwielen vond men schijfremmen en de bandenmaat was 175/70HR13.

Aantal cilinders: 4
Cilinderinhoud in cm³: 1993
Vermogen: 110/5500
Topsnelheid in km/uur: 180
Carrosserie/Chassis: zelfdragend
Uitvoering: coach
Productiejaren: 1975-1980
Productie-aantal: n.b.
In NL: n.b.
Prijzen: A: 1.600 B: 3.200 C: 4.500

FORD ESCORT SPORT

In 1975 kwam de tweede generatie Escorts uit. Ditmaal was de auto helemaal in Duitsland ontwikkeld. Motorisch was er weinig nieuws, afgezien van de komst van een 1600-versie. Interessantere uitvoeringen waren de tamelijk dure Ghia en de Sport. Deze laatste was er als coach met een 1300- of een 1600-motor. Een leuk alternatief voor klanten die de RS 2000 te prijzig vonden. De Sport kostte namelijk zo'n twintig procent minder. Goede, originele exemplaren zijn tegenwoordig schaars. De auto van de foto is geheel gerestaureerd.

Aantal cilinders: 4
Cilinderinhoud in cm³: 1297 en 1598
Vermogen: 73/5750 en 84/5500
Topsnelheid in km/uur: 150 en 165
Carrosserie/Chassis: zelfdragend
Uitvoering: coach
Productiejaren: 1975-1980
Productie-aantal: n.b.
In NL: n.b.
Prijzen: (1600) A: 1.000 B: 2.250 C: 3.500

FORD TAUNUS 1970-1976

Als opvolger voor de Taunus 12/15M kwam er in het najaar van 1970 een nieuwe serie uit. De wagens hadden in tegenstelling tot hun voorgangers weer de aandrijving via de achterwielen en waren nu met 1300, 1600 en 2000 cm³ motoren leverbaar, terwijl een 2300 cm³ motor na 1972 ingebouwd kon worden. Deze Taunussen raakten al snel gedevalueerd en nog steeds zijn ze weinig waard. De enige waar tegenwoordig wel enige interesse voor is, is de coupé in zijn GXL-uitvoering, een combinatie dus van de sportieve GT en de luxe XL.

Aantal cilinders: 4 en 6
Cilinderinhoud in cm³: 1294-2293
Vermogen: 59/5500-108/5000
Topsnelheid in km/uur: 135-170
Carrosserie/Chassis: zelfdragend
Uitvoering: coach, sedan, coupé en stationcar
Productiejaren: 1970-1976
Productie-aantal: 1.126.559
In NL: n.b.
Prijzen: (coupé) A: 600 B: 1.500 C: 2.300

FORD CONSUL

500 miljoen D-Mark hebben de Duitse en Engelse Ford-fabrieken in de ontwikkeling van de Consul gestoken voordat die in 1972 van de band kon rollen. In Duitsland verving de wagen de 17M, 20M en 23M-Taunus-serie en in Engeland de Zephyr en zijn luxe broer, de Zodiac. De motoren die in de Taunus ingebouwd waren, stonden nu de Consul-koper ter beschikking en zo kon hij dus weer kiezen uit een viercilinder lijnmotor, een V4-motor of V6-motoren met 2293, 2550 of 2993 cm³. Met de laatste motor onder de kap haalde de wagen een top van 185 km/uur.

Aantal cilinders: 4, V4 en V6
Cilinderinhoud in cm³: 1699, 1993, 2293, 2550 en 2993
Vermogen: 65/4800-138/5000
Topsnelheid in km/uur: 140-185
Carrosserie/Chassis: zelfdragend
Uitvoering: coach, sedan, coupé en stationcar
Productiejaren: 1972-1975
Productie-aantal: 846.609 (incl. Granada)
In NL: n.b.
Prijzen: A: 500 B: 1.100 C: 1.700

FORD GRANADA I

In het ontwikkelingsprogramma voor de nieuwe Consul werd gelijktijdig aan het ontwerp van de Granada gewerkt. Feitelijk was de Granada niets anders dan een luxe Consul. De carrosserieën waren identiek, maar de Granada had van huis uit meer accessoires dan de Consul. In de standaarduitvoering had de Granada een 2,3 liter V6-motor, maar de klant kon ook V6-motoren met 2,6 of 3,0 liter laten inbouwen. Bij de Granada was de GXL weer het topmodel. Hij werd uitsluitend met een automatische bak geleverd. De Granada I begint in Duitsland gewilder te worden.

Aantal cilinders: V6
Cilinderinhoud in cm³: 2293, 2550 en 2993
Vermogen: 108/5000-138/5000
Topsnelheid in km/uur: 170-185
Carrosserie/Chassis: zelfdragend
Uitvoering: sedan, coupé en stationcar
Productiejaren: 1972-1977
Productie-aantal: zie hiervoor
In NL: n.b.
Prijzen: A: 550 B: 1.600 C: 2.700

FORD ESCORT CABRIOLET 1983-1990

De derde generatie Escorts kreeg als eerste een open versie in het programma. Hoewel de wagen al in 1981 te zien was in Frankfurt, kwam hij pas in 1983 uit. De koets was van Karmann, die hem net als de open Golf ook bouwde, en net als de VW had de wagen een forse rolbeugel. De motor was de 1,6 injectie uit de XR3i en die was goed voor een top van bijna 190. In '86 onderging de Escort een facelift en een jaar later was er als extra een elektrisch bedienbare kap. Helaas zijn vele Escorts cabriolet inmiddels afgereden of vertimmerd.

Aantal cilinders: 4
Cilinderinhoud in cm³: 1598
Vermogen: 105/6000
Topsnelheid in km/uur: 186
Carrosserie/Chassis: zelfdragend
Uitvoering: cabriolet
Productiejaren: 1983-1990
Productie-aantal: 104.237
In NL: n.b.
Prijzen: A: 1.300 B: 2.500 C: 3.800

FORD FRANKRIJK

Al in de jaren dertig werden er in Frankrijk Fords gebouwd. Ze ontstonden in de Mathis-fabriek onder de naam Matford. Na de Tweede Wereldoorlog ging ieder weer zijn eigen weg en in 1954 kocht Simca de oude Ford-fabriek in Poissy. De hier gebouwde Vedette ging toen in Frankrijk als Simca Vedette de straat op terwijl hij nog als Ford Vedette geëxporteerd werd.

FORD VEDETTE & VENDÔME

In 1949 kwam Ford Frankrijk met een elegante sedan uit, de Vedette. De wagen stond op een apart chassis en had de oude vertrouwde V8 zijklepper onder de motorkap. In 1952 kreeg de wagen een facelift en verscheen er een topmodel, de Vendôme, die meer luxe en een paar pk's meer bood. Uiteindelijk nam Simca de Franse Ford-tak over en daarmee ook de V8-modellenlijn. Hoewel de wagens er zeer solide uitzien, kunnen ze buitensporig roesten. Deze wagens hebben hoofdzakelijk in Frankrijk zelf aanhang.

Aantal cilinders: V8
Cilinderinhoud in cm³: 2158, 2355 en 3923
Vermogen: 60/4000 en 100/3700
Topsnelheid in km/uur: 120-150
Carrosserie/Chassis: afzonderlijk chassis
Uitvoering: sedan, coupé en cabriolet
Productiejaren: 1949-1954
Productie-aantallen: ca. 96.400 en 1.801
In NL: n.b.
Prijzen: A: 1.800 B: 3.400 C: 5.400

FORD COMÈTE

In augustus 1951 verscheen op basis van de Vedette de Comète als prachtige coupé. De carrosserie werd bij Facel gebouwd (zie Facel Vega) en dat is aan de typische Daninos-lijnen te zien. Technisch was de wagen identiek aan de Vedette. Een jaar na de introductie kreeg de coupé een grotere motor met 14 pk meer, maar het bleef vanwege zijn gewicht van 1.370 kilo een trage auto. Er was naar keuze een drie- of een vierbak. Vanaf 1952 kwam er een cabriolet uit. Bij hogere snelheden verbruikt de V8 zeer grote hoeveelheden benzine.

Aantal cilinders: V8
Cilinderinhoud in cm³: 2158 en 2355
Vermogen: 66/4000 en 80/4000
Topsnelheid in km/uur: 135 en 140
Carrosserie/Chassis: afzonderlijk chassis
Uitvoering: coupé
Productiejaren: 1951-1955
Productie-aantal: 1.456
In NL: 1
Prijzen: A: 3.200 B: 7.700 C: 12.500

FORD COMÈTE MONTE CARLO

In 1954 bracht Ford France de Comète Monte Carlo uit, hoewel de wagen absoluut ongeschikt was om in de rally met dezelfde naam ook maar iets te betekenen. De grille was anders en daarachter stond de 3,9 liter V8 uit de Vendome. Dat maakte de coupé wel wat sneller doch niet snel genoeg. Toen Simca de Franse Ford-vestiging overnam, kwam de wagen nog enkele maanden als Simca Monte Carlo uit. Er zijn van de productie-aantallen alleen gegevens bekend met de cijfers van de Vendome erin. Op de foto een exemplaar dat al decennia lang in Nederland is.

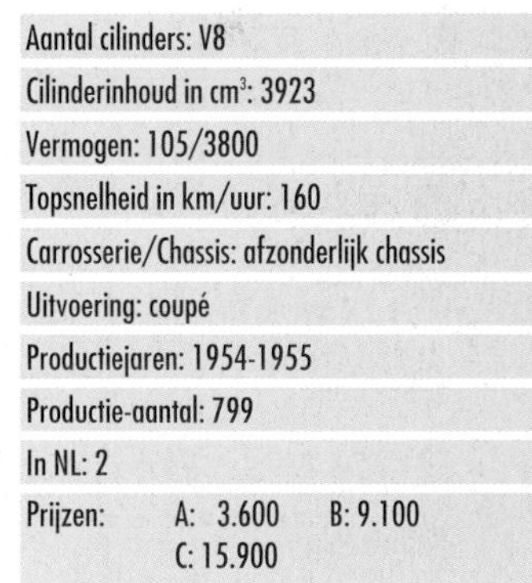

Aantal cilinders: V8
Cilinderinhoud in cm³: 3923
Vermogen: 105/3800
Topsnelheid in km/uur: 160
Carrosserie/Chassis: afzonderlijk chassis
Uitvoering: coupé
Productiejaren: 1954-1955
Productie-aantal: 799
In NL: 2
Prijzen: A: 3.600 B: 9.100 C: 15.900

FORD VEDETTE 1955

Net voordat Simca de Franse Ford-fabriek over zou nemen, had men in samenwerking met Detroit de nieuwe Vedette-modellen klaar. Er was een geheel gemoderniseerde carrosserie, maar de V8 met zijkleppen was gebleven. De klant kon kiezen uit de Trianon, met weinig chroom, in één kleur gespoten en met kale wielen, de Versailles met een dak in een andere kleur dan de koets en chiquere wielen en de Régence met meer luxe en two-tone spuitwerk. Na de uitlevering van een beperkt aantal wagens, kwamen de Vedettes met een Simca-embleem op de weg.

Aantal cilinders: V8
Cilinderinhoud in cm³: 2351
Vermogen: 80/4400
Topsnelheid in km/uur: 140
Carrosserie/Chassis: zelfdragend
Uitvoering: sedan
Productiejaar: 1954
Productie-aantal: 1.067
In NL: n.b.
Prijzen: A: 1.400 B: 3.400 C: 5.400

FORD ENGELAND

Net als in Duitsland had de Amerikaanse Ford Motor Company ook in Engeland een assemblagefabriek waar tussen 1911 en 1932 Amerikaanse modellen gebouwd werden. Met een rechtse besturing, maar verder, met uitzondering van het type AF, technisch onveranderd. In 1932 ontstond een nieuwe fabriek in Dagenham waar nu ook eigen ontwerpen ontwikkeld werden. Vreemd genoeg gingen de Engelsen en de Duitsers langs gescheiden wegen en bouwden ze lang hun eigen modellen.

FORD ANGLIA & PREFECT

'Sit up and beg' (opzitten en pootje geven) noemen de Engelsen dit model Anglia en eigenlijk zit er wel iets in deze naam. Hoog en smal ziet de auto eruit. Maar hij heeft een onverwoestbare viercilinder zijklepmotor die men ook wel opgevoerd in racewagens tegenkomt. Wie een dergelijke wagen wil vinden, moet hem in Engeland gaan zoeken. De sedan-uitvoering noemde men Prefect. Deze wagen had een grotere 1,2 liter motor. Er is een flink aantal van deze duffe Fordjes overgebleven, maar ze hebben een hoog George & Mildred-gehalte.

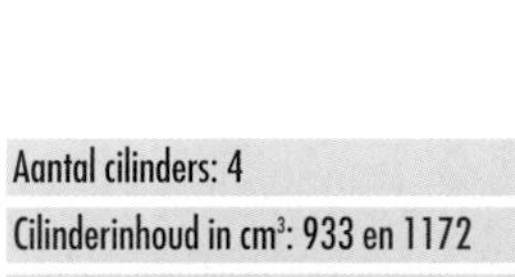

Aantal cilinders: 4
Cilinderinhoud in cm³: 933 en 1172
Vermogen: 24/4000 en 31/4300
Topsnelheid in km/uur: 90 en 100
Carrosserie/Chassis: afzonderlijk chassis
Uitvoering: coach, sedan en cabriolet
Productiejaren: 1939-1953
Productie-aantallen: 166.864 en 379.339
In NL: 16
Prijzen: A: 900 B: 2.700 C: 4.100

FORD V8 PILOT

Om de productie van personenwagens na de oorlog weer op te starten, greep men in de voorraad onderdelen van voor de oorlog en bouwde Ford de V8 met de bezadigde zijklepper verder. De imposante verschijning van de Ford-neus deed het nog goed in die eerste naoorlogse jaren. Met zijn hydraulische remmen en stuurschakeling was en is deze comfortabele grote Ford een heerlijke wagen voor wie geen haast heeft. Vooral de duurzaamheid is buitengewoon. Gezien de nog relatief lage prijzen van tegenwoordig, is het liefhebbers aan te raden om er een in Groot-Brittannië te gaan zoeken.

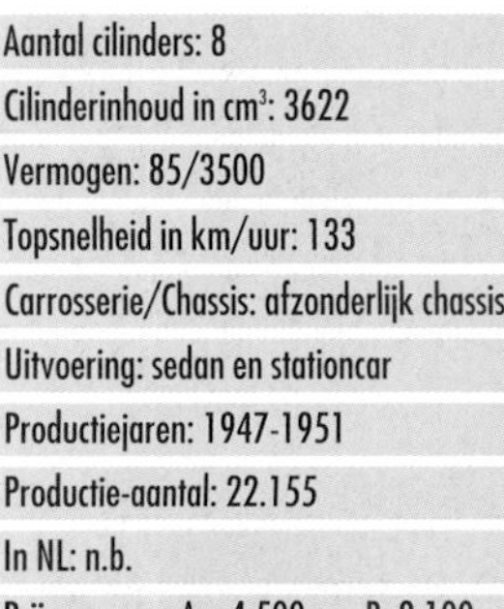

Aantal cilinders: 8
Cilinderinhoud in cm³: 3622
Vermogen: 85/3500
Topsnelheid in km/uur: 133
Carrosserie/Chassis: afzonderlijk chassis
Uitvoering: sedan en stationcar
Productiejaren: 1947-1951
Productie-aantal: 22.155
In NL: n.b.
Prijzen: (RHD) A: 4.500 B: 9.100 C: 12.500

FORD POPULAR 103E

Toen de Ford Popular in oktober 1953 uitkwam, was het de goedkoopste auto die in Engeland te koop was. Het was niet veel anders dan een kale uitvoering van de Anglia die dat jaar door een nieuw model was afgelost. Er was aanvankelijk maar één ruitenwisser, de richtingaanwijzers ontbraken geheel evenals de handschoenenplank en pas in mei 1956 werd er veiligheidsglas gemonteerd. Maar hij had een reusachtig voordeel. Met een hamer en een nijptang konden alle reparaties uitgevoerd worden, wat voor veel Engelsen – de wagen werd niet geëxporteerd – een reden was de auto te kopen.

Aantal cilinders: 4
Cilinderinhoud in cm³: 1172
Vermogen: 37/4500
Topsnelheid in km/uur: 100
Carrosserie/Chassis: zelfdragend
Uitvoering: coach
Productiejaren: 1953-1959
Productie-aantal: 155.340
In NL: 4
Prijzen: A: 900 B: 2.300 C: 3.600

FORD NEW ANGLIA & PREFECT

Als nieuwe wagens verschenen deze twee in 1953 op de London Motor Show. Verdwenen was het hoge huisje – in Engeland zou het nog lang als Popular te koop blijven – en nieuw was de vierpersoons carrosserie. 35.000 personeelsleden bouwden per dag 1100 auto's in Dagenham en vele van deze Anglia's en Prefects werden ook in de Hollandse fabriek bij de Hembrug gemaakt. De stationcaruitvoering van de 100E was de Escort. Daarvan werden er 33.131 gebouwd. Deze volksauto mist uitstraling en zal daarom nooit erg geliefd worden.

Aantal cilinders: 4
Cilinderinhoud in cm³: 1172
Vermogen: 37/4500
Topsnelheid in km/uur: 110
Carrosserie/Chassis: zelfdragend
Uitvoering: coach, sedan en stationcar
Productiejaren: 1953-1959
Productie-aantallen: 348.841 en 100.554
In NL: 8
Prijzen: A: 1.100 B: 2.000 C: 3.300

FORD ANGLIA 105E & SUPER

Met de 105E deed de Anglia een reusachtige stap vooruit. De viercilinder kopklepper was een succes en kon, ook al door zijn korte slag, tot in het oneindige opgevoerd worden. De scheef naar binnen geplaatste achterruit was bij zijn introductie niet naar ieders smaak, maar geeft de wagen nu wel iets bijzonders. In '62 verscheen de snellere Anglia Super. De Anglia is ondanks zijn robuustheid vrij snel uit ons verkeersbeeld verdwenen. Deze Brit is ook nog eens door OSI onder handen genomen: de Anglia Torino.

Aantal cilinders: 4
Cilinderinhoud in cm³: 997 en 1197
Vermogen: 40/5000 en 53/5000
Topsnelheid in km/uur: 130-145
Carrosserie/Chassis: zelfdragend
Uitvoering: coach en stationcar
Productiejaren: 1960-1967 en 1962-1967
Productie-aantallen: 1.004.737 en 79.223
In NL: 44
Prijzen: A: 900 B: 2.700 C: 4.100

FORD ANGLIA TORINO

De vormgeving van de Ford Anglia werd niet door iedereen gewaardeerd en dat had het Britse management ook in de gaten. Men nam contact op met het Turijnse Officine Stampaggi Industriali, dat altijd voor Ghia had gewerkt maar vanaf '61 zelfstandig was. De Italianen moesten in ieder geval de schuine achterruit elimineren. Op de show van Turijn 1964 stond het weinig opzienbarende resultaat. Ook in Nederland kwam de Torino in het Ford-programma en een enkele alhier verkochte wagen heeft het roestspook langdurig weten te weerstaan.

Aantal cilinders: 4
Cilinderinhoud in cm³: 1198
Vermogen: 53/5000
Topsnelheid in km/uur: 150
Carrosserie/Chassis: zelfdragend
Uitvoering: coach
Productiejaren: 1965-1968
Productie-aantal: n.b.
In NL: 2
Prijzen: A: 900 B: 1.800 C: 2.700

FORD CONSUL, ZEPHYR SIX & ZODIAC

In oktober 1950 stond er een nieuw model Ford op de Londense tentoonstelling. De Consul, met een zescilinder motor Zephyr genaamd, verving de verouderde Ford Pilot. De Zodiac, die in 1953 gebouwd werd, was de luxe uitvoering van de Zephyr en werd in twee kleuren gespoten. Deze wagen had een motor met 72 in plaats van 69 pk. Met deze wagens kon men ook rally's winnen, wat Maus Gatsonides in 1953 bewees toen hij de Rally van Monte Carlo in een Zephyr Six won.

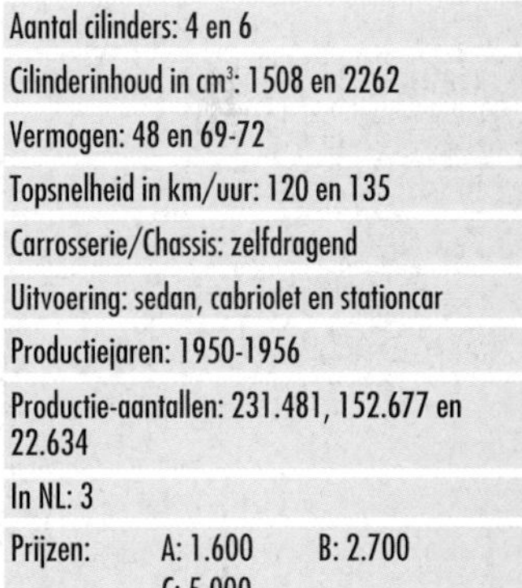
Aantal cilinders: 4 en 6
Cilinderinhoud in cm³: 1508 en 2262
Vermogen: 48 en 69-72
Topsnelheid in km/uur: 120 en 135
Carrosserie/Chassis: zelfdragend
Uitvoering: sedan, cabriolet en stationcar
Productiejaren: 1950-1956
Productie-aantallen: 231.481, 152.677 en 22.634
In NL: 3
Prijzen: A: 1.600 B: 2.700 C: 5.000

FORD CONSUL, ZEPHYR & ZODIAC MK II

Op de Geneefse Salon van 1956 stonden de Consul en zijn grotere broers in de Mark II versie. Ze hadden een geheel nieuwe carrosserie gekregen die langer, ruimer en vooral moderner was. De motoren hadden een iets grotere inhoud gekregen en als technisch snufje was de krukas van de wagens hol gegoten. In 1957 waren de wagens ook als cabriolet verkrijgbaar en de Zephyr als stationcar. Ook nu was de Zodiac weer de tweekleurige luxe uitvoering van de Zephyr.

Aantal cilinders: 4 en 6
Cilinderinhoud in cm³: 1703 en 2553
Vermogen: 60 en 87/4200
Topsnelheid in km/uur: 125 en 140
Carrosserie/Chassis: zelfdragend
Uitvoering: sedan, stationcar en cabriolet
Productiejaren: 1956-1962
Productie-aantal: 682.400
In NL: 17
Prijzen: A: 1.600 B: 2.900 C: 4.300

FORD CONSUL 315

In 1961 verscheen er een kleine Consul 315, ook wel Consul Classic genaamd, die het gat moest stoppen tussen de Anglia en de Consul 1700. Evenals de Anglia 105E had hij een 'verkeerde' achterruit wat de verkoop erg belemmerde. De motor was een verdere ontwikkeling van de Anglia viercilinder. De wagen kon met stuur- of vloerversnelling geleverd worden. Schijfremmen van Girling aan de voorwielen. De wagens die na september 1962 geleverd werden, konden ook van een 1,5 liter motor voorzien worden. Het is de kortst verkochte Ford aller tijden.

Aantal cilinders: 4
Cilinderinhoud in cm³: 1340 en 1498
Vermogen: 55/4900 en 58/4600
Topsnelheid in km/uur: 130 en 135
Carrosserie/Chassis: zelfdragend
Uitvoering: sedan
Productiejaren: 1961-1963
Productie-aantal: 111.225
In NL: 2
Prijzen: A: 900 B: 2.300 C: 3.600

FORD CONSUL CAPRI

Op 18 september 1961 verscheen er een coupéuitvoering van de Consul 315, de Consul Capri. De hardtop coupé was een ruime 2+2 die technisch identiek was aan de vierdeurs uitvoering. Een echte sportwagen was de Consul Capri niet maar daarvoor wel erg elegant. Een jaar na zijn introductie kon de wagen ook met een 1,5 liter motor besteld worden, als Capri GT. Dat laatste type is voor de liefhebber het interessantst. Hij is voorzien van dubbele Webers. Er zijn slechts 2002 van gebouwd.

Aantal cilinders: 4
Cilinderinhoud in cm³: 1340 en 1498
Vermogen: 55/4900-58/4600 en 78/6200
Topsnelheid in km/uur: 130-155
Carrosserie/Chassis: zelfdragend
Uitvoering: coupé
Productiejaren: 1961-1964
Productie-aantal: 18.716
In NL: 2
Prijzen: A: 1.600 B: 2.900 C: 5.400

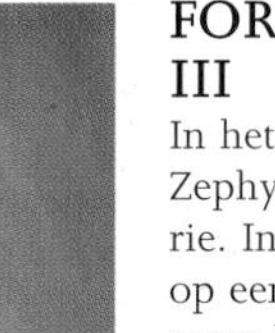

FORD ZEPHYR & ZODIAC MK III

In het voorjaar van 1962 verschenen de Zephyr en Zodiac met een nieuwe carrosserie. In Europa ontdekt men de vleugels ook, op een moment dat een Amerikaan ze al niet meer heeft. De Consul was nu verdwenen en vervangen door de Zephyr 4 (voor 4 cilinders) die, op de motor na, identiek was aan de Zephyr 6. De motoren waren nieuw en de vierbak nu geheel gesynchroniseerd. Een elektrische overdrive kon op verzoek gemonteerd worden evenals een automatische versnellingsbak van Borg Warner.

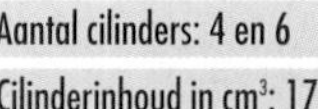

Aantal cilinders: 4 en 6
Cilinderinhoud in cm³: 1703 en 2553
Vermogen: 65/4700, 93/4500 en 107/4500
Topsnelheid in km/uur: 130-160
Carrosserie/Chassis: zelfdragend
Uitvoering: sedan en stationcar
Productiejaren: 1962-1966
Productie-aantal: 292.144
In NL: 3
Prijzen: A: 700 B: 1.600 C: 2.700

FORD CONSUL CORTINA

Toen Ford Keulen in 1962 met de Taunus 12M uitkwam, bracht Ford Dagenham zijn Cortina als concurrent. Vier jaren hadden de Engelsen aan de wagen gewerkt en er in totaal 12 miljoen nog erg harde ponden ingestoken. Het was de moeite waard geweest want de Cortina werd één van de meest verkochte Engelse Fords. In 1963 kon de Cortina ook met de grotere 1,5 liter motor uit de Consul 315 geleverd worden. Die versie heette Super. De GT-versie had een Weber-carburateur en leverde 84 pk. Vanaf 1963 was er een stationversie; ook als Super met nep-hout leverbaar.

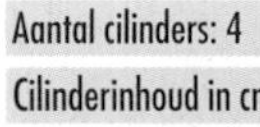

Aantal cilinders: 4
Cilinderinhoud in cm³: 1340 en 1498
Vermogen: 46/4800-78/5200
Topsnelheid in km/uur: 125-150
Carrosserie/Chassis: zelfdragend
Uitvoering: coach, sedan en stationcar
Productiejaren: 1962-1966
Productie-aantal: 1.010.090
In NL: 11
Prijzen: A: 700 B: 1.400 C: 2.700

FORD CORTINA LOTUS

De Cortina was niet alleen een gezinsauto; er bestond ook een versie waarmee men races en rally's winnen kon: de Cortina Lotus. Bij Lotus had men de motor onder handen genomen en o.a. van een nieuwe cilinderkop met twee bovenliggende nokkenassen voorzien. Herkennen kon men deze racewagen aan zijn witte lak met gekleurde strepen opzij, aan zijn zwarte grille en aan zijn gedeelde voorbumper. Deze snelle Cortina's zijn gewilde wagens voor historische races. Wie er een zoekt, hoede zich voor namaak-exemplaren.

Aantal cilinders: 4
Cilinderinhoud in cm³: 1558
Vermogen: 106/6000
Topsnelheid in km/uur: 170
Carrosserie/Chassis: zelfdragend
Uitvoering: coach
Productiejaren: 1963-1966
Productie-aantal: 3.301
In NL: 4
Prijzen: A: 4.500 B: 11.800 C: 18.200

FORD CORSAIR

De Consul 315 werd opgevolgd door de Corsair en dit gebeurde in 1963 op de Parijse Salon. Twee jaren later werd de lijnmotor in de wagen vervangen door een V4 die met twee verschillende cilinderinhouden geleverd kon worden. De GT uitvoering van deze Corsair had een inhoud van 2 liter en een vermogen van 93 pk. In 1966 ondergaat de carrosserie een facelift, maar de typische neus blijft. Wie de luxe van een houten dashboard wil en een vinyl dak, moet een 200E zoeken. Deze Engelse Ford kent tegenwoordig weinig liefhebbers.

Aantal cilinders: 4 en V4
Cilinderinhoud in cm³: 1498, 1663 en 1996
Vermogen: 58/4600, 72/4750 en 93/5500
Topsnelheid in km/uur: 130 , 145 en 165
Carrosserie/Chassis: zelfdragend
Uitvoering: coach en sedan
Productiejaren: 1964-1970
Productie-aantal: 294.591
In NL: 6
Prijzen: A: 1.000 B: 2.000 C: 3.200

FORD ZEPHYR & ZODIAC MK IV

In het voorjaar van 1966 verschenen nieuwe versies van de Zephyr en Zodiac. De motoren hadden de cilinders nu in een V-vorm en weer kon de vierversnellingsbak op verzoek met een overdrive geleverd worden. Ook stond de Amerikaanse Cruise-O-Matic automaat ter beschikking. De Zodiac onderscheidde zich van de Zephyr o.a. door vier in plaats van twee koplampen. De Executive was de voorname uitvoering van de Zodiac en hij had o.a. een schuifdak en stuurbekrachtiging.

Aantal cilinders: V4 en V6
Cilinderinhoud in cm³: 1996 en 2495 (Zodiac: 2994)
Vermogen: 83, 104 en 128/4750
Topsnelheid in km/uur: 140, 150 en 160
Carrosserie/Chassis: zelfdragend
Uitvoering: sedan en stationcar
Productiejaren: 1966-1972
Productie-aantal: 149.263
In NL: 2
Prijzen: A: 900 B: 1.600 C: 2.700

FORD GT40 & MK III

Henry Ford II had het in zijn hoofd gezet de Ferrari-fabriek te kopen en inderdaad waren zijn plannen al ver gevorderd voordat Enzo Ferrari de onderhandelingen afbrak. Uit wraak beloofde Ford de Italiaan op de circuits te verslaan, wat hij vooral in Le Mans deed. De GT40 – de auto is 40 inches hoog – die daarvoor gebruikt werd, was bij Ford in Engeland ontworpen en gebouwd. Aangedreven werd de wagen door een Ford V8-motor die voor de achteras gemonteerd was. Naast de race-uitvoering is er een straatversie geleverd, die echter nauwelijks voor dit gebruik geschikt was. De Mk III is iets getemd.

Aantal cilinders: V8
Cilinderinhoud in cm³: 4727
Vermogen: 335/6250 en 306/6250
Topsnelheid in km/uur: 275 en 250
Carrosserie/Chassis: kunststof/monocoque
Uitvoering: coupé
Productiejaren: 1966-1972 en 1967-1969
Productie-aantallen: 31 en 7
In NL: n.b.
Prijzen: A: 136.000 B: 227.000 C: 318.000

FORD CORTINA MK 2 GT

Het modeljaar 1967 begon voor de Cortina met een nieuwe carrosserie en een handvol technische verbeteringen. De krukas draaide nu in vijf in plaats van drie hoofdlagers en de voorwielen werden nu door schijfremmen afgeremd. De Cortina kon als 1300, als 1500, als GT 1500 (vanaf '68 1600) of als Cortina Lotus geleverd worden. De 1300 en 1500 werden met een aantal van bijna 800.000 stuks het meest verkocht en zijn daarom ook nu nog het gemakkelijkst te vinden. De GT is al iets moeilijker. Men herkent dit model aan het ontbreken van de sierlijst en aan het GT-schildje op het achterspatbord.

Aantal cilinders: 4
Cilinderinhoud in cm³: 1498 en 1599
Vermogen: 76/5100 en 86/5200
Topsnelheid in km/uur: 150-160
Carrosserie/Chassis: zelfdragend
Uitvoering: coach en sedan
Productiejaren: 1967-1970
Productie-aantal: 90.227
In NL: 2
Prijzen: A: 800 B: 1.700 C: 2.700

FORD CORTINA MK 2 LOTUS

Voor de sportieve rijder ontwikkelden Ford en Lotus de Cortina-Lotus die de carrosserie van de personenwagen had en een motor met een aluminium cilinderkop met twee nokkenassen van Lotus. Andere verschillen waren de cilinderinhoud, de compressieverhouding van 9,5:1 (tegen 9,0:1 bij de GT) en de 2 dubbele Weber carburateurs (1 dubbele Weber voor de GT). De versnellingsbak had andere overbrengingen, alle wielen hadden schijfremmen en brede 6.00-13 banden van Dunlop. Na 7 maanden werd de Lotus-badge vervangen door een Twin Cam-logo.

Aantal cilinders: 4
Cilinderinhoud in cm³: 1558
Vermogen: 106/5700
Topsnelheid in km/uur: 180
Carrosserie/Chassis: zelfdragend
Uitvoering: coach
Productiejaren: 1967-1970
Productie-aantal: 4.032
In NL: 2
Prijzen: A: 4.100 B: 6.800 C: 9.100

FORD AMERIKA

In 1903 stichtte Henry Ford zijn Ford Motor Company om zes jaar later wereldberoemd te worden met zijn T-Ford. 18 jaren bleef dit model in productie en in totaal zijn er meer dan 15 miljoen van verkocht. (Alleen de Volkswagen Kever heeft dit record kunnen breken.) Na de oorlog kwam Ford op de markt terug met de modellen die in 1942 modern geweest waren. Het lukte Ford ook nadien om een van de belangrijkste autofabrikanten ter wereld te blijven.

FORD 1946-1947

Deze eerste naoorlogse wagens van Ford, in Holland waren ze in die jaren op de bon, hadden nog een zescilinder lijn of een V8 zijklep motor onder de zware stalen motorkap. Met hun starre vooras waren de auto's alles behalve modern maar daarvoor ijzersterk en onverslijtbaar. Ford verkocht weer volop, zij het wat minder dan Chevrolet. Maar goed, bijna een miljoen auto's in twee jaar, dat geeft geen reden tot klagen. De afgebeelde cabriolet zal bij verkoop meer moeten kosten dan de nog steeds niet dure sedan of coach. Het is een Super Deluxe met een V8-blok.

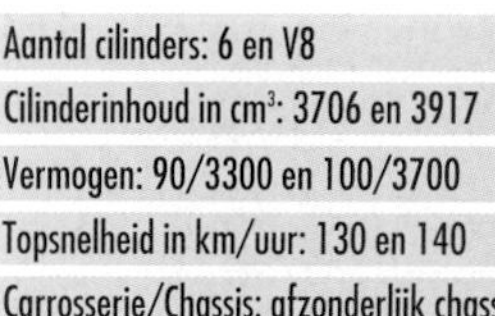

Aantal cilinders: 6 en V8
Cilinderinhoud in cm^3: 3706 en 3917
Vermogen: 90/3300 en 100/3700
Topsnelheid in km/uur: 130 en 140
Carrosserie/Chassis: afzonderlijk chassis
Uitvoering: coach, sedan, cabriolet, coupé en stationcar
Productiejaren: 1946-1947
Productie-aantal: 974.582
In NL: n.b.
Prijzen: (sedan) A: 2.300 B: 4.100 C: 6.400

FORD SUPER DELUXE 1948

Met hetzelfde koetswerk verschenen voor 1948 weer dezelfde twee series als de beide jaren ervoor: de Deluxe en de Super Deluxe, met naar keuze een zescilinder of een V8 onder de kap. Nieuw was de positie van de (voortaan ronde) stadslichten, aangezien deze van naast naar onder de koplampen waren verhuisd. Extreem zeldzaam is de van hout voorziene Sportsman convertible, waarvan er dat jaar slechts 28 werden verkocht. Van de tweedeurscoupé zijn overigens geen productiecijfers bekend. De sedan op de foto is origineel Nederlands.

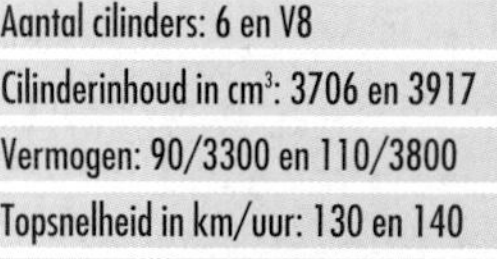

Aantal cilinders: 6 en V8
Cilinderinhoud in cm^3: 3706 en 3917
Vermogen: 90/3300 en 110/3800
Topsnelheid in km/uur: 130 en 140
Carrosserie/Chassis: afzonderlijk chassis
Uitvoering: coach, sedan, coupé, cabriolet en stationcar
Productiejaar: 1948
Productie-aantal: 219.320 (zonder coupé)
In NL: n.b.
Prijzen: A: 2.000 B: 3.900 C: 5.900

FORD 1949-1951

Op 18 juni 1948 presenteerde Ford een serie nieuwe wagens en daar het jaar al ver verstreken was, kwamen ze als model 1949 uit. De auto's hadden een ponton carrosserie, de afmetingen waren vrijwel gelijk, met uitzondering van de hoogte, want de nieuwe wagen was 21 cm lager. Daarvoor had hij nu een ruime koffer. De motoren waren niet veranderd maar nu kon er een 'Touch-O-Matic' overdrive ingebouwd worden waarmee op de grote weg veel benzine bespaard kon worden. Kwalitatief waren de wagens veel slechter dan hun voorgangers.

Aantal cilinders: 6 en V8
Cilinderinhoud in cm^3: 3706 en 3917
Vermogen: 96/3300 en 101/3600
Topsnelheid in km/uur: 140 en 150
Carrosserie/Chassis: afzonderlijk chassis
Uitvoering: coach, sedan, cabriolet, coupé en stationcar
Productiejaren: 1949-1951
Productie-aantal: 2.220.120
In NL: n.b.
Prijzen: A: 1.600 B: 3.400 C: 5.400

FORD CUSTOM COUNTRY SQUIRE 1949-1951

De duurste Ford was indertijd de Custom Country Squire, een fraaie woody die zelfs honderden dollars duurder was dan de convertible. Hij was uitsluitend in de Customreeks verkrijgbaar, met naar wens een zes- of achtcilinder motor, doch altijd tweedeurs. Na '51 kwam er steeds minder hout op de Squires. De schitterende afgebeelde Nederlandse Ford is uit '51. De prijzen van deze prachtige woodies gaan al jaren snel de lucht in en zeer mooie exemplaren kunnen aanzienlijk meer opbrengen dan de hiernaast vermelde prijzen.

Aantal cilinders: 6 en V8
Cilinderinhoud in cm^3: 3706 en 3917
Vermogen: 96/3000 en 101/3600
Topsnelheid in km/uur: 135 en 140
Carrosserie/Chassis: afzonderlijk chassis
Uitvoering: stationcar
Productiejaren: 1949-1951
Productie-aantal: 90.046
In NL: n.b.
Prijzen: A: 4.000 B: 9.000 C: 13.700

FORD CUSTOMLINE 1952-1954

In 1952 vernieuwde Ford het gehele programma. Men kwam met veel moderner gelijnde wagens met een voorruit uit een stuk en een panoramische achterruit. De nieuwe namen voor de drie series waren Mainline, Customline en de verderop besproken Crestline. De eerste twee waren met een zes- of achtcilinder verkrijgbaar en de fancy modellen als de hardtop coupé en de cabriolet zaten alleen in de duurste reeks. Voor '53 en '54 waren er kleine wijzigingen. Deze tweede naoorlogse Ford-generatie vond wereldwijd volop aftrek.

Aantal cilinders: 6 en V8
Cilinderinhoud in cm³: 3523 en 3917
Vermogen: 101/3500 en 110/3800
Topsnelheid in km/uur: 125 en 145
Carrosserie/Chassis: afzonderlijk chassis
Uitvoering: coach, sedan, coupé en stationcar
Productiejaren: 1952-1954
Productie-aantal: 1.838.499
In NL: n.b.
Prijzen: A: 1.800 B: 4.100 C: 6.400

FORD CRESTLINE 1952-1954

Nieuw was in 1952 het topmodel Crestline, waarvan we hier een convertible -de enige open Ford van deze jaren- zien. De carrosserie van de Crestlines was vrijwel identiek aan die van de veel goedkopere Customline, maar het prijsverschil zat hem in de details. Voor 1954 was er de mogelijkheid om een zescilinder te kiezen en dat joeg de verkoopcijfers behoorlijk omhoog. In '55 volgde de Fairlane de Crestline op.

Aantal cilinders: 6 en V8
Cilinderinhoud in cm³: 3654 en 3917
Vermogen: 115/3900 en 110/3800-130/4200
Topsnelheid in km/uur: 140 en 145
Carrosserie/Chassis: afzonderlijk chassis
Uitvoering: coupé, cabriolet en stationcar
Productiejaren: 1952-1954
Productie-aantal: 540.211
In NL: n.b.
Prijzen: A: 2.300 B: 5.400 C: 9.500

FORD CROWN VICTORIA SKYLINER 1955-1956

In 1955 had Ford de Fairlane Crown Victoria Skyliner op de markt gebracht. In het streven iets afwijkends te brengen kwam deze Skyliner met een voorste dakdeel van doorzichtig groen plexiglas uit. De verkoop liep niet best en na 1956 schrapte men het model dat de bijnaam 'aquarium' mee kreeg uit de catalogus. In de jaren erna kwam Ford met de opzienbarende 'retractable' uit als noviteit (zie verderop). Tegenwoordig bijna net zo duur als de open Fairlane, vanwege zijn aparte snufjes.

Aantal cilinders: V8
Cilinderinhoud in cm³: 4457-4785
Vermogen: 175/4400-203/4600
Topsnelheid in km/uur: 150-170
Carrosserie/Chassis: afzonderlijk chassis
Uitvoering: coupé
Productiejaren: 1955-1956
Productie-aantal: 2.602
In NL: n.b.
Prijzen: A: 4.500 B: 8.600 C: 11.300

FORD FAIRLANE 1955-1956

In 1955 kregen de Amerikaanse Fords de veel vervloekte panoramische voorruit. Een ongelukkige uitvinding want iedereen die in- of uitstapte, stootte zijn knieën aan de scherpe hoek van de ruit. De serie bestond in 1956 uit de Mainline, de Customline en de Fairlane, waarbij de laatste de duurste uit de familie was en de vroegere Crestline opvolgde. De meeste Fairlanes werden dat jaar in twee kleuren gespoten waartoe de brede chroomlijst het zijne bijdroeg. Stationwagons werden in een eigen reeks ondergebracht.

Aantal cilinders: 6 en V8
Cilinderinhoud in cm³: 3654 en 4457
Vermogen: 122/4000 en 164/4400-185/4400
Topsnelheid in km/uur: 150-170
Carrosserie/Chassis: afzonderlijk chassis
Uitvoering: coach, sedan, cabriolet en coupé
Productiejaar: 1955-1956
Productie-aantal: 1.271.556
In NL: n.b.
Prijzen: A: 2.700 B: 5.700 C: 7.500

FORD STATIONWAGON 1957-1959

De modellen voor 1957 van Ford ondergingen een forse gedaanteverandering. Ze waren veel lager, langer en slanker om te zien. Daarbij waren er kleinere wielen en staartvinnen, ook op de stationcars. Die laatste zaten wederom in een afzonderlijke serie, waarvan de drie hoofdtypen correspondeerden met de gewone series wat uitrusting betreft. Zo waren er de Ranch wagon (=Custom), Country Sedan (=Custom 300/Fairlane) en Country Squire (= Fairlane 500/Galaxie). Voor '58 dubbele koplampen en '59 (foto) o.a. een andere grille. Bouwjaar '59 is het meest gezocht.

Aantal cilinders: 6 en V8
Cilinderinhoud in cm³: 3654 en 4457-4785
Vermogen: 122-145/4000 en 190/4500-200/4400
Topsnelheid in km/uur: 150-170
Carrosserie/Chassis: afzonderlijk chassis
Uitvoering: stationcar
Productiejaren: 1957-1959
Productie-aantal: 773.161
In NL: n.b.
Prijzen: A: 2.000 B: 4.100 C: 6.400

FORD CUSTOM 1957-1959

De goedkoopste Ford voor '57 was nu de Custom, aangezien de Mainline verdwenen was. De Custom was er als zes- en achtcilinder en ook nog eens als Custom 300, het meest compleet uitgevoerde type voor een dikke $100 meerprijs. De modellen waren voor '57 grondig herzien en voor '58 deed Ford dat nog eens, met o.a. dubbele koplampen. De basis-Custom was toen al geschrapt. De modellen van '59 waren volgens kenners de mooiste Fords aller tijden en ze wonnen dan ook in Brussel een gouden medaille voor 'Exceptional Styling'.

Aantal cilinders: 6 en V8
Cilinderinhoud in cm³: 3654 en 4457-4785
Vermogen: 145/4200 en 190/4500-225/4400
Topsnelheid in km/uur: 150 en 160-175
Carrosserie/Chassis: afzonderlijk chassis
Uitvoering: coach, sedan en coupé
Productiejaren: 1957-1959
Productie-aantal: 1.367.009
In NL: n.b.
Prijzen: A: 2.750 B: 5.000 C: 6.800

FORD FAIRLANE 500 SKYLINER

Het idee een cabriolet de voordelen van een coupé mee te geven door een afneembare stalen kap te monteren, was niets nieuws. Peugeot had zoiets al in de jaren dertig geconstrueerd. Nu was de beurt aan Ford die de retractable uitbracht. Dozijnen elektromotoren lieten de stalen kap in de kofferruimte verdwijnen of naar voren toveren. De auto werd om diverse redenen geen verkoopsucces en heeft Ford vele miljoenen dollars gekost. Twintig miljoen daarvan ging naar garantieclaims. Een interessante wagen. Is een absolute eyecatcher als het dak opent of sluit. Heette in '59 Galaxie (foto).

Aantal cilinders: V8
Cilinderinhoud in cm³: 4457 of 5766
Vermogen: 193/4500 of 304/4600 (SAE)
Topsnelheid in km/uur: 155-175
Carrosserie/Chassis: afzonderlijk chassis
Uitvoering: cabriolet met stalen dak
Productiejaren: 1957-1959
Productie-aantal: 48.394
In NL: n.b.
Prijzen: A: 7.700 B: 12.700 C: 22.700

FORD FAIRLANE 1960

Na de schitterende Fords van '59 verscheen er voor 1960 een totaal nieuwe lijn. Breed, laag en voorzien van elegante horizontale vleugeltjes. Op de techniek na was werkelijk alles nieuw en achteraf zou blijken dat deze typische vormgeving maar voor één jaar was. Voor '61 waren er weer compleet andere wagens. De Fairlane-reeks was het basismodel, gevolgd door de Galaxie. De koper kon een zes- of achtcilinder kiezen en die laatste in een drietal varianten. Een wat meer aangeklede Fairlane was de 500 en die verkocht dan ook beter dan de basisversie.

Aantal cilinders: 6 en V8
Cilinderinhoud in cm³: 3654 en 4785-5768
Vermogen: 145/4000 en 185/4200-360/6000
Topsnelheid in km/uur: 140 en 160
Carrosserie/Chassis: afzonderlijk chassis
Uitvoering: coach, sedan en coupé
Productiejaar: 1960
Productie-aantal: 449.942
In NL: n.b.
Prijzen: A: 1.400 B: 3.200 C: 5.500

FORD GALAXIE STARLINER 1960

Voor 1960 verscheen er een Galaxie Specialreeks met daarin een nieuw type coupé: de Starliner. Deze prachtige hardtop coupé zou slechts twee jaar in het programma blijven. De wagen bevatte alle luxe die Ford op de duurdere typen aanbracht en had in plaats van een Galaxie-embleem een Starlinerопschrift. Het was dat jaar buiten de dichte Thunderbird de enige coupé van Ford. Voor 1961 waren er geheel herziene Fords en de Starliner van dat jaar haalde de helft van het aantal van '60 nog niet.

Aantal cilinders: 6 en V8
Cilinderinhoud in cm³: 3654 en 4785-5768
Vermogen: 145/4000 en 185/4200-360/6000
Topsnelheid in km/uur: 140 en 160
Carrosserie/Chassis: afzonderlijk chassis
Uitvoering: coupé
Productiejaar: 1960
Productie-aantal: 68.641
In NL: n.b.
Prijzen: A: 1.800 B: 4.300 C: 7.300

FORD GALAXIE 1961

'It's all new,' beweerde Ford in de advertentie waarmee de modellen voor 1961 aangeprezen werden en inderdaad had men zich moeite getroost om de bestaande wagens maar niet ouderwets te laten lijken. De motoren leverden minder vermogen, de carrosserieën hadden meer dan een facelift meegekregen en waren korter geworden, de Galaxie zelfs 10 cm. Voor de liefhebbers anno nu zijn met name de modellen met een V8 interessant. De prijzen liggen op een redelijk niveau, mede gezien de verzadiging van de USA-import.

Aantal cilinders: 6 en V8
Cilinderinhoud in cm³: 3643 en 4785
Vermogen: 137/4000 en 177/4200 (SAE)
Topsnelheid in km/uur: 140 en 160
Carrosserie/Chassis: afzonderlijk chassis
Uitvoering: coach, sedan, coupé, cabriolet en stationcar.
Productiejaar: 1961
Productie-aantal: 349.665
In NL: n.b.
Prijzen: A: 1.600 B: 3.600 C: 5.700

FORD FALCON 1960-1963

Om iets tegen de steeds belangrijkere import van Europese en Japanse auto's te doen, bouwde Detroit zijn compact car. Bij Ford heette deze Falcon en hoewel de wagen minder bijzonder was dan die van de concurrentie, verkocht hij stukken beter. De auto was in de eerste vier productiejaren uitsluitend met een zescilinder te koop. De uiterlijke wijzigingen zijn in die eerste jaren gering. Een Falcon is geen gezochte wagen, vandaar de zeer lage prijzen. Debet daaraan zijn ongetwijfeld de tamelijk onopvallende carrosserielijnen.

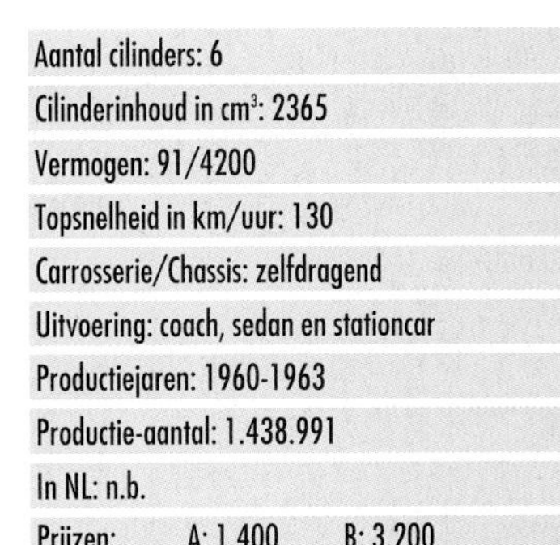

Aantal cilinders: 6
Cilinderinhoud in cm³: 2365
Vermogen: 91/4200
Topsnelheid in km/uur: 130
Carrosserie/Chassis: zelfdragend
Uitvoering: coach, sedan en stationcar
Productiejaren: 1960-1963
Productie-aantal: 1.438.991
In NL: n.b.
Prijzen: A: 1.400 B: 3.200 C: 5.000

FORD FAIRLANE 500 1962-1964

Hoewel Ford zijn modellen elk jaar een facelift liet ondergaan, kunnen we de jaren 1962-1964 als één generatie Fairlanes beschouwen. De grote lijnen stemmen immers overeen. De Fairlane-reeks had vanaf 1957 een type 500 erbij gekregen, dat wat meer chroom en luxe had, naast een andere vormgeving van de zijkant. De 500-serie verkocht veel beter dan de standaarduitvoering. De klant had de keuze uit twee verschillende V8-motoren en een drieversnellingsbak of een Cruise-O-Matic automaat.

Aantal cilinders: V8
Cilinderinhoud in cm³: 4267 en 4728
Vermogen: 166/4400 en 198/4400
Topsnelheid in km/uur: 150-170
Carrosserie/Chassis: zelfdragend
Uitvoering: coach, sedan, coupé en cabriolet
Productiejaren: 1962-1964
Productie-aantal: 660.475
In NL: n.b.
Prijzen: A: 1.400 B: 3.200 C: 9.100

FORD COUNTRY SQUIRE 1964

Net als de zes jaar ervoor gaf Ford het gamma van 1964 weer een ander uiterlijk mee. Voor dit jaar waren de stationcars wederom (sinds 1955) ondergebracht in een eigen serie. De goedkopere uitvoering was de Country Sedan, hoewel het wel echt een stationcar betrof, en de duurdere de Country Squire. Beide wagens waren met een zescilinder of een V8-motor leverbaar. Naar wens kon er een grotere V8 geleverd worden, maar die keuze betrof meer de gewone sedans. Wie voor veel minder geld (20%) een Ford station wilde, kon de tweedeurs Fairlane Ranchcar wagon nemen.

Aantal cilinders: 6 en V8
Cilinderinhoud in cm³: 3654 en 4261
Vermogen: 138/4200 en 164/4400
Topsnelheid in km/uur: 145-160
Carrosserie/Chassis: zelfdragend
Uitvoering: stationcar
Productiejaar: 1964
Productie-aantal: 46.690
In NL: n.b.
Prijzen: A: 2.300 B: 4.500 C: 6.400

FORD FALCON FUTURA SPRINT 1964-1965

Tot en met 1963 was de Falcon als brave gezinswagen gebouwd, maar voor het modeljaar 1964 had Ford zich meer moeite gegeven. De Falcon was nu zowel als cabriolet en als hardtop coupé te koop. Op verzoek konden de wagens als 'Sprint' besteld worden en dat ze dan ook voor rally's en races geschikt waren, bewezen ze o.a. in de Rally van Monte Carlo. De Sprint-uitvoering omvatte een V8-motor, sportstoelen en een toerenteller die nogal vreemd bovenop het dashboard stond. In de loop van '65 verdwijnt de Sprint.

Aantal cilinders: V8
Cilinderinhoud in cm³: 4267
Vermogen: 166/4400
Topsnelheid in km/uur: 160
Carrosserie/Chassis: zelfdragend
Uitvoering: coupé en cabriolet
Productiejaren: 1964-1965
Productie-aantallen: coupé: 15.108; cabrio: 3.106
In NL: n.b.
Prijzen: (cabrio) A: 2.300 B: 5.000 C: 7.700

FORD FAIRLANE 500 1965-1968

De volgende generatie Fairlanes 500 kent wederom wijzigingen per jaar. Zo zijn in 1966 de dubbele koplampen onder elkaar geplaatst en in 1968 zitten ze weer naast elkaar in een rechthoekige unit. Onder liefhebbers van deze wagens is die '68'er geliefd vanwege de geslaagde lijnen ervan. Het was dat jaar dan ook de enige Ford-reeks die een facelift onderging. Vanaf 1966 was er een nieuwe serie met de aanduiding 500XL die aanzienlijk sportiever uitgevoerd was dan de andere Fairlanes. Vanaf 1968 heette deze Fairlane GT.

Aantal cilinders: 6 en V8
Cilinderinhoud in cm³: 3273 en 4728-6384
Vermogen: 122/4400 en 203/4400-324/4800
Topsnelheid in km/uur: 150-180
Carrosserie/Chassis: zelfdragend
Uitvoering: coach, sedan, cabriolet en coupé
Productiejaren: 1965-1968
Productie-aantal: 652.276
In NL: n.b.
Prijzen: A: 1.400 B: 3.200 C: 4.500

FORD GALAXIE 500 1965-1967

Na de Custom als goedkoopste Ford volgde de Galaxie 500. Ook deze was er met een zes- of achtcilinder motor. Voor '65 meldde Ford dat de nieuwe modellen de 'Newest since 1949' waren. Het aanbod van in totaal 44 modellen was het grootste uit Fords historie. De lijnen van de nieuwe wagens waren zeer strak en rondingen ontbraken vrijwel. Voor '66 was alleen de motorkap hetzelfde gebleven, hoewel de wagens sterk op die van '65 leken. De sedan was er dat jaar ook als fastback sedan. Boven de Galaxie 500 zat de 500XL (zie verderop).

Aantal cilinders: 6 en V8
Cilinderinhoud in cm^3: 3273 en 4728-6384
Vermogen: 122/4400 en 203/4400-324/4800
Topsnelheid in km/uur: 150 en 160-180
Carrosserie/Chassis: zelfdragend
Uitvoering: sedan, coupé en cabriolet
Productiejaren: 1965-1967
Productie-aantal: 1.276.743
In NL: n.b.
Prijzen: A: 1.400 B: 3.200 C: 5.000

FORD GALAXIE 500XL 1965-1967

Achter de naam Galaxie 500XL verschool zich de sportieve uitvoering van de toch al flinke tweedeurs Galaxie coupé of cabriolet. De wagen was uitsluitend leverbaar met een Select-Shift Cruise-O-Matic automatische versnellingsbak en een '289' V8-motor. Voor in de wagen vond men twee kuipstoeltjes en er was zowaar vloerschakeling. Voor 1965 was er onder de slogan 'Newest since 1949' een geheel nieuw ontworpen lijn. In '66 zijn de wagens iets ronder en in '67 nog meer.

Aantal cilinders: V8
Cilinderinhoud in cm^3: 4728
Vermogen: 203/4400
Topsnelheid in km/uur: 190
Carrosserie/Chassis: zelfdragend
Uitvoering: coupé en cabriolet
Productiejaren: 1965-1967
Productie-aantal: 93.400
In NL: n.b.
Prijzen (coupé): A: 2.300 B: 4.100 C: 6.600

FORD (FAIRLANE) TORINO 1968-1971

De Torino was in 1968 het neusje van de zalm voor de Fairlane-liefhebbers. De wagen had alle snufjes die de Fairlane 500 zo geliefd maakten plus nog een paar kleinigheden zoals gepolijste aluminium deurdrempels, een Torino-embleem op de C-zuil en wat meer chroom op het dashboard. In 1969 verscheen de GT als sportievere Torino (coupé en cabriolet) en het summum is de Torino Cobra met 335 pk. In 1970 is er de luxere Torino Brougham. Vanaf 1971 verdween de naam Fairlane en is de Torino een zelfstandige reeks.

Aantal cilinders: 6 en V8
Cilinderinhoud in cm^3: 4093 en 4942-7003
Vermogen: 157/4000-340/5200
Topsnelheid in km/uur: 160-230
Carrosserie/Chassis: zelfdragend
Uitvoering: sedan, coupé, stationcar en cabriolet
Productiejaren: 1968-1971
Productie-aantal: 707.395
In NL: n.b.
Prijzen (GT coupé): A: 1.600 B: 3.200 C: 4.500

FORD LTD COUNTRY SQUIRE 1969-1975

In de LTD-reeks was er een stationcar opgenomen met de naam Country Squire. Die naam hanteerde Ford al sinds het midden van de jaren vijftig. Aan de zijkanten was de wagen voorzien van een woody-look. De Country Squire was de duurste station die Ford bouwde en hij was er in zes- of tienpersoons uitvoering (tot '71). Volop luxe, zelfs een elektrisch bedienbare achterruit. Voor modeljaar 1973 is er een wat grotere facelift dan de eerste vier jaar. Voor modeljaar 1975 werd deze stationcar in de LTD Brougham-reeks ondergebracht. De grootte van de motoren loopt sterk uiteen.

Aantal cilinders: V8
Cilinderinhoud in cm^3: 4949-7538
Vermogen: 129/3800-360/5400
Topsnelheid in km/uur: 160-180
Carrosserie/Chassis: zelfdragend
Uitvoering: stationcar
Productiejaren: 1969-1975
Productie-aantal: 738.742
In NL: n.b.
Prijzen: A: 1.800 B: 3.600 C: 5.000

FORD RANCHERO 1969-1975

Chevrolet had al decennia lang z'n El Camino en de pick-up van Ford droeg al sinds de jaren vijftig de naam Ranchero. Het was altijd een wagen die de specificaties van een grote stationcar had, maar een open laadbak in plaats van het lange dak. Een kleinere pick-up was in de jaren zestig de Falcon Ranchero. De afgebeelde wagen is een type van halverwege de jaren zeventig, dat overeenkomsten vertoont met de Country Squire stationcar. De pick-ups zijn nooit verkocht in de lage landen, maar ze zijn tegenwoordig populair bij importeurs uit de VS. Er is een eigen liefhebbersgroep voor.

Aantal cilinders: V8
Cilinderinhoud in cm^3: 4949-7538
Vermogen: 129/3800-360/5400
Topsnelheid in km/uur: 160-180
Carrosserie/Chassis: zelfdragend
Uitvoering: pick-up
Productiejaren: 1969-1975
Productie-aantal: n.b.
In NL: n.b.
Prijzen: A: 1.800 B: 3.900 C: 6.400

FORD MUSTANG 1964-1968

In 1960 werd de veel besproken Lee Iacocca de grote baas bij Ford. Onder zijn leiding is er veel gebeurd en zo was hij ook verantwoordelijk voor de Mustang. In 1964 kwam deze auto op de markt en al in de eerste vier maanden van zijn bestaan werd hij 100.000 maal verkocht, wat een nieuw record in de autogeschiedenis betekende. Tot 1969 veranderde het uiterlijk van de Mustang weinig. Inmiddels is deze ponycar een gewild verzamelaarsobject. Onze voorkeur gaat uit naar wagens met een forse V8 onder de kap. In Nederland stijgt de belangstelling de laatste jaren sterk.

Aantal cilinders: 6 en V8
Cilinderinhoud in cm³: 3273-6390
Vermogen: 122/4400-320/4600
Topsnelheid in km/uur: 160-210
Carrosserie/Chassis: zelfdragend
Uitvoering: coupé
Productiejaren: 1964-1968
Productie-aantal: 1.838.578
In NL: n.b.
Prijzen: (V8) A: 3.900 B: 7.900 C: 11.800

FORD MUSTANG CONVERTIBLE 1964-1968

Hoewel de gesloten Mustang van de eerste serie met zijn bijna 2 miljoen verkochte exemplaren een daverend succes was, mocht men ook niet klagen over de verkoop van de convertible. Bijna een kwart miljoen. Snelle rekenaars zien dat de verhouding grofweg één cabriolet op acht coupés is. Dat maakt de open Mustang zeldzamer. Eigenlijk is per definitie elke cabrio populairder of duurder dan de dichte variant. Welke men de mooiste vindt, is een kwestie van smaak. De lange neus is er vanaf 1967.

Aantal cilinders: 6 of V8
Cilinderinhoud in cm³: 3273-6390
Vermogen: 122/4400-320/4600
Topsnelheid in km/uur: 160-210
Carrosserie/Chassis: zelfdragend
Uitvoering: cabriolet
Productiejaren: 1964-1968
Productie-aantal: 244.248
In NL: n.b.
Prijzen: (V8) A: 5.700 B: 11.300 C: 16.300

FORD MUSTANG SPORTSROOF 1969-1970

Toen de verkoopcijfers daalden, was het de hoogste tijd de Mustang te moderniseren. Dat gebeurde voor het modeljaar 1969 op een drastische manier. De vier koplampen waren geen succes en in 1970 zijn het er weer twee. De wagens van deze tweede serie behielden dezelfde wielbasis maar groeiden 9,5 cm in de lengte. Tot 1969 had Ford de Mustangs als hardtop, cabriolet of fastback aangeboden, maar nu veranderde de Fastback in een SportsRoof. Bovendien kwamen er nieuwe modellen bij. De Mach 1 was bijvoorbeeld een SportsRoof met een sterkere motor.

Aantal cilinders: 6 en V8
Cilinderinhoud in cm³: 3272 en 4945
Vermogen: 122/4000 en 223/4600
Topsnelheid in km/uur: 150 en 190
Carrosserie/Chassis: zelfdragend
Uitvoering: coupé
Productiejaren: 1969-1970
Productie-aantal: 107.914
In NL: n.b.
Prijzen: A: 2.300 B: 5.700 C: 7.900

FORD MUSTANG CONVERTIBLE 1971-1973

De Mustang kreeg voor het modeljaar 1971 weer een nieuwe carrosserie. Deze werd langer, breder en lager en de motor werd sterker dan voorheen. Voor het eerst sinds de introductie in 1964 werd de wielbasis verlengd en wel met 2,5 cm tot 277 cm. De cabriolet was nu 481 cm lang, 188 cm breed en 129 cm hoog. De klant had de keuze uit een zescilindermotor met een inhoud van 4092 cm³ of een V8 met een inhoud tussen de 4945 en 7033 cm³.

Aantal cilinders: 6 en V8
Cilinderinhoud in cm³: 4092-7033
Vermogen: 115/3800-375/5600
Topsnelheid in km/uur: 150-190
Carrosserie/Chassis: zelfdragend
Uitvoering: cabriolet
Productiejaren: 1971-1973
Productie-aantal: 24.375
In NL: n.b.
Prijzen: A: 3.900 B: 7.900 C: 11.800

FORD MUSTANG MACH 1 V8 1971-1973

Het jaar 1973 was voorlopig het laatste waarin Ford een Mustang cabriolet aanbood, wat de reden moet zijn geweest dat de verkoopcijfers stegen. Het was ook het laatste jaar van de 'echte' Mustang, want in 1974 kwam de kleine Mustang II op de markt. De krachtpatser van de serie was weer de Mach 1 met een fastback carrosserie. De standaardmotor was al zeer sterk en optioneel was er zelfs meer vermogen leverbaar. In 1973 kon de Mach 1 ook met een kleine zescilinder geleverd worden.

Aantal cilinders: V8
Cilinderinhoud in cm³: 5769
Vermogen: 250/4600
Topsnelheid in km/uur: 220
Carrosserie/Chassis: zelfdragend
Uitvoering: coupé
Productiejaren: 1971-1973
Productie-aantal: 99.564
In NL: n.b.
Prijzen: A: 3.200 B: 7.300 C: 10.900

FORD MUSTANG II

Toen de verkopen van de ooit zo populaire Mustang terugvielen en de verzekeringspremies voor jonge Mustang-rijders omhoog schoten, kwam Ford met een geheel nieuwe, kleine Mustang. Alles was minder: standaard een viercilinder met slechts 85 pk en een halve meter en 225 kilo minder auto. Maar de verkopen liepen goed. In Europa zat er een Duitse V6 onder de kap. Optioneel was er vanaf eind '74 een V8 en er was ook nog een Mach I- en een Cobra II-serie. De cabriolet was uit het programma genomen. In '78 kwam de Mustang III.

Aantal cilinders: 4, V6 en V8
Cilinderinhoud in cm³: 2294, 2798 en 4945
Vermogen: 85/5400, 110/4800 en 122/3800
Topsnelheid in km/uur: 155-180
Carrosserie/Chassis: zelfdragend
Uitvoering: coupé
Productiejaren: 1974-1978
Productie-aantal: 1.107.718
In NL: n.b.
Prijzen: A: 700 B: 1.800 C: 3.400

FORD MUSTANG COBRA II

Vanaf de zomer van 1976 was de Mustang als hatchback verkrijgbaar met een Cobra II-pakket. Dat bestond uit een sportstuur, dubbele buitenspiegels, aluminium dashboard- en deurpanelen, zwarte grille, speciale velgen, uitklapraampjes achter, spoilers voor en achter en een (fake-)luchthapper op de motorkap. Aanvankelijk was de Cobra II er alleen in het wit met blauwe striping, maar later kwamen er meer kleuren. Een leuk aangeklede wagen, die echter niets wegheeft van de legendarische Shelby van weleer. In '78 was er nog een snelle King Cobra met altijd een V8 en op de motorkap een slang.

Aantal cilinders: 4, V6 en V8
Cilinderinhoud in cm³: 2294, 2798 en 4945
Vermogen: 85/5400, 110/4800 en 122/3800
Topsnelheid in km/uur: 155-180
Carrosserie/Chassis: zelfdragend
Uitvoering: coupé
Productiejaren: 1976-1978
Productie-aantal: n.b.
In NL: n.b.
Prijzen: A: 1.400 B: 2.700 C: 4.500

FORD MUSTANG III

De wagens van de derde generatie Mustangs werden bestsellers, omdat ze goed gelijnd waren, en dat had de II moeten ontberen. In 1979 had de klant de keuze uit vier verschillende motoren: een viercilinder, een V6, een V8 en een viercilinder turbo, de meest interessante uit de familie, die echter alleen met een vierbak geleverd werd. Dat jaar mocht een Mustang de 500 mijlen race van Indianapolis aanvoeren en dat betekende een fantastische reclame plus een pacecar replica. Voor '80 keert het Cobra-pakket terug en twee jaar later de GT.

Aantal cilinders: 4, 6, V6 en V8
Cilinderinhoud in cm³: 2301-4945
Vermogen: 88/5200-140/3600
Topsnelheid in km/uur: 155-190
Carrosserie/Chassis: zelfdragend
Uitvoering: coupé
Productiejaren: 1978-1982
Productie-aantal: 1.138.670
In NL: n.b.
Prijzen: (V8) A: 1.400 B: 4.300 C: 6.800

SHELBY MUSTANG GT 350

Carroll Shelby was bij Ford geen onbekende. Hij had de AC Cobra met Ford-motoren gebouwd en in 1959, met een Aston Martin, Le Mans gewonnen. Toen hij dan ook aanbood Mustangs te bouwen die de gevreesde Chevrolet Corvettes konden verslaan, was men in Detroit een en al oor. De eerste Shelby Mustang GT 350 moest voor het seizoen van 1965 klaar zijn. Minstens 100 stuks aangezien ze anders niet gehomologeerd konden worden, en daarom bouwde de Ford-fabriek in San José twee dagen lang witte Mustang GT's met een zwart interieur. Kijk uit voor namaak.

Aantal cilinders: V8
Cilinderinhoud in cm³: 4728
Vermogen: 310/6000
Topsnelheid in km/uur: 240
Carrosserie/Chassis: zelfdragend
Uitvoering: coupé en cabriolet
Productiejaren: 1965-1968
Productie-aantal: 5.384 en 410
In NL: n.b.
Prijzen: (coupé) A: 12.500 B: 20.400 C: 29.500

SHELBY MUSTANG GT 500

In 1967 vulde Shelby zijn programma aan met de GT 500, nadat Ford zijn Mustangs ook met een 7-liter V8 kon leveren. De naam '500' had geen betekenis, evenmin als de '350' die de geschatte afstand tussen Shelbys bureau en werkplaats geweest zou zijn. In '68 komt er een KR-versie bij. Wat de carrosserieën betrof waren de GT 350 en GT 500 dezelfde en het enige verschil zat hem dus onder de kap. Eind 1967 kon Ford de naam Cobra kopen en verschenen de Shelby's als Shelby Cobra GT 350 en 500 in de showrooms. Deze wagens werden overigens niet meer in Californië gebouwd maar in een fabriek in Ionia, Michigan.

Aantal cilinders: V8
Cilinderinhoud in cm³: 7003
Vermogen: 335/5500
Topsnelheid in km/uur: 240
Carrosserie/Chassis: zelfdragend
Uitvoering: coupé en cabriolet
Productiejaren: 1967-1969
Productie-aantal: 4.123 en 720
In NL: n.b.
Prijzen: (coupé) A: 14.700 B: 26.100 C: 34.000

FORD THUNDERBIRD 1955-1957

Toen Chevrolet zijn Corvette op de markt bracht was de wagen een grote flop. Fords antwoord, de Thunderbird, was direct een reuze succes. Slechts drie jaren heeft Ford de Thunderbird als twoseater gebouwd en dat maakt juist dit model nu zo gezocht. In de grondlijnen waren ze identiek maar het verschil zat hem in de details. Zo had het model 1956 het reservewiel vrijstaand op de achterbumper gemonteerd. In 1957 vond men het vijfde wiel weer in de koffer en waren de achterspatborden met vinnetjes verfraaid.

Aantal cilinders: V8
Cilinderinhoud in cm³: 4785 en 5112
Vermogen: 193/4400-300/4800
Topsnelheid in km/uur: 160-200
Carrosserie/Chassis: afzonderlijk chassis
Uitvoering: cabriolet
Productiejaren: 1955-1957
Productie-aantal: 53.166
In NL: n.b.
Prijzen: A: 11.300 B: 20.400 C: 29.500

THUNDERBIRD 1958-1960

In 1958 kwam Ford met een vierpersoons T-Bird. De liefhebber haalde er zijn neus voor op en kocht een Corvette, maar vaders van een gezin waren er blij mee en de fabriek ook, want de wagen verkocht als warme broodjes. De 'Squarebird' had nu alleen nog een V8 motor, waarvan twee versies zeer krachtig waren. Jarenlang zijn alleen de eerste Thunderbirds gezocht geweest, maar tegenwoordig is er ook veel belangstelling voor de latere series. Het model lokt nog steeds controverses uit, maar is zonder meer geaccepteerd als klassieke Thunderbird.

Aantal cilinders: V8
Cilinderinhoud in cm³: 5436, 5766 en 7045
Vermogen: 235/4600, 304/4600 en 355/4400
Topsnelheid in km/uur: 180-200
Carrosserie/Chassis: zelfdragend
Uitvoering: coupé en cabriolet
Productiejaren: 1958-1960
Productie-aantal: 198.191
In NL: n.b.
Prijzen (cabrio): A: 7.700 B: 14.700 C: 20.400

THUNDERBIRD 1961-1963

In 1961 verscheen er een nieuwe generatie T-Birds. In Amerika sprak men van de 'Cigar Shape' en inderdaad leek de wagen iets op een sigaar. De wagen was er in verschillende uitvoeringen, als coupé, als Landau hardtop, met veel hout en extra luxe, als cabriolet en als roadster. Deze laatste was niets anders dan een cabriolet met een plastic afdekplaat over de achterbank. Het was een idee van Lee Iacocca geweest. Daar de accessoirefabrikanten zich op deze afdekking stortten, moet de aspirant-koper opletten als een dergelijke wagen aangeboden wordt. Van de originele zijn er 1882 gebouwd.

Aantal cilinders: V8
Cilinderinhoud in cm³: 6384
Vermogen: 304/4400, 344/4600
Topsnelheid in km/uur: 180-200
Carrosserie/Chassis: zelfdragend
Uitvoering: coupé, cabriolet en roadster
Productiejaren: 1961-1963
Productie-aantal: 214.375
In NL: n.b.
Prijzen (coupé): A: 3.600 B: 7.700 C: 10.900

THUNDERBIRD 1964-1966

Om de paar jaar kregen de Fords een nieuwe carrosserie en de Thunderbirds maakten daarop geen uitzondering. Zo verscheen de wagen voor 1964 met een nieuwe carrosserie over een oud chassis. De roadster bestond in deze serie niet meer en de cabriolets werden steeds minder gevraagd en dus ook minder gebouwd. Dat cabrio's bij klassiekerliefhebbers meer gewild zijn, is alom bekend. Dus ook van deze T-bird-reeks is de open versie het duurst. Een vuistregel voor alle Thunderbirds is: hoe jonger, hoe goedkoper.

Aantal cilinders: V8
Cilinderinhoud in cm³: 6384 en 6997
Vermogen: 304/4400-350/4600
Topsnelheid in km/uur: 180-200
Carrosserie/Chassis: zelfdragend
Uitvoering: coupé en cabriolet
Productiejaren: 1964-1966
Productie-aantal: 226.613
In NL: n.b.
Prijzen: A: 3.600 B: 6.800 C: 9.500

THUNDERBIRD 1967-1971

De T-Bird voor 1967 had weer eens een nieuw gezicht gekregen. De koplampen zaten verborgen achter de grille en ook de achterlichten waren nieuw ontworpen. De cabriolet werd niet meer gebouwd. Vrijwel alle wagens hadden nu een airconditioning, wat de man op de freeway meer waardeerde dan een linnen kap die een gesprek in de wagen vrijwel onmogelijk maakte. De Landau uitvoering had wel een vinyldak met de 'cabriolet-beugels' maar die waren niet meer dan een ornament.

Aantal cilinders: V8
Cilinderinhoud in cm³: 7033
Vermogen: 365/4600
Topsnelheid in km/uur: 210
Carrosserie/Chassis: zelfdragend
Uitvoering: coupé
Productiejaren: 1967-1971
Productie-aantal: 201.037
In NL: n.b.
Prijzen: A: 2.300 B: 5.900 C: 9.100

THUNDERBIRD LANDAU FOURDOOR SEDAN

Het was een grote stap van de tweepersoons T-Bird naar een vierdeurs limousine. In 1967 werd er geen T-Bird cabriolet meer gemaakt en daarom was deze limousine nu de duurste uitvoering. Dat de wagen nu een rariteit is, blijkt uit de geringe productiecijfers. Niet iedereen is even gecharmeerd van deze nogal plompe Thunderbird. Het model is echter wel interessant met zijn voor de late jaren zestig vreemde deuren. De Lincoln had ze in 1968 voor het laatst, terwijl Ford zelf er weer mee begint.

Aantal cilinders: V8
Cilinderinhoud in cm^3: 6384 en 7026
Vermogen: 304/4400 en 365/4600
Topsnelheid in km/uur: 180-205
Carrosserie/Chassis: zelfdragend
Uitvoering: sedan
Productiejaren: 1967-1971
Productie-aantal: 77.496
In NL: n.b.
Prijzen: A: 3.200 B: 5.400 C: 8.200

FORD THUNDERBIRD 1972-1976

De grootste Thunderbirds uit de geschiedenis verschijnen in 1972 op het toneel. De wagen heeft het chassis en de licht veranderde koets van de Lincoln Continental Mark IV. Wat eens een sportieve auto is geweest, is nu een slagschip voorzien van alle luxe. In '73 komt er een operaraampje in de C-stijl om de achterin gezeten passagiers wat meer licht te geven. Tot 1977 verandert Ford weinig aan de inmiddels zesde generatie T-birds.

Aantal cilinders: V8
Cilinderinhoud in cm^3: 7030 en 7544
Vermogen: 201/4400-224/4400
Topsnelheid in km/uur: 175
Carrosserie/Chassis: afzonderlijk chassis
Uitvoering: coupé
Productiejaren: 1972-1976
Productie-aantal: 299.146
In NL: n.b.
Prijzen: A: 1.800 B: 4.500 C: 6.800

FORD THUNDERBIRD 1977-1979

Nadat de Thunderbird in 1976 nog een garage met een diepte van minstens 574 cm nodig gehad had, bedroeg de lengte in 1977 nog 'maar' 548 cm. Ook de wielbasis was verkleind en wel van 306 naar 290 cm. Verder was de V8-motor niet meer wat hij geweest was, want het volume van ruim zeven en een halve liter daalt tot onder de vijf liter. 2270 kg had de auto in 1976 gewogen en nu waren er nog maar 1875 kg voort te bewegen, waarvoor de vroegere 205 pk ook niet meer nodig waren. Kortom, de T-bird was weer op de weg terug. Naar de beroemde tweezitter waarmee alles begon?

Aantal cilinders: V8
Cilinderinhoud in cm^3: 4942
Vermogen: 132/3400
Topsnelheid in km/uur: 160
Carrosserie/Chassis: afzonderlijk chassis
Uitvoering: coupé
Productiejaren: 1977-1979
Productie-aantal: 955.032
In NL: n.b.
Prijzen: A: 900 B: 1.800 C: 2.900

FORD LTD 1969-1978

In 1965 was er een Galaxie leverbaar met een LTD-optie. Na twee jaar werd de LTD een zelfstandige reeks. De Ford LTD – voor Limited Edition – was een zeer luxueuze Ford. Hij deelde het onderstel met o.a. de Galaxie en Custom. In coupéuitvoering had de wagen veel weg van de Thunderbird. De duurste versie was de Brougham. Die Limited aanduiding bleek achteraf weinig bestaansrecht te hebben, gezien de productie van vele miljoenen stuks. Er was volop motorkeuze. Na '78 is de wagen aanzienlijk ingekort. Afgebeeld een coupé van 1972.

Aantal cilinders: V8
Cilinderinhoud in cm^3: 5769-7544
Vermogen: 136/3400-168/3800
Topsnelheid in km/uur: 160 en 190
Carrosserie/Chassis: zelfdragend
Uitvoering: coupé, sedan en stationcar
Productiejaren: 1969-1978
Productie-aantal: 3.607.284
In NL: n.b.
Prijzen: A: 1.600 B: 2.900 C: 3.900

FORD GRAN TORINO 1972

In 1968 verkocht Ford de meest aangeklede Fairlane 500 als 'Torino'. Voor '70 kwamen de Torino Brougham, de Torino GT en Cobra erbij. Weer eens twee jaar later kreeg de Torino een geheel nieuw en zeer opvallend uiterlijk. Er waren nog slechts twee series: de Torino en de Gran Torino. Van die laatste sprong vooral de grille erg in het oog. Autojournalist Tom McCahill noemde deze Fords 'lucht zuigende tonijnen'. Toch liepen de verkopen ervan uitstekend. Voor 1973 paste Ford de spraakmakende grille aan, zodat de wagen er wat 'normaler' uitzag.

Aantal cilinders: V8
Cilinderinhoud in cm^3: 4949
Vermogen: 140/4000
Topsnelheid in km/uur: 175
Carrosserie/Chassis: zelfdragend
Uitvoering: sedan ('73), coupé en stationcar
Productiejaar: 1972
Productie-aantal: 305.124
In NL: n.b.
Prijzen: A: 1.800 B: 3.600 C: 5.000

FORD PINTO 1970-1975

Na de zomervakantie van 1970 stelde Ford een geheel nieuw model voor in fastback- en hatchback-versie, de Pinto. Hoewel het jaar nog lang niet om was, ging de auto als model 1971 naar de dealers. Voor Amerikaanse begrippen was het een mini-auto die met een lengte van 414 cm maar 11 cm langer was dan een VW Kever. Er was keuze uit een Britse 1600-motor en een Duitse tweeliter met bovenliggende nokkenas. De stationcar (>'71) had net als de coach twee deuren. De Pinto werd een absoluut verkoopsucces.

Aantal cilinders:	4
Cilinderinhoud in cm³:	1599 en 1998
Vermogen:	76/5000 en 96/5700
Topsnelheid in km/uur:	145 en 160
Carrosserie/Chassis:	zelfdragend
Uitvoering:	coach en stationcar
Productiejaren:	1970-1975
Productie-aantal:	2.085.291
In NL:	n.b.
Prijzen:	A: 400 B: 1.200 C: 2.000

FRAZER-NASH

De toen bekende coureur Archie Frazer Nash bouwde in 1924 al sportwagens waarmee hij de in Engeland zo geliefde trials reed. Hij maakte van zijn hobby een beroep, stichtte de firma Frazer Nash en produceerde auto's. Lang ging het niet goed want al in 1928 kon H.J. Aldington van AFN Ltd in Londen de zaak voor een gering bedrag overnemen. Toen AFN in 1934 importeur van BMW werd, bood Aldington deze wagens als Frazer-Nash BMW aan. Na de oorlog was AFN mede-eigenaar van Bristol en kwamen deze wagens, evenals de Frazer-Nash, met een verbeterde uitgave van de BMW 328-motor op de markt. In totaal leverde AFN 89 auto's af.

FRAZER-NASH LE MANS REPLICA

In 1949 werd een Frazer-Nash derde in het algemeen klassement van de 24 uurs race van Le Mans. Dit was een goede reden om aan de weg te timmeren en zo bouwde de fabriek Le Mans replica's van de zo goed geplaatste auto. De motor was een opgevoerde Bristol 6-cilinder, die zelf niet veel anders was dan een zespitter zoals BMW die voor de oorlog in de 328 ingebouwd had. Toen men overschakelde op sportieve personenwagens was het gauw gebeurd met de firma. In 1959 moest men de handdoek in de ring werpen, sinds oktober '57 had Frazer-Nash al geen auto meer afgeleverd.

Aantal cilinders:	6
Cilinderinhoud in cm³:	1971
Vermogen:	111/5250
Topsnelheid in km/uur:	190
Carrosserie/Chassis:	afzonderlijk chassis
Uitvoering:	roadster
Productiejaren:	1950-1954
Productie-aantal:	37
In NL:	n.b.
Prijzen:	A: 73.000 B: 109.000 C: 136.000

FRAZER-NASH FAST ROADSTER, CABRIOLET & MILLE MIGLIA

Vanaf 1949 leverde Frazer-Nash tweezitters, racers en snelle cabriolets. Vrijwel geen twee waren hetzelfde. De sjah van Iran was de eerste naoorlogse koper. Naast het type Mille Miglia waren er de Fast Roadster en de Cabriolet (foto); die laatste had een langere wielbasis. Designer Fritz Fiedler realiseerde de afgebeelde – unieke – wagen. De platte, brede roadster had dezelfde Bristol-motor als de Replica, maar vertoonde verder geen overeenkomsten. Latere typen waren de Targa Florio en de Le Mans Coupé. Een prijsindicatie is moeilijk te geven, maar ze zijn minder duur dan de Replica.

Aantal cilinders:	6
Cilinderinhoud in cm³:	1971
Vermogen:	85/4500-125/5500
Topsnelheid in km/uur:	160-200
Carrosserie/Chassis:	afzonderlijk chassis
Uitvoering:	cabriolet en roadster
Productiejaren:	1949-1953
Productie-aantal:	15
In NL:	0
Prijzen:	A: n.v.t B: n.v.t. C: n.v.t.

FRISKY/MEADOWS

Motorenbouwer Henry Meadows in Wolverhampton liet in 1957 legerofficier en coureur Captain Raymond Flower een klein coupeetje bouwen onder de naam Meadows-Frisky. Na een stalen prototype met vleugeldeuren, werd het productiemodel voorzien van een kunststof carrosserie. Motoren kwamen van Villiers en Excelsior. In '61 verhuisde men naar Sandwich en daar bouwde men ook een groter model, de Prince. In 1964 ging de zaak op de fles.

MEADOWS-FRISKY

Aanvankelijk heette het wagentje Phoenix-Frisky en het zou in Scandinavië gebouwd gaan worden. De productie bleef echter in Groot-Brittannië en de naam werd gewijzigd in Meadows-Frisky, later kortweg Frisky. De achterin geplaatste tweetaktmotortjes kwamen van Villiers. De achterkant van de Frisky was zo smal om een differentieel overbodig te maken. Er volgde nog een 328 cc-variant en een driewieler "Family Three" voor twee volwassenen en twee kinderen. Deze had eerst een 197 cc- en later een 250 cc-blok van Excelsior.

Aantal cilinders: 2
Cilinderinhoud in cm³: 197, 249, 250 en 328
Vermogen: 9-16,5/5000
Topsnelheid in km/uur: 80-100
Carrosserie/Chassis: afzonderlijk chassis
Uitvoering: coupé en cabriolet
Productiejaren: 1957-1964
Productie-aantal: n.b.
In NL: n.b.
Prijzen: A: 1.100 B: 2.700 C: 4.100

FULDAMOBIL

In maart 1950 trok de carnavalsoptocht door het Duitse stadje Fulda. Er viel veel te lachen, maar dat verstomde toen Karl Schmitt en Norbert Stevenson in een nieuwe driewieler voorbij reden. Dit was geen grap, maar een heuse auto. Dit prototype was opgebouwd op een solide buizenchassis en de carrosserie bestond uit staalplaat dat over een houten frame bevestigd was. In februari 1951 kon de productie beginnen en nu stond er een 247 cc tweetaktmotor die oorspronkelijk voor een kettingzaag geconstrueerd was in de auto. De carrosserie was nu van triplex maar werd later van aluminium gemaakt.

FULDAMOBIL NWF 200

Zoals zovelen voor en na hem probeerde ook Norbert Stevenson in de jaren vijftig rijk te worden met kleine auto's. De auto's hadden eerst drie en later vier wielen en werden zowel bij de firma Elektromaschinenbau Fulda als bij de NWF (Nordwestdeutscher Fahrzeugbau) in Wilhelmshaven gemaakt. In Engeland bouwde York Nobel de auto onder zijn naam maar ook dit zette geen zoden aan de dijk. In Duitsland zijn er tegenwoordig liefhebbers genoeg voor deze zeldzame coupé, die ook als bouwpakket te koop is geweest. Werd in Nederland als Bambino uitgebracht.

Aantal cilinders: 1
Cilinderinhoud in cm³: 197
Vermogen: 9,5/4900
Topsnelheid in km/uur: 70
Carrosserie/Chassis: kunststof op een buizenchassis
Uitvoering: coupé
Productiejaren: 1954-1969
Productie-aantal: 701
In NL: 2
Prijzen: A: 2.300 B: 3.600 C: 6.800

GATSO

De inmiddels legendarische Maus Gatsonides had een goede reputatie als lange-afstands- en rallyrijder opgebouwd, toen hij in 1938 als sportwagenbouwer begon. Hij gebruikte een V8 van Ford Mercury in een zeer gestroomlijnde carrosserie. De Kwik genoemde wagen was in 1939 klaar voor Zandvoort. Vanaf 1946 ging de opvolger onder de merknaam Gatford – na klachten van Ford later Gatso – in beperkte serieproductie. Tot en met 1951 duurde Gatsonides' carrière als autobouwer. De totale productie omvatte tien auto's. Later zou hij met de gehate Gatsometer weinig vrienden maken onder snelheidsovertreders.

GATSO

De eerste naoorlogse auto van Gatsonides was de Gatford. Op een Ford-chassis stond een gestroomlijnde carrosserie met een opvallende derde koplamp in het midden. In '48 volgden de Gatso Aero Coupé, een gewone coupé en de tweemaal gebouwde Roadster. Weer een jaar later bestelde een klant een 4000 2+2 Coupé. Afgebeeld is de unieke Gatso met de bijnaam Platje, anno 2002 op Zandvoort. Deze sportwagen had geen derde koplamp noch een V8, maar een zescilinder Fiat-motor in een dito chassis. De laatste Gatso was de 4000 Luxe van 1951.

Aantal cilinders:	6 en V8
Cilinderinhoud in cm³:	n.b. en 3917
Vermogen:	n.b. en 120/4000-175/5200
Topsnelheid in km/uur:	n.b. en 160-175
Carrosserie/Chassis:	afzonderlijk chassis
Uitvoering:	coupé en roadster
Productiejaren:	1946-1951
Productie-aantal:	8
In NL:	2
Prijzen:	A: n.v.t. B: n.v.t. C: n.v.t.

GAZ: POBJEDA/VOLGA/ZIM/CHAIKA

In Rusland heeft men veel westerse auto's nagebouwd. Vooral direct voor en na de oorlog was men daar sterk in. Zo verscheen de Pobjeda, die iets van de Opel Kapitän van '39 weg had, de Moskvitch, die niets anders was dan een vooroorlogse Opel Kadett en de grote pronkstukken ZIL en ZIS hadden hun inspiratiebron in de VS liggen. In de Molotow-fabriek te Gorki – ooit de grootste autofabriek van Europa – ontstond een hele reeks wagens met diverse merknamen: Pobjeda, ZIM, Chaika en Volga (ook wel: Wolga).

(GAZ M-20:) POBJEDA

Meteen na de oorlog begon de fabriek met de productie van de Pobjeda, een middenklasser die vooral bedoeld was voor kameraden die een redelijk hoge functie bekleedden. Die typenaam betekent 'overwinning' in het Russisch. Er kwam ook een cabriolet (tot 1953) en van '55 tot '58 verscheen een kleine serie met vierwielaandrijving, evenals enkele zeldzame zescilinder-uitvoeringen. Eind 1954 kreeg de auto een nieuwe grille en een ander dashboard. In Polen ontstond een licentiemodel: de Warszawa M-20, die in dat land zelfstandig doorontwikkeld werd.

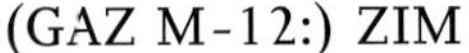

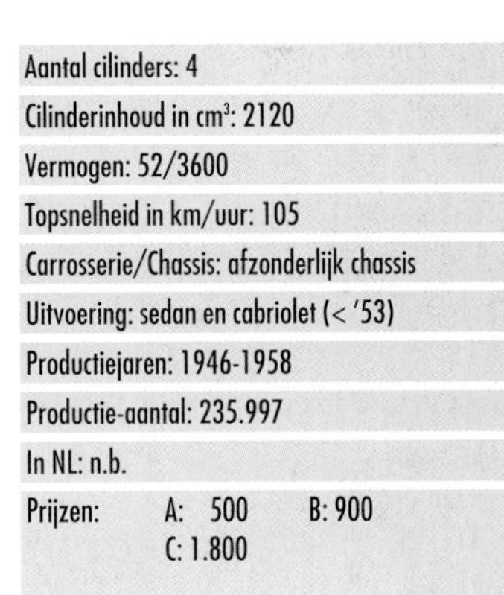

Aantal cilinders:	4
Cilinderinhoud in cm³:	2120
Vermogen:	52/3600
Topsnelheid in km/uur:	105
Carrosserie/Chassis:	afzonderlijk chassis
Uitvoering:	sedan en cabriolet (< '53)
Productiejaren:	1946-1958
Productie-aantal:	235.997
In NL:	n.b.
Prijzen:	A: 500 B: 900 C: 1.800

(GAZ M-12:) ZIM

ZIM betekent zoveel als Zavod Imieni Molotova, of wel de Molotow fabriek die in Gorki thuis is. De ZIM, ook bekend als GAZ M-12, was de voorganger van de Chaika GAZ M-13 en uiterlijk en technisch niet veel anders dan een Buick. Hij kwam in 1950 op de Russische markt. De motor was een zijklepper en de versnellingsbak had drie versnellingen. De auto werd ook in kleine aantallen naar Finland geëxporteerd. De vierdeurs cabriolets zijn zeldzaam. Ook deze Rus is aanzienlijk duurder geworden, de laatste jaren.

Aantal cilinders:	6
Cilinderinhoud in cm³:	3485
Vermogen:	94/3600
Topsnelheid in km/uur:	120
Carrosserie/Chassis:	afzonderlijk chassis
Uitvoering:	sedan, limousine en cabriolet
Productiejaren:	1950-1959
Productie-aantal:	n.b.
In NL:	n.b.
Prijzen:	A: 2.300 B: 5.400 C: 9.100

(GAZ M-13:) CHAIKA V8

De Chaika was de bonzenwagen bij uitstek. Hij werd ook als reusachtige limousine en als cabriolet gebouwd. De Chaika was evenals de overige grote Russische auto's een duidelijke kopie van een Amerikaan. Hij bood ruimte aan acht personen en werd eerst door een 90 pk zescilinder motor aangedreven. Na 1960 kwam er een V8-motor in. De wagens werden automatisch geschakeld door drukknoppen op het dashboard. Snel waren de wagens niet, maar wel ijzersterk. In '77 verscheen de luxueuze GAZ M-14.

Aantal cilinders: V8
Cilinderinhoud in cm^3: 5526
Vermogen: 195/4400
Topsnelheid in km/uur: 160
Carrosserie/Chassis: afzonderlijk chassis
Uitvoering: sedan, limousine en cabriolet
Productiejaren: 1959-1981
Productie-aantal: 3.179
In NL: n.b.
Prijzen: A: 3.200 B: 5.900 C: 9.100

(GAZ M-21-& M-22:) VOLGA

De Volga is nog steeds een vaak geziene auto in de ex-Oostbloklanden. Hij rijdt er nog als taxi en schijnt niet kapot te krijgen te zijn. Hij werd gebouwd voor extreem slechte wegen en kan dus tegen een stootje. Ook aan de koude winters werd gedacht en daarom kwam de wagen met een, voor Rusland, heel goede verwarming uit de fabriek. Hij bood nog meer 'luxe'. Er zat een sigaretten-aansteker in het dashboard, evenals een elektrische klok en een uitneembare radio, en dat was geen luxe, maar noodzaak. De Volga heeft de Pobjeda niet direct vervangen zoals gedacht werd. De M-22 is de stationcar.

Aantal cilinders: 4
Cilinderinhoud in cm^3: 2445
Vermogen: 70/4000
Topsnelheid in km/uur: 135
Carrosserie/Chassis: zelfdragend
Uitvoering: sedan en stationcar
Productiejaren: 1955-1970 en 1961-1970
Productie-aantal: 638.875
In NL: n.b.
Prijzen: A: 600 B: 1.600 C: 2.700

(GAZ M-24:) VOLGA M-24

Ook in Rusland krijgen de wagens wel eens een facelift of, beter gezegd, verandert een model terwijl het oude nog verder gebouwd wordt. Zo gebeurde het ook met de M-21 die nog jaren van de band kwam, terwijl zijn nieuwe broertje al lang geboren was. De M-24 was korter, lager en breder dan de M-21. Technisch was er niet veel veranderd maar de kopklepmotor leverde nu meer vermogen. De versnellingsbak had nu vier i.p.v. drie versnellingen en werd niet langer met een hendel aan de stuurkolom, maar met een pook in de vloer geschakeld. In België is deze wagen nog geregeld te zien.

Aantal cilinders: 4
Cilinderinhoud in cm^3: 2445
Vermogen: 95/4700
Topsnelheid in km/uur: 145
Carrosserie/Chassis: zelfdragend
Uitvoering: sedan, stationcar en cabriolet
Productiejaren: 1968-1992
Productie-aantal: n.b.
In NL: n.b.
Prijzen: A: 500 B: 900 C: 2.000

GHIA

De firma Ghia is vooral als carrozzeria wereldberoemd geworden. In Turijn ontstonden de mooiste showcars maar ook productiewagens zoals veel van de Maserati- en De Tomaso-modellen. En natuurlijk de Karmann-Ghia van Volkswagen. Ook heeft men een paar maal geprobeerd een auto onder de eigen naam te lanceren. Helaas is dit nooit erg goed gelukt. Inmiddels is het bedrijf in handen van de firma Ford, die aan typenamen de toevoeging Ghia meegeeft.

GHIA L.6.4

Op het onderstel van een Chrysler ontstond in 1960 de Ghia L.6.4 waarbij de 6.4 op de inhoud van de 6,4 liter V8 sloeg. De ruime coupé was voor de Amerikaanse markt bestemd, maar werd daar ook niet zo goed verkocht als men gehoopt had. Vroeger en nu een zeldzame verschijning, die wellicht voor de particulier minder interessant is, maar voor een automuseum zeker wel. Het eerste exemplaar werd overigens door Frank Sinatra gekocht. Of hij de $15.000 echt heeft betaald, is niet bekend. De auto zal zeker nog wel bestaan, aangezien ex-auto's van beroemdheden gekoesterd worden.

Aantal cilinders: V8
Cilinderinhoud in cm^3: 6277
Vermogen: 340/4600
Topsnelheid in km/uur: 225
Carrosserie/Chassis: afzonderlijk chassis
Uitvoering: coupé
Productiejaren: 1960-1962
Productie-aantal: 26
In NL: n.b.
Prijzen: A: n.b. B: n.b. C: ca. 27.200

GHIA 1500 GT

Meer succes had Ghia met zijn kleine sportcoupé, de Ghia 1500 GT, die opgebouwd was met Fiat 1500-onderdelen. De fastback bood plaats aan twee personen plus bagage. Het sportieve ding had wel aardige lijnen, maar over de schoonheid van de afwerkingen van sommige elementen valt te twisten. Een enkele wagen werd ook in Nederland verkocht en heel soms staat er een op een beurs te koop, maar het blijven zeldzame verschijningen.

Aantal cilinders: 4	
Cilinderinhoud in cm³: 1481	
Vermogen: 84/5200	
Topsnelheid in km/uur: 170	
Carrosserie/Chassis: zelfdragend	
Uitvoering: coupé	
Productiejaren: 1962-1967	
Productie-aantal: ca. 925	
In NL: n.b.	
Prijzen:	A: 6.800 B: 11.300 C: 13.600

GHIA 450 SS

Zeer opwindend is de razendsnelle 450 SS, die op een buizenchassis stond en door een V8 van een Plymouth Barracuda S werd aangedreven. Ook deze wagen was voor de Amerikaanse klant bestemd, maar weer werd het geen groot verkoopsucces. De 450 SS kostte maar liefst vier maal de prijs van de Barracuda waarop hij gebaseerd was. Wat hierboven voor de L.6.4 beweerd is, geldt ook voor deze 450 SS: leuk voor een museum. Overigens is deze wagen ontstaan uit een particulier initiatief van ene Bert Sugerman uit Los Angeles.

Aantal cilinders: V8	
Cilinderinhoud in cm³: 4490	
Vermogen: 238/5500	
Topsnelheid in km/uur: 200	
Carrosserie/Chassis: buizenchassis	
Uitvoering: cabriolet en coupé	
Productiejaren: 1965-1967	
Productie-aantal: 12	
In NL: n.b.	
Prijzen:	A: 11.300 B: 22.700 C: 34.000

GILBERN

Het was niet in Engeland maar in Wales dat men voor sportieve automobilisten die meer plaats nodig hadden de Gilbern bouwde. De twee initiatiefnemers waren ILes Smith en BERNard Friese, vandaar de naam van het merk. Ze boden hun wagens als rijdende auto's of als bouwpakketten aan. De uitzondering was de Gilbern Invader waarvan er tussen 1969 en 1973 ongeveer 600 stuks kant-en-klaar afgeleverd werden. In 1959 begonnen ze met hun avontuur, maar in 1973 moest de Gilbern Sports Car (Components) Ltd in Llantwit-Pontypridd de poorten sluiten.

GILBERN GT

In 1959 kwam deze coupé, door de fabrikanten eenvoudig GT genoemd, op de markt. De wagen stond op een buizenchassis, had de mechanische delen van andere Engelse merken – de voorvering kwam van de Austin A 35, de achteras van BMC en de bak van MG – en een kunststof carrosserie. De klant was koning wat de motor betrof en had de keuze uit viercilinders met inhouden van 1,0 tot 1,8 liter. De kleinste motor kwam uit de Sprite en de grootste uit de MGB. Toen en nu zeldzaam en niet duur.

Aantal cilinders: 4	
Cilinderinhoud in cm³: 948-1798	
Vermogen: 68/5700-95/5400	
Topsnelheid in km/uur: 140-170	
Carrosserie/Chassis: kunststof op een buizenchassis	
Uitvoering: coupé en stationcar	
Productiejaren: 1959-1966	
Productie-aantal: 202	
In NL: 7	
Prijzen:	A: 1.800 B: 3.600 C: 6.800

GILBERN GENIE

In 1967 bracht Gilbern een tweede model uit, de Genie. Weer had men er een coupé van gemaakt en weer was de carrosserie van plastic. Onder de motorkap vond men nu een 2,5 of 3-liter Ford-V6 motor die van de lichte wagen een echte sportwagen maakte. Injectie was mogelijk en schijfremmen zaten er standaard op. Deze rappe sportcoupé en zijn opvolger Invader – waar zelfs nog een stationvariant van verschenen is, zoals hieronder te zien en te lezen is – zijn tamelijk zeldzaam gebleven.

Aantal cilinders: V6	
Cilinderinhoud in cm³: 2495 en 2994	
Vermogen: 112/4750 en 158/4750	
Topsnelheid in km/uur: 175-200	
Carrosserie/Chassis: kunststof op een buizenchassis	
Uitvoering: coupé	
Productiejaren: 1967-1969	
Productie-aantal: 197	
In NL: n.b.	
Prijzen:	A: 2.700 B: 5.400 C: 7.700

GILBERN INVADER

De Invader werd voor Gilbern de meest succesvolle wagen. Het was een waardige opvolger voor de Genie waarvan hij het chassis en het grootste deel van de carrosserie had overgenomen. De wagen kon op verzoek ook met een automatische bak geleverd worden. In 1971 verscheen de MK II die in details afweek van de eerste Invaders. De MK III werd in 1972 op de London Motor Show gepresenteerd. Hij had de achterbrug van een Taunus, de voorwielophanging van een Cortina en de motor van Ford. In Nederland kostte de wagen € 13.046.-.

Aantal cilinders: V6
Cilinderinhoud in cm³: 2994
Vermogen: 144/5000
Topsnelheid in km/uur: 190
Carrosserie/Chassis: buizenchassis
Uitvoering: coupé
Productiejaren: 1969-1974
Productie-aantal: 502
In NL: 2
Prijzen: A: 2.700 B: 5.000 C: 9.100

GILBERN INVADER ESTATE

Er is steeds vraag naar sportwagons geweest. Volvo heeft ze gebouwd, evenals Lancia, Reliant en Aston Martin. Gilbern bleef niet achter en verbouwde de achterkant van zijn Invader voor het modeljaar 1971 zo, dat er veel meer ruimte in de coupé ontstond die door een derde deur bereikbaar was. Een supersnelle wagen dus voor de vertegenwoordiger die wat monsters mee moest nemen. Een zeldzame wagen, gezien het zeer bescheiden productie-aantal. De afgebeelde wagen is waarschijnlijk het enige exemplaar in Nederland.

Aantal cilinders: V6
Cilinderinhoud in cm³: 2994
Vermogen: 144/5500
Topsnelheid in km/uur: 190
Carrosserie/Chassis: buizenchassis
Uitvoering: stationcar
Productiejaren: 1971
Productie-aantal: 68
In NL: 1
Prijzen: A: 2.700 B: 4.500 C: 8.400

GINETTA

In 1957 begonnen de vier gebroeders Bob, Douglas, Ivor en Trevor in een klein werkplaatsje in Woodbridge met de bouw van goedkope sportwagens. Men leende daarbij volop motoren en onderstellen, maar dat is in Engeland niet uniek. In 1962 verhuisde de firma, men noemde zich intussen Ginetta Cars Ltd, naar Witham in Essex. Ook nu bouwt men nog Ginetta's, maar dan in het dorpje Scunthorpe -South Humberside. In 1992 wist men er exact honderd te verkopen.

GINETTA G4

De G4 was de eerste Ginetta die werkelijk in grotere aantallen gebouwd is. De wagen vierde zijn debuut in 1961 maar was ook in de jaren tachtig nog verkrijgbaar. Onder de plastic motorkap stonden meestal Ford-producten, maar ook hier kon de klant zijn bijzondere wensen naar voren brengen. De G4 was ook weer, om belastingtechnische redenen, als bouwpakket te koop. In 1967 was men inmiddels bij de G4 Mk III aangekomen en deze wagen herkende men aan zijn uitklapbare koplampen. Dit model was zelfs als coupé te krijgen.

Aantal cilinders: 4
Cilinderinhoud in cm³: 1498
Vermogen: 39/5000 tot 85/6000
Topsnelheid in km/uur: 160-200
Carrosserie/Chassis: kunststof op buizenchassis
Uitvoering: cabriolet en coupé
Productiejaren: 1961-1969
Productie-aantal: ca. 500
In NL: n.b.
Prijzen: A: 7.300 B: 15.400 C: 22.700

GINETTA G10 & G11

De G10 was op de straat nauwelijks nog te berijden, want onder zijn motorkap bevond zich een opgevoerde V8-motor van Ford die bijna driehonderd pk leverde. De coupé had rondom onafhankelijke wielophanging en vier schijfremmen van Girling waren nodig om de wagen zonder ongelukken af te remmen. Dit is beslist een van de zeldzaamste Ginetta's. De G11 was dezelfde auto maar dan met een eenvoudig MGB-motorblok. Daarvan zijn tien cabrio's en twee coupés gebouwd. De afgebeelde wagen is de enige overblijver.

Aantal cilinders: V8
Cilinderinhoud in cm³: 4728
Vermogen: 275/6000
Topsnelheid in km/uur: 260
Carrosserie/Chassis: kunststof op een buizenchassis
Uitvoering: coupé en cabriolet
Productiejaren: 1964-1968
Productie-aantallen: 6 en 12
In NL: 0
Prijzen: A: n.b. B: n.b. C: 22.700

GINETTA G15

In deze uitgesproken kleine coupé, hij had een lengte van maar 362 cm, vond men een Hillman Imp-motor achterin. Deze viercilinder gaf de wagen niet alleen een behoorlijke topsnelheid, maar hij was ook goedkoop in onderhoud en verbruik. Het onderstel, het stuurhuis en de voorvering kwamen van de Triumph Herald. Het wagentje zag er goed uit en het is dus geen wonder dat Ginetta er zo'n honderd stuks per jaar van verkocht. De Series II had de radiateur voorin en de Series III is te herkennen aan de lichtmetalen velgen.

Aantal cilinders:	4
Cilinderinhoud in cm³:	875
Vermogen:	55/6000
Topsnelheid in km/uur:	160
Carrosserie/Chassis:	kunststof op een buizenchassis
Uitvoering:	coupé
Productiejaren:	1967-1974
Productie-aantal:	796
In NL:	1
Prijzen:	A: 2.700 B: 6.800 C: 10.900

GINETTA G21

De koper van een G21 had de keuze uit twee verschillende motoren: een viercilinder van Rootes (Sunbeam) of een V6 van Ford. Het bedrijf in Essex leverde deze G21 compleet af en er waren ook geen bouwpakketten mogelijk. De wagen was als concurrent voor de TVR en Marcos bedoeld en we moeten toegeven dat de lijnen absoluut aantrekkelijk zijn. Met een V6-motor werd het een pure bolide, maar hij was dan echter te duur en daarom zijn de meeste met een vierpittertje afgeleverd.

Aantal cilinders:	4 of V6
Cilinderinhoud in cm³:	1725 of 2993
Vermogen:	79/5200 tot 128/4750
Topsnelheid in km/uur:	170-195
Carrosserie/Chassis:	kunststof op buizenchassis
Uitvoering:	coupé
Productiejaren:	1971-1978
Productie-aantal:	65
In NL:	n.b.
Prijzen:	A: 2.300 B: 6.400 C: 10.000

GLAS

Het was een carrière uit het 'Wirtschaftswunder-plaatjesboek': binnen enkele jaren werkte Hans Glas zich op van fabrikant van landbouwmachines tot bekende fabrikant van automobielen. Hans Glas, van de Glas GmbH te Dingolfing, zag aankomen dat er in de jonge Bundesrepublik een grote vraag zou komen naar scooters en kleine auto's. En dus bouwde hij ze en met veel succes. Toen hij echter in de middenklasse wilde meedoen, ging alles mis en daarom moest Glas zijn bedrijf in 1966 aan BMW verkopen.

GOGGOMOBIL 250, 300 & 400

Glas begon zijn loopbaan als autofabrikant met de Goggomobil, genoemd naar kleinzoon Andreas, die de bijnaam 'Goggo' had. In 1954 kwam de kleine auto op de markt waar hij direct al een groot succes was. Goed, het was het minste wat een automobilist kon verwachten maar hij was sterk en bood een 'dak boven het hoofd.' Hij werd opvallend lang doorgebouwd en dat kwam ongetwijfeld omdat men hem in Duitsland in 250 cc-versie met een 'klein' rijbewijs mocht berijden. De laatste exemplaren hadden een BMW-embleem!

Aantal cilinders:	2
Cilinderinhoud in cm³:	247, 296 en 395
Vermogen:	13,6/5400, 14,8/5000 en 20/5000
Topsnelheid in km/uur:	75-90
Carrosserie/Chassis:	platformchassis
Uitvoering:	coach
Productiejaren:	1954-1969
Productie-aantal:	214.313
In NL:	n.b.
Prijzen:	A: 900 B: 2.000 C: 2.900

GOGGOMOBIL 250, 300 & 400 COUPÉ

Technisch was de coupé gelijk aan de coach maar hij zag er natuurlijk veel sportiever uit. Hij kwam in 1957 op de markt en bleef tijdens zijn productiejaren vrijwel onveranderd. Natuurlijk verkocht deze zeer kleine Goggo niet zo goed als de coach-uitvoering. Het is een grappig wagentje dat natuurlijk in zijn eigen land populairder is dan bij ons. Zeer goed gerestaureerde exemplaren kunnen daar aanzienlijk hogere prijzen opleveren.

Aantal cilinders:	2
Cilinderinhoud in cm³:	247, 296 en 395
Vermogen:	13,6/5400, 14,8/5000 en 20/5000
Topsnelheid in km/uur:	75-90
Carrosserie/Chassis:	platformchassis
Uitvoering:	coupé
Productiejaren:	1957-1969
Productie-aantal:	66.511
In NL:	n.b.
Prijzen:	A: 1.100 B: 2.300 C: 3.400

GOGGOMOBIL 250 & 300 CABRIOLET

In 1957 leek de tijd rijp voor een open Goggomobil. De Kleinschnittger verdween van de markt en met Spatz ging het ook niet best. Enkele concurrentjes, zoals de kleine Lloyds en de Zündapp Janus, waren er alleen dicht of half-open, dus de prima verkopende Goggo zou zonder dak potentieel moeten hebben. Na 8 cabriolets 250 en slechts één 300 blies Glas het extra model af, zodat de 9 geproduceerde exemplaren eigenlijk niets meer zijn dan prototypen. Jammer, want zo'n open versie zag er leuk uit. Of het afgebeelde exemplaar een originele is, is ons niet bekend.

Aantal cilinders: 2
Cilinderinhoud in cm^3: 247
Vermogen: 13,6/5400
Topsnelheid in km/uur: 85
Carrosserie/Chassis: platformchassis
Uitvoering: cabriolet
Productiejaren: 1957-1958
Productie-aantallen: 8 en 1
In NL: n.b.
Prijzen: A: n.v.t. B: n.v.t. C: n.v.t.

GLAS ISAR 600 & 700

Het idee een iets grotere wagen te brengen was eigenlijk niet slecht geweest, maar toch was de Glas Isar niet zo succesvol als men gehoopt had. De wagen zag er veel moderner uit, had nu een geheel nieuwe viertakt boxermotor, maar niemand wilde hem. Om de klant niet aan de goedkope Goggomobil te herinneren werd de auto als Glas Isar aangeboden. De grootste afzetmarkt was vanzelfsprekend het thuisland, maar ook daar zijn er weinig overgebleven. In 1959 werd er een coupé voorgesteld met de naam S-35. Deze is echter nooit in productie gegaan.

Aantal cilinders: 2
Cilinderinhoud in cm^3: 584 en 688
Vermogen: 20/5000 en 30/4900
Topsnelheid in km/uur: 95-105
Carrosserie/Chassis: zelfdragend
Uitvoering: coach en stationcar
Productiejaren: 1958-1965
Productie-aantal: 87.585
In NL: n.b.
Prijzen: A: 900 B: 1.800 C: 3.200

GLAS 1004, 1004 TS & 1004 GL

Eén van de sensaties van de Frankfurtse tentoonstelling van 1961 was zonder twijfel de Glas 1004. Het was de eerste 'volwaardige' auto van Glas en hij bood bovendien een technisch nieuwtje. De motor had namelijk voor het eerst in de geschiedenis een bovenliggende nokkenas die door een tandriem aangedreven werd. De 1004 was in verschillende varianten in de aanbieding. De motor werd steeds verbeterd en leverde in de TS uitvoering zelfs 64 pk. Het ontwerp was van Frua in Italië.

Aantal cilinders: 4
Cilinderinhoud in cm^3: 992
Vermogen: 42/5000, 40/4800 en 64/6000
Topsnelheid in km/uur: 130-150
Carrosserie/Chassis: zelfdragend
Uitvoering: coach, fastback, coupé en cabriolet
Productiejaren: 1961-1967
Productie-aantal: 9.346
In NL: n.b.
Prijzen: A: 900 B: 2.300 C: 3.400

GLAS 1204 & 1204 TS

De 1,2 liter versie van de 04-serie was voor die automobilisten bestemd die de nerveuze 992-cm^3 motor niet wilden en een motor zochten met een hoger koppel. Uiterlijk waren de modellen hetzelfde en de prijs verschilde ook maar een fractie. Het is dan ook niet verwonderlijk dat deze grotere 04-typen beter verkochten. Toch werden ze geen groot succes. De cabriolets leveren tegenwoordig heel wat geld op. Wij geven hiernaast de prijsnoteringen van de coupé.

Aantal cilinders: 4
Cilinderinhoud in cm^3: 1189
Vermogen: 53/5100 en 70/5750
Topsnelheid in km/uur: 140-160
Carrosserie/Chassis: zelfdragend
Uitvoering: coach, coupé en cabriolet
Productiejaren: 1963-1965
Productie-aantal: 16.902
In NL: n.b.
Prijzen (coupé): A: 900 B: 2.300 C: 3.600

GLAS 1304, 1304 TS & CL

De 1304 volgde de 1204 op en was gelijktijdig de kroon op het werk. In zijn sterkste uitvoering leverde de motor niet minder dan 85 pk zodat de wagen niet alleen als boodschappenwagen maar ook als sportwagen te gebruiken was. Deze 85 pk motor kon niet in de cabriolet geleverd worden. De 'Kombicoupé' was een handig model, maar veel exemplaren hebben de tand des tijds niet weerstaan. De cabriolet is ondanks de minder krachtige motor het meest waardevolle model.

Aantal cilinders: 4
Cilinderinhoud in cm^3: 1290
Vermogen: 60/5000, 75/5500 en 85/5800
Topsnelheid in km/uur: 140-170
Carrosserie/Chassis: zelfdragend
Uitvoering: coach, fastback en cabriolet
Productiejaren: 1965-1968
Productie-aantal: 12.259
In NL: n.b.
Prijzen (coach): A: 1.400 B: 2.300 C: 3.900

GLAS 1300 GT & 1700 GT

Technisch was de 1300 GT op de 04-serie gebaseerd. De carrosserie was echter niet in Duitsland, maar in Italië bij Piero Frua getekend en ontworpen. De wagen was eerst alleen maar als coupé maar later ook als cabriolet, eventueel met hardtop, leverbaar. Een groot aantal heeft Glas er niet van kunnen verkopen, hoewel het een schitterende wagen was. De concurrentie, vooral uit Engeland, was te groot. Vanaf '65 was er de 1700-motor. De cabriolet is 363 maal gebouwd en kost vanwege z'n zeldzaamheid bijna het dubbele van de coupé.

Aantal cilinders: 4
Cilinderinhoud in cm³: 1290 en 1682
Vermogen: 85/5800 en 105/6000
Topsnelheid in km/uur: 170-185
Carrosserie/Chassis: zelfdragend
Uitvoering: coupé en cabriolet
Productiejaren: 1964-1967 en 1965-1967
Productie-aantallen: 3.760 en 1.802
In NL: n.b.
Prijzen: (coupé) A: 4.100 B: 6.800 C: 9.500

GLAS 1700

In de herfst van 1964 verscheen Glas met een nieuwe grote wagen, de 1700, waarvoor Frua weer de carrosserie ontworpen had. De ruime vijfpersoons auto had nu een 80 pk motor. De duurdere TS-uitvoering had een tot 100 pk opgevoerd motorblok. De wagen moest met BMW's concurreren, maar uiteindelijk dreef het Glas in handen van die firma. Hoewel een tamelijk zeldzame auto, is deze Glas weinig waard geworden. Wie een wat snellere Glas zoekt, zal waarschijnlijk voor een GT-model kiezen.

Aantal cilinders: 4
Cilinderinhoud in cm³: 1682
Vermogen: 80/4800 tot 100/5500
Topsnelheid in km/uur: 150-170
Carrosserie/Chassis: zelfdragend
Uitvoering: sedan
Productiejaren: 1964-1967
Productie-aantal: 13.789
In NL: n.b.
Prijzen: A: 1.100 B: 2.500 C: 4.100

GLAS (BMW) 1600 GT

De beste Glas GT was een halve BMW. Toen BMW de firma Glas opkocht, werden de meeste modellen uit de productie genomen. De GT overleefde in een sterk gemodificeerde vorm alleen als coupé. Technisch was de wagen eigenlijk BMW, want behalve de voorwielophangingen en de carrosserie kwamen alle mechanische onderdelen (motor, versnellingsbak en achteras) uit München. Na de overname heette de wagen BMW 1600 GT. Slechts twee jaar in productie en daarom zeldzaam. In onze ogen zijn de huidige prijzen nog aan de bescheiden kant. Ze slaan op de coupé, want er verschenen slechts 2 cabrio's.

Aantal cilinders: 4
Cilinderinhoud in cm³: 1573
Vermogen: 105/6000
Topsnelheid in km/uur: 185
Carrosserie/Chassis: zelfdragend
Uitvoering: coupé
Productiejaren: 1967-1968
Productie-aantal: 1.002
In NL: n.b.
Prijzen: A: 3.600 B: 7.700 C: 11.300

GLAS (BMW) V8 & 3000

Een laatste poging in de markt van de Mercedes en BMW in te dringen was de Glas V8, een vijfpersoons coupé waar Frua de carrosserie voor getekend had. Glas voegde twee 1300 cc-viercilinders samen tot een V8. De wagen leek erg op een bepaald model Maserati met een Frua-body en werd daarom in de volksmond 'Glaserati' genoemd. Nadat BMW Glas overgenomen had, bleef de wagen nog enige jaren in productie. De motor werd tot bijna drie liter opgeboord en de naam wijzigde in BMW-Glas 3000. Van die laatste versie zijn er echter weinig verkocht.

Aantal cilinders: V8
Cilinderinhoud in cm³: 2580 en 2982
Vermogen: 150/5600 en 160/5100
Topsnelheid in km/uur: 190-200
Carrosserie/Chassis: zelfdragend
Uitvoering: coupé
Productiejaren: 1966-1968
Productie-aantallen: 300 en 71
In NL: n.b.
Prijzen: A: 5.900 B: 11.300 C: 17.200

GOLIATH

In 1914 werden de Hansa-Lloyd-fabrieken in Bremen opgericht. In 1931 fuseerde men met Goliath om na de oorlog als Borgward, Lloyd en Goliath verder te leven. In de jaren vijftig was Goliath het merk dat de kloof tussen de Lloyd en de Borgward overbrugde. Toen Borgward failliet ging was het ook met Goliath gedaan.

GOLIATH GP 700 & GP 900

In 1950 begon Goliath met de productie van de GP 700 die een moderne pontoncarrosserie had maar verder tamelijk ouderwets was. Het chassis bestond uit een centrale buis, de motor was net als bij DKW een tweetakt en de koeling werkte volgens het thermosyphon-principe. De motor werd echter steeds verbeterd en had tenslotte zelfs benzine-inspuiting van Bosch en dat was in die tijd iets nieuws. De voorwielen werden door deze tweecilinder aangedreven. Vanaf 1955 was er de GP 900 met iets grotere motor. Voor cabrio's gelden de dubbele prijzen van de coach.

Aantal cilinders: 2
Cilinderinhoud in cm³: 688 en 886
Vermogen: 24/4000 -40/4000
Topsnelheid in km/uur: 95-105
Carrosserie/Chassis: buizenchassis
Uitvoering: coach, cabrio-coach, stationcar en cabriolet
Productiejaren: 1950-1957
Productie-aantal: 36.270
In NL: n.b.
Prijzen: (coach) A: 1.100 B: 1.800 C: 3.200

GOLIATH GP 700 SPORT

De droom van alle Goliath-rijders was de 700 Sport, die een vergrote motor met op verzoek benzine-inspuiting had. De wagen werd in kleine aantallen bij Rometsch in Berlijn gemaakt maar er schijnen ook een paar coupés bij Rupflin in München van een carrosserie voorzien te zijn. Nu vormen deze wagens – mede gezien de uiterst bescheiden productiecijfers – begeerde liefhebberstukken. We zien ze dan ook nooit te koop aangeboden. De benzine-inspuiting had indertijd een beroerde reputatie, maar dat maakt tegenwoordig niet veel meer uit.

Aantal cilinders: 2
Cilinderinhoud in cm³: 845
Vermogen: 32/4000
Topsnelheid in km/uur: 125
Carrosserie/Chassis: aluminium/centrale buis
Uitvoering: coupé
Productiejaren: 1951-1952
Productie-aantal: 26
In NL: n.b.
Prijzen: A: 6.800 B: 12.500 C: 18.200

GOLIATH/HANSA 1100

De opvolger van de GP 700, die na de herfst van 1955 ook met een 900 cm³ motor geleverd kon worden, heette Goliath 1100. Deze wagen had een nieuwe en verbeterde voorwielophanging en een moderne viertakt boxermotor. Na 1958 sprak men van Hansa 1100 en dit model herkende men aan zijn kleine vinnetjes op de achterspatborden. Nadat het Borgward-concern failliet gegaan was, werden er in 1963 nog bijna 500 exemplaren gemonteerd uit nog voorradige onderdelen.

Aantal cilinders: 4
Cilinderinhoud in cm³: 1093
Vermogen: 40/4200 en 55/5000
Topsnelheid in km/uur: 125-135
Carrosserie/Chassis: centrale buis
Uitvoering: coach, stationcar en cabrio-coach
Productiejaren: 1957-1958, 1958-1961 en 1963
Productie-aantallen: 14.908 en 27.751 (incl.coupés)
In NL: n.b.
Prijzen: A: 1.800 B: 3.600 C: 5.000

HANSA 1100 COUPÉ

Wat voor Volkswagen de Karmann-Ghia en voor Renault de Floride was, was voor Goliath/Hansa de coupé 1100. De 2+2 moest het voornamelijk van zijn mooie lijnen hebben, maar terwijl het Volkswagen-product een in Italië ontworpen carrosserie had, was men in Bremen tevreden met een Hansa 1100 met een korter dak. Met zijn 55 pk motor was de wagen echter sneller dan zijn genoemde concurrenten. Hoeveel coupés er geleverd zijn, is niet bekend. Ook dit type zal de meeste liefhebbers in Duitsland hebben.

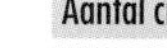

Aantal cilinders: 4
Cilinderinhoud in cm³: 1093
Vermogen: 55/5000
Topsnelheid in km/uur: 140
Carrosserie/Chassis: centrale buis
Uitvoering: coupé
Productiejaren: 1958-1961
Productie-aantal: zie hiervoor
In NL: n.b.
Prijzen: A: 2.000 B: 4.100 C: 6.400

■ GORDON-KEEBLE

Het recept was niet nieuw: bouw een sportwagen met een sterke en betrouwbare Amerikaanse motor en laat een Italiaan de carrosserie ontwerpen. Het resultaat moet dan het mooiste en beste zijn wat je je kunt wensen. Iso deed het, Monteverdi deed het, Intermeccanica deed het en John Gordon en Jim Keeble deden het. Hun auto stond vanaf maart 1960 op de shows maar kwam pas in 1964 uit de fabriek. Helaas redden de heren het niet.

GORDON-KEEBLE GK 1

Op de tentoonstelling van 1960 in Genève stond een prototype sportcoupé met de naam Gordon, van John S. Gordon. Een zekere Jim Keeble stak er later wat geld in waarmee de Gordon-Keeble geboren was. De 2+2 carrosserie stamde van de tekentafel van Bertone en bestond nu, in tegenstelling tot de eerste Gordon GT, uit kunststof. De motor was een V8 van Chevrolet en de achteras was van het De Dion-type. De wagen had rondom schijfremmen. De afwerking, constructie en prestaties dwongen ontzag af. Bertones werknemer die hem tekende heette Giugiaro (21 jaar).

Aantal cilinders: V8	
Cilinderinhoud in cm³: 5355	
Vermogen: 280/5200	
Topsnelheid in km/uur: 235	
Carrosserie/Chassis: kunststof op een buizenchassis	
Uitvoering: coupé	
Productiejaren: 1964-1967	
Productie-aantal: 99	
In NL: n.b.	
Prijzen:	A: 15.900 B: 27.200 C: 34.000

■ GSM

Aan het einde der jaren vijftig bouwden Bob van Niekirk en Verster de Witt in hun Glassport Motor Company in Bellville, Zuid-Afrika, sportwagens onder de naam Dart. In 1960 kwam GSM naar Engeland om de wagen daar in licentie te bouwen. Hier ontstond de Delta in kleine aantallen, aangezien de firma in Engeland al na een jaar failliet was. De Zuid-Afrikaanse productie ging nog wel door tot 1964.

GSM DELTA

De Delta was een eenvoudige sportwagen die ook als bouwpakket besteld kon worden. Het chassis was uit stalen buizen gelast en de motor kwam uit een Ford Anglia, hoewel ook sterkere uitvoeringen zoals die van Coventry Climax mogelijk waren. Met deze motor werd ook geracet zoals de foto toont. Zeldzaam maar niet gezocht. Onderdelen zullen er niet veel voor zijn, vrezen we.
Voor de meeste mensen zullen de letters GSM uitsluitend associaties met telefoneren oproepen.

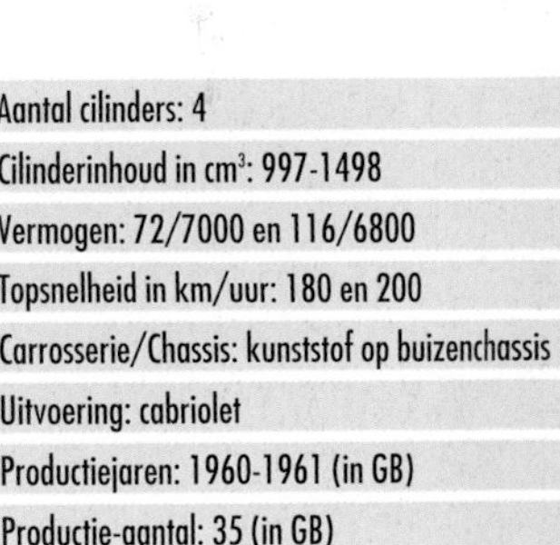

Aantal cilinders: 4	
Cilinderinhoud in cm³: 997-1498	
Vermogen: 72/7000 en 116/6800	
Topsnelheid in km/uur: 180 en 200	
Carrosserie/Chassis: kunststof op buizenchassis	
Uitvoering: cabriolet	
Productiejaren: 1960-1961 (in GB)	
Productie-aantal: 35 (in GB)	
In NL: n.b.	
Prijzen:	A: 2.300 B: 5.400 C: 7.700

GSM FLAMINGO

De Flamingo van 1963 was de coupéuitvoering van GSM. Weer was de carrosserie van kunststof en weer was de standaard motor van Ford. Ditmaal had men echter geen Engels product ingebouwd, maar een viercilinder uit een Duitse Taunus 17 M TS. Een snelle rakker dus, die we vrijwel nooit op beurzen of evenementen tegenkomen. De Flamingo is alleen in Zuid-Afrika gebouwd. Van enige (latere) export naar Europa is volgens ons weinig sprake.

Aantal cilinders: 4	
Cilinderinhoud in cm³: 1758	
Vermogen: 80/5000	
Topsnelheid in km/uur: 180	
Carrosserie/Chassis: kunststof op een buizenchassis	
Uitvoering: coupé	
Productiejaren: 1962-1965	
Productie-aantal: n.b.	
In NL: n.b.	
Prijzen:	A: n.b. B: n.b. C: n.b.

GUTBROD

De firma van Wilhelm Gutbrod heeft steeds kleine auto's gemaakt. Voor de oorlog en ook daarna. Daar vader Gutbrod intussen wat ouder geworden was, was zoon Walter voor de productie verantwoordelijk, waarvoor een leegstaande fabriek in Calw, Zwarte Woud, opgekocht werd. De aantallen auto's die hier gebouwd werden, waren te klein om veel winst te kunnen opleveren. Dit was de reden dat de productiebanden in 1954 stilgezet werden.

GUTBROD SUPERIOR

Hoewel het familiebedrijf Gutbrod ook nu nog het grote geld met tuingereedschap verdient, heeft men altijd een liefde voor de auto gehad. Al in de jaren dertig bouwde men bij Stuttgart auto's onder de naam Standard en na de oorlog onder eigen naam. Walter Gutbrod begon in 1949 met de bouw van kleine auto's. In tegenstelling tot de meeste kleine wagens werd er op een goede kwaliteit gelet en ook het woord comfort stond groot boven de werkbank geschreven. In 1954 gaf men weer de voorkeur aan de fabricage van harken en schoppen.

Aantal cilinders: 2	
Cilinderinhoud in cm³: 593 en 663	
Vermogen: 20/4000 en 30/4300	
Topsnelheid in km/uur: 95-115	
Carrosserie/Chassis: centrale buis	
Uitvoering: cabriolet, coach, coupé en stationcar	
Productiejaren: 1950-1954	
Productie-aantal: 7.726	
In NL: n.b.	
Prijzen:	A: 1.100 B: 2.700 C: 4.300

HANOMAG

De kans een vooroorlogse Hanomag tegen te komen, is vele malen groter dan bij een naoorlogse. Tussen 1925 en 1941 produceerde de fabriek in Hannover namelijk 94.897 auto's en na de oorlog maar een paar. De Hanomag Partner was een bijzondere auto, zoals hieronder te lezen is. In 1951 werd de auto op de tentoonstelling in Frankfurt voorgesteld, maar dat was de laatste keer dat men hem tegenkwam. Na een handjevol prototypen werden de plannen voor een auto begraven, omdat Hanomag vanwege de Korea-oorlog geen staal toegewezen kreeg.

HANOMAG PARTNER

De naam Hanomag zal velen alleen bekend zijn van de bestel- en vrachtwagens uit de jaren zestig en zeventig. In de jaren twintig bouwde men echter de kleine tweezits 2/10 PS, ook wel Kommissbrot genoemd. Die wagen zou na de oorlog worden opgevolgd door de Partner, een bij Karmann gebouwde 3+2. Modern met onder andere zijn 12 voltinstallatie, gesynchroniseerde bak en stuurschakeling. Na elf Partners stopte men de productie van deze voor zijn tijd opvallend moderne Hanomag vanwege het hierboven genoemde tekort aan staal.

Aantal cilinders: 3	
Cilinderinhoud in cm³: 697	
Vermogen: 28/4000	
Topsnelheid in km/uur: 100	
Carrosserie/Chassis: zelfdragend	
Uitvoering: coach	
Productiejaar: 1951	
Productie-aantal: 11	
In NL: n.b.	
Prijzen:	A: n.v.t. B: n.v.t. C: n.v.t.

HEALEY

Donald Healey is één van de Engelsen die werkelijke automobielgeschiedenis geschreven heeft. Hij was een coureur van formaat maar ook een technicus die auto's kon ontwerpen. Zo was hij in de jaren dertig chefingenieur bij Triumph. Na de oorlog begon hij voor zichzelf met de bouw van sport- en toerwagens. Eerst gebruikte hij de vooroorlogse Riley-motor als krachtbron en later de zescilinder van Alvis. In totaal zijn er 619 wagens onder het merk Healey verkocht: 294 cabriolets en 325 gesloten wagens. Werkelijk beroemd werd hij met de Austin-Healey, die bij Austin gemaakt werd.

HEALEY 2.4 LITRE

In 1946 rolde de eerste sportwagen uit de garagedeur van de Donald Healey Motor Company. De carrosserie was gedeeltelijk uit hardhouten balken gemaakt die overtrokken waren met aluminium plaatwerk. De motor stamde van een vooroorlogse Riley. Van de vierpersoons cabriolet werden er 87 en van de gesloten uitvoering 101 exemplaren verkocht. De open versie heette Westland en de gesloten Elliot.

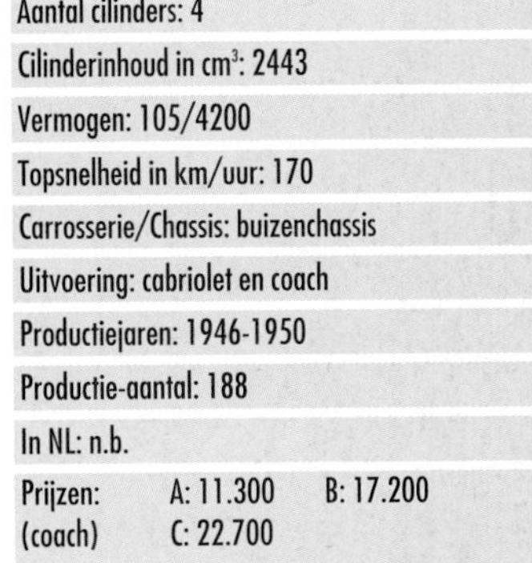

Aantal cilinders: 4	
Cilinderinhoud in cm³: 2443	
Vermogen: 105/4200	
Topsnelheid in km/uur: 170	
Carrosserie/Chassis: buizenchassis	
Uitvoering: cabriolet en coach	
Productiejaren: 1946-1950	
Productie-aantal: 188	
In NL: n.b.	
Prijzen: (coach)	A: 11.300 B: 17.200 C: 22.700

HEALEY SILVERSTONE

Het meest gebouwde type Healey – en daarom ook het meest bekende – was de Silverstone, een tweepersoons open sportwagen. Ook deze wagen werd aangedreven door een Riley-motor. De voorruit kon men gedeeltelijk in de motorruimte laten zakken en de koplampen en spatborden waren eenvoudig te demonteren, zodat de wagen met enkele handgrepen in een racewagen veranderd kon worden. Het reservewiel diende als 'bumper'. De lichtmetalen carrosserie werd door de firma Abbey Panels gebouwd. Hoedt u voor een replica.

Aantal cilinders: 4	
Cilinderinhoud in cm³: 2443	
Vermogen: 105/4500	
Topsnelheid in km/uur: 180	
Carrosserie/Chassis: aluminium op een buizenchassis	
Uitvoering: cabriolet	
Productiejaren: 1949-1951	
Productie-aantal: 105	
In NL: n.b.	
Prijzen:	A: 22.700 B: 38.600 C: 56.700

HEALEY G-TYPE

Als concurrent voor de Jaguar XK 120 ontstond de Healey G-Type. Hij ontstond uit een combinatie van een Nash-Healey en een Alvis TB 21-motor en versnellingsbak. De Healey kon het echter niet van de Jaguar winnen. Hij was zwaarder, minder snel en, wat nog belangrijker was, ook duurder dan de Jag. Het was dan ook een toerwagen in plaats van een echte sportwagen. Dat bleek onder andere uit het houten dashboard en de luxe interieurafwerking. Andere benamingen voor de G-Type zijn Alvis-Healey en 3-Litre Sports Convertible.

Aantal cilinders: 6	
Cilinderinhoud in cm³: 2993	
Vermogen: 107/4200	
Topsnelheid in km/uur: 150	
Carrosserie/Chassis: aluminium op een buizenchassis	
Uitvoering: cabriolet	
Productiejaren: 1951-1954	
Productie-aantal: 25	
In NL: n.b.	
Prijzen:	A: 18.100 B: 22.700 C: 31.800

HEINKEL

Tot 1943 had professor Ernst Heinkel alleen maar vliegtuigen gebouwd. Toen hem dat verboden werd, overbrugde hij de tijd met het bouwen van de Kabineroller, een dwergauto op drie of vier wielen. De driewieler mocht door mensen met een rijbewijs A gereden worden; de wagen met twee dicht naast elkaar staande achterwielen vergde een autorijbewijs. Voor minder dan € 1.350,– was het geval te koop.

HEINKEL KABINE

Na de oorlog verboden de geallieerden de Duitsers iedere activiteit op het gebied van vliegtuigbouw. Zo waren mensen als professor Ernst Heinkel werkeloos tot ze auto's begonnen te maken. Heinkel ontwierp een 'Kabineroller' die overigens heel erg veel op de Isetta van BMW leek. De Kabine van Heinkel was niet alleen mooier dan de BMW Isetta maar ook veel lichter. Hij had meer ruimte en was aerodynamisch verder ontwikkeld. In 1958 gaf Heinkel de moed op. De Kabine werd nog tot 1965 in Engeland als Trojan gebouwd. Totale aantal ongeveer 29.000 stuks.

Aantal cilinders: 1
Cilinderinhoud in cm³: 173, 198 en 204
Vermogen: 9,2/5500-10/5500
Topsnelheid in km/uur: 85
Carrosserie/Chassis: zeldragend
Uitvoering: 1-deurs
Productiejaren: 1956-1958
Productie-aantal: 11.975
In NL: n.b.
Prijzen: A: 2.000 B: 3.600 C: 5.400

HILLMAN

De stamboom van Hillman gaat terug tot het jaar 1907 toen de heren William Hillman en Louis Coatalen in Coventry een eigen firma oprichtten. De fabriek werd 21 jaar later door de gebroeders William en Reginald Rootes overgenomen. In 1964 kocht Chrysler het grootste deel van het aandelenpakket van Rootes en in 1979 verkocht Chrysler de firma door aan Peugeot. Hillman heeft tot 1976 auto's gebouwd. Toen verdween de naam. In Rotterdam zijn er in de jaren 1953-1956 ook Hillmans geassembleerd in een oplage van 2.172 stuks.

HILLMAN MINX PHASE I & II

In 1939 debuteerde de Minx met een halfzelfdragende carrosserie en mede daardoor baarde de wagen opzien. In de oorlog werden er talrijke gebouwd als dienstwagens en in '45 begon de verkoop aan particulieren alweer. Het was een van de eerste Britse wagens met een geheel openende motorkap (de grille en de zijkanten kwamen ook mee omhoog). Vanaf '46 was er een cabriolet en er kwam een op een Commer gebaseerde stationcar. Phase II had geïntegreerde koplampen, stuurschakeling en hydraulische remmen. Op de foto een Nederlandse overlever.

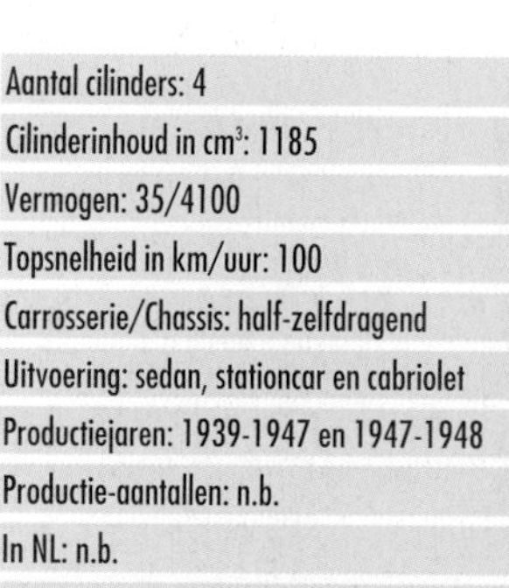
Aantal cilinders: 4
Cilinderinhoud in cm³: 1185
Vermogen: 35/4100
Topsnelheid in km/uur: 100
Carrosserie/Chassis: half-zelfdragend
Uitvoering: sedan, stationcar en cabriolet
Productiejaren: 1939-1947 en 1947-1948
Productie-aantallen: n.b.
In NL: n.b.
Prijzen: A: 1.100 B: 2.700 C: 4.100

HILLMAN MINX PHASE III, IV & V

In 1948 kwam er een nieuwe Minx uit met een geheel zelfdragende carrosserie en onafhankelijke voorwielophanging met schroefveren en triangels. Voor de rest was er mechanisch weinig veranderd ten opzichte van de II. De sedan had een doorlopende voorbank en de cabriolets afzonderlijke zetels. De Phase IV van '49 had een 1265 cc-motor en de Phase V van 1951 had meer chroomwerk (foto). In Engeland zelf verkochten deze Hillmans goed, evenals in de Gemenebest-gebieden.

Aantal cilinders: 4
Cilinderinhoud in cm³: 1184 en 1265
Vermogen: 35/4100-37,5/4200
Topsnelheid in km/uur: 100-110
Carrosserie/Chassis: zelfdragend
Uitvoering: sedan, coupé, cabriolet en stationcar
Productiejaren: 1948-1953
Productie-aantal: 179.228
In NL: n.b.
Prijzen: A: 900 B: 2.300 C: 3.400

HILLMAN MINX PHASE VI, VII, VIII & VIIIA

In 1953 was Hillman 25 jaar een onderdeel van Rootes en er verscheen een 'Anniversary'-Phase VI met een andere grille, beter interieur en nieuwe cilinderkop. In hetzelfde jaar verscheen een hardtop coupé onder de naam Californian met een ronde achterruit uit drie delen. De Phase VII van eind '53 had een andere achterkant gekregen met langere schermen en een groter raamoppervlak. Phase VIII ('54) ontving een geheel nieuwe motor, een 1.4 kopklepper. De laatste telg was de VIIIA ('55-'57), die als DeLuxe in two-tone spuitwerk geleverd werd.

Aantal cilinders: 4
Cilinderinhoud in cm³: 1265 en 1390
Vermogen: 37,5/4200 en 43/4400
Topsnelheid in km/uur: 110 en 120
Carrosserie/Chassis: zelfdragend
Uitvoering: sedan, coupé, stationcar en cabriolet
Productiejaren: 1953-1957
Productie-aantal: 199.477
In NL: n.b.
Prijzen: A: 900 B: 2.200 C: 3.200

HILLMAN MINX SERIES I-IIIC

In 1956 kwam er een nieuwe Minx en dit was in feite een vierdeurs versie van de Sunbeam Rapier van een jaar eerder. Ruimer, sterker en natuurlijk moderner dan de oude Minx. In '57 komt de stationcar erbij. De Special-uitvoering had vloerschakeling en gescheiden voorstoelen. De Series II met andere grille verscheen in 1957. De Series III van weer een jaar later heeft de 1,5-liter motor, de IIIA van '59 krijgt vinnetjes en een nieuwe grille, de IIIB van '60 heeft een gemodificeerde achteras en de IIIC de 1,6 liter motor. Vanaf de zomer van '62 zijn alleen nog sedans leverbaar.

Aantal cilinders: 4
Cilinderinhoud in cm³: 1390, 1494 en 1592
Vermogen: 51/4600-57/4100
Topsnelheid in km/uur: 128-135
Carrosserie/Chassis: zelfdragend
Uitvoering: sedan, stationcar en cabriolet
Productiejaren: 1956-1963
Productie-aantal: ca. 500.000
In NL: n.b.
Prijzen: A: 500 B: 1.400 C: 2.300

HILLMAN HUSKY 1964-1966

De Hillman Minx bleef lang in productie maar werd zowel optisch als mechanisch steeds verbeterd. De stationversie noemde men Husky. In de herfst van 1963 verscheen het model 1964 met een geheel nieuwe carrosserie en sprak men van de Husky Series III. De richtingaanwijzers zaten nu in de grille en de motorkap was verlaagd. Aan het eind van '64 werd de versnellingsbak volledig gesynchroniseerd en kwam er voor een stabilisatorstang. Een Husky is geen geweldige auto om in te rijden, maar hij laat je niet gauw in de steek.

Aantal cilinders: 4
Cilinderinhoud in cm³: 1592
Vermogen: 62/4400
Topsnelheid in km/uur: 125
Carrosserie/Chassis: zelfdragend
Uitvoering: stationcar
Productiejaren: 1964-1966
Productie-aantal: n.b.
In NL: n.b.
Prijzen: A: 900 B: 1.600 C: 2.300

HILLMAN SUPER MINX 1961-1966

Als grotere en ook volwassener broer van de Minx verscheen de Super Minx in 1961 op de Londense tentoonstelling. Hij had een langere wielbasis, was daardoor langer, breder maar ook 3 cm lager dan de Minx. Men herkende hem o.a. aan de koplampen die niet langer in de spatborden maar nu in de grille stonden. In de vrij korte productietijd verschenen de series 1, 2, 3 en 4. Die laatste had een neus met zes lampen. De wagen was in het kader van de badge-engineering ook als Singer en Humber te koop.

Aantal cilinders: 4
Cilinderinhoud in cm³: 1592
Vermogen: 67/4800
Topsnelheid in km/uur: 135
Carrosserie/Chassis: zelfdragend
Uitvoering: sedan, stationcar en cabriolet
Productiejaren: 1961-1966
Productie-aantal: ca. 135.000
In NL: n.b.
Prijzen: (cabrio) A: 2.300 B: 3.600 C: 5.000

HILLMAN MINX 1963-1967

De Hillman Minx van de laatste series 5 en 6 hadden een nieuwe carrosserie gekregen die geen vleugeltjes meer op de achterspatborden had en een 'normale' voorruit in plaats van de verfoeide panoramische. De cabriolets en stationcars waren uit de productie genomen en ook technisch waren er veranderingen aangebracht. Aan de voorwielen vond men nu schijfremmen en als de klant een automatische bak bestelde, dan kreeg hij er een van Borg Warner. Vanaf 1965 is er de grotere motor. Onverkoopbare auto, vandaar de buitengewoon lage prijsnoteringen.

Aantal cilinders: 4
Cilinderinhoud in cm³: 1592 en 1725
Vermogen: 57/4100 en 59/4200
Topsnelheid in km/uur: 130
Carrosserie/Chassis: zelfdragend
Uitvoering: sedan
Productiejaren: 1963-1967
Productie-aantal: n.b.
In NL: n.b.
Prijzen: A: 500 B: 1.100 C: 1.700

HILLMAN IMP

Hillmans antwoord op de Austin en Morris Mini was de Imp. Voor deze wagen werd een nieuwe fabriek in het Schotse dorp Linwood in gebruik genomen. Coventry-Climax, leverancier van zo vele racemotoren, had de motor ontworpen en deze was, in tegenstelling tot de Mini, achterin de wagen gebouwd. Evenals de versnellingsbak was de motor van een aluminium legering gegoten. De Imp werd geteisterd door een lange reeks kinderziekten. De stationversie heette Husky en die was er vanaf 1967. De naam Husky was afkomstig van de stationversie van de Minx.

Aantal cilinders: 4
Cilinderinhoud in cm³: 875
Vermogen: 37/4800
Topsnelheid in km/uur: 130
Carrosserie/Chassis: zelfdragend
Uitvoering: coach en stationcar
Productiejaren: 1963-1976
Productie-aantal: 440.032
In NL: 40
Prijzen: A: 500 B: 1.100 C: 2.000

HILLMAN CALIFORNIAN

De Hillman Californian stond als nieuwjaarsverrassing in januari 1967 bij de dealers in de showroom. Het was een 2+2 coupé die in 26,8 seconden van 0 naar 100 km per uur kon accelereren. Technisch was de wagen identiek aan de Hillman Imp. Wie voor de coupé koos, kon niet langer over een 'derde deurtje' beschikken. Voor de snellere liefhebbers van deze wagentjes was er de Sunbeam Stiletto (zie Sunbeam).

Aantal cilinders: 4
Cilinderinhoud in cm³: 875
Vermogen: 39/5000
Topsnelheid in km/uur: 130
Carrosserie/Chassis: zelfdragend
Uitvoering: coupé
Productiejaren: 1968-1970
Productie-aantal: zie hiervoor
In NL: 15
Prijzen: A: 600 B: 1.400 C: 2.400

HILLMAN HUNTER & MINX

De wagens die Rootes als Sunbeam Hunter exporteerde, werden in Engeland als Hillman Hunter aangeboden. Het model werd in 1966 op de Parijse tentoonstelling voorgesteld. De stationcar kwam een jaar later. Het model met de kleinere motor heette Minx. In '67 was er een milde facelift en het jaar erop was rembekrachtiging standaard. Interessanter werd de Hunter in 1970, toen de GT uitkwam, met 88 pk. De Minx was toen geschrapt. In '72 kwam de GLS uit met niet minder dan 93 pk. Voor 1975 werden de carrosserieën vernieuwd.

Aantal cilinders: 4
Cilinderinhoud in cm³: 1496 en 1725
Vermogen: 60/4800-93/5200
Topsnelheid in km/uur: 140-175
Carrosserie/Chassis: zelfdragend
Uitvoering: sedan en stationcar
Productiejaren: 1966-1977 en 1967-1970
Productie-aantal: ca. 470.000
In NL: n.b.
Prijzen: A: 500 B: 1.100 C: 1.800

HINO

De Hino Motor Ltd. die in 1942 opgericht werd, heeft zich tot 1953 uitsluitend met de fabricage van vrachtwagens en autobussen beziggehouden. Na assemblage van Renault personenwagens achtte men in '61 de tijd rijp een eigen wagen op zijn wielen te zetten: de Contessa. Duidelijke Dauphine-invloeden zijn waarneembaar. Met de hulp van Michelotti werden de modellen steeds verder verbeterd. In 1967 sloot Hino zich bij Toyota aan en drie jaar later sloot men de personenwagenfabriek.

HINO CONTESSA 1961-1963

De eerste Hino, de Contessa, kwam in 1961 van de Japanse band. De wagen had, zoals de Renault van die tijd, de motor achterin. De 3-versnellingsbak werd door een hendel aan de stuurkolom geschakeld en de eerste versnelling was toen nog niet gesynchroniseerd. Op verzoek kon een elektromagnetische koppeling van het type Shinko-Hino ingebouwd worden. Alle vier wielen waren onafhankelijk met schroefveren geveerd en achter vond men een pendelas. Vanaf '62 was er de door Michelotti getekende coupé, die 10 pk meer vermogen had.

Aantal cilinders: 4
Cilinderinhoud in cm³: 893
Vermogen: 35/5000-45/5000
Topsnelheid in km/uur: 110
Carrosserie/Chassis: zelfdragend
Uitvoering: sedan en coupé
Productiejaren: 1961-1963
Productie-aantal: n.b.
In NL: n.b.
Prijzen (sedan): A: 1.100 B: 2.000 C: 3.400

HINO CONTESSA 1964-1970

Op de Parijse Salon vierde de Contessa zijn Europese première en voor deze gelegenheid had Michelotti een nieuwe carrosserie voor de wagen getekend. Ook mechanisch was de wagen niet meer met zijn voorganger te vergelijken. In ons eigen Zeeland heeft zeer korte tijd een assemblagefabriek gedraaid. Een regelrecht debâcle, want meer dan een handvol vrachtwagens heeft het dure avontuur in Zuid-Sloe niet opgeleverd. Wel worden er enkele duizenden Contessa's dat jaar geïmporteerd door de GIVA, een onderneming van Louwman & Parqui. De prijs voor de sedan bedroeg € 3.380,–.

Aantal cilinders:	4
Cilinderinhoud in cm³:	1251
Vermogen:	55/5000
Topsnelheid in km/uur:	130
Carrosserie/Chassis:	zelfdragend
Uitvoering:	sedan en coupé
Productiejaren:	1964-1970
Productie-aantal:	n.b.
In NL:	n.b.
Prijzen:	A: 700 B: 1.600 C: 2.700

HOLDEN

In 1886 richten de Australiërs Holden & Frost hun koetsenbouwerij op. Van lieverlede leverde de firma ook carrosserieën voor automobielen. In 1931 nam General Motors de zaak over en in '48 kwam er een kloon van een in de VS nooit uitgebrachte Buick 1938 uit als Holden FX. Eind 1953 – toen de export naar Nieuw-Zeeland begon – volgde de FJ. Intussen is Holden dankzij een riante invoerprotectie al zo'n vijftig jaar lang een geliefde wagen in Australië. In die periode is ook samenwerking met onder andere Isuzu en Toyota ontstaan en kwamen er heel wat Opel-achtige auto's uit.

HOLDEN FJ

De FJ van oktober 1953 was een verbeterde versie van de voorganger FX. Hij had meer chroom, een andere grille en dito bumpers. Onder de kap zat nog wel dezelfde tamme zespitter met nu 65 in plaats van 61 pk. De Holden was er in drie versies: Standard, Special en Business. Prachtig is de panelvan, een gesloten bestelwagen, een voor Australië typische carrosserievariant. Vijf jaar na de introductie van de FJ had het merk een marktaandeel van bijna 50 procent. In 1956 loste de FE de FJ af. Liefhebbers van het merk hebben een zwak voor de afgebeelde FJ.

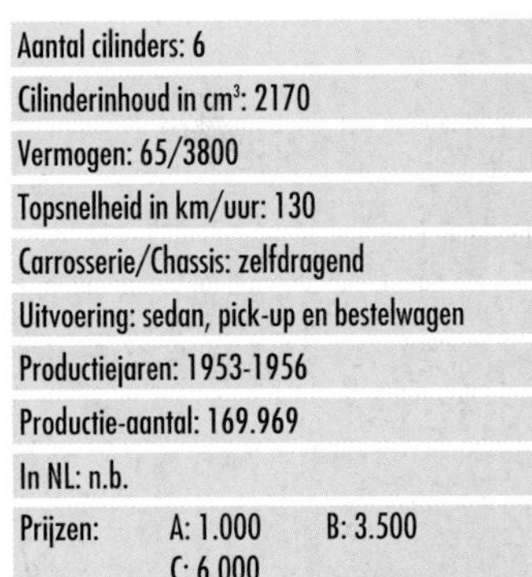

Aantal cilinders:	6
Cilinderinhoud in cm³:	2170
Vermogen:	65/3800
Topsnelheid in km/uur:	130
Carrosserie/Chassis:	zelfdragend
Uitvoering:	sedan, pick-up en bestelwagen
Productiejaren:	1953-1956
Productie-aantal:	169.969
In NL:	n.b.
Prijzen:	A: 1.000 B: 3.500 C: 6.000

HONDA

Voordat Soichiro in 1962 auto's begon te fabriceren, had hij de wereld al veroverd met zijn motorfietsen. Dat de kleine auto's veel van de high-tech van de motorfietsen profiteerden, moge duidelijk zijn. Ook de productie van een Formule 1-auto met een V12 motor – hij werd gelijktijdig met de personenwagens gelanceerd – zorgde voor veel publiciteit. De echte doorbraak van Honda in Europa mag op het conto van de Civic geschreven worden.

HONDA N360 & N600

Wie een klein duiveltje van een auto zoekt, moet eens uitkijken naar één van deze kleine Honda's. Onder de motorkap bevindt zich een motorfietsmotor die absurd hoge toerentallen verdraagt. Naar goede motorfietsgewoonten werkt de koppeling van de 360 met klauwen. De 600 kon op verzoek ook met een Hondamatic automaat geleverd worden. Er is in Nederland een N600-club met fraai gerestaureerde exemplaren. Zonder twijfel een voorloper van de tegenwoordig populaire compacte Japanner.

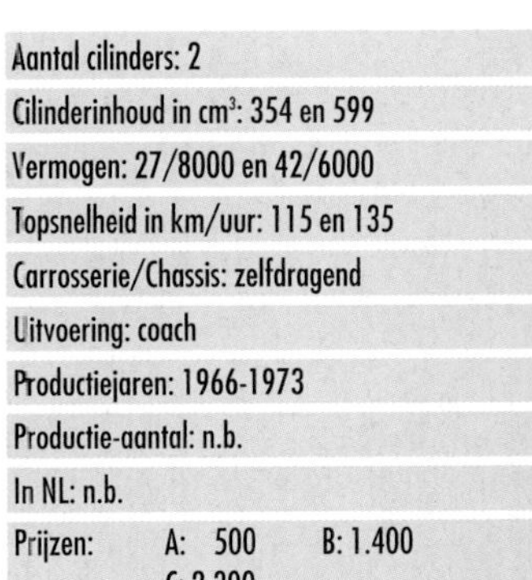

Aantal cilinders:	2
Cilinderinhoud in cm³:	354 en 599
Vermogen:	27/8000 en 42/6000
Topsnelheid in km/uur:	115 en 135
Carrosserie/Chassis:	zelfdragend
Uitvoering:	coach
Productiejaren:	1966-1973
Productie-aantal:	n.b.
In NL:	n.b.
Prijzen:	A: 500 B: 1.400 C: 2.300

HONDA S 600 CABRIOLET

In 1963 was Mr. Honda persoonlijk naar Europa gekomen om een nieuwe sportwagen voor te stellen. Het was de 500 Sport, een miniauto waar geen volwassen mens in kon zitten. Uit dit ontwerp groeide in 1964 de Honda S 600. De 600 was oorspronkelijk alleen als tweepersoons cabriolet te koop. Men ziet deze kleine flitsers nu weer op de circuits bij de races voor historische auto's. Maar ook particuliere 'gewone' liefhebbers koesteren deze kleine Japanners. De prijzen zijn nogal hoog voor een kleine cabrio als de S 600.

Aantal cilinders: 4
Cilinderinhoud in cm^3: 606
Vermogen: 57/8500
Topsnelheid in km/uur: 145
Carrosserie/Chassis: zelfdragend
Uitvoering: cabriolet
Productiejaren: 1964-1966
Productie-aantal: 13.084 (incl. coupé)
In NL: n.b.
Prijzen: A: 4.100 B: 8.200 C: 12.300

HONDA S 800 CABRIOLET

Uit de S 600 groeide in 1966 de S 800, die vooral als cabriolet gewild is. Door van het motortje zowel de boring als de slag te vergroten, nam het volume met een derde toe. Vanaf 1968 kwamen er schijfremmen voor en een gescheiden remsysteem. Wie denkt dat een Engelse sportwagen lawaaiig is en weinig comfort biedt, moet eens in deze Japanse variant gaan rijden. Horen en zien vergaan je, maar het heeft zo zijn eigen charmes. Heel wat S 800's zijn door onvakkundig onderhoud gesneuveld en de overblijvers zijn net als de S 600 duur.

Aantal cilinders: 4
Cilinderinhoud in cm^3: 791
Vermogen: 70/8000
Topsnelheid in km/uur: 160
Carrosserie/Chassis: zelfdragend
Uitvoering: cabriolet
Productiejaren: 1966-1970
Productie-aantal: 11.406 (incl. coupé)
In NL: n.b.
Prijzen: A: 4.100 B: 7.700 C: 11.300

HONDA S 600 & S 800 COUPÉ

In augustus 1965 kon de Honda S 600 ook als coupé gekocht worden. De voorruit was groter dan in de cabriolet en de achterruit diende als kofferdeksel. Op de Parijse Salon van 1966 stond de opvolger, de S 800, die een grotere motor had. Een groter voordeel was echter dat de achterwielen niet meer met kettingen aangedreven werden, zoals dat in de S 600 toegepast werd, maar met een gewone cardanas. Ook had de motor nu een drysump-smering meegekregen. De coupé volgde natuurlijk dezelfde technische evolutie als de cabriolet.

Aantal cilinders: 4
Cilinderinhoud in cm^3: 606 en 791
Vermogen: 57/8500 en 70/8000
Topsnelheid in km/uur: 145 en 160
Carrosserie/Chassis: zelfdragend
Uitvoering: coupé
Productiejaren: 1965-1966 en 1966-1970
Productie-aantal: zie hiervoor
In NL: n.b.
Prijzen: A: 2.700 B: 5.200 C: 7.700

HONDA Z COUPÉ

Voor Honda was 1970 een bijzonder jaar: de miljoenste personenwagen van het type N360 werd gebouwd, de vijfmiljoenste motorfiets werd geëxporteerd en de nieuwe Z Coupé zag het levenslicht. Op basis van de 360 verschijnt er dan een opvallende coupé. De klant kon kiezen uit een tweetal motoren. De 600 had schijfremmen voor. In Nederland zijn er niet meer dan 15 Z's verkocht. Opvallend is de 'beeldbuis'-achterruit. In de eerste Civic herkent men de Z-lijnen.

Aantal cilinders: 2
Cilinderinhoud in cm^3: 354 en 599
Vermogen: 36/9000 en 45/7000
Topsnelheid in km/uur: 115 en 125
Carrosserie/Chassis: zelfdragend
Uitvoering: coupé
Productiejaren: 1971-1974
Productie-aantal: n.b.
In NL: n.b.
Prijzen: A: 900 B: 2.300 C: 3.600

HONDA CIVIC 1972-1979

In de zomer van 1972 stelde Honda een nieuw model voor dat de emancipatie van het merk als autobouwer zou betekenen: de Civic. Het opvallende wagentje had twee deuren, op verzoek drie, een watergekoelde motor, voorwielaandrijving en rondom onafhankelijk geveerde wielen met trommelremmen. De Civic was direct al in vier variaties te koop, als Standaard, als Deluxe, als Hi Deluxe of als GL waarbij de verschillen in de accessoires te zoeken waren. De 1500 had een langere wielbasis. Vanaf 1977 is de 1238 cc-motor gemonteerd.

Aantal cilinders: 4
Cilinderinhoud in cm^3: 1169-1488
Vermogen: 54/5500-75/5500
Topsnelheid in km/uur: 145-155
Carrosserie/Chassis: zelfdragend
Uitvoering: coach
Productiejaren: 1972-1979
Productie-aantal: n.b.
In NL: n.b.
Prijzen: A: 200 B: 600 C: 1.000

HONDA PRELUDE 1978-1982

In 1978 had de Honda-dealer nog niet veel te bieden. Zijn assortiment bestond uit de Civic en de Accord en dat was alles. De 2+2 coupé-uitvoering van de Accord kwam in november 1978 als model 1979 uit onder de naam Prelude. Er was volop luxe en dat moest de tamelijk hoge prijs rechtvaardigen. Wie kinderen had, kon beter geen Prelude kopen, want beenruimte achterin was er niet. Voor de Japanse markt was er een versie met een 1750 cc motor. Een Prelude roest buitensporig snel. Er beginnen liefhebbers voor te komen.

Aantal cilinders: 4
Cilinderinhoud in cm³: 1600 en 1750
Vermogen: 82/5300 en 90/5300
Topsnelheid in km/uur: 150 en 165
Carrosserie/Chassis: zelfdragend
Uitvoering: coupé
Productiejaren: 1978-1982
Productie-aantal: 264.842
In NL: n.b.
Prijzen: A: 200 B: 900 C: 1.700

HOTCHKISS

In het Franse stadje St. Denis ontstonden van 1903 tot 1955 nobele personenauto's onder het merk Hotchkiss. Na de Tweede Wereldoorlog had men moeite op de markt terug te komen, ondanks het feit dat men de beroemde Rally van Monte Carlo zowel in 1949 als in 1950 won. In 1946 had men de vooroorlogse zescilindermodellen weer gemaakt maar dat jaar had men er maar 117 van kunnen verkopen. Voor de Parijse Salon van 1954 kregen de wagens een laatste facelift, maar ook dat kon niet verhinderen dat de productie gestopt moest worden. Men concentreerde zich op de bouw van vrachtwagens en leverde het Franse leger o.a. 'Willys' Jeeps.

HOTCHKISS 864 S. 49

Voor de oorlog leverde Hotchkiss een 486, waarbij de '4' op de vier cilinders sloeg. Na veel geharrewar met typeaanduidingen werd het 864. Na de oorlog pakte men in '48 die draad weer op (men bouwde al sinds '46 grote zescilinders) en deze 13 CV kreeg voor modeljaar 1949 de toevoeging S. 49 mee, evenals zijn grote broer de 686. In de loop van '48 voerde men pas hydraulische remmen en onafhankelijke voorwielophanging in, als laatste Franse autobouwer. Een prachtige auto die bij goed onderhoud nagenoeg onverslijtbaar bleek.

Aantal cilinders: 4
Cilinderinhoud in cm³: 2312
Vermogen: 70/4000
Topsnelheid in km/uur: 125
Carrosserie/Chassis: afzonderlijk chassis
Uitvoering: sedan
Productiejaren: 1948-1950
Productie-aantal: 2.523
In NL: n.b.
Prijzen: A: 3.600 B: 8.000 C: 11.300

HOTCHKISS 686 S. 49

In 1949 kregen de producten van Hotchkiss modernere lijnen. De aloude 686 kreeg de toevoeging S. 49 mee, net als zijn broer met viercilinders. Men bood een flink scala aan carrosserievarianten aan. In totaal kon het beroemde merk in '49 echter niet meer dan 1137 auto's verkopen. Meer dan enkele jaren daarvoor, maar lang niet genoeg om te kunnen overleven. Met de wagens uit de beginjaren vijftig ging het iets beter. De 686 S. 49 had onafhankelijke voorwielophanging en dubbele Zenith-carburateurs.

Aantal cilinders: 6
Cilinderinhoud in cm³: 3485
Vermogen: 105/4000
Topsnelheid in km/uur: 140
Carrosserie/Chassis: afzonderlijk chassis
Uitvoering: coach, sedan, limousine en cabriolet
Productiejaren: 1948-1950
Productie-aantal: 582
In NL: n.b.
Prijzen: A: 6.800 B: 12.500 C: 18.200

HOTCHKISS ANJOU

In 1950 presenteerde Hotchkiss zijn eerste echt nieuwe naoorlogse auto: de Anjou. Dit model had de koplampen nu in de voorspatborden ingebouwd, wat de wagen een moderner uiterlijk gaf. Twee modellen stonden de klant ter beschikking: de viercilinder Anjou 1350 en de zescilinder 2050. De carrosserie was vrijwel identiek, zij het dat de 2050 iets langer was. Chapron realiseerde vanaf '51 een cabrio onder de naam Anthéor. Ondanks de goede kwaliteit van de Anjou kon het type de afdeling personenwagens van de fabriek niet van de ondergang redden.

Aantal cilinders: 4 en 6
Cilinderinhoud in cm³: 2312 en 3485
Vermogen: 72/4000 en 100/4000
Topsnelheid in km/uur: 125 en 150
Carrosserie/Chassis: afzonderlijk chassis
Uitvoering: sedan en cabriolet
Productiejaren: 1950-1954
Productie-aantal: 3.687
In NL: n.b.
Prijzen (4 cil): A: 3.200 B: 6.800 C: 10.400

HOTCHKISS 2050 GS

In het najaar van 1950 kondigde Hotchkiss aan met een coach Grand Sport te komen als uitbreiding op het redelijk succesvolle Anjou-programma. Op een chassis van de 686 S.49 verscheen een traditioneel gelijnde sportieve coach met als naam GS Rally. Die aanduiding is echter nooit commercieel gebruikt; het bleef 2050 GS. Bij diverse rally's verscheen de GS aan de start. De dure wagen sloeg zeer aan bij liefhebbers van autosport, maar klanten bleven weg. Hotchkiss was meer dan zieltogend en na nog geen vijftig 2050 GS'en stopte de productie in de zomer van '52.

Aantal cilinders: 6
Cilinderinhoud in cm³: 3485
Vermogen: 130/4000
Topsnelheid in km/uur: 160
Carrosserie/Chassis: afzonderlijk chassis
Uitvoering: coach
Productiejaren: 1951-1952
Productie-aantal: ca. 45
In NL: n.b.
Prijzen: A: 15.900 B: 29.500 C: 40.800

HOTCHKISS-GRÉGOIRE

J.A. Grégoire, één van Frankrijks grootste automobielconstructeurs, heeft ook voor Hotchkiss gewerkt. Zo ontstond in 1951 de Hotchkiss-Grégoire, die, zoals vrijwel alle ontwerpen van Grégoire, voorwielaandrijving had. Voor de vooras stond een viercilinder boxermotor maar ook het chassis van de wagen was interessant, aangezien het gedeeltelijk uit gegoten aluminium bestond. Er was rondom onafhankelijke wielophanging en de vierversnellingsbak had een overdrive. Er zijn enkele cabriolets en coupés op basis van deze auto's ontstaan.

Aantal cilinders: 4
Cilinderinhoud in cm³: 1998-2188
Vermogen: 60 en 70/4000
Topsnelheid in km/uur: 150-155
Carrosserie/Chassis: deels gegoten aluminium chassis
Uitvoering: sedan, coupé en cabriolet
Productiejaren: 1951-1954
Productie-aantal: 274
In NL: n.b.
Prijzen: A: 9.100 B: 14.700 C: 20.400

HRG

Achter deze letters verscholen zich de heren E.A. Halford, G.H. Robins en H.T. Godfrey. De wagens die ze vanaf 1936 verkochten, waren geheel met de hand gemaakt en daarom beduidend duurder dan soortgelijke auto's van de concurrentie. Veel konden er daarom niet verkocht worden. De eerste hadden een Meadows-motor maar na 1939 werden er Singer vierpitters ingebouwd. Na de oorlog kwam het merk terug op de markt maar in 1956 moest men het opgeven.

HRG 1500

In totaal heeft HRG 222 auto's gebouwd en daarvan waren 138 van het type 1500. 26 daarvan waren voor de oorlog gebouwd; de rest tussen 1945 en 1956. Het was een Spartaanse auto die ook direct na de oorlog al ouderwets aandeed. De Engelse klant stoorde dat niet; hij gebruikte zijn HRG voor trials door de blubber, voor heuvelklims en voor zijn dagelijkse boodschappen. De motor van de HRG had een bovenliggende nokkenas, één of twee horizontale SU-carburateurs en in de vierversnellingsbak was de eerste versnelling niet gesynchroniseerd.

Aantal cilinders: 4
Cilinderinhoud in cm³: 1496
Vermogen: 62/4800
Topsnelheid in km/uur: 140
Carrosserie/Chassis: buizenchassis
Uitvoering: roadster
Productiejaren: 1939-1956
Productie-aantal: 138
In NL: n.b.
Prijzen: A: 15.900 B: 25.000 C: 34.000

HUDSON

De Hudson Car Company in Detroit, Michigan, had de naam betrouwbare en goed geconstrueerde auto's te bouwen. Na de oorlog had de firma echter moeite op de been te blijven. Dit zelfde probleem kende Nash ook en daarom besloten de twee firma's in 1954 samen te gaan en de American Motors Corporation op te richten. De productie van de Hudson verhuisde van Detroit naar de Nash-fabriek in Kenosha in Wisconsin, maar daar kwamen in 1957 de laatste Hudsons van de band. Bijna 50 jaar - in 1909 was men begonnen - had men goede auto's gebouwd.

HUDSON SUPER SIX 1946-1947

In de vooroorlogse carrosserie kwam een nieuwe grille en ziedaar in augustus 1945 de Hudson voor '46. De Super Six was de goedkoopste serie, daarna kwam de mondjesmaat verkopende Super Eight met hetzelfde uiterlijk maar met een acht-in-lijn zijklepper, en de iets beter aangeklede en dus duurste Hudsons waren de Commodores. Modeljaar 1947 bracht een iets groter embleem op de neus en verder weinig nieuws. Het veruit mooiste model was de Convertible Brougham. Op de foto een origineel Nederlandse Hudson uit die jaren.

Aantal cilinders: 6
Cilinderinhoud in cm³: 3474
Vermogen: 103/4000
Topsnelheid in km/uur: 120
Carrosserie/Chassis: afzonderlijk chassis
Uitvoering: sedan, coupé en cabriolet
Productiejaren: 1946-1947
Productie-aantal: 111.063
In NL: n.b.
Prijzen: A: 1.800 B: 4.300 C: 6.400

HUDSON 1948-1953

De mooiste naoorlogse Hudsons ontstonden tussen 1948 en 1953 nadat de fabriek met een erg moderne carrosserielijn 'Step Down' uitgekomen was. De voor die tijd met een hoogte van maar 159 cm superlage wagens hadden een zelfdragende carrosserie en konden met een 6- of met een 8-cilinder lijnmotor besteld worden. Bij de in Amerika zo geliefde Stock Car races waren de Hudsons bijna niet te verslaan en ook in de beruchte Carrera Panamericana maakten ze het de concurrentie moeilijk. De Step Down-Hudsons worden door velen bewonderd, maar de prijzen zijn vrij bescheiden.

Aantal cilinders: 6 of 8
Cilinderinhoud in cm³: 3298 of 5053
Vermogen: 105/4000 of 172/4000
Topsnelheid in km/uur: 140-160
Carrosserie/Chassis: zelfdragend
Uitvoering: coach, sedan, coupé en cabriolet
Productiejaren: 1948-1953
Productie-aantal: 665.766
In NL: 3
Prijzen: A: 3.400 B: 6.400 C: 9.100

HUDSON JET 1953-1954

Als Hudson voor de kleine man kwam de Jetserie in 1953 in de showrooms. Er waren drie typen: de Jetliner (alleen '54), Jet en Super Jet. De wagens werden aangedreven door een zescilinder motor die in twee varianten te koop was. De prijs van de soberste uitvoering, de Family Club sedan, lag zo'n duizend dollar onder die van een gemiddelde Hudson uit de Hornet- of Commodore-serie. Na de fusie met Nash moest de teleurstellende Jet het veld ruimen ten gunste van de populaire Rambler.

Aantal cilinders: 6
Cilinderinhoud in cm³: 3310
Vermogen: 105/4000 of 115/4000
Topsnelheid in km/uur: 140 en 145
Carrosserie/Chassis: zelfdragend
Uitvoering: coach en sedan
Productiejaren: 1953-1954
Productie-aantallen: 21.143 en 14.224
In NL: 1
Prijzen: A: 1.400 B: 3.900 C: 5.900

HUDSON JET ITALIA

Op de basis van de Hudson Jet bouwde de Italiaanse carrossier Touring prachtige coupés. Deze wagen was door Hudsons designer Frank Spring getekend, maar hij werd om financiële redenen in Italië gebouwd. Detroit stuurde de rolling chassis naar Milaan en kreeg de rijdende wagens terug. Helaas maar een paar, want toen Hudson naar Kenosha verhuisde, was het afgelopen met de Hudson Jet en de zeer dure Italia. Exact 21 Italia's zijn er tot op heden nog bekend en die zullen door hun bezitters gekoesterd worden.

Aantal cilinders: 6
Cilinderinhoud in cm³: 3310
Vermogen: 115/4000
Topsnelheid in km/uur: 160
Carrosserie/Chassis: zelfdragend
Uitvoering: coupé
Productiejaar: 1954
Productie-aantal: 26
In NL: 0
Prijzen: A: 20.400 B: 34.000 C: 43.100

HUDSON HORNET 1954

Vanaf 1951 voerde Hudson het type Hornet, een Commodore met een snellere motor en andere opsmuk. Voor 1954 had de Hornet een andere grille, en hij leek meer dan de jaren ervoor op het iets goedkopere type Super Wasp, dat een kortere wielbasis had dan de Hornet. In maart 1954 verscheen de Hornet Special, die ruim honderd dollar goedkoper was dan de gewone versie. In die laatste serie zat ook een coach en dat was nieuw. De Hollywood Hardtop en de Convertible Brougham kwamen niet als Special uit. Voor '55 waren er geheel andere wagens.

Aantal cilinders: 6
Cilinderinhoud in cm³: 5047
Vermogen: 160/3800
Topsnelheid in km/uur: 155
Carrosserie/Chassis: afzonderlijk chassis
Uitvoering: coach, sedan, coupé en cabriolet
Productiejaar: 1954
Productie-aantal: 24.833
In NL: n.b.
Prijzen: A: 3.200 B: 6.400 C: 8.600

HUDSON 1955-1957

De Hudsons die uit de Nash-fabriek kwamen, hadden niet veel meer met de originele modellen te maken. Ze leken op slechte uitgaven van de Nash en het enige voordeel dat de koper had, was dat hij nu eindelijk een V8-motor kon laten inbouwen. In oktober '57 waren er nog Hudsons te zien. Het vertrouwen in de naam was echter zo goed als verdwenen en AMC liet de naam Hudson vallen, net als Nash, en ging alleen verder met Rambler. De foto toont een Hornet Hollywood uit 1956; de V op de grille is van het model '57 en dus niet origineel.

Aantal cilinders: 6 en V8
Cilinderinhoud in cm³: 3205 en 5773
Vermogen: 91/3800 en 223/4600
Topsnelheid in km/uur: 130-165
Carrosserie/Chassis: zelfdragend
Uitvoering: sedan en coupé
Productiejaren: 1955-1957
Productie-aantal: 35.100
In NL: 1
Prijzen: A: 2.300 B: 5.000 C: 8.200

HUMBER

Humber maakte van huis uit fietsen. De in 1908 in Coventry opgerichte tak van Humber ging zich met de autobouw bezighouden, maar in 1930 deed men alles over aan de gebroeders Rootes. In dat concern was de Humber de top-of-the-line-wagen. Sportief waren de wagens niet, maar wel oerdegelijk, conservatief en werkelijk niet te verslijten. In 1964 nam Chrysler het merk over en gaf men de Hillman Hunter in luxere uitvoering de naam Humber. In 1967 verdween het merk geheel.

HUMBER HAWK I & II 1945-1947

Nee, een vooroorlogse Hillman 14 was het niet, ook al leek hij er veel op! In 1945 kwam Humber met een nieuw model uit, de Hawk, die de carrosserie met de Humber Super Snipe deelde, maar in plaats van een zes- had hij een viercilinder zijklepper onder de kap. De vierversnellingsbak werd met een pook in de vloer geschakeld en dit veranderde in het najaar van 1947 toen de auto als Hawk II een moderne stuurversnelling kreeg. Dat jaar kon in de wagen ook een radio van His Master's Voice ingebouwd worden.

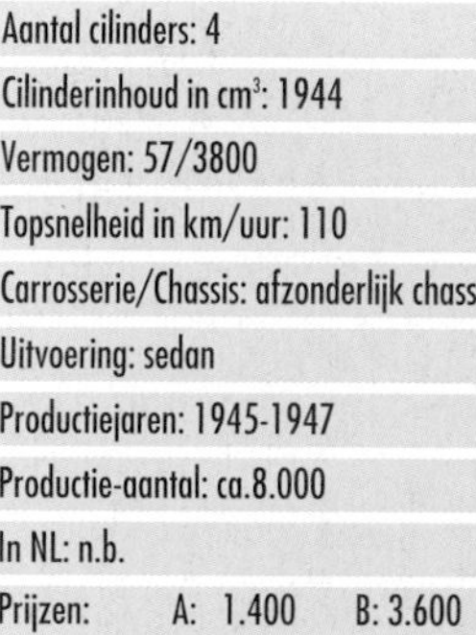

Aantal cilinders: 4
Cilinderinhoud in cm³: 1944
Vermogen: 57/3800
Topsnelheid in km/uur: 110
Carrosserie/Chassis: afzonderlijk chassis
Uitvoering: sedan
Productiejaren: 1945-1947
Productie-aantal: ca.8.000
In NL: n.b.
Prijzen: A: 1.400 B: 3.600 C: 6.800

HUMBER SUPER SNIPE 1948-1952

Na de oorlog was Humber met zijn conservatieve vooroorlogse modellen terug gekomen op de markt. In 1948 werd er gemoderniseerd. De Super Snipe kreeg een nieuwe carrosserie maar moest het nog met een motor met zijkleppen blijven doen. Een racewagen was het dus niet, maar dat verhinderde het team Gatsonides/Barendrecht niet om in 1950 aan de Rally van Monte Carlo deel te nemen. Men werd zelfs goede tweede in het algemeen klassement achter een Hotchkiss. De afgebeelde Pullman is de lwb-versie van de Super Snipe.

Aantal cilinders: 6
Cilinderinhoud in cm³: 4086
Vermogen: 101/3400
Topsnelheid in km/uur: 130
Carrosserie/Chassis: afzonderlijk chassis
Uitvoering: sedan en cabriolet
Productiejaren: 1948-1952
Productie-aantal: 17.334
In NL: n.b.
Prijzen: A: 1.600 B: 3.900 C: 6.400

HUMBER SUPER SNIPE 1957-1967 & IMPERIAL

In 1957 begon voor Humber een nieuwe lente. De Hawk en de grotere versie daarvan, de Super Snipe, kregen nieuwe carrosserieën, nu met moderne panoramische voorruiten. Naar de goede Humber-traditie was de Super Snipe met zijn zescilinder motor een paar centimeter langer en een handvol ponden duurder dan de Hawk, die het met een vierpitter moest doen. In '60 kreeg de Super Snipe een iets grotere motor en waren er vier koplampen. De luxe versie van de Super Snipe heette Imperial en deze had altijd een zwart dak en een automaat.

Aantal cilinders: 6
Cilinderinhoud in cm³: 2651 en 2965
Vermogen: 114/5000 en 128/5000
Topsnelheid in km/uur: 150 en 160
Carrosserie/Chassis: zelfdragend
Uitvoering: sedan en stationcar
Productiejaren: 1957-1967
Productie-aantal: 30.031
In NL: n.b.
Prijzen: A: 1.400 B: 2.700 C: 4.500

HUMBER SCEPTRE MK I & II

Humber begon het nieuwe jaar 1963 met de introductie van een nieuw type, de Sceptre. De wagen had veel met de Hillman Super Minx gemeen, maar men hekende hem toch duidelijk aan zijn andere grille en dubbele koplampen. Ook had de motor meer vermogen, aangezien men hem van twee carburateurs voorzien had. Standaard was er een overdrive en op de voorwielen zaten schijfremmen met bekrachtiging. Eind 1964 kreeg de wagen een volledig gesynchroniseerde vierbak. Vanaf '65 is er de Mk II met een 1725 cc motor en de neus van de Super Minx.

Aantal cilinders: 4
Cilinderinhoud in cm³: 1592 en 1725
Vermogen: 80/5200 en 85/5500
Topsnelheid in km/uur: 140 en 150
Carrosserie/Chassis: zelfdragend
Uitvoering: sedan
Productiejaren: 1963-1965 en 1965-1967
Productie-aantallen: 17.011 en 11.985
In NL: n.b.
Prijzen: A: 900 B: 2.300 C: 3.600

HUMBER SCEPTRE 1967-1976

De Hillman Hunter van 1966 kwam een jaar later ook als Humber uit met de typenaam Sceptre (zonder de logische Mk III-toevoeging, want het was tenslotte geen doorontwikkeling van de bovenstaande Sceptre). Het werd de luxere versie van die Hillman met vier koplampen, andere grille, vinyl dak, fraaier dashboard met meer instrumenten en twee achteruitrijdlampen. Verder een dubbele carburateur, bekrachtigde schijfremmen voor en overdrive op de twee hoogste versnellingen. Vanaf eind '74 was de stationversie er. De wagen is tegenwoordig zeldzaam maar niet duur.

Aantal cilinders: 4
Cilinderinhoud in cm³: 1725
Vermogen: 82-88/5200
Topsnelheid in km/uur: 160
Carrosserie/Chassis: zelfdragend
Uitvoering: sedan en stationcar
Productiejaren: 1967-1976
Productie-aantal: 43.951
In NL: n.b.
Prijzen: A: 500 B: 1.100 C: 1.800

IFA

Toen Duitsland na de oorlog gedeeld werd, bevonden de fabrieken die eens de wagens voor Auto Union gebouwd hadden zich in de Russische zone. De Russen haalden uit de gedeeltelijk verwoeste fabrieken wat ze konden gebruiken, maar er bleef toch nog genoeg over voor de Oost-Duitsers om al in 1948 weer opnieuw te beginnen. In de fabriek in Zwickau waar eens de DKW gebouwd was, bouwde men de wagens nu onder de naam IFA, wat Industrie-Vereinigung Volkseigener Fahrzeugwerke betekende. Vanaf 1953 bouwde men ook auto's in Eisenach.

IFA F8

Om geen tijd te verliezen met experimenten begon men in Zwickau zo gauw als het puin geruimd was met de bouw van auto's zoals die in 1940 nog van de band gekomen waren. Het waren niets anders dan DKW'tjes met een tweetaktmotor, voorwielaandrijving en de gebruikelijke triplex carrosserie die met leerdoek overtrokken was. De wachtlijst voor deze wagens was groot in Oost-Duitsland en de cabriolet-uitvoering, die door VEB IFA in Dresden werd gebouwd, was alleen voor de export naar West-Europese landen bestemd.

Aantal cilinders: 2
Cilinderinhoud in cm³: 684
Vermogen: 20/3500
Topsnelheid in km/uur: 90
Carrosserie/Chassis: afzonderlijk chassis
Uitvoering: coach en cabriolet
Productiejaren: 1949-1955
Productie-aantal: 26.267
In NL: n.b.
Prijzen: (cabrio) A: 2.700 B: 5.400 C: 7.700

IFA F9

Een jaar na de F8 stond op de voorjaarsbeurs in Leipzig de IFA DKW F9, een wagen die voor de oorlog nog door Auto Union ontwikkeld was. Een jaar later was de cabriolet klaar en nog eens een jaar later verdwenen de letters DKW uit de typenaam, omdat er in West-Duitsland ook DKW's werden geproduceerd. In '53 waren er technische en uiterlijke wijzigingen. De F9 bleek een goed exportartikel dat ook bij ons de nodige kopers vond. De eerste 1880 stuks kwamen uit de fabriek in Zwickau, de rest uit Eisenach.

- Aantal cilinders: 3
- Cilinderinhoud in cm³: 910
- Vermogen: 28/3600-30/3800
- Topsnelheid in km/uur: 90-110
- Carrosserie/Chassis: afzonderlijk chassis
- Uitvoering: coach, cabrio-limousine, cabriolet en stationcar
- Productiejaren: 1950-1956
- Productie-aantal: 40.663
- In NL: n.b.
- Prijzen: A: 1.400 B: 2.300 C: 3.600

INNOCENTI

De Milaanse firma Innocenti Societa Generale per l'Industria Metallurgica e Meccanica is beroemd geworden met zijn Lambretta scooters. In 1960 probeerde men het met personen- en sportwagens. De eerste producten waren van Austin, later BMC, die door de Italianen in licentie gemaakt werden. Met kleine modificaties ontstonden zo de Italiaanse versies van de A40, de Morris 1100 en de Mini. In mei 1972 nam de British Leyland Motor Corporation de zaak over. Zeven jaren later kocht Alejandro de Tomaso de fabriek. Hij bouwde daar eerst zijn kleine auto's en later zijn Maserati Biturbo's. Na overname van een gedeelte door Fiat, besloten De Tomaso en Fiat in '93 de poorten te sluiten.

INNOCENTI 950 SPIDER & COUPÉ

In 1960 stond er een nieuwe sportwagen op de tentoonstelling te Turijn. De mechanische delen waren van de Austin-Healey Sprite maar de carrosserie was door Tom Tjaarda getekend en bij zijn baas, Carrozzeria Ghia, gebouwd. Na de herfst van 1961 kon de wagen met een afneembare hardtop geleverd worden. In 1963 kreeg de auto een grotere motor en schijfremmen aan de voorwielen. Tot 1967 bleef de wagen een cabriolet en werd daarna alleen als coupé bij de firma OSI verder gebouwd.

- Aantal cilinders: 4
- Cilinderinhoud in cm³: 948 en 1098
- Vermogen: 42,5/5000 en 55/5400
- Topsnelheid in km/uur: 135-145
- Carrosserie/Chassis: zelfdragend
- Uitvoering: cabriolet en coupé
- Productiejaren: 1961-1970
- Productie-aantal: ca. 17.500
- In NL: n.b.
- Prijzen: A: 1.800 B: 4.500 C: 6.800

INNOCENTI MINI COOPER

In 1966 had Innocenti meer dan 150.000 op BMC-producten gebaseerde auto's kunnen verkopen en vele daarvan waren Italiaanse Mini's. Dit model was eind 1965 op de Turijnse Salon geïntroduceerd en een directe hit geworden. De basis van de auto komt uit Engeland, maar ook de Italianen leverden hun aandeel. De Innocenti Mini Cooper had het gezicht van de Engelse neef, maar voorlopig nog de tamme motor. In het voorjaar van 1972 volgt de 1300 Cooper die tot eind '75 leverbaar blijft. De hiernaast vermelde prijzen gelden voor de 1300.

- Aantal cilinders: 4
- Cilinderinhoud in cm³: 848, 998 en 1275
- Vermogen: 34/5500-76/5800
- Topsnelheid in km/uur: 140-157
- Carrosserie/Chassis: zelfdragend
- Uitvoering: coach en stationcar
- Productiejaren: 1965-1976
- Productie-aantal: ca. 450.000
- In NL: n.b.
- Prijzen (1300): A: 1.800 B: 4.100 C: 5.900

INNOCENTI 90/120 & DE TOMASO

Op de Turijnse tentoonstelling van 1974 presenteerde Innocenti een opvolger voor de BMC Mini die ze tot dan in licentie gebouwd hadden. De carrosserie was bij Bertone in Turijn ontworpen en zag er natuurlijk heel wat moderner uit dan de oorspronkelijke, en bejaarde, Mini. Technisch hadden de Italianen echter niet veel veranderd. De auto was leverbaar in drie varianten, als Mini 90, 120 of, na 1976, Innocenti De Tomaso. Deze laatste versie had de sterkste motor en is tegenwoordig ongeveer de helft duurder dan een Innocenti.

- Aantal cilinders: 4
- Cilinderinhoud in cm³: 998 en 1275
- Vermogen: 49/5600, 65/5600 en 77/6100
- Topsnelheid in km/uur: 140, 155 en 160
- Carrosserie/Chassis: zelfdragend
- Uitvoering: coach
- Productiejaren: 1974-1982
- Productie-aantal: ca. 220.000
- In NL: 75
- Prijzen (De Tomaso): A: 900 B: 1.800 C: 2.700

INTER

Op bestelling van een Parijse handelsonderneming bouwde vliegtuigfabrikant S.N.C.A.N. in Lyon de autoscooter Inter. Geen wonder dus dat het sterk op een vleugelloos vliegtuig leek. Op de salon van 1953 debuteerde dit opvallende wagentje in Messerschmitt-stijl. Opvallend waren de inklapbare voorwielen, zodat het ding in een kleine ruimte gestald kon worden.

INTER

Met een tweetakt eencilindermotortje van Ydral achterin, was de Inter in staat om twee niet al te grote of zware inzittenden tachtig kilometer per uur te laten rijden. Waarschijnlijk zullen dezen zich steeds afgevraagd hebben wanneer ze de lucht in zouden gaan. Met een lengte van drie meter en inklapwielen kon de Inter in een brede gang gestald worden. Net als bij de Messerschmitt moest je via de opklapbare cockpit instappen. Als curiosum erg geslaagd en er zullen er zeker nog redelijk veel over zijn.

Aantal cilinders: 1
Cilinderinhoud in cm³: 175
Vermogen: n.b.
Topsnelheid in km/uur: 80
Carrosserie/Chassis: zelfdragend
Uitvoering: dwergauto
Productiejaren: 1953-1956
Productie-aantal: ca. 250
In NL: 1
Prijzen: A: n.b. B: n.b. C: n.b.

INTERMECCANICA

Het verhaal van Intermeccanica is lang en ingewikkeld. Het begon met Frank Reisner, een Hongaar met een Amerikaans paspoort, die in Italië woonde en daar onder de naam Intermeccanica auto's ontwierp die door een Amerikaanse V8 aangedreven werden. Hij noemde het product Italia. Reisner had een vinger in de pap toen de IMP, Apollo, Omega en Griffith gebouwd werden. Hij was min of meer verantwoordelijk voor de Bitter die in Duitsland gemaakt werd. In 1975 vertrok Reisner naar Californië waar hij onder meer replica's van de Porsche Speedster op VW Kever-onderstellen maakte.

INTERMECCANICA TORINO

Franco Scaglione was met zijn prachtige ontwerpen voor zijn toenmalige baas Bertone beroemd geworden, maar werkte nu voor zichzelf. Hij maakte in opdracht van Reisner een sportwagen met de naam Omega op basis van de TVR Griffith. Het project liep op niets uit en Reisner bleef met 142 carrosserieën zitten. Hij bouwde er een V8 uit de Ford Mustang in en bracht ze als Torino aan de man. Toen Ford bezwaren maakte tegen die naam, koos Reisner voor Italia. De bouwkwaliteit liet te wensen over, maar het uiterlijk maakte veel goed.

Aantal cilinders: V8
Cilinderinhoud in cm³: 5752
Vermogen: 310/4800
Topsnelheid in km/uur: 230
Carrosserie/Chassis: zelfdragend
Uitvoering: coupé en cabriolet
Productiejaren: 1967
Productie-aantal: 97
In NL: n.b.
Prijzen: (coupé) A: 6.800 B: 12.500 C: 18.100

INTERMECCANICA ITALIA

Onder de nieuwe naam Italia verkocht de oude Torino redelijk goed. Hij was leverbaar met een vierbak of een automaat. Reisner richtte zich helemaal op de Amerikaanse markt, omdat men aldaar graag in een Italiaans vormgegeven auto gezien wilde worden en daarnaast zeer vertrouwde op de degelijke techniek van Ford. Al snel was hij door zijn 142 chassis heen en moest het fabriekje nieuwe exemplaren gaan produceren. Vanaf 1970 was de Italia ook in Europa leverbaar, waar de Duitser Erich Bitter de distributie verzorgde. Via de benadering van Opel ging Intermeccanica in '71 over op GM-techniek.

Aantal cilinders: V8
Cilinderinhoud in cm³: 5752
Vermogen: 310/4800
Topsnelheid in km/uur: 230
Carrosserie/Chassis: zelfdragend
Uitvoering: cabriolet en coupé
Productiejaren: 1968-1972
Productie-aantal: 411
In NL: 2
Prijzen: (cabrio) A: 9.100 B: 15.900 C: 25.000

INTERMECCANICA INDRA

In 1971 kwam Intermeccanica met een Indra, als opvolger voor de Italia, naar de Salon van Genève. De tweepersoons cabriolet was gebouwd op een ingekort chassis van de Opel Diplomat. De auto was een idee geweest van Erich Bitter, die de Italiaanse firma in Duitsland vertegenwoordigde. De carrosserie was een ontwerp van Franco Scaglione die een jaar later een Indra coupé tekende en in 1973 een Indra met een fastback. Dit waren overigens de laatste ontwerpen van de beroemde designer. De wagens werden aangeboden met een Opel Admiral- of Diplomat-motor of desgewenst met een Amerikaanse V8.

Aantal cilinders: 6 en V8
Cilinderinhoud in cm³: 2784, 5354 en 5733
Vermogen: 165/5600-280/5600
Topsnelheid in km/uur: 210-240
Carrosserie/Chassis: zelfdragend
Uitvoering: cabriolet en coupé
Productiejaren: 1971-1974
Productie-aantal: 127
In NL: n.b.
Prijzen: A: 9.100 B: 14.700 C: 20.400

ISO

Commendatore Renzo Rivolta had zijn geld op verschillende manieren verdiend, voordat hij een dwergauto construeerde die vooral als BMW Isetta bekend geworden is. In de jaren zestig probeerde Rivolta het met wisselend succes met dure sport- en toerwagens, maar toen Renzo in 1966 stierf, ging het met de firma steeds slechter. Zoon Piero had met 26 jaren nog te weinig ervaring en te grote plannen. In 1974 gingen de poorten dicht, maar in 1994 verspreidden zich geruchten dat Piero Rivolta het nogmaals proberen wil.

ISO RIVOLTA

Met zijn eerste 'echte' auto, de Iso Rivolta, bewees Renzo Rivolta dat hij de zaken professioneel wilde aanpakken. Voor het technische gedeelte van de sportcoupé was niemand anders dan Giotto Bizzarrini verantwoordelijk geweest, terwijl de carrosserie op de tekentafel van Giugiaro bij Bertone ontstaan was. De motor was een onverwoestbare V8 uit de Chevrolet Corvette en alle wielen hadden schijfremmen. Het optiepakket omvatte airco, vijfbak en automaat. Goedkoper dan een Ferrari. De sterkere typen motoren doen tien procent meer in prijs.

Aantal cilinders: V8
Cilinderinhoud in cm³: 5354
Vermogen: 304/5000 tot 400/6000
Topsnelheid in km/uur: 210-250
Carrosserie/Chassis: half-zelfdragend
Uitvoering: coupé
Productiejaren: 1961-1970
Productie-aantal: 797
In NL: 12
Prijzen: A: 6.400 B: 13.600 C: 20.400

ISO GRIFO & GRIFO 7 LITRI

Rivolta's tweede hybride was de Grifo, een tweepersoons coupé op een verkort Iso Rivolta-chassis. Bertone had de carrosserie ontworpen en ook gebouwd. Met een 7 liter Chevrolet motor was de Grifo één van de snelste wagens die er te koop was en zijn eigenaar behoefde niet bang te zijn door een Ferrari Daytona of een Lamborghini Miura ingehaald te worden. In de latere typen kwamen motoren van Ford. Vanaf 1970 is er een andere neussectie. De 7 liter kost doorgaans 20 procent meer in aanschaf en wellicht nog meer in onderhouds- en bedrijfskosten.

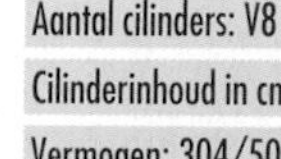

Aantal cilinders: V8
Cilinderinhoud in cm³: 5354 of 6996
Vermogen: 304/5000 of 406/5200
Topsnelheid in km/uur: 240-270
Carrosserie/Chassis: half-zelfdragend
Uitvoering: coupé, cabriolet en targa
Productiejaren: 1963-1974 en 1969-1974
Productie-aantallen: 414 en 90
In NL: 12 en 6
Prijzen: A: 12.700 B: 22.700 C: 34.000

ISO FIDIA S-4

Nadat Vader Rivolta gestorven was, nam zoon Piero het roer in handen. Zijn eerste daad was een vierdeurs auto bouwen die de snelste sedan van de wereld moest zijn. Het was de Fidia S-4 waarvoor Giorgio Giugiaro de carrosserie weer getekend had. Gebouwd werd het koetswerk bij Giugiaro's toenmalige baas, Carrozzeria Ghia in Turijn. De wagen had een sperdifferentieel. Ook bij de Fidia werden later Ford-motoren gebruikt. De wagen was erg duur en het werd dan ook geen succes. Na '74 zijn er enkele wagens onder de naam Ennezeta gebouwd tot 1979.

Aantal cilinders: V8
Cilinderinhoud in cm³: 5354
Vermogen: 304-355/5000
Topsnelheid in km/uur: 220-230
Carrosserie/Chassis: half-zelfdragend
Uitvoering: sedan
Productiejaren: 1968-1974
Productie-aantal: 192
In NL: 5
Prijzen: A: 4.500 B: 8.200 C: 11.800

ISO LELE

De opvolger van de Iso Rivolta was de 2+2 Lele. Weer had Bertone de carrosserie ontworpen en weer had hij hem mogen bouwen. De motor had nu iets meer paardekrachten dan de Rivolta, maar dat mocht niet helpen de wagen goed te verkopen. Integendeel. De zaken liepen slecht in die tijd en ook Iso werd niet gespaard. De Lele werd, evenals alle andere Iso's, met een vijfbak geleverd, maar op verzoek kon er ook een automaat in gebouwd worden. De Lele is beslist minder mooi gelijnd dan de Rivolta.

Aantal cilinders: V8	
Cilinderinhoud in cm³: 5733	
Vermogen: 304/4800 en 355/5000	
Topsnelheid in km/uur: 235-245	
Carrosserie/Chassis: half-zelfdragend	
Uitvoering: coupé	
Productiejaren: 1969-1974	
Productie-aantal: 317	
In NL: 12	
Prijzen:	A: 4.500 B: 8.200 C: 11.300

ISUZU

Deze Japanse firma bouwde voor de oorlog vrachtwagens, voornamelijk voor het Japanse leger, en begon pas in 1953 met de bouw van personenwagens. De eerste jaren werd de Hillman Minx in licentie gebouwd maar in 1961 kon een eerste wagen van eigen makelij aangeboden worden. Deze Bellel kon zowel met een benzine- als met een dieselmotor geleverd worden.

ISUZU BELLEL

Omstreeks '62 begon de levering van de eerste Bellels naar West-Europa. Het werd in sommige landen een concurrent voor de grotere Toyota's. In Nederland kwam de Bellel een paar jaar later ook uit, maar een klapper werd het zeker niet. Voor dezelfde prijs had de klant een vertrouwde Amazon, DS of Mercedes 200. Wie er nu nog een wil zien (desnoods niet origineel), moet naar een van de oostelijke eilanden in de Middellandse Zee. De Bellett is wellicht aardiger wat uiterlijk betreft. De gegevens hiernaast gelden voor de benzineversie.

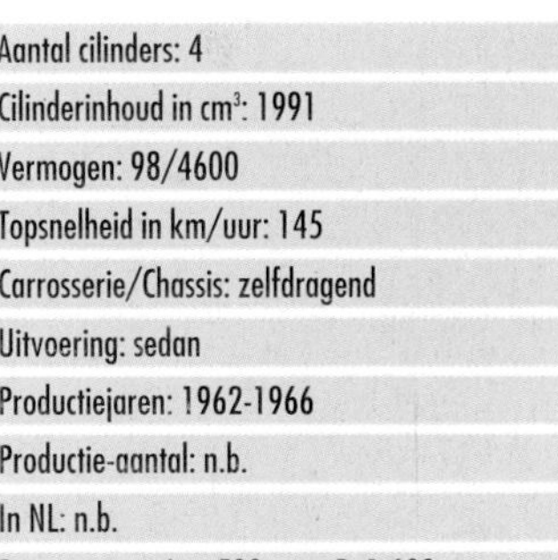

Aantal cilinders: 4	
Cilinderinhoud in cm³: 1991	
Vermogen: 98/4600	
Topsnelheid in km/uur: 145	
Carrosserie/Chassis: zelfdragend	
Uitvoering: sedan	
Productiejaren: 1962-1966	
Productie-aantal: n.b.	
In NL: n.b.	
Prijzen:	A: 500 B: 1.600 C: 2.700

ISUZU BELLETT

Een kleinere uitvoering van de Bellel kwam in 1963 als Bellett uit. In 1965 kon de Bellett ook als 2+2 coupé besteld worden en deze wagen was, evenals de sedan, een van de eerste Japanse auto's die in Europa te koop waren. In Nederland had je in 1966 een Bellett vanaf € 3.400,–. De opvolger van de 1600 GT is de 117 Coupé van niemand minder dan Giugiaro. Hoeveel er in ons land verkocht zijn, weten we niet. Enkele overblijvers zijn er wel. In Japan was de Bellett als eerste auto van eigen makelij met een dieselmotor leverbaar.

Aantal cilinders: 4	
Cilinderinhoud in cm³: 1579	
Vermogen: 85/5000	
Topsnelheid in km/uur: 150	
Carrosserie/Chassis: zelfdragend	
Uitvoering: sedan en coupé	
Productiejaren: 1963-1968	
Productie-aantal: n.b.	
In NL: n.b.	
Prijzen: (sedan)	A: 500 B: 1.400 C: 2.000

JAGUAR

In 1931 had William Lyons een firma gesticht die onder de naam S.S. sportieve auto's bouwde. Na de oorlog werd de firma omgedoopt in Jaguar, naar één van zijn vooroorlogse typen SS. De wagens boden steeds iets meer dan die van de concurrentie en het lukte Lyons ook altijd wel iets goedkoper te zijn. Vooral in Amerika waren de Jaguars erg geliefd, een goede zaak voor Engeland dat zo dringend om harde dollars verlegen zat. Hoewel de Britten voor een cabrio de term drophead coupé hanteren, noemen wij de open uitvoeringen in de kaders met gegevens consequent cabrio – met excuses.

JAGUAR 1½ – 2½ & 3½ LITRE

De naoorlogse modellen waren identiek aan die van 1939. De naamplaatjes verraden het verschil in bouwperiode. De klant van de 1½ liter sedan vond een viercilinder motor onder de kap, de liefhebbers van de 2½ en 3½ liter wagens hadden een zespitter. Alle Jaguar motoren hadden al kopkleppen, wat voor die tijd modern was, maar de starre voor- en achterassen konden met recht ouderwets genoemd worden. Wie een origineel exemplaar vindt, dient de houten elementen goed te inspecteren. Restauratie daarvan loopt flink in de papieren.

Aantal cilinders: 4 en 6
Cilinderinhoud in cm³: 1776, 2664 en 3485
Vermogen: 66/4500, 104/4500 en 126/4250
Topsnelheid in km/uur: 120-150
Carrosserie/Chassis: afzonderlijk chassis
Uitvoering: sedan
Productiejaren: 1938-1940 en 1945-1948
Productie-aantallen: 12.454, 6.778 en 4.925
In NL: 15
Prijzen: (2½) A: 8.200 B: 15.900 C: 22.700

JAGUAR 1½, 2½ & 3½ LITRE DHC

De drie vierdeurs Jaguars vond William Lyons niet genoeg om een folder naar tevredenheid te vullen. Er ontbrak een gerieflijke open Jaguar en daarom gaf hij opdracht om de 1½, 2½ en 3½ Litre ook als drophead coupés aan te bieden. Op basis van de saloon werden deze dhc's traditioneel gebouwd met een essenhouten frame als basis. De voorportieren waren breder gemaakt om de instap naar achteren te vergemakkelijken. Je kon de fraaie kap geheel openen of in sedanca-stand zetten. De open 3½ kostte £ 50,– meer en de beide andere 20. De naoorlogse wagens zijn alle van 1947 en 1948.

Aantal cilinders: 4 en 6
Cilinderinhoud in cm³: 1776, 2664 en 3485
Vermogen: 66/4500, 104/4500 en 126/4250
Topsnelheid in km/uur: 120-150
Carrosserie/Chassis: afzonderlijk chassis
Uitvoering: cabriolet
Productiejaren: 1938-1940 en 1947-1948
Productie-aantallen: 677, 383 en 801
In NL: zie boven
Prijzen: (2½) A: 15.000 B: 29.000 C: 42.000

JAGUAR MK V 2½ & 3½ LITRE

De Mark V die in 1949 uitgebracht werd, was als tussenmodel bedoeld. Hij leek dan ook nog erg op zijn voorgangers maar had nu in de spatborden ingebouwde koplampen en grote afdekplaten in de achterwielkasten. De Mk V was uitsluitend met een zescilinder motor leverbaar en bood alle comfort dat de klant zich in die tijd kon wensen. Het was de eerste Jaguar met onafhankelijke voorwielvering. Ook waren er hydraulische remmen. De wagen zou Mk V genoemd zijn omdat de uiteindelijke versie het vijfde ontwerp was. De 3½ doet tien procent meer in prijs dan de 2½.

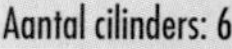

Aantal cilinders: 6
Cilinderinhoud in cm³: 2664 en 3485
Vermogen: 104/4500 en 126/4250
Topsnelheid in km/uur: 140 en 150
Carrosserie/Chassis: afzonderlijk chassis
Uitvoering: sedan
Productiejaren: 1949-1951
Productie-aantallen: 1.661 en 7.831
In NL: 10
Prijzen: (2½) A: 9.100 B: 16.800 C: 22.700

JAGUAR MK V 2½ & 3½ LITRE DHC

Enkele maanden na de komst van de Mk V bood Jaguar ook drophead coupés aan. De carrosserieën waren met de hand gemaakt in de stijl van de open voorgangers en bevatten nog veel essenhout. De vele extra arbeidsuren die de bouw vergde, werden de klant niet in rekening gebracht, aangezien ze gelijk geprijsd waren aan de dichte versie. Indien het dak gedeeltelijk ingeklapt was, kreeg je een soort Sedanca de Ville. De 2½ Litre is erg zeldzaam gebleven met 29 exemplaren. Het is eigenlijk opmerkelijk hoe weinig cabriolets er geleverd zijn in verhouding tot de sedans.

Aantal cilinders: 6
Cilinderinhoud in cm³: 2664 en 3485
Vermogen: 104/4500-126/4250
Topsnelheid in km/uur: 140 en 150
Carrosserie/Chassis: afzonderlijk chassis
Uitvoering: cabriolet
Productiejaren: 1949-1951
Productie-aantallen: 29 en 972
In NL: zie hiervoor
Prijzen: (3½) A: 13.600 B: 34.000 C: 50.000

JAGUAR MK VII, VII-M & VIII

Een nieuwe generatie Jaguars begon in 1950 met de Mark VII (de Mk VI is bewust overgeslagen i.v.m. de reeds bestaande Bentley Mark VI). Opvallend was de zescilinder motor die nu twee bovenliggende nokkenassen had. Met een snelheid van meer dan 160 km/uur was de Mk VII M, de snelle uitvoering van de Mk VII, één van de snelste limousines van zijn tijd. De Mk VIII kwam in 1956 uit. Hij was identiek aan de Mk VII maar had al een voorruit uit één stuk, een iets bredere grille, two-tone spuitwerk en uitgesneden spats. Deze grote Jags kunnen fors roesten en het verbruik is enorm.

Aantal cilinders: 6
Cilinderinhoud in cm³: 3442
Vermogen: 162/5200 en 192/5500
Topsnelheid in km/uur: 160-180
Carrosserie/Chassis: afzonderlijk chassis
Uitvoering: sedan
Productiejaren: 1950-1954, 1955-1957 en 1957-1958
Productie-aantallen: 20.939, 9.261 en 6.332
In NL: 25
Prijzen: A: 7.300 B: 12.700 C: 18.200

JAGUAR MK IX

In het najaar van 1958 kwam de Mk IX uit, die uiterlijk alleen in details van de Mk VIII te onderscheiden was. De nieuwe wagen had echter een nieuwe motor en schijfremmen aan alle wielen. Stuurbekrachtiging werd vrijwel standaard ingebouwd, evenals een automatische versnellingsbak, die ook door bijna alle klanten besteld werd. Door de forse motor en de moderne techniek is dit beslist een snelle en comfortabele Engelse klassesedan. Hij is echter evenals andere oude Jaguars wel roestgevoelig. Desondanks zijn er nog vrij veel Mk IX's in omloop.

Aantal cilinders: 6
Cilinderinhoud in cm³: 3781
Vermogen: 223/5500
Topsnelheid in km/uur: 185
Carrosserie/Chassis: afzonderlijk chassis
Uitvoering: sedan
Productiejaren: 1958-1961
Productie-aantal: 10.005
In NL: 25
Prijzen: A: 7.900 B: 13.600 C: 22.700

JAGUAR MK X & 420 G

Dat de Mk X voor de Amerikaanse klant bedoeld was, is duidelijk wanneer men de foto bekijkt. Met een lengte van 513 cm en een gewicht van 1860 kg sloeg hij in een New Yorkse straat geen slecht figuur. Ook het hoge benzineverbruik zal de gegoede Amerikaan niet veel gedeerd hebben. De Mk X had nu ook onafhankelijk geveerde achterwielen en na 1964 een grotere motor. In 1967 werd de Mk X omgedoopt in 420 G, maar grote verschillen tussen deze twee modellen zijn er niet te vinden. Van de limousine zijn er 42 verkocht.

Aantal cilinders: 6
Cilinderinhoud in cm³: 3781 en 4235
Vermogen: 269/5500
Topsnelheid in km/uur: 200
Carrosserie/Chassis: zelfdragend
Uitvoering: sedan en limousine
Productiejaren: 1961-1966 en 1967-1970
Productie-aantallen: 18.657 en 6.554
In NL: 45
Prijzen (Mk X): A: 3.600 B: 9.100 C: 15.900

JAGUAR 2,4 & 3,4 (MK 1)

Veel opzien baarde de 2,4 liter (Mk 1) die in 1955 voorgesteld werd. De wagen had een zelfdragende carrosserie en een kleine motor met alle snufjes, zoals de twee nokkenassen, van de grote Jaguar. In 1957 kon de wagen ook met een grotere motor geleverd worden en men sprak dan van de Sport-Limousine. De naam Mk 1 kreeg de wagen pas naderhand toen de Mk 2 geboren werd. Deze oudere typen zijn lang niet zo duur (en gewild) als de populaire Mk 2. De 3,4 is te herkennen aan de uitgesneden spats achter en de bredere grille. Is een kwart meer waard.

Aantal cilinders: 6
Cilinderinhoud in cm³: 2483 en 3442
Vermogen: 114/5750 en 213/5500 SAE
Topsnelheid in km/uur: 160 en 190
Carrosserie/Chassis: zelfdragend
Uitvoering: sedan
Productiejaren: 1955-1959 en 1957-1959
Productie-aantallen: 19.992 en 17.405
In NL: 10
Prijzen (2,4): A: 3.600 B: 8.600 C: 13.600

JAGUAR MK 2 (+ 240 & 340)

Met de introductie van de, nu officieel zo genoemde, Mark 2 had Jaguar een troef in handen. Het was een luxe wagen, in de achterkant van de voorstoelen bevonden zich bijvoorbeeld picknicktafeltjes, waarmee men echter ook racen kon. Vooral de wagens met de grotere motoren waren in hun klasse niet te verslaan. Helaas verdween de 3,8 liter motor in 1968 uit het programma en werden de kleinere modellen – nu met minder luxe – omgedoopt in 240 en 340. Die doen in prijs een kwart minder dan de echte Mk 2. Tegenwoordig is een Mk 2 een geliefde klassieker voor dagelijks gebruik.

Aantal cilinders: 6
Cilinderinhoud in cm^3: 2483, 3442 en 3781
Vermogen: 122/5750, 213/5500 en 223/5500
Topsnelheid in km/uur: 160-200
Carrosserie/Chassis: zelfdragend
Uitvoering: sedan
Productiejaren: 1959-1969
Productie-aantallen: Mk 2: 83.980; 240 & 340: 7.242
In NL: 450
Prijzen: (3,4) A: 8.200 B: 18.200 C: 27.200

JAGUAR S (3,4 & 3,8 LITRE)

Hoe goed de Mk 2 ook was, er was altijd een groep mensen die wat te zeuren had: de kofferruimte was te klein en de starre achteras te ouderwets. Voor die groep ontstond een nieuw model, de Jaguar S die met een 3,4 of een 3,8 liter motor geleverd kon worden. De voorkant van de wagen lijkt op de Mk 2 en de achterkant op de Mk X. Wat wegligging betreft is dit een veel betere wagen dan de Mk 2, maar het uiterlijk kan het in onze ogen niet van die wagen winnen. De prijzen liggen dan ook aanzienlijk lager dan die van de Mk 2.

Aantal cilinders: 6
Cilinderinhoud in cm^3: 3442 of 3781
Vermogen: 133/5500 of 223/5500
Topsnelheid in km/uur: 180 en 200
Carrosserie/Chassis: zelfdragend
Uitvoering: sedan
Productiejaren: 1963-1968
Productie-aantallen: 10.036 en 15.135
In NL: 60
Prijzen: (3,4) A: 5.700 B: 10.900 C: 15.900

JAGUAR 420 (DAIMLER SOVEREIGN)

Eigenlijk was de 420 – hij vulde het gaatje tussen de Jaguar S en de 420 G – een overbodig model, maar hij verkocht alleszins redelijk. Ook deze wagen kon met een automaat en een stuurbekrachtiging geleverd worden. De Daimler-klant kon een Daimler Sovereign bestellen en hij kreeg dan dezelfde wagen met een ander merklogo erop. Verder was er standaard stuurbekrachtiging en een overdrive. Deze wagen dient niet verward te worden met de Daimler V8 Saloon. Deze beide typen zijn toen en nu sterk ondergewaardeerd.

Aantal cilinders: 6
Cilinderinhoud in cm^3: 4235
Vermogen: 245/5500
Topsnelheid in km/uur: 200
Carrosserie/Chassis: zelfdragend
Uitvoering: sedan
Productiejaren: 1966-1968 en 1966-1969
Productie-aantallen: 9.801 en 5.829
In NL: 20
Prijzen: A: 4.100 B: 7.900 C: 11.300

JAGUAR XJ6 SERIES 1

In 1968 kwam Jaguar met een sedan uit, die het merk tot grote verkoopaantallen zou brengen. En dat terwijl deze fraaie wagens absoluut niet probleemloos waren. De XJ-serie zou het uiteindelijk ruim 20 jaar volhouden. De voor de liefhebbers aardigste reeks is natuurlijk de Series 1. De kleine 2,8 liter is ronduit een slechte motor en dus is de grotere versie te verkiezen. De wagens met een Daimler-naamplaatje worden afzonderlijk behandeld. Helaas heeft buitensporige roestvorming vele Series 1-auto's geveld. De prijzen van de overgebleven exemplaren liggen nog vrij laag.

Aantal cilinders: 6
Cilinderinhoud in cm^3: 2792 en 4235
Vermogen:149/5750 en 186/5200
Topsnelheid in km/uur: 185 en 200
Carrosserie/Chassis: zelfdragend
Uitvoering: sedan
Productiejaren: 1968-1972
Productie-aantallen: 19.322 en 59.951
In NL: n.b.
Prijzen: (4.2) A: 2.300 B: 6.400 C: 10.000

JAGUAR XJ6 SERIES 2

Jaguar stelt in 1973 te Frankfurt de tweede generatie van de XJ6 voor. In grote lijnen was de wagen hetzelfde gebleven maar de neus was veranderd. De platte grille stond lager in de carrosserie, de clignoteurs bevonden zich nu onder de voorbumper en de hoorntjes op die bumper waren kleiner geworden. Ook binnenin vond men verschillen. In het dashboard, bijvoorbeeld, waren de instrumenten nu voor de chauffeur gegroepeerd en niet meer over het hele dashboard verspreid. De versie met 2,8-motor is slechts kort geleverd (170 stuks). Zeer roestgevoelig.

Aantal cilinders: 6
Cilinderinhoud in cm^3: 3442 en 4235
Vermogen: 160/5500 en 172/4500
Topsnelheid in km/uur: 190 en 200
Carrosserie/Chassis: zelfdragend
Uitvoering: sedan
Productiejaren: 1973-1979
Productie-aantallen: 6.990 en 69.951
In NL: n.b.
Prijzen: (4,2) A: 1.800 B: 5.700 C: 8.200

JAGUAR XJ12 & XJ12L SERIES 1

In de glorietijd van de automobiel, toen het aantal cilinders het succes van een merk uitmaakte en er wagens met V16-motoren rondreden, kwam de firma Daimler in 1927 met de 'Double Six'. Het was een model waarin de motor uit twee in een V samengebouwde zespitters bestond. In juli 1972 kwam Jaguar, en dus ook Daimler, met een dergelijke motor terug op de markt in de carrosserie van de XJ-sedans. In oktober van dat jaar verscheen een lange versie, de XJ12L, die op een 10 cm langere wielbasis stond. Een benzineslurper met toekomst.

Aantal cilinders: V12
Cilinderinhoud in cm³: 5343
Vermogen: 253/6000
Topsnelheid in km/uur: 235
Carrosserie/Chassis: zelfdragend
Uitvoering: sedan
Productiejaren: 1972-1973
Productie-aantallen: 2.474 en 754 (L)
In NL: n.b.
Prijzen: A: 3.600 B: 7.900 C: 11.300

JAGUAR XJ12 SERIES 2

In september 1973 kwam de tweede generatie van de XJ 12-serie al uit. De kinderziekten van de eerste wagens waren nu te boven gekomen. Om het verschil tussen de 6 en V12 duidelijker te maken, was de V12 met het korte 276 cm chassis van de zescilinder uit het programma genomen, zodat alle 12 cilinders nu een wielbasis van 286 hadden. Vanaf '75 komt er een injectiesysteem en in dat jaar komt er ook een nieuwe naam: XJ5.3. Het feit dat de schitterende sedan 1:4 liep, schrok sommige potentiële kopers wel af.

Aantal cilinders: V12
Cilinderinhoud in cm³: 5343
Vermogen: 285/5750
Topsnelheid in km/uur: 240
Carrosserie/Chassis: zelfdragend
Uitvoering: sedan
Productiejaren: 1973-1979
Productie-aantal: 16.010
In NL: n.b.
Prijzen: A: 2.700 B: 6.400 C: 9.100

JAGUAR XJ6 C & XJ12 C

Al wat langer geliefd en daardoor aanmerkelijk duurder zijn de coupé-modellen van de tweede XJ-serie. Ook hiervan zijn goede exemplaren moeilijk te vinden, vanwege de geringe productie en door de roestgevoeligheid. Restaureren van een dergelijke sportieve Jaguar is erg prijzig en vaak brengt de wagen als hij klaar is het geïnvesteerde bedrag niet meer op. Daarom is de aanschaf van een zo goed mogelijk exemplaar aan te bevelen. Het zwarte vinyldak is overigens kenmerkend. We voorzien dat deze auto's in de toekomst aanzienlijk in prijs zullen stijgen.

Aantal cilinders: 6 en V12
Cilinderinhoud in cm³: 4235 en 5343
Vermogen: 171/4750 en 287/5750
Topsnelheid in km/uur: 195 en 235
Carrosserie/Chassis: zelfdragend
Uitvoering: coupé
Productiejaren: 1975-1978
Productie-aantallen: 6.487 en 1.855
In NL: 35
Prijzen (XJ6C): A: 4.500 B: 8.600 C: 12.700

JAGUAR XJ6 & XJ12 SERIES 3

Met hulp van Pininfarina herzag Coventry de XJ voor de tweede maal. De daklijn ging achteraan omhoog, de knik in het achterscherm werd vloeiender, de deurklinken waren verzonken en de bumpers kregen een rubberen strip. Ook het interieur onderging aanpassingen. Vanaf '83 is er een Sovereign-uitvoering van Jaguar zelf, hoewel Daimler deze aanduiding ook nog voerde. De V12 liep nog tot vijf jaar na de productiestop van de zescilinder door. De algehele bouwkwaliteit van de S3 is aanzienlijk beter dan die van de serie ervoor.

Aantal cilinders: 6 en V12
Cilinderinhoud in cm³: 3442-5343
Vermogen: 163/5000-289/5750
Topsnelheid in km/uur: 190-235
Carrosserie/Chassis: zelfdragend
Uitvoering: sedan
Productiejaren: 1979-1986 en 1979-1991
Productie-aantallen: 130.769 en 14.537
In NL: n.b.
Prijzen (XJ6 4.2): A: 3.600 B: 5.400 C: 8.200

JAGUAR XK 120

Eén van de mooiste Jaguars, wellicht één van de mooiste sportwagens, is wel de XK 120. Dé sensatie van de London Motor Show van 1948. De prachtige tweezitter had toen nog een aluminium carrosserie en onder de kap zat de beroemde XK-motor, de voorganger van de Jaguar-motor van vandaag. Er kwam ook een comfortabele drophead coupé uit in 1953. Momenteel zijn deze sportieve Jags vrijwel altijd gerestaureerd. De aluminium eerstelingen kosten het dubbele, maar daarvan zijn er maar 240 gebouwd. De aanduiting '120' slaat op de topsnelheid in mijlen.

Aantal cilinders: 6
Cilinderinhoud in cm³: 3442
Vermogen: 160/5000 -180/5300
Topsnelheid in km/uur: 200
Carrosserie/Chassis: afzonderlijk chassis
Uitvoering: roadster en cabriolet
Productiejaren: 1948-1954
Productie-aantallen: 7.612 en 1.765
In NL: 25
Prijzen: (roadster) A: 18.200 B: 36.300 C: 50.000

JAGUAR XK 120 COUPÉ

Twee jaar na de introductie van de open XK 120 kwam de fabriek met een gesloten uitvoering op de markt. De 'Fixed-Head-Coupé' zoals de wagen genoemd werd, had een klein bankje achterin waarop, indien werkelijk noodzakelijk, twee kleine kinderen konden zitten. De wagen had natuurlijk een betere verwarming dan de open versie en ook het uitzicht naar achteren was beter dan in een cabriolet met de kap op. Deze coupé wordt tegenwoordig hoger gewaardeerd dan zijn opvolgers 140 en 150. Een XK 120 wordt graag en frequent gerestaureerd. En terecht.

Aantal cilinders: 6
Cilinderinhoud in cm³: 3442
Vermogen: 160/5000
Topsnelheid in km/uur: 200
Carrosserie/Chassis: afzonderlijk chassis
Uitvoering: coupé
Productiejaren: 1951-1954
Productie-aantal:2.678
In NL: 15
Prijzen: A: 13.600 B: 25.000 C: 38.600

JAGUAR XK 140

Men moet op de zwaardere bumpers en de grille met minder spijltjes letten om een XK 140 van zijn voorganger te kunnen onderscheiden. Aan de achterkant valt het Le Mans-logo op de koffer op (als het erop zit). De 3,4 liter motor had iets meer paarden gekregen en de vierversnellingsbak kon nu met een overdrive geleverd worden of door een automaat vervangen worden. Ook bij de XK 140 was er een opgevoerde versie die speciaal voor de racerij bestemd was. De waarde-aanduidingen hiernaast hebben betrekking op de gewone versies, niet die snelle SE.

Aantal cilinders: 6
Cilinderinhoud in cm³: 3442
Vermogen: 190/5500 en 213/5750
Topsnelheid in km/uur: 195-205
Carrosserie/Chassis: afzonderlijk chassis
Uitvoering: roadster en cabriolet
Productiejaren: 1954-1957
Productie-aantallen: 3.354 en 2.889
In NL: 35
Prijzen: (roadster) A: 20.900 B: 38.600 C: 54.500

JAGUAR XK 140 COUPÉ

Ook van de XK 140 kwam er een gesloten uitvoering en wel in oktober 1954. De wagen leek sprekend op de XK 120 maar had natuurlijk ook de zwaardere bumpers en een andere grille. De auto kon met twee motorvarianten besteld worden en vanaf oktober 1956 ook met een automatische versnellingsbak, iets wat bij de XK 120 niet mogelijk geweest was. Liefhebbers vonden dat Jaguar de lijnen verknald had door het langere dak. Inmiddels zijn we ruim veertig jaar verder en elk van de drie XK-modellen kent z'n eigen liefhebbers.

Aantal cilinders: 6
Cilinderinhoud in cm³: 3442
Vermogen: 190/5500 en 213/5750
Topsnelheid in km/uur: 195-205
Carrosserie/Chassis: afzonderlijk chassis
Uitvoering: coupé
Productiejaren: 1954-1957
Productie-aantal: 2.808
In NL: 15
Prijzen: A: 13.600 B: 23.800 C: 36.300

JAGUAR XK 150 & XK 150 S

Hoewel een reusachtige brand in 1957 een groot gedeelte van de Jaguar-fabrieken vernietigde, lukte het toch een opvolger voor de XK 140 op zijn wielen te zetten. De XK 150 was dan wel 10 mijlen per uur sneller dan de XK 140, maar hij was er niet mooier op geworden. De voorruit bestond nu uit één stuk glas, maar de typische XK-spatborden waren nu verdwenen. Wat rij-eigenschappen en comfort betreft, wint de XK 150 het wellicht van zijn voorgangers. De S-versie is zeldzaam en kost 15 tot 20 procent meer. Van die S-versie zijn er 924 roadsters geleverd en 140 cabriolets.

Aantal cilinders: 6
Cilinderinhoud in cm³: 3442 en 3781
Vermogen: van 190/5500 tot 265/5500
Topsnelheid in km/uur: 200-230
Carrosserie/Chassis: afzonderlijk chassis
Uitvoering: roadster en cabriolet
Productiejaren: 1957-1961
Productie-aantallen: 2.265 en 2.671
In NL: 60
Prijzen: (roadster) A: 20.400 B: 38.600 C: 56.700

JAGUAR XK 150 COUPÉ

In mei 1957 kwam de coupéuitvoering van de XK 150 uit. De wagen had de 'gewone' 3,4 liter motor. In oktober 1959 kwam er een 3,8 liter motor bij maar daarvoor, vanaf februari 1959, kon de klant de 3,4 liter S-motor laten inbouwen. De snelste uitvoering was natuurlijk de 3,8 S die in oktober 1959 op de London Motor Show stond. De 3,8 is ongeveer tien procent duurder dan de hiernaast voor de 3,4-versie gegeven prijzen. Ook hier doen S-modellen weer 15 tot 20 procent meer. Er zijn 249 gesloten S'en geproduceerd.

Aantal cilinders: 6
Cilinderinhoud in cm³: 3442 en 3781
Vermogen: 190/5500 tot 265/5500
Topsnelheid in km/uur: 200-230
Carrosserie/Chassis: afzonderlijk chassis
Uitvoering: coupé
Productiejaren: 1957-1961
Productie-aantal: 4.462
In NL: 20
Prijzen: A: 13.600 B: 22.700 C: 31.800

JAGUAR C-TYPE

De wedstrijduitvoering van de XK 120 was de XK-C of wel C-Type. De 3,4 liter motor had onder andere een speciaal geprepareerde cilinderkop en ook het chassis was niet met dat van de XK 120 te vergelijken. Het bestond uit dunne stalen buizen die de chauffeur als een kooi omsloten. Het gehele front van de wagen was 'motorkap' wat het werken aan de motor vergemakkelijkte. De C-Type is een van de mooiste wagens die Jaguar ooit gebouwd heeft, wat wel de reden moet zijn dat het aantal replica's ontstellend groot is.

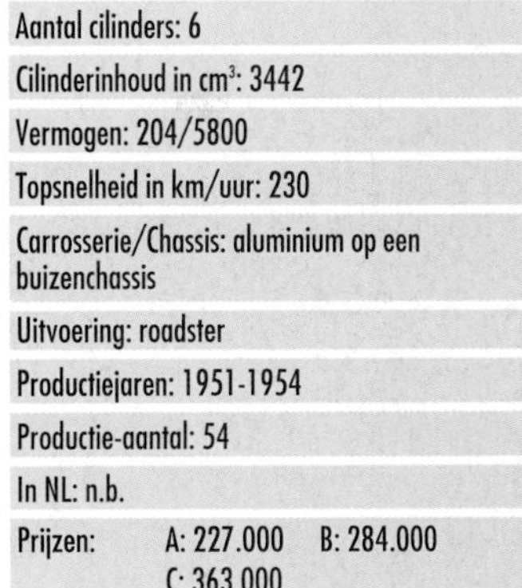
Aantal cilinders: 6
Cilinderinhoud in cm³: 3442
Vermogen: 204/5800
Topsnelheid in km/uur: 230
Carrosserie/Chassis: aluminium op een buizenchassis
Uitvoering: roadster
Productiejaren: 1951-1954
Productie-aantal: 54
In NL: n.b.
Prijzen: A: 227.000 B: 284.000 C: 363.000

JAGUAR D-TYPE

Technisch vrijwel gelijk aan de C-Type ontwierp Malcolm Sayer voor Le Mans in 1954 de D-Type. Sayer maakte gebruik van de windtunnel en de carrosserie van de D is dan ook zeer aërodynamisch. De staartvin was een toevoeging van het laatste moment. Voor '55 kregen 5 wagens een langere neus. Van de 68 gebouwde exemplaren werden er 4 later ontmanteld voor onderdelen en 5 gingen er verloren bij de grote brand van 1957. De D is de stamvader van het latere E-model. Een originele D-Type is zelden te koop en een prijsindicatie is moeilijk te geven.

Aantal cilinders: 6
Cilinderinhoud in cm³: 3442
Vermogen: 250/5750-270/5500
Topsnelheid in km/uur: 260
Carrosserie/Chassis: aluminium op een buizenchassis
Uitvoering: cabriolet
Productiejaren: 1954-1957
Productie-aantal: 68
In NL: 2
Prijzen: A: n.v.t. B: n.v.t. C: n.v.t.

JAGUAR XK-SS

Het neusje van de Jaguar-zalm is zeker de XK-SS, een racewagen die voor de weg was geprepareerd door de resterende D-Type-body's aan te kleden. Hij stond ook op het buizenchassis van die wagen en had de remmen en de bak ervan. De opzet was om er 21 te bouwen maar vanwege een fabrieksbrand bleef het aantal op 16 steken. Wie een dergelijke XK-SS tegenkomt, heeft grote kans dat het een replica is. En als dat niet het geval is, kan het nog een omgebouwde D-Type zijn. Een prijsaanduiding heeft in het geval van een SS weinig zin, aangezien ze nooit verhandeld worden.

Aantal cilinders: 6
Cilinderinhoud in cm³: 3442
Vermogen: 250/6000
Topsnelheid in km/uur: 275
Carrosserie/Chassis: aluminium op een buizenchassis
Uitvoering: cabriolet
Productiejaar: 1957
Productie-aantal: 16
In NL: 1
Prijzen: A: n.v.t. B: n.v.t. C: >900.000

JAGUAR E-TYPE, 3,8 LITER SERIES I

Een handvol journalisten en een paar genode gasten stonden in 1961 op de salon van Genève rond een enorme houten kist op de Jaguar-stand. Applaus toen die open gemaakt werd, want wat daar stond gold al bij voorbaat als de ster van de show. De carrosserie was ontworpen door William Lyons en Malcolm Sayer en de wagen was als coupé en als cabriolet te koop. Jarenlang is de wagen verguisd door klassiekerliefhebbers, maar gelukkig heeft de E-Type inmiddels de eer gekregen die hem toekomt.

Aantal cilinders: 6
Cilinderinhoud in cm³: 3781
Vermogen: 265/5500
Topsnelheid in km/uur: 240
Carrosserie/Chassis: zelfdragend
Uitvoering: coupé en cabriolet
Productiejaren: 1961-1964
Productie-aantallen: 7.827 en 7.669
In NL: ca. 350 (alle typen)
Prijzen: (DHC) A: 18.200 B: 31.800 C: 45.400

JAGUAR E-TYPE 4,2 LITER SERIES I & 1½

Zoals men had kunnen verwachten, werd de E-Type een groot succes. In ieder opzicht kon men de wagen vergelijken met een Ferrari, een Maserati of een Aston Martin, behalve wat prijs betreft: die lag beduidend lager. Natuurlijk werd de wagen steeds verder verbeterd. Zo verdween de Moss-versnellingsbak om vervangen te worden door een beter exemplaar van eigen constructie en werd een 4,2 liter motor ingebouwd. In 1966 verscheen een 2+2 versie en in 1967 sprak men van de E-Type Series 1½.

Aantal cilinders: 6
Cilinderinhoud in cm³: 4235
Vermogen: 265/5400
Topsnelheid in km/uur: 240
Carrosserie/Chassis: zelfdragend
Uitvoering: cabriolet, coupé en coupé 2+2
Productiejaren: 1964-1968
Productie-aantallen: 9.548, 7.770 en 5.598
In NL: zie hiervoor
Prijzen: (DHC) A: 13.600 B: 27.200 C: 40.800

JAGUAR E-TYPE SERIES II

Tussen 1968 en 1971 verscheen de E-Type als Series II. Hij verschilde in kleine details van de voorganger, maar was speciaal voor de Amerikaanse markt aangepast. Zo verdwenen de mooie kiepschakelaars om plaats te maken voor een veiligere uitvoering. Onder de motorkap stond nu een 'schonere' motor die nog maar twee carburateurs had en dus ook niet meer veel vermogen leverde. Wie een Series II wil kopen, dient zich te vergewissen of het een Europese of een Amerikaanse uitvoering is. Die laatste is minder waard.

Aantal cilinders: 6
Cilinderinhoud in cm³: 4235
Vermogen: 265/5400
Topsnelheid in km/uur: 240
Carrosserie/Chassis: zelfdragend
Uitvoering: coupé, coupé 2+2 en cabriolet
Productiejaren: 1968-1971
Productie-aantallen: 4.855, 5.326 en 8.627
In NL: zie hiervoor
Prijzen: (DHC) A: 11.300 B: 22.700 C: 36.300

JAGUAR E-TYPE SERIES III V12

De Jaguar E-Type trad, vrijwel precies tien jaren na zijn introductie, in 1971 aan voor zijn laatste ronde. En weer zorgde de wagen voor grote koppen in de tijdschriften, want onder zijn lange motorkap stond nu een vrijwel geruisloos werkende V12-motor. Een motorconstructie die de autowereld al lang niet meer in serievervaardiging kende. De twoseater bestond nu niet meer en de roadster stond nu op de lange wielbasis van de 2+2. De laatste 50 stuks zijn in het zwart geleverd en onder liefhebbers gezocht. Tachtig procent van de productie ging naar de VS.

Aantal cilinders: V12
Cilinderinhoud in cm³: 5343
Vermogen: 276/5850
Topsnelheid in km/uur: 240
Carrosserie/Chassis: zelfdragend
Uitvoering: roadster en 2+2 coupé
Productiejaren: 1971-1975
Productie-aantallen: 7.990 en 7.297
In NL: zie hiervoor
Prijzen: (roadster) A: 13.600 B: 31.800 C: 45.400

JAGUAR XJ-S 5.3

De XJ-S mag niet gezien worden als een opvolger voor de Jaguar E-Type. Het was meer een sportieve 2+2 zoals de Karmann Ghia van Volkswagen die trend inzette. De wagen kon aanvankelijk uitsluitend met de V12-motor geleverd worden, wat hem natuurlijk wel exclusief maakte. In september 1975 werd de auto in Londen voorgesteld. Hoewel de XJ-S ook met een handgeschakelde 4-bak besteld kon worden, gaven de meeste kopers de voorkeur aan een automaat van Borg-Warner. In de jaren tachtig komt er een cabriolet uit.

Aantal cilinders: V12
Cilinderinhoud in cm³: 5343
Vermogen: 289/5500
Topsnelheid in km/uur: 240
Carrosserie/Chassis: zelfdragend
Uitvoering: coupé
Productiejaren: 1975-1993
Productie-aantal: 79.447
In NL: ca. 150
Prijzen: (<'81) A: 2.900 B: 6.400 C: 9.500

JAGUAR XJS CABRIOLET 3.6 & 5.3

De Cabriolet genoemde XJS was de grote verrassing van de Earls Court Motorfair van 1983. In 1975 had Jaguar zijn laatste open auto gehad en dit moest de opvolger zijn. Voor velen was de wagen een teleurstelling, geen echte cabrio, maar anderen vonden het beter dan niets. De kap kon gedeeltelijk geopend worden. In juli '86 was er een V12-versie leverbaar, die meteen veel beter verkocht dan de kleiner gemotoriseerde 3.6. In 1988 werden beide door een 'echte' cabriolet, de Convertible, vervangen.

Aantal cilinders: 6 en V12
Cilinderinhoud in cm^3: 3590 en 5343
Vermogen: 228/5300-285/5500
Topsnelheid in km/uur: 230-245
Carrosserie/Chassis: zelfdragend
Uitvoering: cabriolet
Productiejaren: 1983-1988
Productie-aantallen: 1.146 en 3.863
In NL: n.b.
Prijzen: (3.6) A: 5.900 B: 9.100 C: 12.700

JAGUAR XJS CONVERTIBLE

Omdat de naam Cabriolet al voor de voorganger was gehanteerd, kreeg de echte, volledig open XJS de typenaam Convertible mee. Het was een prachtige wagen geworden, die er aanvankelijk uitsluitend met de V12-motor was. Pas in 1991 – toen de zescilinder XJS een vierliter motor kreeg – kon de open versie deze motor ook krijgen. In 1993 loste de 6.0 de 5.3 af en ondanks de grotere motor namen zowel het vermogen als de topsnelheid iets af. Jonge exemplaren, dus uit de laatste paar bouwjaren, zijn nog steeds pittig geprijsd.

Aantal cilinders: 6 en V12
Cilinderinhoud in cm^3: 3980 en 5343-5994
Vermogen: 223/4750-333/5250
Topsnelheid in km/uur: 227-253
Carrosserie/Chassis: zelfdragend
Uitvoering: cabriolet
Productiejaren: 1988-1995
Productie-aantal: 28.011
In NL: n.b.
Prijzen: (< '90) A: 8.500 B: 14.500 C: 19.500

JENSEN

De broers Richard en Allan Jensen, eigenaars van de Jensen Motors Ltd, begonnen in de jaren dertig met de bouw van speciale carrosserieën. Vlak voor de oorlog kwamen ze met een eigen auto uit, die door een 3,6 liter Ford V8-motor werd voort bewogen. Na de oorlog kwamen ze met hun sportieve modellen terug en in de jaren zeventig kwam de Healey-familie in het bedrijf. Jensen moest echter uiteindelijk in 1976 de handdoek in de ring werpen. In de jaren tachtig leverde men op bestelling enkele Interceptors af. In Nederland rijden 150 à 175 Jensens.

JENSEN 541 & 541 R

Een van de meest interessante nieuwtjes die in 1953 op de London Motor Show stond, was de Jensen 541. Het was een gedrongen 2+2 coupé met een voor die tijd nog zeldzame kunststof carrosserie. Drie SU-carburateurs zorgden voor het juiste mengsel en een overdrive in de versnellingsbak voor het spaarzame gebruik daarvan. In het najaar van 1956 kwam de 541 de Luxe met vier schijfremmen uit, waarmee hij de eerste vierpersoonsauto was met dergelijke remmen. In 1957 verscheen deze 541 R met een 152 i.p.v. 130 pk motor.

Aantal cilinders: 6
Cilinderinhoud in cm^3: 3993
Vermogen: 130/400 en 152/4100
Topsnelheid in km/uur: 170 en 185
Carrosserie/Chassis: kunststof/afzonderlijk chassis
Uitvoering: coupé
Productiejaren: 1955-1959 en 1957-1960
Productie-aantallen: 226 en 193
In NL: n.b.
Prijzen: A: 6.800 B: 13.600 C: 22.700

JENSEN 541 S

In 1960 stond de opvolger van de 541 R op de tentoonstellingen en bij Jensen noemde men de wagen 541 S. De vorm van de kunststof carrosserie had men niet veel hoeven veranderen, maar de unieke luchtinlaat was nu door een normale grille vervangen en bovendien was de wagen iets breder en langer geworden. De klant kon zijn wagen met een vierbak met overdrive of met een Hydra-Matic automaat laten uitrusten en vooral deze laatste versie werd graag gekozen. Andere snufjes waren een sperdifferentieel, een verwarmde achterruit en veiligheidsriemen.

Aantal cilinders: 6
Cilinderinhoud in cm^3: 3993
Vermogen: 152/4100
Topsnelheid in km/uur: 195
Carrosserie/Chassis: kunststof/afzonderlijk chassis
Uitvoering: coupé
Productiejaren: 1961-1963
Productie-aantal: 127
In NL: n.b.
Prijzen: A: 6.400 B: 12.300 C: 20.400

JENSEN C-V8

Het bijzondere van deze wagen was wel zijn bizar gevormde kunststof carrosserie, die plaats bood aan vier personen. Die body was, na de nodige stileringen van de neus, afkomstig van de voorganger, de 541. In het zware chassis van de C-V8 stond een Chrysler V8-motor – aanvankelijk een 6 liter maar later een 6,3 – die in staat was de wagen aan interessante prestaties te helpen. Er zijn in de looptijd drie series verschenen, waarvan de Mk III aan zijn richtingaanwijzers te herkennen is. Het verbruik van de C-V8 is fors te noemen.

Aantal cilinders: V8
Cilinderinhoud in cm³: 6276
Vermogen: 305/4600
Topsnelheid in km/uur: 225
Carrosserie/Chassis: kunststof/afzonderlijk chassis
Uitvoering: coupé
Productiejaren: 1962-1966
Productie-aantal: 500
In NL: n.b.
Prijzen: A: 9.100 B: 15.900 C: 25.000

JENSEN INTERCEPTOR, FF & SP

In 1967 kreeg de Jensen een nieuwe carrosserie die ditmaal door Vignale in Italië getekend was. Praktisch was de achterruit die als '3e deur' fungeren kon. De Interceptor FF had een langere wielbasis en vierwielaandrijving. Men herkende dit model van opzij aan de twee luchtuitlaten in de voorspatborden. De normale Interceptor had er maar één aan iedere kant. De SP is de meest luxe en snelste versie. Er zijn ook nog 45 onooglijke hardtop coupés geleverd. Een zeer roestgevoelige auto en duur in onderhoud. De FF kost bijna het dubbele.

Aantal cilinders: V8
Cilinderinhoud in cm³: 6276 en 7212
Vermogen: 284/5000 en 330/4600
Topsnelheid in km/uur: 220
Carrosserie/Chassis: buizenchassis
Uitvoering: coupé
Productiejaren: 1966-1976
Productie-aantallen: 6.407, FF: 320 en SP: 232
In NL: n.b.
Prijzen: A: 6.400 B: 13.600 C: 22.700

JENSEN INTERCEPTOR CONVERTIBLE

In de map met de oorspronkelijke tekeningen van de Interceptor uit 1966 zaten er ook een paar van een cabriolet. Jensen-baas Kjell Qvale dacht in het begin van de jaren zeventig dat zo'n open versie wel iets voor de Amerikaanse markt zou zijn. De enige concurrenten in eigen land waren de open Bentley en Rolls-Royce. Pas in maart 1974 stond de eerste open Interceptor op de autoshow van Genève. Na de oliecrisis was de vraag naar dure wagens gering en de beoogde productieaantallen bereikte Jensen nooit. Er zijn drie convertibles naar Nederland geëxporteerd.

Aantal cilinders: V8
Cilinderinhoud in cm³: 7.212
Vermogen: 330/4600
Topsnelheid in km/uur: 220
Carrosserie/Chassis: zelfdragend
Uitvoering: cabriolet
Productiejaren: 1974-1976
Productie-aantal: 505
In NL: 3
Prijzen: A: 20.000 B: 31.000 C: 47.700

JENSEN-HEALEY

Toen de Austin-Healey uit de productie genomen was, kwam de vraag naar een opvolger. Donald Healey kreeg dus zijn kans een nieuwe wagen te ontwerpen, wat hij deed voor Jensen. Het resultaat was de Jensen-Healey die in 1972 op de Show in Genève voorgesteld werd. De auto had een viercilinder motor van Lotus met twee bovenliggende nokkenassen en zestien kleppen, maar werd desondanks geen 'racewagen' zoals de Austin-Healey. Kinderziekten en weinig opzienbarende vormgeving ten spijt, verkocht deze Jensen-Healey redelijk.

Aantal cilinders: 4
Cilinderinhoud in cm³: 1973
Vermogen: 142/6500
Topsnelheid in km/uur: 200
Carrosserie/Chassis: zelfdragend
Uitvoering: cabriolet
Productiejaren: 1972-1976
Productie-aantal: 10.501
In NL: n.b.
Prijzen: A: 2.700 B: 6.800 C: 11.300

JENSEN GT

Op de basis van de Jensen-Healey ontstond de Jensen GT, een sportswagon bij uitstek. De wagen had dezelfde afmetingen als de Jensen-Healey maar was 2 cm hoger. Het was een 2+2, maar de binnenruimte bleef beperkt. Wel allerhande luxe: elektrische ramen, vijfbak en optioneel een airco. De GT kwam pas aan het einde van het Jensen-Healey tijdperk. Alle kinderziekten waren ze toen al te boven gekomen, zodat de GT een vrijwel probleemloze wagen was. Het faillissement van de fabriek betekende echter het einde van de GT.

Aantal cilinders: 4
Cilinderinhoud in cm³: 1973
Vermogen: 142/6500
Topsnelheid in km/uur: 190
Carrosserie/Chassis: zelfdragend
Uitvoering: sportswagon
Productiejaren: 1975-1976
Productie-aantal: 511
In NL: n.b.
Prijzen: A: 2.700 B: 7.300 C: 12.700

JOWETT

In 1906 begonnen Benjamin en William Jowett met de productie van personenwagens die steeds technisch erg interessant waren. Zo bouwde men lang tweecilinder boxermotoren in de wagens. In 1946 kwam Jowett op de markt terug, ditmaal met een geheel nieuwe wagen met een viercilinder boxermotor. De wereld wachtte echter op eenvoudige transportmiddelen, en voor Jowett dit begreep, ging men in 1954 failliet.

JOWETT JAVELIN

De voor zijn tijd supermoderne Javelin was een ontwerp geweest van de jonge Ir. G.M. Palmer. De ruime auto had een half-zelfdragende carrosserie en een viercilinder boxermotor die voor de vooras gemonteerd was. De vier wielen werden door torsiestaven geveerd. Mooi was de wagen wel, maar ook onbetrouwbaar en zeer roestgevoelig en daarom kocht de Engelsman dit model alleen maar omdat er minder lange wachtlijsten voor bestonden. In 1951 werden Javelins 1e en 2e in hun klasse in de Rally van Monte Carlo.

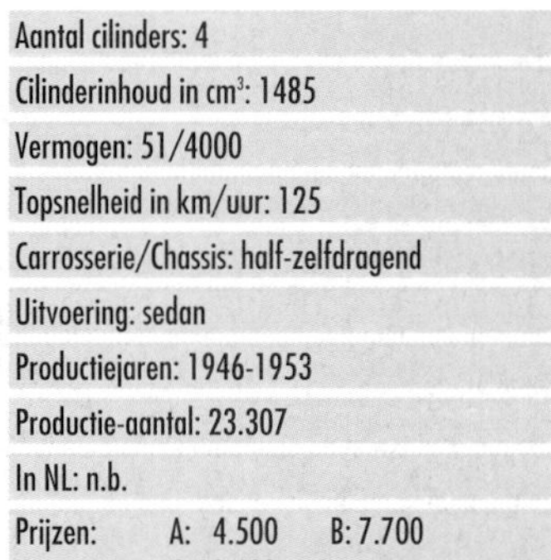

Aantal cilinders: 4
Cilinderinhoud in cm^3: 1485
Vermogen: 51/4000
Topsnelheid in km/uur: 125
Carrosserie/Chassis: half-zelfdragend
Uitvoering: sedan
Productiejaren: 1946-1953
Productie-aantal: 23.307
In NL: n.b.
Prijzen: A: 4.500 B: 7.700 C: 10.400

JOWETT JUPITER

Deze vreemd gevormde wagen was 35 jaren geleden al een rariteit op straat, ondanks zijn technische kwaliteiten. Het buizenchassis was ontworpen door de beroemde Duitse constructeur Dr. Eberan von Eberhorst. De techniek was afkomstig uit de beproefde Javelin. De wagen woog niet meer dan 700 kg. De gehele neus kon voor open scharnieren en dat vergemakkelijkte reparaties. Later zien we dit systeem bij andere wagens terug. Er zijn speciale carrosserieën van Abbott, J.E. Farr en Pinin Farina. Een versie met kunststof carrosserie haalde in '53 het productiestadium niet.

Aantal cilinders: 4
Cilinderinhoud in cm^3: 1485
Vermogen: 63/4500
Topsnelheid in km/uur: 145
Carrosserie/Chassis: buizenchassis
Uitvoering: roadster
Productiejaren: 1950-1954
Productie-aantal: 899
In NL: n.b.
Prijzen: A: 9.100 B: 14.700 C: 20.400

KAISER & KAISER-FRAZER

In 1945 begonnen Joseph Frazer, die voor en tijdens de oorlog bij Willys gewerkt had, en Henry J. Kaiser, die zijn geld met Liberty schepen verdiend had, samen auto's te maken. Begin 1946 kon de wereld met de producten kennis maken en deze vielen zo goed in de smaak dat de bestellingen binnenstroomden. Tot in 1955 konden de firmanten het volhouden tegen de oppermachtige concurrentie. Toen moest men het opgeven. In de Rotterdamse assemblagefabriek aan de Sluisjesdijk zijn er circa 5.000 Kaisers gebouwd en nog eens ca. 3.000 Henry J's in de periode 1949-1955.

KAISER & FRAZER 1947-1950

De Kaiser had een supermoderne pontoncarrosserie, die ontworpen was door de beroemde designer Howard 'Dutch' Darrin. Gebouwd werd de auto in de Willow Run fabriek, die Henry Ford gebouwd had voor de productie van B-24 bommenwerpers. Kaisers aanbod bestond uit de Kaiser-Special en de Frazer Manhattan waarvan de laatste de meest luxe uitvoering was. Hij was soms in twee kleuren gespoten en had vier in plaats van twee bumperhoorntjes. Hoewel deze typen zeer goed verkocht zijn, zien we ze tegenwoordig zelden.

Aantal cilinders: 6
Cilinderinhoud in cm^3: 3720
Vermogen: 101/3600
Topsnelheid in km/uur: 130
Carrosserie/Chassis: zelfdragend
Uitvoering: sedan en cabriolet
Productiejaren: 1947-1950
Productie-aantal: 517.027
In NL: n.b.
Prijzen: A: 2.700 B: 4.500 C: 7.300

KAISER HENRY J

In 1951 verscheen Kaiser-Frazer met een nieuw model onder een apart sub-merk, de Henry J, die 90 cm korter was dan zijn grote broers. De tijd was echter nog niet rijp voor een 'kleine Amerikaan' en dit weerspiegelde zich in een matige verkoop. De motor kon een vier- of een zescilinder zijn en beide hadden nog zijkleppen. Het waren afstammelingen van de beroemde Jeep-motoren. In 1954 was het met de Henry J gedaan. Op de sportieve Kaiser-Darrin na zijn er weinig Kaisers die tegenwoordig geliefd zijn. Van de circa 3.000 in Nederland geassembleerde J's zijn er weinig overgebleven.

Aantal cilinders: 4 en 6
Cilinderinhoud in cm³: 2199 en 2638
Vermogen: 69/4000 en 81/3800
Topsnelheid in km/uur: 125 en 140
Carrosserie/Chassis: zelfdragend
Uitvoering: coach
Productiejaren: 1951-1954
Productie-aantal: 124.030
In NL: n.b.
Prijzen: A: 1.800 B: 5.000 C: 7.700

FRAZER & KAISER MANHATTAN

In 1951 hadden de grote Kaiser en Frazer een nieuwe carrosserie gekregen, wat niet verhinderen kon dat er in 1952 3.000 werknemers ontslagen moesten worden. Het topmodel was de Kaiser Manhattan, die op verzoek ook met een Hydra-Matic automatische versnellingsbak geleverd kon worden. De modellen van '51 heetten nog Frazer Manhattan – in die serie werden ook 131 vierdeurs cabrio's geleverd – en daarna Kaiser. Het feit dat de wagens niet met een V8-motor leverbaar waren, drukte de verkoop.

Aantal cilinders: 6
Cilinderinhoud in cm³: 3706
Vermogen: 116/3650
Topsnelheid in km/uur: 140
Carrosserie/Chassis: zelfdragend
Uitvoering: coach, sedan, coupé en cabriolet ('51)
Productiejaren: 1951 en 1952-1954
Productie-aantal: 202.856
In NL: n.b.
Prijzen: A: 2.300 B: 5.900 C: 8.600

KAISER-DARRIN

De Kaiser-Darrin was een sportwagen die gebouwd was op het chassis van de Henry J. De auto was weer ontworpen door Howard Darrin en had, voordat de Corvette hiermee uitkwam, een kunststof carrosserie. Interessant waren de portieren die bij het openen in de voorspatborden schoven. Na de zomer van '54 schrapte Kaiser de opvallende sportwagen uit zijn programma en ging Darrin verder met de verkoop. Hij monteerde op verzoek McCulloch superchargers en V8-motoren van Cadillac. Darrin zelf verkocht ongeveer 100 wagens, maar deze zijn hier buiten beschouwing gelaten.

Aantal cilinders: 6
Cilinderinhoud in cm³: 2638
Vermogen: 81/3800
Topsnelheid in km/uur: 150
Carrosserie/Chassis: afzonderlijk chassis
Uitvoering: cabriolet
Productiejaren: 1954-1955
Productie-aantal: 435
In NL: n.b.
Prijzen: A: 9.500 B: 17.700 C: 25.000

KLEINSCHNITTGER

Direct na de oorlog was het transportprobleem in Duitsland groter dan ooit tevoren. Auto's werden alleen op een speciale vergunning verkocht en men moest al een plattelandsarts zijn om zo'n papier te bemachtigen. Ir. Paul Kleinschnittger loste het probleem voor zichzelf op door een soort overdekte motorfiets te construeren die aan twee personen plaats bood en die door een 98 DKW-RT-motortje werd aangedreven. In 1949 kon de wagen met de financiële hulp van een zakenman uit Hamburg in productie genomen worden. Een jaar later volgde de F125.

KLEINSCHNITTGER F125

De F125 was een kleine roadster met een aluminium carrosserie en had, als bijzonderheid, een vering die met rubber riemen werkte. Alles wat extra gewicht of kosten met zich mee bracht, was weggelaten en zo had de auto geen achteruit, geen differentieel maar ook geen startmotor of accu. Starten deed men net als bij een grasmaaier met een snoer en als men achteruit wilde, dan tilde men de auto van achteren op om hem zo te draaien. Werd in Nederland ook als Alco verkocht.

Aantal cilinders: 1
Cilinderinhoud in cm³: 123
Vermogen: 4,5/5000-6/5500
Topsnelheid in km/uur: 65-70
Carrosserie/Chassis: aluminium op een centrale buis
Uitvoering: roadster
Productiejaren: 1950-1955
Productie-aantal: 1.992
In NL: n.b.
Prijzen: A: 3.200 B: 4.500 C: 8.600

KOUGAR

In het Engelse Crowborough begon ene Rick Stevens in 1970 met het construeren van een sportwagen in de stijl van de jaren dertig. In '76 was er een eerste seriewagen op basis van een Jaguar S-Type: de Kougar Sports. De wagen was kant-en-klaar te koop of als bouwpakket. In '82 volgde de Monza, een open sportwagen in de jaren vijftig-stijl. De firma is een paar maal in andere handen overgegaan, maar naar verluidt verkoopt Kougar nog steeds de Sports.

KOUGAR SPORTS

De Kougar Sports is in de ogen van velen geen klassieker maar een replica. Toch zijn de oudere exemplaren alweer bijna vijfentwintig jaar oud. Ook het rijplezier laat niets te wensen over. Thuisbouwers kozen voor een zescilinder lijnmotor van Jaguar of een V8 van een Rover. In Nederland werd de Kougar indertijd via kit-specialisten geleverd. Toen de S-Type van Jaguar zelf een klassieker werd, gebruikte men delen van de XJ-serie voor de opbouw. De wagen van de foto is via de VS naar Nederland gekomen.

Aantal cilinders: 6 en V8
Cilinderinhoud in cm³: 3442-4235
Vermogen: 157/5000-245/5500
Topsnelheid in km/uur: 210-230
Carrosserie/Chassis: kunststof op buizenframe
Uitvoering: roadster
Productiejaren: 1977-1988
Productie-aantal: 79
In NL: 5
Prijzen: A: 9.100 B: 13.600 C: 18.200

KURTIS

Frank Kurtis woonde en werkte in Glendale, Californië, waar hij zijn geld verdiende met het construeren en bouwen van racewagens. Zijn specialiteit waren de Midgets, kleine éénpersoons racewagens waarmee men in Amerika op onverharde circuits racete. Meer dan 1000 van die wagens heeft Kurtis voor de oorlog gebouwd en verkocht. Ook met auto's voor de 500 mijlen race van Indianapolis had Kurtis succes en zijn wagens wonnen daar niet minder dan viermaal. Na de oorlog ging zijn belangstelling naar sportieve personenwagens uit, die hij met grote Amerikaanse motoren aandreef. In 1949 verkocht Kurtis zijn bedrijf voor $ 200.000,– aan 'Madman' Muntz.

KURTIS SPORTS CAR V8

In 1948 was de vraag naar auto's ook in Amerika nog groot en eigenlijk konden de fabrieken alles verkopen wat ze konden bouwen. Frank Kurtis probeerde een graantje mee te pikken door de Kurtis Sports Car, de eerste naoorlogse Amerikaanse sportwagen, op zijn wielen te zetten. De auto had een afneembare hardtop met plastic zijruiten. De eerste wagens hadden een zescilinder zijklepper met compressor van Studebaker, de volgende een V8 van verschillende makelij.

Aantal cilinders: V8
Cilinderinhoud in cm³: 3917
Vermogen: 101/3600
Topsnelheid in km/uur: 145
Carrosserie/Chassis: afzonderlijk chassis
Uitvoering: cabriolet
Productiejaren: 1948-1949
Productie-aantal: 36
In NL: n.b.
Prijzen: A: 13.600 B: 22.700 C: 31.800

LAGONDA

In 1906 was de Amerikaan Wilbur Gunn in het Engelse stadje Staines begonnen met de bouw van automobielen. Lagonda, zoals het merk heette, werd al gauw bekend om zijn goede kwaliteit. In 1935 werd W.O. Bentley – hij had zijn bedrijf aan Rolls-Royce moeten verkopen – chef-ingenieur. In 1947 kwam Lagonda in financiële moeilijkheden en was men gedwongen een bod van de eigenaar van Aston Martin, David Brown, te accepteren.

LAGONDA 2.6 LITRE

Deze wagen werd nog aangedreven door één van de motoren die Bentley voor Lagonda ontworpen had. De zescilinder had een cilinderkop met twee bovenliggende nokkenassen. Interessant was dat de wagen ook achter onafhankelijke vering had. De 2,6 liter was met verschillende carrosserieën te koop. Ze waren echter alle, ook al door de luxe die ingebouwd was, aan de zware kant, zodat men niet van sportiviteit spreken kon. De Mk II van 1952 had lichte wijzigingen aan de binnen- en buitenkant ondergaan. Hoe luxueus ook, een kachel zat er niet in.

Aantal cilinders: 6
Cilinderinhoud in cm³: 2580
Vermogen: 105/5000
Topsnelheid in km/uur: 145
Carrosserie/Chassis: afzonderlijk chassis
Uitvoering: sedan en cabriolet
Productiejaren: 1947-1953
Productie-aantal: 550
In NL: n.b.
Prijzen: A: 9.500 B: 15.900 C: 22.700

LAGONDA 3 LITRE

De Lagonda voor 1953 had een nieuwe motor gekregen, een zescilinder die tot een inhoud van 3 liter opgeboord was. De twee nokkenassen-kop bleef natuurlijk één van de sterke punten evenals de carrosserie, die eerst als tweedeurs sportieve coach gebouwd werd. Er volgde een 3-position-drophead coupé en in '54 een sedan. Zij hadden alle twee nadelen: ze waren te zwaar en te duur om het ook maar een beetje tegen de Jaguars te kunnen opnemen. De Series II sedan van 1956 had vloerschakeling. De cabriolet was toen al niet meer leverbaar.

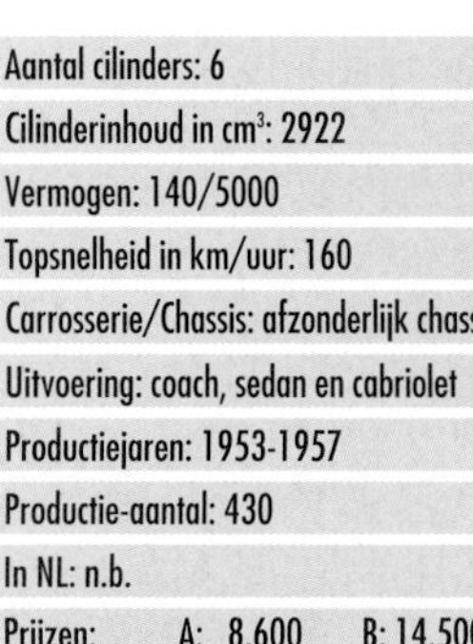
Aantal cilinders: 6
Cilinderinhoud in cm³: 2922
Vermogen: 140/5000
Topsnelheid in km/uur: 160
Carrosserie/Chassis: afzonderlijk chassis
Uitvoering: coach, sedan en cabriolet
Productiejaren: 1953-1957
Productie-aantal: 430
In NL: n.b.
Prijzen: A: 8.600 B: 14.500 C: 20.400

LAGONDA RAPIDE

Deze wagen is reeds lang erg ondergewaardeerd. Zoals zijn voorgangers heeft hij een motor met dubbele nokkenassen die nu echter van een jongere, door Tadek Marek ontwikkelde, generatie is. Carrozzeria Touring was verantwoordelijk voor de aluminium carrosserie; de wagen heeft vier schijfremmen, torsiestaaf-vering en een De Dion-achteras. Men kan in de wagen in feite een Aston Martin DB 5 zien met een speciale koets en een minder sterke motor. Die motor zou drie jaar later in de Aston Martin komen. Zou in feite veel meer waard moeten zijn, vinden we.

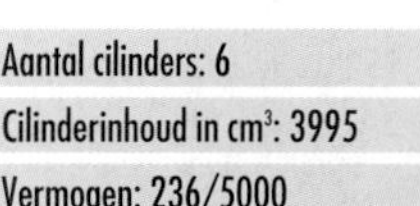
Aantal cilinders: 6
Cilinderinhoud in cm³: 3995
Vermogen: 236/5000
Topsnelheid in km/uur: 200
Carrosserie/Chassis: aluminium/afzonderlijk chassis
Uitvoering: sedan
Productiejaren: 1961-1964
Productie-aantal: 55
In NL: n.b.
Prijzen: A: 15.200 B: 22.700 C: 34.000

LAMBORGHINI

De als boerenzoon geboren Ferruccio Lamborghini was een vermogende industrieel toen hij zich in het sportwagenavontuur stortte. Hij bouwde een nieuwe en moderne fabriek in Sant'agata Bolognese bij Modena en huurde de beste mensen van het vak, zoals Giotto Bizzarrini en Giampaolo Dallara. Al gauw stond Lamborghini met heel erg exclusieve auto's op de shows. De firma had het niet steeds even gemakkelijk, werd een paar maal op het laatste moment van een faillissement gered, maar bestaat nog steeds.

LAMBORGHINI 350 GT

In 1963 kon Lamborghini zijn eerste auto, de 350 GTV, laten zien. Uit dit prototype groeide de 350 GT die in 1964 uit de fabriek kwam. De auto had alles wat een productie-Ferrari uit die tijd miste: een aluminium carrosserie van Touring, een V12-motor met vier bovenliggende nokkenassen, zes dubbele carburateurs, een vijfversnellingsbak, onafhankelijke vering en schijfremmen bij alle wielen. De laatste drieëntwintig exemplaren hadden de vier liter motor van de 400 GT. Het is een pure tweezitter. Na de Miura de meest geliefde Lambo.

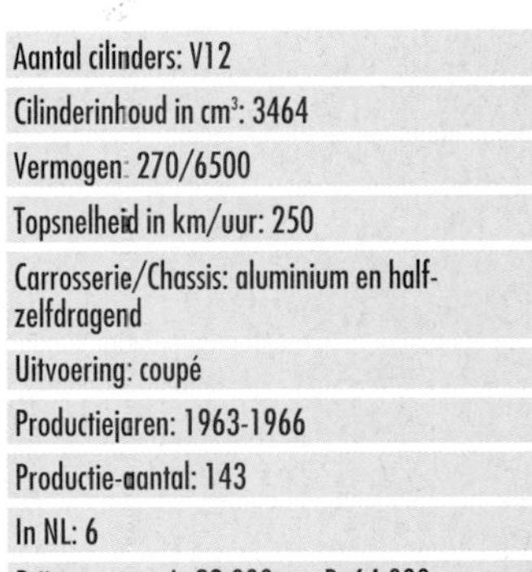

Aantal cilinders: V12
Cilinderinhoud in cm³: 3464
Vermogen: 270/6500
Topsnelheid in km/uur: 250
Carrosserie/Chassis: aluminium en half-zelfdragend
Uitvoering: coupé
Productiejaren: 1963-1966
Productie-aantal: 143
In NL: 6
Prijzen: A: 28.000 B: 64.000 C: 99.000

LAMBORGHINI 400 GT

De opvolger van de 350 GT had een grotere motor met zes dubbele Weber-carburateurs en een ruimere, stalen carrosserie. Er was zelfs plaats voor twee heel erg kleine kinderen op de noodzitjes. Men herkende de wagen aan zijn vier koplampen en zijn kleinere ruiten. Deze wagen behoort terecht in de top van de klassiekerwereld thuis. Lamborghini wilde Ferrari naar de kroon steken en met auto's als deze 400 GT moest dat lukken, nietwaar? Jammer was dat de bouwkwaliteit niet erg overtuigend was. Dat geldt voor zowel de motor als de carrosserie.

Aantal cilinders: V12
Cilinderinhoud in cm³: 3929
Vermogen: 320/6500
Topsnelheid in km/uur: 260
Carrosserie/Chassis: buizenchassis
Uitvoering: coupé
Productiejaren: 1966-1968
Productie-aantal: 247
In NL: 5
Prijzen: A: 25.000 B: 49.900 C: 72.600

LAMBORGHINI ISLERO & ISLERO S

Iets ruimer, maar voor de verzamelaar van vandaag minder interessant, was de Islero en zijn snellere uitvoering, de S. Er konden nu twee iets grotere kinderen achterin zitten en de motor leverde nog meer pk's. Carrozzeria Marazzi had de carrosserie getekend en mocht hem ook bouwen. Luxe alom: airconditioning, elektrische ramen en wegklapbare koplampen. De voorganger is echter zoals gezegd boeiender en zeker de helft meer waard.

Aantal cilinders: V12
Cilinderinhoud in cm³: 3929
Vermogen: 325 en 350/6500
Topsnelheid in km/uur: 250 en 260
Carrosserie/Chassis: zelfdragend
Uitvoering: coupé
Productiejaren: 1968-1970
Productie-aantallen: 125 en 100
In NL: 5
Prijzen: A: 13.600 B: 25.000 C: 36.300

LAMBORGHINI ESPADA

De Espada was de eerste werkelijke vierpersoons Lamborghini. Carrozzeria Bertone had de wagen ontwikkeld naar een prototype, de Marzal, waarmee Bertone zoveel succes op de shows gehad had. De Espada was indertijd één van de duurste en meest luxe Lambo's en vreemd genoeg ook één van de meest verkochte. Tegenwoordig brengen de Espada's het minst op van allemaal, maar dat is voor vierpersoonswagens van een sportwagenfabrikant niet ongewoon. De Series II van 1970 had 25 pk meer vermogen en de Series III van 1972 nog eens 25 pk.

Aantal cilinders: V12
Cilinderinhoud in cm³: 3929
Vermogen: 325/6500- 365/7500
Topsnelheid in km/uur: 250
Carrosserie/Chassis: zelfdragend
Uitvoering: coupé
Productiejaren: 1968-1978
Productie-aantal: 1.217
In NL: 10
Prijzen: A: 8.200 B: 14.500 C: 20.400

LAMBORGHINI JARAMA & JARAMA S

De opvolger van de Islero was de Jarama die het langer volhield dan zijn voorganger, wat niet betekent dat hij veel beter verkocht werd. Bertone had de body weer getekend maar deze werd nu weer bij Marazzi in elkaar gelast. In 1973 kwam de 'S' uitvoering die één van de sterkste productiesportwagens van zijn tijd was. De uiterlijke lijnen van de Jarama werden niet door iedereen even mooi gevonden, maar de rij-eigenschappen van deze wagen waren voortreffelijk. Weinig verkocht maar tegenwoordig niet duur.

Aantal cilinders: V12
Cilinderinhoud in cm³: 3929
Vermogen: 350 en 365/7500
Topsnelheid in km/uur: 250 en 260
Carrosserie/Chassis: zelfdragend
Uitvoering: coupé
Productiejaren: 1970-1978
Productie-aantallen: 177 en 150
In NL: 10
Prijzen: A: 11.300 B: 22.700 C: 31.800

LAMBORGHINI P400 MIURA, MIURA S & SV

De Miura geldt als één van de meest fascinerende sportwagens die er na de oorlog gebouwd zijn. De auto was een plezier voor het oog in 1967 en is het ook nu nog. De Miura ontstond bij Bertone en had een V12-motor die dwars voor de achteras geplaatst was. In 1970 verscheen de S-uitvoering en een jaar later de SV met 385 pk, ofwel het mooiste op het gebied van de productie-Miura. De S kost een derde meer dan de P400 en de SV kost zelfs de helft meer van de hiernaast vermelde prijzen.

Aantal cilinders: V12
Cilinderinhoud in cm³: 3929
Vermogen: 350/7000, 370/7700 en 385/7850
Topsnelheid in km/uur: 280-300
Carrosserie/Chassis: aluminium/afzonderlijk chassis
Uitvoering: coupé
Productiejaren: 1967-1969, 1969-1971 en 1971-1973
Productie-aantallen: 474, 140 en 150
In NL: 5
Prijzen: (P400) A: 34.000 B: 64.000 C: 88.000

LAMBORGHINI COUNTACH LP 400 & LP 400 S

Nog imposanter voor de medeweggebruikers dan zijn voorganger, de Miura, was de Countach. Weer was het Bertone geweest die de carrosserie ontworpen had, maar ditmaal werd deze bij Lamborghini in de fabriek in elkaar gelast. In tegenstelling tot de Miura stond de V12-motor bij de LP 400 niet meer dwars maar in de lengterichting van de wagen. Daarop wijzen de letters LP = longitudinale posteriore. De auto is nog erg lang geproduceerd. Vanaf '78 was er de S die andere wielen had met bredere banden en betere vering.

Aantal cilinders: V12
Cilinderinhoud in cm³: 3929
Vermogen: 385/8000
Topsnelheid in km/uur: 300
Carrosserie/Chassis: buizenchassis
Uitvoering: coupé
Productiejaren: 1973-1978 en 1978-1982
Productie-aantallen: 155 en 237
In NL: 7
Prijzen: A: 27.200 B: 43.100 C: 56.700

LAMBORGHINI LP 5000S & LP 5000S QUATTROVALVOLE

Op de tentoonstelling die in 1982 in Genève de deuren opende, stond Lamborghini met een nieuwe Countach, de 5000S die ook wel met LP 500 aangeduid wordt. Groot waren de visuele verschillen met de voorganger niet, maar Ing. Giulio Alfieri, de nieuwe technisch directeur, had de motor onder handen genomen. Hij zocht niet naar meer pk's maar wilde een groter koppel zodat het besturen van een Countach eenvoudiger zou worden. Het lukte en het koppel steeg van 36,8/5500 naar 41,8/4500! De opvolger was de Quattrovalvole.

Aantal cilinders: V12
Cilinderinhoud in cm³: 4754 en 5167
Vermogen: 375/7000 en 455/7000
Topsnelheid in km/uur: 294 en 300
Carrosserie/Chassis: buizenchassis
Uitvoering: coupé
Productiejaren: 1982-1985 en 1985-1988
Productie-aantallen: 323 en 632
In NL: 3 en 5
Prijzen: A: 27.200 B: 40.800 C: 54.500

LAMBORGHINI URRACO P200, P250 & P300

Als tegenhanger voor de Ferrari Dino en Porsche ontwikkelde Lamborghini zijn Urraco, ofwel kleine stier. Bertone was weer voor de carrosserie verantwoordelijk, maar hoewel de fabriek met een vierpersoons auto adverteerde, was de wagen iets minder dan een 2+2. De Urraco was de eerste Lamborghini met een V8- in plaats van een V12-motor. Voor de Italiaanse markt ontstond de P250 die met een 2,5 liter motor goedkoper was in de belasting. In 1974 verscheen nog een 'spaar'-versie met een tweeliter motor.

Aantal cilinders: V8
Cilinderinhoud in cm³: 1994, 2463 en 2996
Vermogen: 182/7500, 220/7500 en 265/7500
Topsnelheid in km/uur: 230-240-260
Carrosserie/Chassis: zelfdragend
Uitvoering: coupé
Productiejaren: 1975-1976, 1972-1975 en 1975-1979
Productie-aantallen: 68, 522 en 205
In NL: 8
Prijzen: (P250) A: 6.800 B: 12.700 C: 18.200

LAMBORGHINI SILHOUETTE

Hoewel de markt voor open wagens in Europa niet zo groot is, hebben vele fabrieken een dergelijk model in hun programma. In 1976 kwam ook Lamborghini met een open auto op de basis van de Urraco P300. Een echte cabriolet was het niet, aangezien alleen het dakgedeelte uitneembaar was. In Amerika had men de wagen misschien kunnen verkopen, maar omdat de auto niet aan de Amerikaanse eisen voldeed, viel die markt uit en bleef de productie erg beperkt. Ondanks de zeldzaamheid een vrij 'goedkope' Lambo.

Aantal cilinders: V8
Cilinderinhoud in cm³: 2996
Vermogen: 265/7500
Topsnelheid in km/uur: 260
Carrosserie/Chassis: zelfdragend
Uitvoering: coupé m.u.d.
Productiejaren: 1976-1979
Productie-aantal: 55
In NL: 0
Prijzen: A: 13.200 B: 25.000 C: 36.300

LAMBORGHINI JALPA

Nadat de familie Mimran Lamborghini in 1981 opgekocht had, besloot men nog maar twee modellen te bouwen, de Countach en een kleine coupé met uitneembaar dak, de Jalpa, de opvolger van de Silhouette. De wagen werd in maart 1981 in Genève voorgesteld maar de productie begon pas aan het einde van 1982. De Silhouette-motor was door Ing. Giulio Alfieri onder handen genomen en veel verbeterd. Om de prijs laag te houden had de motor maar één bovenliggende nokkenas per cilinderrij.

Aantal cilinders: V8
Cilinderinhoud in cm³: 3485
Vermogen: 255/7000
Topsnelheid in km/uur: 250
Carrosserie/Chassis: afzonderlijk chassis
Uitvoering: coupé m.u.d.
Productiejaren: 1982-1988
Productie-aantal: 410
In NL: 8
Prijzen: A: 20.400 B: 31.800 C: 40.800

LANCHESTER

Het merk Lanchester was één van de oudste in Engeland. Al in 1895 bouwde Frederick Lanchester zijn eerste prototype. In 1931 werd het merk in de B.S.A.-groep, waar ook Daimler bij hoorde, ingelijfd. Vanaf dat moment bouwde Lanchester een goedkopere uitvoering van de Daimler. In 1946 kwam Lanchester terug met de vooroorlogse Ten en weer kon men zien dat het hier om een iets eenvoudigere, maar toch echt luxueuze uitvoering van de dure Daimler ging. In 1954 kreeg de Lanchester een zelfdragende carrosserie, wat niet verhinderen kon dat het merk in 1956 na een productietijd van 60 jaar verdween.

LANCHESTER TEN

In 1946 kwam Lanchester terug op de markt met de Ten. Deze wagen had voor de oorlog al een kopklepmotor en na de oorlog kwam daar ook nog een onafhankelijke voorwielophanging bij, die de wagen, ondanks zijn nog vrijstaande koplampen, voor zijn tijd modern maakte. De Ten was standaard voorzien van een preselector versnellingsbak. Bij Barker vervaardigde men de vierraams uitvoeringen – die de beste reputatie genieten – en bij Briggs tot '49 de zesraams. De Barker-versie had een aluminium carrosserie. Er zijn 579 exemplaren van die versie afgeleverd.

Aantal cilinders: 4
Cilinderinhoud in cm³: 1287
Vermogen: 41/4200
Topsnelheid in km/uur: 110
Carrosserie/Chassis: afzonderlijk chassis
Uitvoering: sedan
Productiejaren: 1946-1950
Productie-aantal: 3.030
In NL: n.b.
Prijzen: A: 1.400 B: 3.600 C: 5.900

LANCHESTER FOURTEEN & LEDA

De opvolger van de Ten was de Fourteen die in het najaar van 1950 voorgesteld werd. De wagen leek meer op een Daimler dan zijn voorganger en was niet alleen wat de motor betrof groter geworden. In 1952 kwam er een cabrioletuitvoering onder de naam Leda uit. Voor de thuismarkt kreeg deze wagen nog een deels houten subframe, maar de exportlanden (type LJ 201) werden beter bedeeld met een stalen exemplaar. Geen opwindende auto en daarom nog steeds laag geprijsd.

Aantal cilinders: 4
Cilinderinhoud in cm³: 1968
Vermogen: 61/4200
Topsnelheid in km/uur: 120
Carrosserie/Chassis: afzonderlijk chassis
Uitvoering: sedan en cabriolet
Productiejaren: 1951-1954
Productie-aantal: 2.100
In NL: n.b.
Prijzen: A: 2.000 B: 4.500 C: 6.800

LANCHESTER SPRITE

In oktober 1954 presenteerde Lanchester de Sprite waarmee deze fabriek ook de stap naar de zelfdragende carrosserieën gewaagd had. Als bijzonderheid was er een automatische vierversnellingsbak van de firma Hobbs die ook met de hand geschakeld kon worden. De Sprite ging pas aan het einde van 1955 in productie maar verdween in 1956 van het toneel toen het merk Lanchester opgeheven werd. Zelden te zien, dus richtprijzen zijn lastig te geven.

Aantal cilinders: 4
Cilinderinhoud in cm³: 1622
Vermogen: 60/4200
Topsnelheid in km/uur: 120
Carrosserie/Chassis: zelfdragend
Uitvoering: sedan
Productiejaren: 1955-1956
Productie-aantal: 10
In NL: n.b.
Prijzen: A: n.b. B: n.b. C: n.b.

LANCIA

In 1906 stichtte Vincenzo Lancia de Fabbrica Automobili Lancia e Cia in Turijn. Onder zijn leiding ontstonden bijzonder mooie en vaak sportieve auto's. Denken we eens aan de Lambda die in 1921 al een zelfdragende carrosserie, een V4-motor met een bovenliggende nokkenas en vierwielremmen had. Lancia is lang toonaangevend in de automobielsector geweest. Nog steeds heeft de naam van het merk een goede bijklank, maar de gloriedagen zijn voorbij.

LANCIA APRILIA, TWEEDE SERIE

Voor die automobilisten die geen Alfa Romeo konden of wilden aanschaffen maar ook niet in een Fiat gezien wilden worden, bouwde Lancia zijn Aprilia. De wagen had voor de oorlog al rondom onafhankelijke wielophanging, een gestroomlijnde carrosserie en achterportieren die, vanwege de ontbrekende middenstijl, 'verkeerd' openden. De 'kleine' uitvoering van de Aprilia was de Ardea die een 900 cm³ motor in een kleinere carrosserie met dezelfde lijnen had. Er zijn door carrossiers speciale body's gerealiseerd.

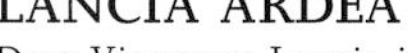

Aantal cilinders: V4
Cilinderinhoud in cm³: 1486
Vermogen: 48/4300
Topsnelheid in km/uur: 130
Carrosserie/Chassis: zelfdragend
Uitvoering: sedan
Productiejaren: 1939-1949
Productie-aantal: 27.642 ('37-'49)
In NL: n.b.
Prijzen: A: 4.500 B: 9.100 C: 13.600

LANCIA ARDEA

Daar Vincenzo Lancia in februari 1937 stierf, heeft hij niet mee kunnen maken hoe zijn laatste creatie, de Ardea, een succes werd. Het was een kleinere Aprilia en tevens de kleinste wagen die Lancia ooit gebouwd had. Na de oorlog kwam de wagen terug op de markt en hij onderscheidde zich van de wagen van 1939 doordat hij een kofferdeksel had en een 12 volts installatie. Zijn rechtse besturing had de wagen behouden evenals de vierversnellingsbak, die in 1949 door een vijfbak vervangen werd.

Aantal cilinders: V4
Cilinderinhoud in cm³: 903
Vermogen: 29/4600
Topsnelheid in km/uur: 108
Carrosserie/Chassis: zelfdragend
Uitvoering: sedan
Productiejaren: 1946-1952
Productie-aantal: ca. 22.000
In NL: n.b.
Prijzen: A: 2.700 B: 5.900 C: 9.100

LANCIA AURELIA

Ondanks het feit dat de Aurelia B10 een gezinsauto met vier deuren was, wekte de wagen wat techniek betreft veel interesse. De beroemde Vittorio Jano was voor het technische deel verantwoordelijk en hij had niet alleen de motor getekend, maar ook de, in het differentieel ingebouwde, versnellingsbak, de De Dion-achteras (B12) en de bij het differentieel gemonteerde remmen. De typen waren achtereenvolgens B10, B21, B22 en B12. De B15 van '52 was een verlengde versie met zes zijruiten. De V6-motor is geheel van aluminium vervaardigd

Aantal cilinders: V6
Cilinderinhoud in cm^3: 1754, 1991 en 2266
Vermogen: 57/4700, 64/4800 en 85/4800
Topsnelheid in km/uur: 130-150
Carrosserie/Chassis: zelfdragend
Uitvoering: sedan, stationcar en limousine
Productiejaren: 1950-1957
Productie-aantal: 12.786
In NL: n.b.
Prijzen: (B10) A: 3.600 B: 9.100 C: 13.600

LANCIA AURELIA GT

Gianni Lancia zou een slechte zoon van zijn gestorven vader Vincenzo zijn geweest als hij uit de Aurelia B10 geen sportwagen gemaakt had. Hij was een goede zoon en daarom kon de Aurelia GT in 1951 aan het publiek worden voorgesteld. Pinin Farina had de koets getekend, wat men vooral aan de achterkant van de wagen herkende. De V6-motor had eerst 2 en daarna 2,5 liter inhoud en voldoende pk's om de wagen een goede kans van winnen te geven en dat deed hij ook. Net als vele andere Lancia's roestgevoelig. De prijzen gelden voor de 2,5 liter modellen. Oudere typen zijn een derde duurder.

Aantal cilinders: V6
Cilinderinhoud in cm^3: 1991 en 2451
Vermogen: 80/5000 en 115/5200
Topsnelheid in km/uur: 160-180
Carrosserie/Chassis: zelfdragend
Uitvoering: coupé
Productiejaren: 1951-1958
Productie-aantal: 3.871
In NL: n.b.
Prijzen: A: 11.300 B: 21.800 C: 34.000

LANCIA AURELIA B24 SPIDER & AMERICA

Eind 1954 kwam Lancia met een cabriolet van de Aurelia GT, de B24. Pininfarina was verantwoordelijk geweest voor de carrosserieën op een ingekorte wielbasis van een B20. Er was een De Dion-achteras. De afgebeelde wagen was de B24 Spider met alle luxe snufjes die men verwachten kon. Zo was er een panoramische voorruit en de zijruiten konden net zoals bij een MGA 1500 in de portieren gestoken worden. De sportievere opvolger was de B24 America (>'56), ook wel GT 2500 Cabriolet genoemd.

Aantal cilinders: V6
Cilinderinhoud in cm^3: 2451
Vermogen: 118/5000
Topsnelheid in km/uur: 185
Carrosserie/Chassis: zelfdragend
Uitvoering: cabriolet
Productiejaren: 1955-1956 en 1956-1958
Productie-aantallen: 240 en 521
In NL: n.b.
Prijzen: (America) A: 27.000 B: 50.000 C: 74.000

LANCIA APPIA SERIE 1 & 2

Lancia heeft altijd wel een wat goedkopere auto gebouwd. Zoals de Appia die de Ardea in 1953 opvolgde. De wagen leek op een verkleinde uitgave van de Aurelia, maar had een V4-motor onder de kap. De carrosserie bestond gedeeltelijk uit aluminium. Ook op het onderstel van de Appia zijn prachtige one-offs gemaakt en sportieve coupés en cabriolets. De Appia werd met name in Italië zelf veel verkocht, aan mensen die een Fiat wellicht wat te gewoon vonden. Een heerlijke auto om in te rijden en nog steeds niet duur. De Serie 2 is in 1956 verschenen.

Aantal cilinders: V4
Cilinderinhoud in cm^3: 1090
Vermogen: 38/4800-43/4800
Topsnelheid in km/uur: 120
Carrosserie/Chassis: zelfdragend
Uitvoering: sedan
Productiejaren: 1953-1959
Productie-aantal: 42.429
In NL: n.b.
Prijzen: A: 2.300 B: 5.000 C: 7.700

LANCIA APPIA SERIE 3

De laatste serie van de Appia had een geheel nieuwe carrosserie. Hij zag er daardoor wel moderner maar niet direct mooier uit. De wagen vierde zijn première in maart 1959 op de salon van Genève. De motor had meer vermogen dan in de voorgaande modellen want de compressie was verhoogd. Ook de cilinderkop en de inlaatspruitstukken waren nieuw. Men herkende de nieuwe wagen direct aan zijn grille die aan die van de Flaminia deed denken. Ook deze Appia biedt uitstekende rij-eigenschappen. Is in Italië nog voor zeer schappelijke prijzen te vinden.

Aantal cilinders: V4
Cilinderinhoud in cm^3: 1090
Vermogen: 48/4800
Topsnelheid in km/uur: 130
Carrosserie/Chassis: zelfdragend
Uitvoering: sedan
Productiejaren: 1959-1963
Productie-aantal: 55.577
In NL: n.b.
Prijzen: A: 2.300 B: 4.100 C: 6.400

LANCIA APPIA CABRIOLET

De Appia was een bij de vele Italiaanse carrozzeria geliefde auto om als basis te dienen voor hun speciale creaties. Het bleven in de meeste gevallen enkelingen, want het lukte maar een paar bekende specialisten om hun auto ook in serie te bouwen. Lancia pikte een paar krenten uit de pap om ze in zijn programma op te nemen. Eén daarvan was de cabriolet die Vignale ontworpen en gebouwd had. Ze stonden op de onderstellen van de 2e en 3e serie Appia. Opvallend is de veel bredere grille. Weinig gemaakt dus tamelijk zeldzaam.

Aantal cilinders: V4
Cilinderinhoud in cm^3: 1090
Vermogen: 53/5200
Topsnelheid in km/uur: 125
Carrosserie/Chassis: zelfdragend
Uitvoering: cabriolet
Productiejaren: 1956-1959 en 1959-1963
Productie-aantallen: 175 en 408
In NL: n.b.
Prijzen: A: 6.400 B: 11.300 C: 15.900

LANCIA APPIA PININFARINA COUPÉ

De Appia coupé van Farina leek veel op de cabriolet van Vignale; wellicht hadden de bedrijven indertijd contact over het project. Lancia had een aantal carrosseriebouwers bijzondere Appia's laten realiseren op basis van de Serie 2. Allemano (4 stuks), Ghia (1) en Boano (1) vielen af, Como maakte er tien, maar Farina, Vignale en Zagato zouden er in totaal 3.653 gaan bouwen. De coupé van Vignale had een panoramische achterruit en bood achterin plaats aan twee kinderen. Toen Pininfarina geen productiecapaciteit meer had voor de coupé, nam Viotti de bouw ervan over.

Aantal cilinders: 4
Cilinderinhoud in cm^3: 1090
Vermogen: 53/5200
Topsnelheid in km/uur: 125
Carrosserie/Chassis: zelfdragend
Uitvoering: coupé
Productiejaren: 1956-1959 en 1959-1963
Productie-aantallen: 1.406 en 767
In NL: n.b.
Prijzen: A: 5.900 B: 9.100 C: 12.500

LANCIA APPIA ZAGATO GT & GTE

Een interessante Appia coupé kwam uit de tekenkamer en werkplaats van de gebroeders Zagato. Na zo'n vijftig wagens met uiteenlopende koetswerken in voorserie gebouwd te hebben, volgt in 1956 de GT. Zagato is beroemd geworden om zijn racewagens en sportwagens waarmee tevens geracet kon worden. De afgebeelde Appia van de derde serie was van de laatste categorie en werd door de fabriek GTE genoemd, met de 'E' voor Esportazione. Tijdens de bouwperiode konden de carrosserieën onderling verschillen.

Aantal cilinders: V4
Cilinderinhoud in cm^3: 1090
Vermogen: 53/5200-60/4900
Topsnelheid in km/uur: 140-150
Carrosserie/Chassis: zelfdragend
Uitvoering: coupé
Productiejaren: 1956-1959 en 1959-1963
Productie-aantallen: 153 en 253
In NL: n.b.
Prijzen: A: 11.300 B: 20.400 C: 29.500

LANCIA FLAMINIA

Voor de rijke man ontstond de Flaminia als zespersoons sedan. De Italiaanse notabelen en ook de paus reden met een Flaminia. Onder de motorkap stond de V6-motor van de Aurelia GT, die genoeg vermogen leverde om de zware wagen een respectabele topsnelheid te geven. Kort na de productiestart kregen de wagens schijfremmen. Opvallend was de ruitenwisser op de achterruit, die na enkele jaren verdween. Vanaf '63 is de grotere motor ingebouwd. Prachtige versies van Touring, Zagato en Pininfarina worden apart behandeld.

Aantal cilinders: V6
Cilinderinhoud in cm^3: 2451 en 2775
Vermogen: 102/5000 en 129/5000
Topsnelheid in km/uur: 155-165
Carrosserie/Chassis: zelfdragend
Uitvoering: sedan
Productiejaren: 1957-1970
Productie-aantal: 3.943
In NL: n.b.
Prijzen: A: 2.900 B: 6.800 C: 10.900

LANCIA FLAMINIA COUPÉ

Ondanks de veel hogere prijs van de in onze ogen schitterende coupé van Pininfarina werd dit model veel beter verkocht dan de originele sedan. De vierpersoons coupé is wat sneller dan de Berlina. Steeds luxere afwerking kenmerkt de carrière van deze succesvolle variant. Zo kwamen er elektrisch bediende zijramen op. Deze Italiaanse coupé is een bijzondere klassieke auto, waarvoor de tegenwoordig gevraagde prijzen nog redelijk meevallen. Onderdelen zijn moeilijk te vinden. De 2.8 liter is met zijn 1.133 exemplaren het zeldzaamst.

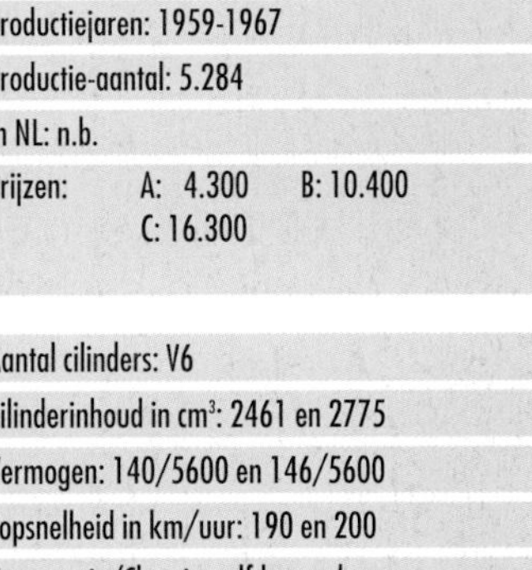

Aantal cilinders: V6
Cilinderinhoud in cm³: 2451 en 2775
Vermogen: 119/5100 en 140/5400
Topsnelheid in km/uur: 170-190
Carrosserie/Chassis: zelfdragend
Uitvoering: coupé
Productiejaren: 1959-1967
Productie-aantal: 5.284
In NL: n.b.
Prijzen: A: 4.300 B: 10.400 C: 16.300

LANCIA FLAMINIA SPORT ZAGATO

Ook Zagato bleef niet achter en bouwde zijn versie van de Flaminia. Volgens kenners leverde Zagato de meest geslaagde Flaminia-uitvoering. De eerste serie heette Sport en deze had koplampen achter plexiglas en natuurlijk het gewelfde Zagato-dak. Na 99 stuks volgde in 1960 de versie met de ronde, verticale koplampen (foto). Toen de 2,8 liter V6 in de Flaminia kwam, kreeg de Zagato deze natuurlijk ook. Het is moeilijk de exacte productiecijfers van Flaminia's van Zagato te geven, omdat wagens soms later omgebouwd werden. Sommigen houden het op 443, anderen op 376.

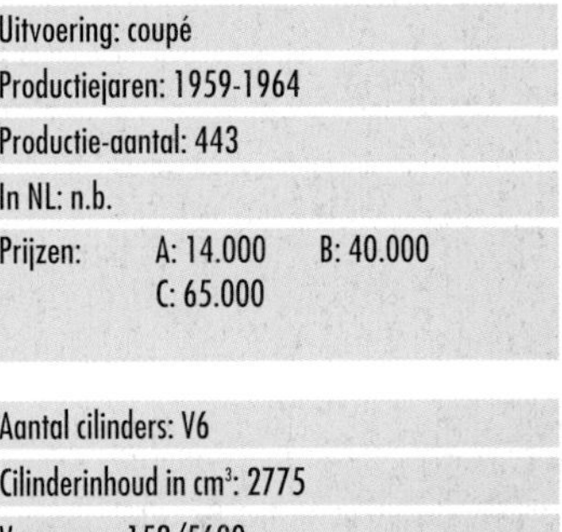

Aantal cilinders: V6
Cilinderinhoud in cm³: 2461 en 2775
Vermogen: 140/5600 en 146/5600
Topsnelheid in km/uur: 190 en 200
Carrosserie/Chassis: zelfdragend
Uitvoering: coupé
Productiejaren: 1959-1964
Productie-aantal: 443
In NL: n.b.
Prijzen: A: 14.000 B: 40.000 C: 65.000

LANCIA FLAMINIA SUPER SPORT ZAGATO

De jonge tekenaar Ercole Spada mocht bij Zagato de derde generatie Flaminia Sport Zagato helpen tekenen. Het resultaat was de schitterende Super Sport. Het zou de zeldzaamste en snelste versie van Zagato's coupé worden. En wellicht ook de mooiste? De wagen had net als de eerste Sport de naar achter hellende koplampen, die veelal achter plexiglas-kappen zaten. Naar wens kon de motor nog wat extra pk's krijgen. Wie eenmaal in een Super Sport heeft gereden – en ik spreek gelukkig uit eigen ervaring – zal beamen dat het een fantastische auto is.

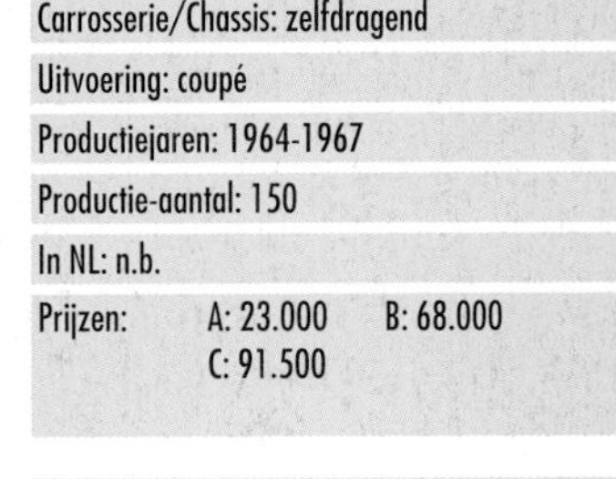

Aantal cilinders: V6
Cilinderinhoud in cm³: 2775
Vermogen: 152/5600
Topsnelheid in km/uur: 210
Carrosserie/Chassis: zelfdragend
Uitvoering: coupé
Productiejaren: 1964-1967
Productie-aantal: 150
In NL: n.b.
Prijzen: A: 23.000 B: 68.000 C: 91.500

LANCIA FLAMINIA GT & GTL

Ook de overige carrozzeria kochten de rolling chassis van de grote Lancia. Touring bouwde aantrekkelijke carrosserieën op ingekorte wielbasis, die dank zij het gebruik van aluminium en het monteren van drie carburateurs (in de 3C-versies) zowel voor de straat als voor een clubrace geschikt waren. De coupés heetten Flamina GT en vanaf 1963 was er ook een GTL met een langere wielbasis. Ook deze GT's kregen in'63 de 2.8 liter motor. De onderdelenvoorziening laat ook hier te wensen over. De prijzen voor de GT en de GTL ontlopen elkaar niet veel.

Aantal cilinders: V6
Cilinderinhoud in cm³: 2461 en 2775
Vermogen: 119/5100 en 146/5400
Topsnelheid in km/uur: 170-190
Carrosserie/Chassis: zelfdragend
Uitvoering: coupé
Productiejaren: 1959-1967
Productie-aantallen: GT: 1.718 en GTL: 300
In NL: n.b.
Prijzen: (GT) A: 6.800 B: 15.900 C: 22.700

LANCIA FLAMINIA CABRIOLET

De GT van Touring was ook dakloos te verkrijgen en aldus ontstond een schitterende cabriolet. Het Milanese bedrijf had beide speciale Flaminia's van dubbele koplampen voorzien en dat was eind '58 in Europa nog vrij zeldzaam. Achter zaten prachtige trapezevormige achterlichten. De wagen leek met de extra te bestellen hardtop sterk op een coupé. Voor 1963 kreeg deze cabrio vanzelfsprekend ook de grotere motor. Dat deze fraaie open Lancia's ook in Nederland aftrek vonden, bewijst dit originele exemplaar.

Aantal cilinders: V6
Cilinderinhoud in cm³: 2461 en 2775
Vermogen: 119/5100 en 146/5400
Topsnelheid in km/uur: 170-190
Carrosserie/Chassis: zelfdragend
Uitvoering: cabriolet
Productiejaren: 1959-1967
Productie-aantal: 847
In NL: n.b.
Prijzen: A: 13.600 B: 22.700 C: 29.500

LANCIA FLAVIA

Met de Flavia dook Lancia ook in de voorwielaandrijving. De nieuwe wagen vulde het gat tussen de goedkope Appia en de dure Flaminia en werd direct een groot succes. Voor de Flavia had prof. Antonio Fessia een aluminium boxermotor ontwikkeld en vier schijfremmen waren een ander snufje. Ook deze motor werd steeds groter en sterker. In 1967 en 1970 onderging de Flavia een facelift; alle modellen werden in verschillende carrosserievormen aangeboden. De sedan ziet er echter niet al te aantrekkelijk uit. Vandaar de lage prijzen.

Aantal cilinders: 4
Cilinderinhoud in cm^3: 1488 en 1800
Vermogen: 80/5600 en 92/5200
Topsnelheid in km/uur: 150-160
Carrosserie/Chassis: zelfdragend
Uitvoering: sedan
Productiejaren: 1960-1970
Productie-aantal: 64.739
In NL: n.b.
Prijzen: A: 1.400 B: 2.900 C: 4.500

LANCIA (FLAVIA) BERLINA 2000

De derde generatie Flavia Berlina's kreeg een twee liter motor. Het model werd op sommige markten aangeboden als Berlina 2000, wellicht om de bij sommigen beladen naam Flavia te droppen. De schildvormige grille sprong nogal in het oog. Als opties waren er weer stuurbekrachtiging, een brandstofinjectie en elektrisch bedienbare ramen. Vanaf '73 was een vijfbak standaard. De 2000 werd geen klapper meer en met een jaarlijkse productie van zo'n 3.000 stuks werd het na 14 jaar tijd voor een opvolger. De twee liter is tegenwoordig iets hoger geprijsd dan de kleiner gemotoriseerde Flavia's.

Aantal cilinders: 4
Cilinderinhoud in cm^3: 1991
Vermogen: 126/5600
Topsnelheid in km/uur: 180
Carrosserie/Chassis: zelfdragend
Uitvoering: sedan
Productiejaren: 1969-1974
Productie-aantal: 15.025
In NL: n.b.
Prijzen: A: 1.600 B: 3.400 C: 5.000

LANCIA FLAVIA SPORT ZAGATO

Carrozzeria Zagato heeft verschillende speciale carrosserieën voor Lancia mogen maken, of beter gezegd, verschillende van Zagato's prototypen zijn in het officiële Lancia-programma opgenomen. Zo ook deze sportwagen op de basis van de Flavia. Of de wagen met zijn in het dak doorgetrokken zijruiten mooi was, is een kwestie van smaak, maar snel was hij wel. Met zijn twee dubbele Solex-carburateurs en zijn achterasoverbrenging van 3,818:1 kon hij ook bij clubraces en heuvelklims goed meekomen.

Aantal cilinders: 4
Cilinderinhoud in cm^3: 1800
Vermogen: 92/5200-105/5800
Topsnelheid in km/uur: 187
Carrosserie/Chassis: aluminium/zelfdragend
Uitvoering: coupé
Productiejaren: 1963-1967
Productie-aantal: 726
In NL: n.b.
Prijzen: A: 4.500 B: 11.800 C: 18.200

LANCIA FLAVIA CABRIOLET

Terwijl Pininfarina de Lancia Flavia coupé bouwde, kreeg Vignale de opdracht de cabriolets voor zijn rekening te nemen. Het werd een geslaagd ontwerp, dat van de voorbumper tot aan de voorruit heel veel aan dat van Pininfarina deed denken. Ook deze wagen stond op het kortere chassis met 248 cm in plaats van 265 cm wielbasis maar toch was de cabriolet met een lengte van 434 cm niet minder dan 15 cm korter dan de coupé. Van de laatste generatie sportieve Flavia's zijn geen cabriolets verschenen.

Aantal cilinders: 4
Cilinderinhoud in cm^3: 1488 en 1800
Vermogen: 78/5200, 92/5200-115/2600
Topsnelheid in km/uur: 150-160
Carrosserie/Chassis: zelfdragend
Uitvoering: cabriolet
Productiejaren: 1962-1964
Productie-aantal: 1.601
In NL: n.b.
Prijzen: A: 6.800 B: 11.300 C: 14.500

LANCIA FLAVIA COUPÉ 1962-1969

Een leuke coupé op Flavia-basis met verkort onderstel komt van de hand van – natuurlijk – Pininfarina. De eerste serie (foto) verschijnt in 1962 en het jaar erop krijgt de coupé de 1800-motor als standaard-krachtbron. Vanaf 1965 is er een injectie-optie mogelijk en daarvan worden er zo'n 2150 verkocht. Deze eerste serie is bij de – kleine schare – liefhebbers het meest geliefd. Het prijsverschil met de sedan is groot maar terecht gezien de geslaagde lijnen van deze coupé.

Aantal cilinders: 4
Cilinderinhoud in cm^3: 1488 en 1800
Vermogen: 78/5200 en 92/5200 tot 115/5200
Topsnelheid in km/uur: 150-160
Carrosserie/Chassis: zelfdragend
Uitvoering: coupé
Productiejaren: 1962-1969
Productie-aantal: 15.596
In NL: n.b.
Prijzen: A: 1.800 B: 5.700 C: 8.600

LANCIA FLAVIA COUPÉ 1969-1973

Op de autotentoonstelling die in het voorjaar van 1969 haar poorten voor het publiek in Genève opende, stond een nieuwe serie Flavia's op de Lancia-stand. Bij de coupé viel op dat de lijnen vloeiender waren. De neus van de wagen was ook nieuw getekend en technisch was eveneens het een en ander veranderd. De versnellingsbak, in 1971 zou het een vijfbak worden, werd nu door een pook in de vloer geschakeld en de klant had de keuze uit een motor met een carburateur of met benzine-inspuiting (HF).

Aantal cilinders: 4
Cilinderinhoud in cm³: 1991
Vermogen: 131/5400-140/5600
Topsnelheid in km/uur: 190-195
Carrosserie/Chassis: zelfdragend
Uitvoering: coupé
Productiejaren: 1969-1973
Productie-aantal: 6.791
In NL: n.b.
Prijzen: A: 1.800 B: 5.000 C: 7.500

LANCIA FULVIA

In 1963 stelde Lancia zijn Fulvia ten toon. Een gekantelde V4-motor, wederom voorwielaandrijving en rondom schijfremmen maakten van deze Lancia-telg een moderne auto. De vormgeving is – zeker van opzij bezien – nogal Fiat-achtig en tot op heden zijn de Fulvia's net als de Flavia's in standaard sedanuitvoering geen gezochte of dure klassiekers. De wagen werd in zijn tijd echter erg goed verkocht, vooral in Italië zelf. De 1200 kwam in 1967 (tot '69) en vanaf 1968 is er de 1300 GTE. Let op roest. De GTE is het duurst in aanschaf.

Aantal cilinders: V4
Cilinderinhoud in cm³: 1091, 1216 en 1298
Vermogen: 58/5800-87/6000
Topsnelheid in km/uur: 140-160
Carrosserie/Chassis: zelfdragend
Uitvoering: sedan
Productiejaren: 1963-1972
Productie-aantal: 192.097
In NL: n.b.
Prijzen: A: 700 B: 1.800 C: 2.900

LANCIA FULVIA COUPÉ & HF

Na de vierdeurs Fulvia volgde weldra een coupéuitvoering die racegeschiedenis zou schrijven. De viercilinder motor had een bovenliggende nokkenas per cilinderrij en bleek tot in het oneindige te kunnen worden opgevoerd. Deze leuke coupé is bij Lancia zelf ontworpen. Geliefd is de snelle HF-versie. De coupé zag men ook geregeld in ons land en tegenwoordig zijn uit Italië gehaalde wagens nog voor schappelijke prijzen te koop. HF's en Lusso's zijn aanzienlijk duurder.

Aantal cilinders: V4
Cilinderinhoud in cm³: 1216, 1298 en 1584
Vermogen: 80/6200-114/6500
Topsnelheid in km/uur: 160-180
Carrosserie/Chassis: zelfdragend
Uitvoering: coupé
Productiejaren: 1965-1976
Productie-aantallen: 134.035 en 6.419
In NL: n.b.
Prijzen: A: 1.600 B: 4.500 C: 7.300

LANCIA FULVIA SPORT ZAGATO

Er zijn veel interessante sportwagens op basis van de Fulvia gebouwd en dat ondanks het feit dat de fabriek zelf ook een bijzonder mooi exemplaar in productie had. Zagato zag ook weer zijn kansen en kwam met de Fulvia Sport, een tweepersoons coupé die zich wederom zowel op de gewone weg als op het circuit thuisvoelde. Toen de Fulvia in 1967 een grotere motor kreeg, groeide de Zagato Sport natuurlijk mee. Vanaf '69 is er de tweede generatie Fulvia's van Zagato. Dit type is een van de goedkopere Zagato's.

Aantal cilinders: V4
Cilinderinhoud in cm³: 1298 en 1584
Vermogen: 101/6400 en 130/6000
Topsnelheid in km/uur: 175 en 185
Carrosserie/Chassis: aluminium/zelfdragend
Uitvoering: coupé
Productiejaren: 1965-1969 en 1969-1972
Productie-aantallen: 3.702 en 3.400
In NL: n.b.
Prijzen (1600): A: 3.400 B: 8.200 C: 12.700

LANCIA STRATOS

In 1970 nam Fiat de firma Lancia over en in datzelfde jaar kwam Bertone met een futuristisch prototype naar de shows. Men doopte hem Lancia Stratos. In 1972 werd de wagen in een iets veranderde versie in productie genomen om Lancia weer aan race- en vooral rallysuccessen te helpen, wat ook werkelijk gebeurde. De motor en de bak komen uit de Ferrari Dino 246 GT. Het verhaal gaat dat men de voorraad indertijd maar niet verkocht kreeg. Nu ligt dat anders: velen zijn bereid om voor een Stratos een forse som gelds neer te tellen.

Aantal cilinders: V6
Cilinderinhoud in cm³: 2418
Vermogen: 190/7000
Topsnelheid in km/uur: 230
Carrosserie/Chassis: buizenchassis
Uitvoering: coupé
Productiejaren: 1972-1974
Productie-aantal: 492
In NL: 3
Prijzen: A: 36.300 B: 56.700 C: 72.600

LANCIA BETA

In de herfst van 1972 kreeg Lancia er een nieuw model bij: de Beta. De wagen had direct al vier schijfremmen en aangezien hij met motorinhouden van 1297 tot en met 1995 cm³ geleverd kon worden, werd hij de basis voor vele mooie specials. De motor stond dwars voorin de wagen en leunde iets scheef naar voren. Twee bovenliggende nokkenassen en een Weber-register carburateur zorgden voor een sportief gedrag. Deze vijfpersoons 'Fiat-Lancia' met voorwielaandrijving zal wellicht nooit een populaire liefhebbersauto worden.

- Aantal cilinders: 4
- Cilinderinhoud in cm³: 1297-1995
- Vermogen: 82/5800- 122/5500
- Topsnelheid in km/uur: 175 en 180
- Carrosserie/Chassis: zelfdragend
- Uitvoering: sedan
- Productiejaren: 1972-1981
- Productie-aantal: 194.916
- In NL: n.b.
- Prijzen: A: 400 B: 900 C: 1.600

LANCIA BETA COUPÉ

Op een ingekort chassis van de Beta sedan ontstond een coupé met een wielbasis van 235 in plaats van 254 cm. Evenals de sedan kon de 2+2 met verschillende motorvarianten geleverd worden, en dat de wagen een succes was, bewezen de hoge verkoopcijfers wel. Een zeer vlotte jongen is de versie met Volumex-compressor. Jammer genoeg kunnen de Beta coupés net als hun andere familieleden erg snel roesten, waardoor gave oudere exemplaren schaars zijn. Tegenwoordig haalt men ze uit Italië, waar het aangename klimaat de wagens spaart.

- Aantal cilinders: 4
- Cilinderinhoud in cm³: 1301-1995
- Vermogen: 82/5800-135/5500
- Topsnelheid in km/uur: 175-190
- Carrosserie/Chassis: aluminium/zelfdragend
- Uitvoering: coupé
- Productiejaren: 1973-1984
- Productie-aantal: 111.801
- In NL: n.b.
- Prijzen: A: 600 B: 1.800 C: 3.300

LANCIA BETA SPIDER

Op de Turijnse Salon die in de herfst van 1974 opende, stond een gedeeltelijk open uitvoering van de Lancia Beta. De fabriek noemde de wagen een 'spider', maar alleen een gedeelte van het dak en de achterruit konden weggenomen worden. De spider stond op hetzelfde chassis als de Beta coupé. De laatste exemplaren konden evenals de coupé met een compressormotor geleverd worden en beschikten dan over 135 pk bij 5500 t.p.m. De spider-productie werd een jaar eerder stopgezet.

- Aantal cilinders: 4
- Cilinderinhoud in cm³: 1301-1995
- Vermogen: 82/5800-135/5500
- Topsnelheid in km/uur: 165-190
- Carrosserie/Chassis: zelfdragend
- Uitvoering: coupé m.u.d.
- Productiejaren: 1974-1983
- Productie-aantal: 9.390
- In NL: n.b.
- Prijzen: A: 1.400 B: 3.400 C: 5.000

LANCIA BETA HPE

Een interessante uitvoering van de Beta was de HPE die in maart 1969 in Genève op de Salon verschenen was. Het kofferdeksel deed dienst als derde deur, tegenwoordig doodgewoon, maar toen nog iets aparts, waardoor de wagen tot sportieve stationcar, ofwel sportswagon, gepromoveerd werd. In zijn standaarduitvoering had de wagen een vijfbak maar op verzoek kon er een automaat ingebouwd worden. In tegenstelling tot de gewone Beta coupé die op een ingekort chassis van de Beta stond, had de HPE (High Performance Executive) een chassis van de Beta sedan.

- Aantal cilinders: 4
- Cilinderinhoud in cm³: 1585-1995
- Vermogen: 100/5800-115/5500
- Topsnelheid in km/uur: 175 en 185
- Carrosserie/Chassis: zelfdragend
- Uitvoering: sportswagon
- Productiejaren: 1975-1984
- Productie-aantal: 71.258
- In NL: n.b.
- Prijzen: A: 900 B: 1.900 C: 2.700

LANCIA BETA MONTECARLO

Op de tentoonstelling in Genève van '75 vierde de Beta Montecarlo zijn première. Het was een tweepersoonscoupé die als gesloten wagen en als coupé met uitneembaar dakpaneel geleverd kon worden. De wagen was meer voor de autosport dan voor de huisvrouw bestemd, had onafhankelijke wielophanging, vier schijfremmen en een dwars voor de achteras geplaatste tweelitermotor met twee bovenliggende nokkenassen en een dubbele Weber-carburateur. In 1978 werd de productie van de Montecarlo gestopt, en twee jaren later met een iets verbeterde versie weer gestart.

- Aantal cilinders: 4
- Cilinderinhoud in cm³: 1995
- Vermogen: 120/6000
- Topsnelheid in km/uur: 190
- Carrosserie/Chassis: zelfdragend
- Uitvoering: coupé en coupé m.u.d.
- Productiejaren: 1975-1978 en 1980-1981
- Productie-aantal: 5.794
- In NL: n.b.
- Prijzen: A: 3.400 B: 6.800 C: 10.400

LANCIA BETA SCORPION

De Montecarlo kon niet aan de strenge Amerikaanse veiligheids- en uitlaatgasemissie-eisen voldoen en Lancia zag toch zeker potentieel voor de goed gelijnde Montecarlo overzee. Men besloot een speciale exportversie te bouwen, met de oudere 1.756 cc vierpitter met dubbele nokkenas erin. De wagen bood nu slechts 84 pk in plaats van de 120 van de oorspronkelijke motor. Ook de koplampen voldeden niet en daarvoor kwamen ronde exemplaren die bij inschakelen verticaal klapten. De naam Montecarlo was al door Chevrolet geclaimd en daarom herdoopte Lancia deze VS-Beta in Scorpion.

Aantal cilinders: 4
Cilinderinhoud in cm³: 1756
Vermogen: 84/5800
Topsnelheid in km/uur: 130-140
Carrosserie/Chassis: zelfdragend
Uitvoering: coupé
Productiejaren: 1975-1977
Productie-aantal: 1.801
In NL: n.b.
Prijzen: A: 2.700 B: 5.000 C: 6.800

LANCIA RALLYE 037

Deze wagen werd de opvolger van de beroemde Lancia Stratos en hij was gebaseerd op de Montecarlo. Het chassis was door de firma Abarth ontworpen en de carrosserie door Pininfarina. De eerste exemplaren hadden een motor met carburateurs, maar al gauw werd overgeschakeld op benzine-inspuiting en een compressor. Om de auto voor Groep B te kunnen homologeren, moesten er 200 stuks gemaakt worden, waarvan het gros voor de openbare weg geschikt was. Dat lukte Lancia, zoals hiernaast te zien is.

Aantal cilinders: 4
Cilinderinhoud in cm³: 1995
Vermogen: 205/7000
Topsnelheid in km/uur: 220
Carrosserie/Chassis: afzonderlijk chassis
Uitvoering: coupé
Productiejaren: 1982-1984
Productie-aantal: 257
In NL: 2
Prijzen: A: n.b. B: n.b. C: 56.700

LANCIA GAMMA

In 1976 bestond de Lancia Beta-serie uit modellen die varieerden van een brave gezinsauto met een 1,3 liter motortje tot een cabriolet, een sportswagon en een dure sedan en coupé. Die laatste was de Beta Gamma. De vijfpersoons sedan was het paradepaard uit de Lancia-stal, die sinds de Flaminia de eerste grote wagen van het merk was. Vanaf 1981 was er een injectiemotor. De Gamma werd een regelrechte flop en een eventuele status als klassieker is nog ver weg. In Italië zelf was een tweeliter blok gemonteerd.

Aantal cilinders: 4
Cilinderinhoud in cm³: 2484
Vermogen: 140/6000
Topsnelheid in km/uur: 200
Carrosserie/Chassis: zelfdragend
Uitvoering: sedan
Productiejaren: 1976-1984
Productie-aantal: 15.296
In NL: n.b.
Prijzen: A: 600 B: 1.100 C: 2.300

LANCIA GAMMA COUPÉ

In 1976 verscheen de Lancia Beta Gamma als prototype in Genève. Het was met een lengte van 457 cm een grote vijfpersoonswagen. Met een lengte van 449 en een wielbasis van 256 in plaats van 265 cm was de coupéuitvoering van Pininfarina ook niet direct een kleine sportwagen geworden. Deze 2+2 had een opvolger moeten worden voor de Fiat 130 coupé maar dat lukte hem niet. Eén van de redenen was wel dat de wagen aangedreven werd door een boxermotor die de voorwielen aandreef. Deze coupé was pas vanaf '78 buiten Italië leverbaar.

Aantal cilinders: 4
Cilinderinhoud in cm³: 2484
Vermogen: 140/6000
Topsnelheid in km/uur: 200
Carrosserie/Chassis: zelfdragend
Uitvoering: coupé
Productiejaren: 1976-1984
Productie-aantal: 6.789
In NL: n.b.
Prijzen: A: 2.300 B: 3.900 C: 6.100

LANCIA DELTA INTEGRALE 1988-1991

De opvolger van de Fulvia was de Delta, getekend door Giugiaro. Het zou de meest succesvolle rallywagen van het merk worden en het langstlopende type uit de merkhistorie van Lancia. Natuurlijk kwamen er diverse varianten uit, maar de klap op de vuurpijl was de Integrale van '88 met zijn vierwielaandrijving en 186 pk uit 2 liter. Een jaar later verscheen de 16V-versie met 200 pk vermogen. Voor sommige markten behield die nieuwe variant de 8-kleppentechniek. De Integrale is een vreselijk snelle wagen.

Aantal cilinders: 4
Cilinderinhoud in cm³: 1995
Vermogen: 186/5300-200/5500
Topsnelheid in km/uur: 215-220
Carrosserie/Chassis: zelfdragend
Uitvoering: sedan
Productiejaren: 1988-1991
Productie-aantal: 22.457
In NL: n.b.
Prijzen (186 pk): A: 3.800 B: 9.000 C: 13.700

LANCIA PRISMA

De Delta met kofferbak die in 1982 debuteerde, noemde men Prisma. Hij stond op de bodemplaat van de Fiat Regata, maar was technisch aan de Delta gelijk. De Prisma verkocht uitstekend in de versies 1300, 1500 en 1600. De dieselversies DS en DS Turbo waren er eerder (1984 en 1985) dan de Delta diesel. In 1986 verrijkte een 1600 met elektronische injectie het scala. De zeldzaamste en tevens meest gezochte variant kwam in '86: de 2000 4WD Integrale. Daarvan werden er slechts 4.522 geleverd. De Dedra volgde in 1989 de Prisma op.

Aantal cilinders: 4
Cilinderinhoud in cm³: 1299-1995
Vermogen: 65/4600-115/5400
Topsnelheid in km/uur: 155-185
Carrosserie/Chassis: zelfdragend
Uitvoering: sedan
Productiejaren: 1982-1989
Productie-aantal: 398.795
In NL: n.b.
Prijzen: (1600) A: 400 B: 1.300 C: 2.000

■ LEA-FRANCIS

Hoewel het merk Lea-Francis bij ons niet erg bekend is, verdient het toch enige belangstelling. De eerste auto's van dat merk verlieten de fabriek in Coventry al in 1904 en de laatste zou daar in 1960 afgeleverd worden. In de jaren twintig bouwde men aardige sportwagens, maar geldnood speelde Lea-Francis latent parten. Na de oorlog verschenen er gemoderniseerde versies van de wagens van na '38. Het experiment met een open wagen onder de naam Lynx werd het merk in 1960 fataal.

LEA-FRANCIS 14 HP

Al voor de oorlog had men motoren met kopkleppen gemaakt en daar zou men in 1946 mee terugkomen. De 14 HP had een gesynchroniseerde vierbak, de wielophangingen waren echter ouderwets te noemen, want ook voor vond men nog een starre as tot '49. De carrosseriepanelen waren van aluminium. In '47-'48 leverde men een coupé, maar daarvan zijn er slechts enkele verkocht. De Mk IV had standaard een radio en dat was voor 1948 opzienbarend.

Aantal cilinders: 4
Cilinderinhoud in cm³: 1767
Vermogen: 65/4700
Topsnelheid in km/uur: 120
Carrosserie/Chassis: afzonderlijk chassis
Uitvoering: sedan, coupé en stationcar
Productiejaren: 1946-1954
Productie-aantal: 2.133
In NL: n.b.
Prijzen: A: 4.500 B: 9.500 C: 14.700

LEA-FRANCIS 14 HP SPORTS

In 1947 kwam Lea-Francis met de 12 Sports uit, een grote open wagen met een 1,5 liter motor. De grotere 1,8 motor zat in de tegelijkertijd gelanceerde 14 Sports, die vanaf '48 het basismodel werd. Het chassis van de sedan was ingekort, maar verder hetzelfde. Dus de Sports behield de starre assen en mechanisch bediende remmen. Dat was niet ideaal voor een dergelijk type sportwagen. Vandaar dat het merk na 118 exemplaren in 1949 uitkwam met de technisch veel modernere 2.5 Litre Sports (zie verderop) met een op het oog dezelfde carrosserie.

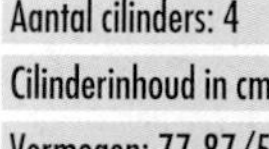

Aantal cilinders: 4
Cilinderinhoud in cm³: 1767
Vermogen: 77-87/5100
Topsnelheid in km/uur: 130-140
Carrosserie/Chassis: afzonderlijk chassis
Uitvoering: cabriolet
Productiejaren: 1947-1949
Productie-aantal: 118
In NL: n.b.
Prijzen: A: 11.300 B: 15.900 C: 22.700

LEA-FRANCIS 2.5 LITRE SPORTS

Op de London Motor Show van 1949 verraste Lea-Francis het publiek met een nieuwe sportwagen die ditmaal een 2,5 liter motor onder de kap had. De carrosserie was drie inches breder dan die van z'n voorganger. Het was, wat op de foto niet te herkennen is, een grote wagen met redelijk plaats voor vier personen. Met zijn onafhankelijke torsievering voor was hij modern te noemen. De perspex zijruiten zijn neerdraaibaar. Ook hier na '52 hydraulische remmen. Voor die tijd was de topsnelheid van meer dan 100 mijl per uur opzienbarend.

Aantal cilinders: 4
Cilinderinhoud in cm³: 2496
Vermogen: 125/5200
Topsnelheid in km/uur: 165
Carrosserie/Chassis: afzonderlijk chassis
Uitvoering: cabriolet
Productiejaren: 1949-1954
Productie-aantal: 77
In NL: n.b.
Prijzen: A: 13.600 B: 22.700 C: 31.800

LIGIER

Guy Ligier was een sportman. Hij had rugby gespeeld in het nationale Franse team en met auto's geracet, onder andere met een Maserati 250F. In 1971 begon hij sportwagens te maken maar hij hield het op één model, de JS 2. In 1976 besloot hij Formule-1-auto's te gaan bouwen en toen hij daar succes mee had, stopte de productie van de sportwagens. Jammer, want mooi waren ze en snel bovenal.

LIGIER JS 2

Er zijn verschillende coureurs geweest die zelf race- of sportwagens gebouwd hebben. De Franse miljonair Guy Ligier was één van hen. Alle Ligiers hebben een typenummer dat met JS begint, dit ter ere van zijn overleden vriend, de coureur Jo Schlesser. Op de Parijse tentoonstelling van 1970 stond Ligier met zijn JS 2 sportwagen. De wagen had een Ford Capri-motor voor de achteras, maar deze V6 zou al gauw vervangen worden door de V6 uit de Citroën SM-Maserati. Deze motor stond 180 graden gedraaid, direct achter de kuipstoeltjes.

Aantal cilinders:	V6
Cilinderinhoud in cm^3:	2670 en 2965
Vermogen:	170/5500 en195/5500
Topsnelheid in km/uur:	240-245
Carrosserie/Chassis:	kunststof op buizenchassis
Uitvoering:	coupé
Productiejaren:	1970-1976
Productie-aantal:	ca. 295
In NL:	n.b.
Prijzen:	A: 6.800 B: 13.600 C: 20.400

LINCOLN

Henry M. Leland had bij Cadillac gewerkt voordat hij in 1921 voor zichzelf begon. Hij noemde zijn auto's Lincoln maar had er heel weinig succes mee. Het ging zo slecht dat Leland zijn fabriek al na één jaar aan Henry Ford moest verkopen. In het Ford-imperium is de Lincoln het paradepaard dat het met succes kan opnemen tegen Cadillac. In onze streken verkoopt het merk niet erg veel, maar wel vrij constant.

LINCOLN & CONTINENTAL V12 1946-1948

In 1945 kwam Lincoln terug op de Amerikaanse markt met het model van 1942. Deze wagen had een V12 zijklepmotor die een verdere ontwikkeling van Fords befaamde V8 was. Tot in 1948 zou deze wagen nog in productie blijven. Toen heette hij ouderwets, wat de liefhebber van vandaag zeker zal bestrijden. Lincoln zette daarna de V12 aan de kant, want die oude motor liep weliswaar prachtig, maar een vermogen van 130 pk uit vijf liter en twaalf cilinders is niet om over naar huis te schrijven. De Continental was de luxueuzere versie.

Aantal cilinders:	V12
Cilinderinhoud in cm^3:	4990
Vermogen:	130/3600
Topsnelheid in km/uur:	150
Carrosserie/Chassis:	afzonderlijk chassis
Uitvoering:	sedan, coupé en cabriolet
Productiejaren:	1946-1948
Productie-aantal:	46.350
In NL:	n.b.
Prijzen:	A: 9.100 B: 19.300 C: 29.500

LINCOLN COSMOPOLITAN 1949-1951

Op 22 april 1948 begon voor Lincoln al het modeljaar 1949. De wagens hadden geheel nieuwe carrosserieën gekregen en waren ditmaal van V8- i.p.v. V12-motoren voorzien. Dat jaar bestond er geen Continental meer. Nu heette het duurste model Cosmopolitan, dat men herkende aan zijn voorruit uit één stuk en aan zijn grote chroomlijst aan de voorspatborden (tot '51). Tot de standaarduitrusting van de wagen behoorden o.a. elektrisch bedienbare ruiten en een dito verstelbare voorbank.

Aantal cilinders:	V8
Cilinderinhoud in cm^3:	5520
Vermogen:	154/3600
Topsnelheid in km/uur:	150
Carrosserie/Chassis:	afzonderlijk chassis
Uitvoering:	sedan, coupé en cabriolet
Productiejaren:	1949-1951
Productie-aanta:	72.257
In NL:	n.b.
Prijzen:	A: 3.600 B: 7.300 C: 10.400

LINCOLN CAPRI 1952-1954

Boven de Cosmopolitan kwam in 1952 de Capri als Lincolns topmodel. De carrosserieën van beide waren nieuw en voor het eerst bouwde Ford een kopklepper onder de kap. Deze 'overvierkante' V8 liet zich heel goed opvoeren en dat bewezen de vier Lincoln Capri's die in 1952 en in 1953 in de zeer zware Carrera Panamericana-race de eerste vier prijzen in de wacht sleepten. In '54 werden ze eerste en tweede. De afgebeelde tweedeurs hardtop coupé was overigens het best verkopende model. Opvallend is dat deze oudere Lincolns nog steeds niet veel geld moeten kosten.

Aantal cilinders: V8
Cilinderinhoud in cm³: 5202
Vermogen: 205/4200
Topsnelheid in km/uur: 170
Carrosserie/Chassis: afzonderlijk chassis
Uitvoering: sedan, coupé en cabriolet
Productiejaren: 1952-1954
Productie-aantal: 68.500
In NL: n.b.
Prijzen: A: 2.700 B: 6.400 C: 9.500

LINCOLN CAPRI CONVERTIBLE 1955

In 1955 had de Capri convertible niet alleen leren bekleding maar ook een centraal smeersysteem: één druk op de knop in het dashboard en het smeervet werd door middel van het motorvacuüm naar elf smeernippels gespoten. De wagen was nu met een Turbo-Drive automaat uitgerust en deze versnellingsbak was door Lincolns technici ontwikkeld. De Capri cabriolet van 1955 werd mondjesmaat verkocht -de sedan en de coupé liepen veel vaker van de band- en een jaar later waren er alleen nog gesloten Capri's.

Aantal cilinders: V8
Cilinderinhoud in cm³: 5588
Vermogen: 228/4400
Topsnelheid in km/uur: 180
Carrosserie/Chassis: afzonderlijk chassis
Uitvoering: cabriolet
Productiejaar: 1955
Productie-aantal: 1.487
In NL: n.b.
Prijzen: A: 4.500 B: 12.700 C: 18.200

LINCOLN CUSTOM

De Cosmopolitan werd na zes jaar omgedoopt in Custom. Het was in feite een Cosmopolitan van 1954 met enkele detailwijzigingen. De koplampen pasten nu meer in de Ford-stijl en de letters van de merknaam waren over de breedte van de motorkap prominent aanwezig. De Cosmopolitan verkocht in '54 slecht, maar de Custom werd helemaal geen commercieel succes. De meeste klanten kozen voor een bijna even dure Capri. Geen wonder dat de Custom in 1956 alweer verdwenen was. Het is daarmee een zeldzame maar niet erg hoog geprijsde Lincoln.

Aantal cilinders: V8
Cilinderinhoud in cm³: 5588
Vermogen: 225/4400
Topsnelheid in km/uur: 180
Carrosserie/Chassis: afzonderlijk chassis
Uitvoering: sedan en coupé
Productiejaar: 1955
Productie-aantal: 3.549
In NL: n.b.
Prijzen: A: 2.300 B: 5.400 C: 8.600

LINCOLN PREMIERE 1956-1957

De Capri was sinds '52 Lincolns topmodel, maar voor '56 werd het de basisuitvoering van Lincoln. Erboven zat de nieuwe Premiere, die uiterlijk alleen van de Capri te onderscheiden was aan zijn emblemen en wieldoppen. Standaard had de wagen rem- en stuurbekrachtiging en elektrisch bedienbare ramen en voorstoelen. De coupé (foto) won meteen een prijs van het Industrial Designers Institute. Voor '57 kwamen er dubbele koplampen, andere zijstrips, een nieuwe achtersectie met vleugels en nam het vermogen met 15 pk toe. Een nieuw koetstype was de Landau hardtop sedan.

Aantal cilinders: V8
Cilinderinhoud in cm³: 6030
Vermogen: 285/4600-300/4800
Topsnelheid in km/uur: 180
Carrosserie/Chassis: afzonderlijk chassis
Uitvoering: sedan, coupé en cabriolet
Productiejaren: 1956-1957
Productie-aantal: 76.754
In NL: n.b.
Prijzen: A: 3.400 B: 6.800 C: 10.000

LINCOLN CONTINENTAL MK II

In 1955 was de Continental Mk II de grote ster op de Parijse salon. De bestellingen voor deze wagen stroomden binnen ondanks het feit dat de prijs in Amerika $ 10.000,– bedroeg, een bedrag waarvoor men dat jaar vijf en een kwart Ford Mainline had kunnen kopen. De Mk II werd voor een groot gedeelte met de hand gemaakt en dat was de reden dat slechts weinig afgeleverd werden. Van de cabriolet ('57) zijn slechts twee prototypes gebouwd! Ford legde op elke auto ongeveer 1000 dollar toe. Een aparte wagen die tegenwoordig hoog gewaardeerd wordt.

Aantal cilinders: V8
Cilinderinhoud in cm³: 6031
Vermogen: 304/4800
Topsnelheid in km/uur: 180
Carrosserie/Chassis: afzonderlijk chassis
Uitvoering: coupé en cabriolet
Productiejaren: 1956-1957
Productie-aantal: 2.996
In NL: n.b.
Prijzen: A: 15.900 B: 22.700 C: 31.800

LINCOLN CONTINENTAL MK III 1958

De nieuwe Mk III had niets meer met zijn voorganger uit te staan. Zo mooi als de Continental Mk II geweest was, zo lelijk was zijn goedkopere opvolger. De Mk III viel op door zijn schuin boven elkaar gemonteerde dubbele koplampen en zijn naar binnen hellende achterruit. De Mk III was nu ook als sedan te koop wat het type ook niet direct aan forse verkoopcijfers geholpen heeft. Hoewel het zonder meer een klasse-auto is, liggen de prijzen van deze Lincolns ook nog steeds vrij laag.

Aantal cilinders: V8
Cilinderinhoud in cm³: 7046
Vermogen: 375/4800
Topsnelheid in km/uur: 190
Carrosserie/Chassis: afzonderlijk chassis
Uitvoering: sedan, coupé en cabriolet
Productiejaar: 1958
Productie-aantal: 11.550
In NL: n.b.
Prijzen: A: 4.500 B: 9.100 C: 13.600

LINCOLN CONTINENTAL MK IV 1959

De Mark IV van de Continental kreeg een iets andere koplampbehuizing, een andere grille met een roosterpatroon, vier achterlichten en een naar binnen geplaatste achterruit die naar beneden gedraaid kon worden. Veel standaardluxe, waaronder elektrisch verstelbare stoelen, getint glas, een radio met twee luidsprekers en elektrisch bedienbare ramen. De drie metallickleuren waren exclusief voor de Continentals. Van de dat jaar nieuwe – en peperdure – limousine waren slechts 49 kopers wereldwijd. Ook de exclusieve Family Sedan die in '59 debuteerde verkocht niet meer dan 78 maal.

Aantal cilinders: V8
Cilinderinhoud in cm³: 7046
Vermogen: 350/4400
Topsnelheid in km/uur: 185
Carrosserie/Chassis: afzonderlijk chassis
Uitvoering: sedan, coupé, limousine en cabriolet
Productiejaar: 1959
Productie-aantal: 11.126
In NL: n.b.
Prijzen: A: 4.100 B: 8.600 C: 12.300

LINCOLN PREMIÈRE 1958-1960

In 1959 kon de Lincoln-klant kiezen uit een Lincoln Capri, een Première en een Continental Mk IV. De Première deelde de carrosserie met de Capri, maar had een paar snufjes meer in zijn standaarduitvoering. Je moest echt op het naamplaatje kijken om te zien wat je voor je had. Alle Lincolns hadden dat jaar een automatische bak, stuur- en rembekrachtiging en bijna allemaal een radio, die echter nog wel als extra telde. De foto toont een Première uit 1958.

Aantal cilinders: V8
Cilinderinhoud in cm³: 7045
Vermogen: 355/4400
Topsnelheid in km/uur: 180
Carrosserie/Chassis: afzonderlijk chassis
Uitvoering: sedan, coupé en cabriolet
Productiejaren: 1958-1960
Productie-aantal: 24.700
In NL: n.b.
Prijzen: A: 2.900 B: 5.900 C: 9.100

LINCOLN CONTINENTAL FOUR-DOOR SEDAN

Na de Continental Mark V van 1960 was er een jaar later een geheel nieuwe wagen die een van de meest toonaangevende modellen van het nieuwe decennium zou gaan worden. De Continental – nu zonder verdere aanduidingen – had vier portieren die volgens een oude trend scharnierden aan de A- en C-stijl (een B-stijl was er overigens niet). De koets was op alle fronten prachtig strak en de dubbele koplampen zaten weer naast elkaar. In de jaren erna veranderde de wagen niet in hoofdlijnen.

Aantal cilinders: V8
Cilinderinhoud in cm³: 7565
Vermogen: 345/4600
Topsnelheid in km/uur: 210
Carrosserie/Chassis: afzonderlijk chassis
Uitvoering: sedan
Productiejaren: 1961-1968
Productie-aantal: 245.899
In NL: n.b.
Prijzen: A: 4.100 B: 9.100 C: 13.600

LINCOLN CONTINENTAL 4-DEURS CABRIOLET

De open versie van de hierboven behandelde Continental bespreken we afzonderlijk. Was de sedan al opvallend, de cabriolet was dat nog meer. De vier deuren en de elektrische kap maakten deze immense auto zo imposant. In verhouding tot de sedan is de open Lincoln mondjesmaat verkocht. In 1967 stopt men met de bouw ervan, een jaar eerder dan de gesloten versie. De wagen is om trieste redenen wereldwijd bekend geworden: president Kennedy zat in zo'n convertible toen hij in 1963 vermoord werd.

Aantal cilinders: V8
Cilinderinhoud in cm³: 7565
Vermogen: 345/4600
Topsnelheid in km/uur: 210
Carrosserie/Chassis: afzonderlijk chassis
Uitvoering: cabriolet
Productiejaren: 1961-1967
Productie-aantal: 21.327
In NL: n.b.
Prijzen: A: 11.300 B: 20.400 C: 27.200

LINCOLN CONTINENTAL 1970-1974

In 1970 herzag Ford de Continental. Hoewel er nog volop gelijkenis met de serie ervoor was, sprongen de verborgen koplampen en de typische lijn van de voorschermen meteen in het oog. Het publiek moest er blijkbaar aan wennen, want de verkopen vielen (tijdelijk) terug. Voor '71 en '72 zijn er kleine wijzigingen aan o.a. de grille. Vanaf dat laatste jaar werd het vermogen aanzienlijk getemperd en in '73 keerde na drie jaar het woord 'Continental' terug op de neus. Voor 1974 zijn de afdekkers van de koplampen geheel glad.

Aantal cilinders: V8
Cilinderinhoud in cm³: 7536
Vermogen: 208/4400-365/4600
Topsnelheid in km/uur: 200
Carrosserie/Chassis: zelfdragend
Uitvoering: sedan en coupé
Productiejaren: 1970-1974
Productie-aantal: 208.520
In NL: n.b.
Prijzen: A: 2.300 B: 6.400 C: 9.500

LINCOLN CONTINENTAL 1975-1976

Zonder dat de typische look verloren ging werd de Continental weer eens gemodificeerd. Er kwam een nieuwe daklijn, nieuwe achterlichten, dorpelstrips en een grille die onder de bumper door liep. Het operaruitje in de C-stijl van de sedan deed zijn intrede. De coupé sloeg zeer aan, gezien de ten opzichte van het jaar ervoor verdrievoudigde verkopen. Oliecrisis of niet, er waren nog genoeg kopers voor deze typisch Amerikaanse sleeën met alle denkbare luxe aan boord, waaronder een elektrisch bediende kofferklepopener. Voor '76 waren er detailwijzigingen, zoals een iets andere grille.

Aantal cilinders: V8
Cilinderinhoud in cm³: 7536
Vermogen: 215/4000
Topsnelheid in km/uur: 190
Carrosserie/Chassis: zelfdragend
Uitvoering: sedan en coupé
Productiejaren: 1975-1976
Productie-aantal: 123.344
In NL: n.b.
Prijzen: A: 2.000 B: 5.000 C: 7.700

LINCOLN CONTINENTAL 1977-1979

Hoewel Lincoln met de Versailles in 1977 een compactere wagen aanbood, bleef de Continental een slagschip. Hij kreeg voor '77 dezelfde grille als de Mark V. De opera-ruitjes in de C-stijl die in '75 hun entree deden, bleven tot 1980. De coupé verkocht veel minder goed dan de sedan. Die trok kopers aan die dol waren op een klassiek gelijnde zeer grote klassewagen. Ieder jaar kreeg de Continental een andere grille en de koplampen kwamen voor modeljaar 1980 weer tevoorschijn. Pas halverwege de jaren tachtig zouden Continentals pas echt een ander uiterlijk krijgen.

Aantal cilinders: V8
Cilinderinhoud in cm³: 7536
Vermogen: 211/4000
Topsnelheid in km/uur: 190
Carrosserie/Chassis: zelfdragend
Uitvoering: sedan en coupé
Productiejaren: 1977-1979
Productie-aantal: 276.287
In NL: n.b.
Prijzen: A: 1.400 B: 3.400 C: 6.400

LINCOLN CONTINENTAL MK III

Op het chassis van de Thunderbird ontstond de Lincoln Mk III. Het was duidelijk te zien dat Lee Iacocca nog een vinger in de pap gehad had toen de wagen ontworpen werd, want evenals zijn troetelkind, de Mustang, had de wagen een lange (2 meter) motorkap en een korte achterkant. De auto had een lengte van 549 cm (een Volkswagen Kever bracht het op 403 cm) en woog schoon aan de haak 2210 kg. De auto had nog geen zelfdragende carrosserie en de voorwielen werden met schijfremmen geremd, terwijl men aan de achterwielen nog trommels vond.

Aantal cilinders: V8
Cilinderinhoud in cm³: 7536
Vermogen: 370/4600
Topsnelheid in km/uur: 210
Carrosserie/Chassis: afzonderlijk chassis
Uitvoering: coupé
Productiejaren: 1968-1971
Productie-aantal: 79.381
In NL: n.b.
Prijzen: A: 4.100 B: 8.600 C: 12.700

LINCOLN CONTINENTAL MK IV

'Langer, lager en slanker' adverteerde Lincoln zijn Mk IV tijdens de presentatie van het modeljaar 1972. Hij mat 567 cm tussen zijn bumpers en dat hij 'maar' 170 cm breed en 114 cm hoog was, maakte de garage ook niet groter. Maar de Amerikaan vond hem prachtig. Alle denkbare snufjes waren ingebouwd en alles werd elektrisch bediend. Zijn benzinetank had plaats voor 85 liter en dat was ook wel nodig want het verbruik schommelde van 1 op 4 tot nog erger. Dat de motor door de steeds strengere milieueisen nog maar een 'paar' pk's leverde, nam men op de koop toe.

Aantal cilinders: V8
Cilinderinhoud in cm³: 7536
Vermogen: 211/4400
Topsnelheid in km/uur: 200
Carrosserie/Chassis: afzonderlijk chassis
Uitvoering: coupé
Productiejaren: 1971-1976
Productie-aantal: 278.599
In NL: n.b.
Prijzen: A: 2.700 B: 5.700 C: 9.100

LINCOLN CONTINENTAL MK V

Hoewel Lincoln de Mk V van 1977 als een 'geheel nieuwe wagen' aanbood, was het niet veel meer dan een gefacelifte Mk IV zoals die al in 1971 op de markt gekomen was. Het was een imposante wagen want ook als tweedeurs coupé had de auto een lengte van 585 cm, een breedte van 203 en een hoogte van 135 cm. De standaardmotor had een inhoud van 6,6 liter maar er was ook een 7,5-liter V8 verkrijgbaar. Tegenwoordig geliefd onder 'bad guys' in Amerikaanse misdaadfilms. Zal in de toekomst wel wat meer waard worden.

Aantal cilinders: V8
Cilinderinhoud in cm³: 6590 en 7536
Vermogen: 182/4000 en 211/4000
Topsnelheid in km/uur: 180 en 190
Carrosserie/Chassis: zelfdragend
Uitvoering: coupé
Productiejaren: 1977-1979
Productie-aantan: 228.862
In NL: n.b.
Prijzen: A: 1.800 B: 3.600 C: 6.800

LINCOLN CONTINENTAL MK VI

De Lincoln Continental Mk VI van 1980 stond op het 'Panther'-platform van de Ford LTD en de Mercury Marquis. De wagen was flink korter geworden en oogde door de aanzienlijk afgenomen wielbasis vrij gedrongen in vergelijking met zijn imposante voorgangers. Van binnen was hij nog wel even ruim. Er was voor het eerst sinds 1960 een sedanuitvoering met een B-stijl. De Designer Editions heetten nu Signature Series. Onder met name wat oudere Amerikanen bleef de statige Lincoln goed verkopen. Er was aanvankelijk keuze uit twee motoren, maar vanaf 1981 was alleen de kleinste over.

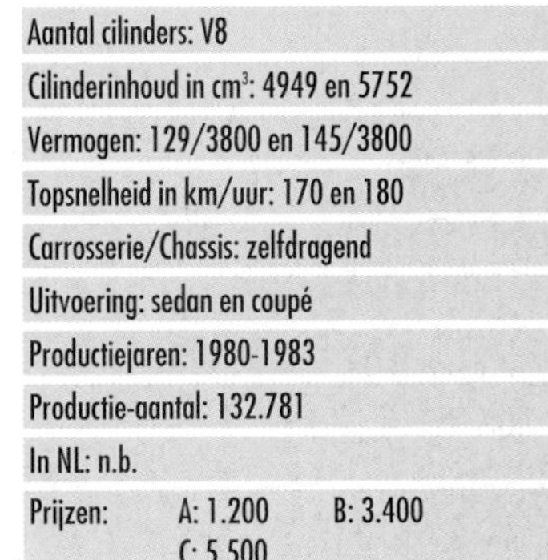

Aantal cilinders: V8
Cilinderinhoud in cm³: 4949 en 5752
Vermogen: 129/3800 en 145/3800
Topsnelheid in km/uur: 170 en 180
Carrosserie/Chassis: zelfdragend
Uitvoering: sedan en coupé
Productiejaren: 1980-1983
Productie-aantal: 132.781
In NL: n.b.
Prijzen: A: 1.200 B: 3.400 C: 5.500

LINCOLN VERSAILLES

Gelijkend op de Amerikaanse Ford Granada en de Mercury Monarch met wie hij de carrosserie deelde, ontstond in maart 1977 de Lincoln Versailles. De wagen moest concurreren met de Cadillac Seville. Het motorvermogen werd door een handvol modules geregeld wat bij Lincoln als 'Electronic Engine Control' geadverteerd werd. De 1800 kilo zware wagen had vier bekrachtigde schijfremmen en had standaard een 'Cruise-O-Matic' automaat met de keuzehendel aan de stuurkolom. Op verzoek kon een sperdifferentieel ingebouwd worden. Geen verkoopsucces.

Aantal cilinders: V8
Cilinderinhoud in cm³: 4942
Vermogen: 130/3600-135/3600
Topsnelheid in km/uur: 160
Carrosserie/Chassis: zelfdragend
Uitvoering: sedan
Productiejaren: 1977-1980
Productie-aantal: 50.156
In NL: n.b.
Prijzen: A: 1.100 B: 2.700 C: 4.300

LINCOLN TOWN CAR 1981-1984

De Versailles verkocht slecht en z'n opvolger, de Town Car, zou het beter moeten doen. Dat lukte prima. Het was een sedan met dezelfde wielbasis als de Continental en met wederom zeer rechthoekige, ronduit ouderwetse lijnen. Ford wijzigde de Town Car tot 1985, toen er een facelift kwam, nauwelijks. Wel verschenen er Designer-versies, de Signature en de Cartier. Wagens met extra opsmuk voor een paar dollars meer. Binnen vijf jaar verviervoudigde het productie-aantal van de Town Car, omdat er altijd klanten waren voor een klassiek gelijnde grote sedan.

Aantal cilinders: V8
Cilinderinhoud in cm³: 4949
Vermogen: 134/3600
Topsnelheid in km/uur: 170
Carrosserie/Chassis: zelfdragend
Uitvoering: sedan
Productiejaren: 1981-1984
Productie-aantal: 214.911
In NL: n.b.
Prijzen: A: 1.400 B: 2.500 C: 4.100

LLOYD

Voor hun tijd waren het moderne autootjes die bij Lloyd, een dochteronderneming van Borgward, gemaakt werden. En sterk en solide waren ze ook nog. Toen de kleine-autorage over was, ging het met Lloyd zeker niet beter en samen met Borgward ging het uiteindelijk failliet. Zoals te verwachten valt, kent het merk de meeste liefhebbers in Duitsland.

LLOYD 300 & 400

Toen staal nog op de bon was en men nog geen of weinig ervaring in de omgang met plastic had, grepen verschillende fabrikanten terug op triplex dat met leerdoek overtrokken werd. De Lloyd 300 had een dergelijke carrosserie. De 400 niet meer, want toen die in 1952 de 300 opvolgde was het staalprobleem in Duitsland opgelost. De tweetakt Lloyds verkochten goed in hun tijd, maar enige bedreiging voor de geijkte Kever vormden ze nooit. In 1956 verscheen er nog een 250, waarin men mocht rijden met een motorrijbewijs in Duitsland.

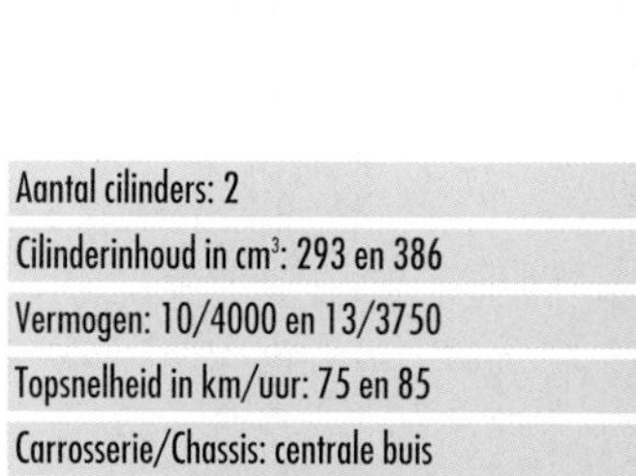

Aantal cilinders: 2
Cilinderinhoud in cm³: 293 en 386
Vermogen: 10/4000 en 13/3750
Topsnelheid in km/uur: 75 en 85
Carrosserie/Chassis: centrale buis
Uitvoering: coach, coupé, stationcar en cabrio-coach
Productiejaren: 1950-1952 en 1952-1957
Productie-aantallen: 18.087 en 109.878
In NL: n.b.
Prijzen: A: 1.300 B: 2.700 C: 4.300

LLOYD LT 500 & LT 600

Een vroege voorloper op de moderne Vans voor personenvervoer was de LT 500 van '52. Hij was op basis van de 400 gebouwd en bood aan zes inzittenden plaats. Omdat de auto tweedeurs was, moesten mensen die achterin kwamen te zitten zich erin wurmen. In het koetswerk zat nog redelijk veel hout verwerkt. Het wagentje had een erg vriendelijk gezicht. Voor '55 kwam de grotere motor van de 600 erin en was er een versie met langere wielbasis leverbaar. Vanaf '59 kon je hem ook als campertje kopen onder de naam Theodor.

Aantal cilinders: 2
Cilinderinhoud in cm³: 386 en 596
Vermogen: 13/3750 en 19/5400
Topsnelheid in km/uur: 70 en 85
Carrosserie/Chassis: centrale buis
Uitvoering: bus
Productiejaren: 1952-1955 en 1955-1961
Productie-aantal: ca. 40.000
In NL: n.b.
Prijzen: A: 1.800 B: 4.100 C: 5.900

LLOYD 600 & ALEXANDER

De opvolgers van de Lloyd 400 begonnen op echte auto's te lijken. Niet alleen hadden ze de stalen carrosserie meegekregen, nu bromde ook een vier- i.p.v. een tweetaktmotor onder de kap. In 1957 verscheen de Alexander die meer luxe bood, maar helaas niet meer als cabrio-coach gebouwd werd. Deze auto's waren zeer robuust en de overgebleven exemplaren worden vooral bij onze oosterburen door fanatieke liefhebbers gekoesterd. Leuk is vooral de LT-uitvoering die met zijn drie rijen banken een vroege MPV was.

Aantal cilinders: 2
Cilinderinhoud in cm³: 596
Vermogen: 19/4500
Topsnelheid in km/uur: 100
Carrosserie/Chassis: centrale buis
Uitvoering: coach, stationcar en cabrio-coach
Productiejaren: 1955-1961 en 1957-1961
Productie-aantal: 176.524 (incl. TS)
In NL: n.b.
Prijzen: A: 900 B: 2.300 C: 3.400

LLOYD ALEXANDER TS

Dat het kleine tweecilinder motortje van de Lloyd tot grote daden in staat was, bewees hij in de Alexander TS (voor Touren Sport). Met zijn bovenliggende nokkenas leverde hij genoeg pk's om er een sportieve wagen van te maken en de verbeterde wielophangingen zorgden er voor dat het geheel ook bij hoge snelheden op de weg bleef. Een wat persoonlijker alternatief voor een VW indertijd. Als optie was er een Saxomat automatische koppeling. Goede exemplaren zijn nog steeds niet erg duur. Mist echter wel uitstraling.

Aantal cilinders: 2
Cilinderinhoud in cm³: 596
Vermogen: 25/5000
Topsnelheid in km/uur: 110
Carrosserie/Chassis: centrale buis
Uitvoering: coach en stationcar
Productiejaren: 1958-1961
Productie-aantal: zie hiervoor
In NL: n.b.
Prijzen: A: 1.000 B: 2.500 C: 3.600

LLOYD ALEXANDER TS FRUA

Carl Borgward gaf de Italiaanse designer Piertro Frua de opdracht om voor de Alexander een sportieve carrosserie te tekenen. Frua deed zijn best en het resultaat was een kleine coupé die zeker de droom van alle Lloyd-liefhebbers moet zijn. Deze wagens waren vrijwel allemaal rood gespoten en hadden lekkernijen als een toerenteller en een houten stuurwiel. Ze hebben wat weg van een gekrompen Renault Floride. Tegenwoordig zelden te koop aangeboden. Wordt terecht onder Lloyd-liefhebbers het summum gevonden.

Aantal cilinders: 2
Cilinderinhoud in cm^3: 596
Vermogen: 25/5000
Topsnelheid in km/uur: 110
Carrosserie/Chassis: centrale buis
Uitvoering: coupé
Productiejaar: 1958
Productie-aantal: 49
In NL: n.b.
Prijzen: A: 8.200 B: 11.300 C: 15.900

LLOYD ARABELLA & ARABELLA DELUXE

Wie uit de tweepitter Alexander gegroeid was, kon op de Arabella overstappen. Helaas kwam het concern te snel met de auto op de markt en de kosten om Arabella's kinderziekten te genezen, rezen de pan uit. Later herdoopte men de Lloyd in Borgward, maar de verkoopcijfers bleven toch achter bij de verwachtingen. Onder liefhebbers van Borgward of Lloyd is dit nog steeds geen begeerde wagen. De Amerikaans ogende details als het vinnetje en de panoramische ruit zijn typerend voor de periode.

Aantal cilinders: 4
Cilinderinhoud in cm^3: 897
Vermogen: 34/4700-45/5300
Topsnelheid in km/uur: 120-130
Carrosserie/Chassis: centrale buis
Uitvoering: coach
Productiejaren: 1959-1963
Productie-aantal: 47.042
In NL: n.b.
Prijzen: A: 900 B: 2.000 C: 3.100

LMX

In 1968 zouden Michel Liprandi en Giovanni Mandelli hun nieuwe sportwagen, de LMX, op de show in Turijn ten doop houden. Het lukte maar gedeeltelijk want door geldgebrek moest de presentatie bij een achteringang van de show plaatsvinden. De financiële problemen waren de reden dat de wagen nooit in grote series gebouwd kon worden en dat de firma met regelmaat van eigenaar wisselde.

LMX 2300 HCS

De LMX 2300 HCS is een zeldzame vogel gebleven. Interessant was hij wel en is hij nog, want hij ziet er niet alleen goed uit, maar hij is ook goedkoop in het (mechanische) onderhoud. Gebouwd werd de wagen in Italië bij de Carrozzeria Eurostyle in Turijn, maar onder de kunststof carrosserie draaide een Ford Taunus-motor en de voorwielophangingen stamden uit een Engelse Ford Zodiac. Ondanks de vijfjarige productieperiode zijn er weinig verkocht. Naar wens kon de motor tot maar liefst 210 pk-sterkte opgevoerd worden.

Aantal cilinders: V6
Cilinderinhoud in cm^3: 2293
Vermogen: 108/5100
Topsnelheid in km/uur: 200
Carrosserie/Chassis: kunststof op een buizenchassis
Uitvoering: coupé en cabriolet
Productiejaren: 1969-1974
Productie-aantal: 43
In NL: n.b.
Prijzen: A: 4.500 B: 10.400 C: 15.900

LOMBARDI

Voor een prijsje van *f* 9.500,– bood de firma François de Feyter in Amsterdam de Lombardi 850 in 1968 aan. Gebouwd was de auto in Italië door Francis Lombardi, die vooral als luchtvaartpionier en vliegtuigontwerper naam had gemaakt. De in 1938 geboren Italiaan had tevens een fabriekje voor speciale carrosserieën waarin Fiats 600 een vierdeurs carrosserie kregen of tot cabriolets of stationcars werden omgebouwd.

LOMBARDI GRAND PRIX 850

Carrozzeria Francis Lombardi in Turijn was één van de vele Italiaanse bedrijfjes die auto's in kleine aantallen probeerden te verkopen. Ook Lombardi werkte met de onderdelen van Fiat. Wie deze wagen tegenkomt, mag wel tweemaal kijken om het merk te kunnen vaststellen. Hij begon zijn leven als een prototype van Autobianchi, voordat Lombardi hem kocht om hem in een kleine serie te produceren. De wagen was ook bij Abarth als Scorpione in de aanbieding. De Abarth is echter tweemaal zo duur.

Aantal cilinders: 4	
Cilinderinhoud in cm³: 843	
Vermogen: 47/6400	
Topsnelheid in km/uur: 155	
Carrosserie/Chassis: kunststof op een buizenchassis	
Uitvoering: coupé	
Productiejaren: 1969-1971	
Productie-aantal: n.b.	
In NL: n.b.	
Prijzen:	A: 1.400 B: 3.900 C: 6.400

LOTUS

Denkt men aan Lotus, dan denkt men aan de in 1983 gestorven Colin Chapman, de constructeur en oprichter van de firma. Als 19-jarige student aan een technische universiteit in London had Chapman een sportwagen voor trials gemaakt. Zijn vriendin, en latere vrouw, Hazel vond de wagen zo mooi dat ze haar vriend ertoe bracht er een paar meer van te maken. Chapman liet zich overtuigen en stichtte in 1952 de Lotus Engineering Company. Dat hij succes had, bewijzen de vele wereldkampioenschappen die zijn auto's bij elkaar reden.

LOTUS SEVEN

De eerste productiewagen van Chapman was de Lotus VI, maar met de VII kwam er pas schot in de zaak. Het recept was eenvoudig genoeg: een open wagentje zonder deuren of andere 'luxe'. Bij de motoren kon de klant kiezen uit Ford-, BMC- of Coventry Climax-producten. Om de hoge belasting te omzeilen, werden er vele Sevens als bouwpakket verkocht. De Seven wordt nu nog bij Caterham gebouwd. De Donkervoort lijkt er nog veel op, maar heeft technisch een grote ontwikkeling doorgemaakt. Het summum van de Sevens is de Twin Cam van '69 (13 stuks).

Aantal cilinders: 4	
Cilinderinhoud in cm³: 948 tot 1598	
Vermogen: 66/4600 tot 126/6500	
Topsnelheid in km/uur: 155-175	
Carrosserie/Chassis: aluminium op buizenchassis	
Uitvoering: roadster	
Productiejaren: Series I:1957-60, Series II:1960-68, Series III:1968-70 en Series IV:1970-73	
Productie-aantallen: 242, 1.350, 350 en ca. 900	
In NL: n.b.	
Prijzen: (S 1)	A: 10.400 B: 18.200 C: 25.000

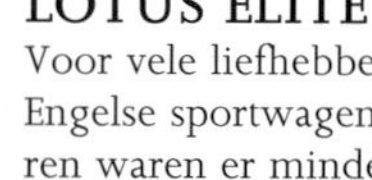

LOTUS ELITE

Voor vele liefhebbers is de Elite de mooiste Engelse sportwagen van na de oorlog. Anderen waren er minder blij mee, vooral toen ze na enige jaren de zelfdragende kunststof carrosserie zagen scheuren. De wagen werd meestal met een veel te sterke Coventry Climax geleverd en deze raket won dan ook op vele circuits. De Super 95 uit 1962 kreeg bekrachtigde schijfremmen mee. In de jaren zeventig pakt Lotus de Elite-aanduiding weer op. Vanwege geringe productie-aantal en de karakteristieke eigenschappen tegenwoordig duur.

Aantal cilinders: 4	
Cilinderinhoud in cm³: 1216	
Vermogen: 76/6100 tot 105/7250	
Topsnelheid in km/uur: 180-210	
Carrosserie/Chassis: kunststof/zelfdragend	
Uitvoering: coupé	
Productiejaren: 1958-1963	
Productie-aantal: 988	
In NL: n.b.	
Prijzen:	A: 16.000 B: 29.000 C: 42.000

LOTUS ELAN

Ook de Elan had een kunststof carrosserie die ditmaal op een centrale buis gemonteerd was. De wagen werd veel als bouwpakket verkocht, maar kon ook rijdend besteld worden. Na de S1 volgden de S2, S3 en S4, deze laatste is aan zijn uitgebouwde wielkasten herkenbaar en was er ook in Sprint-uitvoering. Het onderstel van de Elan is uiterst roestgevoelig, maar is als los onderdeel te bestellen. De coupé-versie is er vanaf de S3 van 1965. Die serie heeft een hogere eindoverbrenging. De S1 en de Sprint worden het meest gewaardeerd.

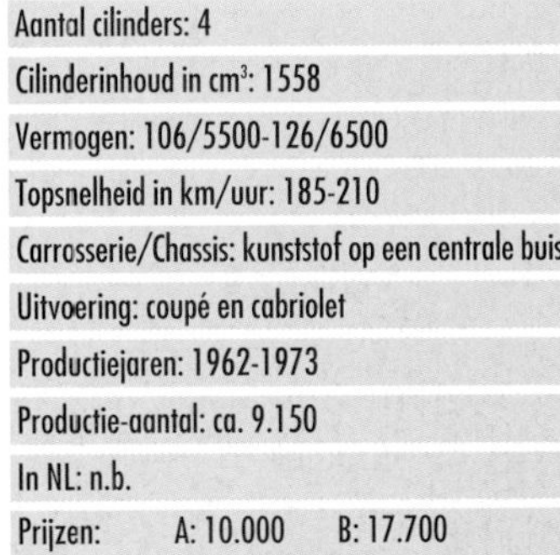

Aantal cilinders: 4
Cilinderinhoud in cm³: 1558
Vermogen: 106/5500-126/6500
Topsnelheid in km/uur: 185-210
Carrosserie/Chassis: kunststof op een centrale buis
Uitvoering: coupé en cabriolet
Productiejaren: 1962-1973
Productie-aantal: ca. 9.150
In NL: n.b.
Prijzen: (S1) A: 10.000 B: 17.700 C: 25.000

LOTUS ELAN +2, +2S & 130

Voor de vader van een gezin die toch graag een Lotus wilde rijden, bestond de Elan +2. Chapman had de wielbasis van de Elan verlengd en zodoende ruimte verkregen voor een kleine achterbank. Natuurlijk had ook dit model een kunststof carrosserie maar bovendien een prachtig houten dashboard. Dit model was niet als bouwpakket verkrijgbaar, dus Lotus zorgde voor de goede afwerking. De S-versie heeft meer luxe en mistlampen. Na '70 is er de sterkere motor en standaard two-tone spuitwerk. Een 130 heeft een vijfbak.

Aantal cilinders: 4
Cilinderinhoud in cm³: 1558
Vermogen: 118/6250-126/6500
Topsnelheid in km/uur: 185-210
Carrosserie/Chassis: kunststof op een centrale buis
Uitvoering: coupé
Productiejaren: 1969-1974
Productie-aantal: ca. 3.300
In NL: n.b.
Prijzen: (+2) A: 5.400 B: 7.700 C: 11.300

LOTUS EUROPA

Nadat Ron Hickman de Elite en Elan getekend had, ontstond op zijn tekentafel de Europa. Met deze superlage wagen wilde Chapman bewijzen dat er ook voor weinig geld een snelle auto te bouwen was. Om alles goedkoop te houden, bouwde hij een Renault R16-motor voor de achteras, maar toen deze vierpitter toch wel erg weinig vermogen leverde, werd hij vervangen door een Fordmotor met twee bovenliggende nokkenassen. De typering Twin Cam duidt zulks aan. Die laatstgenoemde kosten nu twintig procent meer. De 1565 cc-motor was alleen voor de VS.

Aantal cilinders: 4
Cilinderinhoud in cm³: 1470, 1558 en 1565
Vermogen: 78/6000-126/6500
Topsnelheid in km/uur: 175-200
Carrosserie/Chassis: kunststof op een centrale buis
Uitvoering: coupé
Productiejaren: 1966-1975
Productie-aantal: 8.975
In NL: n.b.
Prijzen: A: 4.100 B: 8.600 C: 13.600

LOTUS ELITE S1

'Het lijkt wel een vertrapte Gremlin' riep een Amerikaan toen hij de Elite S1 voor het eerst zag en inderdaad had de stationcar-vormige Lotus iets van de AMC. En van de Reliant Scimitar die in Engeland zo goed verkocht werd, maar in Amerika vrijwel onbekend was. Weer stond de wagen op een stalen-balkchassis en weer waren de wielen alle onafhankelijk geveerd. Nieuw was de motor die nu een kop met vier kleppen per cilinder had en die afkomstig was uit de Jensen-Healey. De afwerking en matige betrouwbaarheid speelden de auto parten.

Aantal cilinders: 4
Cilinderinhoud in cm³: 1973
Vermogen: 162/6200
Topsnelheid in km/uur: 200
Carrosserie/Chassis: kunststof/centrale buis
Uitvoering: coupé
Productiejaren: 1974-1980
Productie-aantal: 2.398
In NL: n.b.
Prijzen: A: 2.000 B: 3.600 C: 5.200

LOTUS ECLAT S1

Amerika was steeds de grootste afnemer van de Lotus sportwagens en toen de Amerikanen de Elite S1 niet wilden vanwege zijn 'gekke' achterkant, besloten de Engelsen de carrosserie iets te veranderen waardoor de Eclat (in Amerika: Sprint) ontstond. Weer was het een 2+2 hoewel de ruimte voor de achterpassagiers kleiner was dan in de Elite. De Eclat, die technisch identiek was aan de Elite, werd in oktober 1975 op de London Motor Show geïntroduceerd. Optioneel was er een viertraps automaat. Wat hierboven over de Elite is gezegd, geldt ook hier.

Aantal cilinders: 4
Cilinderinhoud in cm³: 1973
Vermogen: 162/6200
Topsnelheid in km/uur: 200
Carrosserie/Chassis: kunststof/centrale buis
Uitvoering: coupé
Productiejaren: 1975-1980
Productie-aantal: 1.299
In NL: n.b.
Prijzen: A: 2.300 B: 4.300 C: 6.400

LOTUS ESPRIT S1

Wie de film 'The Spy Who Loved Me' gezien heeft, kent de Esprit die James Bond daarin bereed. Ditmaal had Colin Chapman de hulp van de Italiaanse kunstenaar Giugiaro ingeroepen toen het om het ontwerpen van een carrosserie ging en het resultaat loog er niet om. De wagen was lager en breder dan zijn voorgangers. De mechanische onderdelen van de Elite/Eclat vond men in de Esprit terug, maar ditmaal stond de motor voor de achteras midden in de wagen en bevonden zich de achterste schijfremmen (van een Citroën SM) tegen het differentieel. Nu nog goedkoop.

Aantal cilinders: 4
Cilinderinhoud in cm³: 1973
Vermogen: 162/6200
Topsnelheid in km/uur: 200
Carrosserie/Chassis: kunststof/centrale buis
Uitvoering: coupé
Productiejaren: 1976-1978
Productie-aantal: 994
In NL: n.b.
Prijzen: A: 3.600 B: 7.900 C: 12.300

LOTUS ESPRIT S2 & S2.2

De S1 werd geplaagd door hardnekkige koelproblemen en Lotus haastte zich om deze te verhelpen. Dat geschiedde met de S2 van 1978: er kwam een geïntegreerde spoiler en achter de achterste zijruiten kwamen aan weerskanten luchthappers. Daarbij was er een beter interieur en waren er bredere wielen. Voor 1980 kwam de grotere motor erin, die hetzelfde vermogen had maar een beter koppel. De meeste klanten kozen echter voor de versie met turbo, vandaar het zeer geringe productie-aantal van de gewone S2.2.

Aantal cilinders: 4
Cilinderinhoud in cm³: 1973 en 2174
Vermogen: 162/6200 en 162/6200
Topsnelheid in km/uur: 200
Carrosserie/Chassis: zelfdragend
Uitvoering: coupé
Productiejaren: 1978-1980 en 1980-1981
Productie-aantallen: 980 en 88
In NL: n.b.
Prijzen: A: 4.100 B: 8.200 C: 11.300

LOTUS ESPRIT TURBO

Met de komst van de Esprit S2.2 in 1980 verscheen er tevens een turbo-versie van. De gewone 2.2 verdween na ruim een jaar productie al ras. De Esprit met Garrett-turbo bleef echter. Hij was herkenbaar aan zijn andere spoilers voor en achter en aan de luchtinlaten in de dorpels. Deze bolide was buitengewoon snel, maar de problemen die de andere Esprits hadden (gekend), zorgden ervoor dat deze Lotussen niet als warme broodjes over de toonbank gingen. In Nederland moest de koper er ruim 130.000 gulden voor neertellen.

Aantal cilinders: 4
Cilinderinhoud in cm³: 2174
Vermogen: 205/6500
Topsnelheid in km/uur: 235
Carrosserie/Chassis: kunststof/centrale buis
Uitvoering: coupé
Productiejaren: 1980-1987
Productie-aantal: 1.658
In NL: n.b.
Prijzen: A: 5.900 B: 9.100 C: 12.500

LOTUS EXCEL SE

Als opvolger van de Eclat verscheen in 1985 de nieuwe 2+2 Lotus onder de naam Excel. Men had er veel aan gedaan om de kwaliteit van de wagen te verbeteren, want het merk had in de jaren zeventig, begin tachtig een beroerde reputatie verworven. De carrosserie was nieuw, het interieur ook en de versnellingsbak van ZF was geweken voor die van de Toyota Supra. De motor bleef de al jaren dienstdoende viercilinder met zestien kleppen. De prijzen hiernaast gelden voor exemplaren van de eerste bouwjaren. Wagens uit de jaren negentig zijn doorgaans duurder.

Aantal cilinders: 4
Cilinderinhoud in cm³: 2174
Vermogen: 162/6500
Topsnelheid in km/uur: 220
Carrosserie/Chassis: zelfdragend
Uitvoering: coupé
Productiejaren: 1985-1992
Productie-aantal: ca. 2.300
In NL: n.b.
Prijzen: A: 4.500 B: 9.100 C: 13.600

MARAUDER

Toen de beide partners Mackie en Wilks hun firma, de Marauder Car Co. Ltd. in Warwickshire, oprichtten, hadden ze een streepje vóór op hun concurrenten: ze hadden de beste relaties met Rover, waar Wilks' oom de managing-director was. Beiden hadden voor Rover gewerkt, wisten de weg en kenden de mensen die ze nodig hadden om hun plannen te verwezenlijken. In het begin ging alles zo goed. Er moest zelfs na een jaar al naar een grotere fabriek omgekeken worden en dit was misschien de vergissing.

MARAUDER

In Birmingham begonnen twee voormalige werknemers van Rover, George Mackie en Peter Wilks, voor zichzelf. De sportwagen die ze bouwden was de Marauder, die opgebouwd was op een ingekort chassis van de Rover 75 (P4). De motor was opgevoerd door de montage van twee SU-carburateurs en het verhogen van de compressie. De auto bood plaats aan drie personen op de voorbank. Het avontuur werd weinig succesvol en na twee jaar en een handvol 'P4 cabriolets' stopte het duo. Te zeldzaam voor prijsindicatie.

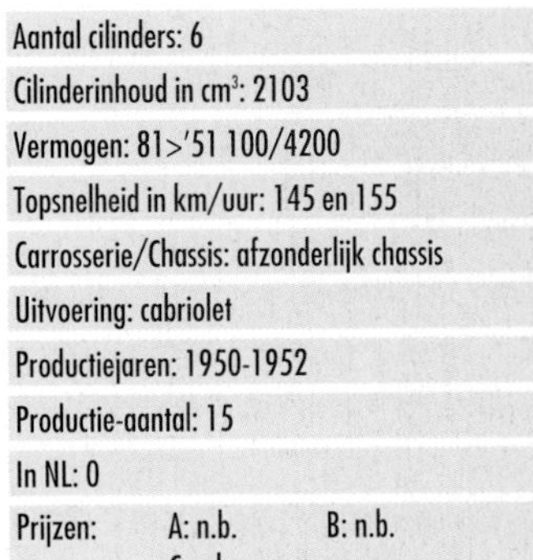

Aantal cilinders: 6		
Cilinderinhoud in cm³: 2103		
Vermogen: 81>'51 100/4200		
Topsnelheid in km/uur: 145 en 155		
Carrosserie/Chassis: afzonderlijk chassis		
Uitvoering: cabriolet		
Productiejaren: 1950-1952		
Productie-aantal: 15		
In NL: 0		
Prijzen:	A: n.b. C: n.b.	B: n.b.

MARCOS

In 1959 stichtten Jem Marsh en Frank Costin (MAR en COS) de firma Marcos met het doel sportwagens in bouwpakketten te verkopen. In die tijd was dat in Engeland niets nieuws want voor complete auto's bestond een belasting van 33 procent. De Marcos was altijd iets bijzonders. Lang hadden ze een houten chassis. Nadat er zes auto's waren afgeleverd, verliet Costin de firma, Marsh zette door, ging in 1971 failliet, maar nu bestaat Marcos weer als voorheen. Men bouwt momenteel een kleine honderd auto's per jaar.

MARCOS GT XYLON

De eerste wagens die Marcos afleverde, waren van het model GT. Mooi waren ze niet, eerder vreselijk lelijk. En snel. Op de foto de eerste Marcos en de latere van de serie waren niet veel mooier. De carrosserie was een houten monocoque waar de ophangingen aan geschroefd waren; de voorkant was van kunststof. Als krachtbron gebruikte men Ford-motoren. In handen van Jackie Stewart waren deze wagens in hun klasse niet te verslaan. In Engeland noemde men deze wagens 'Wooden Wonder'. Zeldzaam en vrijwel nooit te koop.

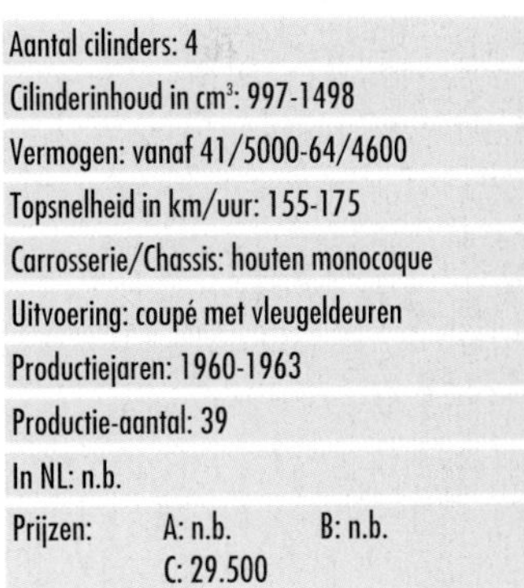

Aantal cilinders: 4		
Cilinderinhoud in cm³: 997-1498		
Vermogen: vanaf 41/5000-64/4600		
Topsnelheid in km/uur: 155-175		
Carrosserie/Chassis: houten monocoque		
Uitvoering: coupé met vleugeldeuren		
Productiejaren: 1960-1963		
Productie-aantal: 39		
In NL: n.b.		
Prijzen:	A: n.b. C: 29.500	B: n.b.

MARCOS 1800, 1500, 1650 en 1600

In 1963 kwam Marcos met een geheel nieuwe carrosserievorm. Deze stamde van de tekentafel van Dennis Adams, was van kunststof en slechts 105 cm hoog. Interessant voor de Engelse wagen was de keuze van de motor: een viercilinder van de Volvo P1800 uit Zweden. De versnellingsbak was een geheel gesynchroniseerde vierbak met elektrische Laycock de Normanville-overdrive of een vijfbak. Andere motoren (Ford) in dezelfde body leverden de typen 1500, 1650 en 1600 op.

Aantal cilinders: 4		
Cilinderinhoud in cm³: 1778, 1498, 1650 en 1599		
Vermogen: 82/5200-108/5800		
Topsnelheid in km/uur: 185-200		
Carrosserie/Chassis: kunststof op een buizenchassis		
Uitvoering: coupé		
Productiejaren: 1964-1965, 1965-1967, 1967 en 1967-1969		
Productie-aantallen: 99, 82, 32 en 192		
In NL: n.b.		
Prijzen:	A: 4.500 C: 12.700	B: 8.600

MINI-MARCOS

Marcos heeft zijn auto's altijd maar in kleine series kunnen verkopen. Een uitzondering was de Mini-Marcos. Dit was één van de lelijkste auto's ooit gebouwd. Hij had een kunststof monocoque carrosserie en de mechanische delen stamden van de Morris Mini. Toen Marcos in 1971 failliet ging, kocht Rob Walker de rechten voor de auto en zo ontstonden er in 1975-1981 nog eens 500 stuks bij de firma D & H Fiberglass Developments in Oldham. Die voorzag de wagentjes voortaan van een achterklep en neerdraaibare zijruiten.

- Aantal cilinders: 4
- Cilinderinhoud in cm³: 848-1275
- Vermogen: tot 34/5500-77/5900
- Topsnelheid in km/uur: 130-170
- Carrosserie/Chassis: kunststof monocoque
- Uitvoering: coupé
- Productiejaren: 1965-1974 en 1975-1981
- Productie-aantal: ca. 1.200
- In NL: n.b.
- Prijzen: A: 1.600 B: 3.200 C: 4.500

MARCOS 3 LITRE, 2,5 LITRE & 3 LITRE VOLVO

De wagens die vanaf 1969 afgeleverd werden, hadden een stalen in plaats van een houten chassis. De achteras was star. De eerste van deze serie kon met een Ford V6-, met een Triumph TR6- of speciaal voor de Amerikaanse markt met een Volvo 164-motor geleverd worden. Van dit type werden veel bouwpakketten verkocht. Ook nu is dit model vrijwel ongewijzigd maar met een Rover V8-motor verkrijgbaar, aangezien Marcos in 1981 de wagen weer in productie nam.

- Aantal cilinders: 6
- Cilinderinhoud in cm³: 2994, 2498 en 2978
- Vermogen: 130/5000-143/5700
- Topsnelheid in km/uur: 190
- Carrosserie/Chassis: kunststof op buizenchassis
- Uitvoering: coupé
- Productiejaren: 1969-1972
- Productie-aantallen: 100, 11 en 250
- In NL: n.b.
- Prijzen: A: 4.500 B: 10.000 C: 15.000

MARCOS MANTIS

Ook bij Marcos heeft men geprobeerd een vierpersoons auto te construeren. Het resultaat was de Mantis. Mooi of lelijk? Opvallend in ieder geval. Onder de kap bevond zich de motor van een Triumph TR6 en het geheel was een 'kind' van Dennis Adams. De clientèle zag er weinig in en mede door dit gedrocht ging Marcos failliet. Marsh ging jaren erna toch door; hij zal de Mantis toen wel vergeten zijn. De vreemd gevormde Mantis kende volop luxe binnenin, had onafhankelijke voorwielophanging en reed uitstekend.

- Aantal cilinders: 6
- Cilinderinhoud in cm³: 2498
- Vermogen: 143/5700
- Topsnelheid in km/uur: 190
- Carrosserie/Chassis: kunststof op buizenchassis
- Uitvoering: coupé
- Productiejaren: 1970-1971
- Productie-aantal: 32
- In NL: 1
- Prijzen: A: 2.700 B: 5.900 C: 9.100

MARCOS MANTULA

Goed nieuws voor de Marcos-fans kwam in 1984, toen de Mantula coupé werd voorgesteld. Hij had een V8-motor van Rover die aanvankelijk 3,5 liter mat en later 3,9. Een forse frontspoiler, bredere spatborden en nieuwe velgen en banden kenmerkten het uiterlijk van de Mantula. Van 0 tot 100 had hij slechts zes seconden nodig. Vanaf '86 kwam er een cabriolet bij met de naam Spyder. Voor '89 kwam de eerste facelift en vanaf '90 was er op bestelling ook een tweeliter Ford viercilinder met dubbele bovenliggende nokkenas leverbaar.

- Aantal cilinders: V8
- Cilinderinhoud in cm³: 3528 en 3950
- Vermogen: 190/5280 en 182/4750
- Topsnelheid in km/uur: 220
- Carrosserie/Chassis: kunststof op buizenchassis
- Uitvoering: coupé en cabriolet (>'86)
- Productiejaren: 1984-heden
- Productie-aantal: n.b.
- In NL: n.b.
- Prijzen: A: 6.800 B: 12.750 C: 18.200

MASERATI

Ook in Italië kan men van een 'grote drie' - of liever snelle drie - spreken: Ferrari, Maserati en Lamborghini, waarbij Maserati de langste geschiedenis heeft. Al in 1926 bouwden de vier gebroeders Maserati hun eerste racewagen. Daar men met racewagens alleen geen geld verdienen kan - eigenlijk alleen maar verliezen - moesten de broers hun bedrijf na 11 jaren aan Omar Orsi verkopen. De volgende eigenaar was Citroën, toen De Tomaso en op dit ogenblik Fiat. Momenteel zijn er in ons land 400 Maserati's geregistreerd.

MASERATI A6 & A6G

In 1946 kwam Maserati met zijn eerste 'personenwagen' uit. Sportief was hij natuurlijk wel, want de motor was niet veel anders dan de zescilinder met twee bovenliggende nokkenassen die men in 1936 al in de 6 CM racewagen gebruikt had. De carrozzeria stortten zich op het chassis en vooral Pinin Farina en Zagato zorgden voor hun mooiste creaties. Uit de oorspronkelijke A6 1500 groeide de A6G 2000. (16 wagens van het type A6G 2000 hadden een motor met maar één bovenliggende nokkenas.) Inmiddels zeer gezochte auto's.

Aantal cilinders:	6
Cilinderinhoud in cm³:	1488 en 1954
Vermogen:	65/4700 en 100/5500
Topsnelheid in km/uur:	150 en 170
Carrosserie/Chassis:	staal of aluminium op een buizenchassis
Uitvoering:	coupé en cabriolet
Productiejaren:	1946-1951 en 1951-1957
Productie-aantallen:	60 en 75
In NL:	n.b.
Prijzen:	A: 91.000 B: 136.000 C: 182.000

MASERATI A6G 2000

Na 16 A6G's met de 1954 cc motor volgde in 1954 de derde generatie A6'en voor normaal straatgebruik in de vorm van de A6G 2000. De ingenieurs Colombo en Bellentani gaven de wagen een geknepen Formule 2-motor mee met een dubbele bovenliggende nokkenas. Er kwamen koetswerken van Pinin Farina (foto; 4 stuks gebouwd), Frua, Vignale, Allemano en Zagato. Dat laatstgenoemde bedrijf bouwde maar liefst 20 berlinetta's en een spider. De A6G wordt ook wel als A6GCS (= Competizione Sport) aangeduid. De prijzen voor de verschillende carrozzerie verschillen onderling sterk.

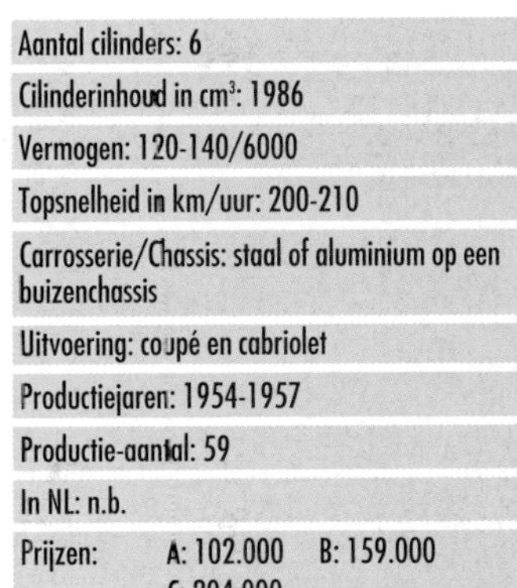

Aantal cilinders:	6
Cilinderinhoud in cm³:	1986
Vermogen:	120-140/6000
Topsnelheid in km/uur:	200-210
Carrosserie/Chassis:	staal of aluminium op een buizenchassis
Uitvoering:	coupé en cabriolet
Productiejaren:	1954-1957
Productie-aantal:	59
In NL:	n.b.
Prijzen:	A: 102.000 B: 159.000 C: 204.000

MASERATI 3500 GT & GTI

De 3500 GT was de eerste Maserati die in werkelijk 'grote' aantallen gebouwd is. Carrozzeria Touring bouwde de coupés. De motor had natuurlijk weer twee bovenliggende nokkenassen en nu drie dubbele Weber carburateurs of, bij de laatste modellen, een benzine-inspuitsysteem van Lucas. De vieren latere vijfbak waren volledig gesynchroniseerd. In 1964 kwam er een automaat als optie. De trommelremmen evolueerden naar schijfremmen. De GTI-versies waren verre van probleemloos. Inmiddels zullen deze dankzij modificaties wel minder kopzorgen veroorzaken.

Aantal cilinders:	6
Cilinderinhoud in cm³:	3485
Vermogen:	220/5500 en 235/5500
Topsnelheid in km/uur:	215 en 230
Carrosserie/Chassis:	aluminium of staal op een buizenchassis
Uitvoering:	coupé
Productiejaren:	1958-1964 en 1961-1964
Productie-aantal:	1.981
In NL:	n.b.
Prijzen: (GT)	A: 13.600 B: 25.000 C: 34.000

MASERATI 3500 GTI SPIDER

De open uitvoering van de Maserati 3500 GT had meer met de Sebring te maken dan met de oorspronkelijke 3,5 liter coupé. Hij deelde namelijk het korte chassis van de Sebring en had ook een ingespoten motor. De cabriolet had een stalen carrosserie terwijl Touring aluminium plaat voor de coupé gebruikte. Vignale slaagde erin om er een fantastisch gelijnde GT van te maken. Opmerkelijk gegeven: de coupés van Touring hadden even chassisnummers en de spiders van Vignale de oneven nummers. Zie hiervoor de opmerking over het injectiesysteem.

Aantal cilinders:	6
Cilinderinhoud in cm³:	3485
Vermogen:	235/5500
Topsnelheid in km/uur:	230
Carrosserie/Chassis:	buizenchassis
Uitvoering:	cabriolet
Productiejaren:	1959-1964
Productie-aantal:	242
In NL:	n.b.
Prijzen:	A: 22.700 B: 45.400 C: 68.100

MASERATI SEBRING I & II

Op het korte chassis van de 3500 GTI spider verscheen in 1962 een waardige opvolger voor de 3500 GT, de Sebring. Deze door Vignale gebouwde coupé had dezelfde motor als de 3500 GTI, maar al gauw verscheen er een 3,7 liter versie van. Alle Sebring-motoren hadden het inspuitsysteem van Lucas, maar daar dit vrij onbetrouwbaar was, zijn veel auto's omgebouwd met Weber carburateurs. De Series II van na '65 had naar wens een vierliter onder de kap. Spaakwielen waren een extra. Amerikaanse versies zijn vaak flink aangekleed met bijvoorbeeld airco en automaat.

Aantal cilinders: 6
Cilinderinhoud in cm^3: 3485, 3694 en 4014
Vermogen: 235/5500-255/5200
Topsnelheid in km/uur: 235 en 245
Carrosserie/Chassis: staal op een buizenchassis
Uitvoering: coupé
Productiejaren: 1962-1965 en 1965-1966
Productie-aantallen: 346 en 98
In NL: n.b.
Prijzen: A: 11.300 B: 25.000 C: 36.300

MASERATI MISTRAL

Na de Sebring kwam de Mistral die zowel met de oorspronkelijke 3,5, met de 3,7 liter motor als met een grotere vierliter besteld kon worden. De carrosserie viel op door de grote achterruit die als derde deur dienst kon doen. De carrosserie was een ontwerp van Frua en de firma Maggiora bouwde de carrosserieën, over het algemeen van staal maar ook van aluminium. De Mistral was in tegenstelling tot de 3500 GT en de Sebring geen 2+2 maar een echte twoseater. De wagen had veel weg van de AC 428, maar die is ook van Frua.

Aantal cilinders: 6
Cilinderinhoud in cm^3: 3485, 3694 en 4014
Vermogen: 235/5500, 245/5500 en 250/5500
Topsnelheid in km/uur: 250-260
Carrosserie/Chassis: staal of aluminium op een buizenchassis
Uitvoering: coupé
Productiejaren: 1963-1970
Productie-aantal: 828
In NL: n.b.
Prijzen: A: 11.000 B: 26.000 C: 39.000

MASERATI MISTRAL SPIDER

In 1964 kwam Maserati met een open uitvoering van de Mistral naar Genève. Carrozzeria Frua was weer verantwoordelijk geweest voor de carrosserie, die in staal was uitgevoerd. De motor was de oude vertrouwde 3,5 liter met Lucas benzine-inspuiting en de versnellingsbak van ZF telde weer vijf versnellingen. Veel auto's heeft de fabriek niet kunnen verkopen want in Amerika waar de grootste afzetmarkt lag, kostte de wagen met $15.000 evenveel als een Ferrari cabriolet. In 1970 bouwde de fabriek nog één auto en ditmaal met de 4 liter motor die ook in de gesloten Mistral leverbaar was.

Aantal cilinders: 6
Cilinderinhoud in cm^3: 3485
Vermogen: 235/5500
Topsnelheid in km/uur: 240
Carrosserie/Chassis: afzonderlijk chassis
Uitvoering: cabriolet
Productiejaren: 1964-1970
Productie-aantal: 120
In NL: n.b.
Prijzen: A: 27.000 B: 43.000 C: 58.000

MASERATI 5000 GT

Het mooiste dat Maserati in de jaren vijftig kon bieden, was de 5000 GT. Begonnen was men met deze wagen toen de Sjah van Perzië, een echte autoliefhebber, 'iets bijzonders' wilde. Maserati bood hem aan een coupé te bouwen met de motor met vier nokkenassen van de 450 S racewagen. Het resultaat was de 5000 GT die uitsluitend op bestelling geleverd werd. De meeste 2+2-body's waren van Allemano, maar ook Touring, Frua en Ghia waren actief. Een fantastische auto die we zelden te koop zien staan. Er is minstens één cabriolet.

Aantal cilinders: V8
Cilinderinhoud in cm^3: 4935
Vermogen: 310/6000-370/6000
Topsnelheid in km/uur: 270-280
Carrosserie/Chassis: aluminium of staal op een buizenchassis
Uitvoering: coupé en cabriolet
Productiejaren: 1959-1965
Productie-aantal: 32
In NL: n.b.
Prijzen: A: 113.000 B: 170.000 C: 227.000

MASERATI QUATTROPORTE

De Quattroporte was één van de snelste sedans uit zijn tijd. Aangedreven werd de auto door een V8-motor met 4,2 en later 4,7 liter inhoud en vier bovenliggende nokkenassen. Frua was weer voor de carrosserie verantwoordelijk geweest. De eerste modellen hadden een gecompliceerde De Dion-achteras maar na 1967 kwam er weer een starre as onder de wagen. Dit is een wat onderschatte Maserati, maar dat zal wel weer aan zijn vier deuren liggen. De prijzen hebben wel eens hoger gelegen, maar niet erg veel. Het blijft de minst dure oudere Maserati.

Aantal cilinders: V8
Cilinderinhoud in cm^3: 4136 en 4719
Vermogen: 260/5200 en 300/5000
Topsnelheid in km/uur: 220-240
Carrosserie/Chassis: buizenchassis
Uitvoering: sedan
Productiejaren: 1964-1971
Productie-aantal: 759
In NL: n.b.
Prijzen: A: 5.400 B: 10.000 C: 14.500

MASERATI MEXICO

Als 2+2 coupé kwam de Mexico in 1966 uit. Vignale had de carrosserie getekend en onder de motorkap vond men de 4,2 of 4,7 liter V8 die ook in de Quattroporte gebruikt was. De Mexico kon met een automatische versnellingsbak geleverd worden.
Airconditioning was standaard en de latere typen hadden rondom schijfremmen. Ook deze Italiaan is nog voor redelijke prijzen te vinden, ondanks het geringe aantal geproduceerde auto's. De tegenvallende verkopen in Amerika zijn debet aan dat laatste.

Aantal cilinders: V8
Cilinderinhoud in cm³: 4136 en 4719
Vermogen: 260/5200 en 300/5000
Topsnelheid in km/uur: 220-240
Carrosserie/Chassis: buizenchassis
Uitvoering: coupé
Productiejaren: 1966-1973
Productie-aantal: 482
In NL: n.b.
Prijzen: A: 7.700 B: 14.500 C: 20.400

MASERATI GHIBLI

In de hoedanigheid van chefdesigner bij carrozzeria Ghia tekende Giorgio Giugiaro de Maserati Ghibli, volgens Giugiaro ook nu nog zijn mooiste ontwerp. En mooi was de wagen inderdaad, zowel de coupé als de cabriolet. Ouderwets was de starre achteras. De SS van na 1970 had de grotere motor. Daar de cabrio-uitvoering veel meer waard is dan de gesloten wagen, zijn heel wat coupés tot cabriolet 'omgetoverd'. De aspirant-koper is gewaarschuwd. Schoonheid bepaalt vaak echt de waarde, want de Ghibli is pittig geprijsd.

Aantal cilinders: V8
Cilinderinhoud in cm³: 4719 en 4930
Vermogen: 310/5500 en 335/5500
Topsnelheid in km/uur: 270-280
Carrosserie/Chassis: buizenchassis
Uitvoering: coupé
Productiejaren: 1966-1973
Productie-aantal: 1.149
In NL: n.b.
Prijzen: A: 11.300 B: 25.000 C: 36.300

MASERATI GHIBLI SPIDER

Nadat de Ghibli als coupé een reuze succes geworden was, tekende Giugiaro een open uitvoering die in 1969 op de markt kwam. En weer had Maserati een hit gelanceerd die vooral in Amerika goed verkocht werd. Zes stuks kregen een rechtse besturing voor landen zoals Engeland, Japan en Australië en 25 stuks werden met de sterkere 4,9 liter SS motor uitgerust. De fabriek leverde desgewenst een hardtop bij de auto. Hierboven is reeds gewaarschuwd voor later onthoofde coupés.

Aantal cilinders: V8
Cilinderinhoud in cm³: 4719 en 4930
Vermogen: 310/5500 en 335/5500
Topsnelheid in km/uur: 270
Carrosserie/Chassis: afzonderlijk chassis
Uitvoering: cabriolet
Productiejaren: 1969-1972
Productie-aantal: 125
In NL: n.b.
Prijzen: A: 29.500 B: 50.000 C: 72.600

MASERATI INDY

In 1969 kwam Maserati met een nieuwe, zelfdragende 2+2 uit, de Indy, die ditmaal groot genoeg was voor vier volwassen personen. Weer was de carrosserie op de tekentafel van Vignale ontstaan en deze firma bouwde dan ook weer de carrosserieën. Ook deze wagen had de V8-motor met zijn vier bovenliggende nokkenassen. De Indy werd ook nog met een starre achteras afgescheept. Een sperdifferentieel was leverbaar. Vanaf 1970 is er de 4,7 liter en vanaf '73 de 4,9 liter. Minder waard dan de Ghibli, maar ook zeer roestgevoelig.

Aantal cilinders: V8
Cilinderinhoud in cm³: 4136, 4719 en 4930
Vermogen: 260/5500, 290/5500 en 320/5500
Topsnelheid in km/uur: 245-265
Carrosserie/Chassis: zelfdragend
Uitvoering: coupé
Productiejaren: 1969-1974
Productie-aantal: 1.136
In NL: n.b.
Prijzen: A: 9.100 B: 17.200 C: 25.000

MASERATI BORA

Toen de middenmotor mode werd, kon Maserati niet achter blijven. Giugiaro, inmiddels zelfstandig en eigenaar van Ital Design, mocht de carrosserie tekenen. Daar Citroën inmiddels de baas bij Maserati was, werden er enkele speciale Citroën-grapjes in de Bora gebouwd. Zo had men het hydraulische remsysteem overgenomen en werden ook de koplampen en de bestuurdersstoel à la Citroën hydraulisch bediend. De Bora had dezelfde motoren die ook in de Ghibli gebruikt werden. De mooie lijnen en fantastische prestaties maken deze auto duur.

Aantal cilinders: V8
Cilinderinhoud in cm³: 4719 en 4930
Vermogen: 310/5500 en 335/5500
Topsnelheid in km/uur: 280-290
Carrosserie/Chassis: zelfdragend
Uitvoering: coupé
Productiejaren: 1971-1978
Productie-aantal: 571
In NL: n.b.
Prijzen: A: 15.000 B: 29.000 C: 42.000

MASERATI MERAK 2000, 3000 & SS

Ferrari had zijn Dino, Lamborghini zijn Urraco en Maserati zijn Merak. Deze wagen was nog meer 'Citroën' dan de Bora waar hij sprekend op leek want i.p.v. een Maserati V8 vond men een V6 van de Citroën-Maserati achter de kuipstoeltjes. Ook de afwerking van de Merak was niet zo goed als die van zijn sterke broer. Een pluspunt was de uitstekende wegligging. In 1975 kwam er een 'SS' uitvoering met meer vermogen uit. Voor de Italiaanse markt kwam in 1977 de Merak 2000 met een 2-liter motor, maar dat werd geen succes.

Aantal cilinders: V6
Cilinderinhoud in cm³: 1999 en 2965
Vermogen: 170/7000, 190/6000 en 220/6500
Topsnelheid in km/uur: 220, 235 en 250
Carrosserie/Chassis: zelfdragend
Uitvoering: coupé
Productiejaren: 1972-1983
Productie-aantallen: 102, 814 en 224
In NL: n.b.
Prijzen: A: 6.800 B: 12.700 C: 18.200

MASERATI KHAMSIN

Hoewel Bertone vrijwel alle Lamborghini's van een carrosserie voorzien heeft, heeft dit bedrijf ook voor Ferrari en Maserati gewerkt. De Khamsin was één van de wagens die hier ontstonden. De wagen werd aangeboden als 2+2, maar ook heel erg kleine kinderen konden niet op de achterbank meegenomen worden. Hoewel de Khamsin weer een 'echte' V8 Maserati-motor had, zat de wagen vol met Citroën-patenten. De Khamsin is geen geliefde Maserati onder liefhebbers en dat weerspiegelen de huidige prijzen. Of het niet erg comfortabele interieur hier debet aan is weten we niet.

Aantal cilinders: V8
Cilinderinhoud in cm³: 4930
Vermogen: 320/5500
Topsnelheid in km/uur: 270
Carrosserie/Chassis: zelfdragend
Uitvoering: coupé
Productiejaren: 1974-1982
Productie-aantal: 421
In NL: n.b.
Prijzen: A: 10.700 B: 19.300 C: 27.200

MASERATI KYALAMI

Als concurrent voor Jaguar en Mercedes had De Tomaso zijn Longchamp in 1972 aangeboden. Deze wagen zou tot in 1988 leverbaar blijven. Nadat de Argentijn de Maserati-fabriek aan zijn imperium had toegevoegd, verscheen de Longchamp ook als Maserati. De Kyalami had een echte Maserati V8-motor in plaats van een Amerikaanse Ford en Ghia die voor de carrosserie verantwoordelijk was, had de neus van de wagen iets gewijzigd. In 1978 kon de wagen ook met een 4,9 liter motor met 280 pk besteld worden. Het werd geen succes en de productie stopte jaren voor die van de Longchamp.

Aantal cilinders: V8
Cilinderinhoud in cm³: 4136 en 4931
Vermogen: 235/6000-280/6000
Topsnelheid in km/uur: 240
Carrosserie/Chassis: zelfdragend
Uitvoering: coupé
Productiejaren: 1976-1983
Productie-aantallen: 124 en 75
In NL: n.b.
Prijzen: A: 5.000 B: 10.400 C: 15.000

MASERATI QUATTROPORTE II

De introductie van deze wagen vond in november 1974 in Turijn plaats. De carrosserie was bij Bertone getekend en gebouwd en in Modena van een motor van een Citroën SM voorzien. De productie stond onder een ongunstig gesternte vanwege de problemen die door het samengaan van Citroën met Maserati ontstaan waren en de vele stakingen die de fabriek plaagden. Er zijn dan ook maar vijf stuks gebouwd, het prototype dat in de fabriek bleef en vier stuks die in Spanje, Zuid-Amerika en Saudi-Arabië (2 stuks) een koper vonden.

Aantal cilinders: V6
Cilinderinhoud in cm³: 2965
Vermogen: 190/6000
Topsnelheid in km/uur: 210
Carrosserie/Chassis: zelfdragend
Uitvoering: sedan
Productiejaren: 1974-1975
Productie-aantal: 5
In NL: 0
Prijzen: A: 12.300 B: 18.200 C: 22.700

MASERATI QUATTROPORTE III

In 1976 stond er weer een 'echte' Quattroporte in Turijn. Bertone had de carrosserie van de voorganger iets meer dan een facelift gegeven en in Modena had men in plaats van Citroën-onderdelen die van Maserati gemonteerd. Naar goed Maserati-gebruik had de V8 weer twee bovenliggende nokkenassen per cilinderrij en een elektrische benzinepomp pompte de brandstof uit een 100 liter tank naar vier dubbele Weber carburateurs. De afwerking van het interieur deed niet onder voor die van een Mercedes of Jaguar.

Aantal cilinders: V8
Cilinderinhoud in cm³: 4136 en 4931
Vermogen: 235/6000 en 280/6000
Topsnelheid in km/uur: 230 en 240
Carrosserie/Chassis: zelfdragend
Uitvoering: sedan
Productiejaren: 1976-1986
Productie-aantal: n.b.
In NL: n.b.
Prijzen: A: 5.400 B: 9.100 C: 13.600

MASERATI BITURBO

Met de Biturbo begon voor Maserati een nieuw tijdperk dat nog steeds niet helemaal afgesloten is. De eerste wagens die in december 1981 hun première vierden, hadden een tweeliter V6 met twee turbo's die tot 1983 alleen voor de Italiaanse markt bestemd was. De 2000i met benzine-inspuiting volgde in 1982 en in de herfst van 1983 de 2500 met een 2,5 liter motor. Met dit model kwam de export pas goed op gang. In december 1983 kwam de Biturbo als Quattroporte, met vier deuren dus, uit en dit model werd aangeboden als 425. Nog later volgde een 2,8 liter motor.

Aantal cilinders: V6
Cilinderinhoud in cm³: 1996-2790
Vermogen: 180/6000-225/5500
Topsnelheid in km/uur: 210-240
Carrosserie/Chassis: zelfdragend
Uitvoering: coach en sedan
Productiejaren: 1981-1991
Productie-aantal: n.b.
In NL: n.b.
Prijzen: A: 2.000 B: 9.100 C: 7.900

MASERATI BITURBO SPIDER

De Spider-uitvoering van de Biturbo zag men in Turijn in 1984 voor het eerst als productiewagen. In 1982 waren er al prototypen tentoongesteld die door Carrozzeria Embo gemaakt waren, maar voor de auto's die in serieproductie gingen was Zagato verantwoordelijk geweest. De Spider ging als 2+2 de poort uit, hoewel het maar weinig mensen gelukt is enigszins comfortabel achterin te zitten. Helaas zijn al heel wat mensen erachter gekomen dat de Biturbo geen probleemloze wagen is. Ook in de Spider kwam later de grotere motor.

Aantal cilinders: V6
Cilinderinhoud in cm³: 1996-2790
Vermogen: 180/6000-225/5500
Topsnelheid in km/uur: 210-240
Carrosserie/Chassis: zelfdragend
Uitvoering: cabriolet
Productiejaren: 1984-1991
Productie-aantal: n.b.
In NL: n.b.
Prijzen: A: 3.600 B: 6.800 C: 11.300

MATRA

In 1945 begon Marcel Chassagny een firma onder de naam 'Méchanique Aviation TRAction' ofwel Matra. Matra bouwde militaire vliegtuigen, hielp mee in de ruimtevaart en had al gauw een fabriek waar men kunststoffen verwerkte. Hier bouwde men de carrosserieën voor René Bonnets auto's en toen Bonnet failliet ging, kocht Matra de zaken op om nu ook sportwagens te gaan bouwen. Dat men ook nog met heel veel succes in de Formule 1 meedeed, is een ander verhaal.

MATRA-BONNET DJET

Nadat René Bonnet zich van zijn oude partner Charles Deutsch (D.B.) losgemaakt had, kwam hij met een vreemd gevormde sportwagen, de Bonnet-Djet op de markt. Het was de eerste productieauto met een middenmotor en de constructie was zo kostbaar dat de auto Bonnet financieel de nek brak. De meer dan 100 pk sterke versie met Renault-blok heette Djet. Matra nam de fabriek en de Djet over om hem in eigen regie verder te bouwen. De wagen met de Renault-motor was in de racerij erg actief.

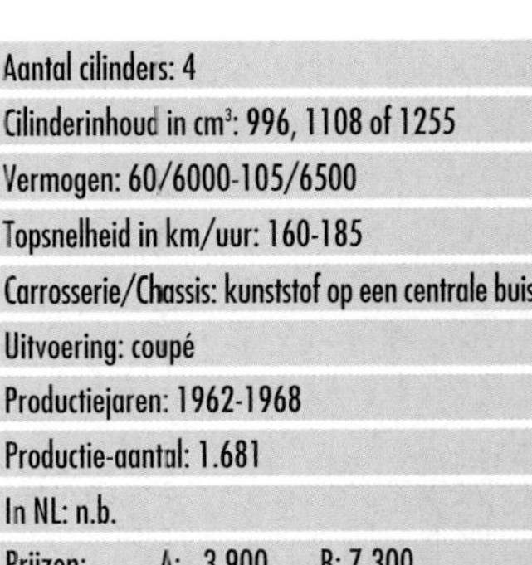
Aantal cilinders: 4
Cilinderinhoud in cm³: 996, 1108 of 1255
Vermogen: 60/6000-105/6500
Topsnelheid in km/uur: 160-185
Carrosserie/Chassis: kunststof op een centrale buis.
Uitvoering: coupé
Productiejaren: 1962-1968
Productie-aantal: 1.681
In NL: n.b.
Prijzen: A: 3.900 B: 7.300 C: 10.900

MATRA (SIMCA) M 530 LX & SX

Evenals de Djet veranderde ook zijn opvolger, de M 530, van naam toen Simca Matra opkocht. Deze 2+2 coupé had weer een middenmotor maar ditmaal van de Ford Taunus. De LX was de luxe uitvoering en de SX, die vanaf 1971 leverbaar was, de goedkopere waarvan de twee dakhelften niet verwijderd konden worden en de koplampen niet uitklapbaar waren. Deze wagens zijn nog steeds voor een schappelijke prijs te koop. Wie een prima rijdende sportieve klassieker zoekt, kan de aanschaf van een 530 overwegen.

Aantal cilinders: V4
Cilinderinhoud in cm³: 1699
Vermogen: 70/4800
Topsnelheid in km/uur: 170
Carrosserie/Chassis: kunststof/afzonderlijk chassis
Uitvoering: coupé en coupé m.u.d.
Productiejaren: 1967-1973
Productie-aantal: 9.609
In NL: n.b.
Prijzen: (LX) A: 2.300 B: 5.000 C: 7.700

MATRA-SIMCA (TALBOT) BAGHEERA

Philippe Guédon die ook de M 530 getekend had, was verantwoordelijk voor de Bagheera. Weer had de wagen een middenmotor die ditmaal echter dwars ingebouwd was en van Simca afkomstig. Interessant was de driepersoons voorbank. In 1979 werd Simca opgeslokt door het PSA-concern en werd de Bagheera als Talbot verder verkocht. Tweedehands Bagheera's kwamen vaak in handen van jonge berijders die zonder ontzag de wagen in korte tijd afreden. De S-versie van na '75 heeft de 1442 cc-motor.

Aantal cilinders: 4
Cilinderinhoud in cm³: 1294 en 1442
Vermogen: 84/6000 en 90/5800
Topsnelheid in km/uur: 175-180
Carrosserie/Chassis: kunststof/afzonderlijk chassis
Uitvoering: coupé
Productiejaren: 1973-1980
Productie-aantal: 47.802
In NL: n.b.
Prijzen: A: 1.100 B: 2.500 C: 5.000

MATRA-SIMCA RANCHO

Toen de Range Rover zeven jaar in productie was, kreeg hij een klein Frans broertje: de Matra-Simca Rancho, die op het onderstel van een Simca 1100 stond. De Rancho leek een terreinwagen, maar was het niet. De aandrijving volgde uitsluitend over de voorwielen en ook verder was de wagen niet stevig genoeg geconstrueerd. Hij was echter prima geschikt om op te vallen, als kleine stationcar of bestelwagen. Buitengewoon roestgevoelig en dientengevolge nog zelden te zien. Kent enige liefhebbers. Een cursus lassen is aanbevolen.

Aantal cilinders: 4
Cilinderinhoud in cm³: 1442
Vermogen: 80/5600
Topsnelheid in km/uur: 140
Carrosserie/Chassis: zelfdragend
Uitvoering: stationcar
Productiejaren: 1977-1984
Productie-aantal: 56.700
In NL: n.b.
Prijzen: A: 700 B: 1.700 C: 2.700

MATRA MURENA

De opvolger van de Bagheera werd in 1980 voorgesteld onder de naam Murena. Hoewel in grote lijnen gelijkend, was er technisch weinig gemeenschappelijks. De Murena had een vijfbak en spiraal- in plaats van torsieveren. De klant kon kiezen uit de 1,6 liter van Simca of de 2,2 liter van de Rootes-groep. De karakteristieke gig van de drie zitplaatsen voorin prolongeerde Matra. Er was een opvoerkit verkrijgbaar waarmee het vermogen tot 142 pk toenam. Eind 1980 was er nog de Murena S als zeldzame vogel met hetzelfde vermogen als de getunede versie.

Aantal cilinders: 4
Cilinderinhoud in cm³: 1592 en 2156
Vermogen: 92/6700-142/6000
Topsnelheid in km/uur: 180-210
Carrosserie/Chassis: kunststof/zelfdragend
Uitvoering: coupé
Productiejaren: 1980-1983
Productie-aantal: 10.680
In NL: n.b.
Prijzen: (1,6 l.) A: 1.800 B: 3.900 C: 5.900

MAZDA

In 1920 werd de firma Toyo Cork Kogyo in Hiroshima opgericht. Men produceerde kurk en na 1922 ook machines. In 1930 volgden motorfietsen en een jaar later kleine vrachtwagens. In 1940 verscheen er een prototype van een kleine personenwagen, maar de oorlog voorkwam dat de wagen in productie genomen kon worden. Al in december 1945 had men het puin geruimd en konden de eerste vrachtwagens afgeleverd worden. In 1960 kwam de fabriek met een eerste personenwagen op de markt. Mazda heeft geschiedenis gemaakt door de wankelmotor van zijn kinderziekten te genezen.

MAZDA COSMO

Nadat Toyo Kogyo al sinds de jaren dertig vrachtwagens gebouwd had, begon men in 1960 in Hiroshima met de productie van personenwagens. Mazda werd de enige fabriek die nog steeds de wankelmotor in serie inbouwt, hoewel het grootste deel van de productie uit wagens met conventionele motoren bestaat. Mazda's eerste sportwagen was de 110S coupé, de Cosmo. De wagen had een wankelmotor voorin, een vijfversnellingsbak, schijfremmen bij de voorwielen en een De Dion-achteras. Een dergelijke wagen is in Europa zeldzaam. De onderdelenvoorziening is problematisch.

Aantal cilinders: wankelmotor met twee rotors
Cilinderinhoud in cm³: 1964
Vermogen: 110/7000 en 128/7000
Topsnelheid in km/uur: 185-200
Carrosserie/Chassis: zelfdragend
Uitvoering: coupé
Productiejaren: 1967-1972
Productie-aantal: 1.176
In NL: n.b.
Prijzen: A: 6.800 B: 13.600 C: 20.400

MAZDA 1800

Jarenlang heeft Mazda, zoals alle Japanse fabrieken, minuscule auto's gebouwd die geen problemen hadden op de smalle Japanse wegen. Exporteren kon men die autootjes niet, omdat een westerling er niet in kon zitten. Toen export het toverwoord voor de Japanners werd, vroeg Mazda de Italiaanse carrossier Bertone behulpzaam te zijn bij het ontwerpen van een ruimere wagen. De Italiaan produceerde de Mazda Luce die met een 1500 of 1800 cm³ motor geleverd werd. De eerste werd veel beter verkocht, maar de 1800 is natuurlijk interessanter.

Aantal cilinders: 4
Cilinderinhoud in cm³: 1796
Vermogen: 101/5500
Topsnelheid in km/uur: 160
Carrosserie/Chassis: zelfdragend
Uitvoering: sedan en stationcar
Productiejaren: 1968-1972
Productie-aantal: 39.041
In NL: n.b.
Prijzen: A: 900 B: 2.500 C: 3.600

MAZDA 1000 & 1300

Een weinig opwindende auto was de Mazda 1200 van '68. In 1970 werd de gemodificeerde (en verkleinde) carrosserie voorzien van een 1.272 cc-motor met bovenliggende nokkenas en aldus ontstond de 1300. Het was net als de Datsun Sunny een zeer saai ontworpen vervoermiddel dat mikte op een Europees Kadett-publiek. Een fors verschil dus met de hiervoor besproken Bertone-Mazda's. In '74 kwam de 1000 erbij met hetzelfde koetswerk. Deze wagentjes waren sterk, betrouwbaar en niet te duur, dus er waren op alle afzetmarkten volop kopers voor te vinden.

Aantal cilinders: 4
Cilinderinhoud in cm³: 985 en 1272
Vermogen: 45/5800 en 66/6000
Topsnelheid in km/uur: 140 en 155
Carrosserie/Chassis: zelfdragend
Uitvoering: coach, sedan, coupé en stationcar
Productiejaren: 1968-1977
Productie-aantal: 849.396
In NL: n.b.
Prijzen: A: 500 B: 900 C: 1.800

MAZDA RX2

Ruim twintig automobielfabrikanten hebben met de wankelmotor geëxperimenteerd, maar tot nu is Mazda de enige geweest die er werkelijk succes mee gehad heeft. Om de twijfelaars gerust te stellen: een Belgische RX2 reed met een verzegelde motor 100.000 km nonstop. De reis begon op 2 oktober 1971 en was op 11 januari 1972 ten einde. Twaalf Europese landen had de wagen doorkruist. We kunnen niet zeggen dat deze oudere Wankel-Mazda tegenwoordig een geliefde auto is. De roestgevoeligheid heeft vele exemplaren genekt.

Aantal cilinders: twee rotors
Cilinderinhoud in cm³: 2 x 574 = equivalent van 2292 cm³
Vermogen: 130/7000
Topsnelheid in km/uur: 190
Carrosserie/Chassis: zelfdragend
Uitvoering: coupé
Productiejaren: 1970-1978
Productie-aantal: 225.004
In NL: n.b.
Prijzen: A: 600 B: 1.600 C: 2.700

MAZDA RX3 (818)

In september 1971 kwam Mazda met een nieuw model, de 818, die in Japan als Grand Familia verkocht werd en die een normale viercilindermotor had. De wagen was ook als coupé met een wankel- of rotatiemotor te koop en heet dan bij ons RX3 en in Japan Savanna. De wagens konden met een vier- of een vijfbak geleverd worden of met een automaat. Deze derde RX is wat minder snel en krachtig dan zijn voorganger. De technische gegevens hiernaast hebben alleen betrekking op de wankelmotor.

Aantal cilinders: twee rotors
Cilinderinhoud in cm³: 2 x 491 = equivalent van 1964 cm³
Vermogen: 105/7000
Topsnelheid in km/uur: 175
Carrosserie/Chassis: zelfdragend
Uitvoering: sedan, coupé en stationcar
Productiejaren: 1971-1978
Productie-aantal: 286.685 (RX3)
In NL: n.b.
Prijzen: (coupé) A: 500 B: 1.200 C: 2.300

MAZDA RX4 (929)

De RX4 kwam in 1972 met een rotatiemotor uit terwijl een half jaar erna dezelfde wagen met een viercilinder conventionele motor als Mazda 929 gepresenteerd werd. De RX4 kon met twee verschillende motoren geleverd worden, waarbij de kleinere uit de RX3 stamde. De grotere uitvoering was uitsluitend voor de export bestemd. We herhalen onszelf, maar als er al sprake is van liefhebbers voor deze Japanner, dan betreft het de coupéversie. Ook hier geven we uitsluitend de specificaties van de wankelmodellen.

Aantal cilinders: twee rotors
Cilinderinhoud in cm³: 574 (= 2292 cm³) of 654 (= 2616 cm³)
Vermogen: 125/6500 of 135/6000
Topsnelheid in km/uur: 180 en 190
Carrosserie/Chassis: zelfdragend
Uitvoering: sedan, coupé en stationcar
Productiejaren: 1972-1978
Productie-aantal: 213.988
In NL: n.b.
Prijzen: A: 600 B: 1.200 C: 2.300

MAZDA RX5 (121)

In 1975 hadden de Japanners Frankfurt uitgezocht om hun nieuwe RX5 voor te stellen. De wagen werd alleen maar als coupé geleverd en had net als zijn voorgangers een rotatiemotor naar het systeem van Felix Wankel. Met twee kamers van ieder 654 cc kwam men aan een cilinderinhoud van 2,6 liter. In Japan en Amerika leverden de motoren 135 pk, maar de Europeanen moesten met minder vermogen tevreden zijn. Er was keuze uit een vier- en vijfbak of een automatische versnellingsbak. De versie met een conventionele motor heette 121.

Aantal cilinders: twee rotors
Cilinderinhoud in cm³: 2616
Vermogen: 115/6000
Topsnelheid in km/uur: 190
Carrosserie/Chassis: zelfdragend
Uitvoering: coupé
Productiejaren: 1975-1979
Productie-aantal: n.b.
In NL: n.b.
Prijzen: A: 600 B: 1.200 C: 2.300

MAZDA RX7

De Mazda RX7 was een auto die speciaal voor de Amerikaanse markt bestemd was. De wagen werd een reusachtig succes en de Mazda-dealers verkochten tien keer zo veel RX7's dan de Porsche-dealers 924's. Natuurlijk had ook de RX7 net als zijn RX-voorgangers een wankelmotor en deze was nu dermate goed dat de klant er geen problemen mee had. Afgezien van het benzineverbruik dan, maar dat speelde vooral in Amerika geen enkele rol. De RX7 is een leuke Japanse sportwagen die nog voor weinig geld te koop is.

Aantal cilinders: wankelmotor met twee schijven
Cilinderinhoud in cm³: 2292
Vermogen: 130/6000
Topsnelheid in km/uur: 190
Carrosserie/Chassis: zelfdragend
Uitvoering: coupé
Productiejaren: 1978-1986
Productie-aantal: 474.565
In NL: n.b.
Prijzen: A: 2.300 B: 4.500 C: 6.600

MAZDA RX7 CABRIOLET

Speciaal en uitsluitend voor de Amerikaanse markt bouwde Mazda de RX7 vanaf '85 ook als cabriolet. De wagen was een zuivere tweezitter en daarom voor een kleine groep van liefhebbers bedoeld. Met een gewicht van 1280 kg en een motor die (voor Amerika) 148 pk leverde was de wagen snel genoeg. Wilde men meer, dan bestelde men de auto met een turbomotor. Deze motoren waren ook met een katalysator leverbaar. Hoewel deze Mazda in Europa zelden of nooit te zien is, nemen we dit type voor de volledigheid op.

Aantal cilinders: twee rotors
Cilinderinhoud in cm³: 2616
Vermogen: 148/6500 en 185/6500
Topsnelheid in km/uur: 210 en 230
Carrosserie/Chassis: zelfdragend
Uitvoering: cabriolet
Productiejaren: 1985-1991
Productie-aantal: n.b.
In NL: n.b.
Prijzen: A: 9.100 B: 13.600 C: 18.200

MELKUS

De coureur Heinz Melkus opende na een reeks racesuccessen op de Sachsenring in '55 zijn eigen rijschool. Vier jaar later bouwde hij zijn eerste auto op Wart3burg-basis en een jaar later volgde een monoposte. Na ongeveer 500 snelle Wartburgs verscheen in 1969 de RS 1000, een sportwagen met een Wartburg middenmotor, vleugeldeuren en een kunststof carrosserie. Rond 1980 bouwde Melkus een Lada-racewagen. Na de val van de Muur ging zijn bedrijf over op een BMW-dealerschap. Er zijn tegenwoordig zo'n 70 RS 1000's overgebleven.

MELKUS RS 1000

Op basis van een duffe Wartburg 353 bouwde Heinz Melkus in 1969 een sportwagen die zeker in de DDR alom opzien baarde. Een getunede middenmotor, vleugeldeuren en een bak met vijf versnellingen maakten de RS 1000 tot een tweetakt racer die weinig aan de gewone Wartburg deed denken. De 70 pk zorgden voor een redelijke topsnelheid. Tot en met 1980 bleef de RS 1000 leverbaar. Er zijn enkele zeer snelle 90 pk-versies geleverd. Na '72 waren er schijfremmen voor. Internationaal gezien stelde de RS natuurlijk weinig voor, maar in de DDR was het heel wat.

Aantal cilinders: 3	
Cilinderinhoud in cm³: 993	
Vermogen: 70/4500	
Topsnelheid in km/uur: 165	
Carrosserie/Chassis: kunststof/afzonderlijk chassis	
Uitvoering: coupé	
Productiejaren: 1969-1980	
Productie-aantal: 101	
In NL: n.b.	
Prijzen:	A: 4.500 B: 12.700 C: 20.400

MERCEDES-BENZ

De meeste autoliefhebbers zijn het er wel mee eens, dat Daimler-Benz in 1886 de eerste auto heeft gebouwd. Nu, zo eenvoudig liggen de zaken niet want Gottlieb Daimler woonde en werkte in Cannstatt en Carl Benz in Mannheim. De heren kenden elkaar niet maar werkten aan een zelfde doel: de automobiel. In 1926 sloten de firma's zich tot Daimler-Benz AG aaneen en toen pas begon de welvarende tijd.

MERCEDES-BENZ 170D & 170V

De 170V was de laatste creatie van de beroemde Mercedes-constructeur Hans Nibel. Hij tekende de wagen al in het begin der jaren dertig, maar ook na de oorlog kwam de auto weer in productie. Door de jaren heen werd hij wel steeds verbeterd. Hij kreeg een grotere motor, andere schokdempers, een grotere spoorbreedte, enzovoorts. In 1949 kon men hem ook met een dieselmotor bestellen. De toevoeging 'D' achter het typenummer gaf zulks aan. Indertijd een gewilde wagen voor ombouw tot taxi, ambulance of lijkwagen.

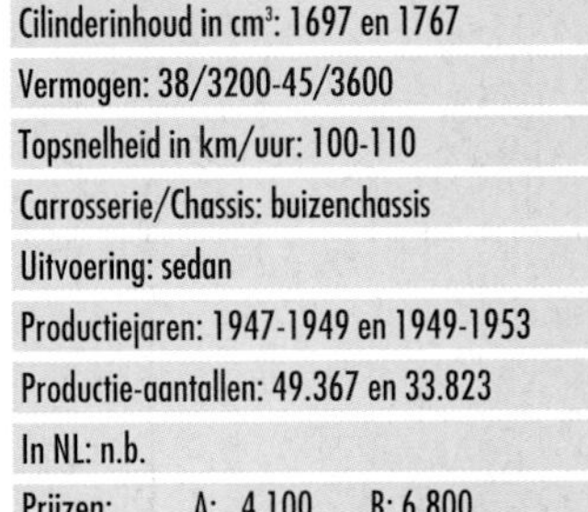

Aantal cilinders: 4	
Cilinderinhoud in cm³: 1697 en 1767	
Vermogen: 38/3200-45/3600	
Topsnelheid in km/uur: 100-110	
Carrosserie/Chassis: buizenchassis	
Uitvoering: sedan	
Productiejaren: 1947-1949 en 1949-1953	
Productie-aantallen: 49.367 en 33.823	
In NL: n.b.	
Prijzen:	A: 4.100 B: 6.800 C: 11.300

MERCEDES-BENZ 170S, Sb & 170DS

Raar maar waar: de oude 170V diende als basis voor de 170S die in 1949 verscheen. Hij had een grotere carrosserie en ook de motor had men onder handen genomen maar het grondconcept bleef onveranderd. Ook was er vanaf 1952 weer een dieselmotor verkrijgbaar, wat vooral door de taxihouders gewaardeerd werd. Die diesel heette DS en hij haalde het imago van de S enigszins onderuit. Vanaf januari '52 was er de Sb met een aantal technische verbeteringen. Van de Sb zijn er 8.094 verkocht.

Aantal cilinders: 4	
Cilinderinhoud in cm³: 1767	
Vermogen: 52/4000 en 40/3200	
Topsnelheid in km/uur: 120 en 105	
Carrosserie/Chassis: buizenchassis	
Uitvoering: sedan	
Productiejaren: 1949-1953 en 1952-1953	
Productie-aantallen: 36.858 en 12.985	
In NL: n.b.	
Prijzen: (S)	A: 4.100 B: 8.200 C: 12.500

MERCEDES-BENZ 170SV & 170SD

Met een licht vereenvoudigde carrosserie en een gemodificeerde voorwielophanging kwam in 1953 de SV uit. De diesel heette nu SD. Het was een stap terug in de programmering, aangezien de SV en SD op het onderstel van de aloude 170V en D stonden. De SV had ook nog eens de oude motor van de V met 45 pk ingebouwd gekregen. Mercedes deed dit opzettelijk om de nieuwe 180 de nodige afstand te geven. Geen wonder dat het koperspubliek weinig van deze sobere modellen moest hebben, ondanks de aanzienlijk gereduceerde prijs. De diesel verkocht wel redelijk.

Aantal cilinders: 4
Cilinderinhoud in cm³: 1767
Vermogen: 45/3600 en 40/3200
Topsnelheid in km/uur: 115 en 105
Carrosserie/Chassis: buizenchassis
Uitvoering: sedan
Productiejaren: 1953-1955
Productie-aantallen: 3.122 en 14.887
In NL: n.b.
Prijzen: A: 3.200 B: 5.900 C: 10.000

MERCEDES-BENZ 170S CABRIOLET A & B

In 1949 kwam Mercedes met een cabriolet terug op de markt. De wagen was gebaseerd op de 170S-serie en kon als 2+2, Cabriolet A, en als vijfpersoons, Cabriolet B, gekocht worden. De wagens waren prachtig afgewerkt en bij het interieur vielen de leren bekleding en het notenhout op. Technisch waren de wagens gelijk aan de 170S. Al jaren zijn deze typen onder Mercedes-fans gezocht en fraaie exemplaren zijn zelden onder € 50.000,- te koop. B-versies zijn een derde lager geprijsd. Aan het Duitse leger zijn enkele dieselversies geleverd.

Aantal cilinders: 4
Cilinderinhoud in cm³: 1767
Vermogen: 45/3600-52/4000
Topsnelheid in km/uur: 120
Carrosserie/Chassis: buizenchassis
Uitvoering: cabriolet
Productiejaren: 1949-1952
Productie-aantal: 2.483
In NL: n.b.
Prijzen: (A) A: 27.200 B: 45.400 C: 61.300

MERCEDES-BENZ 220

In 1951 verscheen de Mercedes 220 die uiterlijk heel veel op de 170S leek. Men kon hem echter aan de koplampen herkennen die nu in de voorspatborden gebouwd waren en er niet langer bovenop stonden. Onder de onder de ruit scharnierende motorkap waren de verschillen groter, want hier stond een nieuwe zescilinder die door zijn bovenliggende nokkenas opviel. De 220 werd onder de Duitse notabelen een geliefde auto. Dankzij de zespitter en de betere rij-eigenschappen is de 220 tegenwoordig een stuk duurder dan de 170.

Aantal cilinders: 6
Cilinderinhoud in cm³: 2195
Vermogen: 80/4850
Topsnelheid in km/uur: 140
Carrosserie/Chassis: buizenchassis
Uitvoering: sedan
Productiejaren: 1951-1954
Productie-aantal: 16.154
In NL: n.b.
Prijzen: A: 8.200 B: 11.300 C: 15.900

MERCEDES-BENZ 220 CABRIOLET A & B

Op basis van de 220 verscheen er ook een tweetal cabrioletuitvoeringen. Ze leken sprekend op de 170S cabriolets, afgezien van de koplampen natuurlijk. De A was wederom een sportief gelijnde 2+2 en de B de vijfzitter. Er was geen technisch verschil, maar wel een redelijk verschil in prijs van ongeveer twintig procent. In '54 stopte men met de B en kreeg de A een gewelfde voorruit en de 5 pk sterkere motor van de opvolger 220a. Tegelijk met de komst van die motor verscheen de hieronder behandelde zeldzame coupé.

Aantal cilinders: 6
Cilinderinhoud in cm³: 2195
Vermogen: 80/4850-85/4800
Topsnelheid in km/uur: 150
Carrosserie/Chassis: buizenchassis
Uitvoering: cabriolet en coupé
Productiejaren: 1951-1955
Productie-aantallen: Cabrio A: 1.278 en Cabrio B: 997
In NL: n.b.
Prijzen: (A) A: 27.200 B: 45.400 C: 63.500

MERCEDES-BENZ 220 COUPÉ

In het vierde jaar van de productie van de open 220's verscheen er een coupé. In feite was het een Cabriolet A met een vast stalen dak. Hij was ruim tien procent duurder dan de open A en de klant die er een schuifdak in wilde, was nog eens een dikke 1000 marken kwijt. De coupé bleef een zeldzame verschijning, aangezien er slechts 85 exemplaren de fabriek verlieten. Open wagens zijn doorgaans veel duurder dan hun gesloten familieleden, maar dat gaat voor deze unieke coupé niet op. De prijzen van open en gesloten versies liggen ongeveer gelijk.

Aantal cilinders: 6
Cilinderinhoud in cm³: 2195
Vermogen: 85/4800
Topsnelheid in km/uur: 155
Carrosserie/Chassis: buizenchassis
Uitvoering: coupé
Productiejaren: 1954-1955
Productie-aantal: 85
In NL: 1
Prijzen: A: 22.700 B: 43.100 C: 59.000

MERCEDES-BENZ 300

Met de Mercedes 300 kwam de firma terug in de internationale topklasse. De 300 was een geweldig visitekaartje voor het merk. Na 1954 kreeg de wagen meer vermogen (300b) en in de herfst van 1955 op verzoek een automatische versnellingsbak (300c). Met een dergelijke wagen reed kanselier Konrad Adenauer, zodat dit model in Duitsland onder de naam 'Adenauer 300' bekend staat. Mercedes verlaagde zelfs de bodem van zijn auto, zodat hij zijn hoed op kon houden. Technisch is dat ook een prachtige auto.

Aantal cilinders: 6
Cilinderinhoud in cm³: 2996
Vermogen: 115/4600 en 125/4500
Topsnelheid in km/uur: 160-165
Carrosserie/Chassis: buizenchassis
Uitvoering: sedan
Productiejaren: 1951-1957
Productie-aantal: 7.746
In NL: n.b.
Prijzen: A: 11.300 B: 20.400 C: 27.200

MERCEDES-BENZ 300 CABRIOLET D

De vierdeurs cabriolet was een zeer imposante auto. Voor een meerprijs van twintig procent had de koper een open 300 die hetzelfde comfort bood als de sedan, namelijk vier portieren en vier ruime zitplaatsen. Hij was natuurlijk niet zo sportief als de 'echte' cabriolet S (zie verderop). In de 300b- en c-serie verscheen de Cabriolet D wederom, maar de productie stopte een jaar eerder dan die van de dichte wagens. Prinses Wilhelmina verplaatste zich in een dergelijke Mercedes-Benz. Tegenwoordig zijn de open 300's peperduur en zeer zeldzaam.

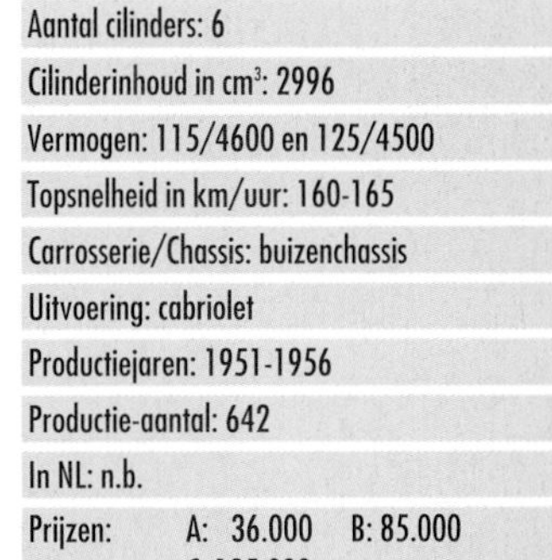

Aantal cilinders: 6
Cilinderinhoud in cm³: 2996
Vermogen: 115/4600 en 125/4500
Topsnelheid in km/uur: 160-165
Carrosserie/Chassis: buizenchassis
Uitvoering: cabriolet
Productiejaren: 1951-1956
Productie-aantal: 642
In NL: n.b.
Prijzen: A: 36.000 B: 85.000 C: 135.000

MERCEDES-BENZ 300S & 300 SC CABRIOLET

Voor de sportieve en rijke automobilist ontstond de 300S die als cabriolet en als coupé te koop was. De eerste exemplaren hadden een motor met drie Solex-carburateurs maar de laatste modellen hadden een benzine-inspuiting en een dry sump-smeersysteem waarmee ze, technisch, nog meer op de 300 SL leken. Die laatste versies heetten SC. De cabriolet is er ook in roadster-uitvoering. Van die roadster kwamen er 141 als S uit de fabriek en slechts 53 als SC. Peperduur.

Aantal cilinders: 6
Cilinderinhoud in cm³: 2996
Vermogen: 150/5000 en 175/5400
Topsnelheid in km/uur: 175-185
Carrosserie/Chassis: buizenchassis
Uitvoering: cabriolet en roadster
Productiejaren: 1952-1955 en 1955-1958
Productie-aantallen: 344 en 102
In NL: n.b.
Prijzen (S): A: 45.000 B: 90.000 C: 137.000

MERCEDES-BENZ 300S & SC COUPÉ

Net als van de 220 verscheen er naast de open 300 een coupévariant. Hij was even duur als de Cabriolet A en de schitterende roadster (DM 34.500,–) en het werd met 216 verkochte exemplaren de meest verkochte S. Ook de coupé ging is '55 over in de SC en daarvan verkocht Mercedes er slechts 98. Een dergelijke zeldzame gesloten SC behoort momenteel tot de regelrechte topstukken in de verzamelaarswereld en voor een mooi exemplaar loopt de prijs dicht naar € 140.000,–. De S is wat minder duur zoals hiernaast te zien is.

Aantal cilinders: 6
Cilinderinhoud in cm³: 2996
Vermogen: 150/5000 en 175/5400
Topsnelheid in km/uur: 175-185
Carrosserie/Chassis: buizenchassis
Uitvoering: coupé
Productiejaren: 1952-1955 en 1955-1958
Productie-aantallen: 216 en 98
In NL: n.b.
Prijzen (S): A: 39.000 B: 80.000 C: 122.000

MERCEDES-BENZ 300d

Als nieuwe prestigewagen ontstond de 300d in 1957. De wagen had een 10 cm langere wielbasis dan zijn voorganger en bood dus meer ruimte. Opvallend was dat deze wagen een vierdeurs hardtop was, aangezien er geen middenstijl tussen de portieren zat. De motor had nu benzine-inspuiting en leverde daardoor meer vermogen. De cabriolet had vier portieren en werd slechts in kleine oplage verkocht. De meeste 300d's zijn met automaat verkocht. Stuurbekrachtiging was een extra. De cabrio's zijn erg duur.

Aantal cilinders: 6
Cilinderinhoud in cm³: 2996
Vermogen: 160/5300
Topsnelheid in km/uur: 170
Carrosserie/Chassis: buizenchassis
Uitvoering: sedan en cabriolet
Productiejaren: 1957-1962
Productie-aantallen: 3.008 en 65
In NL: n.b.
Prijzen: A: 13.600 B: 21.300 C: 28.600

MERCEDES-BENZ 300 SL COUPÉ

Onder de naoorlogse droomauto's neemt de 300 SL een eerste plaats in. Deze wagen was een directe afstammeling van de raceauto waarmee races zoals de zware Carrera Panamericana gereden werden. Hij verleende zijn eigenaar het image 'boven Jan' te zijn en kostte niet veel minder dan een kleine bungalow. Van de 1.400 gebouwde coupés waren er 29 met een aluminium carrosserie en dat juist deze nu onbetaalbaar zijn, moge duidelijk zijn. De bijnaam voor deze sportieve Mercedes is 'Vleugeldeur'.

Aantal cilinders: 6
Cilinderinhoud in cm³: 2996
Vermogen: 215/5800
Topsnelheid in km/uur: 220-250
Carrosserie/Chassis: buizenchassis
Uitvoering: coupé
Productiejaren: 1954-1957
Productie-aantal: 1.400
In NL: n.b.
Prijzen: A: 100.000 B: 175.000 C: 245.000

MERCEDES-BENZ 300 SL ROADSTER

Toen de verkoop van de 300 SL coupé terugliep – hij werd veel in Californië verkocht, waar het echter bloedheet kon worden in de wagen – besloot men een open versie uit te brengen. Het ingewikkelde buizenchassis werd nieuw ontworpen en wie dat wilde, kon de SL (voor Super Leicht) met een hardtop bestellen. Net als de coupé vormen de roadsters voor liefhebbers de populairste Mercedessen van na de oorlog. Voor de gewone klassieker-freak inmiddels onbetaalbaar geworden. Die kan desgewenst altijd nog met een 190 SL uit de voeten.

Aantal cilinders: 6
Cilinderinhoud in cm³: 2996
Vermogen: 215/5800
Topsnelheid in km/uur: 220-250
Carrosserie/Chassis: buizenchassis
Uitvoering: cabriolet
Productiejaren: 1957-1963
Productie-aantal: 1.858
In NL: n.b.
Prijzen: A: 90.000 B: 160.000 C: 225.000

MERCEDES-BENZ 180 & 180D

Een nieuwe carrosserie en een oude motor; de Mercedes 180 had dan wel een nieuwe zelfdragende pontoncarrosserie gekregen, maar onder de motorkap vond men een iets verbeterde uitgave van de oeroude 170-motor met zijkleppen. Na enkele jaren kreeg de wagen pas een nieuw geconstrueerde motor. In warme streken ziet men deze Benz nog regelmatig in het wild; een bewijs van de degelijkheid ervan. Bij ons kreeg de auto de bijnaam 'bolhoed'. Veel wagens van dit populaire type zijn overgebleven, vandaar ook de betrekkelijk lage prijzen.

Aantal cilinders: 4
Cilinderinhoud in cm³: 1767 en 1897 (benzine);1767 en 1988 (diesel)
Vermogen: 40/3200-68/4400
Topsnelheid in km/uur: 125-135
Carrosserie/Chassis: zelfdragend
Uitvoering: sedan
Productiejaren: 1953-1962
Productie-aantallen: 118.234 en 152.383
In NL: n.b.
Prijzen: A: 1.600 B: 5.000 C: 8.200

MERCEDES-BENZ 190 & 190D

De 190 had chroomlijsten onder de zijruiten maar leek verder sprekend op de 180. De motor was natuurlijk groter wat cilinderinhoud betreft en ook had hij nu een bovenliggende nokkenas. Het bleef echter een nogal trage auto, zeker in de dieseluitvoering, die in 1958 op de markt kwam. Op verzoek kon de wagen als stationcar geleverd worden, al bouwde de fabriek deze niet zelf. Dit deden vooral de begrafenisondernemingen en het Rode Kruis. Voor de liefhebber van nu is de 190-serie aantrekkelijker dan de 180. In '59 is de motorkap lager en de grille breder.

Aantal cilinders: 4
Cilinderinhoud in cm³: 1897
Vermogen: 50/4000-80/4800
Topsnelheid in km/uur: 125-145
Carrosserie/Chassis: zelfdragend
Uitvoering: sedan
Productiejaren: 1956-1961 en 1958-1961
Productie-aantallen: 89.908 en 81.938
In NL: n.b.
Prijzen: A: 1.800 B: 5.000 C: 8.200

MERCEDES-BENZ 190 SL

Optisch leek de 190 SL veel op de 300 SL Roadster maar daar hielden de vergelijkingen op. De 190 SL kreeg in Duitsland een slechte naam toen veel lichte meisjes en zware jongens ermee gingen rijden. De wagen was vooral voor de Amerikaanse markt bestemd, had veel comfort, maar was voor sportieve festiviteiten ongeschikt. Inmiddels mag de 190 SL zich in een warme belangstelling verheugen en dat komt in de gevraagde prijzen tot uitdrukking. Sommige kopers lieten hun hardtop permanent op de auto, maar een officiële coupé is nooit geleverd.

Aantal cilinders: 4
Cilinderinhoud in cm³: 1897
Vermogen: 105/5700
Topsnelheid in km/uur: 170
Carrosserie/Chassis: zelfdragend
Uitvoering: cabriolet
Productiejaren: 1955-1963
Productie-aantal: 25.881
In NL: n.b.
Prijzen: A: 12.000 B: 25.000 C: 38.000

MERCEDES-BENZ 220a, 220S & SE

In 1954 werd de Mercedes 220a voorgesteld. De wagen leek op de 180, maar had een iets langere motorkap waar nu een zescilinder onder stond. Om het prijsverschil verder te rechtvaardigen, had de 220a ook meer accessoires meegekregen. In 1956 verscheen de S-uitvoering en twee jaren later de SE met een benzine-inspuiting van Bosch. De 220-reeks bewees zich tijdens zijn loopbaan als een uiterst solide en aangenaam vervoermiddel en als klassieker voor regelmatig gebruik is deze Mercedes beslist geschikt. De SE-versies doen 25 procent meer in prijs.

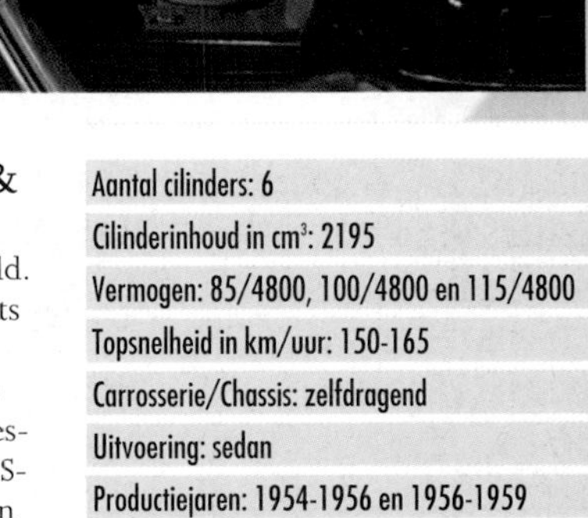

Aantal cilinders: 6
Cilinderinhoud in cm³: 2195
Vermogen: 85/4800, 100/4800 en 115/4800
Topsnelheid in km/uur: 150-165
Carrosserie/Chassis: zelfdragend
Uitvoering: sedan
Productiejaren: 1954-1956 en 1956-1959
Productie-aantallen: 25.937, 55.279 en 1.974
In NL: n.b.
Prijzen: (220a) A: 2.900 B: 7.300 C: 11.300

MERCEDES-BENZ 219

Als vervanging voor de 220a diende de 219 – een merkwaardige type-aanduiding voor Mercedes – die in zijn afmetingen en prijs tussen de 180/190 en 220S kwam te liggen. Eenvoudiger uitgerust dan de 220 had hij wat van de 190 weg. Hij bood echter het voordeel door de prachtige 2,2 liter zescilinder aangedreven te worden die hem goede rij-eigenschappen meegaf. De 219 werd goed verkocht en er zullen nog redelijk wat exemplaren overgebleven zijn. Iets duurder tegenwoordig dan de 190, maar ook meer auto voor het geld.

Aantal cilinders: 6
Cilinderinhoud in cm³: 2195
Vermogen: 85/4800 en 90/4800
Topsnelheid in km/uur: 150
Carrosserie/Chassis: zelfdragend
Uitvoering: sedan
Productiejaren: 1956-1959
Productie-aantal: 27.845
In NL: n.b.
Prijzen: A: 2.300 B: 5.900 C: 9.100

MERCEDES-BENZ 220S & SE CABRIOLET

Hoewel de cabriolet en de coupé met een pontoncarrosserie al in 1955 op de Frankfurtse IAA te zien waren geweest, duurde het geruime tijd voordat ze in productie genomen konden worden. De vorige cabrio's hadden een chassis gehad, maar nu werd er met zelfdragende carrosserieën gewerkt. De vierpersoonswagens boden veel luxe en waren rijkelijk van leer en edelhout voorzien. De SE-versie kost ongeveer een kwart meer dan de S.

Aantal cilinders: 6
Cilinderinhoud in cm³: 2195
Vermogen: 100/4800 en 120/5000
Topsnelheid in km/uur: 155-170
Carrosserie/Chassis: zelfdragend
Uitvoering: cabriolet
Productiejaren: 1956-1960
Productie-aantal: 3.290
In NL: n.b.
Prijzen: (S) A: 13.600 B: 25.000 C: 36.300

MERCEDES-BENZ 220S COUPÉ

Voor de 220 in sedanuitvoering moest de klant al een redelijk fors bedrag neertellen, maar de coupé die in oktober 1956 verscheen, kostte nog eens ruim zeventig procent meer. Daarvoor had je dezelfde techniek, die echter wel in een met de hand vervaardigde en uiterst sierlijke carrosserie gehuisvest was. Ook de coupé was er vanaf 1958 met een injectiesysteem, de SE. De S-versie verdween in oktober '59 en de SE's een jaar later. Deze 220 coupé is een zeer zeldzame Mercedes gebleven gezien de ruim tweeduizend geproduceerde wagens.

Aantal cilinders: 6
Cilinderinhoud in cm³: 2195
Vermogen: 100/4800 en 120/5000
Topsnelheid in km/uur: 155-170
Carrosserie/Chassis: zelfdragend
Uitvoering: coupé
Productiejaren: 1956-1960
Productie-aantal: 2.081
In NL: n.b.
Prijzen: (S) A: 13.600 B: 25.000 C: 36.300

MERCEDES-BENZ 220, 220S, SE & 230S

De bij Mercedes intern W 111 gedoopte auto was eerder hoekig dan rond te noemen. Chefdesigner Karl Wilfert en zijn team waren voor deze verandering verantwoordelijk en het publiek vond het prachtig, wat met hoge verkoopcijfers bewezen werd. Technisch werden er geen grote veranderingen aangebracht. De in Duitsland 'Heckflossen-Modelle' genoemde Mercedessen verdwenen aan het eind van de jaren zeventig massaal naar het Midden-Oosten en de Balkan. De prijzen betreffen de SE-modellen. De 230S verscheen in 1965.

Aantal cilinders: 6
Cilinderinhoud in cm³: 2195 en 2281
Vermogen: 95/4800, 110/5000, 120/4800 en 120/5400
Topsnelheid in km/uur: 160-170
Carrosserie/Chassis: zelfdragend
Uitvoering: sedan
Productiejaren: 1959-1965 en 1965-1968
Productie-aantallen: 69.691, 161.119, 66.086 en 41.107
In NL: n.b.
Prijzen: (SE) A: 3.600 B: 6.800 C: 10.000

MERCEDES-BENZ 190, 200 & 230

De nieuwe serie, bij Mercedes als W110 bekend, was in 1961 naar een bekend recept gemixt. Men neemt de carrosserie van de zescilinder en kort de neus in om er een viercilindermotor in te bouwen en klaar is de 190. Vier jaren later volgde de 200 met een iets grotere motor en toen de 230, een zescilinder met eerst 105 en later zelfs 120 pk. Het heeft lang geduurd voordat de vleugeltjes Mercedessen een liefhebberswaarde kregen. Duur zijn ze nog steeds niet. In België bouwde men vanaf '66 een stationcar. Ondanks de leeftijd nog heel geschikt voor dagelijks gebruik.

Aantal cilinders: 4 en 6
Cilinderinhoud in cm³: 1897, 1988 en 2281
Vermogen: 80/5000, 95/5200 en 105/5200-120/5400
Topsnelheid in km/uur: 150-170
Carrosserie/Chassis: zelfdragend
Uitvoering: sedan en stationcar
Productiejaren: 1961-1965 en 1965-1968
Productie-aantallen: 130.554, 70.207 en 40.258
In NL: n.b.
Prijzen: A: 2.300 B: 4.100 C: 6.400

MERCEDES-BENZ 190D & 200D

'De viercilinder middenklassewagens bieden een maximum aan veiligheid en rijcomfort,' beweerde Mercedes in zijn advertenties. Maar wie een 190 of 200 met een dieselmotor bestelde, kon wat topsnelheid betreft geen hoge eisen stellen. Slechts 55 pk leverden de motoren en dat was weinig voor een auto die schoon aan de haak al 1,3 ton weegt. En toch waren er nog mensen die de wagen met een automatische bak bestelden. Klassiek dieselen is nog niet erg in zwang, maar wie weet wat wegenbelastingmaatregelen kunnen gaan doen.

Aantal cilinders: 4
Cilinderinhoud in cm³: 1897 en 1988
Vermogen: 55/4200
Topsnelheid in km/uur: 130
Carrosserie/Chassis: zelfdragend
Uitvoering: sedan
Productiejaren: 1961-1965 en 1965-1968
Productie-aantallen: 225.645 en 161.618
In NL: n.b.
Prijzen: A: 1.800 B: 3.400 C: 5.900

MERCEDES-BENZ 300SE & SEL

Aan de buitenkant kon men de 300 van de 220 serie onderscheiden door zijn vele chroom. Van binnen vond men veel meer accessoires, maar vooral technisch had men veel verbeterd. De 300 had nu een van de 600 afgeleide luchtvering, een gecompliceerd dubbel remsysteem met vier schijfremmen en een 3-liter motor van aluminium. Geen wonder dus dat de 300 bijna het dubbele kostte van wat men voor een 220 moest betalen. De huidige prijzen liggen op een vrij hoog niveau. De SEL is de langere versie.

Aantal cilinders: 6
Cilinderinhoud in cm³: 2996
Vermogen: 160/5000 en 170/5400
Topsnelheid in km/uur: 175-195
Carrosserie/Chassis: zelfdragend
Uitvoering: sedan
Productiejaren: 1961-1965 en 1963-1965
Productie-aantallen: 5.204 en 1.546
In NL: n.b.
Prijzen: A: 4.500 B: 10.400 C: 15.900

MERCEDES-BENZ 220SE, 250SE & 280SE: COUPÉ & CABRIOLET

Begin 1961 kwam Mercedes met een nieuwe coupé en in september van dat jaar volgde de cabrioletuitvoering daarvan. Ook deze modellen vonden veel liefhebbers, ondanks de erg hoge prijzen. Technisch waren de wagens niets anders dan 220 SE sedans en zo profiteerden ze van een zevenmaal gelagerde 2,5 liter motor die later tot 2,8 liter opgeboord werd. De cabrio's zijn altijd al geliefd geweest en de coupé is de laatste tien jaar fors in prijs gestegen. Niet verwonderlijk gezien de prachtige lijnen van de auto.

Aantal cilinders: 6
Cilinderinhoud in cm³: 2195, 2496 en 2778
Vermogen: 120/4800, 150/5500 en 160/5500
Topsnelheid in km/uur: 175-195
Carrosserie/Chassis: zelfdragend
Uitvoering: coupé en cabriolet
Productiejaren: 1961-1965, 1965-1967 en 1968-1971
Productie-aantallen: 16.902, 6.213 en 5.187
In NL: n.b.
Prijzen: (coupé) A: 4.500 B: 9.100 C: 13.600

MERCEDES-BENZ 300SE COUPÉ & CABRIOLET

Eén van de duurste Duitse auto's was de 300SE als coupé of cabriolet. Hij kostte ruim een vijfde meer dan de 220 in die uitvoering, hoewel hij dezelfde carrosserie had. Het grote verschil zat hem dus ook nu weer in de afwerking en in de techniek. De wagens hadden alle snufjes van de 300SE sedan mee gekregen: een aluminium motor, luchtvering, schijfremmen, en dergelijke. Er zijn er niet veel van verkocht en mooie cabrio's brengen inmiddels ruim een ton op. Een wereldwijd gewaardeerde klassieke Mercedes.

Aantal cilinders: 6
Cilinderinhoud in cm³: 2996
Vermogen: 170/5400
Topsnelheid in km/uur: 195
Carrosserie/Chassis: zelfdragend
Uitvoering: coupé en cabriolet
Productiejaren: 1962-1967
Productie-aantal: 3.127
In NL: n.b.
Prijzen: A: 7.300 B: 13.600 C: 20.400

MERCEDES-BENZ 250S/SE, 280S/SE 3.5 & 300SE

Deze nieuwe sedans waren iets conservatiever om te zien dan de voorgangers die nog kleine vinnetjes op de achterspatborden hadden gehad. De goedkoopste uitvoering, de 250S, werd nog gebouwd nadat de 250 SE en 280-serie alweer uit de catalogi verdwenen waren. De 300 SE was niet meer zo interessant als zijn voorganger en bleef dan ook maar tot 1967 in productie. Onze tip: een 280 SE met de 3,5 liter V8-motor. De vermelde prijzen staan voor het minst dure type, de 250S. Een prima klassieke Mercedes voor dagelijks gebruik.

Aantal cilinders: 6 en V8
Cilinderinhoud in cm³: 2496, 2778, 2996 en 3499
Vermogen: 130/5400-200/5800
Topsnelheid in km/uur: 180-210
Carrosserie/Chassis: zelfdragend
Uitvoering: sedan
Productiejaren: 1965-1972
Productie-aantallen: 250S/SE: 129.858; 280S/SE: 184.717, 3,5:11.309; 300SE: 2.737
In NL: n.b.
Prijzen: A: 1.400 B: 4.100 C: 5.900

MERCEDES-BENZ 280SEL & 300SEL

De 300 SEL van 1966 was de eerste auto van de serie met een 10 cm langere wielbasis. Dat kwam vooral de passagiers achterin ten goede. Na dit type volgen de verschillende andere die ontstaan waren door de inbouw van verschillende motoren. In 1968 kwam er in de 300SEL een 2,8 liter motor, maar de type-aanduiding bleef gehandhaafd. Men kan deze absolute klassewagens tegenwoordig nog voor redelijke prijzen aanschaffen.

Aantal cilinders: 6
Cilinderinhoud in cm³: 2778 en 2996
Vermogen: 160/5500-168/5400
Topsnelheid in km/uur: 180-200
Carrosserie/Chassis: zelfdragend
Uitvoering: sedan
Productiejaren: 1965-1972
Productie-aantallen: 8.250 en 2.519
In NL: n.b.
Prijzen: A: 2.700 B: 5.900 C: 9.100

MERCEDES-BENZ 280SEL 3.5 & 4.5, 300SEL 3.5 & 4.5 & 6.3

Vanaf 1968 bouwt Mercedes in de 300SEL de schitterende V8 uit de 600. Deze krachtige en verfijnde achtpitter komt de lange auto met het 6.3-embleem op de kofferklep zeer ten goede en vanaf 1969 is er ook een 3,5 liter leverbaar. In 1971 krijgt de 280SEL er ook zo een. Voor Amerika ontstaan de 280SEL 4,5 en 300SEL 4,5 waarvan er tegenwoordig weer exemplaren naar Europa terugkeren. Topper blijft natuurlijk de 6.3 die ongelooflijk snel is en die dankzij de luchtvering als een vliegend tapijt over de weg zweeft.

Aantal cilinders: V8
Cilinderinhoud in cm³: 3499-6332
Vermogen: 170/5750-230/5000
Topsnelheid in km/uur: 175-220
Carrosserie/Chassis: zelfdragend
Uitvoering: sedan
Productiejaren: 1968-1972
Productie-aantallen: 951, 9.583, 2.553 en 6.526
In NL: n.b.
Prijzen (280SEL): A: 3.200 B: 6.800 B: 10.400

MERCEDES-BENZ 280 SE 3.5 COUPÉ & CABRIOLET

Slechts twee jaar, van september 1969 tot september 1971, bouwde Mercedes-Benz een 3,5 liter V8-motor in de 280 SE coupés en cabriolets. Met het hele gezin zonder dak ruim 200 km per uur over de Autobahn! Het waren de mooiste wagens uit deze serie en het is dus niet te verwonderen dat ze nu erg hoog geprijsd zijn. In geval van dit type kost de cabrio wel het drievoudige van de coupé-uitvoering. Iemand die niet in een Rolls-Royce Corniche wil rijden, moet eens aan deze wagens denken.

Aantal cilinders: V8
Cilinderinhoud in cm³: 3499
Vermogen: 200/5400
Topsnelheid in km/uur: 200
Carrosserie/Chassis: zelfdragend
Uitvoering: coupé en cabriolet
Productiejaren: 1969-1971
Productie-aantal: 4.502
In NL: n.b.
Prijzen: A: 7.900 B: 13.600 C: 20.400

MERCEDES-BENZ 600

De beste wagen van de wereld? Misschien. In ieder geval zit de wagen volgestopt met high-tech die het de inzittenden naar hun zin maakt. Alles werkt elektrisch-hydraulisch en kleinigheden zoals een automatische bak, luchtvering en airconditioning zijn natuurlijk vanzelfsprekend. De wagen was in zijn standaarduitvoering te koop als zespersoons limousine of als Pullman en dan eventueel met zes portieren. Na een korte periode waarin de wagen als occasion niet te slijten was, werd hij door liefhebbers terecht ontdekt, vooral in Duitsland zelf. Er zijn 59 Landaulets geleverd.

Aantal cilinders: V8
Cilinderinhoud in cm³: 6332
Vermogen: 250/4000
Topsnelheid in km/uur: 210
Carrosserie/Chassis: zelfdragend
Uitvoering: 4-en 6-deurs limousine
Productiejaren: 1964-1981
Productie-aantal: 2.677
In NL: 6
Prijzen: (4 drs) A: 25.000 B: 37.000 C: 48.000

MERCEDES-BENZ 230 SL, 250 SL & 280 SL

In 1963 kwam de 230 SL als Roadster, zoals het model officieel heette, uit. Hij volgde de 190 en 300 SL op en had het daarom niet gemakkelijk. Paul Bracq had de auto getekend en niet iedereen kon hem bij de presentatie mooi vinden. Hij was te hoekig en de doorgezakte hardtop was al helemaal niets waard. Nu beziet men de wagen, die als bijnaam Pagode kreeg, met andere ogen. Hij werd opgevolgd door modellen met grotere motoren. De 280 SL is de beste keus.

Aantal cilinders: 6
Cilinderinhoud in cm³: 2306, 2436 en 2778
Vermogen: 150/5500-170/5750
Topsnelheid in km/uur: 195-205
Carrosserie/Chassis: zelfdragend
Uitvoering: cabriolet
Productiejaren: 1963-1967, 1966-1968 en 1968-1971
Productie-aantallen: 19.831, 5.186 en 23.885
In NL: n.b.
Prijzen: A: 9.100 B: 17.200 C: 28.400

MERCEDES 200/220/230.4/ 230.6/ 240/240 3.0/250/250 2.8/280E 1968-1976

De reeksen W114 (6 cil) en W115 (4 cil) verschilden meer dan een facelift van hun voorgangers. Om onderscheid tussen de nieuwelingen en de lopende typen met dezelfde typecijfers aan te brengen, gebruikte men de aanduiding /8. De vleugeltjes waren verdwenen en de radiateurgrille was lager en breder geworden. De ronde koplampen waren nu vervangen door grote rechtopstaande. Het werd de meest succesvolle Mercedes tot dan toe en het bleek een zeer duurzame auto te zijn. De helft van de productie bestond uit dieseluitvoeringen.

Aantal cilinders: 4, 5 en 6
Cilinderinhoud in cm³: 1988 tot 2778
Vermogen: 55/5000-185/6000
Topsnelheid in km/uur: 130 tot 195
Carrosserie/Chassis: zelfdragend
Uitvoering: sedan en limousine
Productiejaren: 1968-1976
Productie-aantal: 1.902.056
In NL: n.b.
Prijzen: A: 1.100 B: 3.200 C: 5.000

MERCEDES-BENZ 200D, 240D & 230 LANG

Ideaal voor taxibedrijven was de komst van de twee lange versies van de /8-modellen eind 1968: een 220D en een 230 met benzinemotor. Technisch waren de wagens gelijk aan de sedans, maar dankzij een met 65 cm toegenomen wielbasis konden er drie rijen stoelen/banken in en die gaven aan acht personen plaats. Studentenverenigingen kochten in de jaren tachtig en negentig graag deze ruim 5,33 lange auto's voor het vervoer van hun besturen. Een flink aantal Lang-versies verdween naar zuidoost Europa als taxi.

Aantal cilinders: 4 en 6
Cilinderinhoud in cm³: 2197, 2404 en 2292
Vermogen: 60/4200, 65/4200 en 120/5400
Topsnelheid in km/uur: 135-170
Carrosserie/Chassis: zelfdragend
Uitvoering: limousine
Productiejaren: 1968-1973, 1973-1976 en 1968-1976
Productie-aantal: n.b.
In NL: n.b.
Prijzen: (230L) A: 1.700 B: 3.600 C: 5.500

MERCEDES-BENZ 250 C/CE & 280 C/CE

'Minder voor meer,' had Mercedes kunnen adverteren, want voor vijftien procent meer dan de klant voor een vierdeurs 250 of 280 moest betalen, kreeg de man een auto die maar twee deuren had, die korter en 4,5 cm lager was en waar je achterin nauwelijks kon zitten. Tot 1972 was de coupé met een 2,5 liter motor leverbaar, daarna kwamen de 280 C en CE met een nieuwe motor met twee bovenliggende nokkenassen. De 250 C werd met de oude motor uit de 280S verder gebouwd tot het eind van de productie van deze coupés.

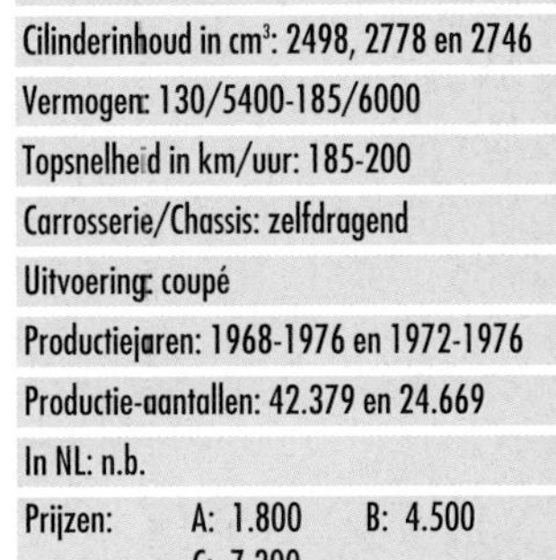

Aantal cilinders: 6
Cilinderinhoud in cm³: 2498, 2778 en 2746
Vermogen: 130/5400-185/6000
Topsnelheid in km/uur: 185-200
Carrosserie/Chassis: zelfdragend
Uitvoering: coupé
Productiejaren: 1968-1976 en 1972-1976
Productie-aantallen: 42.379 en 24.669
In NL: n.b.
Prijzen: A: 1.800 B: 4.500 C: 7.300

MERCEDES-BENZ 280 S/SE (L)

Het grote nieuws op de IAA van 1972 was zeker de nieuwe S-klasse van Mercedes. Optisch en technisch waren de wagens niet alleen volkomen nieuw maar ook veel mooier en beter dan hun voorgangers. De goedkoopste serie was de 280, die met een carburateur of met benzine-inspuiting (SE) geleverd kon worden. In beide gevallen werden de kleppen door twee bovenliggende nokkenassen aangedreven. Vanaf 1974 kon de 280 ook als SEL besteld worden waarbij de letter 'L' op lang sloeg. De wielbasis was nu 2965 mm in plaats van 2865, 10 cm die vooral de achterpassagiers ten goede kwamen.

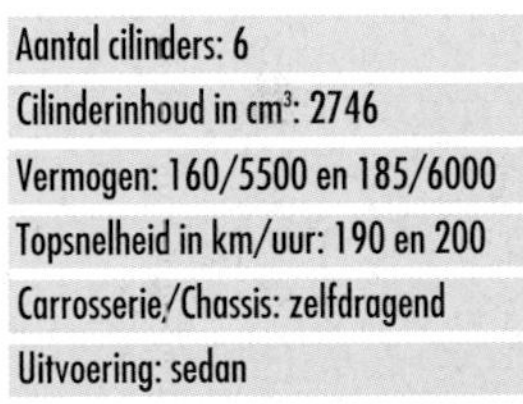

Aantal cilinders: 6
Cilinderinhoud in cm³: 2746
Vermogen: 160/5500 en 185/6000
Topsnelheid in km/uur: 190 en 200
Carrosserie/Chassis: zelfdragend
Uitvoering: sedan
Productiejaren: 1972-1980
Productie-aantallen: 122.848, 150.593 en 7.032 (SEL)
In NL: n.b.
Prijzen (280S): A: 1.600 B: 3.400 C: 5.400

MERCEDES-BENZ 350 SE (L) & 450 SE (L) (6.9)

De technisch mooiste wagens en daarom ook de duurste, waren die met een V8-motor: de 350 en 450 SE en SEL. Voor de echte liefhebber ontstond in 1975 nog een 450 SEL met een 6,9 liter motor. Deze laatste krachtpatser leverde 286 pk bij 4250 t.p.m., genoeg om de twee ton zware wagen op een top van 225 km/uur te brengen. Deze motoren hadden een bovenliggende nokkenas per cilinderrij, elektronische benzine-inspuiting en transistorontsteking. Wie een 6.9 wil, zal zeker het dubbele of meer van de hier vermelde prijzen moeten betalen.

Aantal cilinders: V8
Cilinderinhoud in cm³: 3499, 4520 en 6834
Vermogen: 200/5800, 225/5000 en 286/4250
Topsnelheid in km/uur: 200, 210 en 225
Carrosserie/Chassis: zelfdragend
Uitvoering: sedan
Productiejaren: 1972-1980
Productie-aantallen: 350 SE/L: 51.140 en 4.266; 450 SE (L): 41.604 en 59.578; 450 SE 6,9: 7.380
In NL: n.b.
Prijzen (350 SE): A: 1.600 B: 3.900 C: 6.400

MERCEDES-BENZ 280 SL, 350 SL & 450 SL

Een sportcabriolet die bijna 20 jaren in productie bleef? Bij Mercedes lukte dat want hoewel er steeds grotere motoren in gebouwd werden, bleef de carrosserie van de SL-typen vrijwel onveranderd. Vanaf 1974 kon men ze ook met een 2,8 liter zescilinder bestellen. De latere typen als 300, 420 en 560 SL blijven hier buiten beschouwing. De drie hier behandelde oudste cabrio's komen langzamerhand in de belangstelling van klassiekerliefhebbers. Uit de VS geïmporteerde SL's hebben de dikke, oerlelijke bumpers.

Aantal cilinders: 6 en V8
Cilinderinhoud in cm³: 2764, 3499 en 4420
Vermogen: 177/6000 tot 217/5000
Topsnelheid in km/uur: 205-220
Carrosserie/Chassis: zelfdragend
Uitvoering: cabriolet
Productiejaren: 1974-1985, 1971-1980, 1971-1980
Productie-aantallen: 25.436, 15.304, 66.298
In NL: n.b.
Prijzen (280): A: 5.400 B: 9.100 C: 12.700

MERCEDES-BENZ 280 SLC, 350 SLC & 450 SLC

Kort nadat Mercedes zijn nieuwe roadster had gepresenteerd, volgde een 2+2 coupé. Hij had met 281,5 i.p.v. 245,5 cm een duidelijk langere wielbasis, wat een kleine achterbank mogelijk maakte. Helaas ging deze verlenging ten koste van de mooie lijn die de open wagen gehad had. Ook deze wagen kon na 1974 met een zescilinder motor als 280 SLC geleverd worden. We laten weer de latere typen buiten beschouwing. De eerste serie van deze SLC's is nog steeds voor schappelijke prijzen te koop.

Aantal cilinders: 6 en V8
Cilinderinhoud in cm³: 2764, 3499 en 4420
Vermogen: 177/6000 tot 217/5000
Topsnelheid in km/uur: 205-220
Carrosserie/Chassis: zelfdragend
Uitvoering: coupé
Productiejaren: 1974-1981, 1971-1980 en 1972-1980
Productie-aantallen: 10.666, 13.925 en 31.739
In NL: n.b.
Prijzen: A: 3.600 B: 6.400 C: 8.600

MERCEDES-BENZ 200, 230, 240, 250, 280 & 300

Onder de code W123 bracht Mercedes de wagens uit die de Baureihe W115/114 in januari 1976 opvolgden. Men kon kiezen uit de typen 200 tot en met de 280E en diverse diesels. Eind 1977 was er een limousine verkrijgbaar. In 1980 kwamen er geheel nieuwe motoren in de 200 en 230 en was er een turbodiesel leverbaar. De W123 is beslist geen opwindende Mercedes te noemen, maar ze rijden prima en zijn zeer duurzaam. Klassiek noch veel waard, maar 'belastingontduikers' zijn tegenwoordig dol op de eerste bouwjaren.

Aantal cilinders: 4 en 6
Cilinderinhoud in cm³: 1988-3005
Vermogen: 55/4200 tot 185/5800
Topsnelheid in km/uur: 130-200
Carrosserie/Chassis: zelfdragend
Uitvoering: sedan en limousine
Productiejaren: 1975-1985
Productie-aantal: 2.397.514
In NL: n.b.
Prijzen: A: 900 B: 1.800 C: 3.600

MERCEDES-BENZ 230C/CE & 280 C/CE

Twee jaar na de sedan en stationcar kwam de coupéversie van de W123. Net als bij de voorganger het geval was, waren de meningen over de lijnen van de coupé weer verdeeld. Het dak met SLC-lijnen paste volgens velen niet bij de rest. De 230C had een vieren de 280C een zescilinder onder de kap. Die laatste was er ook als CE, dus ingespoten. Vanaf '80 zit de 2299 cc injectiemotor in de 230CE en is de carburateurvariant geschrapt. Uitsluitend voor Amerika was er een 300CD, dus een coupé met dieselmotor.

Aantal cilinders: 4 en 6
Cilinderinhoud in cm³: 2299, 2307 en 2746
Vermogen: 109/4800-185/5800
Topsnelheid in km/uur: 170-200
Carrosserie/Chassis: zelfdragend
Uitvoering: coupé
Productiejaren: 1977-1985
Productie-aantal: 99.884
In NL: n.b.
Prijzen: A: 1.400 B: 2.900 C: 5.200

MERCEDES-BENZ T-SERIE 1978-1985

In de W123-serie leverde Mercedes-Benz voor het eerst zelf stationcars. Eerdere typen werden altijd door derden verbouwd. Vanaf april 1978 begon de levering van de 230 T, 250 T, 280 T en de diesels 240 TD en 300 TD. Ze waren stevig geprijsd en het liep dan ook niet storm. Voor modeljaar '80 kwam de 300 Turbodiesel (TDT) erbij, evenals de 230 TE en 200 T. Zo'n turbodiesel had een top van 165 en dat was indertijd opzienbarend. Hoewel de sedan zoals gezegd nog lang niet klassiek is, neemt de belangstelling voor de eerste T-serie de laatste tijd toe.

Aantal cilinders: 4 en 6
Cilinderinhoud in cm³: 1988-3005
Vermogen: 94/4800-185/5800
Topsnelheid in km/uur: 135-200
Carrosserie/Chassis: zelfdragend
Uitvoering: stationcar
Productiejaren: 1978-1985
Productie-aantal: 199.517
In NL: n.b.
Prijzen: A: 900 B: 2.700 C: 5.000

MERCEDES-BENZ S-KLASSE 1979-1991

De W126 werd in september 1979 in Frankfurt voorgesteld. Vooral het terugdringen van het verbruik had de aandacht gekregen bij het ontwerpen. Er waren de typen 280 S(E)(L), 380 SE(L), 500 SE(L) en voor de VS de diesel 300 SD. De wagens oogden chique en kopers waren er volop. In de herfst van 1985 volgde de tweede generatie, die vooral opviel door de kunststofpanelen zonder ribbels. Nieuwe typen waren de 260 SE, 300 SE(L), 420 SE(L), 560 SEL en 300 SDL. Later volgden de 560 SE ('88) en de 350 SD(L) Turbo ('90). Wagens van absolute klasse, maar (nog) niet klassiek.

Aantal cilinders: 5, 6 en V8
Cilinderinhoud in cm³: 2597-4973
Vermogen: 125/4350-265/5200
Topsnelheid in km/uur: 165-210
Carrosserie/Chassis: zelfdragend
Uitvoering: sedan
Productiejaren: 1979-1991
Productie-aantal: 801.868
In NL: n.b.
Prijzen: A: 1.800 B: 3.600 (280 S 1e serie) C: 5.400

MERCEDES-BENZ S-KLASSE COUPÉ 1981-1991

Op de tentoonstelling in Frankfurt van 1981 debuteerden de vierpersoons coupés in de S-Klasse: de 380 SEC en 500 SEC. Ze volgden de net geschrapte SLC op. Volgens velen was de nieuwe coupé veel minder indrukwekkend dan zijn voorganger. In 1985 losten de 420 SEC en 560 SEC beide vorige typen af. Net als de overige S'en kreeg de SEC in 1987 een katalysator. De serieproductie werd aan het eind van 1990 gestopt, maar de vele orders zorgden ervoor dat er nog tot augustus 1991 uitgeleverd werd. De SEC had een forse prijs en is nog steeds (terecht) niet te geef.

Aantal cilinders: V8
Cilinderinhoud in cm³: 3818-4973
Vermogen: 204/5250-265/5200
Topsnelheid in km/uur: 165-210
Carrosserie/Chassis: zelfdragend
Uitvoering: coupé
Productiejaren: 1981-1991
Productie-aantal: 71.204
In NL: n.b.
Prijzen: (oudste typen) A: 3.600 B: 6.800 C: 9.100

MERCURY

Eigenlijk is Mercury een 'synthetisch' merk, want Ford creëerde het in 1938 om een concurrent te hebben voor de Buick, Oldsmobile en Pontiac van General Motors en de DeSoto en Dodge van Chrysler. Dus waren ook de naoorlogse Mercury's van een betere klasse dan de normale Fords en daarbij langdurig uitsluitend met een V8-motor verkrijgbaar. De Mercury leek meer op de Lincoln hoewel in 1960 van Mercury ook een 'Compact'-uitvoering met een zescilindermotor te koop was.

MERCURY 1946-1948

Aan de nieuwe grille kon men de 1946 Mercury van een wagen van 1942 onderscheiden. De fabriek had vanwege de oorlog, onderdelenproblemen en een haperend productieapparaat geen tijd gehad veel nieuws uit te werken – de wagen had bijvoorbeeld nog steeds een starre vooras. De klant kon een nieuw model kiezen: de Sportsman Convertible met houten carrosseriepanelen. Er zijn 23.851 cabrio's verkocht in drie jaar, maar hoeveel daarvan Sportsman waren, is niet bekend. Inmiddels peperduur.

Aantal cilinders: V8
Cilinderinhoud in cm³: 3916
Vermogen: 100/3800
Topsnelheid in km/uur: 130
Carrosserie/Chassis: afzonderlijk chassis
Uitvoering: coach, sedan, cabriolet en stationcar
Productiejaren: 1946-1948
Productie-aantal: 223.254
In NL: n.b.
Prijzen: A: 1.800 B: 4.100 C: 7.300

MERCURY 1949-1951

De wagens van het modeljaar 1949 hadden een geheel nieuwe carrosserie die drie jaar lang, vrijwel onveranderd, gebouwd zou worden. Ook technisch waren de wagens verbeterd en vooral de onafhankelijke voorwielophanging was een grote verbetering tegenover de oude starre vooras. Evenals in de jaren ervoor werden er een cabriolet en een wagon gebouwd met houten panelen. Juist deze modellen zijn tegenwoordig erg gezocht. Voor de gewonere coach en sedan worden echter ook redelijk hoge prijzen betaald.

Aantal cilinders: V8
Cilinderinhoud in cm³: 4188
Vermogen: 110/3600
Topsnelheid in km/uur: 140
Carrosserie/Chassis: afzonderlijk chassis
Uitvoering: coach, sedan, stationcar en cabriolet
Productiejaren: 1949-1951
Productie-aantal: 905.364
In NL: n.b.
Prijzen: A: 4.100 B: 7.300 C: 11.300

MERCURY MONTEREY 1952-54

De geheel nieuw vormgegeven Mercury van 1952 was veel moderner dan z'n voorganger. Voorruit uit één stuk, panoramische achterruit, grille en bumper als één geheel en veel vlottere lijnen. De wagens kregen ook een serienaam mee: Custom voor de goedkoopste en Monterey voor de iets duurdere. In die eerste serie zaten de standaardkoetswerken en in de tweede ook een cabriolet en later een stationcar. Voor '53 was een milde facelift genoeg. Dat dacht Ford ook voor '54 te kunnen doen, maar toen vielen de verkopen erg fors terug. Reden om voor modeljaar 1955 met nieuwe wagens te komen.

Aantal cilinders: V8
Cilinderinhoud in cm³: 4185
Vermogen: 125/3800
Topsnelheid in km/uur: 150
Carrosserie/Chassis: afzonderlijk chassis
Uitvoering: sedan, coupé, cabriolet en stationcar
Productiejaren: 1952-1954
Productie-aantal: ca. 656.000
In NL: n.b.
Prijzen: A: 3.200 B: 5.900 C: 8.200

MERCURY MONTCLAIR 1956

In 1956 was de Montclair-serie de duurste personenwagen uit het Mercury-programma. Vooral deze hardtop coupé was erg geliefd en werd daarom ook goed verkocht. De 'Sun Valley', waarvan het voorste deel van het dak doorzichtig is, is eind 1955 uit productie genomen. Vrijwel alle Montclairs hebben een automatische bak en een dubbele uitlaat. Een fraai gelijnde Amerikaan die de trends van halverwege de jaren vijftig weergeeft. De afgebeelde convertible is met 7.762 stuks tamelijk zeldzaam.

Aantal cilinders: V8
Cilinderinhoud in cm³: 4785
Vermogen: 201/4400
Topsnelheid in km/uur: 160
Carrosserie/Chassis: afzonderlijk chassis
Uitvoering: sedan, coupé en cabriolet
Productiejaar: 1956
Productie-aantal: 91.434
In NL: n.b.
Prijzen: A: 3.900 B: 6.100 C: 9.100

MERCURY MONTEREY 1957-1959

Mercury had vanaf '57 eigen carrosserieën die niet langer op Fords of Lincolns gebaseerd waren. De wagens van '57 leken niet erg op hun voorgangers. Vleugels, dubbele koplampen (de eerste modellen nog niet) en een opvallende neussectie. De Monterey was de goedkoopste reeks geworden, nu de Medalist van '56 en de aloude Custom verdwenen waren. Erboven zat de Montclair en daarboven de Turnpike. 1958 bracht 97 pk meer, een andere grille en voorbumper, schermen en motorkap en de Medalist keerde voor één jaar terug als basismodel. Een honingraatgrille kwam in modeljaar '59 en er werd 102 pk ingeleverd.

Aantal cilinders: V8
Cilinderinhoud in cm³: 5113 en 6276
Vermogen: 210/4400-312/4600
Topsnelheid in km/uur: 165-175
Carrosserie/Chassis: afzonderlijk chassis
Uitvoering: coach, sedan, coupé en cabriolet
Productiejaren: 1957-1959
Productie-aantal: 310.187
In NL: n.b.
Prijzen: A: 3.200 B: 5.900 C: 8.200

MERCURY MONTEREY 1960-1964

Toen bijna alle Amerikaanse autobouwers voor 1959 of 1960 met totaal nieuwe lijnen kwamen, moest ook Mercury meedoen. De Monterey van '60 heeft weinig van die van '59 weg en toch is de basis van de wagen hetzelfde. Het was een strakke wagen geworden met lichte vleugeltjes die in een sierstrip overgaan. Voor '61 kwam er een zijstrip op en nam de motor in volume en vermogen af, voor '62 zaten de achterlichten in de vinnetjes en kwamen de reeksen Monterey Custom en (de zeer snelle) S-55 erbij (tot 1964). In '63 volgde de Breezeway-sedan met een hellende, indraaibare achterruit. De fastback coupé heette Marauder.

Aantal cilinders: V8
Cilinderinhoud in cm³: 3654-6391
Vermogen: 175/4200-300/4600
Topsnelheid in km/uur: 150-190
Carrosserie/Chassis: afzonderlijk chassis
Uitvoering: coach, sedan, coupé, stationcar en cabriolet
Productiejaren: 1960-1964
Productie-aantal: 418.222
In NL: n.b.
Prijzen: A: 1.600 B: 3.200 C: 5.000

MERCURY MONTEREY 1965-1967

De vijfde generatie Montereys had een grille met horizontale spijlen. Net als voor '64 waren er geen subseries meer. Binnen de gewone reeks was er weer een Breezeway sedan en een Marauder coupé. Voor 1965 was er een andere grille en verdween de Marauder. Modeljaar 1967 had de grille van de foto plus een wafelpatroon op de voorschermen als extra versiering. Van deze convertible zijn er dat jaar slechts 2.673 geleverd. Mercury had overigens nog drie andere open wagens in het aanbod: de Caliente, Cyclone en Park Lane. Elk jaar steeg het vermogen van de V8 ietwat.

Aantal cilinders: V8
Cilinderinhoud in cm³: 6391
Vermogen: 250-270/4400
Topsnelheid in km/uur: 190
Carrosserie/Chassis: zelfdragend
Uitvoering: coach, sedan, coupé en cabriolet
Productiejaren: 1965-1967
Productie-aantal: 194.744
In NL: n.b.
Prijzen (coach): A: 1.600 B: 3.200 C: 5.000

MERCURY COMET 1960-1964

Op 17 maart 1960 kwam ook Mercury met een compact car die de ongelijke strijd tegen de geïmporteerde kleine auto's moest opnemen. Een 'kleine' wagen was de Comet zeker niet want met een lengte van 495 cm was hij een halve meter langer dan een Mercedes 180. De Amerikaan vond de wagen prachtig en de Comet werd een verkoopsucces. Hij was al gauw ook met een V8-motor leverbaar. Oude Mercury's zie je in de lage landen weinig en de prijzen liggen zeer laag.

Aantal cilinders: 6
Cilinderinhoud in cm³: 2365 en 2781
Vermogen: 86/4200 en 102/4400
Topsnelheid in km/uur: 130 en 140
Carrosserie/Chassis: zelfdragend
Uitvoering: coach, sedan, stationcar en cabriolet ('63)
Productiejaren: 1960-1964
Productie-aantal: 647.530
In NL: n.b.
Prijzen: A: 1.100 B: 2.900 C: 4.500

MERCURY COLONY PARK 1964-1965

Al sinds de jaren vijftig bood Mercury een luxueuze stationwagon aan onder de naam Colony Park. Het ene jaar vormden de stationcars een aparte subserie, het andere jaar zaten ze gewoon weer in een modellenreeks als bijvoorbeeld de Monterey Custom. Voor 1964 was de 'namaak' woody-look van de Colony Park geprolongeerd en was er ook een negenpersoons versie van. Een jaar later bestond het aanbod uitsluitend uit de zespersoons. Het was de op twee na duurste Mercury van het gamma, met altijd een zeer gespierde V8-motor en vele luxe.

Aantal cilinders: V8
Cilinderinhoud in cm³: 6390
Vermogen: 250/4400-330/4600
Topsnelheid in km/uur: 160-180
Carrosserie/Chassis: zelfdragend
Uitvoering: stationcar
Productiejaren: 1964-1965
Productie-aantallen: 9.858 en 15.294
In NL: n.b.
Prijzen: A: 1.400 B: 3.600 C: 5.400

MERCURY COMET 1965-1967

De Comet van 1965 had verticale dubbele koplampen en daardoor leek de wagen veel meer op een Ford. De grille had horizontale spijlen. Er waren de subseries Comet 202, 404, Caliente en Cyclone. Die laatste was er alleen als hardtop coupé. Voor '66 werd de wagen groter en verscheen er een serie Capri die de 404 verving. De Cyclone kreeg meer versies, zoals een cabriolet. Voor modeljaar '67 waren er lichte wijzigingen die in de richting gingen van een Ford Fairlane. De stationcars kregen dat jaar een eigen subserie.

Aantal cilinders: 6 en V8
Cilinderinhoud in cm³: 3277 en 4736
Vermogen: 120/4400 en 200-225/4400
Topsnelheid in km/uur: 155-180
Carrosserie/Chassis: zelfdragend
Uitvoering: coach, sedan, coupé, cabriolet en stationcar
Productiejaren: 1965-1967
Productie-aantal: 404.136
In NL: n.b.
Prijzen: A: 1.100 B: 2.700 C: 4.300

MERCURY MONTCLAIR 1965-1967

Het jaar erop profiteerde de Montclair van de facelift van de Monterey en maakte de gewone sedan plaats voor een Breezaway-versie. De gewone coupé verdween dat jaar. De beide fastback-typen waren voor '66 alweer uit de folders, evenals de Breezaway, maar die keerde voor '67 terug! Voor '66 en '67 andere sierstrips, lampen en grilles, maar in grote lijnen bleef de wagen gelijk. Voor modeljaar 1969 verdween de naam Montclair alweer. Omdat de meeste kopers voor een Monterey opteerden, bleef de Montclair een matig verkochte Mercury.

Aantal cilinders: V8
Cilinderinhoud in cm³: 6391
Vermogen: 250-270/4400
Topsnelheid in km/uur: 190
Carrosserie/Chassis: zelfdragend
Uitvoering: sedan en coupé
Productiejaren: 1965-1967
Productie-aantal: 104.381
In NL: n.b.
Prijzen (coach): A: 1.800 B: 3.650 C: 5.500

MERCURY MARQUIS 1967-1972

Mercury stelde voor 1967 een nieuwe exclusieve hardtop coupé voor: de Marquis, met standaard een vinyl dak en brede C-stijlen. Hij was zelfs bijna $1.000 duurder dan de snelle Cougar. Een jaar later ging er al $300 van de prijs af. Voor 1969 kreeg de wagen een grotere motor, een neus à la de Lincoln Continental, dus met koplampen achter afdekkleppen, en kwam er een heel gamma onder die naam. Voor '70 (foto) weinig nieuws, afgezien van de sjiekere Marquis Brougham-serie. In 1971 verdween de convertible, voor '72 was er een ander grille met het motief van een ijsblokjeshouder.

Aantal cilinders: V8
Cilinderinhoud in cm³: 6390-7030
Vermogen: 315/4600-330/4600
Topsnelheid in km/uur: 190
Carrosserie/Chassis: zelfdragend
Uitvoering: sedan, coupé, stationcar en cabriolet
Productiejaren: 1967-1972
Productie-aantal: 423.168
In NL: n.b.
Prijzen (coupé): A: 2.200 B: 5.000 C: 7.700

MERCURY COUGAR XR-7 1967-1970

Mercury's 'Pony Car' was de Cougar. Dit model was in 1967 uitgebracht, zodat de Mercury-dealers ook een 'Mustang' in de showroom hadden. De Cougar was iets langer dan de Mustang maar kon eveneens met allerlei varianten van de V8-motor geleverd worden. Een zescilinder motor was er niet. De Cougar werd in de eerste drie jaar slechts marginaal gewijzigd. Vanaf 1969 is er een cabrio-versie. De XR-7 is het topmodel. Voor een meerprijs van 10 procent ten opzichte van de Mustang bood de Cougar meer luxe.

Aantal cilinders: V8
Cilinderinhoud in cm³: 4737-7015
Vermogen: 170/4000-325/5000
Topsnelheid in km/uur: 170-200
Carrosserie/Chassis: zelfdragend
Uitvoering: coupé en cabriolet
Productiejaren: 1967-1970
Productie-aantal: 108.417
In NL: n.b.
Prijzen: (coupé) A: 2.300 B: 5.000 C: 7.900

MERCURY COUGAR XR-7 1971-1973

Voor 1971 was de Cougar voor het eerst drastisch veranderd. Hij was langer en lager geworden en had nu 'open' koplampen in plaats van de slaapogen. Dit model zou tot en met 1973 in productie blijven. Met de Ford Mustang had de wagen steeds minder gemeen, hij leek eigenlijk meer op een verkleinde Thunderbird. In zijn standaarduitvoering kwam de XR-7 met een Cruise-O-Matic automatische versnellingsbak uit de fabriek. Een handgeschakelde bak werd alleen samen met een sterkere motor geleverd.

Aantal cilinders: V8
Cilinderinhoud in cm³: 4950-7030
Vermogen: 170/4000-390/5600
Topsnelheid in km/uur: 170-200
Carrosserie/Chassis: zelfdragend
Uitvoering: coupé en cabriolet
Productiejaren: 1971-1973
Productie-aantal: 94.139
In NL: n.b.
Prijzen: (coupé) A: 2.700 B: 4.100 C: 6.400

MERCURY COUGAR XR-7 1977-1979

In 1977 kreeg de Cougar weer eens een nieuwe body en voor het eerst kon de wagen ook als 'Brougham', ofwel hardtop sedan, als gewone sedan en als stationcar gekocht worden. Dat duurde voor de eerste en de laatste slechts één jaar. De sportieve versie waartoe we ons hier beperken bleef echter XR-7 heten. Hij was niet veel duurder dan de standaard hardtop coupé en dat verklaart het succes, aangezien de XR-7 coupé de enig goed verkopende Cougar bleef en de type-aanduiding XR-7 nog decennia lang mee zou gaan.

Aantal cilinders: V8
Cilinderinhoud in cm³: 4942-6590
Vermogen: 132/3400-175/3800
Topsnelheid in km/uur: 160-190
Carrosserie/Chassis: zelfdragend
Uitvoering: coupé, sedan en stationcar
Productiejaren: 1977-1979
Productie-aantal: 455.023
In NL: n.b.
Prijzen: A: 1.100 B: 2.500 C: 4.300

MERCURY MONTEREY 1971-72

Net onder de Marquis-reeks zat de Monterey gesitueerd, een typenaam die al vanaf 1952 dienst deed (en eind 1974 zou verdwijnen). Voor 1971 had de wagen een imposante grille met horizontale spijlen gekregen. De koplampen bleven onbedekt en dat onderscheidde de Monterey van de duurdere Marquis. Wie meer opsmuk wilde in combinatie met een grotere motor, kon voor de Monterey Custom kiezen, die zes- tot zevenhonderd dollar duurder was. Voor modeljaar 1972 kwam er een grille met wafelpatroon. Verder was er weinig veranderd. Dat zou in 1973 gebeuren, met de laatste generatie van het type.

Aantal cilinders: V8
Cilinderinhoud in cm³: 5752-6555
Vermogen: 240/4600-260/4400
Topsnelheid in km/uur: 180-195
Carrosserie/Chassis: zelfdragend
Uitvoering: sedan, coupé en stationcar
Productiejaren: 1971-1972
Productie-aantal: 112.977
In NL: n.b.
Prijzen: (coupé) A: 1.400 B: 3.400 C: 5.000

MERCURY MARQUIS 1975

Met een lengte van 582 cm en een gewicht van dik over de twee ton behoorde deze Mercury tot de grote Amerikanen. Voor 1975 hadden de wagens een facelift ondergaan met onder andere een nieuwe grille, maar onderhuids was er niet veel veranderd. De wagen kon met verschillende carrosserievarianten in vier subreeksen geleverd worden, als Marquis, als Marquis Brougham (hardtop), als Grand Marquis (luxe hardtop) en als Colony Park (stationcar). Bij de voorwielen vond men schijfremmen en die konden achter tegen meerprijs gemonteerd worden.

Aantal cilinders: V8
Cilinderinhoud in cm³: 6590 en 7536
Vermogen: 160/3800 en 221/4000
Topsnelheid in km/uur: 170 en 190
Carrosserie/Chassis: zelfdragend
Uitvoering: coach, sedan en stationcar
Productiejaar: 1975
Productie-aantal: 84.465
In NL: n.b.
Prijzen: A: 900 B: 2.200 C: 3.200

MERCURY BOBCAT 1979-1980

Op de basis van de Ford Pinto had Mercury in 1975 zijn Bobcat aangeboden als goedkoopste model. Vier jaar bleef de wagen vrijwel onveranderd te koop en pas in 1979, toen zijn carrière er bijna opzat, kreeg hij een nieuwe carrosserie met een nieuwe grille en rechthoekige in plaats van ronde koplampen. De motoren kregen een beetje meer vermogen, want in 1975 waren ze met slechts 84 en 98 pk aangeboden. Verdwenen was nu de drieversnellingsbak, zodat de klant moest kiezen tussen een vierbak en een automaat. Weinig toekomst, vrezen we.

Aantal cilinders: 4 en V6
Cilinderinhoud in cm³: 2301 en 2793
Vermogen: 89/4800 en 103/4400
Topsnelheid in km/uur: 150 en 160
Carrosserie/Chassis: zelfdragend
Uitvoering: sedan en stationcar
Productiejaren: 1979-1980
Productie-aantal: 78.436
In NL: n.b.
Prijzen: A: 500 B: 1.400 C: 2.700

MESSERSCHMITT

De 'uitvinder' van de Messerschmitt heette Fritz Fend, een vliegtuig-ingenieur uit Rosenheim. Daar hij geen vliegtuigen meer kon en mocht construeren, ontwierp hij deze kleine wagen voor de Duitse oorlogsinvaliden. Prof. Willy Messerschmitt, ook al bekend uit de vliegtuigbranche, bouwde de kleine auto op een grote schaal, maar toen hij weer vliegtuigen mocht fabriceren, nam Fend de auto weer terug om hem onder de naam FMR verder te verkopen.

MESSERSCHMITT KR 175

De KR 175 was een directe afleiding van de Fend Flitzer. Hij werd bij Messerschmitt gebouwd en bood twee personen – die zaten achter elkaar – plaats en een dak boven het hoofd. Het achterwiel – als driewieler kon de wagen ook met een motorfietsrijbewijs gereden worden – werd door een tweetaktmotor van Fichtel & Sachs aangedreven. Het werd een verkoopsucces: bijna 20.000 in nog geen twee jaar. Tegenwoordig heeft de populariteit van deze dwergauto geleid tot vrij hoge prijzen. Onder de dwergauto's een van de meest gewilde typen.

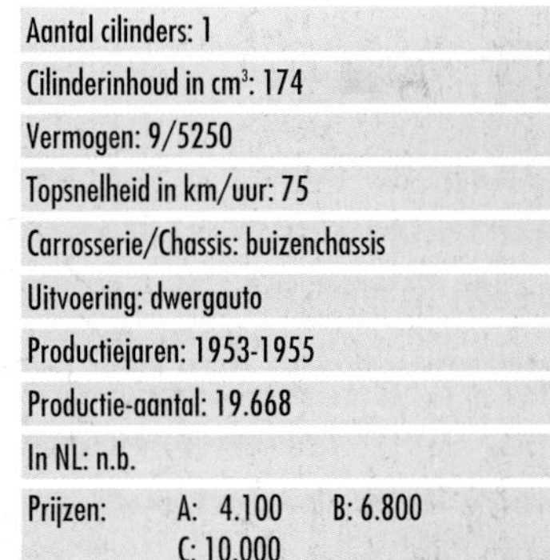

Aantal cilinders: 1
Cilinderinhoud in cm³: 174
Vermogen: 9/5250
Topsnelheid in km/uur: 75
Carrosserie/Chassis: buizenchassis
Uitvoering: dwergauto
Productiejaren: 1953-1955
Productie-aantal: 19.668
In NL: n.b.
Prijzen: A: 4.100 B: 6.800 C: 10.000

(MESSERSCHMITT) FMR KR 200 & KR 201

Na de KR 175 volgde de KR 200 met een handvol verbeteringen. De motor had een grotere inhoud en dus meer kracht gekregen en het plastic dak was beter geconstrueerd. Er waren zelfs hydraulische schokdempers aangebracht, die het rijcomfort verbeterden. Er was nu ook een cabrioletuitvoering en een goedkopere versie, de KR 201 met een dun linnen kapje. We zouden er tegenwoordig de snelweg niet mee op durven, maar een leuk hobbywagentje is het zeker.

Aantal cilinders: 1
Cilinderinhoud in cm³: 191
Vermogen: 10/5250
Topsnelheid in km/uur: 85
Carrosserie/Chassis: buizenchassis
Uitvoering: dwergauto en cabriolet
Productiejaren: 1955-1964
Productie-aantal: 41.190
In NL: 45
Prijzen: (200) A: 3.900 B: 6.800 C: 9.500

(MESSERSCHMITT) FMR TG 500

Deze kleine raket zou eigenlijk officieel Tiger gedoopt worden maar de vrachtwagenfabrikant Krupp protesteerde. Hij heette dus Tg 500 en werd door Fend en Valentin Knott in hun firma FMR gebouwd. De Tg 500 was gevaarlijk snel en de Opel Rekord, die in die tijd niet sneller dan 125 km/uur was, had tegen de kleine wagen geen kans. Toen de Tg 500 uitkwam, was de dwergautorage al weer bijna voorbij en daaarom zijn er maar weinig 'Tigers' gebouwd. Samen met de indrukwekkende prestaties vormt dit de reden waarom ze nu zo duur zijn.

Aantal cilinders: 2
Cilinderinhoud in cm³: 493
Vermogen: 19,5/5000
Topsnelheid in km/uur: 135
Carrosserie/Chassis: buizenchassis
Uitvoering: dwergauto
Productiejaren: 1958-1964
Productie-aantal: ca. 450
In NL: n.b.
Prijzen: A: 11.300 B: 17.000 C: 22.700

MGA ROADSTER

Syd Enevers meesterlijke constructie had een moeilijke geboorte; Leonard Lord, een echte Austin-man en sinds de oprichting van BMC de grote baas, heeft de productie lang weten tegen te houden. Het is er, gelukkig voor zo veel fans, toch van gekomen want met de MGA begon een nieuw tijdperk in de geschiedenis van de sportwagen. Deze wagen biedt het oprechte sportieve gevoel van een Engelse roadster. Wie dat spartaanse niet belieft, kan beter een B kopen. Voor wie dat wel wil maar dan met vast dak, is er de coupé-versie van de A.

Aantal cilinders: 4
Cilinderinhoud in cm³: 1489, 1588 en 1622
Vermogen: 68/5500, 72/5600 en 90/5500
Topsnelheid in km/uur: 155-165
Carrosserie/Chassis: afzonderlijk chassis
Uitvoering: cabriolet
Productiejaren: 1955-1959, 1959-1961 en 1961-1962
Productie-aantallen: 58.750, 31.501 en 8.719 (incl. coupés)
In NL: 1.100
Prijzen: A: 8.600 B: 13.600 C: 18.200

MGA COUPÉ

Bijna een jaar na de introductie van de MGA roadster verscheen de wagen als coupé. Technisch waren de auto's identiek maar de gesloten uitvoering kostte heel wat meer dan de roadster. Nu is die situatie omgekeerd. De coupé kreeg vanzelfsprekend ook steeds een grotere motor ingebouwd en uiteindelijk schijfremmen aan de voorwielen. In Amerika sloeg ook deze MG goed aan en tegenwoordig worden er weer veel teruggehaald, maar dat geldt voor heel wat MG's en Triumphs. Op de foto een wagen die bij historische races ingezet wordt.

Aantal cilinders: 4
Cilinderinhoud in cm³: 1489, 1588 en 1622
Vermogen: 68/5500, 72/5500 en 90/5500
Topsnelheid in km/uur: 155-165
Carrosserie/Chassis: afzonderlijk chassis
Uitvoering: coupé
Productiejaren: 1956-1959, 1959-1961 en 1961-1962
Productie-aantallen: zie hiervoor
In NL: 95
Prijzen: A: 5.000 B: 9.100 C: 14.700

MGA TWIN CAM

Niet iedereen is gelukkig geworden met de MGA Twin Cam. Zoals de naam al zegt, stond er een motor met twee nokkenassen in het chassis, een ontwerp van Harry Weslake. Vier schijfremmen en gesloten wielen met Rudgenaven waren een ander kenmerk. Helaas bleek de motor niet erg betrouwbaar en als hij niet heel precies afgesteld was, waren er moeilijkheden te verwachten. De Twin Cam kostte MG veel van zijn goede naam, een reden dat hij maar kort gebouwd werd. Tegenwoordig zullen de meeste TC's wel in orde zijn. Onze prijsnoteringen betreffen de roadster.

Aantal cilinders: 4
Cilinderinhoud in cm³: 1588
Vermogen: 107/6500
Topsnelheid in km/uur: 180
Carrosserie/Chassis: afzonderlijk chassis
Uitvoering: coupé en cabriolet
Productiejaren: 1958-1960
Productie-aantal: 2.111
In NL: 35
Prijzen (roadster): A: 11.800 B: 19.300 C: 27.200

MGB ROADSTER (CHROOM)

Hoe kon MG een sportwagen bouwen met een zelfdragende carrosserie, met een ruim interieur en dan nog met draairaampjes in de echte portieren? De Amerikanen voor wie de wagen hoofdzakelijk bestemd was, stoorde het minder en ze kochten de auto volop; zelfs in 1980 nog toen de B hoog op zijn wielen stond, omgeven door lelijke zwarte bumpers, die nodig waren om aan de eisen van Washington te kunnen voldoen. Die modellen met rubber bumpers worden hieronder afzonderlijk behandeld. Door import uit de VS staan er nu veel te koop.

Aantal cilinders: 4
Cilinderinhoud in cm³: 1798
Vermogen: 78-95/5500
Topsnelheid in km/uur: 170
Carrosserie/Chassis: zelfdragend
Uitvoering: cabriolet
Productiejaren: 1962-1974
Productie-aantal: 258.308
In NL: 1.700
Prijzen: A: 3.600 B: 7.900 C: 11.800

MGB GT (CHROOM)

In 1965 kon de MGB-klant ook een gesloten uitvoering bestellen. De wagen was technisch gelijk aan de roadster maar begon zijn loopbaan direct met de vijfmaal gelagerde motor. De GT was niet alleen een mooie wagen maar ook een praktische, want achter de achterruit die als derde deur fungeerde, bevond zich een flinke bergruimte. De GT is als klassieker voor dagelijks gebruik zeer geschikt en daarbij betrouwbaar. Uit de VS afkomstige wagens zijn goedkoper dan Europese, vanwege minder vermogen.

Aantal cilinders: 4
Cilinderinhoud in cm³: 1798
Vermogen: 78-95/5500
Topsnelheid in km/uur: 170
Carrosserie/Chassis: zelfdragend
Uitvoering: coupé
Productiejaren: 1965-1974
Productie-aantal: 98.237
In NL: 315
Prijzen: A: 2.700 B: 5.900 C: 8.600

MGB & GT (RUBBER)

Amerikaanse verkeersveiligheidswetten schreven vanaf 1974 schokbestendige rubberen bumpers voor. Ze deden de MG's weinig goeds, zeker nu de wagen ook nog hoger op zijn wielen stond. Daarbij werd de handelbaarheid ook nog eens minder en dat alles tezamen maakt de rubbermodellen beslist minder aantrekkelijk dan de voorgangers. In '76 kreeg de roadster de stabilisatorstang die de GT van meet af aan reeds had. De duizend laatste wagens hadden een LE-pakket: 421 roadsters en 580 GT's. In '75 was er een groene jubileum-GT (751 stuks).

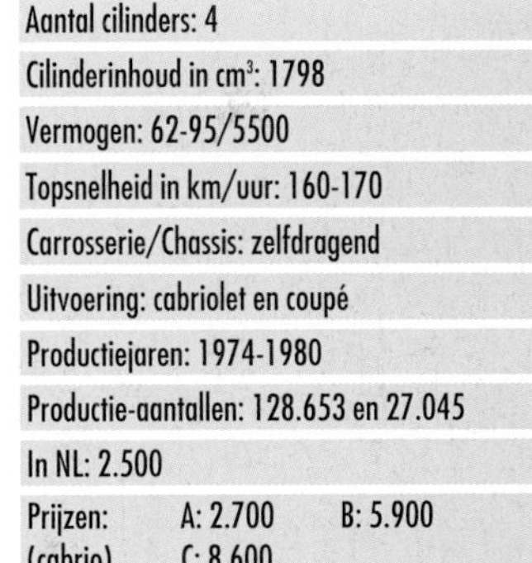

Aantal cilinders: 4	
Cilinderinhoud in cm³: 1798	
Vermogen: 62-95/5500	
Topsnelheid in km/uur: 160-170	
Carrosserie/Chassis: zelfdragend	
Uitvoering: cabriolet en coupé	
Productiejaren: 1974-1980	
Productie-aantallen: 128.653 en 27.045	
In NL: 2.500	
Prijzen: (cabrio)	A: 2.700 B: 5.900 C: 8.600

MGC & GT, MGB GT V8

In een poging om van de MGB een opvolger voor de grote Austin-Healey te maken, bouwde men een 3-liter zescilindermotor in en doopte het geheel om in MGC. Erg geliefd werd de wagen niet (en hij is het nog niet) en ook de poging een Rover-V8 in de wagen te knutselen werd geen succes. Wie de keuze heeft tussen deze twee auto's, neme de laatste, daar zijn tenminste onderdelen voor te vinden. Bovendien zijn de prestaties en het weggedrag veel beter. Onze prijzen betreffen de C GT-typen. De V8 is overigens nooit in Amerika uitgebracht. Toch zijn er 7 linksgestuurde exemplaren gebouwd.

Aantal cilinders: 6 en V8	
Cilinderinhoud in cm³: 2912 en 3528	
Vermogen: 145/5250 en 137/5000	
Topsnelheid in km/uur: 185-195	
Carrosserie/Chassis: zelfdragend	
Uitvoering: coupé en cabriolet; coupé	
Productiejaren: 1967-1969 en 1973-1976	
Productie-aantallen: 9.002 en 2.591	
In NL: 156	
Prijzen:	A: 5.000 B: 9.100 C: 13.600

MG MIDGET (CHROOM)

Eigenlijk is de MG Midget niets anders dan een Austin-Healey Sprite met een paar detailveranderingen, zoals een andere grille en een verchroomde zijstrip. Technisch zijn de wagens hetzelfde en daar ze op dezelfde lopende band gemaakt werden, kregen ze ook samen de verbeteringen en veranderingen ingebouwd. In 1971 stierf de Sprite en leefde de Midget, nu als Mk IV, verder tot 1974. Daarna volgde de 1500 (zie verderop). Een prima sportwagentje voor beginners.

Aantal cilinders: 4	
Cilinderinhoud in cm³: 948, 1098 en 1275	
Vermogen: 47/5500-65/6000	
Topsnelheid in km/uur: 135-150	
Carrosserie/Chassis: zelfdragend	
Uitvoering: cabriolet	
Productiejaren: 1961-1974	
Productie-aantal: 152.528	
In NL: 267	
Prijzen:	A: 2.000 B: 5.000 C: 7.700

MG MIDGET 1500

Voor 1974 kreeg de Midget recht uitgesneden wielkasten achter en afschuwelijke polyurethaan bumpers. Vanwege het gestegen motorvolume introduceerde BL de toevoeging 1500. Die bumpers ontving de MGB van dat jaar ook en om dezelfde redenen. De Midget werd iets langer en zwaarder en hij maakte een veel minder sportieve indruk. Toch was hij iets sneller omdat het vermogen toegenomen was. De verkopen namen ook toe, want het bleef een open Engels wagentje voor weinig geld. Komen tegenwoordig veelvuldig terug uit de VS.

Aantal cilinders: 4
Cilinderinhoud in cm³: 1493
Vermogen: 65/5500
Topsnelheid in km/uur: 157
Carrosserie/Chassis: zelfdragend
Uitvoering: cabriolet
Productiejaren: 1974-1979
Productie-aantal: 73.899
In NL: 300
Prijzen: A: 2.000 B: 3.900 C: 6.100

MG MAGNETTE MK III & IV

Deze vierdeurs sedan was niets anders dan een Austin Cambridge met een ander gezicht, leren bekleding en een houten dashboard. En een iets sterkere motor, want de MG kwam de fabriek uit met twee carburateurs. Pininfarina had de carrosserie getekend en wie nu een niet te dure ruime klasseauto zoekt, kan zich aan de Magnette geen bult vallen. Er zullen er echter niet zo heel veel meer over zijn, want de wagen wordt nog steeds niet als waardevol gezien. Vanaf 1962 zijn er Magnettes in two-tone kleurstelling.

Aantal cilinders: 4
Cilinderinhoud in cm³: 1489 en 1622
Vermogen: 67/5200 en 68/5000
Topsnelheid in km/uur: 135-140
Carrosserie/Chassis: zelfdragend
Uitvoering: sedan
Productiejaren: 1959-1961 en 1961-1968
Productie-aantallen: 16.676 en 14.320
In NL: 10
Prijzen: A: 1.600 B: 3.200 C: 4.500

MG 1100 & 1300

Voor die klantenkring die wel een BMC 1100 wilde rijden, maar niet in een Austin of Morris gezien wilde worden, ontstond de MG 1100 uit de bagde-engineering filosofie. De wagen was niet veel beter dan zijn goedkopere broers maar had een paar acccessoires meer en een iets mooiere grille. De in 1967 voorgestelde 1300 had nog maar één carburateur. Dit model kon ook met een automatische versnellingsbak besteld worden. De 1100 coach was een exportmodel. De MK II van september '68 is er uitsluitend als coach. Japanners schijnen dol op deze badge-MG's te zijn.

Aantal cilinders: 4
Cilinderinhoud in cm³: 1098 en 1275
Vermogen: 55/5500, 70/5500
Topsnelheid in km/uur: 130-145
Carrosserie/Chassis: zelfdragend
Uitvoering: sedan en coach
Productiejaren: 1962-1968 en 1967-1973
Productie-aantallen: 124.860 en 32.549
In NL: 6
Prijzen: A: 900 B: 2.300 C: 3.600

MIDAS

Een geslaagd te noemen kitcar-project is dat van de Midas. Bedenker Harold Dermott – die later hoofd klantenservice bij McLaren zou worden – en ontwerper Richard Oakes zetten op Mini-basis een geheel van kunststof vervaardigde, zeer moderne gelijnde coupé neer, met de naam Bronze. Het was Oakes' afstudeeropdracht aan het Royal College of Art in Londen. Hij reed als een heuse auto en was volgens zeer strenge normen afgewerkt. In '85 kwam het model Gold erbij op Metro-basis en deze was buiten Groot-Brittannië uitsluitend compleet te koop, als coupé of cabriolet. Een grote brand richtte Midas in '89 te gronde.

MIDAS BRONZE

Met een verzinkt Mini-subframe en een zelfdragende body van honderd procent glasfiber kon de modern ogende Bronze nooit roesten. Huisvlijtigen konden zelf een keuze maken uit de voorhanden zijnde Mini- of Metromotoren. Vergeleken bij tijdgenoten was de Bronze zeer up-to-date. Latere typen hadden andere bumpers met mistlampen erop. Na de fabrieksbrand nam Pastiche Cars het bedrijf over en vanaf 1992 ging het Britse Midtec ermee aan de slag tot het de mallen in '97 aan een Ier verkocht. Het hiernaast vermelde productiecijfer geldt voor de oorspronkelijke typen.

Aantal cilinders: 4
Cilinderinhoud in cm³: 998-1275
Vermogen: 46/5500-76/5800
Topsnelheid in km/uur: 150-170
Carrosserie/Chassis: zelfdragend
Uitvoering: coupé
Productiejaren: 1978-1989
Productie-aantal: 350
In NL: 4
Prijzen: A: 2.300 B: 4.300 C: 6.800

MIDAS GOLD

De doorontwikkeling van de Bronze verscheen in 1985 onder de naam Gold. Hij was ronder, had grotere zijramen achter, brede spatschermen en een comfortabeler interieur. De motor en de rest van het mechaniek kwamen uit de Austin Metro en op verzoek kon er ook een 90 pk sterke versie erin. Dankzij de prima stroomlijn – de onderkant was ontworpen door Gordon Murray van Brabham – was het een rap wagentje. De cabriolet is slechts weinig gebouwd. De Gold was buiten Groot-Brittannië alleen als complete auto te koop. Na de brand van '89 verdween de Gold van de markt.

Aantal cilinders: 4
Cilinderinhoud in cm³: 1275-1400
Vermogen: 69/6000-94/6130
Topsnelheid in km/uur: 170-190
Carrosserie/Chassis: zelfdragend
Uitvoering: coupé en cabriolet
Productiejaren: 1985-1989
Productie-aantallen: 171 en 11
In NL: 8
Prijzen: A: 3.200 B: 6.000 C: 9.100

MINI

De Mini bleef ruim veertig jaar vrijwel onveranderd in productie. Deze constructie van Alec Issigonis – hij tekende ook de Morris Minor – werd het voorbeeld voor de moderne kleine wagen: voorwielaandrijving en de motor dwars voorin. Hoewel geregeld gedacht is dat het Mini-tijdperk voorbij zou zijn, bleven de verkopen redelijk. Met name in Japan, waar de Mini een geliefd cult-wagentje is geworden. Hoe zal de nieuwe Mini het gaan doen?

MINI 850 & 1000

De oer-Mini met zijn 850 cm³ motor luisterde nog naar de naam Austin Seven of Morris Mini-Minor tot BMC de Mini in 1969 tot een eigen merk verhief. De wagen werd gedurende zijn lange leven steeds verder verbeterd. In 1964 werd de rubber vering vervangen door een hydrolastic systeem, in 1967 werd er een 1000-cm³-motor ingebouwd en vanaf 1968 kon de auto ook met een automatische bak besteld worden. Vanaf 1984 zijn er schijfremmen voor. Het is bijna niet te geloven dat dit kleine wagentje 40 jaar lang in productie bleef.

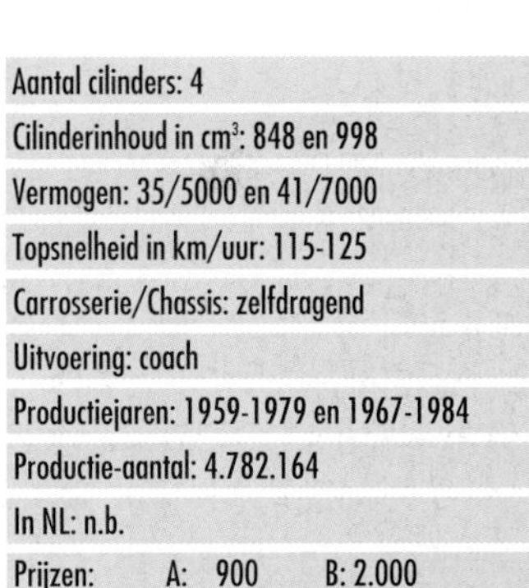
Aantal cilinders: 4
Cilinderinhoud in cm³: 848 en 998
Vermogen: 35/5000 en 41/7000
Topsnelheid in km/uur: 115-125
Carrosserie/Chassis: zelfdragend
Uitvoering: coach
Productiejaren: 1959-1979 en 1967-1984
Productie-aantal: 4.782.164
In NL: n.b.
Prijzen: A: 900 B: 2.000 C: 3.400

MINI COUNTRYMAN & TRAVELLER MK I

De Mini kon men na 1960 met verschillende carrosserieën kopen. Er was een bestelwagen, een pick-up en een prachtige stationcar. Bij Austin noemde men hem Mini Countryman en bij Morris Mini-Minor Traveller. De wagens hadden grote zijruiten en houten lijsten aan de buitenkant. Dat deze uitsluitend versieringen waren, stoorde niemand. Bij de Minor Traveller waren de essenhouten delen nog een wezenlijk bestanddeel van de carrosserie. De latere typen hadden geen houten ornament meer. Met hout 50 procent meer waard.

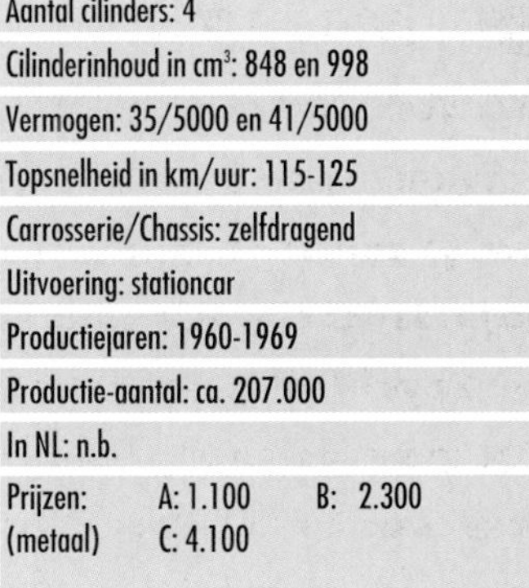
Aantal cilinders: 4
Cilinderinhoud in cm³: 848 en 998
Vermogen: 35/5000 en 41/5000
Topsnelheid in km/uur: 115-125
Carrosserie/Chassis: zelfdragend
Uitvoering: stationcar
Productiejaren: 1960-1969
Productie-aantal: ca. 207.000
In NL: n.b.
Prijzen: (metaal) A: 1.100 B: 2.300 C: 4.100

MINI CLUBMAN

De Clubman moest de betere broer van de Mini worden. Hij werd daarom iets verlengd maar helaas daar waar men het niet nodig had, namelijk van de voorruit naar voren. Goed, hij was iets luxueuzer dan de gewone Mini, maar zeker niet mooier met zijn vierkante neus. Een aardige versie van de Clubman is de stationcar die nu Estate genoemd werd. De Clubman week voor de Metro, maar de oude Mini's bleven. Vanaf 1975 was er de grotere motor, behalve in de versie met automaat. Geen populaire Mini, en terecht als we het uiterlijk van de oer-Mini ernaast zetten.

Aantal cilinders: 4
Cilinderinhoud in cm³: 998 en 1098
Vermogen: 39/5250 en 42/4850
Topsnelheid in km/uur: 130-135
Carrosserie/Chassis: zelfdragend
Uitvoering: coach en stationcar
Productiejaren: 1969-1981
Productie-aantal: 473.189
In NL: n.b.
Prijzen: A: 600 B: 1.100 C: 1.800

MINI COOPER

Nadat de bekende constructeur John Cooper de Mini onder handen genomen had, kon men van een echte racewagen, een wolf in schaapsvel, spreken. Hij fokte de motor op en hing er twee carburateurs aan. Er kwamen schijfremmen aan de wielen en het dak werd in een tweede kleur gespoten zodat iedereen op straat al bij voorbaat gewaarschuwd was. De eerste Coopers hebben net als de 'gewone' Mini's een rondere grille dan de latere modellen. Vanaf 1964 is er de Cooper met de 998 cc-motor uit de Riley Elf, zij het met dubbele carburateur. In 1990 maakt de Cooper zijn rentree op de markt.

Aantal cilinders: 4
Cilinderinhoud in cm^3: 997 en 998
Vermogen: 56/6000 en 56/5800
Topsnelheid in km/uur: 145
Carrosserie/Chassis: zelfdragend
Uitvoering: coach
Productiejaren: 1961-1969
Productie-aantal: 80.620
In NL: n.b.
Prijzen: A: 2.300 B: 5.400 C: 9.100

MINI COOPER S

Bij zijn introductie hadden velen minachtend op de Mini neergekeken. Zij moesten hun mening herzien toen ze van de fabuleuze racesuccessen van het kleine wagentje lazen. De Mini Cooper S won niet minder dan drie maal de zware Rally van Monte Carlo en dat was maar het topje van de ijsberg. Omdat veel van deze snelle S'en volop sportief gebruikt zijn, vindt men zelden een goed origineel exemplaar. Maar gelukkig zijn er ook heel wat goed gerestaureerd. Controleer bij aanschaf het chassisnummer, want er zijn namaakexemplaren in omloop.

Aantal cilinders: 4
Cilinderinhoud in cm^3: 1071, 970 en 1275
Vermogen: 70/6000, 65/6500 en 77/5900
Topsnelheid in km/uur: 155-165
Carrosserie/Chassis: zelfdragend
Uitvoering: coach
Productiejaren: 1963-1964, 1964-1965 en 1964-1971
Productie-aantallen: 1071S: 4.031, 970S: 963 en 1275S: 40.153
In NL: n.b.
Prijzen: A: 2.700 B: 7.700 C: 12.700

MINI 1275 GT

De snelste uitvoering van de Mini Clubman heette '1275 GT'. Het was de vervanging voor de Cooper (en eigenlijk Cooper S, maar daar kon hij niet aan tippen) en hij deed het met zijn toegenomen spoorbreedte en Rostyle wielen wel goed. Dat de wagen nu niet dezelfde waarde heeft van een Cooper of Cooper S is duidelijk, want veel geschiedenis heeft dit model niet geschreven. Het is nu een van de goedkopere Mini's. Wie geen Cooper kan betalen, is met een 1275 GT niet slecht af, wat prestaties betreft. Het uiterlijk moet je dan voor lief nemen.

Aantal cilinders: 4
Cilinderinhoud in cm^3: 1275
Vermogen: 61/5300
Topsnelheid in km/uur: 140
Carrosserie/Chassis: zelfdragend
Uitvoering: coach
Productiejaren: 1970-1980
Productie-aantal: 110.673
In NL: n.b.
Prijzen: A: 700 B: 1.600 C: 2.700

MINI-MOKE

BMC ontwikkelde de Mini Moke op goed geluk voor het Engelse leger. Dit bleek geen interesse te hebben in de lichte wagen en zo landde hij in de showrooms waar hij zich goed verkopen liet. Toen de fabriek in oktober 1968 met de productie stopte, begon men de Moke in Australië en Portugal te bouwen. In Zuid-Frankrijk leeft een firma van het ombouwen van Mini's naar Mokes en in 1993 waren er geruchten dat de wagen ook weer in Engeland gemaakt zou worden. Let dus op wat u koopt. De Britse versie is natuurlijk de meest gezochte.

Aantal cilinders: 4
Cilinderinhoud in cm³: 848, 998, 1098 en 1275
Vermogen: 35/5000-65/5250
Topsnelheid in km/uur: 105-120
Carrosserie/Chassis: zelfdragend
Uitvoering: mini-jeep
Productiejaren: 1964-1994
Productie-aantal: > 49.937
In NL: n.b.
Prijzen: A: 1.600 B: 2.900 C: 5.000

MITSUBISHI

De Japanse auto-industrie is klein begonnen: Mitsubishi bouwde tussen 1917 en 1921 precies 20 auto's en was daarmee de grootste producent op dat gebied in het 'land van de rijzende zon'. In 1960 begon Mitsubishi voor de tweede keer en dat jaar kwamen er 5.203 auto's van de band. Zeven jaren later was de 100.000ste wagen gebouwd en toen was de reus niet meer te stoppen.

MITSUBISHI GALANT 1973-76

Eind 1974 begon het voor Nederland geheel nieuwe merk Mitsubishi met het op kenteken laten zetten van de eerste Lancers, die soms ook wel Colt Lancer genoemd werden. De verkopen startten begin '75 en kort na de Lancer kwam de (Colt) Galant erbij, die in feite tot de tweede generatie Galants behoort. Een goed gelijnde wagen, die met name in coach-uitvoering een sportieve lijn had. Aan deze typen heeft Mitsubishi zijn Europese succes te danken. De afgebeelde auto is een vroege Nederlandse Galant die overgebleven is. De belangstelling in ons land voor oudere Japanners neemt toe.

Aantal cilinders: 4
Cilinderinhoud in cm³: 1597 en 1995
Vermogen: 100/6300 en 115/6000
Topsnelheid in km/uur: 160 en 170
Carrosserie/Chassis: zelfdragend
Uitvoering: coach, sedan en stationcar (1,6)
Productiejaren: 1973-1976
Productie-aantal: n.b.
In NL: n.b.
Prijzen: (coach) A: 200 B: 700 C: 1.400

MITSUBISHI CELESTE

Toen in de herfst van 1975 in Tokyo de automobieltentoonstelling zijn deuren opende, vond men bij Mitsubishi een coupé op de stand die een knipoog naar de Mustang II van Ford kon maken. De wagen was opgebouwd met de onderdelen van de Colt en heette Celeste. In Amerika werd hij door de Plymouth-dealers als Plymouth Arrow verkocht. De wagen bood plaats aan vijf personen en had een derde deur die het in- en uitladen van bagage vergemakkelijkte. Roest zal de meeste exemplaren genekt hebben. Er is inmiddels een kleine groep liefhebbers voor de Celeste.

Aantal cilinders: 4
Cilinderinhoud in cm³: 1439, 1597 en 1995
Vermogen: 85/6000, 100/6300 en 105/5700
Topsnelheid in km/uur: 150-160 en 175
Carrosserie/Chassis: zelfdragend
Uitvoering: coupé
Productiejaren: 1975-1981
Productie-aantal: n.b.
In NL: n.b.
Prijzen: A: 200 B: 700 C: 1.400

MITSUBISHI SAPPORO

In november 1976 presenteerde Mitsubishi een coupéuitvoering van zijn Galant. In Europa noemde men de wagen Sapporo, in Japan heette hij Galant Lambda en in Amerika kon men hem bij de Chrysler-dealers kopen als Dodge Challenger of Plymouth Sapporo. De wagens hadden voor Europa een tweeliter motor met een bovenliggende nokkenas die door een ketting werd aangedreven. De nieuwe, iets grotere motor is er vanaf 1980. Er is ook een turboversie van verschenen in 1982. Een niet erg gewilde Japanner, maar wie weet wat de toekomst gaat doen.

Aantal cilinders: 4
Cilinderinhoud in cm³: 1995 en 1997
Vermogen: 105/5700-145/5500
Topsnelheid in km/uur: 170-180
Carrosserie/Chassis: zelfdragend
Uitvoering: coupé
Productiejaren: 1976-1985
Productie-aantal: n.b.
In NL: n.b.
Prijzen: A: 200 B: 900 C: 1.700

MONICA

Nadat Facel Vega in 1964 de productie gestaakt had, kon een Fransman geen prestigewagen uit eigen land meer kopen. Wat een verschil met de jaren voor de oorlog, toen hij volop keuze had. Jean Tastevin zag dus een gat in de markt en daar hij genoeg geld verdiende met zijn fabriek voor spoorwegwagons kon hij wel iets riskeren. Maar ook hem is het niet gelukt zijn Monica in grote aantallen te verkopen. Kocht de Fransman toch liever een Italiaan of Engelse auto?

MONICA GT

In 1971 kwam de Fransman Jean Tastevin met een nieuwe sportcoupé naar de tentoonstelling van Genève. Hij noemde hem Monica naar zijn vrouw Monique en hoopte meer succes te hebben dan Facel Vega met een soortgelijke wagen gehad had. De imposante wagen stond op een chassis dat in Engeland bij Deep Sanderson gemaakt was, had een carrosserie met ruimte voor vier personen en een Chrysler-motor. Chris Lawrence was de Engelse kompaan van de Fransman en hij was voor de techniek verantwoordelijk. Het project werd echter een mislukking.

Aantal cilinders: V8
Cilinderinhoud in cm³: 5561
Vermogen: 305/5000
Topsnelheid in km/uur: 240
Carrosserie/Chassis: aluminium op een buizenchassis
Uitvoering: coupé
Productiejaren: 1971-1975
Productie-aantal: 17
In NL: 1
Prijzen: A: 11.300 B: 22.700 C: 34.000

MONTEVERDI

Wie Monteverdi heet, kan maar twee dingen doen: muziek maken of auto's bouwen. Peter Monteverdi besloot het laatste te doen. Hij bouwde een kinderhandje vol MBM (Monteverdi-Basel-Motors) sport- en racewagens voordat hij het hogerop zocht en de wereld verblijdde met peperdure sportwagens die hij zelf graag met Ferrari en Maserati vergeleek. Angstvallig hield Monteverdi altijd zijn productiecijfers achter, maar er bestaan vrij exacte gissingen. Inmiddels bouwt Monteverdi geen auto's meer. Zijn terreinwagens vormden z'n grootste verkoopsucces.

MONTEVERDI HIGH SPEED 375 S FRUA

De eerste GT van Monteverdi was de High Speed 375 S, die aanvankelijk MBM GT heette. De Zwitser volgde een door anderen beproefd concept: een fraaie koets naar Italiaans ontwerp met daarin een forse en betrouwbare Amerikaanse V8; in een buizenchassis was een Chrysler V8-motor gemonteerd. Een De Dion/Watt-achteras en rondom schijven waren zeker geen luxe gezien het vermogen. De coupé was door Frua ontworpen en deze bouwde ze ook. De klant kon kiezen uit diverse motorvarianten, vandaar de uiteenlopende gegevens hiernaast.

Aantal cilinders: V8
Cilinderinhoud in cm³: 6974-7212
Vermogen: 305-375/4600
Topsnelheid in km/uur: 225-250
Carrosserie/Chassis: afzonderlijk chassis
Uitvoering: coupé
Productiejaren: 1967-1969
Productie-aantal: 24
In NL: n.b.
Prijzen: A: 20.400 B: 34.000 C: 45.400

MONTEVERDI HIGH SPEED 375 S & 375 L FISSORE

Reeds na 24 door Frua gebouwde 375 S'en stapte Monteverdi over op Fissore. Deze Italiaanse carrossier realiseerde tevens een coupé met een verlengde wielbasis, dit met het oog op klanten die beslist een 2+2 nodig hadden. Deze High Speed-variant kreeg de naam 375 L mee en het werd de best verkochte versie. Op verzoek was er een vijftiental pk's meer mogelijk en ze staan bekend als 400 in plaats van 375. De fors geprijsde 375 was een voor Monteverdi succesvol model en hij bleef tot in 1977 in het programma. Twee latere varianten komen verderop afzonderlijk aan bod.

Aantal cilinders: V8
Cilinderinhoud in cm³: 6974-7212
Vermogen: 305-375/4600
Topsnelheid in km/uur: 225-250
Carrosserie/Chassis: afzonderlijk chassis
Uitvoering: coupé
Productiejaren: 1969-1977
Productie-aantallen: 11 en ca. 260
In NL: n.b.
Prijzen: (375 L) A: 18.100 B: 29.500 C: 40.900

MONTEVERDI HIGH SPEED 375 C & PALM BEACH

Uiterst zeldzame versies in de High Speed-reeks waren de cabriolets met de namen 375 C en Palm Beach. De 375 C (foto) verscheen in 1971 en hij had de 'oude' Frua-neus. Hoewel de wagen tot 1977 in het leveringsprogramma bleef, schijnen er niet meer dan twee afgeleverd te zijn. Dat betekent dat er behalve de afgebeelde wagen nog een gele is, aangezien auteur dezes er een foto van heeft. De Palm Beach kwam in '75. Deze driezitter met kortere wielbasis is volgens insiders uniek gebleven, maar zeker is dat niet. Bekend is een in bruinmetallic uitgevoerd exemplaar.

Aantal cilinders: V8
Cilinderinhoud in cm³: 6974-7212
Vermogen: 305-375/4600
Topsnelheid in km/uur: 225-250
Carrosserie/Chassis: afzonderlijk chassis
Uitvoering: cabriolet
Productiejaren: 1971-1977 en 1975
Productie-aantallen: 2 en 1
In NL: 0
Prijzen: A: n.v.t. B: n.v.t. C: 72.600

MONTEVERDI 375/4

In zijn goede dagen kwam Peter Monteverdi ieder jaar met een nieuw model naar de tentoonstelling in Genève. In 1971 was het een vierdeurs sedan, de 375/4. Technisch was de wagen gelijk aan de High Speeds en daarom kon men beweren dat hij sneller was dan een Mercedes 6,3 of een Iso Fidia. Op verzoek kon de koper in feite alle extra's krijgen die hij zich maar wenste. Er was zelfs een separatieruit leverbaar. Helaas heeft de bouwkwaliteit geen beste reputatie. De vierdeurs 375 ziet men zelden of nooit te koop.

Aantal cilinders: V8
Cilinderinhoud in cm³: 6974-7212
Vermogen: 305-375/4600
Topsnelheid in km/uur: 210-235
Carrosserie/Chassis: afzonderlijk chassis
Uitvoering: sedan
Productiejaren: 1971-1977
Productie-aantal: 19
In NL: n.b.
Prijzen: A: 13.600 B: 22.700 C: 34.000

MONTEVERDI HAI GTS & SS

Zoals gebruikelijk geworden was, kwam Peter Monteverdi ook in 1970 met een nieuw model naar de tentoonstelling van Genève. Ditmaal was het een coupé met een Chrysler Hemi-motor voor de achteras. Monteverdi had hem zelf getekend maar de details waren bij Fissore in Italië uitgewerkt en daar was de carrosserie ook gemaakt. De vijfbak kwam van ZF in Friedrichshafen en de vier schijfremmen van Ate. De type-aanduiding heeft betrekking op het aantal pk's. Naar verluidt zijn er maar vier exemplaren gebouwd. Het was een zeer lastig te berijden en stugge auto. De GTS had 390 pk en de SS maar liefst 450.

Aantal cilinders: V8
Cilinderinhoud in cm³: 6974
Vermogen: 390-450/5000
Topsnelheid in km/uur: 265-280
Carrosserie/Chassis: afzonderlijk chassis
Uitvoering: coupé
Productiejaren: 1970-1977
Productie-aantallen: 2 en 2
In NL: 0
Prijzen: A: n.v.t. B: n.v.t. C: n.v.t.

MONTEVERDI BERLINETTA & 375 L HEMI

Wie het vermogen van een gewone Chrysler V8-motor te gering vond, kon bij Monteverdi een 375 L Hemi als vierpersoons coupé of een Berlinetta als tweezitter bestellen. Monteverdi bood ze aan met 390 tot 450 echte DIN pk's en een topsnelheid voor de Berlinetta van 290 km/uur. Misschien iets overdreven? Maar sterk en snel waren ze in ieder geval. En wederom was de wagen aantrekkelijk om te zien.

Aantal cilinders: V8
Cilinderinhoud in cm³: 6974
Vermogen: 390-450/5000
Topsnelheid in km/uur: 260-290
Carrosserie/Chassis: afzonderlijk chassis
Uitvoering: coupé
Productiejaren: 1972 en 1971-1977
Productie-aantal: ca. 5
In NL: n.b.
Prijzen: A: n.v.t. B: n.v.t. C: n.v.t.

MONTEVERDI SIERRA

In 1977 had Monteverdi een sedan met de naam Sierra naar Genève gebracht en een jaar later stond de wagen er als cabriolet. Het chassis was ook identiek maar nu met een wielbasis van 274 cm 11 cm ingekort. De wagen bood ruimte aan vier personen en daar de portieren uitzonderlijk groot waren, kon men ook achter gemakkelijk in- en uitstappen. Airconditioning en leren bekleding behoorden tot de standaarduitrusting. Net als alle andere Monteverdi's een zeer zeldzame verschijning. Van de cabriolet leverde Monteverdi er slechts twee af.

Aantal cilinders: V8
Cilinderinhoud in cm³: 5210-5898
Vermogen: 160-180/4000
Topsnelheid in km/uur: 175-210
Carrosserie/Chassis: zelfdragend
Uitvoering: sedan en cabriolet
Productiejaren: 1977-1984
Productie-aantal: ca. 50
In NL: n.b.
Prijzen: A: n.b. B: n.b. C: n.b.

MORETTI

Giovanni Moretti heeft wel veel auto's gebouwd, sport- en gezinsauto's, maar in bijna evenveel verschillende uitvoeringen. Van een eigenlijke productie kon dan ook nauwelijks sprake zijn. Tot ongeveer 1960 bouwde Moretti alles zelf: de motor, het chassis, de ophangingen, de versnellingsbak, enzovoort. Daarna werden er wagens gebouwd met de onderdelen van Fiat en verloor het merk, voor de liefhebber, veel aan interesse.

MORETTI 1000

In 1925 begon de 21-jarige Giovanni Moretti een motorenfabriekje. Na de oorlog kwam Moretti met een autootje. Er bestaat eigenlijk geen kleine Italiaanse firma die zoveel verschillende typen gebouwd heeft. Tot aan het einde der jaren vijftig was Moretti niet te beroerd om een eigen motor te ontwikkelen. Eventueel met twee bovenliggende nokkenassen. De Moretti 1000 die in 1960 op de Turijnse Salon stond, was een 2+2 coupé. Voor deze wagen had Moretti geen eigen motor gebouwd maar die van een Fiat 1100 gebruikt. Vanaf '61 was er de 1089cc.

Aantal cilinders: 4
Cilinderinhoud in cm³: 980 en 1089
Vermogen: 41/5200 en 55/5200
Topsnelheid in km/uur: 120-145
Carrosserie/Chassis: zelfdragend
Uitvoering: sedan, coupé, cabriolet en stationcar
Productiejaren: 1960-1962
Productie-aantal: ca. 1000
In NL: n.b.
Prijzen: A: 4.500 B: 6.800 C: 9.100

MORETTI 850 S COUPÉ

Op het onderstel van de Fiat 850 hebben talloze Italiaanse carrossiers hun specials gebouwd. Vaak bleven het prototypen die een jaar lang op tentoonstellingen stonden en dan naar een liefhebber gingen en in de minste gevallen kon de auto in een kleine serie verkocht worden. Dat was het geval met de Moretti 850 S2, een auto voor twee personen plus bagage en de techniek van de Fiat 850 Special. De neus ervan gelijkt sterk op die van een Dino. Na '70 ging de firma op basis van de 127 coupeetjes bouwen.

Aantal cilinders: 4
Cilinderinhoud in cm³: 843
Vermogen: 47/6400
Topsnelheid in km/uur: 150
Carrosserie/Chassis: zelfdragend
Uitvoering: coupé
Productiejaren: 1965-1970
Productie-aantal: ca. 700
In NL: n.b.
Prijzen: A: 2.700 B: 5.700 C: 7.900

MORETTI 500 COUPÉ

Een kruising tussen een Simca 1000 en een Fiat 850 coupé? Nee, een Moretti met het onderstel van een Fiat Nuova 500. De wagen was te koop als Moretti 500 (foto) en als Moretti 595 SS met een tot 590 cc opgeboorde en tot 24 pk opgevoerde motor. Bij dit model lag de topsnelheid bij 130 km/u. De 2+2 was een kleine wagen. Hij mat maar 334 cm tussen zijn bumpers en had een gewicht van 520 kg.

Aantal cilinders: 2
Cilinderinhoud in cm³: 499
Vermogen: 18/4600
Topsnelheid in km/uur: 105
Carrosserie/Chassis: zelfdragend
Uitvoering: coupé
Productiejaren: 1966-1969
Productie-aantal: n.b.
In NL: 1
Prijzen: A: 2.000 B: 4.500 C: 7.300

MORETTI 128 COUPÉ

Vele Fiats nam Moretti onder handen en in 1970 was de presentatie in Genève van zijn 128 coupé dan ook zeer te verwachten. De klassiek gelijnde coupé doet in een flits even aan de Sunbeam Rapier denken. Kort erna biedt Moretti ook een versie met uitneembaar dakpaneel van zijn 128 aan. Het liep goed met zijn atelier en al snel volgden de 127 en 132 in coupévorm. Begin jaren zeventig bouwde het bedrijf tweeënhalf tot ruim drieduizend auto's per jaar. De afgebeelde wagen is in '87 geïmporteerd en het is wellicht de enige Nederlandse Moretti 128.

Aantal cilinders: 4
Cilinderinhoud in cm³: 1116
Vermogen: 55/6000
Topsnelheid in km/uur: 145
Carrosserie/Chassis: zelfdragend
Uitvoering: coupé en coupé m.u.d.
Productiejaren: 1970-1977
Productie-aantal: n.b.
In NL: 1
Prijzen: A: 2.300 B: 4.500 C: 6.800

MORGAN

Wie aan een Morgan denkt, denkt aan een Engelse sportwagen die er vandaag nog net zo uitziet als 50 jaar geleden. En werkelijk bouwt men vandaag nog auto's in het kleine stadje Malvern Link zoals men dat in 1909 gedaan heeft: met de blote handen. H.F.S. Morgan begon zo in 1910 en zoon Peter doet het, inmiddels met kleinzoon Charles, zo sinds vader in 1959 gestorven is. En zij doen het schijnbaar goed want op ieder van de 450 per jaar gebouwde Morgans staat een klant met ongeduld te wachten.

MORGAN F4 & SUPER (THREEWHEELER)

Morgan begon met het bouwen van driewielers en hield dit tot 1952 vol. Toen waren er meer dan 40.000 verkocht. Natuurlijk zijn er verschillen tussen de eerste exemplaren van 1910 en die van 1952, maar een leek zal moeite hebben ze te vinden. In de laatste driewielers stond een Ford-motor die het achterwieltje door middel van een ketting aandreef, zoals het een driewieler betaamt. De F Super (afgebeeld) was een tweezitter en de F4 was een vierzitter met langere wielbasis.

Aantal cilinders: 4
Cilinderinhoud in cm³: 993 en 1172
Vermogen: 36/4400 en 39/5000
Topsnelheid in km/uur: 120
Carrosserie/Chassis: afzonderlijk chassis
Uitvoering: cabriolet
Productiejaren: 1934-1952
Productie-aantallen: 367 en 265 (1945-1952)
In NL: 5
Prijzen: A: 3.600 B: 8.200 C: 13.600

MORGAN 4/4 (FLAT RADIATOR)

In tegenstelling tot de latere Morgans hadden de eerste vierwielers – ze bestonden sinds 1936 – een platte radiateur, zodat men deze nu 'Flat Rads' noemt. De vierwielers zijn te verdelen in de 4/4 en Plus 4, later Plus 8-series. De 4/4 hadden meestal een kleinere motor van Ford of Standard maar konden zowel als 2- of 4-zitter geleverd worden. De klant kon ook nog kiezen tussen een roadster of drophead versie. De dubbele reservewielen achterop zijn standaard.

Aantal cilinders: 4
Cilinderinhoud in cm³: 1098-1267
Vermogen: 34/4500-40/4300
Topsnelheid in km/uur: 120-130
Carrosserie/Chassis: afzonderlijk chassis
Uitvoering: roadster en cabriolet
Productiejaren: 1936-1950
Productie-aantal: 2.252
In NL: 6
Prijzen: A: 10.200 B: 15.900 C: 22.700

MORGAN 4/4 SERIE 2 TOT 5 & 1600 (COWLED RADIATOR)

Na een vijfjarige pauze verscheen in 1955 de 2e serie van de 4/4. Veel was er niet veranderd. De 2- en 4-persoons cabriolets had men uit het programma genomen, zodat alleen de roadster overbleef, maar opvallender was de radiateur die nu bol in plaats van plat was. Verder was alles bij het oude gebleven en nog steeds stond de carrosserie op een essenhouten frame en zat er een Ford-motor in. In de jaren tachtig werden er een tijd lang ook Fiat-motoren ingebouwd. De wagens van na 1968 heetten 1600.

Aantal cilinders: 4
Cilinderinhoud in cm³: 997-1597
Vermogen: 36/4400-88/5500
Topsnelheid in km/uur: 130-165
Carrosserie/Chassis: afzonderlijk chassis
Uitvoering: roadster
Productiejaren: 1955-1982
Productie-aantal: 4.778
In NL: 150
Prijzen (S2): A: 6.800 B: 11.800 C: 18.200

MORGAN 4/4 1600 FOUR-SEATER

Het leeuwendeel der Morgan-klanten blijft het merk zeer trouw en in geval van gezinsuitbreiding zou een Four-Seater zoals die er van '46 tot '50 ook was geweest een uitkomst zijn. Dus besloot men in Malvern Link om vanaf eind 1968 – toen de 1600 uitkwam – die vierzitter weer op bestelling te gaan leveren. De productie omvatte kleine aantallen aangezien in de ogen van velen een echte Morgan per definitie een tweezitter moest zijn. Desalniettemin was (en is) de Four-Seater een mooie uitkomst voor sportieve stellen met (jonge) kinderen die van de open lucht houden.

Aantal cilinders: 4
Cilinderinhoud in cm³: 1597
Vermogen: 74-96/5500
Topsnelheid in km/uur: 160-175
Carrosserie/Chassis: afzonderlijk chassis
Uitvoering: roadster
Productiejaren: 1968-1982
Productie-aantal: zie hiervoor
In NL: zie hiervoor
Prijzen: A: 10.000 B: 14.500 C: 18.200

MORGAN 4/4 TWO-SEATER 1982-1990

De opvolger van de 4/4 1600 kwam in 1982 uit. De inmiddels sterk verouderde Ford-motor was vervangen door de moderne krachtbron met bovenliggende nokkenas uit de Escort XR3. De cilinderinhoud bleef nagenoeg gelijk. Natuurlijk bleef uiterlijk alles bij het oude, vertrouwde model. Er waren nog steeds genoeg liefhebbers voor Morgans en slechts weinigen daarvan kozen de leverbare Fiat-motor als alternatief voor de Britse motor. De Italiaanse motor had wel een dubbele bovenliggende nokkenas en deze paste in feite beter bij de wagen.

Aantal cilinders: 4
Cilinderinhoud in cm³: 1597-1995
Vermogen: 70/6000-90/5300
Topsnelheid in km/uur: 160-170
Carrosserie/Chassis: afzonderlijk chassis
Uitvoering: cabriolet
Productiejaren: 1982-1990
Productie-aantal: n.b.
In NL: n.b.
Prijzen: A: 7.300 B: 13.600 C: 20.400

MORGAN 4/4 FOUR-SEATER 1982-1990

Voor een geringe meerprijs was een Morgan 4/4 ook weer als vierzitter te koop, maar verreweg de meeste Morgan-klanten kozen voor de tweezitter. Als alternatief voor de 1.600 cc metende Ford-motor werd halverwege de jaren tachtig ook een tweeliter leverbaar, die wat meer vermogen en dus meer snelheid betekende. Het uiterlijk van de Morgans veranderde zo goed als niet. In 1990 kwam er weer eens een andere krachtbron in het vooronder. In Nederland amper verkocht.

Aantal cilinders: 4
Cilinderinhoud in cm³: 1597-1995
Vermogen: 70/6000-90/5300
Topsnelheid in km/uur: 160-170
Carrosserie/Chassis: afzonderlijk chassis
Uitvoering: cabriolet
Productiejaren: 1982-1990
Productie-aantal: n.b.
In NL: n.b.
Prijzen: A: 5.900 B: 11.300 C: 17.200

MORGAN PLUS 4

In 1950 verscheen de Plus 4 die op het eerste gezicht nauwelijks van de 4/4 te onderscheiden was. Vanaf 1951 was er een vierzitter. De eerste exemplaren hadden een platte radiateur en een Standard-Vanguard-motor. Toen kwam de bolle grille en een Triumph-TR-motor. Van deze snelle wagens zijn vooral de Super-Sports die bij Lawrencetune tot 120 pk opgevoerd waren – o.a. door dubbele carburateurs – erg gezocht. Er zijn 102 van die 'Competitions' afgeleverd, alle met een lichtmetalen carrosserie

Aantal cilinders: 4
Cilinderinhoud in cm³: 1991, 2088 en 2138
Vermogen: 69/4200 tot 120/5000
Topsnelheid in km/uur: 135-170
Carrosserie/Chassis: afzonderlijk chassis
Uitvoering: roadster en cabriolet
Productiejaren: 1950-1953 (flat rad);1953-1968 (cowled rad)
Productie-aantal: 4.441
In NL: 35
Prijzen: A: 7.900 B: 15.900 C: 22.700

MORGAN PLUS 4 1988-1998

De gespierdere versies van de Morgan heetten van oudsher Plus 4. In 1968 stopte de productie ervan, maar in 1988 pakte men de draad weer op. Morgan had in de Rover M16-motor een heerlijk alternatief voor de Fiat-motor gevonden. Een Britse motor past toch veel beter in de Morgan? Het blok had twee bovenliggende nokkenassen en zestien kleppen en dat gaf de Plus 4 aanzienlijk meer vermogen dan de contemporaine 4/4. De prestaties komen zelfs in de buurt van die van de Plus 8. Er zijn in Nederland slechts weinig Plus 4's verkocht.

Aantal cilinders: 4
Cilinderinhoud in cm³: 1994
Vermogen: 140/6000
Topsnelheid in km/uur: 185
Carrosserie/Chassis: afzonderlijk chassis
Uitvoering: roadster
Productiejaren: 1988-1998
Productie-aantal: n.b.
In NL: n.b.
Prijzen: A: 8.000 B: 15.000 C: 21.000

MORGAN PLUS 4 PLUS

Groot was de schrik onder de Morgan-liefhebbers toen de fabriek om onverklaarbare redenen met een coupé uit kwam. Dit gedrocht, hij had zelfs een kunststof carrosserie, had een coupédak dat als een steenpuist op de carrosserie stond, zoals een Engels vakblad durfde te schrijven. Technisch was hij gelijk aan de Plus Four. Een succes werd de wagen dus niet en dit weerspiegelde zich in de productie-aantallen. De tamelijk hoge prijsnotering wordt veroorzaakt door de zeldzaamheid.

Aantal cilinders: 4
Cilinderinhoud in cm³: 2138
Vermogen: 104/4700
Topsnelheid in km/uur: 170
Carrosserie/Chassis: kunststof/afzonderlijk chassis
Uitvoering: coupé
Productiejaren: 1964-1966
Productie-aantal: 26
In NL: 1
Prijzen: A: 9.100 B: 14.500 C: 20.400

MORGAN PLUS 8 1968-1990

Deze super Morgan volgde in 1968 de door de Triumph-motor aangedreven Plus 4 op. De Plus 8 kon na 1975 met een aluminium carrosserie besteld worden, maar de grote attractie was ongetwijfeld de Rover V8-motor die onder de motorkap stond. Bij zijn introductie was de +8 goedkoop, maar door de jarenlange wachtlijsten werden de prijzen op de zwarte markt omhoog gedreven. Ook de fabriek moest vanwege valuta-perikelen en stijgende kosten de prijzen verhogen. Vanaf 1984 is er de injectieversie. In 1990 kwam de 3,9 liter.

Aantal cilinders:	V8
Cilinderinhoud in cm³:	3528
Vermogen:	184/5200
Topsnelheid in km/uur:	200
Carrosserie/Chassis:	afzonderlijk chassis
Uitvoering:	cabriolet
Productiejaren:	1990
Productie-aantal:	> 4.000
In NL:	130
Prijzen:	A: 13.600 B: 20.400 C: 27.200

MORRIS

In 1912 begon William Morris, de latere Lord Nuffield, auto's onder zijn eigen naam te fabriceren. Uit deze firma ontwikkelde zich een imperium, de Nuffield groep, die de firma's MG, Riley, Wolseley en Morris omvatte en in de jaren veertig voor meer dan de helft van alle in Engeland gebouwde auto's verantwoordelijk was. In 1951-52 verenigde men zich met Austin tot de British Motor Corporation, BMC, het toen grootste Europese autoconcern.

MORRIS EIGHT

In oktober 1945 verscheen Morris weer met de uit 1938 bekende Morris Eight. Het wagentje kon van huis uit met een stalen schuifdak besteld worden en een vierversnellingsbak en hydraulische remmen hadden ze allemaal. De Eight was één van de kleinste wagens die in Engeland gebouwd werden en een concurrent voor de Ford Anglia, de Standard en Hillman. De Morris Ten die een maand later uitkwam, had een iets grotere motor. De Eight had een voor zijn tijd modern voorkomen met zijn in de schermen gebouwde koplampen en 'waterval'-grille.

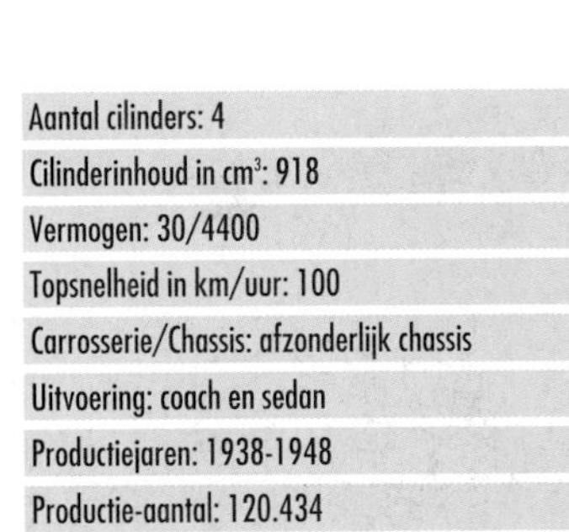

Aantal cilinders:	4
Cilinderinhoud in cm³:	918
Vermogen:	30/4400
Topsnelheid in km/uur:	100
Carrosserie/Chassis:	afzonderlijk chassis
Uitvoering:	coach en sedan
Productiejaren:	1938-1948
Productie-aantal:	120.434
In NL:	40
Prijzen:	A: 1.400 B: 2.700 C: 4.100

MORRIS TEN

De eerste Morris met zelfdragende carrosserie is de Ten van 1938. Hij kreeg de nogal wankele wielophanging van de Eight mee met een extra stabilisatorstang voor. De motor heeft kopkleppen en deze zou later (doorontwikkeld) in de MG TC komen. De koets was wat behoudender dan die van de Eight, maar er was tenminste standaard een schuifdak tot begin '48. Vanaf 1946 was er een gebogen grille. De naoorlogse Tens profiteerden van de vele beproevingen die het type in de oorlogsjaren had doorstaan. Niet opwindend maar beresterk.

Aantal cilinders:	4
Cilinderinhoud in cm³:	1140
Vermogen:	37/4600
Topsnelheid in km/uur:	100
Carrosserie/Chassis:	zelfdragend
Uitvoering:	sedan
Productiejaren:	1938-1948
Productie-aantal:	80.990
In NL:	15
Prijzen:	A: 1.400 B: 2.900 C: 4.500

MORRIS MINOR SALOON

Alec Issigonis was de ontwerper van een geheel nieuwe wagen, de Minor. Deze vierzitter nam het met veel succes op tegen de Volkswagen Kever, de Renault 4CV en de Citroën 2CV. Met zijn zelfdragende carrosserie, zijn onafhankelijke voorwielophanging en zijn moderne motor (na vier jaren kreeg hij kopkleppen) was de wagen up-to-date. Vanaf '50 was er een sedan. De Minor was bijna onverwoestbaar en bleef dan ook bijna 25 jaren in productie. De eerste typen (voor '50) hadden koplampen aan weerszijden van de grille.

Aantal cilinders:	4
Cilinderinhoud in cm³:	918, 803, 948 en 1098
Vermogen:	28/4400 tot 48/5100
Topsnelheid in km/uur:	100-120
Carrosserie/Chassis:	zelfdragend
Uitvoering:	coach en sedan
Productiejaren:	1948-1971
Productie-aantal:	1.003.030
In NL:	230
Prijzen:	A: 1.100 B: 2.300 C: 4.100

MORRIS MINOR TOURER

De Morris Minor kon direct ook al als Tourer – de Engelse pendant van een découvrable – besteld worden. In het Nederlands kennen we alleen de aan het Duits ontleende term cabrio-limousine voor deze koetsvariant. Het betrof een tweedeurs wagen waarvan de linnenkap, inclusief de achterruit, naar achteren opgerold kon worden waarbij de zijruiten op hun plaats bleven. Technisch was de wagen gelijk aan zijn gesloten broer en hij kostte in ons land zo'n *f* 100,– meer, maar dat hij nu veel meer geld moet kosten is een feit. De oudste typen (MM) zijn het meest gezocht.

Aantal cilinders: 4
Cilinderinhoud in cm³: 948 en 1098
Vermogen: 37/4750-48/5100
Topsnelheid in km/uur: 100-120
Carrosserie/Chassis: zelfdragend
Uitvoering: cabrio-limousine
Productiejaren: 1948-1969
Productie-aantal: 74.969
In NL: 70
Prijzen: A: 2,700 B: 5.900 C: 7.700

MORRIS MINOR TRAVELLER

In 1953 was de Minor ook als kleine stationcar te koop. Zijn houten achterhelft deed denken aan de Amerikaanse Woodies uit de jaren veertig. Deze houten delen waren een deel van de zelfdragende constructie, zodat ze niet verrot mogen zijn. Voor de restauratie van de Travellers zijn prachtige houtwerksets in de handel. Er zijn alleen tweedeurs Travellers geleverd. Indertijd hebben nogal wat exemplaren hun weg naar Nederland gevonden via het Britse leger in Duitsland. Een Minor Traveller is een klassieker die vaak dagelijks bereden wordt door de liefhebbers.

Aantal cilinders: 4
Cilinderinhoud in cm³: 803, 948 en 1098
Vermogen: 30/4800, 37/4750 en 48/5100
Topsnelheid in km/uur: 100-120
Carrosserie/Chassis: zelfdragend
Uitvoering: stationcar
Productiejaren: 1953-1954 en 1959-1971
Productie-aantal: 215.328
In NL: 220
Prijzen: A: 2.300 B: 3.600 C: 5.700

MORRIS MINOR VAN & PICK-UP

Op een afzonderlijk chassis verschenen in 1953 twee bedrijfswagens op basis van de Minor: de Van en de Pick-up. In afwijking van de zelfdragende carrosserie hadden de Van en de Pick-up een geheel stalen chassis. De Van werd al snel bekend als het wagentje van de Royal Mail en dat zou nog lang zo blijven. De (afgebeelde) Pick-up was een grappige variant op het Minor-thema. Natuurlijk zijn veel van deze autootjes totaal opgebruikt maar mede dankzij de solide constructie zijn er toch nog aardig wat overgebleven.

Aantal cilinders: 4
Cilinderinhoud in cm³: 803, 948 en 1098
Vermogen: 30/4800, 37/4750 en 48/5100
Topsnelheid in km/uur: 95-110
Carrosserie/Chassis: afzonderlijk chassis
Uitvoering: bestelwagen en pick-up
Productiejaren: 1953-1971
Productie-aantal: 111.298
In NL: 28 en 15
Prijzen: (pick-up) A: 2.500 B: 4.300 C: 6.000

MORRIS OXFORD

Toen in Engeland in 1948 de eerste naoorlogse autoshow in Earls Court zijn poort opende, vond men bij Morris drie nieuwe modellen: de Minor, de Oxford en de Six. De Oxford was een populaire middenklasser met familietrekken van de Minor en rijkelijk voorzien van chroom. De grotere motor had nog zijkleppen (tot mei 1954). Geschakeld werd met een hendel aan de stuurkolom, toentertijd een nieuwtje dat uit Amerika was overgenomen. Nieuw was ook de onafhankelijke voorwielophanging, die de wagen een veel betere wegligging gaf dan men van de vooroorlogse modellen gewend was.

Aantal cilinders: 4
Cilinderinhoud in cm³: 1476
Vermogen: 41/4200
Topsnelheid in km/uur: 110
Carrosserie/Chassis: zelfdragend
Uitvoering: sedan en stationcar (>'52)
Productiejaren: 1948-1954
Productie-aantal: 159.960
In NL: 15
Prijzen: A: 1.600 B: 2.900 C: 4.300

MORRIS OXFORD SERIES 2, 3 & 4

In mei 1954 kwam er een nieuwe Oxford op de markt. De Series 2 had een modernere, bijna ponton-, carrosserie en een kopklepmotor die de wagen meer pit gaf. De auto had meer binnenruimte dan de Oxford van de eerste serie en ook het glasoppervlak was aanmerkelijk vergroot. Met de Series 3 (foto) kreeg de auto in 1956 nogmaals een nieuwe carrosserie. De Series 4-Oxford was er uitsluitend als geheel stalen stationcar. Deze oude Morrissen zijn absoluut niet gewild.

Aantal cilinders: 4
Cilinderinhoud in cm³: 1489
Vermogen: 51/4200
Topsnelheid in km/uur: 120
Carrosserie/Chassis: zelfdragend
Uitvoering: sedan en stationcar
Productiejaren: 1954-1956, 1956-1959 en 1957-1959
Productie-aantallen: S 2: 87.341, S 3 & 4: 58.117
In NL: 10
Prijzen: A: 1.100 B: 1.800 C: 3.200

MORRIS COWLEY & COWLEY 1500

Dit model was voor de Engelse markt bestemd en het was niet veel anders dan een eenvoudigere uitvoering van de Morris Oxford van de derde serie. De grote verschillen vond men onder de motorkap: men had de kleinere motor uit de Austin A40 ingebouwd en er kon geen automatische bak geleverd worden. Doordat de bumpers geen hoorntjes hadden, bedroeg de lengte van de auto 429 en geen 434 cm. Vanaf 1956 was de motor dezelfde als in de Oxford: de betrouwbare BMC van de B-serie. Oninteressante auto's.

Aantal cilinders: 4
Cilinderinhoud in cm³: 1200 en 1489
Vermogen: 42/4600 en 56/4400
Topsnelheid in km/uur: 110 en 120
Carrosserie/Chassis: zelfdragend
Uitvoering: sedan en stationcar
Productiejaren: 1954-1959
Productie-aantal: 22.036
In NL: n.b.
Prijzen: A: 700 B: 1.800 C: 2.600

MORRIS ISIS

In de zomer van 1955 kwam er een Morris Oxford met een langere wielbasis uit onder de naam Isis. De zescilinder kopklepmotor was dezelfde die BMC in de Austin A90 en de Wolseley 6/90 inbouwde en die later, iets opgevoerd, in de Austin-Healey furore zou maken. De Isis was een zespersoonswagen en als stationcar groot genoeg voor acht volwassenen dankzij de derde (andersom geplaatste) bank. In 1957 kwam de Isis Series II met een nieuwe carrosserie, chroomstrips op de achterschermen, andere grille en een vloerpook. Optioneel was er een overdrive of automaat.

Aantal cilinders: 6
Cilinderinhoud in cm³: 2639
Vermogen: 87/4250
Topsnelheid in km/uur: 140
Carrosserie/Chassis: zelfdragend
Uitvoering: sedan en stationcar
Productiejaren: 1955-1958
Productie-aantal: 12.155
In NL: 2
Prijzen: A: 1.200 B: 1.700 C: 2.700

MORRIS OXFORD SERIES 5 & 6

Een paar dagen na de tentoonstelling te Genève van 1959 kwam Morris met een nieuwe Oxford. De wagen had nu dezelfde carrosserie als de Austin Cambridge, de MG Magnette en de Wolseley 15/60, een product van de tekentafels van Pininfarina. De auto bood veel meer ruimte, maar had wel iets van zijn karakter verloren. Er was vanaf '62 een versie met een dieselmotor. De mogelijkheid bestond om de Oxford weer met een (vooroorlogse) vloerversnelling te bestellen. De Series 6 verscheen in 1961 en deze had de grotere motor.

Aantal cilinders: 4
Cilinderinhoud in cm³: 1489 en 1622
Vermogen: 56/4400-61/4500
Topsnelheid in km/uur: 130
Carrosserie/Chassis: zelfdragend
Uitvoering: sedan en stationcar
Productiejaren: 1959-1971
Productie-aantal: 296.255
In NL: 25
Prijzen: A: 700 B: 2.000 C: 3.400

MORRIS SIX

De Morris Six was een interessante wagen. Door de nieuwe Minor en Oxford op de tentoonstelling van Genève 1948 was hij bijna over het hoofd gezien, omdat hij voor het grote publiek niet te betalen was. Wat de carrosserie betrof leek hij veel op zijn kleinere broers, maar achter zijn aparte grille stond een zescilindermotor, een kopklepper met een bovenliggende nokkenas. Er verscheen in 1951 een exemplaar in de Rallye van Monte Carlo. Gewonnen heeft hij zeker niet, want hij werd niet eens in de annalen vermeld. Weinig van deze wagens hebben het tot op heden uitgehouden.

Aantal cilinders: 6
Cilinderinhoud in cm³: 2215
Vermogen: 66/4800
Topsnelheid in km/uur: 125
Carrosserie/Chassis: zelfdragend
Uitvoering: sedan
Productiejaren: 1949-1954
Productie-aantal: 12.464
In NL: 2
Prijzen: A: 1.200 B: 2.300 C: 3.600

MORRIS 1100 & 1300

In 1962 kon Morris zijn 50-jarig bestaan vieren. Men deed het met de introductie van een nieuw model, de Morris 1100. Een directe afstamming van de Morris Mini. Deze Morris 1100 zou de basis worden voor zovele middenklassewagens van de toekomst. Voorwielaandrijving, de motor dwars voorin en in één geheel met de versnellingsbak. Vanzelfsprekend was de wagen weer een ontwerp van Issigonis maar de carrosserie was van Pininfarina. Ook de hydrolastische vering was nieuw, een uitvinding van Alec Moulton. In 1967 kon de wagen ook als Morris 1300 gekocht worden.

Aantal cilinders: 4
Cilinderinhoud in cm³: 1098 en 1275
Vermogen: 50/5100 en 59/5250
Topsnelheid in km/uur: 125 en 140
Carrosserie/Chassis: zelfdragend
Uitvoering: sedan en stationcar
Productiejaren: 1962-1971 en 1967-1973
Productie-aantal: 801.996
In NL: 30
Prijzen: A: 500 B: 900 C: 1.600

MORRIS 1800 & 2200

Toen de 1800 in maart 1966 in Genève voorgesteld werd, sprak men op de stand nog van de Morris ADO 17, de codenaam van het project. Het was niet veel anders dan een opgeblazen Morris 1100 die op zijn beurt van de kleine 850 afstamde. De constructies waren identiek: een motor die één geheel met de versnellingsbak vormde en dat dwars voorin. Voorwielaandrijving, hydro-elastische vering, een bijzonder goede wegligging en een zee van ruimte in de wagen. In '72 kwam de zescilinder 2200 erbij.

Aantal cilinders: 4 en 6
Cilinderinhoud in cm³: 1798 en 2227
Vermogen: 80/5000-110/5250
Topsnelheid in km/uur: 145-175
Carrosserie/Chassis: zelfdragend
Uitvoering: sedan
Productiejaren: 1966-1975
Productie-aantallen: 95.271 en ca. 10.000
In NL: n.b.
Prijzen (1800): A: 500 B: 1.300 C: 2.300

MORRIS MARINA COUPÉ TC

Wat men in de Morris-fabriek met ADO 28 aanduidde, was voor de gewone man niets anders dan een Morris Marina. In 1971 was dit model als weinig opwindende gezinsauto uitgekomen. Een jaar later verscheen de stationcar en met de coupé TC ('twin carburettor') was het scala compleet. De wagens hadden de aandrijving nog via de achterwielen die aan een starre as gemonteerd waren. Van de 953.576 geproduceerde Marina's was een klein deel in coupé-variant. Na '75 volgde de GT deze versie op. Niet geliefd, maar er bestaat inmiddels wel een Marina-club in ons land.

Aantal cilinders: 4
Cilinderinhoud in cm³: 1798
Vermogen: 87/5500
Topsnelheid in km/uur: 160
Carrosserie/Chassis: zelfdragend
Uitvoering: coupé
Productiejaren: 1972-1975
Productie-aantal: n.b.
In NL: 40
Prijzen: A: 400 B: 700 C: 1.300

MOSKVITCH

De Russen zijn nooit erg origineel geweest met hun ontwerpen en de Moskvitch is hier een mooi voorbeeld van. Al in 1930 bouwde de fabriek in Moskou auto's die op de Amerikaanse Ford leken; in 1941 waren het wagens met een Ford Eifel-carrosserie en een Opel Kadett-neus en vanaf 1949 overspoelden ze de markt, ook de Nederlandse, met een imitatie van de vooroorlogse Opel Kadett waarvan ze de gereedschappen in Duitsland geannexeerd hadden. De auto kreeg het typenummer 400.

MOSKVITCH 407 1956-1964

Een nakomeling van de Moskvitch 400, ofwel de Russische Opel Kadett, was de 407 die nu veel weg had van een Engelse Standard. De wagen kwam in 1957 uit en had nu een kopklepmotor. In 1958 was de auto als model 410 ook met vierwielaandrijving te koop. De stationcar heette 423. Het zijn robuuste auto's en ze zijn heel geschikt voor de slechte Russische wegen, maar minder voor de export naar het Westen. Wie echter klassiek wil rijden voor een absolute bodemprijs, kan de aanschaf overwegen. Liefst met veel reserve-onderdelen.

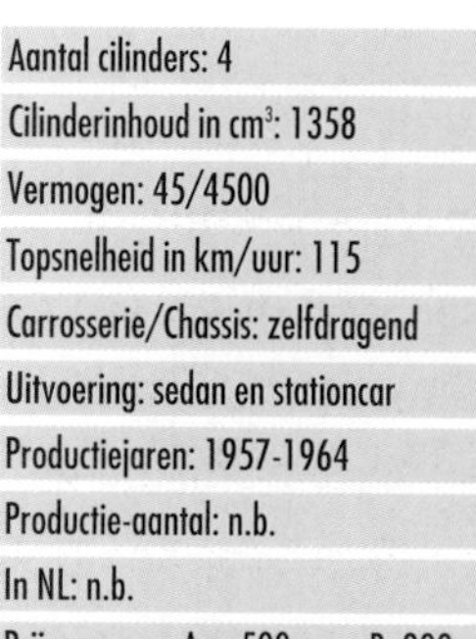
Aantal cilinders: 4
Cilinderinhoud in cm³: 1358
Vermogen: 45/4500
Topsnelheid in km/uur: 115
Carrosserie/Chassis: zelfdragend
Uitvoering: sedan en stationcar
Productiejaren: 1957-1964
Productie-aantal: n.b.
In NL: n.b.
Prijzen: A: 500 B: 900 C: 1.700

MOSKVITCH SCALDIA 403

In 1963 was de Moskvitch 407 aanmerkelijk verbeterd. Hij heette nu 403. De wagen werd in verschillende West-Europese landen verkocht en in Antwerpen zelfs geassembleerd door de firma Sobimpex. De Belgische 'Rus' werd onder de naam Moskvitch Scaldia verkocht en aangeprezen als 's werelds goedkoopste wagen met een dieselmotor. Deze kwam uit de Engelse Perkins-fabriek en werd ook in Volga's ingebouwd. Vanwege de assemblage werd de auto in België redelijk verkocht. De gegevens voor de benzinemotor zijn gelijk aan die van de 407.

Aantal cilinders: 4 (dieselmotor)
Cilinderinhoud in cm³: 1760
Vermogen: 62/4000
Topsnelheid in km/uur: 120
Carrosserie/Chassis: zelfdragend
Uitvoering: sedan en stationcar
Productiejaren: 1963-1964
Productie-aantal: n.b.
In NL: n.b.
Prijzen: A: 500 B: 900 C: 1.600

MOSKVITCH SCALDIA 408 & 412

In 1964 verscheen de 408 met een geheel nieuwe carrosserie. In ons land werd de wagen kortweg Scaldia genoemd. De stationcar was de 426. Vanaf 1968 is er de 412 (stationcar: 427) en daarvoor vraagt de Nederlandse importeur wederom bodemprijzen. De klant kreeg voor weinig geld een vierdeurs auto met een moderne motor met bovenliggende nokkenas, bekrachtigde schijfremmen aan de voorwielen en een vierversnellingsbak. Met lichte modificaties blijft het type tot 1977 op de markt. Totaal oninteressant.

Aantal cilinders: 4		
Cilinderinhoud in cm³: 1478		
Vermogen: 75/5800		
Topsnelheid in km/uur: 140		
Carrosserie/Chassis: zelfdragend		
Uitvoering: sedan en stationcar		
Productiejaren: 1964-1977		
Productie-aantal: n.b.		
In NL: n.b.		
Prijzen:	A: 100 C: 900	B: 500

MOSS

In Sheffiels, Yorks, begon in 1980 de firma Moss Motor Company een graantje mee te pikken van de kitcarmarkt. In een jaren dertig-stijl leverde het bedrijf kits om kunststof roadsters te maken op basis van een Ford- of Triumph-onderstel. Het bracht de modellen Malvern, Roadster, Mamba en Monaco uit tot een brand de nieuwe fabriek in 1985 verwoestte. Na een jaar in het bezit te zijn geweest van Hampshire Classics ging in '87 het bedrijfje onder leiding van een aantal Moss-adepten verder met de levering. Thans in de versukkeling geraakt.

MOSS MALVERN

Na een aanloopperiode van twee jaar was Moss zover dat de eersteling uitkwam, de Malvern. De typisch klassiek-Engels gelijnde wagen was een vierzitter met de technische componenten van een Ford, Triumph Herald of Vitesse. In '83 volgde de tweezitter met de eenvoudige typenaam Roadster. Particulieren experimenteerden met Rover V8-motoren, maar de meeste wagens kregen een viercilinder Ford 1,6 liter of een Triumph 1,5 liter onder de kap. Na de fabrieksbrand zijn er vrijwel geen auto's meer bijgekomen.

Aantal cilinders: 4, 6 en V8		
Cilinderinhoud in cm³: divers		
Vermogen: divers		
Topsnelheid in km/uur: divers		
Carrosserie/Chassis: afzonderlijk chassis/kunststof		
Uitvoering: cabriolet, roadster en coupé		
Productiejaren: 1982-1990		
Productie-aantal: ca. 350		
In NL: n.b.		
Prijzen:	A: n.b. C: n.b.	B: n.b.

MUNTZ

Earl Muntz verdiende de bijnaam 'Madman Muntz'. Hij was achtmaal getrouwd en regelmatig het middelpunt van grapjes die Bob Hope, Bud Abbot en Lou Costello of Jack Benny op de radio vertelden. Als 12-jarig jongetje verkocht hij al gebruikte auto's en hij beweerde eens dat er in 1947 voor een bedrag van 72 miljoen dollar aan gebruikte wagens door zijn handen ging. Meer geld verdiende Muntz echter met de fabricage van radio's, taperecorders en tv's. Dat hij met auto's alleen maar geld verloren heeft, speelde dus geen grote rol.

MUNTZ JET

Frank Kurtis bouwde in de jaren dertig en veertig veel sport- en racewagens in de Californische stad Glendale. Een van zijn projecten was een personenwagen die eigenlijk niet in zijn programma paste. Hij verkocht het project dan ook door aan Muntz. Inclusief zijn fabriekje, het gereedschap en de benodigde onderdelen. Onder de naam Muntz Jet kwam de auto de straat op. Hij had een aluminium carrosserie en een motor van Cadillac. Na een jaar verhuisde Muntz naar Illinois om de wagens daar verder te bouwen, nu echter met een stalen carrosserie en de V8 van Lincoln.

Aantal cilinders: V8		
Cilinderinhoud in cm³: 5517 en 5203		
Vermogen: 156/3600 en 208/4200		
Topsnelheid in km/uur: 180 en 190		
Carrosserie/Chassis: aluminium of staal/afzonderlijk chassis		
Uitvoering: coupé met afneembaar dak		
Productiejaren: 1950-1954		
Productie-aantal: 394		
In NL: 1		
Prijzen:	A: 8.600 C: 27.200	B: 18.200

NASH

Het is bekend dat de onafhankelijke Amerikaanse autofabrikanten na de oorlog weinig te lachen hadden. Met de in 1916 opgerichte firma Nash ging het nog betrekkelijk goed. Al in 1941 had men in Kenosha-Wisconsin auto's met een zelfdragende carrosserie gemaakt en na de oorlog zocht en vond men goede contacten in Europa, met Austin in Engeland en Pinin Farina in Italië, die de carrosserieën hielp ontwerpen. In 1954 fuseerde Nash met Hudson waardoor de American Motors Corporation ontstond.

NASH 600 & AMBASSADOR 1945-1948

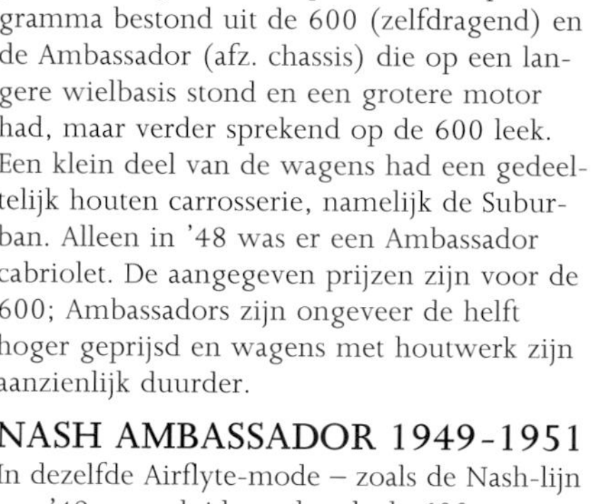

Eind 1945 kon Nash de productie van de personenwagens weer opnemen. Het programma bestond uit de 600 (zelfdragend) en de Ambassador (afz. chassis) die op een langere wielbasis stond en een grotere motor had, maar verder sprekend op de 600 leek. Een klein deel van de wagens had een gedeeltelijk houten carrosserie, namelijk de Suburban. Alleen in '48 was er een Ambassador cabriolet. De aangegeven prijzen zijn voor de 600; Ambassadors zijn ongeveer de helft hoger geprijsd en wagens met houtwerk zijn aanzienlijk duurder.

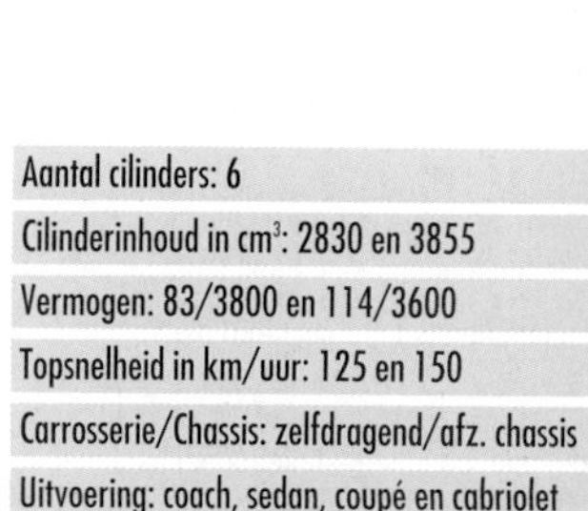

Aantal cilinders: 6
Cilinderinhoud in cm³: 2830 en 3855
Vermogen: 83/3800 en 114/3600
Topsnelheid in km/uur: 125 en 150
Carrosserie/Chassis: zelfdragend/afz. chassis
Uitvoering: coach, sedan, coupé en cabriolet
Productiejaren: 1945-1948
Productie-aantallen: 182.850 en 122.150
In NL: 3
Prijzen: A: 1.400 B: 2.900 C: 5.400

NASH AMBASSADOR 1949-1951

In dezelfde Airflyte-mode – zoals de Nash-lijn van '49 aangeduid werd – als de 600, verscheen natuurlijk ook de negen inches langere Ambassador. Ook deze had dezelfde subseries en een zescilinder motor, zij het met 30 pk meer dan z'n goedkopere familielid. Voor '50 waren er een grotere achterruit, een langere motorkap, een Hydra-Matic automaat plus een nieuwe cilinderkop. Voor '51 een andere grille en nieuwe achterschermen (foto). Vanaf '50 waren er alleen nog de twee uitvoeringen Super en Custom. Die laatste had een armsteun achter, leeslampjes, tapijt voorin, grote wieldoppen en een ander stuur.

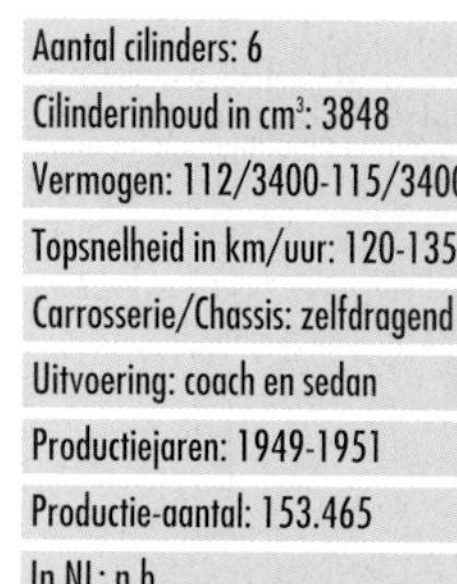

Aantal cilinders: 6
Cilinderinhoud in cm³: 3848
Vermogen: 112/3400-115/3400
Topsnelheid in km/uur: 120-135
Carrosserie/Chassis: zelfdragend
Uitvoering: coach en sedan
Productiejaren: 1949-1951
Productie-aantal: 153.465
In NL: n.b.
Prijzen: A: 3.200 B: 6.400 C: 9.100

NASH 600 & STATESMAN

In 1949 kon ook Nash een nieuwe carrosserie – de eerste na de oorlog – laten zien. Het was de eerste Amerikaanse zelfdragende koets die in grote series gebouwd werd. In 1950 verdween de '600' om door de Statesman opgevolgd te worden. De Ambassador was gebleven, maar er was een derde model, de Rambler, bijgekomen. De Statesmans werden door een zescilinder zijklepmotor (3,0 liter) of kopklepmotor (3,8/4,2 liter) aangedreven en daar de inhoud steeds tussen de 3,0 en 4,2 liter bleef, waren de wagens bekend om hun geringe benzineverbruik.

Aantal cilinders: 6
Cilinderinhoud in cm³: 3015, 3860-4139
Vermogen: 82/3800, 117/3400 en 132/3700
Topsnelheid in km/uur: 135-150
Carrosserie/Chassis: zelfdragend
Uitvoering: coach, sedan en coupé

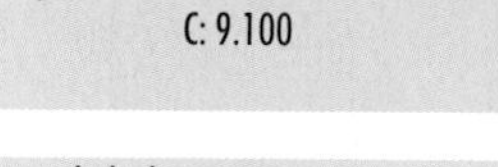

Productiejaren: 1949-1956
Productie-aantal: 351.798
In NL: 2
Prijzen: A: 4.100 B: 6.100 C: 9.100

NASH AMBASSADOR 1952-54

Nash vierde in 1952 het vijftigjarig bestaan en greep die gelegenheid aan om een geheel nieuwe lijn voor de Statesman en de 23 cm langere Ambassador uit te zetten: de Nash Golden Airflytes. De wagens waren gedeeltelijk door Pinin Farina gestileerd en ze weken minder van het gangbare af dan hun voorgangers uit '49-'51. De modellen van 1953 waren hetzelfde, afgezien van verchroomde nokken op de luchtinlaat onder de voorruit. Voor 1954 waren er een andere grille, koplamphouders, dashboard en interieur, maar de verkopen liepen ernstig terug. De subreeksen waren Super en Custom.

Aantal cilinders: 6
Cilinderinhoud in cm³: 4139
Vermogen: 120-130/3700
Topsnelheid in km/uur: 140-145
Carrosserie/Chassis: afzonderlijk chassis
Uitvoering: coach, sedan en coupé
Productiejaren: 1952-1954
Productie-aantal: 94.978
In NL: 1
Prijzen: A: 2.700 B: 5.700 C: 8.200

NASH RAMBLER 1956-1957

Het type Rambler verscheen voor het eerst in 1950 als een soort tweedeurs tourer à la Morris Minor. Later kwam er een tweedeurs stationcar bij. In de jaren erop volgend veranderde er weinig aan het uiterlijk, maar kwamen er wel vele carrosserievarianten bij. In feite was het een compact car avant la lettre van Nash. Vanaf '54 waren er een korte en een lange wielbasis. Die laatste was in '56 nog alleen over en dan als sedan of stationcar. Het was de goedkoopste auto die het merk aanbood. Vanaf '57 was er naast de zescilinder ook een V8 leverbaar. De kleine Nash van '50 werd daarmee een volwaardige Amerikaan.

Aantal cilinders: 6 en V8
Cilinderinhoud in cm³: 3205 en 5354
Vermogen: 120/4200-125/3400 en 190/4900
Topsnelheid in km/uur: 140-170
Carrosserie/Chassis: zelfdragend
Uitvoering: sedan en stationcar
Productiejaren: 1956-1957
Productie-aantallen: 114.834 en 14.442 (V8)
In NL: n.b.
Prijzen: A: 3.200 B: 5.900 C: 9.100

NASH AMBASSADOR 1957

Nash is een van de pioniers geweest waar het twee of drie kleuren spuitwerk betrof. Ook bij de verlichting, want de Ambassador van 1957 was een van de eerste Amerikanen met vier koplampen. In 1957 kon het model voor het eerst niet meer met een zescilinder motor geleverd worden, maar daar de V8 niet veel duurder in productie was, stoorde dat niemand. De motor was overigens een kopklepper die zijn benzinemengsel uit een viervoudige Carter-carburateur zoog. 1957 was het laatste jaar dat de wagen als Nash aangeboden zou worden. Daarna werd hij als Rambler Ambassador geadverteerd.

Aantal cilinders: V8
Cilinderinhoud in cm³: 5359
Vermogen: 274/4700
Topsnelheid in km/uur: 170
Carrosserie/Chassis: zelfdragend
Uitvoering: coach en sedan
Productiejaar: 1957
Productie-aantal: 10.330
In NL: 0
Prijzen: A: 3.600 B: 6.800 C: 10.400

NASH-HEALEY

De Nash-Healey was een co-productie van Nash in Amerika en Healey in Engeland. De mechanische delen kwamen uit Amerika maar werden in Engeland tot een auto opgebouwd. Een eerste exemplaar reed in 1950 met succes mee in Le Mans. Nadat een aantal wagens in Engeland met een aluminium carrosserie was afgeleverd, werd de carrosserie door Pinin Farina opnieuw getekend. Vanaf 1952 stuurde Healey de rolling chassis naar Turijn waar ze van een carrosserie voorzien werden. Healey heeft er 104 gebouwd en Farina 402. De laatste 174 exemplaren hebben de 4,1 liter motor.

Aantal cilinders: 6
Cilinderinhoud in cm³: 3855 en 4138
Vermogen: 126/4000 en 142/4000
Topsnelheid in km/uur: 175
Carrosserie/Chassis: afzonderlijk chassis
Uitvoering: cabriolet en coupé
Productiejaren: 1951-1954
Productie-aantal: 506
In NL: 4
Prijzen: A: 13.600 B: 22.700 C: 36.300

NSU

NSU bouwde met onderbrekingen auto's. Het eerste product werd al in 1906 door deze 'Neckarsulmer Strickmaschinen-Fabrik' de weg op gestuurd maar twintig jaren later moest men de productie staken. Pas in het midden der jaren vijftig kwam er weer een NSU terug. In 1964 bouwde NSU als eerste fabriek een auto met een wankelmotor en in 1969 verdween het merk bij Volkswagen in het archief.

NSU PRINZ I, II, III & 30

Hoewel de kleine Prinz al in 1957 op de Frankfurtse tentoonstelling stond, duurde het lang voordat hij in productie genomen kon worden. Maar toen de wagen eenmaal op straat verscheen, was men vol bewondering over zijn capaciteiten. De auto had de motor achterin, beschikte al over een 12-Volt installatie, maar had een ongesynchroniseerde versnellingsbak. De wagen werd steeds verder verbeterd en zoals te verwachten was groeide de motor in vermogen. De liefhebbers van deze wagentjes wonen voornamelijk in Duitsland zelf.

Aantal cilinders: 2
Cilinderinhoud in cm³: 583
Vermogen: 20/4600, 23/5000 en 30/5500
Topsnelheid in km/uur: 110-120
Carrosserie/Chassis: zelfdragend
Uitvoering: coach
Productiejaren: 1958-1962
Productie-aantal: 94.549
In NL: n.b.
Prijzen: A: 900 B: 2.300 C: 3.600

NSU PRINZ IV

De kleine Prinz groeide, zoals dat hoorde, op tot een elegante Prinz IV. Deze wagen, hij leek wel heel erg op een verkleinde Chevrolet Corvair, was technisch op de Prinz 30 gebaseerd en had dus dezelfde motor, maar ook de 'Prinzair' luchtvering bij de achteras. Na 1964 kon men de wagen zelfs met schijfremmen aan de voorwielen bestellen. Commercieel werd het een succes: meer dan een half miljoen Prinz'en verlieten de fabriek. Er zijn diverse uitrustingsniveaus geleverd. Deze Prinz heeft ook in Nederland en België zijn fans.

Aantal cilinders: 2
Cilinderinhoud in cm³: 598
Vermogen: 30/5500
Topsnelheid in km/uur: 115
Carrosserie/Chassis: zelfdragend
Uitvoering: coach
Productiejaren: 1961-1973
Productie-aantal: 576.023
In NL: n.b.
Prijzen: A: 590 B: 1.400 C: 2.400

NSU PRINZ 1000 & 1000

De vraag naar grotere NSU's werd gehonoreerd met de Prinz 1000 die in april 1964 leverbaar was. Het ging hier om een met 35 centimeter verlengde versie van de Prinz 4. De luchtgekoelde viercilinder motor met bovenliggende nokkenas was helemaal nieuw. Voor modeljaar '67 verviel de naam Prinz en verloor de wagen 3 pk vermogen. In de vrij lange looptijd van dit model waren er zo goed als geen uiterlijke wijzigingen. Uit deze 1000 ontstond het Typ 110 in 1965, een soortgelijke wagen met een langere neus.

Aantal cilinders: 4
Cilinderinhoud in cm³: 996
Vermogen: 40-43/5500
Topsnelheid in km/uur: 130-135
Carrosserie/Chassis: zelfdragend
Uitvoering: coach
Productiejaren: 1964-1972
Productie-aantal: 195.766
In NL: n.b.
Prijzen: A: 800 B: 2.500 C: 4.200

NSU SPORT-PRINZ

Franco Scaglione, toen in loondienst bij Carrozzeria Bertone, ontwierp de Sport-Prinz. En van welke hoek men de wagen ook bekijkt, het is en blijft een mooie auto. En dan woog hij nog geen 600 kg, zodat hij ook nog over temperament beschikte. De eerste exemplaren werden bij Bertone in Turijn gebouwd, toen ook nog bij Drauz in Heilbronn en tenslotte, vanaf 1962, alleen nog maar bij Drauz. Vanaf 1965 zijn er voor schijfremmen gemonteerd. De iets grotere motor was er vanaf 1962. Een oprecht klassiekertje.

Aantal cilinders: 2
Cilinderinhoud in cm³: 583 en 598
Vermogen: 30/5500 en 30/5600
Topsnelheid in km/uur: 125
Carrosserie/Chassis: zelfdragend
Uitvoering: coupé
Productiejaren: 1959-1967
Productie-aantal: 20.831
In NL: n.b.
Prijzen: A: 1.800 B: 3.600 C: 5.900

NSU WANKEL SPIDER

Deze wagen was en is een mijlpaal in de autogeschiedenis en behoort dus eigenlijk in ieder museum of iedere collectie thuis. De fabriek bood hem aan als NSU Spider maar onder zijn motorkap stond de eerste in serie gemaakte wankelmotor. Het was prachtig en interessant, maar kopen wilde men hem niet. Toen niet. Toen had men nog geen vertrouwen in het systeem, hetgeen wel begrijpelijk was. De wagen had last van veel kinderziektes, die soms erg lang duurden. Bovendien was hij duur in aanschaf en weinig waard bij inruil.

Aantal cilinders: enkele rotor
Cilinderinhoud in cm³: 500
Vermogen: 50/6000
Topsnelheid in km/uur: 150
Carrosserie/Chassis: zelfdragend
Uitvoering: cabriolet
Productiejaren: 1964-1967
Productie-aantal: 2.375
In NL: n.b.
Prijzen: A: 3.200 B: 5.700 C: 8.400

NSU 1000 TT, 1200 TT & TTS

De eerste serie van deze kleine duiveltjes werd uitsluitend blauw metallic gespoten. Het waren vierpersoons racewagens en daar er ook werkelijk mee geracet is, zijn er niet veel goede exemplaren overgebleven. Dit geldt voornamelijk voor de TTS waarvan er maar een paar gemaakt zijn. We zien ze wel eens op de circuits voor young-timer races. Maar niet iedereen die een TT of TTS koestert doet daaraan mee: het is ook een geliefde rappe klassieker voor de openbare weg. Er zijn vele varianten en type-aanduidingen. De hoofdindeling wordt gevormd door de 1000- en 1200-motoren.

Aantal cilinders: 4
Cilinderinhoud in cm³: 1098, 1177 en 996
Vermogen: 55/5800, 65/5500 en 70/6150
Topsnelheid in km/uur: 150-160
Carrosserie/Chassis: zelfdragend
Uitvoering: coach
Productiejaren: 1965-1971
Productie-aantallen: 14.942, 49.327 en 2.404
In NL: n.b.
Prijzen: A: 1.100 B: 2.900 C: 5.000

NSU Ro 80

Eén van de mooiste Duitse personenwagens van na de oorlog is zeker de NSU Ro 80 die aangedreven werd door een wankelmotor met twee rotors. Deze motor gaf vooral in de eerste tijd veel problemen die de fabriek noch een monteur kon oplossen. Toen de fabriek uiteindelijk de meeste kinderziekten genezen had, was de auto redelijk betrouwbaar. En comfortabel. Veel eigenaren lieten er later toch een gewone motor van Ford of Audi inzetten. Gelukkig streven huidige Ro 80-fans originaliteit na. Moeilijk te verkopen auto, helaas, want hij verdient beter.

Aantal cilinders:-
Cilinderinhoud in cm^3: 497,5 per rotor
Vermogen: 115/5500
Topsnelheid in km/uur: 180
Carrosserie/Chassis: zelfdragend
Uitvoering: sedan
Productiejaren: 1967-1977
Productie-aantal: 37.398
In NL: n.b.
Prijzen: A: 1.600 B: 3.600 C: 6.800

NSU-FIAT/NECKAR-FIAT

In 1929 nam Fiat de montagefabriek van NSU in Heilbronn over, inclusief het recht om onder de naam NSU auto's uit te brengen. Er volgden NSU-Fiats 500 C's, 1100's, 600's en diverse andere typen, die soms flink van de Italiaanse familieleden verschilden. Toen NSU aan het eind van de jaren vijftig zelf weer auto's onder die naam ging produceren, koos Fiat vanaf 1966 de merknaam Neckar. Na 1969 werden de fabriekshallen weer puur montageplaatsen voor de Fiats 124, 125 en 128. In '73 sloot men de poort.

NSU-FIAT 500 C

Nadat de Italiaanse Fiat 500 vanaf de zomer van 1950 in Duitsland te koop was, werd in Heilbronn in 1952 de productie van de C gestart. Ook de Giardiniera werd aldaar geassembleerd. Voor de 500 C cabrio-coach moest de koper in '52 DM 5.060 neertellen en dat is DM 500 meer dan voor een VW Kever. Je reed exclusiever, maar zeker niet comfortabeler. Natuurlijk was de Duitse Fiat aan zijn emblemen te herkennen en aan kleinere detailverschillen. Vanwege het geringe productie-aantal mag een NSU-Fiat wellicht iets meer kosten dan een Italiaans exemplaar.

Aantal cilinders: 4
Cilinderinhoud in cm^3: 570
Vermogen: 16,5/4400
Topsnelheid in km/uur: 95
Carrosserie/Chassis: afzonderlijk chassis
Uitvoering: cabrio-coach en stationcar
Productiejaren: 1952-1955
Productie-aantal: 9.064
In NL: n.b.
Prijzen: A: 2.500 B: 5.000 C: 7.300

NSU-FIAT 1100, NECKAR & EUROPA

Nadat in Italië de nieuwe 1100 in maart '53 was voorgesteld, liep de NSU-Fiat al in juni van dat jaar van de band in Heilbronn. De Duitse versie volgt de gewone 1100-evolutie, maar verandert een paar maal van naam. Vanaf '55 heette hij NSU-Fiat Neckar en vanaf 1963 was Neckar veranderd in Europa (foto) met de komst van de Fiat 1100 D, die de grotere motor uit de 1200 had. Er was ruim een half jaar later ook een Luxus-uitvoering met een ander grille-embleem en twee sierlijsten.

Aantal cilinders: 4
Cilinderinhoud in cm^3: 1089 en 1221
Vermogen: 34/4400-48/5100
Topsnelheid in km/uur: 115-130
Carrosserie/Chassis: zelfdragend
Uitvoering: sedan
Productiejaren: 1953-1965
Productie-aantal: 140.082
In NL: n.b.
Prijzen: A: 1.100 B: 2.000 C: 3.400

NSU-FIAT 1100 ROMETSCH

Niet alleen Italiaanse carrosseriebedrijven gingen met diverse Fiats aan de slag. Ook het atelier van Rometsch in Berlijn stortte zich op een Fiat, maar dan wel de NSU-Fiat 1100. Het werd een vierzits coupé. Velen vonden de achterkant minder geslaagd. De firma Wendler in Reutlingen realiseerde 25 cabriolets onder de naam Fiat Neckar Sport. De Fiat-derivaten waren natuurlijk naar verhouding zeer stevig geprijsd en daarom alleen al vrij unieke stukken. Een voordeel is wel dat zo'n wagentje niet snel gesloopt werd.

Aantal cilinders: 4
Cilinderinhoud in cm^3: 1089
Vermogen: 34/3400-48/5300
Topsnelheid in km/uur: 115-130
Carrosserie/Chassis: zelfdragend
Uitvoering: coupé
Productiejaar: 1954
Productie-aantal: n.b.
In NL: 0
Prijzen: A: n.b. B: n.b. C: n.b.

NSU-FIAT JAGST, JAGST 770 & JAGST 2

Ruim een jaar na het begin van de Italiaanse productie van de Fiat 600, liep het wagentje ook in Heilbronn van de band. De naam was Jagst en het roldak was standaard; in '59 werd dit een schuifdak. Voor 1960 kwam de grotere motor erin en heette de auto voortaan Jagst 770. In '64 weken de zelfmoordportieren voor 'gewone' en wijzigde NSU-Fiat de naam in Jagst 2 (vanaf '66 Neckar Jagst 2). Toen de Italianen er in '69 mee stopten, deden de Duitsers dat ook. Liefhebbers konden toen nog drie jaar lang de Spaanse Fiat 770 S kopen, een exportversie van de Seat 60 D.

Aantal cilinders: 4
Cilinderinhoud in cm³: 633 en 767
Vermogen: 19/4600-23/4500
Topsnelheid in km/uur: 100-105
Carrosserie/Chassis: zelfdragend
Uitvoering: coach
Productiejaren: 1956-1969
Productie-aantal: 171.355
In NL: n.b.
Prijzen: A: 900 B: 1.800 C: 2.900

NSU-FIAT 500 WEINSBERG

Het carrosseriebedrijf Weinsberg was eigendom van de Duitse Fiat-fabriek. Twee jaar na het debuut van de Nuova 500 nam Weinsberg zo'n 500 onder handen en maakte er een model 500 Limousette van en een 500 coupé. Bij de coupé was alleen het dak anders. De wagentjes hadden standaard een schuifdak, een luxueuzere aankleding dan de gewone 500 en two-tone spuitwerk. De techniek kwam van de Italiaanse 500's. In 1963 stopte men er mee. Leuke varianten op de 500 en ze kosten tegenwoordig relatief flinke bedragen vanwege hun zeldzaamheid.

Aantal cilinders: 2
Cilinderinhoud in cm³: 479 en 499
Vermogen: 15/4250 en 15/4400
Topsnelheid in km/uur: 95 en 100
Carrosserie/Chassis: zelfdragend
Uitvoering: coach en coupé
Productiejaren: 1959-1963
Productie-aantal: 6.228
In NL: 2
Prijzen: A: 1.600 B: 3.600 C: 5.400

NECKAR-FIAT 1200 ST. TROP

Op basis van de ingekorte bodemgroep van een Fiat 1100 bouwde de firma Officini Stampagni Industriali in 1963 een OSI 1200. De wagen was door Giovanni Michelotti getekend. OSI geraakte echter in financiële nood en de bouw van de vlotte Italiaan ging over in handen van NSU-Fiat in Heilbronn. Met enkele detailwijzigingen liep de wagen nu als Neckar-Fiat van de Duitse band. Dat ze ook in ons land te koop waren, bewijst dit originele Nederlandse exemplaar. Hoewel St. Trop de officiële naam is, hanteert men ook wel St. Tropez.

Aantal cilinders: 4
Cilinderinhoud in cm³: 1221
Vermogen: 58/5100-64/5500
Topsnelheid in km/uur: 145-150
Carrosserie/Chassis: zelfdragend
Uitvoering: coupé en cabriolet
Productiejaren: 1963-1966
Productie-aantal: n.b.
In NL: 1
Prijzen: A: n.b. B: n.b. C: n.b.

NSU-FIAT & NECKAR 850 ADRIA

Fiat begon in de lente van 1964 met de productie van de 850. Een jaar later startte ook Heilbronn met dit model, zij het onder de naam Adria. Omdat voor '66 de merknaam veranderde van NSU-Fiat in Neckar, werd het Neckar Adria. Toen voor '68 bij het moederbedrijf Fiat besloten was om de grotere motor uit de 850 coupé in de gewone 850 te bouwen, stopte men in Duitsland de productie eind '67. Vandaar dat er niet veel Adria's gebouwd zijn. Het exemplaar op de foto is een zeldzaam, origineel Nederlands exemplaar dat overleefd heeft en dat geregeld bij klassiekerritten te zien is.

Aantal cilinders: 4
Cilinderinhoud in cm³: 843
Vermogen: 34/4800
Topsnelheid in km/uur: 120
Carrosserie/Chassis: zelfdragend
Uitvoering: coach
Productiejaren: 1965-1967
Productie-aantal: 6.619
In NL: n.b.
Prijzen: A: 500 B: 1.500 C: 2.300

NECKAR MILLECENTO

Toen Fiat in januari 1966 met de vervaardiging van de 1100 R begon, kon Heilbronn natuurlijk niet achterblijven. Altijd was er naast het Duitse model ook het Italiaanse origineel op de markt. Dus Neckar begon in maart '66 met de Neckar 1100 Millecento, een op zijn minst curieuze typenaam omdat deze in wezen tweemaal hetzelfde zegt. Een Italiaan zal het komisch vinden. Tot eind '68 was de wagen er met of zonder schuifdak. Op de foto wederom een origineel Nederlands exemplaar uit het laatste productiejaar. De prijzen voor een Duitse of Italiaanse Fiat waren bij ons overigens gelijk.

Aantal cilinders: 4
Cilinderinhoud in cm³: 1089
Vermogen: 48/5200
Topsnelheid in km/uur: 130
Carrosserie/Chassis: zelfdragend
Uitvoering: sedan
Productiejaren: 1966-1968
Productie-aantal: 19.649
In NL: n.b.
Prijzen: A: 800 B: 1.600 C: 2.300

■ OGLE

David Ogle was al bekend als designer van radio's en tv's toen hij besloot ook nog autocarrosserieën te gaan tekenen. Daarna begon hij ze te bouwen op bestaande chassis zoals dat van de Riley 1.5 en de Mini. De eerste wagens waren gebouwd met gebruikte onderdelen, maar in 1962 leverde BMC ook nieuwe onderstellen aan Ogle waarop hij fabrieksnieuwe auto's kon aanbieden.

OGLE SX 1000

David Ogle probeerde in 1960 de wagens van de British Motor Corporation van een mooiere carrosserie te voorzien. Van zijn eerste model, de 1,5, werden er maar 8 stuks verkocht. Men kon zijn derde type, de SX 1000, een succes noemen. De wagen had een kunststof carrosserie en was geconstrueerd voor de inbouw van een Mini-motor. De meeste klanten kozen een Mini Cooper S-motor die bij de firma Alexander opgevoerd was voor hun sportcoupé. Toen David Ogle met een dergelijke wagen in mei 1962 verongelukte was dit ook het einde van zijn firma.

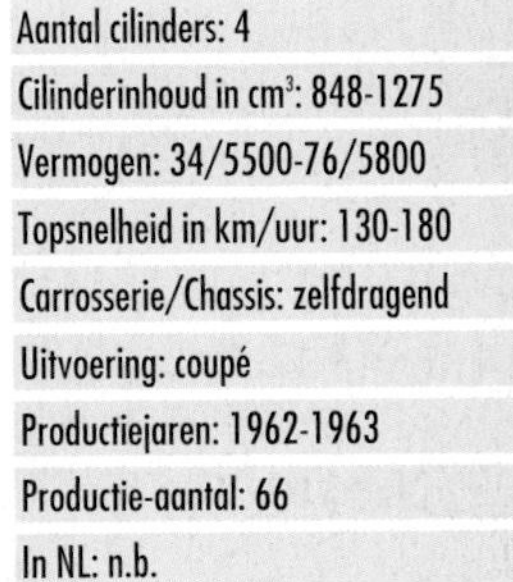

Aantal cilinders: 4		
Cilinderinhoud in cm³: 848-1275		
Vermogen: 34/5500-76/5800		
Topsnelheid in km/uur: 130-180		
Carrosserie/Chassis: zelfdragend		
Uitvoering: coupé		
Productiejaren: 1962-1963		
Productie-aantal: 66		
In NL: n.b.		
Prijzen:	A: 3.200 C: 9.100	B: 6.400

OLDSMOBILE

De geschiedenis van Oldsmobile begon toen Ransom E. Olds in 1891 een driewieler met stoomaandrijving had gebouwd. Er volgden auto's met vier wielen en met benzine- en elektromotoren. De Curved Dash was de eerste Amerikaanse auto die in grote serieproductie vervaardigd werd. In 1908 werd Oldsmobile, zoals de firma nu heette, een deel van het General Motors-concern. Olds zelf vertrok en richtte met zijn initialen REO op. In 2001 liet GM het merk verdwijnen.

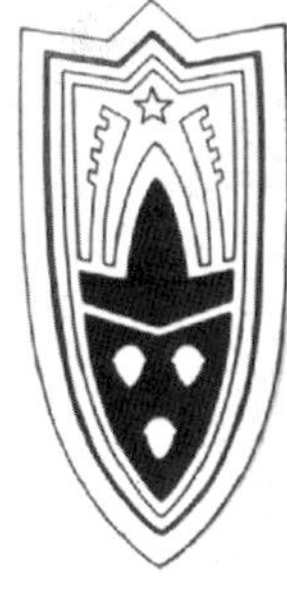

OLDSMOBILE 70-SERIE CLUB SEDAN 1946-1950

Oldsmobile was de eerste bij General Motors die na de oorlog weer met de bouw van personenwagens kon beginnen en al in juli 1945 kon men het naar auto's hongerende publiek een wagen van het modeljaar 1946 laten zien. Ook hier wederom vooroorlogse modellen met een nieuwe grille. De goedkoopste serie was de Sixty, de duurste de Ninety en de middelste de Seventy. De Dynamic '76' was er als Club Sedan (foto) en als sedan, naar keuze met zes- of achtcilinder.

Aantal cilinders: 6 en 8		
Cilinderinhoud in cm³: 3902 en 4210		
Vermogen: 101/3400 en 111/3600		
Topsnelheid in km/uur: 125 en 135		
Carrosserie/Chassis: afzonderlijk chassis		
Uitvoering: sedan		
Productiejaren: 1946-1950		
Productie-aantal: 150.924		
In NL: n.b.		
Prijzen:	A: 3.200 C: 8.200	B: 5.000

OLDSMOBILE 98 1948-1949

De eerste echte nieuwe naoorlogse Oldsmobile was de 98 van februari 1948, die de naam Futuramic meekreeg. Daarmee had het merk gedurende 1948 twee totaal verschillende modellijnen in huis. Voor 1949 – toen de andere series ook de nieuwe koets kregen – maakte de acht-in-lijn plaats voor de fraaie Rocket V8. In dat jaar kwamen ook een coach en de Holiday hardtop coupé uit, die laatste in navolging van de middenstijlloze Buick van net ervoor. De 98 sedan was vanaf zijn debuut de best verkopende Olds en hij zou dat tot 1951 blijven.

Aantal cilinders: 8 en V8		
Cilinderinhoud in cm³: 4502 en 4976		
Vermogen: 115/3600 en 135/3600		
Topsnelheid in km/uur: 140 en 150		
Carrosserie/Chassis: afzonderlijk chassis		
Uitvoering: coach, sedan, coupé en cabriolet		
Productiejaren: 1948-1949		
Productie-aantal: 158.703		
In NL: n.b.		
Prijzen: (sedan)	A: 3.000 C: 9.000	B: 6.200

OLDSMOBILE 98 1950-1953

Net als in 1948 kreeg de 98 voor modeljaar 1950 een jaar eerder dan de goedkopere series een nieuwe carrosserie. Conform de overige Amerikaanse merken gaf Oldsmobile de wagen een veel lagere en dus modernere lijn. Voor '51 volgden nog enkele modificaties en verdwenen de Club Sedan en Town Sedan uit de folder. Het vermogen nam voor '52 met 25 pk toe en een jaar later was er de weelderige Fiesta convertible, met een 170 pk motor en alle mogelijke opties behalve airco. Er zijn er slechts 458 verkocht voor $5715, bijna het dubbele van de gewone 98 convertible!

Aantal cilinders: V8
Cilinderinhoud in cm³: 4976
Vermogen: 135/3600-170/4000
Topsnelheid in km/uur: 140-150
Carrosserie/Chassis: afzonderlijk chassis
Uitvoering: sedan, coupé en cabriolet
Productiejaren: 1950-1953
Productie-aantal: 383.323
In NL: n.b.
Prijzen: (sedan) A: 3.200 B: 6.400 C: 9.100

OLDSMOBILE SUPER 88 1951-1953

De gewone 88 verdween in de loop van '51 uit de folder, want er was een nieuwe wagen: de Super 88 met een andere carrosserie dan de 88 en vijf modelvarianten. Wederom was er een DeLuxe-optie. Voor '52 kwamen er een coach en een sedan als DeLuxe 88 uit. Een nieuwe basisserie die dus onder de Super 88 zat en een licht geknepen V8 aan boord had. Daarmee had Olds weer een programma met drie modelreeksen, want boven de Super 88 zat nog de 98. De Super 88 onderging vrijwel geen wijzigingen in de jaren 1952 en '53 (foto); wel nam het vermogen met 30 pk toe.

Aantal cilinders: V8
Cilinderinhoud in cm³: 4965
Vermogen: 135-165/3600
Topsnelheid in km/uur: 150
Carrosserie/Chassis: afzonderlijk chassis
Uitvoering: coach, sedan, coupé en cabriolet
Productiejaren: 1951-1953
Productie-aantal: 467.965
In NL: n.b.
Prijzen: (sedan) A: 2.700 B: 5.400 C: 7.700

OLDSMOBILE 88 HOLIDAY 1954-1957

De tweedeurs hardtopmodellen waren sinds eind jaren veertig zeer gewild. Oldsmobile introduceerde in '49 zijn Holiday coupé en die typenaam zou daarna zelfs 25 jaar dienst doen. In '54 waren de Oldsmobiles fors gewijzigd. Er waren de reeksen 88, Super 88 en 98 en alle drie kenden ze een Holiday hardtop coupé. Voor '55 en '56 waren er geen schokkende wijzigingen. Voor modeljaar '57 herdoopte GM de 88 in Golden Rocket 88 – voor één jaar, want erna werd het Dynamic 88 – en kwam er zelfs een vierdeurs Holiday hardtop uit.

Aantal cilinders: V8
Cilinderinhoud in cm³: 5314
Vermogen: 187/4000
Topsnelheid in km/uur: 165
Carrosserie/Chassis: afzonderlijk chassis
Uitvoering: coupé
Productiejaren: 1954-1957
Productie-aantal: 269.343
In NL: n.b.
Prijzen: A: 3.200 B: 6.400 C: 8.600

OLDSMOBILE SUPER 88 CONVERTIBLE 1954-1957

In 1954 zijn er in Amerika nog geen 200.000 cabriolets gemaakt. Dat is slechts 3 procent van de gehele productie. De Super 88 met zijn panoramische voorruit is een van de snelste open Olds' tot dan toe. Maar omdat cabrio's niet langer 'in' zijn, koopt de klant liever de Holiday coupé met bijna dezelfde lijnen maar dan gesloten. Op één convertible werden zeven hardtop coupés verkocht. Die zeldzaamheid maakt ze tegenwoordig echter niet duur, want een open auto is per definitie duurder.

Aantal cilinders: V8
Cilinderinhoud in cm³: 5314
Vermogen: 187/4000
Topsnelheid in km/uur: 165
Carrosserie/Chassis: afzonderlijk chassis
Uitvoering: cabriolet
Productiejaren: 1954-1957
Productie-aantal: 32.148
In NL: n.b.
Prijzen: A: 6.800 B: 11.300 C: 18.200

OLDSMOBILE SUPER 88 1958

In 1958 was de Super 'Eighty Eight' een zeer barokke Oldsmobile. Het jaar '58 bracht een nieuwe carrosserie waar het chroom in kilo's aan hing. De 88 was dat jaar in zeven modellen te koop en dan in zeventien verschillende standaard- en vijf speciale kleuren. De motor was groter in volume dan in 1957 en beduidend sterker. De '58-Oldsmobile-lijn was net als die van de meeste concurrenten eenmalig. In 1959 verschijnen er dan ook geheel nieuwe wagens.

Aantal cilinders: V8
Cilinderinhoud in cm³: 6080
Vermogen: 305/4600
Topsnelheid in km/uur: 170
Carrosserie/Chassis: afzonderlijk chassis
Uitvoering: sedan, coupé, cabriolet en stationcar
Productiejaar: 1958
Productie-aantal: 88.989
In NL: n.b.
Prijzen: A: 2.300 B: 5.400 C: 8.600

OLDSMOBILE DYNAMIC 88 HOLIDAY COUPÉ 1959

In 1959 had de Oldsmobile-dealer drie series in de showroom. De goedkoopste was de Dynamic Eighty-Eight, de duurste de Ninety-Eight en de middelste de Super Eighty-Eight. Van de 88 was de Holiday coupé een veelgevraagd model. De wagen had ruimte voor vijf personen en een grote kofferbak. De Dynamic Holiday kostte $2958, maar wie meer luxe en 45 pk extra vermogen wilde, kon voor tien procent meer zo'n zelfde model als Super 88 kopen. De aanzienlijk duurdere 98 Holiday staat hieronder afgebeeld.

Aantal cilinders: V8
Cilinderinhoud in cm³: 6080
Vermogen: 270/4600
Topsnelheid in km/uur: 195
Carrosserie/Chassis: afzonderlijk chassis
Uitvoering: coupé
Productiejaar: 1959
Productie-aantal: 38.488
In NL: n.b.
Prijzen: A: 3.900 B: 6.800 C: 9.100

OLDSMOBILE 98 1959

Na het commerciële rampjaar 1958 kwam Oldsmobile in 1959 met geheel nieuwe carrosserieën. De 98 bleef het topmodel en bood alles wat een verwende Amerikaanse automobilist zich wenste. Een Hydra-Matic automaat, rem- en stuurbekrachtiging en een klok. Voor de luxe en de langere wielbasis moest fors betaald worden, aangezien de afgebeelde hardtop coupé ($4086) als 88 ruim een kwart goedkoper was. De eerste Daytona 500-mijls stockcar-race werd dat jaar gehouden en een Olds ging met de eer strijken.

Aantal cilinders: V8
Cilinderinhoud in cm³: 6080
Vermogen: 315/4600
Topsnelheid in km/uur: 180
Carrosserie/Chassis: afzonderlijk chassis
Uitvoering: sedan, coupé en cabriolet
Productiejaar: 1959
Productie-aantal: 81.132
In NL: n.b.
Prijzen: A: 4.300 B: 7.700 C: 9.500

OLDSMOBILE 98 1961-1962

Na de zeer lage look van 1959-1960 onderging de 98 voor '61 weer een restyling. Opvallend is de in een punt toelopende achterzijde van de grotere modellen, een lijnvoering die voor 1962 alweer verdween. Het management achtte het verstandig om de typenaam 98 om te dopen in Classic 98, maar daar kwam men terecht een jaar later op terug. In de jaren zestig paste die toevoeging geenszins. De 98 was overigens niet langer de duurste Oldsmobile. Die rol was weggelegd voor het 'personalised' model Starfire, een cabriolet op Super 88-basis die $300 duurder was dan de open Classic 98.

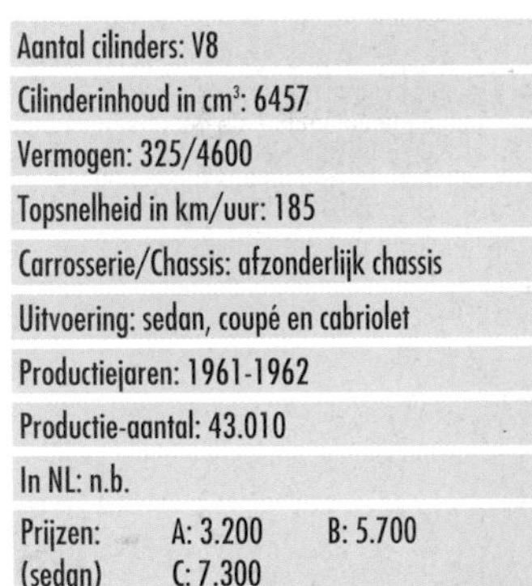

Aantal cilinders: V8
Cilinderinhoud in cm³: 6457
Vermogen: 325/4600
Topsnelheid in km/uur: 185
Carrosserie/Chassis: afzonderlijk chassis
Uitvoering: sedan, coupé en cabriolet
Productiejaren: 1961-1962
Productie-aantal: 43.010
In NL: n.b.
Prijzen: (sedan) A: 3.200 B: 5.700 C: 7.300

OLDSMOBILE SUPER 88 1962

De Super 'Eighty-Eight' van 1962 had het chassis van de Dynamic 88 en de Starfire en de grote motor van de 'Ninety-Eight'. Deze motor was een krachtpatser met een viervoudige Rochester-carburateur. In de exportuitvoering leverde dezelfde motor maar 284/4600 en deze wagens hadden alle een automatische versnellingsbak, terwijl de Amerikanen ook een gesynchroniseerde drie-versnellingsbak konden laten inbouwen. Voor 1962 was er geen Super 88 cabriolet meer in het programma, maar Olds leverde nog wel vijf andere open wagens.

Aantal cilinders: V8
Cilinderinhoud in cm³: 6466
Vermogen: 284-335/4600
Topsnelheid in km/uur: 190
Carrosserie/Chassis: zelfdragend
Uitvoering: coach, sedan en stationcar
Productiejaar: 1962
Productie-aantal: 58.147
In NL: n.b.
Prijzen: A: 2.700 B: 4.500 C: 6.400

OLDSMOBILE F85 1961-1963

Oldsmobiles antwoord op de vraag naar compactcars was de F85 waarmee men in 1961 voor den dag kwam. Hij was iets groter dan een Ford Falcon maar iets (4 cm) korter dan een Opel Kapitän en ook nog eens 100 kg lichter. En dat terwijl de wagen een veel grotere motor had. Goed, hij verbruikte 1:6 tegen 1:9 voor de Opel maar dat stoorde de Amerikaan niet erg. De F85 bestond ook als stationcar en wel met twee of drie banken, maar hij kon ook als coupé met een turbomotor besteld worden. Onder de naam Cutlass was er een F85 coupé en cabriolet.

Aantal cilinders: V8
Cilinderinhoud in cm³: 3531
Vermogen: 157/4800
Topsnelheid in km/uur: 155
Carrosserie/Chassis: zelfdragend
Uitvoering: sedan, coupé, stationcar en cabriolet
Productiejaren: 1961-1963
Productie-aantal: 289.727
In NL: n.b.
Prijzen: A: 1.600 B: 3.400 C: 5.400

OLDSMOBILE 98 1963-1964

De 'Top-of-the-line' was ook in 1963 de Oldsmobile Ninety-Eight serie. Zes modellen stonden ter beschikking en verreweg het meest gevraagd waren de hardtop sedan in '63 en de sports sedan in '64 (foto). Alle wagens hadden een Hydra-Matic automaat en stuur- en rembekrachtiging. Elektrische portierramen en verstelbare voorbank behoorden tot de standaarduitvoering, evenals de ruitensproeier en de elektrische klok in het dashboard. Voor een leren interieur moest extra betaald worden.

Aantal cilinders: V8
Cilinderinhoud in cm³: 6466
Vermogen: 335/4600
Topsnelheid in km/uur: 190
Carrosserie/Chassis: afzonderlijk chassis
Uitvoering: coach, sedan, coupé en cabriolet
Productiejaren: 1963-1964
Productie-aantal: 138.562
In NL: n.b.
Prijzen: A: 2.700 B: 5.400 C: 6.800

OLDSMOBILE JETSTAR I 1964-1965

De Jetstar 88 was speciaal voor de Amerikaanse markt bedoeld. Het was de goedkoopste uitvoering van de '88'-reeks, in de Amerikaanse 'middenklasse' dus. De duurste Jetstar werd in een eigen serie ondergebracht: de Jetstar I, een luxe tweedeurs hardtop coupé. De auto bood vijf personen ruim plaats en had de grootste en sterkste motor die Oldsmobile in 1965 kon verkopen. De auto kostte in Amerika $ 3592,– en dat was $ 611,– meer dan de klant voor een gewone Jetstar hardtop coupé moest betalen.

Aantal cilinders: V8
Cilinderinhoud in cm³: 6965
Vermogen: 375/4800
Topsnelheid in km/uur: 200
Carrosserie/Chassis: afzonderlijk chassis
Uitvoering: coupé
Productiejaren: 1964-1965
Productie-aantal: 22.636
In NL: n.b.
Prijzen: A: 2.300 B: 5.700 C: 9.100

OLDSMOBILE CUTLASS COUPÉ 1964-1965

De Oldsmobile F85 die in 1963 nog een echte compact car genoemd kon worden, was in 1964 al tot een volwaardige auto opgegroeid. Hij had nu een lengte van 516 cm, stond op een 8 cm langere wielbasis en had ook niet langer de mooie aluminium V8-motor. In plaats daarvan kon de klant kiezen uit een V6 of V8 maar nu met gietijzeren motorblok. De duurdere uitvoering van de F85 heette Cutlass en zij was er uitsluitend als coupé of cabriolet. De Cutlass was na de vierdeurs F85 de meest verkochte 'compact car' van Oldsmobile.

Aantal cilinders: V6 en V8
Cilinderinhoud in cm³: 3692 en 5404
Vermogen: 157/4400 en 233/4400
Topsnelheid in km/uur: 165 en 180
Carrosserie/Chassis: afzonderlijk chassis
Uitvoering: coupé
Productiejaren: 1964-1965
Productie-aantal: 41.881
In NL: n.b.
Prijzen: A: 2.300 B: 4.100 C: 5.400

OLDSMOBILE CUTLASS 1966-'67

Voor modeljaar 1966 was de Cutlass nog steeds de duurste versie van de F85. Een nieuwe en zeer succesvolle variant werd als vierde model aan de reeks toegevoegd: de vierdeurs hardtop Supreme (foto). De achterkant van de Cutlass had het charmante knikje in de taillelijn meegekregen dat het jaar ervoor op de grote Oldsmobiles debuteerde. De wagen kreeg voor '67 de status van een afzonderlijke serie, dus niet langer een F85-variant. In zo'n reeks hoort natuurlijk ook een stationcar. De Supreme werd een subserie en daarin waren voortaan vijf carrosserieversies leverbaar, plus de 4-4-2- en Turnpike Cruising-opties.

Aantal cilinders: 6 en V8
Cilinderinhoud in cm³: 4097 en 5407-6964
Vermogen: 155/4200 en 310/4800-375/4800
Topsnelheid in km/uur: 160 en 190-210
Carrosserie/Chassis: afzonderlijk chassis
Uitvoering: sedan, coupé, stationcar en cabriolet
Productiejaren: 1966-1967
Productie-aantal: 189.584
In NL: n.b.
Prijzen (coupé): A: 2.300 B: 4.100 C: 5.400

OLDSMOBILE 98 1965-1968

De '98' was al vanaf de oorlog de 'Top-of-the-line' bij Oldsmobile. In 1965 was er weer eens een nieuwe carrosserie. De wagen was duurder dan de andere typen maar bood vanzelfsprekend ook meer. Hij was uitsluitend met een automatische bak te koop en kwam met rem- en stuurbekrachtiging, elektrisch verstelbare stoelen en elektrische zijruiten uit de fabriek. De sedan was veruit het meest verkochte type en de cabriolet het minst. Een 98 van dit type zie je weinig in Europa. De wagen valt in het moderne stadsverkeer overigens nergens te parkeren.

Aantal cilinders: V8
Cilinderinhoud in cm³: 6965
Vermogen: 370/4800
Topsnelheid in km/uur: 190
Carrosserie/Chassis: zelfdragend
Uitvoering: sedan, coupé en cabriolet
Productiejaren: 1965-1968
Productie-aantal: 348.461
In NL: n.b.
Prijzen (sedan): A: 2.700 B: 6.100 C: 8.600

OLDSMOBILE 98 1969-1970

De Oldsmobile Ninety-Eight was in 1969 en 1970 in ieder opzicht een imposante wagen. Hij had een lengte van 572 cm en stond op een wielbasis van 323 cm. Het ledig gewicht van een vierdeurs wagen bedroeg 2035 kg en zijn immense motor verbruikte zonder te blozen 1 op 4. Daar de wagen in iedere uitvoering (op de heel erg rechte weg) een snelheid van meer dan 200 km per uur kon halen, vond men schijfremmen aan de voorwielen. Handgeschakelde versnellingsbakken konden niet geleverd worden.

Aantal cilinders: V8
Cilinderinhoud in cm³: 7446
Vermogen: 370/4600
Topsnelheid in km/uur: 210
Carrosserie/Chassis: afzonderlijk chassis
Uitvoering: sedan, cabriolet en coupé
Productiejaren: 1969-1970
Productie-aantal: 212.252
In NL: n.b.
Prijzen: (sedan) A: 2.700 B: 5.700 C: 7.700

OLDSMOBILE DELMONT 88

De Dynamic Eighty-Eight werd voor 1967 omgedoopt tot Delmont 88. Het was de basis-88, want wie meer luxe wilde kon voor de Delta 88 kiezen. Er waren in '67 twee subseries van de Delmont: de 330 en de 425, waarbij de type-aanduiding verwijst naar het aantal cubic inches. De vrij weinig verkochte convertible (6.337 stuks) had altijd de grootste motor onder de kap. Voor 1968 waren er kleine wijzigingen en daarnaast was er geen onderverdeling meer, aangezien alle Delmonts nu een 350 c.i. motor hadden. Na twee jaar verdween het type reeds.

Aantal cilinders: V8
Cilinderinhoud in cm³: 5404 en 6965
Vermogen: 253-380/4800
Topsnelheid in km/uur: 185-200
Carrosserie/Chassis: zelfdragend
Uitvoering: sedan, coupé en cabriolet
Productiejaren: 1967-1968
Productie-aantal: 166.700
In NL: n.b.
Prijzen: A: 2.300 B: 5.400 C: 7.700

OLDSMOBILE CUTLASS 1968-1972

Hoewel de Cutlass-serie zijn bestaan als coupé en cabriolet begonnen was, kwam hij in 1966 ook als vierdeurs hardtop uit en een jaar later als stationcar. In 1968 waren alle wagens van de standaard Cutlass-lijn vierdeurs, aangezien men bij Oldsmobile de tweedeursversies Cutlass S was gaan noemen. Voor wie alles wilde, was er de Cutlass Supreme. De standaarduitvoering was met een zescilinder-in-lijn of met een V8 te koop. De wagens konden met een driebak of met een 'Jetaway'-automaat geleverd worden.

Aantal cilinders: 6 en V8
Cilinderinhoud in cm³: 4093 en 5736
Vermogen: 157/4200 en 253/4400-314/4800
Topsnelheid in km/uur: 160 en 200-210
Carrosserie/Chassis: afzonderlijk chassis
Uitvoering: sedan, stationcar, coupé en cabriolet
Productiejaren: 1968-1972
Productie-aantal: 978.254
In NL: n.b.
Prijzen: (sedan) A: 1.800 B: 3.900 C: 5.400

OLDSMOBILE DELTA 88 ROYALE 1971-1973

Binnen de Dynamic 88-serie was er in '65 een duurdere uitvoering met de naam Delta verkrijgbaar. Een jaar later werd deze Delta al een afzonderlijke modellenreeks en vanaf '69 was er een Delta 88 Royale subreeks met een coupé erin. Het moest steeds luxueuzer. Voor modeljaar 1971 kwam er een convertible bij en voor '72 – als het standaard motorvolume sterk afneemt – ook nog een tweetal sedans. De cabrio is de enige open 'full-sized' Olds van dat jaar en voor '73 (foto) zelfs de enige convertible van het merk. De Delta Royale was op de 98 na de duurste en meest complete Oldsmobile.

Aantal cilinders: V8
Cilinderinhoud in cm³: 5735-7456
Vermogen: 160/3800-280/4400
Topsnelheid in km/uur: 190-200
Carrosserie/Chassis: zelfdragend
Uitvoering: sedan, coupé en cabriolet
Productiejaren: 1971-1973
Productie-aantal: 268.501
In NL: n.b.
Prijzen: (cabrio) A: 4.300 B: 7.500 C: 10.500

OLDSMOBILE 98 1971-1975

In 1971 bracht Oldsmobile de 98-serie terug tot vier typen, een coach, een coupé en twee sedans. Hoewel zeer compleet, was er een optie Luxury voor een paar honderd dollar meer. In het midden van 1972 kwam er ter ere van het 75-jarig jubileum een vijfde type bij: de Regency, met nog eens extra luxe. Gezien het succes van deze meer dan weelderige sedan, kwam men aan het eind van '73 met een Regency Coupé (foto). De gewone uitvoeringen werden steeds completer aangekleed en voor '75 heette de basisversie Luxury. Minder had men gewoonweg niet meer.

Aantal cilinders: V8
Cilinderinhoud in cm³: 7446
Vermogen: 213/3600
Topsnelheid in km/uur: 210
Carrosserie/Chassis: afzonderlijk chassis
Uitvoering: coach, sedan en coupé
Productiejaren: 1971-1975
Productie-aantal: 492.733
In NL: n.b.
Prijzen: (coupé) A: 2.900 B: 5.400 C: 7.700

OLDSMOBILE 4-4-2 1968-1971

De cijfers 4-4-2 stonden vanaf 1964 voor een sportoptie voor de Cutlass en in 1968 werd het een afzonderlijk model. De cijfers duidden aan dat de wagen een vierbak met vloerschakeling had, een viervoudige carburateur en een dubbele uitlaat. In 1970 werd Oldsmobile uitgenodigd met een 4-4-2 als pacecar de 500-mijlsrace van Indianapolis te openen. Een niet te betalen reclame want deze race geldt als de meest belangrijke in de USA. Vanaf '68 is er de Hurst/Olds-optie: zwart en zilver spuitwerk, meer luxe en een fors motorblok. Men bouwde er 515.

Aantal cilinders: V8
Cilinderinhoud in cm³: 7446
Vermogen: 370/5000
Topsnelheid in km/uur: 230
Carrosserie/Chassis: zelfdragend
Uitvoering: coupé en cabriolet
Productiejaren: 1968-1971
Productie-aantal: 87.683
In NL: n.b.
Prijzen: (coupé) A: 2.700 B: 5.000 C: 9.100

OLDSMOBILE TORONADO 1966-1970

Eén van de indrukwekkendste Amerikaanse auto's uit de jaren zestig verscheen in 1966 als Oldsmobile Toronado. Hoewel hij met een lengte van 5,4 meter tot de grote jongens gerekend kon worden, zag de uitermate gespierde coupé er elegant uit. Het was dan ook Bill Mitchell geweest die hem getekend had. Het opmerkelijke was echter, dat de auto voorwielaandrijving had, voor een Amerikaan zeer ongewoon. Het benzineverbruik was enorm, maar dat kon de Amerikaan van toen niets schelen.

Aantal cilinders: V8
Cilinderinhoud in cm³: 6995 en 7446
Vermogen: 380/4600 en 406/4800
Topsnelheid in km/uur: 200
Carrosserie/Chassis: afzonderlijk chassis
Uitvoering: coupé
Productiejaren: 1966-1970
Productie-aantal: 143.134
In NL: n.b.
Prijzen: A: 4.100 B: 7.300 C: 10.200

OLDSMOBILE TORONADO 1972

De ontwikkeling van de Toronado stond niet stil. In 1967 kreeg hij schijfremmen aan zijn voorwielen en in het jaar daarop werd de cilinderinhoud van de V8 vergroot tot 7446 cm³. Helaas verloor de wagen steeds meer van zijn sportieve uiterlijk, ja hij begon er haast 'gewoon' uit te zien. En dan groeide hij natuurlijk in zijn maten en gewichten. Vanaf 1970 verliest de wagen echt veel uitstraling, maar de verkopen blijven de eerste vijf jaar vrij constant. In het jaar 1972 verdubbelt het aantal bijna en blijft vervolgens toenemen.

Aantal cilinders: V8
Cilinderinhoud in cm³: 7446
Vermogen: 269 DIN/4200
Topsnelheid in km/uur: 200
Carrosserie/Chassis: afzonderlijk chassis
Uitvoering: coupé
Productiejaar: 1972
Productie-aantal: 48.900
In NL: n.b.
Prijzen: A: 2.000 B: 4.100 C: 6.800

OLDSMOBILE CUTLASS 1973-1975

Voor '73 kreeg de Cutlass een geheel nieuwe carrosserie. Er waren weer drie reeksen: naast de basisversie waren er de S en de zeer populaire Supreme. De stationcar zat in een afzonderlijke Vista Cruiser-reeks. De Supreme kostte tien procent meer en hij trok ook tienmaal zoveel kopers als de gewone Cutlass. Voor '74 was er weinig nieuws, afgezien van de Salon-package voor de Supreme en die ging voor '75 over in een eigen modelreeks met een kleinere 4,2 liter V8. Voor '75 was er een zescilinder leverbaar in alle Cutlass-typen behalve de Salon.

Aantal cilinders: 6 en V8
Cilinderinhoud in cm³: 4097 en 4261-5736
Vermogen: 100/3400 en 150/3800-180/3800
Topsnelheid in km/uur: 160 en 180-200
Carrosserie/Chassis: zelfdragend
Uitvoering: sedan en coupé
Productiejaren: 1973-1975
Productie-aantal: 955.733
In NL: n.b.
Prijzen: A: 1.350 B: 2.750 C: 4.100

OPEL

De firma Opel bestaat al meer dan 125 jaren. In maart 1929 kocht General Motors 80 procent van de Opel-aandelen voor nauwelijks 26 miljoen dollar. Sindsdien ging het Opel voor de wind en zo kon men in 1940 de bouw van de 1 miljoenste Opel vieren. In 1946 kon men de productie van automobielen weer opnemen. In de fabriek in Rüsselsheim fabriceerde men de broodnodige Opel Blitz vrachtwagens, maar de fabriek in Brandenburg was door de Russische bezetting verloren gegaan. In Nederland is het merk al vele jaren marktleider.

OPEL OLYMPIA 1947-1949

Nadat Opel een jaar lang de Blitz vrachtwagens gebouwd had, probeerde men het weer met personenwagens. Het eenvoudigste was het geweest de Opel Kapitän weer in productie te nemen, daar de zescilinder motor ook in de Blitz paste. De geallieerden verboden het de Duitsers echter personenwagens te bouwen met een motor die groter was dan 1,5 liter, wat de reden was dat de Olympia in productie werd genomen. De wagen was met zijn kopklepmotor en zelfdragende carrosserie nog gangbaar genoeg.

Aantal cilinders: 4
Cilinderinhoud in cm³: 1488
Vermogen: 37/3500
Topsnelheid in km/uur: 110
Carrosserie/Chassis: zelfdragend
Uitvoering: coach
Productiejaren: 1947-1949
Productie-aantal: 25.952
In NL: 7
Prijzen: A: 2.000 B: 4.500 C: 7.700

OPEL OLYMPIA 1950-1952

In 1950 verscheen de Olympia met een gemoderniseerde carrosserie met onder andere een nieuwe grille. Mechanisch bleef de wagen eerst onveranderd maar in 1951 leverde de motor een paar pk's meer. Ook werd de kofferruimte van de wagen vergroot en verschenen er nieuwe typen. De verkoop trok gigantisch aan, aangezien Duitsland zich in een razend tempo van de oorlog herstelde. Een Olympia was in zijn tijd niet duur dus voor velen lag deze Opel binnen bereik. De versie met afrolbaar dak, de zogenaamde cabrio-limousine, is tegenwoordig duur.

Aantal cilinders: 4
Cilinderinhoud in cm³: 1488
Vermogen: 37/3500 en 39/3700
Topsnelheid in km/uur: 110-115
Carrosserie/Chassis: zelfdragend
Uitvoering: coach, cabrio-limousine en stationcar
Productiejaren: 1950-1952
Productie-aantal: 161.103
In NL: 80
Prijzen: A: 1.800 B: 4.500 C: 7.300

OPEL OLYMPIA REKORD 1953-1954

De uit Amerika overgewaaide ponton-vorm moest natuurlijk ook bij Opel toegepast worden en daarom verscheen er in maart 1953 een nieuwe auto, de Olympia Rekord. De wagen was weer in verschillende uitvoeringen te koop en de stationcar heette nu Caravan. Van de aardige cabrio-limousine verkocht men er maar 5 in '53. Technisch had men niet veel veranderd en zelfs de prijzen waren stabiel gebleven. Net als in Amerika gebruikelijk was, veranderde deze Opel voortaan elk jaar.

Aantal cilinders: 4
Cilinderinhoud in cm³: 1488
Vermogen: 40/3800
Topsnelheid in km/uur: 120
Carrosserie/Chassis: zelfdragend
Uitvoering: coach, cabrio-limousine en stationcar
Productiejaren: 1953-1954
Productie-aantal: 129.770
In NL: 20
Prijzen: A: 1.800 B: 4.100 C: 6.400

OPEL OLYMPIA REKORD 1955

Een nieuwe grille met kleinere 'haaietanden' kenmerkte de Olympia Rekord van 1955. Hoewel de motor evenveel pk's leverde als voorheen, was het koppel verbeterd. In augustus 1954 kwam het modeljaar 1955 al op de markt maar daarvoor zou het in juli 1955 alweer vervangen worden. De klantenkring hield een constante omvang en ook in ons land zag men in iedere straat wel een Opel. De trotse eigenaren beschouwden hun wagen als een Amerikaan in pocketformaat. Tegenwoordig is deze oude Rekord vooral in het land van herkomst populair.

Aantal cilinders: 4
Cilinderinhoud in cm³: 1488
Vermogen: 40/3600
Topsnelheid in km/uur: 120
Carrosserie/Chassis: zelfdragend
Uitvoering: coach, cabrio-limousine en stationcar
Productiejaar: 1955
Productie-aantal: 125.376
In NL: 15
Prijzen: A: 1.800 B: 3.600 C: 5.400

OPEL OLYMPIA REKORD 1956

Naar goede (?) Amerikaanse gewoonte had de Olympia Rekord voor 1956 weer een nieuwe grille gekregen. De tanden waren nu uit de mond verdwenen maar de rest van de carrosserie was onveranderd gebleven. Wel hadden de ingenieurs de hoofden onder de motorkap gestoken en de viercilinder een paar pk's meer meegegeven. Goed, het waren er maar 5 maar dat was tenslotte 10 procent. De Olympia was de goedkoopste versie uit de serie en in 1956 goedkoper dan in het jaar ervoor. Deze Opel zou de laatste zijn met afrolbaar dak als optie.

- Aantal cilinders: 4
- Cilinderinhoud in cm³: 1488
- Vermogen: 45/3900
- Topsnelheid in km/uur: 122
- Carrosserie/Chassis: zelfdragend
- Uitvoering: coach, cabrio-limousine en stationcar
- Productiejaar: 1956
- Productie-aantal: 139.249
- In NL: 25
- Prijzen: A: 1.800 B: 3.900 C: 5.900

OPEL OLYMPIA REKORD 1957

In 1957 kreeg de oude pontonvormige carrosserie van de Olympia een laatste facelift. Natuurlijk werd een nieuwe grille aangepast maar ook het dak van de wagen was vlakker uitgevallen. Aan de mechanische kant viel op dat de drie-versnellingsbak – hij werd nog steeds door een hendel aan de stuurkolom geschakeld – nu geheel gesynchroniseerd was. De goedkope uitvoering, de Olympia, was duurder geworden en de zeldzame cabrio-limousine was, zoals hierboven al gezegd is, helaas uit de productie genomen. De verkoop bleef stijgen.

- Aantal cilinders: 4
- Cilinderinhoud in cm³: 1488
- Vermogen: 45/3900
- Topsnelheid in km/uur: 122
- Carrosserie/Chassis: zelfdragend
- Uitvoering: coach en stationcar
- Productiejaar: 1957
- Productie-aantal: 162.105
- In NL: 25
- Prijzen: A: 1.800 B: 3.900 C: 5.900

OPEL OLYMPIA REKORD P1

Keep on styling. De Rekord P1 zag er Amerikaanser uit dan ooit te voren. Naar de mode van de dag had de wagen een panoramische voor- en achterruit gekregen en kon het vloeken beginnen van de mensen die bij het in- en uitstappen hun knieën aan de voorruit bezeerden. Veel chroom en een tweekleurenschema maar daarvoor een onveranderde motor. In september 1958 werd een automatische koppeling, de Olymat, voorgesteld en een jaar later stond de auto met een 1,7 liter motor en een vierdeurs carrosserie op de tentoonstellingen.

- Aantal cilinders: 4
- Cilinderinhoud in cm³: 1488 en 1680
- Vermogen: 45/3900, 50/4000 en 55/4000
- Topsnelheid in km/uur: 125-135
- Carrosserie/Chassis: zelfdragend
- Uitvoering: coach, sedan en stationcar
- Productiejaren: 1957-1960
- Productie-aantal: 787.835
- In NL: 70
- Prijzen: A: 1.600 B: 3.200 C: 5.000

OPEL 1200

In augustus 1959 werd de Olympia uit het programma genomen om plaats te maken voor de Opel 1200. Dit was een goedkopere uitsluitend als coach leverbare uitvoering van de Rekord. Hij had minder accessoires maar ook een motor met een kleinere cilinderinhoud en dus minder vermogen. Een groot verkoopsucces is deze eenvoudige uitvoering niet geworden. Als klassieke Opel vinden we hem ook minder interessant dan de andere typen uit die tijd. De geringe prijsverschillen met de Olympia Rekord zijn verklaarbaar door het feit dat de betrekkelijke leek weinig verschil ziet.

- Aantal cilinders: 4
- Cilinderinhoud in cm³: 1196
- Vermogen: 40/4400
- Topsnelheid in km/uur: 115
- Carrosserie/Chassis: zelfdragend
- Uitvoering: coach
- Productiejaren: 1959-1962
- Productie-aantal: 67.952
- In NL: 15
- Prijzen: A: 1.400 B: 2.900 C: 4.500

OPEL REKORD P2

De Rekord die na de zomervakantie van 1960 van de band kwam, zag er zakelijker, ja 'Europeser' uit dan zijn voorganger. De carrosserie had een grote facelift gekregen, maar mechanisch had men niets veranderd. Afgezien van een vierversnellingsbak die nu tegen meerprijs ingebouwd kon worden. In de herfst van 1961 werd het programma aangevuld met een Rekord L, met 'L' voor luxe, en een coupé, die duur was en minder ruimte bood. Van de P2 werd er weer een open versie gebouwd en wel door de firma Autenrieth (100 stuks).

- Aantal cilinders: 4
- Cilinderinhoud in cm³: 1488 en 1680
- Vermogen: 50/4000, 55/4000 en 60/4100
- Topsnelheid in km/uur: 125-135
- Carrosserie/Chassis: zelfdragend
- Uitvoering: coach, sedan, stationcar, coupé en cabriolet
- Productiejaren: 1960-1963
- Productie-aantal: 755.658
- In NL: 60
- Prijzen: A: 1.400 B: 2.700 C: 4.300

OPEL REKORD A

De opvolger van de Rekord P2, de Rekord A, was er niet groter, breder of hoger op geworden maar desondanks zag hij er wel plomper uit. Weer was er mechanisch niets veranderd en weer kon men de wagen in verschillende carrosserievarianten kopen. In de Rekord L en in de coupé leverde de motor weer 67 pk. Voor diegenen die graag een snellere Rekord hadden, ontstond in maart 1964 de Rekord 6 waarin men de motor van de Kapitän had gemonteerd. De firma Karl Deutsch in Keulen bouwde op basis van de coupé een cabriolet.

Aantal cilinders: 4 en 6
Cilinderinhoud in cm³: 1488, 1680 en 2605
Vermogen: 55/4500-100/4600
Topsnelheid in km/uur: 130-170
Carrosserie/Chassis: zelfdragend
Uitvoering: coach, sedan, stationcar, coupé en cabriolet
Productiejaren: 1963-1965
Productie-aantal: 864.197
In NL: 80
Prijzen: A: 900 B: 1.800 C: 3.900

OPEL REKORD B

De Opel Rekord B bleef nog niet eens één jaar in productie. Men begon hem in augustus 1965 te bouwen en hield hier in juli 1966 weer mee op. De C-Rekord was immers reeds gepland. Bij de 'B' waren de koplampen nu rechthoekig en de achterlichten rond terwijl dat bij de 'A' juist omgekeerd geweest was. Interessanter was echter de geheel nieuwe motor die nu zowel met vier als met zes cilinders besteld kon worden. De Rekord B is veel zeldzamer dan de A, maar tegenwoordig minder waard.

Aantal cilinders: 4 en 6
Cilinderinhoud in cm³: 1492, 1698, 1897 en 2605
Vermogen: 60/4800-100/4600
Topsnelheid in km/uur: 135-170
Carrosserie/Chassis: zelfdragend
Uitvoering: coach, sedan, stationcar en coupé
Productiejaren: 1965-1966
Productie-aantal: 288.627
In NL: 55
Prijzen: A: 700 B: 1.600 C: 3.200

OPEL REKORD C

De 'C' had meer dan een facelift gekregen, wat vooral bij de achterspatborden opviel. Nieuw was de stationcar die nu ook voor het eerst met vijf deuren geleverd kon worden en het grote aantal motoren waaruit de klant kon kiezen. Interessant voor de fan zijn de coupé met de 95 pk zescilinder motor uit de Commodore en de Rekord Sprint die een viercilinder met 106 pk onder zijn motorkap had. De firma Deutsch in Keulen bouwde de cabriolets van die serie C, net als bij vorige Rekords.

Aantal cilinders: 4 en 6
Cilinderinhoud in cm³: 1492, 1698, 1897 en 2239
Vermogen: 58/4800-106/5600
Topsnelheid in km/uur: 135-175
Carrosserie/Chassis: zelfdragend
Uitvoering: coach, sedan, stationcar, coupé en cabriolet
Productiejaren: 1966-1971
Productie-aantal: 1.276.681
In NL: 275
Prijzen: A: 700 B: 1.800 C: 3.200

OPEL REKORD D

De Opel Rekord 2 – ook wel D genaamd – was een reuze verkoopsucces. De nieuwe vorm sprak de kopers aan, maar de keuze van de carrosserie en de motor maakte een beslissing moeilijk. Als motoren stonden er vier cilinderinhouden ter beschikking: 1,7, 1,9, 2,0 en 2,1. De 2,1 liter was een diesel, de 1,7 en 1,9 konden ook in een sterkere S-versie besteld worden. De 2,0 was er uitsluitend in S-uitvoering. Het zijn nog geen geliefde auto's en dat is in de prijzen te merken. Het vergaat de D zoals het vrijwel iedere Opel is vergaan.

Aantal cilinders: 4
Cilinderinhoud in cm³: 1698-2068
Vermogen: 60/4400 tot 100/5200
Topsnelheid in km/uur: 140-170
Carrosserie/Chassis: zelfdragend
Uitvoering: coach, sedan, coupé en stationcar
Productiejaren: 1972-1977
Productie-aantal: 1.128.196
In NL: 500
Prijzen (1900): A: 200 B: 800 C: 1.800

OPEL COMMODORE A

Door een zescilindermotor in de carrosserie van een Opel Rekord te bouwen, ontstond de Commodore A. De wagen werd een succes want er waren nog meer verschillen behalve de motor. De Commodore zat vol met accessoires die men anders speciaal bestellen moest en had van huis uit een vierversnellingsbak die met een pook in de vloer geschakeld werd. Ook had de klant de keuze uit een hele serie motoren. De grootste uitvoering was de GS 2800 en de sportiefste de GS/E met een injectiemotor. Je had dan de beschikking over 150 pk vermogen.

Aantal cilinders: 6
Cilinderinhoud in cm³: 2239, 2490 en 2784
Vermogen: 95/4800-150/5800
Topsnelheid in km/uur: 165-195
Carrosserie/Chassis: zelfdragend
Uitvoering: coach, sedan, coupé en cabriolet
Productiejaren: 1967-1971
Productie-aantal: 156.330
In NL: 130
Prijzen: A: 1.100 B: 2.300 C: 3.600

OPEL COMMODORE B GS/E

De Opel Commodore van het modeljaar 1973, de Commodore B, kwam al in maart 1972 in Genève op de show. Een half jaar later, in september, werd het aanbod aangevuld met een nieuw type, de GS/E. De duurste variatie op het thema. Zoals de letter 'E' al aanduidt, werd de benzine 'Eingespritzt' en deze benzine-inspuiting kwam uit de fabriek van Robert Bosch en werd elektronisch gestuurd. De GS/E kon met een gesynchroniseerde vierversnellingsbak of met een automaat geleverd worden. Vanaf 1975 had hij standaard lichtmetalen velgen.

Aantal cilinders: 6
Cilinderinhoud in cm³: 2784
Vermogen: 160/5400
Topsnelheid in km/uur: 190
Carrosserie/Chassis: zelfdragend
Uitvoering: coach, sedan en coupé
Productiejaren: 1972-1977
Productie-aantal: 140.827 (alle typen)
In NL: 300 (alle typen)
Prijzen: A: 900 B: 1.800 C: 3.200

OPEL KAPITÄN 1948-1951

Een jaar nadat de Olympia in productie genomen was, mocht Opel weer grotere wagens bouwen en kwam men met de Kapitän terug. Ook hier was het weer een vooroorlogs model dat zonder grote veranderingen gebouwd kon worden. In 1950 kreeg de Kapitän de toen moderne stuurversnelling. Het is opvallend hoeveel van deze vroege naoorlogse Kapitäns nog rondrijden. Wel een bewijs voor de goede kwaliteit van de wagen. Het is nog steeds geen dure klassieker, maar de prijzen trekken de laatste tijd iets aan.

Aantal cilinders: 6
Cilinderinhoud in cm³: 2473
Vermogen: 55/3500
Topsnelheid in km/uur: 120
Carrosserie/Chassis: zelfdragend
Uitvoering: sedan
Productiejaren: 1948-1951
Productie-aantal: 30.431
In NL: 6
Prijzen: A: 3.200 B: 7.300 C: 10.900

OPEL KAPITÄN 1951-1953

Evenals de Olympia kreeg de Kapitän voor 1951 een facelift, met meer chroom en een nieuwe voor- en achtersteven. De oorspronkelijke Kapitän was eigenlijk te zwaar geweest voor de relatief kleine motor en daarom werd het vermogen voor het modeljaar 1951 verhoogd. Een leuke klassieker met nog zeer ouderwetse lijnen en oerbetrouwbare techniek. Inmiddels fors geprijsd. De firma Autenrieth leverde enkele cabriolets en Auto-Schott in Stuttgart bouwde een stationcar met vier deuren.

Aantal cilinders: 6
Cilinderinhoud in cm³: 2473
Vermogen: 58/3700
Topsnelheid in km/uur: 125
Carrosserie/Chassis: zelfdragend
Uitvoering: sedan
Productiejaren: 1951-1953
Productie-aantal: 48.562
In NL: 15
Prijzen: A: 3.200 B: 7.700 C: 11.300

OPEL KAPITÄN 1953-1955

Evenals de modellen die na hem kwamen, leek de Kapitän op een vergrote Rekord. De modellen 1954 waren er al eind '53. Hij had dezelfde optische 'nieuwtjes' en daarom ook de haaietanden en een pontonvorm. Deze wagen kreeg ook een geheel nieuwe voorwielophanging, waarmee sportiever te rijden viel, en een sterkere motor. Waarom zijn deze typische jaren vijftig producten nog steeds relatief zo weinig waard? Het is een heerlijke grote wagen die bij menigeen veel nostalgie oproept.

Aantal cilinders: 6
Cilinderinhoud in cm³: 2473
Vermogen: 68/3700
Topsnelheid in km/uur: 135-140
Carrosserie/Chassis: zelfdragend
Uitvoering: sedan
Productiejaren: 1953-1955
Productie-aantal: 61.543
In NL: 10
Prijzen: A: 2.300 B: 5.400 C: 8.600

OPEL KAPITÄN 1955-1958

In september 1955 verscheen de Opel Kapitän van het modeljaar 1956. De carrosserie was vrijwel onveranderd, maar de wagen had een nieuwe grille die hem van zijn voorgangers onderscheidde. Ook had hij nieuwe chroomlijsten, bumpers en parkeerlampen gekregen. Door het verhogen van de compressieverhouding was het motorvermogen iets toegenomen. Tussen september 1955 en februari 1958 bleef het model vrijwel onveranderd in productie. In 1956 werd de versnellingsbak gesynchroniseerd.

Aantal cilinders: 6
Cilinderinhoud in cm³: 2473
Vermogen: 75/3900
Topsnelheid in km/uur: 140
Carrosserie/Chassis: zelfdragend
Uitvoering: sedan
Productiejaren: 1955-1958
Productie-aantal: 92.555
In NL: 7
Prijzen: A: 2.000 B: 5.000 C: 7.700

OPEL KAPITÄN 1958-1959

De Kapitän was een veel gevraagde wagen geweest voordat de fabriek in 1958 met een geheel nieuw model uitkwam met panoramische voor- en achterruit. Of de wagen misschien te modern geweest was voor de Kapitän-klant? In ieder geval hadden de stylisten de klant onderschat. Hij wilde geen kleine achterportieren en hij wilde liever achter meer hoofdruimte dan een 'modern' aflopend dak. De Duitsers noemen deze wagen de 'sleutelgat-Kapitän', gezien de vorm van de achterlichten. Is onder Kapitän-liefhebbers tegenwoordig gezocht.

Aantal cilinders: 6
Cilinderinhoud in cm³: 2473
Vermogen: 80/4100
Topsnelheid in km/uur: 140
Carrosserie/Chassis: zelfdragend
Uitvoering: sedan
Productiejaren: 1958-1959
Productie-aantal: 34.842
In NL: 10
Prijzen: A: 2.300 B: 5.400 C: 8.200

OPEL KAPITÄN 1959-1963

Na de ongelukkige 'sleutelgat-Kapitän' volgde de V2 of P. LV. Het publiek was weer tevreden en kocht de nieuwe wagen die niet alleen een acceptabele carrosserie had maar ook technisch verbeterd was. De motor had men onder handen genomen, de achteras was verstevigd en het remsysteem was nieuw. Weer kon er een overdrive ingebouwd worden of een 'Hydra-Matic' automaat. Het waren solide wagens, want er zijn er heel wat overgebleven. Ook in andere Europese landen dan Duitsland zelf, aangezien twee derde van de productie geëxporteerd werd.

Aantal cilinders: 6
Cilinderinhoud in cm³: 2605
Vermogen: 90/4100
Topsnelheid in km/uur: 150
Carrosserie/Chassis: zelfdragend
Uitvoering: sedan
Productiejaren: 1959-1963
Productie-aantal: 145.618
In NL: 45
Prijzen: A: 1.800 B: 4.100 C: 6.800

OPEL KAPITÄN, ADMIRAL & DIPLOMAT A

Met zijn K.A.D.-serie kwam Opel terug met beroemde vooroorlogse namen. De Kapitän was de goedkoopste en de Diplomat de duurste uit de serie, terwijl de Admiral met de vroegere Kapitän te vergelijken was. De Diplomat werd met de 4,6 of 5,4 liter V8-motor van de Chevrolet geleverd. Deze 'grote drie' waren vrijwel indentiek aan de Buick Special. Ze waren ruim, comfortabel en heel snel. De nevenstaande prijzen gelden voor de eerste twee typen; de Diplomat is hoger geprijsd.

Aantal cilinders: 6 en V8
Cilinderinhoud in cm³: 2605, 2784, 4638 en 5354
Vermogen: 100/4600-230/4700
Topsnelheid in km/uur: 160-200
Carrosserie/Chassis: zelfdragend
Uitvoering: sedan
Productiejaren: 1964-1968
Productie-aantall: 89.277
In NL: 30
Prijzen: A: 1.100 B: 2.500 C: 4.500

OPEL DIPLOMAT COUPÉ

Met de Diplomat als coupé probeerde Opel door te dringen in de kringen die tot dan alleen voor Mercedes gereserveerd waren. Het experiment mislukte grondig. De coupé-carrosserie werd bij Karmann in Osnabrück gemaakt en zij was het mooiste wat Opel te bieden had. Het is dus geen wonder dat er nu een grote vraag in Duitsland naar deze modellen bestaat. De prijzen zijn erg opgelopen de laatste jaren. Maar gezien de zeer geringe productie, zijn deze coupés niet makkelijk te vinden.

Aantal cilinders: V8
Cilinderinhoud in cm³: 5354
Vermogen: 230/4700
Topsnelheid in km/uur: 210
Carrosserie/Chassis: zelfdragend
Uitvoering: coupé
Productiejaren: 1965-1967
Productie-aantal: 304
In NL: 0
Prijzen: A: 6.400 B: 10.200 C: 13.600

OPEL KAPITÄN, ADMIRAL & DIPLOMAT B

In het voorjaar van 1969 hadden de 'Grote Drie' van Opel, de Kapitän, Admiral en Diplomat, een nieuwe carrosserie gekregen. Ook het onderstel was aanzienlijk verbeterd met onder andere een De Dion-achteras. Op verzoek was er een motor met elektronische benzine-inspuiting. De mooiste en duurste van de drie was de Diplomat met een Chevrolet V8-motor met een Turbo-Hydra-Matic automaat. Er was vanaf '73 een verlengde uitvoering. De belangstelling voor deze grote Opels met V8 is groeiende.

Aantal cilinders: 6 en V8
Cilinderinhoud in cm³: 2784-5354
Vermogen: 129/5200-230/4700
Topsnelheid in km/uur: 175-200
Carrosserie/Chassis: zelfdragend
Uitvoering: sedan
Productiejaren: 1969-1977
Productie-aantallen: 4.976, 35.622 en 21.021
In NL: 140
Prijzen: (V8) A: 1.400 B: 3.200 C: 5.700

OPEL KADETT A

Om een wapen te hebben tegen de Volkswagen Kever en de Ford Taunus bouwde Opel de Kadett A. In de fabriek in Rüsselsheim had men geen ruimte voor een extra band en daarom besloot Opel in Bochum een nieuwe fabriek voor de wagen te bouwen waar de auto vanaf 1962 van de band liep. Dat men op deze wagen gewacht had, bleek wel uit de hoge verkoopcijfers. De stationversies zijn tegenwoordig zeldzaam. De Kadett-aanduiding heeft een negatieve bijklank en de wagentjes van het A-type zijn nog steeds goedkoop.

Aantal cilinders: 4
Cilinderinhoud in cm³: 993
Vermogen: 40/5000 en 48/5400
Topsnelheid in km/uur: 120-130
Carrosserie/Chassis: zelfdragend
Uitvoering: coach en stationcar
Productiejaren: 1962-1965
Productie-aantal: 649.512 (incl. coupé)
In NL: 70
Prijzen: A: 700 B: 2.300 C: 3.600

OPEL KADETT A COUPÉ

Voor de sportieve Kadett-rijder ontstond in 1963 een coupé waarvoor de stylisten zich maar weinig moeite getroost hadden. Het dak was nieuw en nu aflopend, de grille was anders en de motor had een groter vermogen. Klaar was Kees. Men racete met deze wagen en in de Tour d'Europe kon men zelfs een klasse-overwinning boeken. Ook voor de coupé bestaat geen wijde belangstelling. Je ziet ze overigens ook maar zelden. De meeste aanhang voor deze coupés is er bij onze oosterburen.

Aantal cilinders: 4
Cilinderinhoud in cm³: 993
Vermogen: 40/5000 en 48/5400
Topsnelheid in km/uur: 130
Carrosserie/Chassis: zelfdragend
Uitvoering: coupé
Productiejaren: 1963-1965
Productie-aantal: zie hiervoor
In NL: 10
Prijzen: A: 1.100 B: 2.700 C: 4.300

OPEL KADETT B

In 1965 had de eerste versie van de Kadett zijn diensten verricht en werd hij opgevolgd door de 'B' die in september van dat jaar op de IAA in Frankfurt stond. De wagen was groter en de motor sterker geworden en, wat belangrijker was, er was nu een vierdeursuitvoering verkrijgbaar. De Kadett was evenals zijn voorganger een werkpaard. Een auto waar je op kon vertrouwen en die je niet snel in de steek liet. In vlot tempo zijn de talrijke B's uit ons straatbeeld verdwenen. Is nog steeds voor een zacht prijsje te koop, hoewel fraai gerestaureerde exemplaren fors duurder kunnen zijn.

Aantal cilinders: 4
Cilinderinhoud in cm³: 1078-1897
Vermogen: 45/5000-90/5100
Topsnelheid in km/uur: 125-160
Carrosserie/Chassis: zelfdragend
Uitvoering: coach, sedan en coupé
Productiejaren: 1965-1973
Productie-aantal: 2.191.691
In NL: 500
Prijzen: (1100) A: 450 B: 1.400 C: 2.300

OPEL KADETT CARAVAN B

Gelijk met de coach en sedan kwam de tweedeurs Kadett Caravan uit, ook in de versies L en S. Bijna twintig procent van de verkoop in '65 bestond uit zulke Caravans en dat mag voor die tijd opzienbarend heten. De Caravan volgde de evolutie van de B en in '67 kwam er naast de nieuwe SR een vierdeurs versie bij. Voor buiten de thuismarkt waren er 1500-, 1700- en 1900-motoren leverbaar. In 1971 kwam de 1200 S uit, die slechts mondjesmaat verkocht (in totaal 9.171 stuks). Hoewel de Caravan volop kopers vond, zijn er tegenwoordig heel weinig over.

Aantal cilinders: 4
Cilinderinhoud in cm3: 1078-1900
Vermogen: 45/5000-90/5100
Topsnelheid in km/uur: 125-155
Carrosserie/Chassis: zelfdragend
Uitvoering: stationcar
Productiejaren: 1965-1973
Productie-aantal: 418.959
In NL: n.b.
Prijzen: (1900) A: 700 B: 1.800 C: 3.200

OPEL KADETT B COUPÉ RALLYE

Opel heeft lang tegen zijn image gevochten een auto te bouwen voor de man 'met de bretels, de hoed en de sigaar' en inderdaad waren de vroegere Opels dweilen op de weg. Een geslaagde poging een 'sportwagen' te bouwen was de Rallye Kadett die men van verre herkende aan zijn 'rally'-kleuren. De wagen had schijfremmen aan de voorwielen maar ook een motor met twee carburateurs. In Duitsland zijn er fanatieke verzamelaars van dit type. Bij ons echter vrijwel niet.

Aantal cilinders: 4
Cilinderinhoud in cm³: 1078 en 1897
Vermogen: 60/5200 en 90/5100
Topsnelheid in km/uur: 145-165
Carrosserie/Chassis: zelfdragend
Uitvoering: coupé
Productiejaren: 1966-1973
Productie-aantal: 103.633
In NL: 10
Prijzen: (1100) A: 900 B: 2.300 C: 3.900

OPEL OLYMPIA

In 1967 kwam Opel met twee nieuwe modellen uit die het gat tussen de Kadett en de Rekord moesten sluiten. Men noemde ze Kadett LS en Olympia en feitelijk waren het niets anders dan Kadetts met een fastbackdak. De Olympia was de duurdere van de twee en had dus ook meer accessoires, wat hem nu de meer gezochte maakt. Deze typen zijn bij ons ook relatief goed verkocht en men ziet op evenementen nog geregeld goede exemplaren. Alle Olympia's werden afgeleverd met een vinyl dak.

Aantal cilinders: 4
Cilinderinhoud in cm³: 1078, 1698 en 1897
Vermogen: 60/5200, 75/5200 en 90/5100
Topsnelheid in km/uur: 145-165
Carrosserie/Chassis: zelfdragend
Uitvoering: coach, sedan en coupé
Productiejaren: 1967-1970
Productie-aantal: 80.637
In NL: 45
Prijzen: A: 900 B: 2.000 C: 2.900

OPEL KADETT C

De Kadett C die in augustus 1973 uitkwam, verschilde mechanisch maar weinig van zijn voorganger. Uiterlijk lag het anders, want de carrosserie was geheel nieuw. De introductie van de wagen viel in de benzinecrisis en die hielp de verkopen wellicht. Er kwamen diverse motorisaties en in mei 1975 zag een geheel nieuwe carrosserievariant het levenslicht: de City. Deze hatchback werd een groot succes. De snelste Kadett buiten de verderop behandelde GT/E was de Ralley van 1977. Liefhebbers zoeken vooral deze snellere typen. Er zijn nog heel wat C's in dagelijks gebruik.

Aantal cilinders: 4
Cilinderinhoud in cm³: 933-1979
Vermogen: 40/5400 en110/5400
Topsnelheid in km/uur: 125-190
Carrosserie/Chassis: zelfdragend
Uitvoering: coach, sedan, coupé en stationcar
Productiejaren: 1973-1979
Productie-aantal: 1.690.182
In NL: n.b.
Prijzen: A: 100 B: 800 C: 1.500

OPEL KADETT C GT/E

Pas in augustus 1975 kreeg de Kadett Ralley uit de B-serie een opvolger: de GT/E. Hij was bedoeld voor sportieve doeleinden maar natuurlijk kon de klant er ook de openbare weg mee op. De GT/E was in een opvallende geel-witte outfit gestoken met zwarte accenten. Hij was ruim 100 pk sterk en 180 km/uur snel. In 1977 volgde de tweeliter die nog sterker en sneller was. Voor wie met wat minder tevreden kon zijn, verscheen in 1977 de Ralley. Originele GT/E's zijn tegenwoordig schaars en ze zijn voor een C-Kadett pittig geprijsd.

Aantal cilinders: 4
Cilinderinhoud in cm³: 1897 en 1979
Vermogen: 105/5400 en115/5600
Topsnelheid in km/uur: 180 en 190
Carrosserie/Chassis: zelfdragend
Uitvoering: coupé
Productiejaren: 1975-1979
Productie-aantal: 10.894
In NL: 40
Prijzen: (1,9) A: 1.000 B: 2.600 C: 4.000

OPEL KADETT C AERO

In maart 1976 stond er een open uitvoering van de Kadett op de tentoonstelling in Genève. De wagen was een tweedeurs Kadett C, die door Karosserie Baur in Stuttgart in een soort targa veranderd was. Mooi was de auto niet, maar wel erg duur want in Duitsland kostte hij DM 15.000,– terwijl een normale tweedeurs Kadett DM 9.095,– kostte. Vanaf mei 1977 kon de Aero ook met een grotere motor besteld worden. Deze Aero zal bij onze oosterburen aanzienlijk duurder zijn dan in Nederland of België.

Aantal cilinders: 4
Cilinderinhoud in cm³: 1196 en 1584
Vermogen: 60/5400 en 75/5200
Topsnelheid in km/uur: 145 en 160
Carrosserie/Chassis: zelfdragend
Uitvoering: targa
Productiejaren: 1976-1978
Productie-aantal: 1.332
In NL: 15
Prijzen: A: 1.400 B: 2.900 C: 4.500

OPEL KADETT D GT/E

In de herfst van 1979 stelt Opel zijn eerste Kadett voor met voorwielaandrijving en dwarsgeplaatste motor, de D. De klant kan kiezen uit een versie met gewone kofferklep of een derde of vijfde deur. Natuurlijk is er ook een stationcar. Er zijn L- en SR-uitvoeringen met een 1200- of 1300-motor. Vanaf augustus 1981 is er een 1600-blok. In januari 1983 komt de interessantste versie uit: de GT/E met maar liefst 115 pk uit een 1800-injectiemotor. Een sportieve Kadett die ook uiterlijk onmiddellijk van zijn familieleden te onderscheiden is. Eigenlijk kwam die sport-Kadett te laat, want in juli '84 stopte de D-productie.

Aantal cilinders: 4
Cilinderinhoud in cm³: 1796
Vermogen: 115/5800
Topsnelheid in km/uur: 185
Carrosserie/Chassis: zelfdragend
Uitvoering: coach en sedan
Productiejaren: 1983-1984
Productie-aantal: n.b.
In NL: n.b.
Prijzen: A: 700 B: 1.400 C: 2.000

OPEL GT 1100 & GT

De Opel GT was al in 1965 op de tentoonstelling in Frankfurt te zien, maar toen sprak de fabriek nog van een 'droomauto'. In 1968 ging de wagen echter – in Frankrijk – in productie, eerst met een kleine maar later met een 'echte' motor. De GT 1100 bleef maar tot in 1971 in de verkoop en in dat jaar verscheen de GT/J met minder chroom en een goedkoper interieur. Helaas zijn er in onze streken nogal wat van deze mini-Corvettes gruwelijk vertimmerd. De hiernaast vermelde prijzen zijn voor de 1900-modellen en het betreft exemplaren in originele staat.

Aantal cilinders: 4
Cilinderinhoud in cm^3: 1078 en 1897
Vermogen: 60/5200 en 90/5100
Topsnelheid in km/uur: 155-185
Carrosserie/Chassis: zelfdragend
Uitvoering: coupé
Productiejaren: 1968-1973
Productie-aantallen: 3.573 en 99.800
In NL: 800
Prijzen: (1900) A: 2.700 B: 6.100 C: 9.100

OPEL ASCONA A

In november 1970 verving de Ascona de Opel Olympia om het gat tussen de Kadett en de Rekord te vullen. De wagen stond op het onderstel van de Kadett maar had de motor van de Rekord. Allerlei motorvarianten stonden de klant ter beschikking: van een bescheiden 1,2 liter tot een 'hete' 1,9 liter in de S-uitvoering. De eerste stationversie heette Voyage en dat is tegenwoordig de meest gezochte uitvoering, zeker die met een 1,9 liter motor. De stationcar van na maart 1974 was gewoner en heette dan ook Caravan.

Aantal cilinders: 4
Cilinderinhoud in cm^3: 1196-1897
Vermogen: 60/5400-90/5100
Topsnelheid in km/uur: 135-160
Carrosserie/Chassis: zelfdragend
Uitvoering: coach en stationcar
Productiejaren: 1970-1975
Productie-aantal: 691.438
In NL: 80
Prijzen: (1.2) A: 450 B: 1.100 C: 2.000

OPEL VOYAGE

Het topmodel van de nieuwe Ascona-serie was tot ieders verbazing een tweedeurs stationcar met de fraaie naam Voyage. Het aloude type Caravan zou pas in 1974 terugkeren. Die Voyage kon geleverd worden met een vinyldak en houtmotieven à la een Amerikaanse woody. In de VS was deze Voyage te koop onder de naam Manta Sports Wagon en het afgebeelde exemplaar is er daar een van. De 1,9 debuteerde in 1971 en deze liep een jaar langer (tot en met 1975) van de band dan de 1,6-versie. Deze Voyage is onder Ascona-adepten gezocht.

Aantal cilinders: 4
Cilinderinhoud in cm^3: 1584 en 1897
Vermogen: 68/5200-90/5100
Topsnelheid in km/uur: 140 en 160
Carrosserie/Chassis: zelfdragend
Uitvoering: stationcar
Productiejaren: 1970-1975
Productie-aantal: n.b.
In NL: zie hiervoor
Prijzen: A: 700 B: 2.300 C: 4.100

OPEL MANTA A

Het antwoord op de Capri van Ford kwam in 1970 in de vorm van de Manta. Ook hier de Mustang-filosofie: vele uitvoeringen met diverse motoren. Nu, na 25 jaren, zijn er clubs voor beide typen auto. Het neusje van de zalm vormde de Manta GT/E, die in 1974 verscheen en die voorzien was van een motor met benzine-inspuiting. In Nederland is een originele GT/E zeer zeldzaam. Men ziet wel eens wagens met een GT/E-logo, maar vaak zijn dit verbouwde gewonere Manta's. Onze prijsnoteringen slaan op de eenvoudigste typen.

Aantal cilinders: 4
Cilinderinhoud in cm^3: 1196, 1584 en 1897
Vermogen: 60/5400 -105/5400
Topsnelheid in km/uur: 148-188
Carrosserie/Chassis: zelfdragend
Uitvoering: coupé
Productiejaren: 1970-1975
Productie-aantal: 498.553
In NL: n.b.
Prijzen: A: 900 B: 2.300 C: 3.600

OPEL MANTA B & CC

In augustus 1975 verscheen de Manta B. De wagen was van bumper tot bumper nieuw en direct een groot succes. Het was al gauw de meest verkochte 'sportwagen' in Duitsland. De Manta B werd bij General Motors in Antwerpen gebouwd en wel in verschillende uitvoeringen. In het najaar van 1978 kwam de Manta CC op de markt, een coupé met een 'derde deur', een soort sportswagon dus. Vele B-Manta's zijn fors vertimmerd. Ook hier weer is de GT/E het paradepaard, waarvan mooie, late exemplaren nog redelijk wat geld kunnen kosten.

Aantal cilinders: 4
Cilinderinhoud in cm^3: 1196-1979
Vermogen: 55/5400-110/5400
Topsnelheid in km/uur: 140-190
Carrosserie/Chassis: zelfdragend
Uitvoering: coupé en sportswagon
Productiejaren: 1975-1988 en 1978-1988
Productie-aantallen: 439.518 en 95.116
In NL: n.b.
Prijzen: A: 800 B: 1.400 C: 2.900

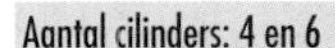

OPEL MONZA

In mei 1978 begon in Rüsselsheim de productie van een nieuwe sportswagon, de Monza A1. Het was de duurste wagen uit de Opel-stal, prachtig afgewerkt en vol met interessante snufjes. De eerste wagens hadden een 3 liter injectiemotor en een automatische bak. Een vijfversnellingsbak moest speciaal besteld worden en kostte dan ook *f* 1.000,– meer. Andere motorvarianten waren een 2,8 en 3,0 liter motor met carburateurs, een ingespoten 2,0 of 2,2 vierpitter en een 2,5 liter zescilinder. De 3,0 liter motor werd echter verreweg het meest ingebouwd. De iets gewijzigde A2 kwam in 1983 uit.

Aantal cilinders: 4 en 6
Cilinderinhoud in cm³: 1979-2197 en 2490-2968
Vermogen: 110/5400-180/5800
Topsnelheid in km/uur: 175-210
Carrosserie/Chassis: zelfdragend
Uitvoering: coupé
Productiejaren: 1978-1986
Productie-aantal: 43.812
In NL: 15
Prijzen: A: 700 B: 1.600 C: 2.800

OPEL ASCONA 400

Er was een tijd dat men de Opel-rijder herkende aan zijn bretels, hoed en sigaar, een image waar de fabriek in de jaren zestig en zeventig tegen vocht. Een mooi voorbeeld vormde de Ascona 400. Een 16-klepper met dubbele bovenliggende nokkenassen van Cosworth met Bosch-L-Jetronic-inspuiting maakte de Ascona gereed voor de Groep 4 rally's. Dit homologatiemodel kon in 7,6 seconden van 0 naar 100 km/u accelereren. Walter Roehrl won er in '82 de WK mee. Speciaal spuitwerk, spoilers, uitgebouwde wielkasten en brede velgen.

Aantal cilinders: 4
Cilinderinhoud in cm³: 2410
Vermogen: 144/5200
Topsnelheid in km/uur: 200
Carrosserie/Chassis: zelfdragend
Uitvoering: coach
Productiejaren: 1979-1981
Productie-aantal: 448
In NL: 0
Prijzen: A: 6.400 B: 12.700 C: 18.200

OPEL MANTA 400

In 1981 werd ook de Manta tot race- en rally-wagen bevorderd, maar de homologatie vond pas in 1983 plaats. Te herkennen was de wagen aan zijn race-strepen, wit gespoten wielen en dan natuurlijk aan zijn capaciteiten. Onder de motorkap vond men dezelfde 16 kleppenmotor die de eigenaar van een Ascona 400 zo gelukkig gemaakt had en daar de Manta een betere aërodynamische vorm had, lag zijn topsnelheid ook iets hoger. De Manta kon echter niet tegen de 4x4 Quattro's van Audi op. Is zeldzamer dan de Ascona maar gelijk in prijs.

Aantal cilinders: 4
Cilinderinhoud in cm³: 2410
Vermogen: 144/5200
Topsnelheid in km/uur: 210
Carrosserie/Chassis: zelfdragend
Uitvoering: coupé
Productiejaren: 1981-1983
Productie-aantal: 236
In NL: n.b.
Prijzen: A: 6.400 B: 12.700 C: 18.200

OSCA

Toen de gebroeders Maserati hun fabriek in 1938 aan Omar Orsi verkochten, stelde Orsi de eis dat ze nog tien jaren voor hem zouden blijven werken. Toen die periode om was, vertrokken de Maserati's naar hun geboortestad Bologna en begonnen onder de naam OSCA opnieuw. Hun specialiteiten waren wederom race- en sportwagens totdat ze, om tenminste iets te verdienen, ook wagens voor een groter publiek begonnen te maken.

OSCA MT4

De eerste auto van het nieuwe bedrijf Osca was de MT4, een lichte tweezitter met een viercilindermotor met bovenliggende nokkenas uit eigen keuken. De wagen was voor vele doeleinden te gebruiken en hij verscheen dan ook in een veelheid van carrosserieën, variërend van pure circuitwagens tot fraaie coupés en spiders. Het ronde grilletje werd een typisch kenmerk. Stirling Moss won in '54 de 12-uurs race op Sebring in een MT4. Pas in 1956 kwam er een tweede type Osca bij: de 750, speciaal voor de Italiaanse racemarkt.

Aantal cilinders: 4
Cilinderinhoud in cm³: 1092-1452
Vermogen: 72/6000-110/5500
Topsnelheid in km/uur: 160-185
Carrosserie/Chassis: aluminium/buizenchassis
Uitvoering: coupé en cabriolet
Productiejaren: 1948-1959
Productie-aantal: 80
In NL: n.b.
Prijzen: A: 11.300 B: 15.900 C: 20.400

OSCA 1600 GT

In1960 loste de 1600 GT de beide voorgangers af. Behalve de Fiat 1600 met de Osca-motor werd de 1600 GT de meest verkochte Osca. De wagen werd met een Zagato-carrosserie als Osca GT 2 aangeboden. De Zagato had ook achter onafhankelijke wielophanging. Hij kon in drie varianten besteld worden: 1600 GT 2, GTV en GTS, waarbij de twee laatste speciaal voor de racerij bestemd waren. Fissore bouwde 19 wagens van dit type en Boneschi slechts twee.

Aantal cilinders: 4
Cilinderinhoud in cm³: 1569
Vermogen: 105/6000
Topsnelheid in km/uur: 190
Carrosserie/Chassis: aluminium/buizenchassis
Uitvoering: coupé en cabriolet
Productiejaren: 1960-1963
Productie-aantal: 128
In NL: n.b.
Prijzen: A: 11.300 B: 15.900 C: 20.400

PACKARD

Nog steeds geldt het merk Packard als een der beroemdste van Amerika. Sinds 1899 bouwde de fabriek uitstekende auto's die in de jaren dertig door filmsterren, politici en industriëlen gekocht werden. Helaas ging het in de jaren vijftig met Packard snel achteruit en ook een fusie met Studebaker kon niet verhelpen dat het merk in 1958 verdween. Helaas. Een troost mag zijn dat Packards tegenwoordig geliefde verzamelobjecten zijn.

PACKARD CLIPPER 1946-1947

De Clipper van 1946 was natuurlijk ook niet veel anders dan de wagen van 1942 maar toch had Packard nog de kans gezien hem technisch iets te verbeteren. Zo had de wagen onafhankelijke voorwielophanging en kon de drieversnellingsbak, op verzoek, van een overdrive worden voorzien. In 1946 kon men kiezen uit een 6- of 8-cilinder lijnmotor. Er was een gewone Clipper, maar ook een Super Clipper en een Custom Super Clipper in Standard of Deluxe outfit. Voor een duur merk als Packard verkocht de wagen niet slecht.

Aantal cilinders: 6 en 8
Cilinderinhoud in cm³: 4015, 4621 en 5834
Vermogen: 105/3600, 125/3600 en 165/3600
Topsnelheid in km/uur: 135-155
Carrosserie/Chassis: afzonderlijk chassis
Uitvoering: coach en sedan
Productiejaren: 1946-1947
Productie-aantal: 80.379
In NL: n.b.
Prijzen: A: 4.100 B: 7.900 C: 11.300

PACKARD STANDARD EIGHT 1948

Nadat Packard in 1947 zijn één miljoenste wagen had gebouwd, kwam de firma in 1948 met het eerste nieuwe naoorlogse model uit. De wagen zag er veel moderner uit dan de voorgangers. Ze werden aangeboden als Standard Eight, Super Eight en Custom Eight, waarbij de eerste de goedkoopste was. De stationcar met het opvallende hout was alleen in de Standard Eight-serie verkrijgbaar. In 1949 kregen de Standard Eights geheel verchroomde bumpers en een verchroomde zijstrip.

Aantal cilinders: 8
Cilinderinhoud in cm³: 4610
Vermogen: 132/3600
Topsnelheid in km/uur: 135
Carrosserie/Chassis: afzonderlijk chassis
Uitvoering: coach, sedan en stationcar
Productiejaren: 1948
Productie-aantal: 12.803
In NL: n.b.
Prijzen: A: 3.600 B: 6.800
(sedan) C: 9.100

PACKARD 200 1951-1952

De carrosserie van de 1951 Packard was een ontwerp van John Reinhart. De goedkoopste Packard was dat jaar de '200' die met $ 2.416,– ruim 800 dollar goedkoper was dan de duurdere '250'. Alle Packards hadden een reusachtige (in zijn afmetingen) achtcilinder lijnmotor en op verzoek kon deze aan een 'Ultramatic' automaat gekoppeld worden. De 200 bood kopers die anders een goedkoper merk kochten nu de gelegenheid een Packard voor de deur te zetten.

Aantal cilinders: 8
Cilinderinhoud in cm³: 4719
Vermogen: 139/3600
Topsnelheid in km/uur: 145
Carrosserie/Chassis: afzonderlijk chassis
Uitvoering: coach, sedan en coupé
Productiejaren: 1951-1952
Productie-aantal: 118.082
In NL: n.b.
Prijzen: A: 2.300 B: 5.000 C: 9.100

PACKARD CLIPPER 1953-1954

In 1953 kwam Packard weer met de naam Clipper, die in 1947 voor het laatst gevoerd werd. Het werd de goedkoopste serie, die nog te verdelen was in Clipper Special en Clipper Deluxe. Voor 1954 kwamen er twee nieuwe subseries: de Super Clipper en de Panama. Die laatste was een coupé die een kwart meer kostte dan een sedan. Alle hadden ze nog steeds de ouderwetse achtcilinder lijnmotor, die bovendien nog een zijklepper was. De Clippers verkochten in '53 nog aardig maar 1954 werd desastreus voor het merk en dus ook voor de Clipper.

Aantal cilinders: 8
Cilinderinhoud in cm³: 4719 en 5358
Vermogen: 150/4000 en 165/3600
Topsnelheid in km/uur: 150 en 160
Carrosserie/Chassis: afzonderlijk chassis
Uitvoering: sedan, coach en coupé
Productiejaren: 1953-1954
Productie-aantal: 86.955
In NL: n.b.
Prijzen: A: 2.300 B: 5.000 C: 8.600

PACKARD CARIBBEAN

In 1953 kwam Packard met één van de duurste, en meest luxueuze, cabriolets die ooit in Amerika gebouwd waren: de Caribbean. De wagen was een directe concurrent voor de Cadillac Eldorado die echter met een V8-motor geleverd werd. De Caribbean kreeg pas in 1955 een V8-motor en werd in het laatste jaar '56 ook als hardtop coupé aangeboden. De Caribbeans zijn onder liefhebbers van oude Amerikanen zeer gezocht en daarom duur. Een halve ton voor een zeer mooie cabrio is tegenwoordig haalbaar.

Aantal cilinders: 8 en V8
Cilinderinhoud in cm³: 5358, 5883, 5773 en 6096
Vermogen: 183/4000-310/4600
Topsnelheid in km/uur: 160-190
Carrosserie/Chassis: afzonderlijk chassis
Uitvoering: cabriolet en coupé
Productiejaren: 1953-1956
Productie-aantallen: 1.926 en 263
In NL: n.b.
Prijzen: A: 7.300 B: 13.600 C: 29.500

PACKARD 400 PATRICIAN 1953-1954

In 1951 volgde het model Patrician 400 de Custom Eight op. Packard noemde de wagen 'The Most Luxurious Motor Car in the World' en hij was er alleen als sedan. Voor 1953 kregen alle Packards een moderner uiterlijk en de Patrician bleef het duurste type. Je kon hem ook als peperdure achtpersoons Executive Sedan en Corporate Limousine bestellen, gebouwd door de firma Henney. Voor 1954 waren er lichte uiterlijke wijzigingen en onder de kap zat nog steeds de oude acht-in-lijn motor. De verkoop van het type zakte dat jaar naar een derde van het aantal van '53.

Aantal cilinders: 8
Cilinderinhoud in cm³: 5358
Vermogen: 180/4000
Topsnelheid in km/uur: 165
Carrosserie/Chassis: afzonderlijk chassis
Uitvoering: sedan
Productiejaren: 1953-1954
Productie-aantal: 10.216
In NL: n.b.
Prijzen: A: 3.000 B: 7.000 C: 10.000

PACKARD PATRICIAN 1955-1956

Voor 1955 was er een nieuwe Patrician in de Packard Line. Een uiterst chique wagen die ruim zestig procent meer kostte dan een gewone vierdeurs Clipper. Voor '56 (foto) was er een andere grille en waren de blokletters op de neus ingeruild voor een embleem. Het waren de laatste echte Packards, helaas. Het jaar erop was een Packard een Studebaker met een ander merkembleem.

Aantal cilinders: V8
Cilinderinhoud in cm³: 5768 en 6129
Vermogen: 260/4600 en 290/4600
Topsnelheid in km/uur: 165 en 180
Carrosserie/Chassis: afzonderlijk chassis
Uitvoering: sedan
Productiejaren: 1955-1956
Productie-aantal: 12.902 en 3.775
In NL: n.b.
Prijzen: A: 3.200 B: 6.800 C: 10.000

PACKARD FOUR-HUNDRED

In de Packard Line zaten de drie duurste modellen van Packard. Voor 1955 waren dat de hierboven behandelde Caribbean en Patrician en de hardtop coupé Four-Hundred. Voor ruim vierduizend dollar in basisuitvoering kreeg de koper volop luxe. Dat bedrag is wel anderhalf maal de prijs van een gewone Clipper en ook een 62 coupé van Cadillac was minder duur. Geen wonder dat de wagen slechts mondjesmaat verkocht werd. Voor 1956 is er een grotere motor met meer vermogen, een iets andere grille en verdween de merknaam in blokletters van de neus.

Aantal cilinders: V8
Cilinderinhoud in cm³: 5768-6128
Vermogen: 260/4600-290/4600
Topsnelheid in km/uur: 170-180
Carrosserie/Chassis: afzonderlijk chassis
Uitvoering: coupé
Productiejaren: 1955-1956
Productie-aantal: 10.430
In NL: n.b.
Prijzen: A: 4.500 B: 10.200 C: 13.600

PACKARD HAWK

De laatste Packard, de Hawk, was eigenlijk geen Packard meer maar een luxueuze Studebaker Golden Hawk. Evenals bij de Studebaker Golden Hawk zat er standaard een (McGulloch)-compressor in de Hawk. Het vermogen steeg dan enorm maar evenredig daalde de betrouwbaarheid van de V8 en zijn levensduur. De voorkant van de wagen is eigenlijk niet om aan te zien. Opvallend is de bekleding van de randen van de deuren: bedoeld om bij mooi weer je arm op te leggen.
Op 13 juli 1958 stopte de totale productie van het merk.

Aantal cilinders: V8
Cilinderinhoud in cm³: 4738
Vermogen: 210/4500 en 275/4800
Topsnelheid in km/uur: 175-210
Carrosserie/Chassis: afzonderlijk chassis
Uitvoering: coupé
Productiejaar: 1958
Productie-aantal: 588
In NL: n.b.
Prijzen: A: 8.200 B: 11.300 C: 15.900

PACKARD 58L

Het eens zo nobele Packard kwam in januari '58 als laatste stuiptrekking met de 58L uit. De naam Clipper was geschrapt en wat overbleef was een sedan, een hardtop coupé en een stationcar in de 58L-serie en de Packard Hawk als topmodel (zie hierna). Er was een nieuwe 'shovel' neus en er zaten vleugels op de Packards, maar de klanten bleven weg omdat het algemeen bekend was dat het merk op de rand van faillissement verkeerde. De sedan bracht het tot 1.200 stuks, de coupé tot 675 en de wagon tot slechts 159 stuks. Het waren de laatste Packards uit de historie.

Aantal cilinders: V8
Cilinderinhoud in cm³: 4736
Vermogen: 225/4500
Topsnelheid in km/uur: 180
Carrosserie/Chassis: afzonderlijk chassis
Uitvoering: sedan, coupé en stationcar
Productiejaar: 1958
Productie-aantal: 2.034
In NL: n.b.
Prijzen: A: 4.100 B: 8.200 C: 11.400

PANHARD

De firma Panhard behoorde niet alleen tot de oudste automobielproducenten van de wereld maar ook tot de origineelste. Ze bouwden grote en kleine auto's, sport- en racewagens maar ook grote luxe sleeën, eventueel met schuivenmotoren. Na de oorlog kwamen ze met een, aan de markt aangepaste, kleine wagen die echter tot grote prestaties in staat was. In 1955 kwam de firma in financiële moeilijkheden en werd hij door Citroën opgeslokt. In 1967 liet men het merk ter ziele gaan.

PANHARD DYNA

Wat het uiterlijk betrof, was hij up-to-date, maar wat het technische deel aanging, was hij zijn tijd ver vooruit: de Dyna, een constructie van de beroemde ingenieur Grégoire. De kleine vierdeurs wagen had aluminium deuren en motorkap en woog maar 550 kg. De motor was luchtgekoeld en dreef de onafhankelijk geveerde voorwielen aan. Op sportief gebied blies de Dyna indertijd een toontje mee. Als optie was er vanaf 1950 een 745 cc-motor en vanaf 1951 een 848 cc. De Dyna had een vierversnellingsbak met overdrive.

Aantal cilinders: 2
Cilinderinhoud in cm³: 610, 745 en 850
Vermogen: 24/4000-38/5000
Topsnelheid in km/uur: 100-125
Carrosserie/Chassis: buizenchassis
Uitvoering: sedan, cabrio-limousine, stationcar en cabriolet
Productiejaren: 1946-1954
Productie-aantal: ca. 55.000
In NL: 16
Prijzen: A: 1.400 B: 3.200 C: 5.000

PANHARD DYNA JUNIOR

In 1952 bood Panhard een nieuwe wagen aan die ook de man met de kleine beurs de mogelijkheid gaf sportief en open te rijden. De Junior stond op het onderstel van de Dyna maar had een opgevoerde motor. De wagen was op de Parijse Salon geïntroduceerd en door een journalist al direct met een rijdende broodtrommel vergeleken. Niet erg vriendelijk want de wagen met zijn pontoncarrosserie won een paar weken later al een Concours d'Elégance. In 1953 kreeg de wagen een grotere en sterkere motor die in 1955 nogmaals opgevoerd werd.

Aantal cilinders: 2
Cilinderinhoud in cm³: 745 en 850
Vermogen: 38/5000, 40/5000 en 42/5000
Topsnelheid in km/uur: 125, 130 en 135
Carrosserie/Chassis: buizenchassis
Uitvoering: cabriolet
Productiejaren: 1952-1956
Productie-aantal: ca. 2.000
In NL: 2
Prijzen: A: 3.600 B: 8.200 C: 12.300

PANHARD DYNA Z

Het verschil tussen de Dyna en zijn opvolger was groot. De eerste was nog een brave gezinsauto geweest, maar de Dyna 54 – ook wel Dyna Z – leek wel van een andere planeet. De carrosserie was aerodynamisch gevormd en in de wagen zelf vond men nylon en plastic. De auto had voor een doorlopende bank zodat 5 tot 6 personen gemakkelijk plaats hadden. Onder de motorkap bevond zich weer een luchtgekoelde boxermotor die, vooral in zijn Tigre-uitvoering, voor veel rijplezier zorgde. De Dyna 58 had stalen plaatwerkdelen.

Aantal cilinders: 2
Cilinderinhoud in cm³: 850
Vermogen: 35/5000, 42/5750 en 50/5750
Topsnelheid in km/uur: 120-150
Carrosserie/Chassis: platformchassis
Uitvoering: sedan, stationcar en cabriolet
Productiejaren: 1954-1959
Productie-aantal: 140.798
In NL: 19
Prijzen: A: 1.400 B: 2.700 C: 4.100

PANHARD PL17

Voor 1959 kreeg de Panhard een facelift. De carrosserie veranderde nauwelijks, maar zag er toch heel anders uit door de montage van andere bumpers, koplampen en achterlichten. De nieuwe wagen heette nu PL17. De goedkope uitvoering met de 35 pk motor was nu uit het programma genomen. Vanaf '61 scharnieren de voordeuren aan de voorzijde. Een jaar later is er de luxe Tigre S-versie. Deze auto's zijn nog steeds voor niet erg hoge prijzen te koop en ze zijn beslist interessant.

Aantal cilinders: 2
Cilinderinhoud in cm³: 850
Vermogen: 42/5750 en 50/5750
Topsnelheid in km/uur: 130-145
Carrosserie/Chassis: platformchassis
Uitvoering: sedan, cabriolet en stationcar
Productiejaren: 1959-1965
Productie-aantal: ca. 130.000
In NL: 39
Prijzen: A: 1.100 B: 2.000 C: 3.600

PANHARD PL17 CABRIOLET

In 1961 kostte een Panhard PL17 sedan in Nederland *f* 6.850,– en de cabrioletuitvoering de helft meer. Dat was een hele prijs, want voor hetzelfde geld kon men twee Volkswagen Kevers kopen. Maar de PL17 bood natuurlijk wel een heel ander rijplezier. De wagen was ruim genoeg voor de hele familie en de kofferbak groot genoeg voor de vakantiebagage. De cabriolet kon met de standaard luchtgekoelde kopklepmotor of met de motor uit de Tigre geleverd worden. Tegenwoordig zijn deze cabrio's pittig geprijsd. Ook in Frankrijk zelf.

Aantal cilinders: 2
Cilinderinhoud in cm³: 850
Vermogen: 42/5250 en 50/5750
Topsnelheid in km/uur: 130 en 145
Carrosserie/Chassis: platformchassis
Uitvoering: cabriolet
Productiejaren: 1960-1963
Productie-aantal: ca. 600
In NL: 1
Prijzen: A: 4.500 B: 11.800 C: 18.200

PANHARD 24B, BA & BT

In 1963 kwam Panhard met de duurste tweecilinder ter wereld, de 24-serie. Het betrof een coupé die in verschillende uitvoeringen aangeboden werd. De 'B' was de standaarduitvoering met vier zitplaatsen, de 'BA' de goedkope versie daarvan. Koos men in plaats van de standaardmotor die van de Tigre, dan veranderde de type-aanduiding in BT. Deze wagens rijden voortreffelijk en waren in velerlei opzicht hun tijd ver vooruit. Kennen fanatieke liefhebbers. In België gebouwde exemplaren zijn zeer zeldzaam, gezien de 417 stuks die Citroën in Brussel liet assembleren.

Aantal cilinders: 2
Cilinderinhoud in cm³: 850
Vermogen: 42/5750 en 50/5750
Topsnelheid in km/uur: 150-160
Carrosserie/Chassis: platformchassis
Uitvoering: coach
Productiejaren: 1963-1967
Productie-aantallen: 2.095, 161 en 10.798
In NL: 39 (incl. C-serie)
Prijzen: A: 1.100 B: 2.300 C: 4.100

PANHARD 24 C & CT

De 24 C en CT coupés waren B's met een negentien centimeter kortere wielbasis. Ook hier was de Tigre-motor weer een optie. Door het geringere gewicht was die CT een zeer rappe wagen geworden. De 24-serie kent vele snufjes, zoals de in alle standen verstelbare stoelen en de vooruitstrevende ventilatie die o.a. door de portieren langs de zijruiten loopt. Het is jammer dat Citroën Panhard om zeep hielp, want uit een eventuele evolutie van de 24 zouden interessante auto's ontstaan zijn. Het is niet altijd makkelijk om onderdelen voor deze wagens te vinden.

Aantal cilinders: 2
Cilinderinhoud in cm³: 850
Vermogen: 42/5750 en 50/5750
Topsnelheid in km/uur: 150-160
Carrosserie/Chassis: platformchassis
Uitvoering: coupé
Productiejaren: 1963-1967
Productie-aantallen: 1.654 en 14.653
In NL: zie hiervoor
Prijzen (CT): A: 1.800 B: 3.400 C: 5.900

PANHARD CD

Nadat Charles Deutsch zich van zijn partner René Bonnet had afgescheiden, ontwierp hij de Panhard CD voor races zoals die van Le Mans. In 1963 besloot Panhard de wagen in een kleine serie te bouwen, wat zeker een goed idee was. De tweezitter had een kunststof carrosserie die op een centraal buizenchassis gemonteerd was. In deze civiele uitvoering was de Tigre-motor sterk genoeg. De CD was al duur toen hij nieuw te koop was en dat is altijd zo gebleven. Voor vele Panhard-liefhebbers het summum.

Aantal cilinders	2
Cilinderinhoud in cm³	850
Vermogen	50/5750
Topsnelheid in km/uur	170
Carrosserie/Chassis	kunststof op een centrale buis
Uitvoering	coupé
Productiejaren	1963-1965
Productie-aantal	160
In NL	3
Prijzen	A: 5.400 B: 9.100 C: 13.600

PANTHER

Wat Brooks Stevens al in de vroege jaren vijftig in Amerika deed, imiteerde Bob Jankel twintig jaren later in Engeland. Namelijk het bouwen van auto's die we nu neoklassiekers noemen. Evenals de Excaliburs van Stevens hadden de auto's van Jankel de lijnen van een veteraan, maar de probleemloze techniek van een moderne auto. Zo verschenen er bij de Panther West Winds Ltd. replica's van de Bugatti Royale en van de Jaguar SS 100. Eind 1979 ging Jankel failliet en werd zijn bedrijf overgenomen.

PANTHER J72

De J72 was geïnspireerd door de Jaguar SS 100. De wagen had een wielbasis van 277 cm en een lengte van 409 cm. De auto was opgebouwd met Jaguar-onderdelen en was zowel met een zescilinder als met een V12 te koop. Daarvan zijn er 12 geleverd. Vanaf 1976 kon de J72 ook met een automatische bak geleverd worden en een jaar later werd de starre vooras door de onafhankelijke voorwielophanging van Jaguar vervangen. Hoewel een met de hand gebouwde wagen, wordt deze Panther door vele klassieker-liefhebbers niet voor vol aangezien.

Aantal cilinders	6 en V12
Cilinderinhoud in cm³	4235 en 5343
Vermogen	195/5000 en 270/5750
Topsnelheid in km/uur	200 en 220
Carrosserie/Chassis	aluminium/afzonderlijk chassis
Uitvoering	roadster
Productiejaren	1972-1980
Productie-aantal	368
In NL	n.b.
Prijzen	A: 7.900 B: 13.600 C: 20.400

PANTHER DEVILLE

Hij moest op een Bugatti Royale lijken en had de mechanische componenten van een Jaguar XJ meegekregen: de DeVille. De deuren waren opnieuw beklede Austin 1800-portieren. De immense wagen (518 cm) was een mooi staaltje vakwerk, aangezien zowel de carrosserie als het interieur met de hand gemaakt werd. De cabriolet (11 stuks) kon met een elektrische kap plus een hardtop geleverd worden. Er is één zesdeurs limousine afgeleverd plus één coupé. In '79 ging de firma over in handen van de Koreaan Young C. Kim. Hoogst geprijsde Panther.

Aantal cilinders	6 en V12
Cilinderinhoud in cm³	4235 en 5343
Vermogen	195/5000 en 270/5750
Topsnelheid in km/uur	180 en 215
Carrosserie/Chassis	aluminium/afzonderlijk chassis
Uitvoering	sedan en cabriolet
Productiejaren	1974-1985
Productie-aantal	59
In NL	n.b.
Prijzen	A: 13.600 B: 29.500 C: 43.100

PANTHER RIO

Het idee van een wagen met de luxe van een Rolls-Royce en met een oliecrisisbestendige techniek was niet slecht, halverwege de jaren zeventig. Op basis van een Triumph Dolomite bouwde Panther zijn Rio. De met de handgeklopte aluminium carrosserie werd voorzien van een klassieke grille en er was leer en hout in overvloed. Een variant op het thema was de Especial met aluminium velgen en de techniek van de Dolomite Sprint met zestien kleppen. De wagen was driemaal zo duur als een Dolomite. Niet meer dan 36 kopers wereldwijd lieten zich verleiden door de Rio. Geen carnaval voor Panther dus.

Aantal cilinders	4
Cilinderinhoud in cm³	1854-1998
Vermogen	92/5500-129/5700
Topsnelheid in km/uur	160-185
Carrosserie/Chassis	aluminium/afzonderlijk chassis
Uitvoering	sedan
Productiejaren	1975-1977
Productie-aantal	36
In NL	n.b.
Prijzen	A: 2.300 B: 4.500 C: 7.900

PANTHER LIMA

De Lima was het eerste model van Panther dat in een werkelijke serie gebouwd werd. Dit was mogelijk geworden nadat de Vauxhall-dealers de wagen in Engeland in hun assortiment hadden opgenomen. De Lima stond voor het eerst op de tentoonstelling die in 1976 in Londen gehouden werd. De technische delen van de Lima waren van de Vauxhall Magnum. De carrosserie was van kunststof. Om de motorkap laag te kunnen houden, had Jankel de motor 45 graden gekanteld. Vanaf 1978 is er een versie met turbolader leverbaar geweest.

Aantal cilinders: 4
Cilinderinhoud in cm³: 2279
Vermogen: 111/5200-178/6000
Topsnelheid in km/uur: 175
Carrosserie/Chassis: kunststof/zelfdragend
Uitvoering: roadster
Productiejaren: 1976-1981
Productie-aantal: 920
In NL: n.b.
Prijzen: A: 4.500 B: 6.300 C: 9.100

PANTHER KALLISTA

Op de London Motor Show van 1982 presenteerde het inmiddels Koreaanse Panther de Kallista. Het was een tweepersoons roadster die er weliswaar nostalgisch uitzag, maar geen imitatie van een vooroorlogse wagen voorstelde. De carrosserie was geheel van aluminium en de mechanische delen stamden uit de Ford-fabriek in Dagenham, wat een goede kwaliteit en een goedkoop onderhoud moest garanderen. Er was keus uit een vier- of zescilinder. Het model van 1984 kon ook met benzine-inspuiting geleverd worden.

Aantal cilinders: 4 en 6
Cilinderinhoud in cm³: 1598 en 2792
Vermogen: 96/6000-150/5700
Topsnelheid in km/uur: 170-195
Carrosserie/Chassis: aluminium/afzonderlijk chassis
Uitvoering: cabriolet
Productiejaren: 1982-1990
Productie-aantal: 1.741.
In NL: n.b.
Prijzen: A: 4.500 B: 6.800 C: 12.500

PEGASO

Tussen 1951 en 1958 ontstonden er bij de Empresa Nacional de Autocamiones SA in Barcelona – in de voormalige Hispano-Suiza-fabriek – een handvol super sportwagens. De geestelijke vader van deze peperdure wagens was niemand anders dan Don Wilfredo Ricart van wie men beweerde dat hij een heel goede vriend van generaal Franco en een aartsvijand van Enzo Ferrari was. In de jaren dertig had Ricart samen met Ferrari bij Alfa Romeo gewerkt, maar later kregen ze onenigheid. De naar schatting slechts 112 gebouwde Pegaso's kunnen tot de technisch mooiste sportwagens gerekend worden.

PEGASO Z102

De Z102 was de eerste versie die Pegaso uitbracht. De motor was niet veel minder dan een Grand-Prix-motor, een V8 met vier bovenliggende nokkenassen. Interessant was dat de vijfversnellingsbak achter het differentieel gemonteerd was om een betere gewichtsverdeling te verkrijgen. Op verzoek kon de V8 ook van 2 Roots compressors voorzien worden waarmee het vermogen tot 280 pk steeg. Hoewel de fabriek fraaie coupés afleverde, stortten enkele carrosseriebouwers zich op de Spaanse volbloed.

Aantal cilinders: V8
Cilinderinhoud in cm³: 2472 en 2816
Vermogen: 170/6300 en 250/6300
Topsnelheid in km/uur: 205 en 240
Carrosserie/Chassis: half-zelfdragend/buizenchassis
Uitvoering: coupé en cabriolet
Productiejaren: 1951-1956
Productie-aantal: 112 (incl. Z103)
In NL: n.b.
Prijzen: A: 40.800 B: 56.700 C: 90.800

PEGASO Z103

Op de Parijse tentoonstelling van 1955 trok de Pegaso Z103 veel aandacht. Carrozzeria Touring was inmiddels de 'huisarchitect' geworden en had ook deze wagen aangekleed. De motor was niet wat men van Pegaso mocht verwachten, maar een ordinaire kopklepper met een laag gemonteerde nokkenas, die door gebruik te maken van veel dubbele Weber-carburateurs het toch tot een redelijk vermogen bracht. De Z103 was de laatste versie van de Pegaso. De fabriek beperkte zich daarna tot de vrachtwagenproductie.

Aantal cilinders: V8
Cilinderinhoud in cm³: 3988, 4450 en 4681
Vermogen: 230-300/5500
Topsnelheid in km/uur: 220-250
Carrosserie/Chassis: aluminium/afzonderlijk chassis
Uitvoering: coupé en cabriolet
Productiejaren: 1955-1958
Productie-aantal: zie hiervoor
In NL: n.b.
Prijzen: A: n.v.t. B: n.v.t. C: n.v.t.

PEUGEOT

Net als Panhard is Peugeot een heel oude firma die al in 1889 auto's bouwde. In tegenstelling tot Panhard heeft Peugeot echter meestal conservatieve, maar gelijktijdig ook oerdegelijke, auto's gemaakt. De kopers wisten het te waarderen en kochten, en kopen, de wagens uit het stadje Sochaux. Naast de standaard-versies leverde het bedrijf vaak aardige coupés en cabrio's voor de liefhebbers. Inmiddels vormt Peugeot, samen met Talbot en Citroën, het PSA-concern.

PEUGEOT 202

Aangezien Frankrijk in 1944 door de geallieerden bevrijd was, kon men al in 1945 met de productie van personenwagens beginnen. Dat deed Peugeot ook en wel met zijn 202 die voor de oorlog al zo'n succes geweest was. Men herkende de auto ('s avonds) reeds op een grote afstand aan de twee direct naast elkaar achter de grille gemonteerde koplampen. De Break is in de stijl van een woody, dus met houten delen. Standaard heeft de sedan een schuifdak. Geen makkelijk te verkopen auto en dus niet duur. Dat laatste geldt niet voor de twee open versies.

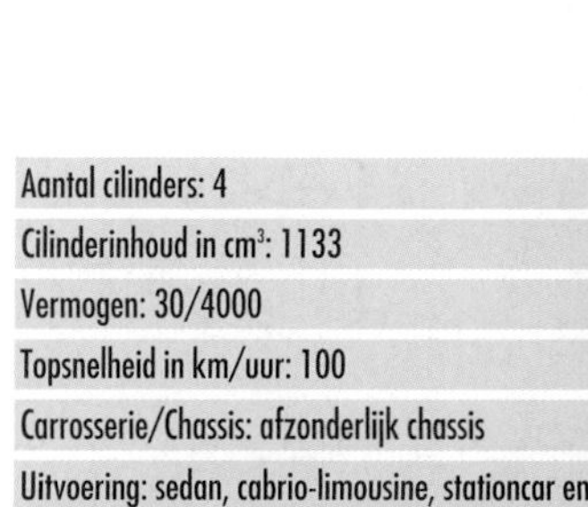

Aantal cilinders: 4
Cilinderinhoud in cm³: 1133
Vermogen: 30/4000
Topsnelheid in km/uur: 100
Carrosserie/Chassis: afzonderlijk chassis
Uitvoering: sedan, cabrio-limousine, stationcar en cabriolet
Productiejaren: 1938-1949
Productie-aantal: 104.126
In NL: n.b.
Prijzen: A: 1.400 B: 3.400 C: 5.900

PEUGEOT 203 BERLINE

Met de 203 kwam Peugeot met zijn eerste naoorlogse ontwerp voor de dag. De wagen was modern wat lijnen betreft, maar ook op technisch gebied. Een aluminium cilinderkop met halfbolvormige verbrandingsruimten en onafhankelijke voorwielophanging waren toen nog geen gemeengoed. Ook was de motor 'overvierkant', wat betekende dat de boring (75 mm) groter was dan de slag (73 mm). In de jaren zeventig was de 203 net als de Traction Avant populair onder Nederlandse studenten. Tegenwoordig tijdens evenementen volop te zien.

Aantal cilinders: 4
Cilinderinhoud in cm³: 1290
Vermogen: 42/4500 en 45/4500
Topsnelheid in km/uur: 120
Carrosserie/Chassis: zelfdragend
Uitvoering: berline
Productiejaren: 1949-1960
Productie-aantal: 495.776
In NL: n.b.
Prijzen: A: 1.800 B: 4.100 C: 6.400

PEUGEOT 203 L FAMILIALE & COMMERCIALE

Onder de naam 'limousine familiale' bracht Sochaux in 1950 een zeer ruime 203 uit voor acht personen. De wielbasis was met twintig centimeter toegenomen en daarom duidde men deze 203 met zes zijruiten ook wel als 203 L(ongues) aan. De achtervering was aangepast met halfelliptische bladveren. Het was de enige Familiale op de markt op dat moment, aangezien Citroën pas in '54 terugkwam met een Traction in deze categorie. Voor de middenstand was er een sobere Commerciale zonder sierstrips en verchroomde bumpers.

Aantal cilinders: 4
Cilinderinhoud in cm³: 1290
Vermogen: 42/4500 en 45/4500
Topsnelheid in km/uur: 105 en 110
Carrosserie/Chassis: zelfdragend
Uitvoering: stationcar
Productiejaren: 1950-1956
Productie-aantallen: 25.218 en 36.635
In NL: n.b.
Prijzen: A: 1.100 B: 3.600
(Familiale) C: 6.400

PEUGEOT 203 DÉCOUVRABLE & DÉCAPOTABLE

Een jaar na de berline verscheen de 203 met een découvrable-carrosserie. Hier bleven de zijkanten inclusief de zijruiten staan, terwijl het linnen dak naar achter gerold kon worden. Een 'echte' cabriolet, het leek wel een sportwagen, kwam in oktober 1951 op de Parijse salon. Het was een tweezitter met bagageruimte achter de stoelen; er zijn er 2.567 van geleverd. Zoals bij alle 203's openden de portieren 'verkeerd'. De découvrable (prijzen hiernaast) is 11.129 keer verkocht. Voor de echte cabrio dient men de prijzen met de factor 2 te vermenigvuldigen.

In NL: n.b.
Prijzen: A: 2.700 B: 6.800
(découvrable) C: 10.400

PEUGEOT 203 COUPÉ

Toen in oktober 1952 de gewone 203 zijn eerste grotere veranderingen kreeg, werd de wagen ook als tweepersoons coupé voorgesteld, waarvan vooral het elegante dak opviel. Het werd ondanks de karakteristieke lijnen geen succes en in 1954 stopte de productie reeds. Technisch was de wagen natuurlijk identiek aan de sedan. Aan de stuurschakeling moest je vanwege het niet zo gebruikelijke schakelschema even wennen. Toen en nu zeldzaam en duur. Het gebeurt niet zo vaak dat een coupé duurder is dan een open familielid zoals de découvrable.

Productie-aantal: 955
In NL: n.b.
Prijzen: (coupé) A: 3.600 B: 8.600 C: 14.700

PEUGEOT 403 BERLINE

Met de hulp van Pinin Farina ontstond de ruime carrosserie voor de 403. Ook dit model 'overlapte' zijn voorganger met wie hij zo vele technische onderdelen deelde. De 403 was in '55, toen ook de DS van Citroën uitkwam, in feite een enigszins verouderde wagen, maar toch hield de productie twaalf jaar stand. Voor 1960 verschijnt de 403 Sept met de motor van de 203. De 403 is nog geen populaire klassieker en men ziet ze in Frankrijk nog geregeld in gewoon gebruik. Vanaf 1959 was er een lawaaiige dieselversie leverbaar.

Aantal cilinders: 4
Cilinderinhoud in cm³: 1290, 1468 en 1816 (Diesel)
Vermogen: 50/4000-65/4900
Topsnelheid in km/uur: 120-135
Carrosserie/Chassis: zelfdragend
Uitvoering: sedan
Productiejaren: 1955-1966
Productie-aantal: 657.985
In NL: n.b.
Prijzen: A: 1.400 B: 2.900 C: 4.800

PEUGEOT 403 CABRIOLET

De cabrioletuitvoering, zonder twijfel de mooiste uit de 403-familie, kwam na de Parijse Salon van 1956 in de handel. De wagen stond op dezelfde wielbasis als de berline en bood plaats aan vier personen. De motor had een hogere compressieverhouding dan die van de gewone 403 en leverde dus een paar pk's meer. Deze open 403's zijn tegenwoordig erg duur en dat komt niet alleen door de populaire televisie-detective Columbo. De huidige positie van de open 403 in de klassiekerwereld is vergelijkbaar met die van de veel duurdere cabrio DS.

Aantal cilinders: 4
Cilinderinhoud in cm³: 1468
Vermogen: 61/4900
Topsnelheid in km/uur: 140
Carrosserie/Chassis: zelfdragend
Uitvoering: cabriolet
Productiejaren: 1956-1961
Productie-aantal: 2.050
In NL: n.b.
Prijzen: A: 6.800 B: 13.200 C: 19.300

PEUGEOT 403 FAMILIALE & COMMERCIALE

Toen de 203 Familiale voor modeljaar 1957 niet meer leverbaar was, kwam er een 403 Familiale. Ook hier weer een langere wielbasis van ditmaal 24 centimeter meer. De Familiale volgde de normale 403-evolutie. Zo was er vanaf 1960 een dieseluitvoering. De Commerciale had minder chroom, aanvankelijk geen wieldoppen, gespoten bumpers, maar wel een buitenspiegel op het linker voorscherm. Beide motorvarianten bleven tot de productiestop van de breaks aan het eind van 1962 in het programma. Toen volgde de 404 Break de wagen op.

Aantal cilinders: 4
Cilinderinhoud in cm³: 1468 en 1816
Vermogen: 48/4000- 58/4900
Topsnelheid in km/uur: 105-125
Carrosserie/Chassis: zelfdragend
Uitvoering: break
Productiejaren: 1957-1962
Productie-aantallen: 34.928 en 119.493
In NL: n.b.
Prijzen: (Familiale) A: 1.100 B: 2.500 C: 4.300

PEUGEOT 404 BERLINE

Weer was het Pininfarina geweest die de opvolger voor de 403-serie ontworpen had. Het leek een grote wagen maar toch was hij 5 cm korter, 5 cm smaller en 6 cm lager dan de 403. De auto ging in 1960 als 404 in productie en kon met verschillende motoren – ze waren 45 graden naar rechts in het chassis gekanteld – geleverd worden. De krachtigste uitvoering had benzine-inspuiting en een vermogen van 88 pk. Op verzoek kon een interieur van echt leer gemonteerd worden. Vanaf '63 was er een dieselmotor. Ideaal voor dagelijks gebruik.

Aantal cilinders: 4
Cilinderinhoud in cm³: 1468, 1618 (benzine); 1816 en 1948 (Diesel)
Vermogen: 53/5000 tot 88/5700
Topsnelheid in km/uur: 120-160
Carrosserie/Chassis: zelfdragend
Uitvoering: sedan
Productiejaren: 1960-1975
Productie-aantal: 1.632.195
In NL: n.b.
Prijzen: A: 1.100 B: 2.900 C: 5.000

PEUGEOT 404 BREAK

De stationcar van de 404-reeks werd vanaf 1962 in diverse uitvoeringen aangeboden. Achter de aanduiding Break gingen een Commerciale en een Familiale schuil. Die laatste is voor het vervoer van acht personen. Daarnaast was er vanaf 1968 een pick-up, die hier buiten beschouwing blijft. Ook waren er naast diesels verschillende afwerkingsniveaus. Erg aantrekkelijk was de Break Super Luxe (vanaf 1964). Hoewel de sedan nog tot 1975 in het programma bleef, verdween de Break al in 1971. Tegenwoordig komen er vele alsnog uit Frankrijk.

Aantal cilinders: 4
Cilinderinhoud in cm³: 1468-1948
Vermogen: 53/5000-88/5700
Topsnelheid in km/uur: 120-160
Carrosserie/Chassis: zelfdragend
Uitvoering: stationcar
Productiejaren: 1962-1971
Productie-aantal: ca. 400.000
In NL: n.b.
Prijzen: A: 1.400 B: 3.400 C: 5.700

PEUGEOT 404 CABRIOLET

Het was bij Peugeot langzaam de gewoonte geworden om van een nieuw type berline ook een cabriolet en vaak ook een coupé te brengen. Bij de 404 werd hier geen uitzondering gemaakt en daarom had ook Pininfarina weer werk gekregen. De wagens waren zowel met een carburateur- als met een inspuitmotor te koop. Ze zijn helaas erg roestgevoelig. Ze werden jaren voordat de sedan verdween uit productie genomen. Mooie exemplaren van de cabrio brengen een goede prijs op, maar net als voor de coupé geldt dat er veel (verborgen) roestvorming kan zijn.

Aantal cilinders: 4
Cilinderinhoud in cm³: 1618
Vermogen: 85/5500-96/5500
Topsnelheid in km/uur: 150-165
Carrosserie/Chassis: zelfdragend
Uitvoering: cabriolet
Productiejaren: 1961-1969
Productie-aantal: 3.728
In NL: n.b.
Prijzen: A: 3.200 B: 7.700 C: 11.800

PEUGEOT 404 COUPÉ

In oktober 1962 stond er een coupéuitvoering van de Peugeot 404 op de Parijse salon. Natuurlijk stamde het ontwerp ook van Pininfarina, die zich weinig moeite had hoeven getroosten aangezien de nieuwe wagen niets anders was dan een cabriolet met een vast dak. De auto bood ruimte aan vijf personen, had een lengte van 450 cm en een gewicht van 1100 kg. De 404-motor was met carburateurs of met benzine-inspuiting te krijgen. De 404 coupé is een elegant gelijnde wagen die terecht fanatieke liefhebbers kent. Goede exemplaren zijn vanwege de roestproblemen echter schaars.

Aantal cilinders: 4
Cilinderinhoud in cm³: 1618
Vermogen: 85/5500-96/5500
Topsnelheid in km/uur: 150-160
Carrosserie/Chassis: zelfdragend
Uitvoering: coupé
Productiejaren: 1962-1969
Productie-aantal: 6.837
In NL: n.b.
Prijzen: A: 1.800 B: 5.000 C: 7.700

PEUGEOT 504

In september 1968 verscheen Peugeot met de 504 die vooral door zijn ongewone achterkant met het 'knikje' opviel. Het was Pininfarina weer gelukt een solide gezinsauto te tekenen. De koplampen waren nu rechthoekig, maar wat belangrijker was: de achterwielen waren nu ook onafhankelijk geveerd, wat de toch al goede wegligging van de Peugeots nog verbeterde. De bestelwagen-met-ruiten noemde men ook bij dit model de Commerciale, terwijl de luxe stationcar Familiale gedoopt was. De diesel was er vanaf 1970. Die motor zou nog twee maal groeien.

Aantal cilinders: 4
Cilinderinhoud in cm³: 1796, 1971 (benzine); 1948, 2112 en 2304 (Diesel)
Vermogen: 53/4500-106/5000
Topsnelheid in km/uur: 130-185
Carrosserie/Chassis: zelfdragend
Uitvoering: sedan en stationcar
Productiejaren: 1969-1983
Productie-aantal: 2.836.237
In NL: n.b.
Prijzen: A: 700 B: 1.800
(inj.) C: 3.400

PEUGEOT 504 COUPÉ

Het kan niet moeilijk zijn een 504 coupé op de kop te tikken. Er zijn er relatief veel van gemaakt en ze waren lang in productie. Ze hadden een kortere wielbasis dan de sedan en daarom waren ze wat binnenruimte betreft iets aan de krappe kant. Ze vierden hun première op de salon van Genève in 1969 en waren eerst met een inspuitmotor en later met een V6 verkrijgbaar. Vanaf 1977 is er weer een vierpitter met een inhoud van twee liter. Mooie wagens met veel comfort, maar helaas erg roestgevoelig. Die V6 was overigens een product van Peugeot, Renault en Volvo tezamen.

Aantal cilinders: 4 en V6
Cilinderinhoud in cm³: 1796, 1971 en 2664
Vermogen: 104/5600-144/5750
Topsnelheid in km/uur: 170-185
Carrosserie/Chassis: zelfdragend
Uitvoering: coupé
Productiejaren: 1969-1982
Productie-aantal: 26.629
In NL: n.b.
Prijzen: A: 2.500 B: 5.000 C: 7.700

PEUGEOT 504 CABRIOLET

Technisch was de open uitvoering van de 504 natuurlijk identiek aan die van de coupé en ook stamde het carrosserie-ontwerp weer van de Italiaanse Carrozzeria Pininfarina. De vijfpersoonswagen had een gesynchroniseerde vierversnellingsbak en kon op verzoek alleen voor 1972, en tegen meerprijs, ook met een automaat geleverd worden. De vier bekrachtigde schijfremmen waren geen overbodige luxe voor de snelle wagen. De cabriolet is er vanaf 1977 uitsluitend nog als viercilinder. Echt goede exemplaren zijn schaars. De alom voorkomende roest zit vaak onderhuids.

Aantal cilinders: 4 en V6
Cilinderinhoud in cm³: 1796, 1971 en 2664
Vermogen: 104/5600-144/5750
Topsnelheid in km/uur: 170-185
Carrosserie/Chassis: zelfdragend
Uitvoering: cabriolet
Productiejaren: 1969-1982
Productie-aantal: 8.135
In NL: n.b.
Prijzen: A: 4.100 B: 8.400 C: 12.700

PEUGEOT 204

Toen de Peugeot 204 in 1965 op de markt kwam, was het technisch een van de modernste wagens in zijn klasse. Pininfarina had de koets getekend, de auto had voorwielaandrijving en de motor stond dwars onder de motorkap. De viercilinder had een bovenliggende nokkenas en alle vier wielen waren onafhankelijk geveerd, terwijl de voorste van schijfremmen voorzien waren. Er was ook een diesel-versie. De 204's waren uiterst betrouwbare auto's en vele rijden er in het stamland tot op heden nog rond. Begint langzamerhand iets in prijs te stijgen.

Aantal cilinders: 4
Cilinderinhoud in cm³: 1130-1357
Vermogen: 45/5000-60/5800
Topsnelheid in km/uur: 128-140
Carrosserie/Chassis: zelfdragend
Uitvoering: sedan en stationcar
Productiejaren: 1965-1976
Productie-aantal: 1.505.365
In NL: n.b.
Prijzen (benzine): A: 700 B: 1.300 C: 2.000

PEUGEOT 204 CABRIOLET & COUPÉ

Ook van de revolutionaire 204 kwamen er een cabriolet en een coupé. Vooral de open versie was aantrekkelijk en eigenlijk is hij dat nog steeds. Goedkoop in onderhoud en tot aan de voorruit is de wagen identiek aan de sedan. De coupé is niet ieders smaak en tegenwoordig is het geen gewild wagentje, ook niet in Frankrijk zelf. De cabrio's echter wel en die kosten dan ook het dubbele van een coupé. Helaas zijn ze wel extreem roestgevoelig. Leuke zomerauto die tegen geringe gebruikskosten inzetbaar is.

Aantal cilinders: 4
Cilinderinhoud in cm³: 1130
Vermogen: 53/5800
Topsnelheid in km/uur: 142
Carrosserie/Chassis: zelfdragend
Uitvoering: cabriolet en coupé
Productiejaren: 1966-1970
Productie-aantallen: 18.181 en 42.765
In NL: n.b.
Prijzen (cabrio): A: 2.300 B: 5.000 C: 6.800

PEUGEOT 304 & 304 S

De Peugeot 304 vulde het gat tussen de 204 en de 504, maar had evenals de 204 voorwielaandrijving. De eerste exemplaren hadden nog stuurversnelling, iets wat vandaag de dag ouderwets aandoet. In de herfst van 1972 kwam de 304 S uit, die zijn extra vermogen voornamelijk aan een dubbele Solex-carburateur te danken had. De S (vanaf '77 SLS) had ook een gescheiden remsysteem met grotere schijven aan de voorwielen. De 204 is in onze ogen wat karakteristieker. Ook van de 304 is er vanaf 1977 een dieselversie. De sedan verdwijnt in 1979.

Aantal cilinders: 4
Cilinderinhoud in cm³: 1127-1548
Vermogen: 45/5750 en 80/6100
Topsnelheid in km/uur: 130-160
Carrosserie/Chassis: zelfdragend
Uitvoering: sedan en stationcar
Productiejaren: 1969-1980 en 1972-1980
Productie-aantal: 1.255.476
In NL: n.b.
Prijzen (benzine): A: 700 B: 1.300 C: 2.000

PEUGEOT 304/304 S COUPÉ & CABRIOLET

De coupé en cabriolet op basis van de 304 kwamen een jaar na de sedan op de markt. Bleef de gewone 204 leverbaar naast de 304, de bijzondere uitvoeringen volgden elkaar op. Ook hier geldt weer dat er op sloperijen op sedans nog vele onderdelen te vinden zijn die de liefhebber van de coupé of cabrio passen. De prijzen van deze sportievere 304's ontlopen die van de 204 amper. Kenners beweren echter dat 304's harder roesten dan 204's. De S-versies vervangen de andere en ze verschijnen net als de sedans ook in 1972.

Aantal cilinders: 4
Cilinderinhoud in cm³: 1288
Vermogen: 70/6000 en 80/6100
Topsnelheid in km/uur: 152-160
Carrosserie/Chassis: zelfdragend
Uitvoering: coupé en cabriolet
Productiejaren: 304:1970-1972; 304 S: 1972-1975
Productie-aantallen: 304: 28.782 en 9.213; 304 S: 31.404 en 9.434
In NL: n.b.
Prijzen: (coupé) A: 900 B: 1.700 C: 3.100

PEUGEOT 604

Op de tentoonstelling in Genève die in maart 1975 gehouden werd, stond Peugeot weer met een grote luxe auto op de stand. De 604 was een ruime vijfpersoonswagen die zowel met een vierversnellingsbak als met een automaat (van General Motors) geleverd kon worden. Het motorblok en de cilinderkop, met een bovenliggende nokkenas, waren van aluminium. Onafhankelijke vering en schijfremmen aan alle vier wielen behoorden tot de standaarduitrusting. Eind 1977 kwam de 604 Ti uit met benzine-inspuiting en een vijfbak. Nog geen klassieker, maar er zijn al liefhebbers voor.

Aantal cilinders: V6
Cilinderinhoud in cm³: 2664 en 2849; 2304 en 2498 (diesel)
Vermogen: 136/5750 -155/5750; 80-95/4150 (diesel)
Topsnelheid in km/uur: 145-200
Carrosserie/Chassis: zelfdragend
Uitvoering: sedan en limousine
Productiejaren: 1975-1986
Productie-aantal: 153.252
In NL: 100
Prijzen: A: 600 B: 1.800 C: 3.000

PEUGEOT 104 BERLINE

In 1972 presenteerde Peugeot de kortste sedan ter wereld: de 104. Wederom had Pininfarina er de hand in gehad. Technisch was het autootje niet mis met zijn rondom onafhankelijke wielophanging en dwars geplaatste, naar achteren gekantelde aluminium motor met bovenliggende nokkenas. Voor 1977 was er een 'vijfde deur'. Er volgden in de lange looptijd vele typen, die verschilden in afwerking en vermogen. Halverwege de jaren tachtig bouwde Peugeot de reeks af en in '85 werd de sedan geschrapt. Gek genoeg keerde tegen een stuntprijs de vierdeurs in 1986 terug.

Aantal cilinders: 4
Cilinderinhoud in cm³: 954-1360
Vermogen: 50/6000-72/6000
Topsnelheid in km/uur: 135-158
Carrosserie/Chassis: zelfdragend
Uitvoering: sedan
Productiejaren: 1973-1984 en 1986-1988
Productie-aantal: 1.619.787 (alle typen)
In NL: n.b.
Prijzen: A: 100 B: 450 C: 900

PEUGEOT 104 COUPÉ

Voor 1974 was de 104 coupé productierijp. Hij mat 19 cm korter dan de vierdeurs, had een derde deur en een veel completere uitrusting. Vanwege de komst van de snellere ZS voor 1976 heette de gewone coupé voortaan ZL en deze kreeg een jaar later een 1.124 cc-motor. In '78 herdoopte men het wagentje in ZR. De ZS had vanaf 1980 een 1.360 cc-motor. Voor 1981 verscheen de spaar-coupé Z met vierkante koplampen. In 1983 verdween de ZR en in 1986 de ZS. Voor '87 was er de iets luxueuzere Style Z, die naast de Z leverbaar bleef tot het eind van de productieperiode.

Aantal cilinders: 4
Cilinderinhoud in cm³: 954-1361
Vermogen: 66/6000-80/5800
Topsnelheid in km/uur: 140-165
Carrosserie/Chassis: zelfdragend
Uitvoering: coupé
Productiejaren: 1973-1988
Productie-aantal: zie hiervoor
In NL: n.b.
Prijzen: A: 340 B: 800 C: 1.400

PEUGEOT 505

In de lijnentheorie van de 604 en 305 kwam Peugeot in 1979 met de 505 van – wie anders? – Pininfarina. Een tamelijk onopvallende wagen, die echter heel veel rijplezier kon en kan bieden. Veel motorvariatie: benzine, diesel, V6 en zelfs turbo-injectie. Die laatste is de snelste 505. Enkele onderdelen zijn uitwisselbaar met die van de 504. Net als bij de 604 geen coupé of cabriolet in serieproductie, maar nog wel een Familiale. Pas recentelijk pakte Sochaux met de 406 coupé een aloude traditie van het merk weer op.

Aantal cilinders: 4 en V6
Cilinderinhoud in cm³: 1796-2849
Vermogen: 70/4500-180/5200
Topsnelheid in km/uur: 140-200
Carrosserie/Chassis: zelfdragend
Uitvoering: sedan en stationcar
Productiejaren: 1979-1992
Productie-aantal: 1.743.650
In NL: n.b.
Prijzen: A: 200 B: 1.600 C: 3.200

PEUGEOT 205 TURBO 16 1984-1985

De 205 was een reuze succes. Hij was in allerlei uitvoeringen en met verschillende motoren te koop, maar miste één ding: de kracht om een race of rally te winnen. Dit veranderde in 1984 toen de fabriek de Turbo 16 op de markt bracht. Met de oorspronkelijke 205 had hij alleen nog de vorm gemeenschappelijk, want de 16-klepper met KKK turbocompressor stond nu vóór de achteras waar de ander een achterbank had. De Turbo 16 maakte Peugeot in 1985 en '86 wereldkampioen en een jaar later won men er de prestigieuze rally Parijs-Dakar mee.

Aantal cilinders:	4
Cilinderinhoud in cm³:	1775
Vermogen:	200/6750
Topsnelheid in km/uur:	210
Carrosserie/Chassis:	zelfdragend
Uitvoering:	coach
Productiejaren:	1983-1985
Productie-aantal:	200
In NL:	n.b.
Prijzen:	A: 15.900 B: 27.200 C: 34.000

PHILLIPS

Hoewel de Excalibur en Clénet al op de markt waren, bouwde Charles Walter Phillips in zijn Phillips Motor Car Company vanaf 1979 in Pompano Beach, Florida, zijn Berlina. Het was duidelijk te zien dat de Chevrolet Corvette de basis vormde voor de barokke Berlina. De inspiratiebron was ook hier weer de Mercedes-Benz 540K, maar dan wel de coupé. Later gebruikte Phillips ook de Mercedes 500 SEL als basis. Of dit voor velen totaal onbekende merk nog steeds bestaat, valt te betwijfelen.

PHILLIPS BERLINA

Een erg barokke 540K-replica was de Phillips Berlina coupé. Het is op zich al curieus te noemen dat je een coupé Berlina noemt, maar in Amerika kan alles. Veel kwam van de Corvette, in ieder geval de motor en de automaat, maar ook bijvoorbeeld de voorruit. Twee reservewielen aan weerszijden en een targadak behoorden net als het inbraakalarm tot de standaarduitrusting. De firma kondigde in 1979 aan niet meer dan 500 Berlina's te zullen bouwen. Of dat aantal gehaald is, is niet bekend.

Aantal cilinders:	V8
Cilinderinhoud in cm³:	5733
Vermogen:	193/4400
Topsnelheid in km/uur:	200
Carrosserie/Chassis:	afzonderlijk chassis
Uitvoering:	coupé
Productiejaren:	1979-n.b.
Productie-aantal:	n.b.
In NL:	2
Prijzen:	A: 9.100 B: 18.200 C: 27.200

PLAYBOY

De auto's die de firma Playboy Motor Car Corporation in Buffalo bouwde, waren in de maten bijna vergelijkbaar met een Europese kleine auto. Ze stonden op een wielbasis van 228 cm en waren nog geen vier meter lang. De fabrikanten adverteerden de auto als de modernste die in Amerika gebouwd werd en zochten gelijktijdig met advertenties naar geldschieters. Toen die zich niet meldden – er was vraag naar 20 miljoen dollar! – was het gauw gebeurd met de zaken.

PLAYBOY

De heren Horowitz en Thomas bouwden in 1947 de Playboy. Het was een kleine driezitscabriolet met een met de hand neerklapbaar metalen dak. In het begin gebruikte men viercilinder Hercules-motoren. Voor 1948 kwam er een Continental-motor en die werd in 1951 afgelost door een vierpitter van Willys. Intussen was de introductieprijs van $ 985 verhoogd tot $ 1600 en voor die prijs kon je bijna ook een volwassen cabrio van de grote merken kopen. Of de naam van de auto zo slim gekozen was mogen we betwijfelen.

Aantal cilinders:	4
Cilinderinhoud in cm³:	1489-2199
Vermogen:	38/3400-72/4000
Topsnelheid in km/uur:	100-120
Carrosserie/Chassis:	zelfdragend
Uitvoering:	cabriolet
Productiejaren:	1947-1951
Productie-aantal:	97
In NL:	n.b.
Prijzen:	A: 1.400 B: 4.500 C: 6.800

PLYMOUTH

De Chrysler Corporation stichtte het merk Plymouth in 1928. Het werd het goedkoopste merk in de Corporation, dat het moest opnemen tegen de goedkope Fords en Chevrolets. De auto's hadden een zescilindermotor en ook na de oorlog kon men – tot 1955 – geen Plymouth met een achtcilindermotor kopen. In de VS bleef het merk zeer goed verkopen maar de andere Chrysler-tak Dodge haalde het uiteindelijk toch in. Vanaf 1960 tot 1970 werden er in Nederland 18.924 Plymouths geassembleerd. Inmiddels bestaat het merk niet meer.

PLYMOUTH 1946-1948

In februari 1946 kon Plymouth zijn eerste naoorlogse personenwagens afleveren en ze zouden tot in het voorjaar van 1949 onveranderd in productie blijven. Ze waren er in twee basis-series: als DeLuxe Six en als Special DeLuxe Six. Ze hadden beide dezelfde motor, maar verschilden in accessoires en uiterlijke kleinigheden. Wilde men echter een cabriolet of een stationcar, dan was men op de duurdere serie aangewezen. De aloude Plymouths werden uitstekend verkocht.

Aantal cilinders: 6
Cilinderinhoud in cm³: 3567
Vermogen: 96/3600
Topsnelheid in km/uur: 130
Carrosserie/Chassis: afzonderlijk chassis
Uitvoering: coach, sedan, stationcar, coupé en cabriolet
Productiejaren: 1946-1948
Productie-aantal: 1.054.118
In NL: n.b.
Prijzen: A: 1.800 B: 3.400 C: 5.900

PLYMOUTH DELUXE 1949-1950

In 1949 kregen de personenwagens van het Chrysler-concern voor het eerst sinds de oorlog nieuwe carrosserieën. De Plymouth zag er dan ook heel wat moderner uit, hoewel de carrosserie nog geen volledige pontonvorm had, aangezien de achterspatborden nog duidelijk uit de carrosserie staken. Er waren de reeksen DeLuxe en Special DeLuxe met twee wielbases elk. Afgebeeld is een P-17 DeLuxe Business Coupé waarvan er 13.715 geleverd zijn in 1949.

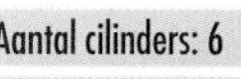

Aantal cilinders: 6
Cilinderinhoud in cm³: 3567
Vermogen: 98/3600
Topsnelheid in km/uur: 130
Carrosserie/Chassis: afzonderlijk chassis
Uitvoering: coach, sedan, cabriolet, coupé en stationcar
Productiejaren: 1949-1950
Productie-aantal: 1.192.789
In NL: n.b.
Prijzen: (sedan) A: 2.300 B: 4.100 C: 6.800

PLYMOUTH CONCORD 1951-1952

In 1950 verkocht Plymouth zijn laatste wagens als DeLuxe en Special DeLuxe. Ze kregen nieuwe namen waarbij de Concord de goedkoopste en de Cranbrook de duurste was en de Cambridge de tussenmoot vormde. De oorlog in Korea was een van de redenen dat Plymouth de modellen van 1951 voor 1952 niet veranderde. In 1953 bestond er al geen Concord meer. Toen vormden de twee overgebleven typen het complete aanbod.

Aantal cilinders: 6
Cilinderinhoud in cm³: 3567
Vermogen: 98/3600
Topsnelheid in km/uur: 130
Carrosserie/Chassis: afzonderlijk chassis
Uitvoering: coach, stationcar en coupé
Productiejaren: 1951-1952
Productie-aantal: 189.053
In NL: n.b.
Prijzen: A: 2.300 B: 4.300 C: 7.300

PLYMOUTH BELVEDERE 1954

In 1954 kregen de wagens van Plymouth nieuwe namen. Verdwenen waren de Cambridge en de Cranbrook en nu sprak men over de Plaza, de Savoy en de Belvedere, waarbij de laatste de duurste was. Alle wagens hadden nog een zescilinder zijklepmotor en nogal ouderwets aandoende carrosserielijnen. De Suburban stationcar met zijn twee zijportieren is geheel van staal en is in verhouding tot de sedan nogal zeldzaam. In 1955 kwamen er totaal gemoderniseerde Belvederes (zie verderop) plus V8-motoren.

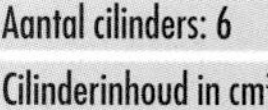

Aantal cilinders: 6
Cilinderinhoud in cm³: 3772
Vermogen: 110/3600
Topsnelheid in km/uur: 130
Carrosserie/Chassis: afzonderlijk chassis
Uitvoering: sedan, stationcar, cabriolet en coupé
Productiejaar: 1954
Productie-aantal: 150.365
In NL: n.b.
Prijzen: (sedan) A: 2.000 B: 4.100 C: 6.800

PLYMOUTH BELVEDERE 1955-1956

1955 werd voor Plymouth een belangrijk maar ook teleurstellend jaar wat de verkoop betreft. Virgil Exner, de bekende chefdesigner van Chrysler, had geheel nieuwe modellen ontworpen die nu voor het eerst met een V8-motor geleverd konden worden. De klant bleek op deze motor gewacht te hebben want toen hij de keuze kreeg tussen een Belvedere met een zescilinder- of met een V8-motor koos hij in de meeste gevallen de laatste. Op de foto een model van 1956 dat herkenbaar is aan de kleine vleugeltjes en de nieuwe grille. De subtypen Fury en Suburban doen in '56 hun intrede.

Aantal cilinders: 6 en V8
Cilinderinhoud in cm^3: 3770, 3950 en 4261
Vermogen: 119/3600 -179/4400
Topsnelheid in km/uur: 140-170
Carrosserie/Chassis: afzonderlijk chassis
Uitvoering: coach, sedan, stationcar, coupé en cabriolet
Productiejaar: 1955-1956
Productie-aantal: 397.755
In NL: n.b.
Prijzen: A: 2.300 B: 4.500 C: 7.300

PLYMOUTH SAVOY 1957-1959

Vanaf modeljaar 1951 kon de klant een Concord Suburban, de stationcar dus, met een speciale Savoy-aankleding kiezen. Dat hield veel meer chroom in en een luxueuzer interieur. Voor '54 werd de Savoy een afzonderlijke reeks, gesitueerd tussen de Plaza en de Belvedere. Dat was in '57 nog steeds zo en hij was er inmiddels in zeven carrosserievarianten. De Savoy volgde de evolutie van de hiervoor behandelde Belvedere. Voor '59 ging Plymouth ingewikkeld doen: men herdoopte de oude Plaza in Savoy, de Savoy in Belvedere en de Belvedere in Fury.

Aantal cilinders: 6 en V8
Cilinderinhoud in cm^3: 3770 en 5208
Vermogen: 134/3600 en 233/4400
Topsnelheid in km/uur: 130 en 160
Carrosserie/Chassis: afzonderlijk chassis
Uitvoering: coach, sedan, stationcar en coupé
Productiejaren: 1957-1959
Productie-aantal: 562.808
In NL: n.b.
Prijzen: (V8) A: 1.400 B: 3.650 C: 5.900

PLYMOUTH BELVEDERE 1957-1959

In 1957 werden alle Plymouths gerestyled met als opvallend trekje de illusie van vier koplampen. Die kwamen er pas echt in 1958, tegelijk met zo'n beetje alle overige Amerikaanse merken. Natuurlijk groeiden de vleugels ook. De Belvedere was vanaf 1959 niet langer de duurste Plymouth, want deze plaats werd ingenomen door de nieuwe Fury, die in de jaren ervoor een speciale Belvedere-uitvoering was geweest. Een V8-motor was maar $ 119 duurder en dus kozen de meeste klanten deze motoroptie.

Aantal cilinders: 6 en V8
Cilinderinhoud in cm^3: 3770 en 5208
Vermogen: 134/3600 en 233/4400
Topsnelheid in km/uur: 130 en 160
Carrosserie/Chassis: afzonderlijk chassis
Uitvoering: coach, sedan, stationcar, cabriolet en coupé
Productiejaren: 1957-1959
Productie-aantal: 514.627
In NL: n.b.
Prijzen: A: 1.800 B: 4.000 C: 6.400

PLYMOUTH FURY 1958-1960

Bij Plymouth veranderde men de namen van de producten met grote regelmaat. Zo heette het paradepaard van de firma sinds '58 Fury. Zoals bij de meeste Amerikanen uit die tijd stonden er grote vinnen op de achterspatborden, overigens in 1960 voor het laatst. De strijd om de sterke motoren was nog niet voorbij en zo kon men in de Fury de furieuze 'Golden-Commando'-motor bestellen. Grappig waren de voorstoelen die bij het openen van de portieren naar buiten zwenkten. De prijzen voor Plymouth van de laatste jaren vijftig blijven achter bij die van concurrerende merken.

Aantal cilinders: 6 en V8
Cilinderinhoud in cm^3: 3695 en 5205-6276
Vermogen: 145/4000 en 230/4400-330/4800
Topsnelheid in km/uur: 140 en 160-190
Carrosserie/Chassis: afzonderlijk chassis
Uitvoering: coach, sedan, stationcar, coupé en cabriolet
Productiejaren: 1958-1960
Productie-aantal: 174.263
In NL: n.b.
Prijzen: A: 1.600 B: 3.900 C: 7.300

PLYMOUTH BELVEDERE 1961

Na vier jaren van flamboyante vleugels zette Virgil Exner voor modeljaar 1961 fors het mes in de grote Plymouths. Een rechte taillelijn met bollingen voor en achter rond de koplampen en achterlichten was de nieuwe look. De Valiant van het jaar ervoor had zijn invloed doen gelden, dat aan de vormgeving van de wagens te zien is. De drie grote modelreeksen hadden veel van elkaar weg. De basisversie was de Savoy, gevolgd door deze Belvedere, die herkenbaar was aan de brede chroomstrip op het achterscherm. Daarboven zat de Fury.

Aantal cilinders: 6 en V8
Cilinderinhoud in cm^3: 3695 en 5205-6771
Vermogen: 145/4000 en 230/4400-375/4800
Topsnelheid in km/uur: 140 en 160-195
Carrosserie/Chassis: afzonderlijk chassis
Uitvoering: coach, sedan en coupé
Productiejaar: 1961
Productie-aantal: 54.421
In NL: n.b.
Prijzen: (V8) A: 1.400 B: 3.000 C: 4.300

PLYMOUTH FURY 1961

Het topmodel van Plymouth voor '61 was weer de Fury, herkenbaar aan het Fury-embleem voor de voorportieren. Het verschil met de overige typen zat in de afwerking en uitrusting. De stationcars waren vanaf 1960 in een Sport Suburban-reeks ondergebracht, vandaar dat deze hier buiten beschouwing blijven. In de Fury-reeks zat de enige open Plymouth van dat jaar. De opvallende voorkant moest voor modeljaar 1962 reeds wijken, aangezien de nieuwe Amerikaanse trend 'strakke neuzen' zou worden. Dan keert ook de Sport Fury als topmodel terug in de folders.

Aantal cilinders: 6 en V8
Cilinderinhoud in cm³: 3695 en 5205-6771
Vermogen: 145/4000 en 230/4400-375/4800
Topsnelheid in km/uur: 140 en 160-195
Carrosserie/Chassis: afzonderlijk chassis
Uitvoering: sedan, coupé en cabriolet
Productiejaar: 1961
Productie-aantal: 54.215
In NL: n.b.
Prijzen: (V8) A: 1.600 B: 3.400 C: 4.600

PLYMOUTH VALIANT 1960-1962

De Chrysler Corporation had twee compact cars in de aanbieding. Daar was de Dodge Lancer en de Plymouth Valiant, die weliswaar dezelfde carrosserie had, maar goedkoper uitgevoerd was. De Valiant is voor vele liefhebbers nu, misschien samen met de Chevrolet Corvair, de mooiste compact. De Valiant was alleen in zijn eerste jaar een apart merk en verkocht beduidend minder dan bijvoorbeeld de compact van Ford. De eerste Valiants hadden een 6-cilinder motor en bleven tot '63 vrijwel ongewijzigd.

Aantal cilinders: 6
Cilinderinhoud in cm³: 2789
Vermogen: 102/4400 tot 145/4000
Topsnelheid in km/uur: 135-170
Carrosserie/Chassis: zelfdragend
Uitvoering: coach, sedan en stationcar
Productiejaren: 1960-1962
Productie-aantal: 467.160
In NL: n.b.
Prijzen: A: 1.100 B: 2.300 C: 3.600

PLYMOUTH VALIANT 1963-66

Na drie jaar en bijna een half miljoen Valiants werd het tijd om de wagen een nieuwe carrosserie te geven. Rechthoekiger van lijn en twee inches langer dan de oude. In '62 waren er drie Valiant-series geweest en die werden geprolongeerd: de Valiant V-100, de luxueuzere V-200 en het topmodel Signet. In die laatste twee series werd er een cabriolet aangeboden, die echter weinig verkocht. Voor '64 waren er horizontale spijlen in de grille en kreeg de Signet de toevoeging 200. Modeljaar '65 bood weer een andere grille, een optionele V8 en een fastback coupé met de naam Barracuda (zie verderop). Model '66 had een gescheiden grille.

Aantal cilinders: 6 en V8 (>'64)
Cilinderinhoud in cm³: 2800-3695 en 4474
Vermogen: 101/4400-145/4000 en 180/4200
Topsnelheid in km/uur: 140-180
Carrosserie/Chassis: zelfdragend
Uitvoering: coach, sedan, coupé, stationcar en cabriolet
Productiejaren: 1963-1966
Productie-aantal: 758.031
In NL: n.b.
Prijzen: (sedan) A: 800 B: 1.800 C: 2.700

PLYMOUTH VALIANT 1967-1972

Voor 1967 kreeg de Valiant een nieuwe, zeer rechthoekige carrosserie. De wielbasis was iets langer, er zat gebogen glas in de zijramen en er waren enkele koplampen. De twee subseries heetten nu 100 en Signet en in beide was er slechts een tweetal modellen: een coach en een sedan. Voor '68 weinig nieuws en voor '69 (foto) een nieuwe grille. In modeljaar 1970 verdween de naam Signet, samen met de coach. Een nieuwe reeks Valiant-coupés met de naam Duster week uiterlijk tamelijk af van de sedan. Voor '71 kwam de Scamp er nog bij, maar deze coupés blijven hier buiten beschouwing.

Aantal cilinders: 6 en V8
Cilinderinhoud in cm³: 2786-3687 en 4474-5211
Vermogen: 115-145/4000 en 180/4200-230/4400
Topsnelheid in km/uur: 150-180
Carrosserie/Chassis: zelfdragend
Uitvoering: coach (<'70) en sedan
Productiejaren: 1967-1972
Productie-aantal: 473.363
In NL: n.b.
Prijzen: A: 800 B: 1.700 C: 2.700

PLYMOUTH VALIANT SCAMP 1973-1976

De hardtop coupé in de Valiant-reeks verscheen voor 1971 onder de naam Scamp. Uiterlijk was de wagen geheel anders dan de coupé met de naam Duster; hij leek meer op de sedan. Voor 1973 kregen de Valiants een ander aanzien en de Scamp bleef in het programma. Voor '74 (foto) kreeg de Scamp een nieuwe achterkant en halverwege dat jaar verscheen er een Brougham-versie tegen een meerprijs van twintig procent. Deze werd mondjesmaat verkocht. Tot en met '76 weinig wijzigingen. Dat was overigens het laatste jaar voor de naam Valiant.

Aantal cilinders: 6 en V8
Cilinderinhoud in cm³: 3245 en 5211
Vermogen: 95/4400 en 150/4000
Topsnelheid in km/uur: 150-180
Carrosserie/Chassis: zelfdragend
Uitvoering: coupé
Productiejaren: 1973-1976
Productie-aantal: 145.779
In NL: n.b.
Prijzen: (6 cil.) A: 900 B: 2.000 C: 3.200

PLYMOUTH SPORT FURY 1963-1964

De Sport Fury was in 1963 Plymouths topmodel. Als coupé viel bij de auto zijn bijzondere daklijn op en ook de sierlijsten opzij van de wagen maakten hem exclusief. De Sport Fury was zowel als hardtop coupé en als cabriolet verkrijgbaar en in beide gevallen waren ze groot genoeg voor vijf personen. Voorin zaten kuipstoelen. De klant had een zeer brede keuze uit een aantal motoren, waarvan de sterkste bijna het dubbele aantal pk's leverde van de basiskrachtbron.

Aantal cilinders: V8
Cilinderinhoud in cm³: 5210-6974
Vermogen: 233/4400-431/5600
Topsnelheid in km/uur: 160-190
Carrosserie/Chassis: zelfdragend
Uitvoering: cabriolet en coupé
Productiejaren: 1963-1964
Productie-aantal: 42.872
In NL: n.b.
Prijzen: A: 2.300 B: 5.000 C: 6.800

PLYMOUTH SPORT FURY 1965-1966

Plymouth had de Fury en dus ook de Sport Fury voor 1965 een facelift gegeven. Dit type zou Official Pace Car zijn tijdens de Indianapolis 500-race en dat plaatste de wagen zeer in de aandacht. De aanbieding bestond dat jaar uit de Fury I, de Fury II, de Fury III, met een zescilinder motor of een V8-motor, en uit de Sport Fury die uitsluitend met een V8 geleverd werd. In 1966 arriveerde een vierde telg: de VIP met o.a. imitatie-houtmotieven op de flanken. De verschillen zaten verder in de uitrusting.

Aantal cilinders: V8
Cilinderinhoud in cm³: 5210-7206
Vermogen: 233/4400-370/4800
Topsnelheid in km/uur: 180-190
Carrosserie/Chassis: zelfdragend
Uitvoering: cabriolet en coupé
Productiejaren: 1965-1966
Productie-aantal: 80.561
In NL: n.b.
Prijzen: A: 2.300 B: 5.000 C: 6.800

PLYMOUTH BARRACUDA 1964-1966

Plymouths bijdrage in het pony car-avontuur was de Barracuda. De wagen was eigenlijk niets anders dan een Valiant met een gedeeltelijk nieuwe carrosserie. De wagen werd in de eerste drie jaar als fastback voorgesteld en de achterruit was de grootste die ooit in Detroit in een seriewagen was gebruikt, maar een nadeel was dat de wagen 's zomers zeer warm werd. De eerste Barracuda's hadden de zespitter van de Valiant, maar al gauw kon de liefhebber een V8 in verschillende stadia van tuning bestellen.

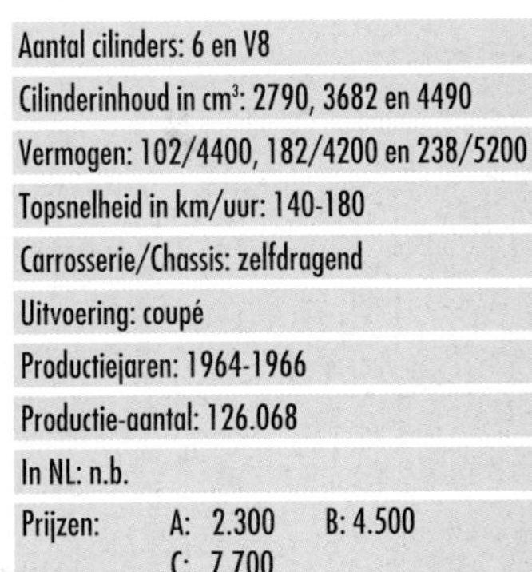

Aantal cilinders: 6 en V8
Cilinderinhoud in cm³: 2790, 3682 en 4490
Vermogen: 102/4400, 182/4200 en 238/5200
Topsnelheid in km/uur: 140-180
Carrosserie/Chassis: zelfdragend
Uitvoering: coupé
Productiejaren: 1964-1966
Productie-aantal: 126.068
In NL: n.b.
Prijzen: A: 2.300 B: 4.500 C: 7.700

PLYMOUTH FURY III 1967-1968

Voor het modeljaar 1968 kwam Plymouth met totaal nieuwe carrosserieën die in het geval van de Fury gekenmerkt werden door de zogenaamde 'coke-bottle profiles'. De Fury-lijn bestond wederom uit de hierboven reeds genoemde series. De Fury III verkocht het best en wellicht daarom waren er maar liefst zeven carrosserievarianten, waaronder een opvallende Fast Top Coupé. De convertible verkocht slechts mondjesmaat in verhouding tot de overige. Tegenwoordig is dat natuurlijk de begeerlijkste Fury om te temmen.

Aantal cilinders: 6 en V8
Cilinderinhoud in cm³: 3682 en 5210-7206
Vermogen: 147/4000 en 233/4400-380/4600
Topsnelheid in km/uur: 190-210
Carrosserie/Chassis: zelfdragend
Uitvoering: sedan, cabriolet, coupé en stationcar
Productiejaar: 1967-1968
Productie-aantal: 355.111
In NL: n.b.
Prijzen: A: 1.600 B: 3.200 C: 5.400

PLYMOUTH FURY 1969-1972

De vijf Fury-series omvatten voor 1969 17 modellen. Een geheel nieuwe carrosserie die in grote lijnen iets van de Chrysler Newport van dat jaar weg had, sierde de zesde generatie Fury's. Vanaf dit jaar was er voor de III geen zescilinder meer. Drie nieuwe Fury-typen (Gran Coupe, S-23 en GT) waren er uitsluitend in 1970; de Fury III behield de 7 koetsversies. De III cabriolet – de enige open Fury dat jaar – verdween eind 1970 en een Sport Fury GT kwam erbij (tot '72). Voor modeljaar 1972 kregen de stationcars een eigen subreeks, evenals de dure Gran Coupe en Gran Sedan.

Aantal cilinders: V8
Cilinderinhoud in cm³: 5211-7210
Vermogen: 230/4400-375/4800
Topsnelheid in km/uur: 190-210
Carrosserie/Chassis: zelfdragend
Uitvoering: sedan, coupé, stationcar en cabriolet
Productiejaren: 1969-1972
Productie-aantal: 677.971
In NL: n.b.
Prijzen (coupé): A: 2.300 B: 4.500 C: 6.800

PLYMOUTH BARRACUDA 1967-1969

Na een productietijd van twee jaren kreeg de Barracuda een nieuwe carrosserie. Hij was langer en breder geworden en nu in verschillende uitvoeringen verkrijgbaar. In Amerika waren de vier schijfremmen een 'option' maar voor verschillende exportlanden een 'standard'. De klant had de keuze uit vier verschillende motoren van een 'kleine' zescilinder tot en met een reusachtige V8 met 280 pk. Voor meer vermogen was er een S-pakket als optie.

Aantal cilinders: 6 en V8
Cilinderinhoud in cm³: 3682-6286
Vermogen: 147/4000-284/4200
Topsnelheid in km/uur: 150-190
Carrosserie/Chassis: zelfdragend
Uitvoering: coupé en cabriolet
Productiejaren: 1967-1969
Productie-aantal: 139.933
In NL: n.b.
Prijzen: (coupé) A: 2.000 B: 4.100 C: 6.800

PLYMOUTH BELVEDERE SATELLITE 1966-1967

In 1965 had Plymouth een speciale serie van zijn Belvedere-programma uitgebracht onder de naam Satellite. Deze wagens konden alleen maar als coupé of cabriolet geleverd worden en boden meer snufjes en luxe dan de goedkopere broers uit de Belvedere-familie. Voor 1966 krijgt de auto zeer vierkante lijnen, die voor '67 geprolongeerd worden. Er zijn zeer gespierde versies geleverd. Hoewel de Satellite indertijd fors aan de prijs was, liggen de huidige prijzen nogal laag. Wellicht vanwege de onopvallende lijnen.

Aantal cilinders: V8
Cilinderinhoud in cm³: 4490-6974
Vermogen: 182/4200-375/4600
Topsnelheid in km/uur: 170-210
Carrosserie/Chassis: zelfdragend
Uitvoering: coupé en cabriolet
Productiejaren: 1966-1967
Productie-aantallen: coupé: 65.727; cabrio: 4809
In NL: n.b.
Prijzen: (coupé) A: 2.000 B: 4.500 C: 6.600

PLYMOUTH SATELLITE 1968-1970

Voor '67 werd de Satellite een afzonderlijk model in de 'intermediates'-lijn van Plymouth. Modeljaar 1968 bracht nieuwe carrosserieën die het rechthoekige van de jaren ervoor niet meer hadden. De Satellite had naar keuze een zescilinder of een V8 onder de kap. Voor '69 waren er nieuwe grilles en achtersecties. De convertible werd zeer weinig verkocht, zeker in 1970 (foto) toen er niet meer dan 701 een koper vonden. Voor '71 voerde men de 'fuselage'-look door. Wat het is het toch jammer dat zoveel liefhebbers van Amerikaanse auto's een zwak voor opvallende wielen hebben!

Aantal cilinders: 6 en V8
Cilinderinhoud in cm³: 3695 en 5211-6276
Vermogen: 145/4000 en 230/4400-330/5200
Topsnelheid in km/uur: 150-200
Carrosserie/Chassis: zelfdragend
Uitvoering: sedan, coupé, stationcar en cabriolet
Productiejaren: 1968-1970
Productie-aantal: 265.681
In NL: n.b.
Prijzen: (coupé) A: 1.800 B: 3.650 C: 5.000

PLYMOUTH FURY GRAN COUPE 1970

Plymouth experimenteerde in modeljaar 1970 met een aantal bijzondere Fury's, waarvan er enkele de status van een afzonderlijke subserie hebben bereikt. In februari 1970 bracht men een Fury II coupé uit met alle mogelijke luxe en standaard een forse V8. Hij heette Gran Coupe en kostte $825 meer dan de uiterlijk identieke Fury II met een V8, bijna dertig procent. Er was ook een versie AC en die bood voor niet minder dan $4216 ook nog eens airco. Duurdere Plymouths had men niet. Pas in '72 werd de Gran Coupe een subserie.

Aantal cilinders: V8
Cilinderinhoud in cm³: 5211-7210
Vermogen: 230/4400-375/4800
Topsnelheid in km/uur: 190-210
Carrosserie/Chassis: zelfdragend
Uitvoering: coupé
Productiejaar: 1970
Productie-aantal: n.b.
In NL: n.b.
Prijzen: A: 3.200 B: 6.400 C: 9.100

PLYMOUTH 'CUDA 340 1969

Eind 1968 kreeg de sportieve uitvoering van de Plymouth Valiant, de Barracuda, er een nog flinkere broer bij: de 'Cuda 340. De 'Cuda 340 was uitsluitend met een V8-motor verkrijgbaar. Naast de standaarduitvoering als hardtop coupé zijn er ook cabriolets gebouwd. De vierversnellingsbak moest met de hand geschakeld worden. De wagen was herkenbaar aan zijn luchtinlaten op de motorkap, zijn dubbele uitlaten en de teksten op de carrosserie. In totaal zijn er dat jaar ruim 30.000 Barracuda's verkocht, maar niet bekend is hoeveel ervan 'Cuda's zijn geweest.

Aantal cilinders: V8
Cilinderinhoud in cm³: 6286
Vermogen: 335/5200
Topsnelheid in km/uur: 220
Carrosserie/Chassis: zelfdragend
Uitvoering: coupé en cabriolet
Productiejaar: 1969
Productie-aantal: n.b.
In NL: n.b.
Prijzen: (coupé) A: 3.600 B: 6.800 C: 10.200

PLYMOUTH BARRACUDA 1970-1974

De Barracuda was nooit een kinderachtige wagen geweest, maar het model dat in het najaar van 1969 als '70'er op de markt kwam, was indrukwekkend. De wagen had dezelfde wielbasis van 275 cm maar was nu 474 cm lang (in 1969 nog 490 cm), 190 cm breed (182) en 129 hoog (136). Het vermogen en de inhoud van de zescilindermotor waren hetzelfde als in het voorgaande model, maar de V8's waren groter en sterker dan ooit tevoren. Na 1972 werden de vermogens fors teruggebracht.

Aantal cilinders: 6 en V8
Cilinderinhoud in cm³: 3682-7212
Vermogen: 145/4200-425/5000
Topsnelheid in km/uur: 148-220
Carrosserie/Chassis: zelfdragend
Uitvoering: coupé en cabriolet
Productiejaren: 1970-1974
Productie-aantal: 125.886
In NL: n.b.
Prijzen: A: 1.800 B: 3.600 C: 7.300

PLYMOUTH ROAD RUNNER SUPER BIRD

In 1966 had Plymouth zijn Road Runner, een Satellite met een sterkere motor, uitgebracht als concurrent voor de Pontiac GTO. In 1970 verscheen er een 'Super Bird'-uitvoering van de Road Runner en dat was wel een van de meest bijzondere wagens die ooit uit Detroit gekomen zijn. De auto viel op door zijn waanzinnig lange plastic neus en de staartvinnen die hoog boven de wagen uitstaken. De auto werd maar één jaar gemaakt en geldt dus beslist als een gezocht model. Zelden in Europa te zien.

Aantal cilinders: V8
Cilinderinhoud in cm³: 7206
Vermogen: 395/4700
Topsnelheid in km/uur: 230
Carrosserie/Chassis: zelfdragend
Uitvoering: coupé
Productiejaar: 1970
Productie-aantal: 1.920
In NL: n.b.
Prijzen: A: 11.300 B: 25.000 C: 36.300

PLYMOUTH VOLARE 1976-1980

Wat Dodge kon, kon Plymouth ook, en zo bracht deze laatste in september 1975 de Volare uit, die bij Dodge Aspen heette. Voor Detroit was het een kleine wagen want hij paste in een garage van 512 cm. De standaarduitrusting was een V8 met een automatische versnellingsbak, maar op verzoek kon er ook een zescilinder met een driebak ingebouwd worden. Er was ook een Road Runner coupé (foto). Naast de standaardversie waren er tot en met '77 de Custom- en Premierreeksen. Ondanks belabberde bouwkwaliteit een million-seller.

Aantal cilinders: 6 en V8
Cilinderinhoud in cm³: 3678, 5210 en 5898
Vermogen: 101/3600, 152/4000 en 172/4000
Topsnelheid in km/uur: 150, 180 en 190
Carrosserie/Chassis: zelfdragend
Uitvoering: sedan, coupé en stationcar
Productiejaren: 1976-1980
Productie-aantal: 1.250.573
In NL: n.b.
Prijzen: A: 450 B: 1.200 C: 2.300

PONTIAC

De auto van het nieuwe merk Pontiac dat in 1926 in het leven geroepen werd, verkreeg zijn positie in het General Motors-concern net even boven de Chevrolet. De wagen had een indianenkop in zijn badge en zijn modelnamen klonken in de sfeer van de indianen: Chieftain, Super Chief of Star Chief. In de jaren zestig probeerde men het met meer sportieve kreten zoals Le Mans, GTO en Grand Prix. Technisch interessant waren de Pontiacs eigenlijk nooit. Met uitzondering van de Tempest.

PONTIAC STREAMLINER 1946-1948

In september 1945 kwam Pontiac weer op de markt met ietwat aangepaste modellen van '42. Er was een goedkopere en een duurdere reeks: de Torpedo en de Streamliner, beide met naar keuze een zes- of achtcilinder zijklepper. Aanvankelijk was er alleen een coupé, die in feite meer een coach was. Na een tijdje kwamen de overige twee typen erbij. Voor '47 was er een iets andere grille en voor '48 groeiden de wagens iets in afmeting zonder wezenlijk in uiterlijk te veranderen. Alle Streamliners hadden voortaan standaard de Deluxe-aankleding die daarvoor optioneel was.

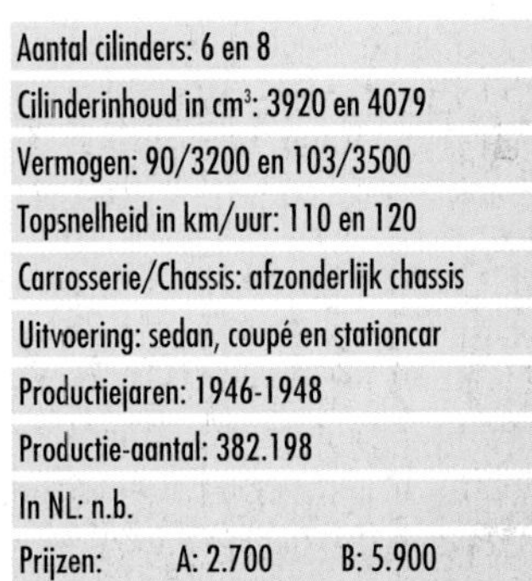
Aantal cilinders: 6 en 8
Cilinderinhoud in cm³: 3920 en 4079
Vermogen: 90/3200 en 103/3500
Topsnelheid in km/uur: 110 en 120
Carrosserie/Chassis: afzonderlijk chassis
Uitvoering: sedan, coupé en stationcar
Productiejaren: 1946-1948
Productie-aantal: 382.198
In NL: n.b.
Prijzen: A: 2.700 B: 5.900 C: 8.200

PONTIAC CHIEFTAIN 1949-1952

De personenwagens die Pontiac van 1946 tot en met 1948 produceerde waren reïncarnaties van de vooroorlogse modellen. Pas in 1949 kwam men met iets nieuws uit. De carrosserieën leken sprekend op die van de Chevrolet maar waren 13 cm langer. Onder de motorkap vond men nog zijklepmotoren met zes- of achtcilinders in lijn. Dat jaar had de klant de keuze uit twee basis-series, de Streamliner en de Chieftain, waarbij de laatste de duurste was. Vanaf '52 was er een stationuitvoering.

Aantal cilinders: 6 en 8	
Cilinderinhoud in cm³: 3920 en 4396	
Vermogen: 91/3400 en 110/3800	
Topsnelheid in km/uur: 130 en 140	
Carrosserie/Chassis: afzonderlijk chassis	
Uitvoering: coach, sedan, coupé, stationcar en cabriolet	
Productiejaren: 1949-1952	
Productie-aantal: ca. 750.000	
In NL: n.b.	
Prijzen:	A: 2.500 B: 5.400 C: 7.700

PONTIAC CHIEFTAIN 1953-1954

In 1953 kon de Chieftain zowel met een zesals met een achtcilinder-in-lijn geleverd worden en dit verschil was alleen vast te stellen als men het typeschildje achter op de wagen of op het dashboardkastje kon lezen. Ze hadden namelijk de toevoegingen Six en Eight. Daarnaast kregen ze aanvullende typenamen mee als Special Deluxe of Custom. De Chieftain is in 1953 nog de enige Pontiac-lijn, maar in '54 kwam de Star Chief-lijn erbij. In feite een zelfde wagen met verlengde wielbasis.

Aantal cilinders: 6 en 8	
Cilinderinhoud in cm³: 3920 en 4396	
Vermogen: 115/3800 en 118/3600	
Topsnelheid in km/uur: 130 en 135	
Carrosserie/Chassis: afzonderlijk chassis	
Uitvoering: coach, sedan, cabriolet, coupé en stationcar	
Productiejaren: 1953-1954	
Productie-aantal: 773.085	
In NL: n.b.	
Prijzen:	A: 3.200 B: 5.900 C: 8.200

PONTIAC CHIEFTAIN 1955-1956

In 1955 kregen alle Pontiacs een V8-motor. Het was de eerste motor van dit type met kopkleppen voor Pontiac, dat reeds in 1932 met een V8 op de markt kwam. Keus in vermogens was er nog niet. De Chieftain had een geheel nieuwe body en een dito chassis. Er waren twee subseries: de 860 die Special heette en de 870 die Deluxe heette. Die laatste (zie foto) had grote wieldoppen en een sierlijst over de taillelijn. Voor 1956 was er een andere bumper met parkeerlichten erin. De 870 Deluxe wordt ook wel Super Chief genoemd.

Aantal cilinders: V8	
Cilinderinhoud in cm³: 4706	
Vermogen: 173/4400-180/4600	
Topsnelheid in km/uur: 165	
Carrosserie/Chassis: afzonderlijk chassis	
Uitvoering: coach, sedan, coupé en stationcar	
Productiejaren: 1955-1956	
Productie-aantal: 628.806	
In NL: n.b.	
Prijzen:	A: 2.300 B: 5.400 C: 7.500

PONTIAC STAR CHIEF CATALINA 1955-1956

In 1955 kreeg ook de Star Chief-reeks een nieuwe carrosserie en de V8. De duurste gesloten uitvoering van die serie was de Catalina, een hardtop coupé die evenals de convertible een extra ornament aan weerszijden van de achterschermen had. Dit zou later tot een belangrijk onderdeel van de vleugels uitgroeien. Voor 1956 kwam er een Catalina sedan bij die 80 dollar duurder was dan de coupé. Opvallend aan deze vierdeurs versie is de roestvrijstalen strip boven langs de deuropeningen. Vanaf 1959 werd de naam Catalina langdurig voor een afzonderlijke serie Pontiacs gebruikt.

Aantal cilinders: V8	
Cilinderinhoud in cm³: 4706	
Vermogen: 173/4400-180/4600	
Topsnelheid in km/uur: 165	
Carrosserie/Chassis: afzonderlijk chassis	
Uitvoering: sedan en coupé	
Productiejaren: 1955-1956	
Productie-aantal: 197.356	
In NL: n.b.	
Prijzen:	A: 2.700 B: 5.900 C: 8.600

PONTIAC BONNEVILLE CONVERTIBLE 1957

Een 1957'er Pontiac was onmiddellijk van zijn voorgangers te onderscheiden en wel aan het gemis van de twee, vaak dubbele, strepen chroom die van de grille tot aan de voorruit over de motorkap liepen. De Star Chief Custom Bonneville Convertible leek sprekend op de normale cabriolet van dit type maar had een (Rochester) injectiemotor en kostte bijna het dubbele. De kans om er een te vinden, zal klein zijn, want er werden er maar 630 van gemaakt. Elke dealer ontving er maar eentje voor in zijn showroom.

Aantal cilinders: V8	
Cilinderinhoud in cm³: 5690	
Vermogen: 315/4800	
Topsnelheid in km/uur: 180	
Carrosserie/Chassis: afzonderlijk chassis	
Uitvoering: cabriolet	
Productiejaar: 1957	
Productie-aantal: 630	
In NL: n.b.	
Prijzen:	A: 9.100 B: 29.500 C: 43.100

PONTIAC BONNEVILLE 1959

Het duurste en mooiste wat Pontiac in 1959 kon bieden, was de Bonneville. Dit model had alle snufjes van de Star Chief plus nog een handvol veiligheids-accessoires zoals een bekleed dashboard en luchtvering. De meeste Bonnevilles werden met een automaat afgeleverd hoewel er ook een gesynchroniseerde 3-bak ingebouwd kon worden. Van de '59-er Amerikanen zijn bij ons vooral de Cadillacs en Chevrolets geliefd, maar de Bonneville is beslist een klassieker die de moeite waard is. Vooral de cabriolet van de hand van Semon E. ('Bunkie') Knudsen is mooi.

Aantal cilinders: V8
Cilinderinhoud in cm³: 6364
Vermogen: 164/4200, 284/4500 of 304/4800
Topsnelheid in km/uur: 160-190
Carrosserie/Chassis: afzonderlijk chassis
Uitvoering: sedan, stationcar, coupé en cabriolet
Productiejaar: 1959
Productie-aantal: 82.564
In NL: n.b.
Prijzen: A: 2.700 B: 5.400 C: 8.200

PONTIAC BONNEVILLE 1961-1962

Voor 1961 keerde Pontiac terug naar de gescheiden grille. Over de gehele linie werden grote Pontiacs iets kleiner en lichter, dankzij een nieuw onderstel. De Bonneville was nog steeds het topmodel en dat zat vooral in de afwerking. Met een gelijkblijvende motorinhoud was er een keur aan vermogens: van 235 tot 348 pk, afhankelijk van de carburatie. Voor '62 veranderden de grille en achterzijde. In dat jaar kwam de Grand Prix coupé in prijs boven de Bonneville te liggen, maar de sedans en convertibles bleven het summum van wat het merk te bieden had.

Aantal cilinders: V8
Cilinderinhoud in cm³: 6375
Vermogen:235/3600-348/4800
Topsnelheid in km/uur: 180-190
Carrosserie/Chassis: afzonderlijk chassis
Uitvoering: sedan, coupé en cabriolet
Productiejaren: 1961-1962
Productie-aantal: 164.157
In NL: n.b.
Prijzen: A: 2.300 B: 4.500 C: 6.800

PONTIAC STAR CHIEF 1960

Een Pontiac van 1960 is onmiddellijk te herkennen aan zijn ongedeelde grille. In '59 en '61 is er wel een centrale spijl, maar men probeerde voor 1960 een brede grille uit. De Custom Star Chief van 1959 heette een jaar later gewoon Star Chief en hij zat tussen de Ventura en de Bonneville in. Hij had de lange wielbasis, dezelfde motor als de twee lagere reeksen en op 166 wagens na altijd een Hydra-Matic automaat. Op het achterscherm prijkten vier gestileerde sterren om de typenaam te benadrukken.

Aantal cilinders: V8
Cilinderinhoud in cm³: 6375
Vermogen: 215/3600
Topsnelheid in km/uur: 170
Carrosserie/Chassis: afzonderlijk chassis
Uitvoering: sedan en coupé
Productiejaar: 1960
Productie-aantal: 43.691
In NL: n.b.
Prijzen: A: 2.300 B: 5.000 C: 7.700

PONTIAC TEMPEST & LEMANS 1961-1962

De Tempest kwam pas in 1961 uit en hij deelde zijn carrosserie met de Buick Special en de Oldsmobile F85. Het was, na de Chevrolet Corvair, de meest revolutionaire wagen die Amerika sinds vele jaren gezien had. De cardanas was bijvoorbeeld maar 2,5 cm dik en buigzaam. De versnellingsbak bevond zich met het differentieel in één huis en men kon de wagen met een viercilinder bestellen, wat in geen andere Amerikaanse wagen mogelijk was. Natuurlijk was er ook een V8 te krijgen.

Aantal cilinders: 4 en V8
Cilinderinhoud in cm³: 3187 en 3535
Vermogen: 112/3800 en 157/4600
Topsnelheid in km/uur: 140-160
Carrosserie/Chassis: zelfdragend
Uitvoering: coach, sedan, stationcar en cabriolet
Productiejaren: 1961-1962
Productie-aantal: 243.976
In NL: n.b.
Prijzen: (V8) A: 1.800 B: 4.100 C: 6.400

PONTIAC TEMPEST & LEMANS 1963-1964

Pontiac gaf z'n hele modellenreeks voor 1963 een ander aanzien: nieuwe, rechte lijnen, hoekige daken en niet-panoramische voorruiten. De Tempest was breder en langer dan zijn voorgangers. Het topmodel was weer de LeMans, die uitsluitend als coupé en cabriolet leverbaar was. Hij was sportiever dan de standaardreeks. Voor '64 waren ze weer groter, week de viercilinder voor een zespitter en was er een Custom-reeks bijgekomen. Een jaar later waren er verticaal geplaatste koplampen. De wagens van '64 en '65 met GTO-optie worden hierna afzonderlijk behandeld.

Aantal cilinders: 4, 6 en V8
Cilinderinhoud in cm³: 3187, 3523 en 5342
Vermogen: 115/4000, 140/4200 en 260/4800
Topsnelheid in km/uur: 140-175
Carrosserie/Chassis: zelfdragend
Uitvoering: sedan, coupé, stationcar en cabriolet
Productiejaren: 1963-1964
Productie-aantal: 307.083
In NL: n.b.
Prijzen: A: 1.400 B: 2.900 C: 5.000

PONTIAC EXECUTIVE 1967-1970

Voor 1966 voegde Pontiac aan de typenaam Star Chief het woord Executive toe. Nog een jaar later viel de naam Star Chief weg en was er een afzonderlijk model Executive, gesitueerd tussen de Catalina en de Bonneville. De sedan was er ook als hardtop en de stationcar heette Safari. De Executive volgde dezelfde uiterlijke evolutie als de Catalina, met jaarlijks nieuwe neussecties en achterkanten. Afgebeeld is het model 1968. Toen de grote Pontiacs voor 1971 helemaal herzien werden, verdween de Executive uit de folders.

Aantal cilinders: V8
Cilinderinhoud in cm³: 6555-7456
Vermogen: 265/4600-390/5000
Topsnelheid in km/uur: 170-200
Carrosserie/Chassis: zelfdragend
Uitvoering: sedan, coupé en stationcar
Productiejaren: 1967-1970
Productie-aantal: 163.109
In NL: n.b.
Prijzen: A: 2.050 B: 3.900 C: 5.700

PONTIAC FIREBIRD 1967-1969

Wat Chevrolet kon, kon Pontiac ook en daarom verscheen de Pontiac Firebird nadat Chevrolet zijn Camaro had uitgebracht. Ze deelden de carrosserieën, maar verschilden natuurlijk in details zoals de grille en de chroomlijsten. De eerste Firebird verscheen in 1967 en bleef tot 1969 vrijwel onveranderd in productie. Toen kreeg hij een nieuwe carrosserie. Firebirds doen tegenwoordig veel minder in prijs dan Camaro's. Wellicht spreekt de typische Pontiac-neus sommigen minder aan.

Aantal cilinders: 6 en V8
Cilinderinhoud in cm³: 3769 en 4093, 5340-6558
Vermogen: 167/4700 tot 350/5000
Topsnelheid in km/uur: 160-220
Carrosserie/Chassis: zelfdragend
Uitvoering: coupé
Productiejaren: 1967-1969
Productie-aantal: 233.235
In NL: n.b.
Prijzen: A: 2.300 B: 5.200 C: 8.200

PONTIAC FIREBIRD CONVERTIBLE 1967-1969

In de periode dat de Pontiac Firebird uitkwam, zakte de vraag naar open wagens steeds meer en daarom werden er net als bij de Mustang en de Camaro veel meer coupés dan cabriolets verkocht. Waarom ook een cabriolet? De Amerikaan kocht liever een tochtvrije gesloten auto met een goed werkende airconditioning. In 1970 stond de cabrioletuitvoering van de Firebird dan ook niet meer op het programma. Het prijsverschil met Camaro's (zie boven) vinden we amper bij open versies.

Aantal cilinders: 6 en V8
Cilinderinhoud in cm³: 3769 en 4093, 5344 en 6558
Vermogen: 167/4700 tot 350/5000
Topsnelheid in km/uur: 160-220
Carrosserie/Chassis: zelfdragend
Uitvoering: cabriolet
Productiejaren: 1967-1969
Productie-aantal: 44.145
In NL: n.b.
Prijzen: A: 4.100 B: 8.200 C: 11.800

PONTIAC FIREBIRD 1970-1973

De tweede generatie Firebirds staat bekend onder de aanduiding '1970½' omdat de introductie ervan niet op het normale moment in september plaatsvond. De wagen kreeg de lijnen die tot in de jaren tachtig zouden blijven. In '69 was er een snelle versie met de naam Trans Am uitgekomen en die bleef ook met de nieuwe carrosserie leverbaar. Hij kostte anderhalf keer zo veel als een basis-Firebird. Daarnaast waren er de versies Esprit en Formula (400), beide altijd met een V8. Tot en met 1973 waren er vrijwel geen uiterlijke wijzigingen.

Aantal cilinders: 6 en V8
Cilinderinhoud in cm³: 4097 en 5735-7456
Vermogen: 100/3600 en 255/4600-370/5000
Topsnelheid in km/uur: 160-220
Carrosserie/Chassis: zelfdragend
Uitvoering: coupé
Productiejaren: 1970-1973
Productie-aantal: 178.127
In NL: n.b.
Prijzen: A: 2.700 B: 5.000 C: 7.300

PONTIAC LE MANS 1970-1971

Voor 1970 was de LeMans niet langer een type in de Tempest-serie, maar een afzonderlijke reeks. Het waren echter in feite de Tempest Custom-modellen van weleer. Voor 1970 kreeg de LeMans net als die Tempest een Firebird-neus met twee openingen. Naast de gewone LeMans was er nog een serie met de toevoeging Sport. Voor '71 een andere neus plus een nieuwe serie met de aanduiding LeMans T-37 met daarin de goedkoopste uitvoeringen. Het verreweg grootste aandeel van de totale productie – zo'n tachtig procent – betrof de tweedeurs hardtop (foto).

Aantal cilinders: 6 en V8
Cilinderinhoud in cm³: 4097 en 5735-6555
Vermogen: 135/4600 en 255/4600-345/5000
Topsnelheid in km/uur: 160-195
Carrosserie/Chassis: zelfdragend
Uitvoering: sedan, coupé, cabriolet en stationcar
Productiejaren: 1970-1971
Productie-aantal: 270.596
In NL: n.b.
Prijzen: (2-drs HT) A: 2.300 B: 4.600 C: 6.400

PONTIAC LE MANS 1973-1975

De nieuwe LeMans van '73 had een zogenaamde Buck Rogers-stijl gekregen: een V-vormige motorkap, gescheiden, zeer rechthoekige grilles, enkele koplampen en een 'Colonnade'-daklijn. Naast de standaard LeMans was er een Sport (coupé) en een Luxury LeMans met een hardtop sedan en coupé. Die laatste had altijd een V8-motor en was zoals de naam reeds doet vermoeden een stuk luxer. Voor '74 volgden detailwijzigingen aan grille en bumpers. Ook '75 bood weinig nieuws, afgezien van het verdwijnen van de Luxury-reeks. Daarvoor kwam de Grand LeMans (zie verderop).

Aantal cilinders: 6 en V8
Cilinderinhoud in cm^3: 4097 en 5735-7456
Vermogen: 100/3600 en 150/4000-250/4000
Topsnelheid in km/uur: 160-200
Carrosserie/Chassis: zelfdragend
Uitvoering: sedan, coupé en stationcar
Productiejaren: 1973-1975
Productie-aantal: 404.012
In NL: n.b.
Prijzen: (coupé) A: 700 B: 2.300 C: 3.650

PONTIAC TRANS AM 1976

In 1976 bood Pontiac vier Firebird-series aan en deze waren, in de volgorde zoals ze nu gezocht zijn: de standaard Firebird, de Esprit, de Formula en de Trans Am. De eerste twee konden zowel met een zespitter als met een V8-motor geleverd worden, maar de overige kwamen alleen maar met een V8 uit de fabriek. Het neusje van de zalm was de Trans Am 455 Limited Edition (foto) die in 1976 op de tentoonstelling te Chigaco werd voorgesteld en in de zomer van dat jaar in productie ging. Het was alles goud wat blonk: de sierlijsten, de magnesium wielen, de letters op de banden en de spaken in het stuur.

Aantal cilinders: V8
Cilinderinhoud in cm^3: 6598
Vermogen: 188 DIN/3600
Topsnelheid in km/uur: 190
Carrosserie/Chassis: zelfdragend
Uitvoering: coupé m.u.d.
Productiejaar: 1976
Productie-aantal: 2.590
In NL: n.b.
Prijzen: A: 1.800 B: 4.500 C: 7.900

PONTIAC TRANS AM 1977-1981

De tweede facelift voor de Firebird-generatie van de zomer van 1970 kwam in 1977. De basisvorm bleef intact; het eerste wat opviel was de set dubbele rechthoekige koplampen. De Trans Am-uitvoering werd een regelrechte topper, mede omdat Chevrolet de Z-28 halverwege de jaren zeventig schrapte. In '71 gingen er 2.116 TA's naar een koper en in 1978 ruim 93.000. In dat jaar waren er wat minder pk's vanwege uitlaatgasemissie-eisen. In '79 kwam er een Tenth Anniversary Trans Am uit. Voor '80 was het nieuwtje een turbogeladen 301 die meer pk's had maar een lagere top. In 1982 volgde de derde generatie Firebirds.

Aantal cilinders: V8
Cilinderinhoud in cm^3: 4932-6604
Vermogen: 145/3600-220/3800
Topsnelheid in km/uur: 180-210
Carrosserie/Chassis: zelfdragend
Uitvoering: coupé
Productiejaren: 1977-1981
Productie-aantal: 363.584
In NL: n.b.
Prijzen: A: 3.200 B: 5.400 C: 8.600

PONTIAC GRAND VILLE 1972

De nieuwe serie Grand Ville kwam in september 1970 uit en deze werd boven de Bonneville gesitueerd. Het verschil tussen die twee zat in zowel de uitrusting als het vermogen. Er zat ook een cabriolet in het scala en dat bood de gewone Bonneville-reeks niet. Voor 1972 is er natuurlijk een andere grille en er zijn schokabsorberende bumpers en andere achterlichten. Voor, achter en aan beide zijkanten waren de forse letters 'Grand Ville' te lezen. De afgebeelde convertible is met 2.213 stuks de zeldzaamste.

Aantal cilinders: V8
Cilinderinhoud in cm^3: 7456
Vermogen: 220/3600-250/3600
Topsnelheid in km/uur: 190-200
Carrosserie/Chassis: zelfdragend
Uitvoering: sedan, coupé en cabriolet
Productiejaar: 1972
Productie-aantal: 64.411
In NL: n.b.
Prijzen: (cabrio) A: 3.400 B: 6.800 C: 9.100

PONTIAC CATALINA 1971-1974

Sinds 1959 was de Catalina-reeks de goedkoopste 'full-sized' Pontiac. De naam zou overigens nog tot 1982 blijven dienen. Voor 1971 was er voor de Catalina net als voor alle andere grote typen een nieuwe carrosserie in de populaire 'vliegtuigromp-look'. De V-vormige radiateurgrille in twee delen werd een typisch Pontiac-kenmerk voor die jaren. Er kwam ook een dure serie Catalina's met de toevoeging Brougham. Voor '72 was er weinig nieuws, maar het jaar erna was er een geheel nieuw front en verdwenen de Broughams en de cabriolet. Modeljaar 1974 bracht wijzigingen aan de voor- en achterzijde.

Aantal cilinders: V8
Cilinderinhoud in cm^3: 5735-7456
Vermogen: 250/4400-325/4400
Topsnelheid in km/uur: 180-200
Carrosserie/Chassis: zelfdragend
Uitvoering: sedan, coupé, stationcar en cabriolet (<'72)
Productiejaren: 1971-1974
Productie-aantal: 749.405
In NL: n.b.
Prijzen: A: 1.600 B: 3.200 C: 4.500

PONTIAC GRAND VILLE 1974

In 1973 draaiden de Arabieren de oliekraan dicht en kregen de dealers van grote auto's het in Amerika moeilijk. De vraag naar spaarzame importauto's schoot omhoog en de behoefte aan wagens met 6 en 7 liter motoren viel sterk terug. In 1973 had Pontiac nog 90.172 Grand Villes verkocht maar in 1974 moest men zich met de helft tevreden stellen. De standaardmotor had een viervoudige Rochester-carburateur en alle wagens kwamen met een handgeschakelde bak uit de fabriek.

Aantal cilinders: V8
Cilinderinhoud in cm³: 7456
Vermogen: 215/3600-250/4000
Topsnelheid in km/uur: 190-200
Carrosserie/Chassis: zelfdragend
Uitvoering: sedan, coupé, cabriolet en stationcar
Productiejaar: 1974
Productie-aantal: 44.494
In NL: n.b.
Prijzen: A: 2.000 B: 3.200 C: 4.500

PONTIAC GRAND PRIX 1973

De Grand Prix werd ieder jaar een beetje 'mooier' en groter en bereikte voor 1973 een lengte van 550 cm. 1865 kg woog de wagen die alleen met een V8-motor en een automatische versnellingsbak geleverd werd. De motoren hadden een viervoudige Rochester-carburateur en om de krachten van die reuzen in bedwang te houden, waren er schijfremmen aan de voorwielen gemonteerd.

Aantal cilinders: V8
Cilinderinhoud in cm³: 6555-7456
Vermogen: 225-250/4000
Topsnelheid in km/uur: 190-210
Carrosserie/Chassis: zelfdragend
Uitvoering: coupé
Productiejaar: 1973
Productie-aantal: 153.899
In NL: n.b.
Prijzen: A: 1.600 B: 3.600 C: 5.000

PONTIAC GRAND LE MANS 1975-1977

De Luxury LeMans werd voor '75 herdoopt in Grand LeMans en de meest in het oog springende eigenschap was de in zes secties verdeelde grille. Voor '76 kwamen er rechthoekige dubbele koplampen (foto) en zag de wagen er ineens veel aantrekkelijker uit. Een jaar later kwam er een grille met tien vierkantjes. Verder veranderde er niet zoveel, aangezien de totaal nieuwe en afgeslankte modellen voor 1977 en de jaren erna reeds op de tekentafels stonden. Het ging Pontiac in die jaren niet erg voor de wind en de Grand LeMans bracht daar geen kentering in.

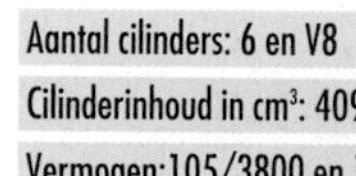

Aantal cilinders: 6 en V8
Cilinderinhoud in cm³: 4097 en 5735-6555
Vermogen:105/3800 en 155/4000-185/3600
Topsnelheid in km/uur: 160-185
Carrosserie/Chassis: zelfdragend
Uitvoering: sedan, coupé en stationcar
Productiejaren: 1975-1977
Productie-aantal: 74.193
In NL: n.b.
Prijzen: A: 450 B: 1.800 C: 3.200

PONTIAC BONNEVILLE 1978-1981

De top-of-the-line bij Pontiac was ook voor 1978 de Bonneville-serie, ondanks de veel kortere wielbasis in vergelijking met het jaar ervoor. Hij deelde de bodemgroep met de Catalina. De Grand Safari wagon was de duurste telg van de Bonnevilles, gevolgd door de 'Brougham'. Het was een wagen die de fabrieksdirecteur door zijn chauffeur liet rijden en aan luxe ontbrak het dan ook niet. De motoren waren klein wat inhoud betreft maar leverden genoeg vermogen. De 4,9 liter V8 had een dubbele carburateur en de andere modellen een viervoudige van Rochester.

Aantal cilinders: V8
Cilinderinhoud in cm³: 4942-6558
Vermogen: 142/3600-183/3600
Topsnelheid in km/uur: 170-190
Carrosserie/Chassis: zelfdragend
Uitvoering: sedan, coupé en stationcar
Productiejaren: 1978-1981
Productie-aantal: 491.938
In NL: n.b.
Prijzen: A: 800 B: 2.400 C: 3.600

PONTIAC LEMANS 1978-1981

In de tweede helft van de jaren zeventig bouwde men in Detroit al 'kleine' wagens. Pontiac kon natuurlijk niet achterblijven en bood vanaf eind 1977 zijn LeMans-serie met een verkleinde carrosserie aan. Naast de basis-LeMans waren er de subreeksen Grand LeMans en Grand Am. De stationcar heette Safari. Het type zat wat rangorde betreft tussen de Phoenix en de Catalina, maar deelde de wielbasis met de Firebird. De zescilinder motor werd bij Buick gemaakt en de 5,0 en 5,7 liter V8 kwamen uit de Chevrolet-fabriek.

Aantal cilinders: 6 en V8
Cilinderinhoud in cm³: 3791 en 4942-5737
Vermogen: 117/3800 en 137/3800-167/3600
Topsnelheid in km/uur: 160-180
Carrosserie/Chassis: zelfdragend
Uitvoering: sedan, coupé en stationcar
Productiejaren: 1978-1981
Productie-aantal: 419.547
In NL: n.b.
Prijzen: A: 600 B: 1.800 C: 2.700

■ PORSCHE

Tot de grootste automobielconstructeurs behoort zeker Dr. Ferdinand Porsche. In 1948 werd er voor het eerst een wagen met zijn naam gebouwd. Dat was in Oostenrijk terwijl de firma Porsche zijn fabrieken nu in Stuttgart-Zuffenhausen heeft. De eerste Porsche, nu Porsche Nummer 1 genoemd, werd niet door Dr. Porsche maar door zijn zoon Ferry ontworpen; deze wagen had een middenmotor en geen motor achter de achteras zoals we dat van een Porsche gewend zijn. Ten aanzien van de vermelde prijsnoteringen merken we op dat deze dichte wagens betreffen; Porsche-cabrio's kosten doorgaans de helft meer.

PORSCHE 356 (1100, 1300 & 1500)

De constructies van het projectnummer 356 waren afstammelingen van de drie stroomlijncoupés die voor de oorlog op Volkswagen-chassis gebouwd zijn. Ze ontstonden in 1939 en waren bedoeld voor een race van Berlijn naar Rome. De eerste wagens van het type 356 ontstonden in het Oostenrijkse dorp Gmünd. Hun carrosserie werd op een houten mal uit aluminium plaat geklopt. Pas in april 1950 verhuisde de firma naar Stuttgart.Vanaf '52 is er een gebogen voorruit uit één stuk. In dat jaar verschijnt ook de 1500.

Aantal cilinders:	4
Cilinderinhoud in cm³:	1086, 1268, 1290 en 1488
Vermogen:	40/4000, 44/4200, 60/5500 en 55/4400
Topsnelheid in km/uur:	140-170
Carrosserie/Chassis:	afzonderlijk chassis
Uitvoering:	coupé, cabriolet en speedster
Productiejaren:	1950-1955
Productie-aantal:	7.627
In NL:	9
Prijzen: (coupé)	A: 22.000 B: 34.000 C: 45.000

PORSCHE CARRERA 1500 GS & 1600 GS

De Porsche 356 begon al gauw zijn triomftocht over de verschillende circuits. Ook bij de Carrera Panamericana had hij succes. Zoveel, dat de fabriek een type Porsche 'Carrera' doopte. Deze Carrera GS had een motor met 2x2 bovenliggende nokkenassen die aangedreven werden door een koningsas. Dit juweeltje, een ontwerp van Dr. Ernst Fuhrmann, nam weinig ruimte in, kon zeer hoge toerentallen verdragen, maar was vreselijk duur in productie en onderhoud. Nu behoren deze modellen tot de meest gezochte.

Aantal cilinders:	4
Cilinderinhoud in cm³:	1498 en 1588
Vermogen:	100/6200 tot 115/6500
Topsnelheid in km/uur:	190-210
Carrosserie/Chassis:	afzonderlijk chassis
Uitvoering:	coupé, cabriolet en speedster
Productiejaren:	1955-1961
Productie-aantal:	700
In NL:	1
Prijzen: (coupé)	A: 31.800 B: 63.500 C: 90.800

PORSCHE 550 & 550 A SPYDER

Op 30 september 1955 verongelukte James Dean op 24-jarige leeftijd. De auto waarin hij zat werd al bijna even legendarisch als de jonge acteur: een Porsche 550 Spyder. Het wrak werd in stukjes aan fans verkocht. De 550 was ontwikkeld uit de eigenbouw-Porsche van coureur Walter Glöcker, waarmee hij Duits kampioen werd. Dit was de fabriek een doorn in het oog en dus toog men zelf aan het werk. Dit leidde tot de geweldig succesvolle 550, die in de jaren '54-'57 slechts mondjesmaat gebouwd werd en die ook aan particulieren is geleverd. Dean was er een van.

Aantal cilinders:	4
Cilinderinhoud in cm³:	1498
Vermogen:	110/6200-135/7200
Topsnelheid in km/uur:	220
Carrosserie/Chassis:	buizenchassis
Uitvoering:	roadster
Productiejaren:	1954-1957
Productie-aantallen:	90 en 39
In NL:	n.b.
Prijzen:	A: 227.000 B: 408.000 C: 567.000

PORSCHE 356A

De Porsche 1600 A is lang genoeg in productie geweest om een trouwe klantenkring op te bouwen. De gelukkige klant had de keuze uit verschillende modellen, uit de coupé, de cabriolet en de speedster (zie onder). Wie met een Porsche 1600 Super met een 75 pk motor reed, kon zich de koning van de weg noemen. Ingehaald werd hij maar zelden. De prijzen voor een 356A liggen tegenwoordig onder die van zijn opvolgers B en C. Maar goedkoop is hij niet. In Duitsland zelf is tot 1958 de 1300-motor nog leverbaar in de 356A.

Aantal cilinders:	4
Cilinderinhoud in cm³:	1582
Vermogen:	60/4500 en 75/5000
Topsnelheid in km/uur:	160-175
Carrosserie/Chassis:	afzonderlijk chassis
Uitvoering:	coupé, cabriolet en speedster
Productiejaren:	1955-1959
Productie-aantal:	21.045
In NL:	52
Prijzen: (coupé)	A: 9.100 B: 19.300 C: 27.200

PORSCHE 356A SPEEDSTER

Speciaal voor de Amerikaanse markt ontstond een goedkope uitvoering van de 356 cabriolet, de Speedster. De wagen was bestemd voor clubraces en bood nauwelijks enig comfort. De zijruitjes moesten in de portieren gestoken worden en de linnen kap bood minder bescherming dan een paraplu. De Speedster, nu een top-liefhebbersstuk, kon met alle mogelijke motoren geleverd worden. In 1958 werd het model vervangen door de Convertible D. Vreemd dat een goedkopere versie later zoveel meer waard kan worden.

Aantal cilinders: 4
Cilinderinhoud in cm³: 1488 en 1582
Vermogen: 55/4400-75/5000
Topsnelheid in km/uur: 160-190
Carrosserie/Chassis: zelfdragend
Uitvoering: speedster
Productiejaren: 1954-1958
Productie-aantal: 4.854
In NL: 8
Prijzen: A: 30.000 B: 52.000 C: 73.000

PORSCHE 356B

In 1959 ontstond uit de 356A de 356B en men herkende dit model aan zijn hoger geplaatste bumpers en koplampen (wat een hoger benzineverbruik en een slechtere wegligging veroorzaakte). Ook binnen in de wagen zag men veranderingen, onder andere een nieuw, zwart stuurwiel. Naast de 1600 met 60 pk, 'Porsche Dame' genaamd, verscheen de Super 90 die een nieuwe achterwielophanging had. Nieuw was ook het hardtop model dat bij Karmann in Osnabrück gebouwd werd. Vanaf 1961 was de achterruit groter en waren er Koni's. De Speedster heette voortaan Roadster.

Aantal cilinders: 4
Cilinderinhoud in cm³: 1582
Vermogen: 60/4500, 75/5000 en 90/5500
Topsnelheid in km/uur: 160-185
Carrosserie/Chassis: afzonderlijk chassis
Uitvoering: coupé, cabriolet en roadster
Productiejaren: 1959-1963
Productie-aantal: 30.963
In NL: 126
Prijzen: (coupé) A: 6.800 B: 15.900 C: 22.700

PORSCHE CARRERA 2

De Carrera 1500 en 1600 waren meer voor het circuit dan voor de openbare weg gedacht. Hun opvolger, de GS 2000 of Carrera 2, was minder race- en meer wegauto. Onder de motorkap stond echter wel weer de motor met vier nokkenassen (die een nachtmerrie betekende voor de doorsnee-monteur). 380 exemplaren van de Carrera 2 werden naar de B- en 126 naar de C-specificaties gemaakt. Alle wagens hadden rondom schijfremmen. Op verzoek was er een 155 pk sterke GT-uitvoering. Tegenwoordig zeer duur en kijk uit voor namaak.

Aantal cilinders: 4
Cilinderinhoud in cm³: 1966
Vermogen: 130/6200
Topsnelheid in km/uur: 200
Carrosserie/Chassis: afzonderlijk chassis
Uitvoering: coupé en cabriolet
Productiejaren: 1961-1964
Productie-aantal: 506
In NL: 0
Prijzen: (coupé) A: 40.000 B: 80.000 C: 120.000

PORSCHE 356C

In 1963 trad de geliefde 356-serie voor de laatste ronde aan. Het werd een korte ronde, want al in 1965 kwam de laatste wagen van dit model uit de fabriek. Het betrof hier de technisch mooiste en beste uitvoering. Zo had de wagen nu vier schijfremmen. Veel modellen waren uit de catalogus gestreept. De Carrera 2 was er nog en dan de 1600 met de 75 pk motor. De Super 90 was vervangen door een SC met een 95 pk motor. De open Amerikaanse uitvoeringen bestonden niet meer, evenmin als de hardtop coupé. Tegenwoordig is de C de hoogst gewaardeerde van de drie.

Aantal cilinders: 4
Cilinderinhoud in cm³: 1582
Vermogen: 75/5000 en 95/5800
Topsnelheid in km/uur: 175-185
Carrosserie/Chassis: afzonderlijk chassis
Uitvoering: coupé en cabriolet
Productiejaren: 1963-1965
Productie-aantal: 16.668
In NL: 114
Prijzen: (cabrio) A: 13.600 B: 28.400 C: 40.800

PORSCHE 904 GTS

In 1963 kwam Porsche met een geheel nieuwe auto uit. De 904 GTS, die zowel op de straat als op het circuit te gebruiken was. De meeste werden met een viercilindermotor geleverd maar een handjevol kreeg een vlakke zespitter (904/6) en een paar zelfs een achtcilinder (904/8) ingebouwd. In 1965 werd een 904 tweede in de Rally van Monte Carlo. De 904 is een inmiddels vrijwel onbetaalbare klassieke Porsche. We geven er prijzen voor, maar verhandeld wordt hij zelden.

Aantal cilinders: 4
Cilinderinhoud in cm³: 1966
Vermogen: 155/6900
Topsnelheid in km/uur: 210
Carrosserie/Chassis: kunststof monocoque
Uitvoering: coupé
Productiejaren: 1963-1964
Productie-aantal: 120
In NL: n.b.
Prijzen: A: 125.000 B: 204.000 C: 295.000

PORSCHE 911 & 911L

Op de tentoonstelling van Frankfurt stond in 1963 een nieuwe Porsche, toen nog 901, maar na een protest van Peugeot '911' genaamd. De wagen had nu een luchtgekoelde zescilinder motor achterin. In het voorjaar van 1964 ging hij met een coupé carrosserie, een ontwerp van 'Butzi' Porsche, de oudste zoon van Ferry Porsche, in productie. Helaas was de wagen zo duur dat vele 356-eigenaren naar een ander merk moesten uitkijken. De 911L kwam in 1967 en deze was naar wens met een Sportomatic halfautomaat leverbaar. Targa's zijn minder waard.

Aantal cilinders: 6	
Cilinderinhoud in cm³: 1991	
Vermogen: 130/6100	
Topsnelheid in km/uur: 210	
Carrosserie/Chassis: zelfdragend	
Uitvoering: coupé en targa	
Productiejaren: 1964-1969	
Productie-aantal: 22.333	
In NL: n.b.	
Prijzen: (coupé)	A: 6.800 B: 11.300 C: 15.900

PORSCHE 912

Om niet alle klanten te verliezen die geen peperdure 911 konden kopen, bouwde Porsche de 912. Het was een 911 in een iets magere uitvoering waar men de viercilinder motor van de 1600 SC ingebouwd had. In zijn goedkoopste versie had de wagen een vierversnellingsbak, maar tegen een extra prijs kon ook een vijfbak ingebouwd worden. Wie een niet te dure Porsche wil, moet nu een 912 kopen.
Afgelopen jaren is ook de alleen in 1975 in de VS verkochte 912E incidenteel geïmporteerd. Deze heeft de tweeliter motor van de 914.

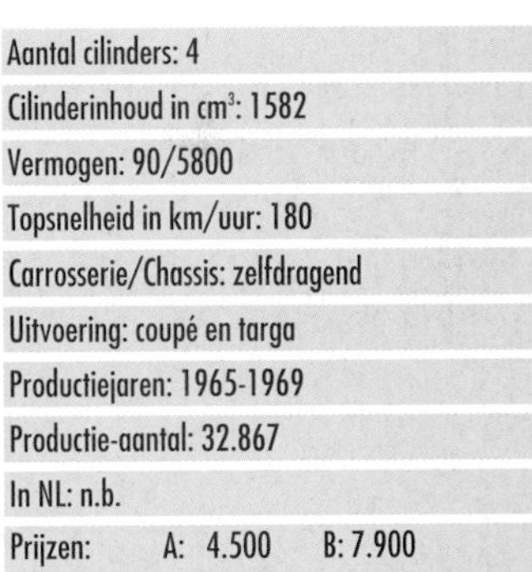

Aantal cilinders: 4	
Cilinderinhoud in cm³: 1582	
Vermogen: 90/5800	
Topsnelheid in km/uur: 180	
Carrosserie/Chassis: zelfdragend	
Uitvoering: coupé en targa	
Productiejaren: 1965-1969	
Productie-aantal: 32.867	
In NL: n.b.	
Prijzen:	A: 4.500 B: 7.900 C: 11.300

PORSCHE 911S

In 1966 verscheen de 911S als topmodel. Men herkende hem aan zijn aluminium wielen en aan zijn speciale bumpers. De grotere geheimen zaten natuurlijk onder de carrosserie. Zo had de motor gesmede zuigers en grotere kleppen gekregen, terwijl de achterste schijfremmen direct bij de versnellingsbak gemonteerd waren. In de loop der jaren werd de wielbasis vergroot en ook de cilinderinhoud en daardoor het motorvermogen. Vanaf eind '68 was er brandstofinjectie en in datzelfde jaar verlengde men de wielbasis.

Aantal cilinders: 6	
Cilinderinhoud in cm³: 1991, 2195 en 2341	
Vermogen: 160/6600 tot 190/6500	
Topsnelheid in km/uur: 225-235	
Carrosserie/Chassis: zelfdragend	
Uitvoering: coupé en targa	
Productiejaren: 1966-1973	
Productie-aantal: 14.841	
In NL: n.b.	
Prijzen: (2.0)	A: 8.100 B: 14.700 C: 20.400

PORSCHE 911T

De 911T (met de 'T' voor Touring) was een eenvoudige uitvoering van de 911 die de 912 opvolgde. Ook dit model kon, evenals alle andere, na juli 1967 met een 'Sportomatic' halfautomatische versnellingsbak besteld worden. Natuurlijk kreeg de 911T ook de technische verbeteringen ingebouwd die zijn duurdere broers ontvingen. De T is wat duurder dan de 912, maar ook een nog steeds wat lager geprijsde Porsche. Net als bij de andere Targa's is de vaste glazen achterruit vanaf 1971 standaard gemonteerd.

Aantal cilinders: 6	
Cilinderinhoud in cm³: 1991, 2195 en 2341	
Vermogen: 110/5800, 125/5800 en 130/5600	
Topsnelheid in km/uur: 170-200	
Carrosserie/Chassis: zelfdragend	
Uitvoering: coupé en targa	
Productiejaren: 1967-1973	
Productie-aantal: 38.333	
In NL: n.b.	
Prijzen:	A: 5.400 B: 11.300 C: 15.900

PORSCHE 911E

De 911E was de opvolger van de 911L. Weer was het een soort 'comfort'-model dat nu van hydropneumatische voorveren was voorzien. De motor had, evenals de 911S, benzine-inspuiting. Dit systeem werkte 'schoner' en was dus eenvoudiger aan de strenge eisen van de Amerikaanse wetten aan te passen. De E volgde dezelfde motorenevolutie als de andere 911's. Vanaf eind 1972 was er de spoiler onder de voorbumper. Wie wat meer comfort wil dan in een 'gewone' 911, kan de aanschaf van een E overwegen.

Aantal cilinders: 6
Cilinderinhoud in cm³: 1991, 2195 en 2341
Vermogen: 140/6500, 133/6200 en 165/6200
Topsnelheid in km/uur: 200-210
Carrosserie/Chassis: zelfdragend
Uitvoering: coupé en targa
Productiejaren: 1968-1973
Productie-aantal: 12.159
In NL: n.b.
Prijzen: (2.0) A: 5.900 B: 11.300 C: 16.300

PORSCHE CARRERA RS

Om voor de groep 4 van de serie GT auto's gehomologeerd te kunnen worden, moest Porsche van ieder model Carrera minstens 500 exemplaren bouwen. Meestal werden het er meer dan 500 zoals bij de RS het geval was. Voor veel geld kreeg de klant een sober uitgevoerde wagen met een enorm sterke motor. Hij zat op een eenvoudig kuipstoeltje. De RS herkende men aan zijn opvallende emblemen op de flanken en aan zijn, door 'Butzi' Porsche ontworpen, spoiler. Er was een Sport-versie en een Touring-versie. Kijk uit voor namaak.

Aantal cilinders: 6
Cilinderinhoud in cm³: 2687
Vermogen: 210/6300
Topsnelheid in km/uur: 240
Carrosserie/Chassis: zelfdragend
Uitvoering: coupé
Productiejaar: 1972-1973
Productie-aantal: 1.590
In NL: n.b.
Prijzen: A: 22.000 B: 37.000 C: 51.000

PORSCHE 924

In november 1975 debuteerde een geheel nieuwe Porsche, de 924, een ontwerp van de Nederlander Harm Lagaay. De wagen deed denken aan de 914 die 'geen Porsche' geweest was, omdat de motor van een VW 411 stamde. Hoewel in de ogen van pers en Porsche-fans een flop, werd die 914 een verkoopsucces. Met de 924 herhaalde zich de geschiedenis. Ook dit was 'geen Porsche' omdat de motor van Audi was, maar weer werden alle Porsche-verkooprecords verbeterd en daar ging het de Stuttgarter om. Het is tegenwoordig een goedkope auto in aanschaf en vele worden er door jongelui gekocht.

Aantal cilinders: 4
Cilinderinhoud in cm³: 1984
Vermogen: 125/5800
Topsnelheid in km/uur: 200
Carrosserie/Chassis: zelfdragend
Uitvoering: coupé
Productiejaren: 1975-1985
Productie-aantal: 110.427
In NL: 1.630
Prijzen: A: 1.400 B: 2.900 C: 4.500

PORSCHE 924 TURBO

Als je de 924 Turbo naast een gewone 924 zette, dan begreep je niet direct dat de Turbo dertig procent duurder moest zijn. Je herkende hem aan de vier luchtinlaten net boven de bumper, aan zijn speciale wielen en aan zijn spoilers, en dat waren de grote verschillen. Het prijsverschil zat hem dus in het technische deel: vier in plaats van twee schijfremmen en dan natuurlijk de motor die nu bij Porsche in Zuffenhausen en niet bij NSU in Neckarsulm in elkaar gezet was.

Aantal cilinders: 4
Cilinderinhoud in cm³: 1984
Vermogen: 170/5500
Topsnelheid in km/uur: 225
Carrosserie/Chassis: zelfdragend
Uitvoering: coupé
Productiejaren: 1979-1983
Productie-aantal: 12.947
In NL: zie hiervoor
Prijzen: A: 3.200 B: 5.000 C: 6.800

PORSCHE 924 CARRERA GT

Deze GT was het geesteskind van Porsches chef-designer, Anatole Lapine. De presentatie vond op de IAA in september 1979 plaats en de productie begon in juni 1980. De wagen onderscheidde zich uiterlijk door zijn grote luchthapper rechts boven op de motorkap en zijn aparte wielen. De Carrera GT Le Mans is slechts viermaal gebouwd. De GTS en GTR waren uitsluitend voor het circuit bestemd en deze waren alleen rechtstreeks bij de fabriek te bestellen. Er werden er respectievelijk 59 en 17 van geleverd.

Aantal cilinders: 4
Cilinderinhoud in cm³: 1984
Vermogen: 210/6000
Topsnelheid in km/uur: 230
Carrosserie/Chassis: zelfdragend
Uitvoering: coupé
Productiejaren: 1980-1981
Productie-aantal: 404
In NL: zie hiervoor
Prijzen: A: 6.800 B: 12.300 C: 17.000

PORSCHE 944

Toen Audi met vijfcilinder motoren begon, moest Porsche voor zijn 924 een andere krachtbron vinden. Men besloot een nieuwe wagen te construeren die aangedreven werd door de helft van een 928-V8-motor. De carrosserie van de 924 werd aangepast en toen hij van bredere spatborden en grotere spoilers voorzien was, zag de wagen er al heel anders uit. Met dit model brak Porsche het verkooprecord dat de 924 gevestigd had: in de eerste twaalf maanden van zijn bestaan werd de 944 23.200 maal verkocht! Het is een heerlijke auto om mee te rijden, maar ze zijn weinig waard gezien de huidige prijzen.

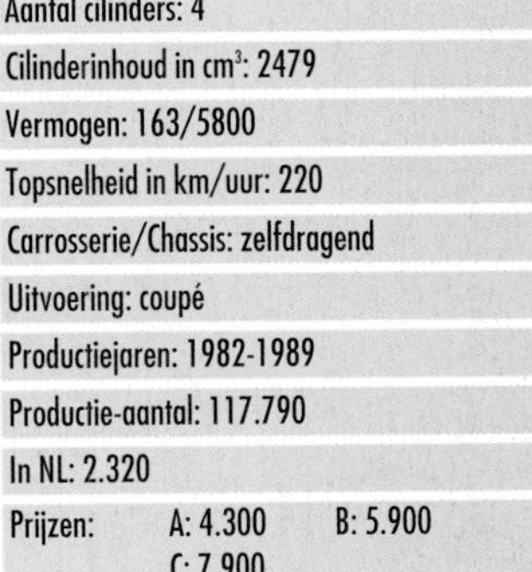

Aantal cilinders: 4
Cilinderinhoud in cm³: 2479
Vermogen: 163/5800
Topsnelheid in km/uur: 220
Carrosserie/Chassis: zelfdragend
Uitvoering: coupé
Productiejaren: 1982-1989
Productie-aantal: 117.790
In NL: 2.320
Prijzen: A: 4.300 B: 5.900 C: 7.900

PORSCHE 911 TURBO 3 LITER

Nadat Porsche jarenlang op de circuits ervaringen met de turbomotor opgedaan had, durfde men het aan een dergelijke motor in de 911 aan te bieden. De presentatie vond in 1974 op de Parijse Salon plaats. Goedkoop kon en mocht de wagen natuurlijk niet zijn, maar dat hij vrijwel het dubbele kostte van een 'gewone' 911 leek haast overdreven. Voor de technisch geïnteresseerden: de KKK 3 LDZ turbolader werkte met een druk van 0,8 Atü. Deze wagen wordt ook wel met '930' aangeduid.

Aantal cilinders: 6
Cilinderinhoud in cm³: 2994
Vermogen: 260/5500
Topsnelheid in km/uur: 250
Carrosserie/Chassis: zelfdragend
Uitvoering: coupé
Productiejaren: 1975-1977
Productie-aantal: 2.873
In NL: 3.227
Prijzen: A: 13.000 B: 19.000 C: 25.000

PORSCHE 911 CARRERA 2.7 & 3.0

De naam Carrera heeft voor Porsche veel betekenis. Hij herinnert aan de beruchte Carrera Panamericana races dwars door Mexico en aan de motoren met de vier bovenliggende nokkenassen en de koningsas die ze aandreef. In de 911 Carrera RS 2.7 van 1973 vond men deze lekkernijen niet en in de opvolger, de Carrera 3.0 van 1975, evenmin. Het was gewoon een supersnelle wagen die in 1975 meer power dan zijn stalgenoten had, vanwege de grotere inhoud van de motor. De door een K-Jetronic ingespoten 3,0 liter Carrera accelereerde in 6,3 seconden van stilstand naar een snelheid van 100 km/uur.

Aantal cilinders: 6
Cilinderinhoud in cm³: 2687 en 2994
Vermogen: 200/6000-230/6300
Topsnelheid in km/uur: 230-240
Carrosserie/Chassis: zelfdragend
Uitvoering: coupé
Productiejaren: 1973-1975 en 1975-1977
Productie-aantallen: 4.943 en 3.800
In NL: n.b.
Prijzen: (3.0) A: 8.000 B: 13.000 C: 18.000

PORSCHE 911 2.7

In 1973 kregen alle 911's de 2.7 liter onder de achterklep. Behalve de hierboven besproken Carrera-uitvoering, kon de klant de 911 2.7 en de 911S 2.7 kiezen. Ze hebben de in onze ogen lelijke dikke Amerikaanse bumpers en een voorspoiler. Het vermogen van de 2.7's stelt voor een Porsche 911 enigszins teleur en deze typen zijn tegenwoordig dan ook de goedkoopste 911's die men kan kopen. Er worden er vele uit Duitsland geïmporteerd sinds de jongste BPM-maatregelen. We voorzien prijsstijgingen in de komende jaren vanwege de belastingvrijstelling.

Aantal cilinders: 6
Cilinderinhoud in cm³: 2687
Vermogen: 150/5700-175/6000
Topsnelheid in km/uur: 210-225
Carrosserie/Chassis: zelfdragend
Uitvoering: coupé en targa
Productiejaren: 1973-1977
Productie-aantal: 28.994
In NL: n.b.
Prijzen: A: 8.200 B: 11.300 C: 13.600

PORSCHE 911SC 1977-1983

In de zomer van 1977 had de klant de keuze uit twee 911-modellen: de SC en de hiervoor besproken Turbo. De SC was een 911S met een 3-liter Carrera-motor en de wagen stond bij Porsche bekend als een 'afgeslankte Carrera'. In augustus '79 krijgt de wagen er 8 pk's bij en een jaar later nog eens 16. Vanaf januari 1983 is er een cabrioletuitvoering in het programma. De opvolger van de SC is de 3.2-liter Carrera. Amerikaanse versies van de eerste SC-typen beschikken over 172 pk. De cabriolets zijn tamelijk waardevast en doen ongeveer een derde meer in prijs.

Aantal cilinders: 6
Cilinderinhoud in cm³: 2994
Vermogen: 180/5500-204/5900
Topsnelheid in km/uur: 225-235
Carrosserie/Chassis: zelfdragend
Uitvoering: coupé, targa en cabriolet ('83)
Productiejaren: 1977-1983
Productie-aantal: 60.740
In NL: n.b.
Prijzen: A: 9.100 B: 12.700
(Targa) C: 17.000

PORSCHE 911 CARRERA 3.2

Als opvolger van de 911 SC verscheen voor 1984 de Carrera 3.2 met een vergrote cilinderinhoud. Aan het uiterlijk was niets ingrijpend gewijzigd, want Porsche verkocht de 911 nog prima. In '85 was er een 'Turbo-look' leverbaar op de coupé of targa. Voor 1986 was er een nieuw dashboard en een jaar later kreeg de Australische markt een geknepen versie aangeboden. In '87 verscheen de bijzondere serie Club Sport die 50 kilo lichter was en dus sneller. In het laatste jaar kwamen er 300 jubileummodellen uit en 2.065 Speedsters.

Aantal cilinders: 6
Cilinderinhoud in cm³: 3164
Vermogen: 231/5900
Topsnelheid in km/uur: 245
Carrosserie/Chassis: zelfdragend
Uitvoering: coupé, targa en cabriolet
Productiejaren: 1984-1989
Productie-aantal: 80.684
In NL: n.b.
Prijzen: A: 9.100 B: 15.000
(Targa) C: 20.400

PORSCHE 928

De Auto van het Jaar wordt gekozen door een jury van internationale autojournalisten. Logisch dat het meestal een auto 'voor iedereen' is. Een uitzondering maakte de jury toen ze in 1978 de Porsche 928 deze eer verleende. De 928 had niet zoals men van een 'echte' Porsche verwachten kon een luchtgekoelde zescilinder achterin, maar een watergekoelde V8 in het vooronder. Om het gewicht mooi te verdelen was de vijfversnellingsbak met het differentieel van de 2+2 verbonden. Ondanks de hoge nieuwprijs is de 928 tegenwoordig voor weinig geld te koop.

Aantal cilinders: V8
Cilinderinhoud in cm³: 4474
Vermogen: 240/5250
Topsnelheid in km/uur: 230
Carrosserie/Chassis: zelfdragend
Uitvoering: coupé
Productiejaren: 1977-1982
Productie-aantal: 17.710
In NL: 790
Prijzen: A: 2.600 B: 5.200
C: 7.600

PORSCHE 928S

Om de 928 nog wat meer spierballen te geven, bracht Porsche in 1979 de 928S uit met bijna 200 cc meer motorvolume. Het vermogen nam maar liefst met 60 pk toe. De gewone 928 bleef tot in '82 naast de S leverbaar. Hoewel de 928 een geweldige GT is met volop vermogen, veel comfort en voorzieningen, is de wagen in de ogen van liefhebbers van 'echte' Porsches een vreemde eend in de bijt. Later zouden er nog forser gemotoriseerde versies verschijnen, zoals de S4, maar die zijn voor deze catalogus te jong. Een 928 (S) is erg duur in reparatie en onderhoud, vandaar wellicht de lage prijzen.

Aantal cilinders: V8
Cilinderinhoud in cm³: 4664
Vermogen: 300-310/5900
Topsnelheid in km/uur: 250
Carrosserie/Chassis: zelfdragend
Uitvoering: coupé
Productiejaren: 1979-1986
Productie-aantal: 22.500
In NL: zie hiervoor
Prijzen: A: 3.500 B: 6.400
C: 9.200

PORSCHE 914/4 (1,7, 1,8 & 2,0 LITER)

De VW-Porsche 914, al gauw Volksporsche en in Duitsland Vopo genoemd, verdeelde de Porsche-liefhebbers in twee kampen. De auto had de motor van de Volkswagen 411 die nu echter voor de achteras gemonteerd was. Er waren dus twee kofferruimten waarvan er één voor het opbergen van het targadak bestemd was. In Amerika verkocht de wagen beter dan in Europa, vooral omdat men hem in de VS alleen maar als Porsche 914 adverteerde. Vanaf '72 met 1,8 liter en optioneel was er de tweeliter motor.

Aantal cilinders: 4
Cilinderinhoud in cm³: 1679, 1795 en 1971
Vermogen: 80/4900, 85/5000 en 100/5000
Topsnelheid in km/uur: 170-190
Carrosserie/Chassis: zelfdragend
Uitvoering: targa
Productiejaren: 1969-1975
Productie-aantal: 115.646
In NL: 285
Prijzen: A: 2.500 B: 5.000
C: 7.900

PORSCHE 914/6

Wie met het vermogen van een 914/4 motor niet tevreden kon zijn, had de mogelijkheid een zescilinder Porsche-motor te laten inbouwen. Dit model kostte echter de helft meer en daarom niet veel minder dan voor een 'echte' Porsche betaald moest worden. De 914/6 was een halve wedstrijdauto. Hij haalde een aanvaardbare topsnelheid en accelereerde van 0 naar 100 km/uur in slechts 8,5 seconden. Om een betere wegligging te verkrijgen, waren er bredere velgen gemonteerd. Het werd geen verkoopsucces.

Aantal cilinders: 6
Cilinderinhoud in cm³: 1991
Vermogen: 110/5800
Topsnelheid in km/uur: 210
Carrosserie/Chassis: zelfdragend
Uitvoering: targa
Productiejaren: 1969-1972
Productie-aantal: 3.332
In NL: n.b.
Prijzen: A: 5.900 B: 10.200 C: 13.600

PRINCESS

In de jaren vijftig was de naam Princess bestemd voor de duurste modellen van Austin. De auto's die deze naam droegen, konden het in vele opzichten opnemen tegen de Rolls-Royce en Bentley maar waren natuurlijk aanmerkelijk goedkoper. Maar wie wil een Austin kopen die op een Rolls-Royce moet lijken? Niemand, en daarom werd de Princess een eigen merk dat voor de klant niets meer met Austin te maken had.

PRINCESS 1800, 2000 & 2200

De naam Princess was al een begrip. Van 1959 tot 1974 gebruikte Vanden Plas hem. In 1975 werd de naam Princess in ere hersteld. Het werd een eigen merk en verving de grotere modellen van Austin, Morris en Wolseley. Tot in 1982 zou het merk op de markt blijven. De officiële naam van de afgebeelde auto is Princess 2200 HLS, wat zoveel als High Line Special betekent. De wagen had alle accessoires die men van de dure Wolseley gewend geweest was. De vering was van het bekende Hydragas-type. Er waren ook andere motoren leverbaar.

Aantal cilinders: 4 en 6
Cilinderinhoud in cm³: 1695-1993 en 2227
Vermogen: 82/5250-112/5250
Topsnelheid in km/uur: 157-170
Carrosserie/Chassis: zelfdragend
Uitvoering: sedan
Productiejaren: 1975-1982
Productie-aantal: 205.842
In NL: n.b.
Prijzen: A: 450 B: 900 C: 1.600

PUMA

De eerste auto's die Italiaan Genaro Malzoni bouwde, gingen als DKW-Malzoni GT de fabriek uit. Ze hadden een 3=6 DKW-motor die door Malzoni tot 65 pk opgevoerd was en die de voorwielen aandreef. De carrosserie was van kunststof en groot genoeg voor drie personen waarbij de derde man dwars achterin moest zitten. In 1971 kon de Puma, die inmiddels een VW-motor had, ook als tweepersoons cabriolet besteld worden.

PUMA GT 1500 & 1600

In 1964 begon Malzoni in zijn nieuwe woonplaats, Sao Paulo, Brazilië, met de bouw van sportwagens. In 1968 kwam er een VW-motor achter in de wagen. De Puma stond op het onderstel van de VW Karmann-Ghia en had dus eerst een 1,5- en daarna een 1,6-litermotor. De Puma had een aantrekkelijke carrosserie en was in iedere Volkswagen-garage goedkoop te onderhouden. Dit was de reden dat de wagen naar verschillende landen geëxporteerd werd. In 1973 kwamen er weer Puma's met de motor voorin en ditmaal waren het zescilinders van Chevrolet.

Aantal cilinders: 4
Cilinderinhoud in cm³: 1493 en 1584
Vermogen: 60/4400 en 70/4800
Topsnelheid in km/uur: 150 en 160
Carrosserie/Chassis: kunststof/zelfdragend
Uitvoering: coupé en cabriolet
Productiejaren: 1968-1969 en 1969-1985
Productie-aantallen: n.b.
In NL: 1
Prijzen: A: 1.100 B: 2.700 C: 4.500

RAMBLER

In 1957 waren de laatste wagens onder de naam Nash uit de fabriek in Kenosha, Wisconsin, gekomen. De opvolgers heetten weer Rambler, zoals de voorgangers van de Nash in het begin van de twintigste eeuw. Er was al sinds 1950 een Nash Rambler geweest, maar nu, in 1957, werd het een eigen merk onder de vlag van de in 1954 opgerichte American Motors Corporation (AMC). De reden voor deze verandering was het feit dat de belangstelling voor de grote Nash- en Hudson-modellen afnam. De verkoopcijfers van Rambler stegen daarentegen.

RAMBLER AMERICAN 1958-1960

Deze wagen was bedoeld voor de man die eigenlijk steeds gebruikte auto's kocht maar toch wel graag een nieuwe wagen had. Het model stamde van 1953 toen het nog als Nash Rambler werd aangeboden en onder de motorkap stond een goedkope zijklepper. Met een wielbasis en lengte van 254 en 453 cm had de American dezelfde wielbasis als een Opel Olympia en was hij maar 10 cm langer. De auto had geen enkele luxe en een van de kenmerken van de duurdere uitvoering, de Custom, was dat die verchroomde lijsten om de voor- en achterruit had.

Aantal cilinders:	6
Cilinderinhoud in cm³:	3205
Vermogen:	91/3800
Topsnelheid in km/uur:	130
Carrosserie/Chassis:	zelfdragend
Uitvoering:	coach, sedan en stationcar
Productiejaren:	1958-1960
Productie-aantal:	242.724
In NL:	2
Prijzen:	A: 1.800 B: 4.300 C: 6.800

RAMBLER REBEL 1958-1960

De Rambler Rebel vulde het (financiële) gat tussen de goedkopere Rambler Six en de dure Ambassador. Hij had de carrosserie en het onderstel met de Six gemeenschappelijk. Om het verschil vooral kenbaar te maken had de wagen V8 tekens op de voorspatborden. Er waren net als bij de Rambler Six de subreeksen DeLuxe, Super en Custom. Voor sommige exportmarkten werden de Rebels als CKD (completely knocked down) in onderdelen verscheept om in het land van bestemming geassembleerd te worden.

Aantal cilinders:	V8
Cilinderinhoud in cm³:	4097
Vermogen:	218/4900
Topsnelheid in km/uur:	160
Carrosserie/Chassis:	zelfdragend
Uitvoering:	sedan en stationcar
Productiejaren:	1958-1960
Productie-aantal:	43.517
In NL:	2
Prijzen:	A: 2.000 B: 5.000 C: 7.900

RAMBLER SIX 1958-1960

De Rambler Six was in feite een goedkopere versie van de Rebel. Voor tien procent minder geld had de koper een zes-in-lijn onder de kap in plaats van de V8 van de Rebel. Voor '58 kregen de Ramblers net als andere merken in die tijd vinnen achter, maar dat was wel aan de late kant. De Six was dé succesreeks voor Rambler en men wist er jaarlijks tweemaal zoveel te verkopen als van de overige drie typen bij elkaar. De Six onderging dezelfde uiterlijke wijzigingen als de Rebel, dus ook hier weken de vleugeltjes voor '60 naar buiten. Afgebeeld is een inmiddels Nederlandse Custom van 1959.

Aantal cilinders:	6
Cilinderinhoud in cm³:	3205
Vermogen:	127/4200
Topsnelheid in km/uur:	130
Carrosserie/Chassis:	zelfdragend
Uitvoering:	sedan en stationcar
Productiejaren:	1958-1960
Productie-aantal:	646.865
In NL:	n.b.
Prijzen:	A: 1.800 B: 4.500 C: 7.300

RAMBLER AMBASSADOR 1958-1960

Het topmodel van Rambler was in 1958 de Ambassador. De Amerikanen hebben steeds vele uitvoeringen voor hun auto's kunnen bedenken en zo was deze vierdeurs Ambassador in 1959 een Custom-versie, wat te lezen stond op de zijkanten van de achterspatborden. De wagen was ook in goedkopere uitvoeringen te krijgen en die heetten dan DeLuxe of Super, net als bij Six en de Rebel. Voor 1959 waren de grille, zijstrips en de vleugels licht gewijzigd. De typenaam Ambassador zou later, als het merk AMC zou gaan heten, geprolongeerd worden.

Aantal cilinders:	V8
Cilinderinhoud in cm³:	5359
Vermogen:	270/4700
Topsnelheid in km/uur:	170
Carrosserie/Chassis:	zelfdragend
Uitvoering:	sedan en stationcar
Productiejaren:	1958-1960
Productie-aantal:	63.137
In NL:	1
Prijzen:	A: 2.300 B: 5.000 C: 8.200

RAMBLER AMERICAN 1961-1963

De American was zo'n beetje de zuinigste Amerikaanse wagen en voor 1961 werd hij met zijn geheel nieuwe carrosserie nog compacter. De trapezevormige grille viel meteen op, maar dat is op de foto van deze Nederlandse convertible niet te zien. Die open American was overigens ook nieuw dat jaar. Net als voorheen waren er de subreeksen DeLuxe, Super en Custom. Voor '62 verdween de Super-reeks en werd de nieuwe 400-lijn de duurste. Nog een jaar later heetten de drie uitvoeringen 220, 330 en 440. Nieuw voor dat jaar was de terugkeer van de hardtop coach op de Amerikaanse markt.

Aantal cilinders: 6
Cilinderinhoud in cm³: 3205
Vermogen: 90/3800-138/4500
Topsnelheid in km/uur: 120-145
Carrosserie/Chassis: zelfdragend
Uitvoering: coach, sedan, stationcar en cabriolet
Productiejaren: 1961-1963
Productie-aantal: 356.903
In NL: n.b.
Prijzen: A: 700 B: 2.000 C: 3.600

RAMBLER CLASSIC SIX 1961

Voor het modeljaar 1961 veranderde de Rambler Six in Rambler Classic Six. Dit ging samen met een facelift die onder andere een geheel nieuwe neus inhield. De motor was niet erg klassiek. Integendeel, de fabriek adverteerde hem als 'America's first Die-Cast Aluminum Six' en inderdaad was het blok van de kopklepper uit aluminium gegoten, iets ongewoons voor een goedkope wagen. De cilinderkop was nog van gietijzer. De auto kon met een drieversnellingsbak, met of zonder overdrive, of met een automaat geleverd worden.

Aantal cilinders: 6
Cilinderinhoud in cm³: 3205
Vermogen: 129/4200
Topsnelheid in km/uur: 140
Carrosserie/Chassis: zelfdragend
Uitvoering: sedan en stationcar
Productiejaar: 1961
Productie-aantal: 214.177
In NL: 0
Prijzen: A: 600 B: 1.600 C: 3.200

RAMBLER CLASSIC SIX 1963-1965

De Classix Six-reeks onderging voor 1963 een restyling: een lage, strakke lijn en een langere wielbasis. Binnen de reeks waren er de subseries DeLuxe, Custom en 400, na januari '63 omgedoopt in 550, 660 en 770. Het verschil van ongeveer $100 per type zat in de uitrusting en striping. Voor '64 was er een nieuwe grille en een jaar later een geheel nieuwe neus- en achtersectie plus een cabriolet in de 770-serie. Die verkocht meteen aardig goed met 4.953 stuks. Het exemplaar op de foto is in 1967 op Nederlands kenteken gekomen.

Aantal cilinders: 6
Cilinderinhoud in cm³: 3205
Vermogen: 126/4200
Topsnelheid in km/uur: 140
Carrosserie/Chassis: zelfdragend
Uitvoering: coach, sedan, coupé, stationcar en cabriolet
Productiejaren: 1963-1965
Productie-aantal: 629.662
In NL: n.b.
Prijzen (sedan): A: 700 B: 1.700 C: 3.200

RANGER

In 1968 begon General Motors in Zuid-Afrika met de bouw van de Ranger, een op de Opel Rekord gebaseerde wagen. Hij had ook componenten van de Vauxhall en de Holden en de motor kwam van Chevrolet. Vanaf 1970 bouwde men in Antwerpen een Europese versie met een Opel-motor. In '73 herdoopte men de Afrikaanse Rangers in Chevrolet en in '76 hield de Belgische productie op.

RANGER

Via de Vauxhall-dealers verliep in Nederland de verkoop van de Ranger. Wat indertijd de opzet is geweest om een zo sterk op een Opel gelijkende auto in Europa onder een andere naam en voor nagenoeg dezelfde prijs uit te brengen, mag Joost weten. Er stond in ieder geval geen "Opel' op. De Ranger was van zijn Zuid-Afrikaanse neef afgeleid, maar had Opel-techniek en een dito uiterlijk. De carrosserieën evolueerden met Opel mee, dus er zijn C-Rekord-achtigen, D-Rekord-achtigen en Commodore-typen. Afgebeeld een coupé met een zescilinder 2.8 motor.

Aantal cilinders: 4 en 6
Cilinderinhoud in cm³: 1698-2784
Vermogen: 66/5300-150/5800
Topsnelheid in km/uur: 140-190
Carrosserie/Chassis: zelfdragend
Uitvoering: coach, sedan en coupé
Productiejaren: 1970-1976
Productie-aantal: n.b.
In NL: n.b.
Prijzen (1e typen): A: 700 B: 1.800 C: 3.000

RELIANT

In 1935 begon de firma Reliant met het bouwen van driewieler bestelwagens. In 1952 begon Reliant dit soort auto's ook voor het personenvervoer te fabriceren, met succes, want in Engeland betaalde men voor een driewieler beduidend minder belasting dan voor een 'echte' auto. In 1961 begon Reliant de Sabre te bouwen en daarmee drong men de wereld van de vierwielers binnen. Na een periode van stilte kwam Reliant in 1994 terug op de (export)markt met de gunstig geprijsde cabriolet Scimitar Sabre. In 2001 ging de driewielerproductie in andere handen over.

RELIANT SABRE

In 1960 stond Reliant niet alleen met zijn driewielers op de Londense autotentoonstelling, maar ook met een vierwieler sportwagen: de Sabre. De auto had een kunststof carrosserie die opviel door zijn buitengewone lelijkheid en een Ford-motor onder de motorkap. In Israël bouwde de firma Autocars Company in Haifa de auto in licentie. Daar heette de wagen Sabra en hij werd ook in dat land geen verkoopsucces. De Engelse productie is zeer beperkt gebleven. Men zag Reliant toch vooral als fabrikant van lullige driewielers.

- Aantal cilinders: 4
- Cilinderinhoud in cm³: 1703
- Vermogen: 91/4600
- Topsnelheid in km/uur: 165
- Carrosserie/Chassis: kunststof/afzonderlijk chassis
- Uitvoering: coupé en cabriolet
- Productiejaren: 1961-1964
- Productie-aantallen: 58 + 150 als Sabra
- In NL: 0
- Prijzen: A: 3.200 B: 6.100 C: 9.100

RELIANT SABRE SIX

In 1962 kreeg de Sabre een nieuwe carrosserie en een zescilinder Ford-motor. De wagen werd nu niet langer als bouwpakket aangeboden, maar ook voor de complete auto stonden de klanten niet in de rij. De reden was de prijs die maar £ 30,– lager was dan die van de grote Austin-Healey. De eerste 17 exemplaren van de Sabre Six hadden nog de voorwielophanging uit eigen huize maar de latere kwamen met de betere van de Triumph TR4. Tegenwoordig zeldzaam en daardoor redelijk pittig geprijsd.

- Aantal cilinders: 6
- Cilinderinhoud in cm³: 2553
- Vermogen: 106/4750-120/5000
- Topsnelheid in km/uur: 180
- Carrosserie/Chassis: kunststof/afzonderlijk chassis
- Uitvoering: coupé en cabriolet
- Productiejaren: 1962-1966
- Productie-aantal: 77
- In NL: 2
- Prijzen: A: 4.500 B: 7.900 C: 10.900

RELIANT REGAL 3/25 & 3/30

In Engeland is de driewieler uit fiscale overwegingen steeds geliefd geweest. Er mocht in Nederland tot voor kort met een motorrijbewijs in gereden worden. Reliant was één van de pioniers op dit gebied in 1951. Tot 1962 verscheen er een reeks Regals tot deze voor ons wat bekendere 3/25 zich aandiende. De carrosserie was geheel van kunststof en daardoor was de wagen, het was een volwaardige vierzitter, erg licht. De aluminium motor was op die van een Austin Seven gebaseerd. Een hoog George & Mildred-gehalte, maar er zijn liefhebbers voor.

- Aantal cilinders: 4
- Cilinderinhoud in cm³: 598 en 701
- Vermogen: 25/5250 en 30/5000
- Topsnelheid in km/uur: 100 en 115
- Carrosserie/Chassis: kunststof/afzonderlijk chassis
- Uitvoering: coach en stationcar
- Productiejaren: 1962-1967 en 1967-1973
- Productie-aantal: ca. 100.000
- In NL: n.b.
- Prijzen: A: 190 B: 700 C: 12.00

RELIANT KITTEN

De Kitten van '75 was niets anders dan een Robin met vier wielen. Het wagentje had een kleinere draaicirkel dan die van een Londense taxi en hij was zeer zuinig in het gebruik. Zeker bij een kruissnelheid van honderd was er indertijd geen economischer auto. Maar de Kitten was lawaaiig, klein, broos en daarbij beroerd gebouwd wat kwaliteit betreft. De openklappende achterruit om bij de bagageruimte te komen, gaf vele zorgen. Intussen zijn de meeste exemplaren teloor gegaan, maar er zijn ook Nederlandse overlevers.

- Aantal cilinders: 4
- Cilinderinhoud in cm³: 848
- Vermogen: 40/5500
- Topsnelheid in km/uur: 125
- Carrosserie/Chassis: kunststof/afzonderlijk chassis
- Uitvoering: coach en stationcar
- Productiejaren: 1975-1982
- Productie-aantal: 4.074
- In NL: n.b.
- Prijzen: A: 300 B: 900 C: 1.600

RELIANT SCIMITAR GT

Nadat David Ogle een Daimler-chassis van een speciale carrosserie had voorzien, kocht Reliant de rechten om deze 2+2 opbouw te bouwen. De SE4A, zoals de wagen intern gedoopt was, had een zescilinder motor van de Ford Zodiac terwijl de latere SE4B de V6-Ford-motor kreeg. De SE4C had een 2,5 liter V6 onder de kap. Nadat men in 1965 de achterwielophanging vernieuwd had, waren de laatste kinderziekten van de wagen genezen. Deze redelijk gelijnde eerste Scimitar is tegenwoordig laag geprijsd.

Aantal cilinders: 6 en V6
Cilinderinhoud in cm³: 2553, 2995 en 2495
Vermogen: 120/5000, 146/4750 en 121/4750
Topsnelheid in km/uur: 175 en 195
Carrosserie/Chassis: kunststof/afzonderlijk chassis
Uitvoering: coupé
Productiejaren: 1964-1970
Productie-aantallen: 296, 590 en 117
In NL: 8
Prijzen: A: 2.300 B: 5.000 C: 7.700

RELIANT SCIMITAR GTE SE5

De Reliant GTE was één van de eerste sportwagons. Chevrolet had al in de jaren vijftig zijn Nomad showcar met een dergelijke carrosserie gebouwd en bekend zouden ook de Volvo P1800ES en 480 ES worden. De wagen had de voordelen van een sportcoupé maar ook van een stationcar, iets wat velen konden waarderen. Op verzoek kon er een automatische versnellingsbak ingebouwd worden. De Engelse prinses Anne reed ook met een dergelijke wagen. Ze heeft er in totaal negen bezeten. Een mooie en praktische auto; voor weinig geld te vinden.

Aantal cilinders: V6
Cilinderinhoud in cm³: 2994
Vermogen: 135/5000
Topsnelheid in km/uur: 195
Carrosserie/Chassis: kunststof/afzonderlijk chassis
Uitvoering: sportswagon
Productiejaren: 1968-1975
Productie-aantal: 9.416
In NL: 28
Prijzen: A: 1.800 B: 4.500 C: 7.300

RELIANT SCIMITAR GTE SE6 1975-1986

Dat niet iedere verandering ook een verbetering betekent, merkten de kopers van de gefacelifte Scimitar GTE SE6 die in 1975 het oude model opvolgde. De wagen had dezelfde lijnen behouden, maar had een 10 cm langere wielbasis en een grotere spoorbreedte. Helaas was daarmee de wegligging voor een groot deel bedorven. Al snel kwam er verbetering met de SE6a in 1979. In dat jaar kwam ook de 2,8 liter V6 van Ford in Keulen. Na '81 waren de chassis gegalvaniseerd. De SE6b was er vanaf 1982.

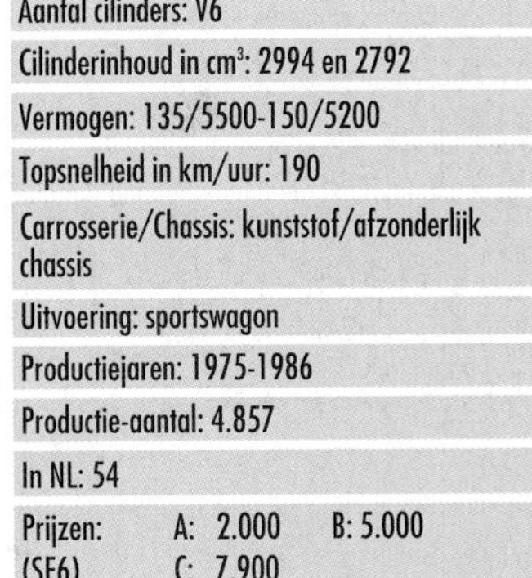

Aantal cilinders: V6
Cilinderinhoud in cm³: 2994 en 2792
Vermogen: 135/5500-150/5200
Topsnelheid in km/uur: 190
Carrosserie/Chassis: kunststof/afzonderlijk chassis
Uitvoering: sportswagon
Productiejaren: 1975-1986
Productie-aantal: 4.857
In NL: 54
Prijzen: (SE6) A: 2.000 B: 5.000 C: 7.900

RELIANT GTC

In maart 1980 bracht Reliant de GTC naar Genève. Het was een vierpersoons cabriolet, helaas met een rolbeugel. Deze stoorde weliswaar het open rijden niet maar maakte de wagen er niet mooier op. Het voordeel van de GTC was echter dat er werkelijk vier mensen in konden zitten. Onder de kunststof carrosserie stonden de motor en versnellingsbak, met of zonder overdrive, die ook in de Ford Capri te vinden waren. Dat garandeerde een goede kwaliteit en goedkoop onderhoud. Op de foto een GTC zonder rolbeugel.

Aantal cilinders: V6
Cilinderinhoud in cm³: 2792
Vermogen: 135/5200
Topsnelheid in km/uur: 140
Carrosserie/Chassis: kunststof/afzonderlijk chassis
Uitvoering: cabriolet
Productiejaren: 1980-1985
Productie-aantal: 443
In NL: 2
Prijzen: A: 8.200 B: 11.800 C: 15.900

(RELIANT) MIDDLEBRIDGE GTE

Twee zakenlieden uit Nottingham, Peter Boans en John McCauley, dachten dat de Scimitar na de productiestop in november '86 nog toekomst had. Zij kochten in '87 de productierechten van de GTE en GTC op en startten met Japans geld de vervaardiging van de Middlebridge GTE. De wagen was op 450 punten gemoderniseerd en had de 2,9 liter motor uit de Ford Scorpio. Tussen '88 en '90 leverde de fabriek 77 wagens af, waarvan drie linksgestuurde exemplaren. Twee daarvan werden in Nederland afgeleverd: een zwarte en de afgebeelde paarse.

Aantal cilinders: V6
Cilinderinhoud in cm³: 2936
Vermogen: 150/5700
Topsnelheid in km/uur: 210
Carrosserie/Chassis: kunststof/afzonderlijk chassis
Uitvoering: coupé
Productiejaren: 1988-1990
Productie-aantal: 77
In NL: 2
Prijzen: A: 2.300 B: 5.900 C: 9.100

RENAULT

Louis Renault reed al in 1898 met een eigen auto rond. Hij wist een imperium op te bouwen dat na zijn dood – hij stierf na de bevrijding van Frankrijk in een gevangenis, verdacht van collaboratie met de vijand – door de staat werd overgenomen. Renault bouwde en bouwt auto's voor iedere portemonnee maar ook voor de racerij. Men denke aan de actuele Formule-1-motoren. In kringen van liefhebbers van klassiekers weten slechts weinige naoorlogse Renaults terrein te winnen.

RENAULT JUVAQUATRE

Daar de 4CV nog niet geheel rijp was voor productie, kwam Renault in 1946 eerst weer met zijn Juvaquatre terug op de markt. Een schaamteloze kopie van de Opel Kadett. Hij was er alleen nog in vierdeurs versie en als break. De wagen was robuust en voor zijn tijd modern genoeg. De naoorlogse versie had weliswaar nog een zijklepmotor maar daartegenover hydraulische remmen en een kofferklep. Tot 1960 zou de Juvaquatre als bestelwagen in productie blijven, met vanaf '53 de 4CV-motor. In '56 veranderde de naam in Dauphinoise. In Frankrijk tegenwoordig bijna voor niets te vinden.

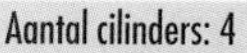

Aantal cilinders: 4
Cilinderinhoud in cm³: 1003
Vermogen: 24/3500
Topsnelheid in km/uur: 90
Carrosserie/Chassis: half zelfdragend
Uitvoering: sedan en stationcar
Productiejaren: 1939-1948 (stationcar tot 1960)
Productie-aantal: 40.681 (sedan)
In NL: n.b.
Prijzen: A: 1.100 B: 2.300 C: 3.400

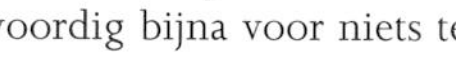

RENAULT 4CV

In 1944 reden de eerste prototypen rond van een kleine wagen waarmee Renault na de oorlog de markt wilde veroveren. Oorspronkelijk hadden ze een aluminium carrosserie en twee deuren maar de productie-auto's waren van staal en hadden vier portieren. De watergekoelde motor stond achterin en werd gedurende zijn lange leven steeds verder opgevoerd. De 4CV was een wat orthodoxer alternatief voor de Eend en werd uitstekend verkocht. De aantrekkelijke Sport van '52 en daarna met 42 pk is duurder.

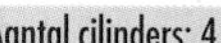

Aantal cilinders: 4
Cilinderinhoud in cm³: 747 en 760
Vermogen: 18/4000-42/6000
Topsnelheid in km/uur: 95-140
Carrosserie/Chassis: zelfdragend
Uitvoering: sedan
Productiejaren: 1947-1961
Productie-aantal: 1.105.547
In NL: n.b.
Prijzen: A: 1.400 B: 3.200 C: 5.000

RENAULT 4CV DÉCAPOTABLE

Voor 1950 bracht de Régie een décapotableversie van de zo succesvolle 4CV uit, een soort Franse Morris Minor Tourer. Altijd in de uitvoering Grand Luxe met het 21 pk motortje en zoals de naam doet vermoeden veel meer luxe, bleef deze halfopen Renault een tamelijk zeldzame verschijning. In 1956 stopte de productie van deze leuke variant. Vooral in Frankrijk zelf kent deze Renault veel aanhang. Wie in een goede tijd zelf een exemplaar in het zuiden heeft gehaald, mag zich gezien de huidige waarde gelukkig prijzen. Het geproduceerde aantal is opgenomen in de totale cijfers van hiervoor.

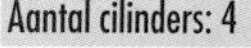

Aantal cilinders: 4
Cilinderinhoud in cm³: 747
Vermogen: 21/5000
Topsnelheid in km/uur: 120
Carrosserie/Chassis: zelfdragend
Uitvoering: cabrio-limousine
Productiejaren: 1950-1956
Productie-aantal: n.b.
In NL: n.b.
Prijzen: A: 2.500 B: 6.100 C: 9.500

RENAULT COLORALE PRAIRIE

Lang voordat Nissan met een MPV-achtige wagen kwam, had Renault al een dergelijke auto: de Colorale Prairie. Omdat de Frégate nog niet als break leverbaar was, kwam de Colorale als tussenmodel. Hij was er in diverse gedaantes, tot een 4x4 toe. De 2,4 liter zijklepper stamde uit 1936; deze werd eind '52 door de tweeliter Frégate-motor vervangen. Het model is buiten Frankrijk amper bekend en de prijzen voor deze weinig aantrekkelijke auto zijn bijzonder laag. De 4x4 doet bijna het drievoudige van de hiernaast vermelde waarden.

Aantal cilinders: 4
Cilinderinhoud in cm³: 1996 en 2383
Vermogen: 56/3800 en 56/5800
Topsnelheid in km/uur: 95 en 105
Carrosserie/Chassis: afzonderlijk chassis
Uitvoering: break
Productiejaren: 1951-1956
Productie-aantal: ca. 28.000
In NL: 1
Prijzen: A: 700 B: 1.100 C: 2.000

RENAULT DAUPHINE, DAUPHINE GORDINI & 1093

Technisch was de Dauphine op de 4CV gebaseerd, maar de carrosserie was geheel nieuw geconstrueerd. Het was een vierpersoonswagen met een relatief grote kofferruimte boven de vooras. De Dauphine bleek bijzonder geschikt voor de racerij. De fabriek bouwde 2.500 exemplaren van de Dauphine 1093 voor dit doel en Amedée Gordini moet er beduidend meer voor zijn rekening genomen hebben. Die sportieve versies doen nu het dubbele of meer in prijs. Let bij originele exemplaren op roestvorming.

Aantal cilinders: 4
Cilinderinhoud in cm³: 845
Vermogen: 30/4200-49/5600
Topsnelheid in km/uur: 115-145
Carrosserie/Chassis: zelfdragend
Uitvoering: sedan
Productiejaren: 1956-1968
Productie-aantal: 2.120.220
In NL: n.b.
Prijzen: A: 900 B: 2.700 C: 4.100

RENAULT FLORIDE & CARAVELLE CABRIOLET

Op de basis van de Dauphine Gordini ontstond een sportieve driepersoons sportwagen, de Floride. Pietro Frua had de carrosserie getekend en deze werd bij Brissoneaux & Lotz gebouwd. De Amerikaanse uitvoering noemde men Caravelle en deze naam zou de Floride in Europa vanaf 1963 ook voeren. De wagens werden steeds van een grotere motor voorzien. De wegligging heeft een matige reputatie. Met de hardtop gemonteerd, was de cabriolet moeilijk van de coupé te onderscheiden.

Aantal cilinders: 4
Cilinderinhoud in cm³: 845, 956 en 1108
Vermogen: 38/5000-52/5100
Topsnelheid in km/uur: 125-145
Carrosserie/Chassis: zelfdragend
Uitvoering: cabriolet
Productiejaren: 1959-1968
Productie-aantal: > 180.000 (inclusief coupé)
In NL: n.b.
Prijzen: A: 2.000 B: 4.500 C: 7.900

RENAULT FLORIDE & CARAVELLE COUPÉ

De coupé heette natuurlijk aanvankelijk ook Floride in Europa en vanaf '63 Caravelle. De coupé was in Nederland exact even duur als z'n open zusje met fabriekshardtop. Niet dat de Renault goedkoop was, want een Triumph Vitesse of een Ford Taunus 20M TS, om maar eens wat te noemen, hadden zes cilinders en kostten ongeveer hetzelfde. De 1100 kwam in '63 en kreeg later nog eens wat extra spierballen, zodat de 1100 S ontstond. Die versie is tegenwoordig het duurst. Van de coupé zullen waarschijnlijk minder overlevers zijn dan van de cabriolet.

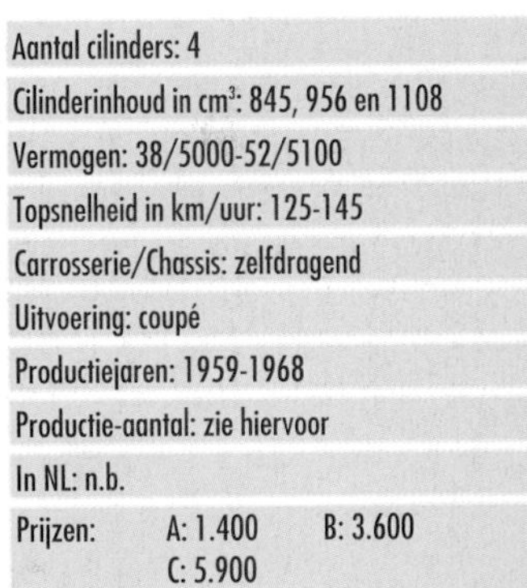
Aantal cilinders: 4
Cilinderinhoud in cm³: 845, 956 en 1108
Vermogen: 38/5000-52/5100
Topsnelheid in km/uur: 125-145
Carrosserie/Chassis: zelfdragend
Uitvoering: coupé
Productiejaren: 1959-1968
Productie-aantal: zie hiervoor
In NL: n.b.
Prijzen: A: 1.400 B: 3.600 C: 5.900

RENAULT FREGATE

Zoals ook voor de oorlog bouwde Renault voor de rijkere automobilist weer een auto. Hij ging als Frégate de straat op en was in 1951 een mooie en moderne verschijning. De vier wielen waren onafhankelijk geveerd en een automatische versnellingsbak kon ook ingebouwd worden. Na 1957 stond er een 'Transfluide' halfautomatische bak op het programma. Hier ontkoppelde de chauffeur zodra hij de versnellingshendel in de hand nam. Er zijn diverse bijzondere uitvoeringen verschenen, waaronder een fraaie cabriolet.

Aantal cilinders: 4
Cilinderinhoud in cm³: 1997 en 2141
Vermogen: 56/3800 en 80/4000
Topsnelheid in km/uur: 125-145
Carrosserie/Chassis: zelfdragend
Uitvoering: sedan en stationcar
Productiejaren: 1951-1960
Productie-aantal: 177.686
In NL: n.b.
Prijzen: A: 900 B: 2.700 C: 4.500

RENAULT R4

Met de R4 kwam Renault met een nieuw model met de motor voorin. Hij wordt beschouwd als Renaults pendant voor de 2CV van Citroën. De nieuwe auto had een onopvallende functionele carrosserie en, naar de trend der tijd, voorwielaandrijving. Hoewel de R4 motorisch steeds verbeterd werd, bleef het grondprincipe van de wagen onveranderd tot eind '92. De hiernaast vermelde prijzen slaan op de oudere typen met kleine grille. Vanaf 1980 was er een GTL met een 1108 cc motor. Extra geliefd is het speciale model Parisienne.

Aantal cilinders: 4
Cilinderinhoud in cm³: 747, 845, 956 en 1108
Vermogen: 30/4800-34/5000
Topsnelheid in km/uur: 100-120
Carrosserie/Chassis: zelfdragend
Uitvoering: sedan
Productiejaren: 1961-1992
Productie-aantal: 8.126.200
In NL: 2.100
Prijzen: A: 450 B: 1.100 C: 2.300

RENAULT R3

In juli 1961 verscheen naast de R4 een totaal uitgeklede variant met drie fiscale pk's: de R3. Het wagentje had noch chroom, wieldoppen, portierbekleding noch achterste zijruitjes. Hij was uitsluitend leverbaar in piramidegrijs en had een 603 cc-motor onder de kap. Het was duidelijk een model voor de Franse thuismarkt. Het werd geen succes aangezien kopers liever de R4 namen en al in september 1962 stopte Renault de levering. Voor R4-liefhebbers is deze zeldzame R3 tegenwoordig een echt curiosum. Er zijn slechts twee exemplaren in Nederland.

Aantal cilinders: 4
Cilinderinhoud in cm³: 603
Vermogen: 23/4800
Topsnelheid in km/uur: 95
Carrosserie/Chassis: zelfdragend
Uitvoering: sedan
Productiejaren: 1961-1962
Productie-aantal: 2.526
In NL: 2
Prijzen: A: 800 B: 1.700 C: 2.700

RENAULT 4 PLEIN AIR

In mei 1968, kort voor de zomervakanties, introduceerde Renault een open uitvoering van de 4: de Plein Air. Het was een bij de firma Sinpar gebouwd strandwagentje zoals de Citroën Méhari, die vrijwel gelijktijdig verschenen was. Deuren had de wagen niet en daarom bleef het leeggewicht onder de 600 kg. Na drie jaar stopte men ermee, maar andere bedrijven gingen door met soortgelijke wagentjes te bouwen. De afgebeelde R4 is in de stijl van de Plein Air, maar is een product van de firma Car Système Style.

Aantal cilinders: 4
Cilinderinhoud in cm³: 845
Vermogen: 30/4700
Topsnelheid in km/uur: 110
Carrosserie/Chassis: zelfdragend
Uitvoering: jeep
Productiejaren: 1968-1971
Productie-aantal: n.b.
In NL: 2
Prijzen: A: 900 B: 2.700 C: 4.500

RENAULT R8, R8 MAJOR, S & GORDINI

De opvolger van de Dauphine – hij had de motor ook achterin – heette R8. Deze wagen kon met een automatische versnellingsbak geleverd worden, wat voor een kleine wagen niet vanzelfsprekend was. In dit geval schakelde men door knoppen op het dashboard in te drukken. De Gordini-uitvoering herkende men onmiddellijk aan zijn rallystrepen en in de grille ingebouwde extra koplampen. Die Gordini-variant brengt tegenwoordig het viervoudige van een gewone R8 op. De R8S was met slechts 63 pk geen sportwagen, maar de Gordini zeker wel.

Aantal cilinders: 4
Cilinderinhoud in cm³: 956, 1108 en 1255
Vermogen: 44/5200-95/6500
Topsnelheid in km/uur: 125-175
Carrosserie/Chassis: zelfdragend
Uitvoering: sedan
Productiejaren: 1962-1972
Productie-aantal: 1.329.372
In NL: n.b.
Prijzen: A: 450 B: 1.100 C: 2.000

RENAULT 10 MAJOR

In juli 1965 kwam Renault met een opvolger voor de Renault 8 Major, de 10 Major. Het middendeel van de carrosserie was onveranderd gebleven maar een nieuwe neus en een andere achterkant gaven de 10 toch een geheel fris aanzien. De motor stond weer achter in de wagen en door de veranderingen aan de neus was de bagageruimte aanmerkelijk vergroot. In 1969 kreeg de motor een grotere inhoud en natuurlijk ook een groter vermogen. Op sommige afzetmarkten bleven de Fransen voor deze auto de aanduiding '8' voeren.

Aantal cilinders: 4
Cilinderinhoud in cm³: 1108 en 1289
Vermogen: 43/4600 en 48/4800
Topsnelheid in km/uur: 130 en 135
Carrosserie/Chassis: zelfdragend
Uitvoering: sedan
Productiejaren: 1965-1969 en 1969-1971
Productie-aantal: 687.675
In NL: n.b.
Prijzen: A: 450 B: 1.100 C: 1.800

RAMBLER RENAULT CLASSIC 6 1962-1964

Door een samenwerking tussen de Amerikaanse firma American Motors en het Franse Renault had de Régie in 1962 de mogelijkheid gekregen de Amerikaanse Rambler te assembleren. Dit gebeurde in de Belgische fabriek in Haren waar de wagens als Rambler Renault Classic Six de band verlieten. Het motorblok van de wagen was van aluminium en de versnellingsbak was een drie-bak met of zonder overdrive of een Flash-O-Matic automaat. De wagen werd ook in Nederland verkocht. Op de foto een exemplaar uit 1964 dat de tand des tijds weerstaan heeft.

Aantal cilinders: 6
Cilinderinhoud in cm³: 3205
Vermogen: 140/4500
Topsnelheid in km/uur: 150
Carrosserie/Chassis: zelfdragend
Uitvoering: sedan
Productiejaren: 1962-1964
Productie-aantal: 6.342
In NL: n.b.
Prijzen: A: 800 B: 2.300 C: 4.100

RAMBLER RENAULT CLASSIC 6 1965-1967

In 1965 kwam de Rambler in Amerika met een nieuwe carrosserie en het duurde niet lang of dergelijke wagens kwamen ook in Haren uit de Renault-fabriek. Met een lengte van 496 cm was de wagen ten opzichte van zijn voorganger 10 cm gegroeid. Aan de voorwielen vond men nu schijfremmen en de fabriek gaf een verbruik op van 1 op 8. In 1967 eindigde het contract tussen AMC en Renault en stopte de samenwerking. In 1965 kostte een Rambler bij ons € 5.876,–. De foto toont de Amerikaanse uitvoering.

Aantal cilinders: 6
Cilinderinhoud in cm³: 3258
Vermogen: 130/4400
Topsnelheid in km/uur: 155
Carrosserie/Chassis: zelfdragend
Uitvoering: sedan
Productiejaren: 1965-1967
Productie-aantal: n.b.
In NL: n.b.
Prijzen: A: 700 B: 1.800 C: 3.600

RENAULT R16

De R16 was bijna een vergrote uitgave van de R4: voorwielaandrijving en een ruime carrosserie met een vijfde deur. De R16 was op vele punten ook technisch vooruitstrevend. Het koelsysteem was gesloten, de ventilator werkte elektrisch en de achterbank was in talloze standen verstelbaar. En snel was de auto ook: met zijn 83 pk motor haalde de TS (vanaf '68) 160 km/uur en de tien pk sterkere TX (vanaf '73) bijna 170. Helaas is deze comfortabele en goed rijdende Renault een bijzonder roestgevoelige wagen. Liefhebbers zoeken vooral de eerste typen of juist de laatste TX'en.

Aantal cilinders: 4
Cilinderinhoud in cm³: 1470, 1565 en 1647
Vermogen: 55/5000-93/6000
Topsnelheid in km/uur: 142-170
Carrosserie/Chassis: zelfdragend
Uitvoering: sedan
Productiejaren: 1965-1979
Productie-aantal: 1.846.000
In NL: n.b.
Prijzen: (TS) A: 700 B: 2.500 C: 4.300

RENAULT R6

De R6 kwam in de herfst van 1968 in productie. Het was een mengsel tussen de R4 en de R16 en hij stond op het onderstel van de eerste maar leek qua uiterlijk meer op de tweede. De auto had voorwielaandrijving en een grote 'vijfde deur'. Evenals de R4 werd de vierversnellingsbak met een 'paraplu'-pook in het dashboard geschakeld. Vanaf 1970 is de zwaardere 1100-motor leverbaar. De R6 mist de charme van de R4 en we zien daarom weinig toekomst in deze kleine roestgevoelige Fransoos.

Aantal cilinders: 4
Cilinderinhoud in cm³: 845 en 1108
Vermogen: 38/5000-48/5300
Topsnelheid in km/uur: 115-135
Carrosserie/Chassis: zelfdragend
Uitvoering: sedan
Productiejaren: 1968-1979
Productie-aantal: 1.773.304
In NL: n.b.
Prijzen: A: 200 B: 800 C: 1.400

RENAULT R4 & R6 RODEO

Op het platform van de R4 ontstond in 1971 de Rodeo, een soort pret-auto met een door het bedrijf Teilhol vervaardigde kunststof carrosserie à la de Méhari van Citroën. Twee jaren later kon de wagen ook met de mechanische delen van de R6 gekocht worden. De Rodeo 4 herkende men aan zijn ronde koplampen want die van de R6 waren rechthoekig. Er waren de versies Evasion, Chantier en Quatre Saisons. De firma Sinpar leverde 4x4-versies.

Aantal cilinders: 4
Cilinderinhoud in cm³: 845 en 1108
Vermogen: 34/5000 of 47/5300
Topsnelheid in km/uur: 100-125
Carrosserie/Chassis: kunststof op afzonderlijk chassis
Uitvoering: cabriolet
Productiejaren: 1971-1981 en 1973-1981
Productie-aantal: n.b.
In NL: 15
Prijzen: A: 700 B: 1.400 C: 2.300

RENAULT R12 & R12 GORDINI

De R12 vierde zijn première in oktober 1969 op de Parijse show. De eigenaardig gevormde wagen had voorwielaandrijving, een 1,3 liter motor en heel veel ruimte. In de zomer van 1970 kon de R12 als Gordini besteld worden. Deze wagen werd aangedreven door een opgevoerde R16 TS-motor en had een vijfversnellingsbak. Dat de vierdeurs gezinsauto nu ook als sportwagen gebruikt kon worden, lag voor de hand. Dit type (1970-1974) is eigenlijk het enige interessante van de R12-reeks. De 12 werd in licentie o.a. als Dacia gebouwd en die is zelfs in Nederland nog verkocht.

Aantal cilinders: 4
Cilinderinhoud in cm³: 1289 en 1565
Vermogen: 54/5250-125/6000
Topsnelheid in km/uur: 140-185
Carrosserie/Chassis: zelfdragend
Uitvoering: sedan en stationcar
Productiejaren: 1969-1980 en 1970-1974 (Gordini)
Productie-aantal: 4.103.350
In NL: n.b.
Prijzen: (Gordini) A: 1.800 B: 3.600 C: 5.400

RENAULT R15

Op de bodemgroep van de R12 bracht Renault in 1971 twee coupés tegelijk uit: de R15 en de R17 (zie onder). De R15 had twee rechthoekige koplampen en een grote zijruit achter, wat het zicht naar achteren en opzij ten goede kwam. Er was een TL en kort erna een GTL met een 1,3 liter motor en er volgde een TS met een 1,6. De 15 had schijfremmen voor. Hoewel deze wagens de concurrentie met de Capri en Manta aan moesten, bleef het succes uit. Ondanks een licht stijgende belangstelling voor deze typen, blijven de huidige prijzen laag.

Aantal cilinders: 4
Cilinderinhoud in cm³: 1289 en 1565
Vermogen: 60/5500 en 90/5500
Topsnelheid in km/uur: 150 en 165
Carrosserie/Chassis: zelfdragend
Uitvoering: coupé
Productiejaren: 1971-1979
Productie-aantal: 207.854
In NL: n.b.
Prijzen: A: 450 B: 1.100 C: 2.000

RENAULT R17

De R17 was te herkennen aan zijn vier ronde koplampen en de parallel aan de voorruitstijl lopende C-stijl. Boven de achterwielen zaten louvres. De 17 was er als TL en TS, waarbij die laatste een brandstofinjectiesysteem had en een vijfbak. Standaard waren er rondom schijfremmen. In '73 kwam de iets grotere 1,6 liter-motor en nog later werd de grootste motor standaard. Vanaf '75 kwam de toevoeging Gordini erbij. Wie interesse in een R17 heeft, moet vooral uitkijken naar een versie met een elektrisch bediend roldak over de gehele breedte en lengte.

Aantal cilinders: 4
Cilinderinhoud in cm³: 1565, 1605 en 1647
Vermogen: 90/5500-108/6000
Topsnelheid in km/uur: 170-180
Carrosserie/Chassis: zelfdragend
Uitvoering: coupé
Productiejaren: 1971-1979
Productie-aantal: 92.589
In NL: n.b.
Prijzen: (roldak) A: 700 B: 1.600 C: 2.700

RENAULT 20

De 20 TL van 1975 had een vrij onopvallende lijn. De tweeliter TS van 1977 bood technisch al wat meer. Het was daarbij een luxe wagen voor de middenklasse met alle benodigdheden die men zich indertijd in die prijsklasse wensen kon: geventileerde schijfremmen voor, een vierbak of automaat en een lichtmetalen motorblok met een bovenliggende nokkenas in de aluminium kop. In 1980 was er een nieuwe 2,2 liter motor, plus een nieuwe 2,1 liter diesel. Helaas (?) hebben gebrekkige bouwkwaliteit en roest de meeste R20's de das omgedaan.

Aantal cilinders: 4
Cilinderinhoud in cm³: 1647-2165
Vermogen: 90/6000 en 115/5500
Topsnelheid in km/uur: 165-180
Carrosserie/Chassis: zelfdragend
Uitvoering: sedan
Productiejaren: 1976-1984
Productie-aantal: 622.314
In NL: n.b.
Prijzen: A: 200 B: 800 C: 1.800

RENAULT 30 TS & TX

Dit was het paradepaard uit de stallen van Renault. De wagen had een vijfde deur zodat er als dat nodig was een reusachtige laadruimte aanwezig was. De auto werd in februari 1975 voorgesteld en had de V6-motor die door Peugeot, Renault en Volvo ontwikkeld was en die door deze fabrieken in hun topmodellen werd gebruikt. Motorblok en cilinderkoppen waren van aluminium en de kleppen werden door een bovenliggende nokkenas bediend. Vanaf 1979 is er een motor die 142 pk levert. Ook van de R30 zijn er weinig overblijvers.

Aantal cilinders: V6
Cilinderinhoud in cm³: 2665
Vermogen: 128/5500-142/5000
Topsnelheid in km/uur: 180-185
Carrosserie/Chassis: zelfdragend
Uitvoering: sedan
Productiejaren: 1975-1984
Productie-aantal: 160.265
In NL: n.b.
Prijzen: A: 200 B: 900 C: 2.000

RENAULT R5

Een regelrecht verkoopsucces was de handige Renault 5, die in '72 debuteerde. Voor eigen land hadden de Fransen een 728 cc-basisversie, voor de rest van de wereld mat de kleinste 845 cc. De TL had 956 cc (later 1108) en de GTL 1289 cc. De derde (vijfde) deur was indertijd nog niet zo ingeburgerd als tegenwoordig. De R5 was ruim van binnen, reed comfortabel maar had net als vele andere tijdgenoten erg veel last van roest. Na 12 jaar 5-jes kwam de opvolger in de vorm van de R5 Supercinq. De oer-R5 is tegenwoordig een zeldzaamheid op de weg.

Aantal cilinders: 4
Cilinderinhoud in cm³: 845-1397
Vermogen: 36/5200-64/6000
Topsnelheid in km/uur: 120-145
Carrosserie/Chassis: zelfdragend
Uitvoering: coach en sedan
Productiejaren: 1972-1984
Productie-aantal: 5.471.709
In NL: n.b.
Prijzen: A: 200 B: 800 C: 1.400

RENAULT 5 ALPINE

In 1972 kwam Renault met zijn nu zo vertrouwde '5' uit. De wagen werd een reuzesucces en al gauw waren er meer dan een half miljoen van verkocht. Hoewel de 5 sportief reed, verscheen er in 1975 een opgevoerde uitvoering onder de naam Renault 5 Alpine. De 5 Alpine, in Engeland werd hij als Gordini aangeboden daar de naam Alpine nog steeds voor BL (Sunbeam) gereserveerd was, had een vijfbak en 155/70 HR13 banden. In 1980 wordt deze sportieve variant opgevolgd door de R5 Alpine Turbo.

Aantal cilinders: 4
Cilinderinhoud in cm³: 1397
Vermogen: 93/6400
Topsnelheid in km/uur: 175
Carrosserie/Chassis: zelfdragend
Uitvoering: sedan
Productiejaren: 1975-1980
Productie-aantal: 49.835
In NL: n.b.
Prijzen: A: 1.100 B: 2.300 C: 2.900

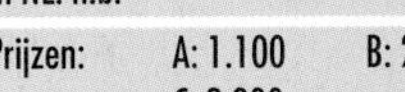

RENAULT 5 TURBO 1 & 2

Op de Parijse tentoonstelling, eind 1978, presenteerde Renault een kleine raceauto. Op het eerste gezicht leek hij heel veel op een gewone '5', maar de verschillen waren enorm. De turbomotor stond midden in de wagen en dreef de brede achterwielen aan. De carrosserie was grotendeels van aluminium en de vier schijfremmen waren geventileerd. In zijn standaarduitvoering leverde de motor 160 pk en dit was voldoende voor een acceleratie van 0 naar 100 km/uur in 7 seconden. Helaas brandden er nogal wat af. De Turbo 2 is momenteel beduidend minder waard.

Aantal cilinders: 4
Cilinderinhoud in cm³: 1297
Vermogen: 160-250/n.b.
Topsnelheid in km/uur: >200
Carrosserie/Chassis: afzonderlijk chassis
Uitvoering: coupé
Productiejaren: 1980-1982 en 1983-1986
Productie-aantallen: 1.678 en 1.505
In NL: n.b.
Prijzen (I): A: 6.800 B: 10.400 C: 13.600

RENAULT R7

In 1974 opende Renault in Spanje een autofabriek onder de naam F.A.S.A. (=Fabricacion de Automoviles Renault d'Espana SA) in Valladolid. Het eerste typisch Spaanse model was een vierdeurs R5 met de naam Siete. Het werd Spanjes meest verkochte auto in '80. Sommige typen die in Frankrijk nog amper gebouwd werden, liepen in forse aantallen nog jaren van de band. De R7 was een volgend apart model voor de Spaanse markt. Het was een R5 met een kofferbak. Het handzame maar stilistisch niet erg geslaagde wagentje was hoofdzakelijk voor de thuismarkt bedoeld.

Aantal cilinders: 4
Cilinderinhoud in cm³: 1108
Vermogen: 34/4000
Topsnelheid in km/uur: 125
Carrosserie/Chassis: zelfdragend
Uitvoering: sedan
Productiejaren: 1975-1984
Productie-aantal: n.b.
In NL: n.b.
Prijzen: A: 450 B: 800 C: 1.150

RENAULT R14

De eerste Renault met dwarsgeplaatste motor was de R14 van 1977. Die motor was een grotere versie van de Peugeot 104-krachtbron. De 14 kwam tussen de R12 en de R16 en was voor zijn tijd erg modern van lijnen. Er werd zelfs een carrosserie in het Centre Pompidou tentoongesteld als ware het een kunstobject. Renault bracht naast de basisuitvoering ook nog de 14 TS en de 14 GTL. De R14 reed heerlijk maar verdween in no-time uit het straatbeeld vanwege de buitensporige roestvorming en de matige bouwkwaliteit.

Aantal cilinders: 4
Cilinderinhoud in cm³: 1218 en 1360
Vermogen: 57/6000 en 70/6000
Topsnelheid in km/uur: 140-160
Carrosserie/Chassis: zelfdragend
Uitvoering: sedan
Productiejaren: 1977-1982
Productie-aantal: 999.093
In NL: n.b.
Prijzen: A: 100 B: 600 C: 1.200

RENAULT FUEGO

Als opvolger voor de Renault 15/17 kwam in februari 1980 de Fuego in de showroom. De wagen was voor de sportieve rijder bestemd die geen echte sportwagen wilde en op de tamelijk ruime zitplaatsen achterin aangewezen was. De Fuego kwam met allerlei motoren uit en was met een gewone benzinemotor en vanaf 1982 met een turbomotor te koop. In september 1983 stond er zelfs een Fuego met een turbodiesel op de tentoonstelling in Frankfurt. Deze verdween echter na een jaar weer van het toneel. De onder C vermelde prijzen gelden voor zeer fraaie exemplaren.

Aantal cilinders: 4
Cilinderinhoud in cm³: 1397-1995
Vermogen: 64/5750-132/6250
Topsnelheid in km/uur: 160-200
Carrosserie/Chassis: zelfdragend
Uitvoering: coupé
Productiejaren: 1980-1985
Productie-aantall n.b.
In NL: n.b.
Prijzen: A: 200 B: 1.100 C: 2.700

RENAULT ALLIANCE CABRIOLET

Al eerder had Renault met het Amerikaanse AMC een project gehad: de Rambler. In de jaren tachtig liet men de 9 en 11 in de VS bouwen bij datzelfde bedrijf. De 9 heette voortaan Alliance en het werd een betrekkelijk, maar kortstondig succes. Voor 1984 verscheen er een cabriolet, die het dubbele van de gewone coach kostte. Hij was er als L en DL en voor '87 kwam er een twee liter GTA bij. Na ruim 7.000 stuks in het eerste verkoopjaar zakte de productie tot rond de 2.000 voor '86 en '87. Daarna was het avontuur voorbij: AMC sloot de poorten. Komen tegenwoordig mondjesmaat naar Europa.

Aantal cilinders: 4
Cilinderinhoud in cm³: 1721 en 1966
Vermogen: 77/5000 en 95/5500
Topsnelheid in km/uur: 170 en 180
Carrosserie/Chassis: zelfdragend
Uitvoering: cabriolet
Productiejaren: 1984-1987
Productie-aantal: 11.147
In NL: n.b.
Prijzen: A: 2.300 B: 4.100 C: 5.900

REYONNAH

Ene meneer Hannoyer had aan het eind van de jaren veertig een autootje geconstrueerd dat inklapbare voorwielen had. Als die wielen onder de cabine zaten, was het wagentje 75 cm breed en kon hij zò de gang in. Als merknaam had de Fransoos zijn achternaam omgekeerd: Reyonnah. Wegens een gebrek aan financiële middelen verdween het merk na vijf jaar ambachtelijke productie, overigens door Hannoyer zelf.

REYONNAH

Op de Parijse autosalon van 1950 liet de constructeur zijn Reyonnah zien. Je zou tegenwoordig zeggen dat het ding wat van een Messerschmitt wegheeft, maar die zou pas drie jaar later verschijnen, dus is het eerder andersom. Het AMC-motortje achterin kon de tweezitter op 80 kilometer per uur krijgen. Later kwam de maker ook met een prototype dat 100 haalde. Eind 1954 was het gebeurd voor de originele Reyonnah; inmiddels was er wel een soortgelijke dwerg uitgekomen: de Inter (zie aldaar) met dus eveneens inklapbare wielen.

Aantal cilinders: 1
Cilinderinhoud in cm³: 175
Vermogen: 5/n.b.
Topsnelheid in km/uur: 80
Carrosserie/Chassis: zelfdragend
Uitvoering: dwergauto
Productiejaren: 1950-1954
Productie-aantal: n.b.
In NL: 0
Prijzen: A: n.v.t. B: n.v.t. C: n.v.t.

RILEY

De firma Riley deelde het noodlot met zo vele andere Engelse autofabrikanten: men begon al in 1898 met de bouw van personenwagens en had succes daar men goede kwaliteit leverde, maar uiteindelijk zou ook dit merk verdwijnen. Ook op de circuits konden de wagens goed meekomen. De Rileys waren op vele punten hun tijd vooruit maar op andere erg conservatief, wat men in de verkoop merkte. In 1938 kon de Nuffield Group (Morris, MG, enz.) Riley opkopen en vanaf dat moment verloor de firma steeds meer van zijn zelfstandigheid. In 1969 werd de laatste Riley gebouwd.

RILEY 1.5 LITRE RMA & RME

Deze Rileys behoorden tot de weinige personenwagens die in 1945 met een werkelijk nieuwe, naoorlogse carrosserie op de Earls Court tentoonstelling stonden. Ook technisch was men up-to-date, want de wagen had onafhankelijk geveerde voorwielen, torsiestaafvering en hydraulische remmen. De motor was nog oud maar met zijn twee hoog liggende nokkenassen nog heel goed en lang te gebruiken. De RME volgt in '52 de RMA (afgebeeld) op.

Aantal cilinders: 4
Cilinderinhoud in cm³: 1496
Vermogen: 56/4500
Topsnelheid in km/uur: 120
Carrosserie/Chassis: afzonderlijk chassis
Uitvoering: sedan
Productiejaren: 1946-1952 en 1952-1954
Productie-aantallen: 10.504 en 3.446
In NL: n.b.
Prijzen: (RMA) A: 4.500 B: 8.200 C: 11.300

RILEY 2.5 LITRE RMB & RMF

Op een met 6,5 inches verlengd chassis van de RMA -de lengte-aanwas is zichtbaar aan de langere motorkap- verscheen de RMB als grote broer van de 1.5 Litre. Een iets lichter gekleurde badge was het enige andere onderscheid. In '48 zijn er vergrote inlaatkleppen en daardoor neemt het vermogen toe tot 100 pk. In 1952 volgt de RMF de RMB op; hij heeft rondom hydraulische remmen, een verbeterd onderstel en een gebogen voorruit. Bij authentieke exemplaren zal het dak vaak poreus zijn. Een prachtige klassieke Brit.

Aantal cilinders: 4
Cilinderinhoud in cm³: 2443
Vermogen: 90/4000-100/4500
Topsnelheid in km/uur: 160
Carrosserie/Chassis: afzonderlijk chassis
Uitvoering: sedan
Productiejaren: 1946-1952 en 1952-1953
Productie-aantallen: 6.900 en 1.050
In NL: n.b.
Prijzen: A: 4.500 B: 9.500 C: 13.600

RILEY RMC & RMD

In 1948 besloot men open Rileys van de RM-reeks te produceren. Speciaal voor de export was er de roadster RMC (foto) met aanvankelijk drie zitplaatsen en in het laatste productiejaar 1950 twee. Slechts zo'n 500 stuks zijn er geleverd. Nog iets zeldzamer (vijf stuks minder gebouwd) is de RMD, een vierzits cabriolet. Tegenwoordig liggen de RMC's wat hoger in prijs omdat een roadster nu eenmaal wat geliefder is dan een grotere open wagen.

Aantal cilinders: 4
Cilinderinhoud in cm³: 2443
Vermogen: 90/4000-100/4500
Topsnelheid in km/uur: 160
Carrosserie/Chassis: afzonderlijk chassis
Uitvoering: roadster en cabriolet
Productiejaren: 1948-1950 en 1948-1951
Productie-aantallen: 507 en 502
In NL: n.b.
Prijzen (RMC): A: 11.300 B: 17.200 C: 22.700

RILEY PATHFINDER

Begin jaren vijftig was de trend van de ponton-carrosserie uit Amerika overgekomen en aangezien ook Riley niet achter wilde blijven, kreeg de 2.5 Litre RM een modernere carrosserie. Die koets vertoonde veel overeenkomsten met de in '52 voorgestelde Wolseley 4/44. De Pathfinder, zoals de nieuweling genoemd werd, stond in de herfst van 1953 op de London Motor Show. Technisch had men niet veel verbeterd. Dat was ook niet echt nodig geweest, want de voorganger was mechanisch een prima wagen. Op de latere typen was een overdrive leverbaar.

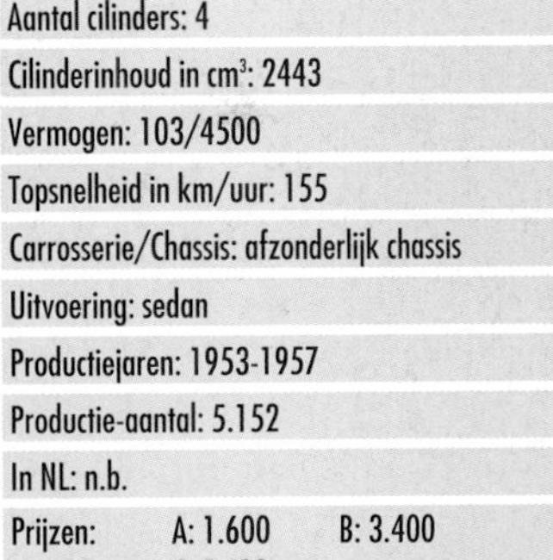
Aantal cilinders: 4
Cilinderinhoud in cm³: 2443
Vermogen: 103/4500
Topsnelheid in km/uur: 155
Carrosserie/Chassis: afzonderlijk chassis
Uitvoering: sedan
Productiejaren: 1953-1957
Productie-aantal: 5.152
In NL: n.b.
Prijzen: A: 1.600 B: 3.400 C: 5.400

RILEY 2.6

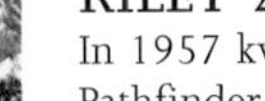

In 1957 kwam Riley met zijn 2.6 litre die de Pathfinder van 1953 opvolgde in de luxe klasse. De wagen had een nieuwe motor die bij BMC ontwikkeld en gebouwd was. Een automatische bak kon besteld worden, maar ook een handgeschakelde met of zonder overdrive. Veel leer en notenhout en een twee-kleuren spuitwerk maakten de wagen voor velen aantrekkelijk. De 2.6 heeft vrijwel dezelfde koets als de Wolseley 6/90, maar de 2.6 bood onder andere een toerenteller, bredere banden en gescheiden voorstoelen.

Aantal cilinders: 6
Cilinderinhoud in cm³: 2639
Vermogen: 102/4500
Topsnelheid in km/uur: 150
Carrosserie/Chassis: afzonderlijk chassis
Uitvoering: sedan
Productiejaren: 1957-1959
Productie-aantal: 2.100
In NL: n.b.
Prijzen: A: 1.400 B: 3.200 C: 5.400

RILEY 1.5

Wie geen grote auto kan of wil betalen en toch alle luxe van een Engelse oude sedan wil, kan een Riley One-Point-Five kopen. Deze kleine vierdeurs wagen – hij was ook als Wolseley te koop – bood veel luxe. Het interieur was een combinatie van leer en notenhout en de motor was een vierpitter die we al in de MG tegengekomen waren. In Engeland is deze wagen zeker nog te vinden; helaas zit dan wel het stuur aan de verkeerde kant. Bij historische races in Engeland zien we deze Rileys geregeld ingezet.

Aantal cilinders: 4
Cilinderinhoud in cm³: 1489
Vermogen: 69/5400
Topsnelheid in km/uur: 145
Carrosserie/Chassis: zelfdragend
Uitvoering: sedan
Productiejaren: 1957-1965
Productie-aantal: 39.881
In NL: n.b.
Prijzen: A: 1.100 B: 2.700 C: 4.100

RILEY ELF

Tot de luxe uitvoeringen van de BMC Mini behoren de Riley Elf en zijn evenbeeld, de Wolseley Hornet. De Elf was opgebouwd met Mini-delen, maar had een luxueuze carrosserie met meer chroom en, wat belangrijker was, meer kofferruimte. Deze had men verkregen door de carrosserie 22 cm naar achteren te verlengen. Vanzelfsprekend kreeg de Riley Elf alle technische verbeteringen mee die ook de originele Mini onderging. De geestelijke vader van de Mini, Issigonis, vond de Elf een verschrikking.

Aantal cilinders: 4
Cilinderinhoud in cm³: 848 en 998
Vermogen: 35/5500 en 39/5250
Topsnelheid in km/uur: 115-130
Carrosserie/Chassis: zelfdragend
Uitvoering: coach
Productiejaren: 1961-1969
Productie-aantal: 30.912
In NL: n.b.
Prijzen: A: 1.100 B: 2.300 C: 3.600

RILEY 4/72

De 2.6 was in 1959 uit productie genomen en de Farina 4/68 (4 cilinders en 68 pk) was eigenlijk geen echte opvolger. Daarvoor was de wagen te klein gemotoriseerd. Die 4/68 kreeg in 1961 een iets grotere broer in de vorm van de 4/72. Die had een betere motor met twee SU-carburateurs en een iets grotere en ruimere, door Pininfarina ontworpen, carrosserie. Het is een wagen die de sportiviteit van de MG-versie combineert met de luxe van de Wolseley-variant. Vanaf oktober '62 werd de 4/72 standaard in two-tone afgeleverd. De meest interessante Farina-variant.

Aantal cilinders: 4
Cilinderinhoud in cm³: 1622
Vermogen: 70/5000
Topsnelheid in km/uur: 140
Carrosserie/Chassis: zelfdragend
Uitvoering: sedan
Productiejaren: 1961-1969
Productie-aantal: 14.191
In NL: n.b.
Prijzen: A: 1.100 B: 2.500 C: 4.100

RILEY KESTREL & 1300

Zoals alle merken uit het British Leyland-concern kwam Riley ook met een 1100/1300 model. De wagen was natuurlijk technisch identiek aan de andere familieleden, maar had wel een eigen neusje. En een eigen naam, want de Riley-klant kocht geen gewone 1100/1300, maar een Kestrel, een naam die aan de roemruchte vooroorlogse tijd herinnerde toen Riley nog in de racerij actief was en de Kestrels het met succes opnamen tegen de Jaguars en MG's. De 1300's uit het laatste bouwjaar hadden de 70 pk Cooper-motor onder de kap. De naam Kestrel was toen geschrapt.

Aantal cilinders: 4
Cilinderinhoud in cm³: 1098 en 1275
Vermogen: 55/5500 en 60/5250-70/6000
Topsnelheid in km/uur: 140 en 150-160
Carrosserie/Chassis: zelfdragend
Uitvoering: sedan
Productiejaren: 1965-1968 en 1968-1969
Productie-aantal: 22.069
In NL: n.b.
Prijzen: A: 900 B: 2.500 C: 3.600

ROCHDALE

Een zoveelste Britse kitcar-firma bracht in 1957 het open model Riviera uit. In '59 schakelde men over op kunststof body's uit één stuk en de Olympic coupé was na de Lotus Elite de tweede auto met een dergelijke carrosserie die een zelfdragende constructie had. De mechanische componenten kwamen van BMC en later Triumph en Ford. In 1968 stopt men ermee maar de laatste sets zijn tot in 1972 verkocht, zodat bouwjaren van na '68 ook mogelijk zijn.

ROCHDALE OLYMPIC I & II

De Olympic van 1959 viel aan de buitenkant op door zijn modern gelijnde kunststof body. Onderhuids zat er 'slechts' de techniek van een Riley 1.5 of Morris Minor, zij het dat het onderstel iets aangepast was. De meeste werden als kit verkocht. In '63 volgde de II met een kofferklep en een grotere motorkap. De voorwielophanging kwam van een Spitfire, er waren schijfremmen voor en de motoren kwamen uit de Anglia of Cortina GT. De Olympic bleef hoofdzakelijk in Groot-Brittannië zelf, waar er nu nog een fanatieke aanhang voor is.

Aantal cilinders: 4
Cilinderinhoud in cm³: 948-1558
Vermogen: 37/5300-78/5200
Topsnelheid in km/uur: 130-180
Carrosserie/Chassis: zelfdragend
Uitvoering: coupé
Productiejaren: 1959-1968
Productie-aantallen: 150 en 250
In NL: n.b.
Prijzen: A: 1.400 B: 3.900 C: 5.400

ROLLS-ROYCE

Er bestaat waarschijnlijk geen automerk dat een dergelijke goede naam heeft als de Rolls-Royce. Frederick Henry Royce, de knutselaar, de perfectionist en de goede technicus, stichtte samen met Charles Stuart Rolls, de playboy en excellente public relationsman, de firma Rolls-Royce. In alle bescheidenheid beweert men in Crewe dat daar de beste wagen van de wereld gebouwd wordt en dat zoiets betaald moet worden is wel duidelijk. Dit geldt zowel voor de nieuwe als voor de gebruikte auto's.

ROLLS-ROYCE SILVER WRAITH

In het voorjaar van 1946 kwam Rolls-Royce met zijn Silver Wraith, de opvolger van de vooroorlogse Wraith. Zoals men gewend was, was ook dit model peperduur, en het zou een stijlbreuk geweest zijn als de auto niet door een chauffeur in kostuum bestuurd werd. De Silver Wraith werd door de fabriek als 'rolling chassis' afgeleverd, wat betekende dat de koper zelf een carrossier zocht voor een opbouw naar zijn wensen. De motor had inlaatkopkleppen en uitlaatzijkleppen. Vanaf 1952 was een automatische bak leverbaar. De meeste wagens zijn van Mulliner.

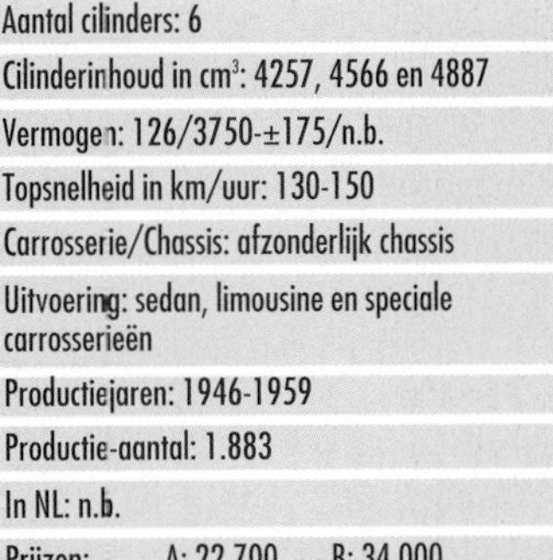

Aantal cilinders: 6
Cilinderinhoud in cm³: 4257, 4566 en 4887
Vermogen: 126/3750-±175/n.b.
Topsnelheid in km/uur: 130-150
Carrosserie/Chassis: afzonderlijk chassis
Uitvoering: sedan, limousine en speciale carrosserieën
Productiejaren: 1946-1959
Productie-aantal: 1.883
In NL: n.b.
Prijzen: A: 22.700 B: 34.000 C: 45.300

ROLLS-ROYCE SILVER DAWN

Met een Silver Dawn kon de eigenaar rustig zelf naar de golfbaan rijden. Tenslotte kostte zijn wagen niet alleen veel minder dan een Wraith maar hij was ook kleiner en veel minder voornaam. In feite was het een Bentley Mk VI met een geknepen motor en andere grille en kap. Mechanisch waren er geen grote verschillen met een Wraith vast te stellen, maar een Dawn kocht men, anders dan een Wraith, meestal met een fabriekscarrosserie die bij Pressed Steel gemaakt werd. Vanaf '52 kreeg de auto de carrosserie van de Bentley R-Type.

Aantal cilinders: 6
Cilinderinhoud in cm³: 4257 en 4566
Vermogen: 126/3750-150/n.b.
Topsnelheid in km/uur: 130-150
Carrosserie/Chassis: afzonderlijk chassis
Uitvoering: sedan
Productiejaren: 1949-1955
Productie-aantal: 761
In NL: n.b.
Prijzen: A: 17.000 B: 25.000 C: 41.000

ROLLS-ROYCE PHANTOM IV, V & VI

Tot de zeldzaamste en tot voor kort duurste nieuwe auto's behoort de Phantom IV. De wagen werd alleen op bestelling geleverd en dan alleen nog aan koninklijke huizen, een enkele president of een ander staatshoofd. Onder zijn lange motorkap zoefde nog een achtcilinder lijnmotor. De Phantom V was al meer voor de 'gewonere' man en kostte dan ook niet veel meer dan een dure villa. Bij hem deed een V8-motor het grote werk. De Phantom VI bleef tot in 1991 in productie, vanaf '78 met de 6750 cc-motor.

Aantal cilinders: 8 en V8
Cilinderinhoud in cm³: 5675, 6230 en 6750
Vermogen: 164/n.b.-±200/n.b.
Topsnelheid in km/uur: 145-170
Carrosserie/Chassis: afzonderlijk chassis
Uitvoering: limousine en speciale carrosserieën
Productiejaren: 1950-1956, 1959-1968 en 1968-1991
Productie-aantallen: 18, 516 en 374
In NL: n.b.
Prijzen (V): A: 38.600 B: 61.200 C: 79.400

ROLLS-ROYCE SILVER CLOUD I, II & III

Na de Silver Dawn volgde de Silver Cloud in zijn standaard-uitvoering of met een zeldzame, lange wielbasis. De carrossier H.J. Mulliner was zojuist door Rolls-Royce opgekocht en deze specialist bouwde reusachtige cabriolets op het chassis (zie hieronder). Voor de speciale carrosserieën waren James Young, Freestone & Webb en Hooper goede adressen. De Cloud is nog altijd een populair statussymbool onder film- en popsterren. De Cloud II kreeg de mooie V8-motor onder de kap. De III heeft dubbele koplampen.

Aantal cilinders: 6 en V8
Cilinderinhoud in cm³: 4887 en 6230
Vermogen: ± 175/n.b.
Topsnelheid in km/uur: 160-175
Carrosserie/Chassis: afzonderlijk chassis
Uitvoering: sedan en limousine
Productiejaren: 1955-1965
Productie-aantallen: 2.360, 2.717 en 2.809
In NL: n.b.
Prijzen (III): A: 17.200 B: 27.200 C: 41.000

ROLLS-ROYCE SILVER CLOUD I, II & III CABRIOLET

Je zou bij het zien van de imposante Silver Cloud niet verwachten dat een cabriolet-uitvoering zo sierlijk zou zijn als bijvoorbeeld de afgebeelde Mulliner van 1958. Toch is het model zeer geslaagd. Niet erg veel klanten konden zo'n open Rolls kopen, aangezien deze altijd van een carrossier kwam. Van de paar honderd geproduceerde open Clouds zal het leeuwendeel nog wel over zijn. Een nobele creatie als deze dank je namelijk niet snel af. Latere versies volgden de gewone modelevolutie, dus vanaf de Cloud II ook hier een V8-motor. De prijzen variëren per bouwer.

Aantal cilinders: 6 en V8
Cilinderinhoud in cm³: 4887 en 6230
Vermogen: ca. 175/n.b.
Topsnelheid in km/uur: 160-175
Carrosserie/Chassis: afzonderlijk chassis
Uitvoering: cabriolet
Productiejaren: 1955-1965
Productie-aantal: n.b.
In NL: n.b.
Prijzen: A: 68.000 B: 129.000 C: 182.000

ROLLS-ROYCE SILVER SHADOW I & II

Met de Silver Shadow ging bij Rolls-Royce een groot stuk traditie verloren. De wagen had een moderne, zelfdragende carrosserie met vier onafhankelijk geveerde wielen, alle met schijfremmen, en het bleek het model waarop men gewacht had. Er was weer een korte en een lange wielbasis (na 1977 heette dit laatste model Silver Wraith) en weer was er een tweedeurs uitvoering. In 1970 kregen de wagens een 6,7 liter motor. Onze prijzen betreffen wagens met rechts stuur. Kijk uit voor afgereden koopjes.

Aantal cilinders: V8
Cilinderinhoud in cm³: 6230 en 6750
Vermogen: ± 200/n.b.
Topsnelheid in km/uur: 180-190
Carrosserie/Chassis: zelfdragend
Uitvoering: sedan, limousine en coupé
Productiejaren: 1965-1980
Productie-aantallen: 20.100 en 8.425
In NL: n.b.
Prijzen (RHD): A: 6.800 B: 12.700 C: 18.200

ROLLS-ROYCE SILVER SHADOW I CABRIOLET

Rolls-Royce had de IAA tentoonstelling van 1967 in Frankfurt uitgezocht om de cabrioletversie van de Silver Shadow te presenteren. In de persdocumentatie was te lezen dat de wagen uit meer dan 85.000 onderdelen was opgebouwd en dat de airconditioning dezelfde capaciteit had als 60 keuken-koelkasten. De carrosserieën waren van Mulliner-Park Ward, dat nu onderdeel was van het RR-concern. Na 1971 heetten de wagens Corniche. Onze prijzen betreffen weer auto's met rechts stuur.

Aantal cilinders: V8
Cilinderinhoud in cm³: 6230 en 6750
Vermogen: ± 200/n.b.
Topsnelheid in km/uur: 180-190
Carrosserie/Chassis: zelfdragend
Uitvoering: cabriolet
Productiejaren: 1967-1971
Productie-aantal: 505
In NL: n.b.
Prijzen (RHD): A: 18.200 B: 25.000 C: 36.300

ROLLS-ROYCE CORNICHE I

Vanaf 1971 heetten de Silver Shadow (en de T van Bentley) in de uitvoeringen two door saloon en drophead-coupé alleen nog maar Corniche. Ze waren van hun voorgangers nauwelijks te onderscheiden en waren mechanisch opgebouwd met Silver Shadow-onderdelen. Ze boden plaats aan vijf personen en kostten heel veel geld. Vanaf 1987 is de Corniche II in productie en deze is tot in 1994 nog nieuw leverbaar. Ook hier geldt weer dat voor lage bedragen aangeboden Corniches zeker niet de beste koop vormen.

Aantal cilinders: V8
Cilinderinhoud in cm³: 6750
Vermogen: ± 200/n.b.
Topsnelheid in km/uur: 190
Carrosserie/Chassis: zelfdragend
Uitvoering: coupé
Productiejaren: 1971-1982
Productie-aantal: 1.108
In NL: n.b.
Prijzen (RHD): A: 13.600 B: 20.400 C: 27.200

ROLLS-ROYCE CORNICHE I CABRIOLET

Met een veranderd frontaanzien heet de Silver Shadow na '71 Corniche. De linnen kap van een Corniche cabriolet is een gecompliceerd stuk high-tech waar één man een hele week aan werkt, en dat hij elektrisch bediend wordt, moge vanzelfsprekend zijn. De carrosserieën worden weer bij Mulliner-Park Ward in Londen gemaakt en daarna voor de eindmontage naar Crewe in het noorden van Engeland gebracht. Hoewel de productie van de coupé in 1982 stopt, blijft de cabriolet tot 1987 leverbaar.

Aantal cilinders: V8
Cilinderinhoud in cm³: 6750
Vermogen: ± 200/n.b.
Topsnelheid in km/uur: 190
Carrosserie/Chassis: zelfdragend
Uitvoering: cabriolet
Productiejaren: 1971-1987
Productie-aantal: 3.239
In NL: n.b.
Prijzen (RHD): A: 20.400 B: 29.400 C: 40.800

ROLLS-ROYCE CORNICHE II

'Never change a winning team!' zei men bij Rolls-Royce en toen de Corniche een succes bleek, bleef hij jarenlang in productie. Als Corniche II werd hij in 1987 voorgesteld. Ontworpen en gebouwd was de body bij H.J. Mulliner-Park Ward, de carrossiers die tot het Rolls-Royce-concern behoorden. De wagen deelde het onderstel met de Silver Spirit maar had een motor met meer vermogen, in dit geval dus 'meer dan voldoende'. De Corniche II was er uitsluitend als convertible. Vanaf 1989 was er de Corniche III.

Aantal cilinders: V8
Cilinderinhoud in cm³: 6750
Vermogen: ca. 200/n.b.
Topsnelheid in km/uur: 190
Carrosserie/Chassis: zelfdragend
Uitvoering: cabriolet
Productiejaren: 1987-1989
Productie-aantal: 1.226
In NL: n.b.
Prijzen: A: 27.200 B: 43.100 C: 54.500

ROLLS-ROYCE CAMARGUE

Toen de Camargue in 1975 op de markt kwam, was het de duurste auto die in Engeland te koop was. Pininfarina had de carrosserie ontworpen en velen vergeleken hem dan ook met die van de Fiat 130 coupé! De wagen had rondom onafhankelijke vering, vier geventileerde schijfremmen en een automatische Hydra-Matic versnellingsbak van General Motors. Hoewel GM meer ervaring met automaten had dan wie dan ook, werden de bakken bij Rolls-Royce nog eens uit elkaar gehaald voordat ze gemonteerd werden. Er is 1 Bentley Camargue gebouwd.

Aantal cilinders: V8
Cilinderinhoud in cm³: 6750
Vermogen: ca. 220/n.b.
Topsnelheid in km/uur: 190
Carrosserie/Chassis: zelfdragend
Uitvoering: coupé
Productiejaren: 1975-1985
Productie-aantal: 525
In NL: n.b.
Prijzen: A: 11.300 B: 22.700 C: 34.000

ROLLS-ROYCE SILVER WRAITH II

In 1977 kwam Rolls-Royce met een Silver Shadow met een 10 cm langere wielbasis uit en men noemde de wagen Silver Wraith II. Die naam was net na de oorlog reeds gevoerd, vandaar de II-aanduiding. De scheidingswand kon niet in de voor Amerika bestemde wagens worden ingebouwd aangezien de wagens twee airconditioningsystemen hadden en de achterste zo ingebouwd was dat de benzinetanks op een 'onveilige' plaats terechtgekomen waren. In aanschaf niet buitensporig duur, in onderhoud wel.

Aantal cilinders: V8
Cilinderinhoud in cm³: 6750
Vermogen: ± 200/n.b.
Topsnelheid in km/uur: 190
Carrosserie/Chassis: zelfdragend
Uitvoering: limousine
Productiejaren: 1977-1980
Productie-aantal: 2.145
In NL: n.b.
Prijzen: (RHD) A: 7.300 B: 13.600 C: 20.400

ROLLS-ROYCE SILVER SPIRIT & SILVER SPUR 1980-1989

De Silver Shadow II, de Silver Wraith II en Bentley T2 werden in 1980 opgevolgd door de Silver Spirit. De verlengde versie daarvan was de Silver Spur. De in eigen huis door F. Feller getekende carrosserie van de nieuwe Rollsen leek veel langer dan die van zijn voorgangers, maar dat kwam door de lagere taillelijn en de grotere ruiten. Vanaf 1984 leverde de fabriek zesdeursversies met verlengde wielbasis van de hand van Robert Jankel Design. In 1986 wijken de dubbele SU-carburateurs voor een K-Jetronic injectiesysteem.

Aantal cilinders: V8
Cilinderinhoud in cm³: 6750
Vermogen: c.a. 200/n.b.
Topsnelheid in km/uur: 195
Carrosserie/Chassis: zelfdragend
Uitvoering: sedan en limousine
Productiejaren: 1980-1989
Productie-aantallen: 8.129 en 6.339
In NL: n.b.
Prijzen: (RHD) A: 9.100 B: 17.200 C: 22.700

ROLUX

In Lyon runde P. Martin een fabriek waar hij New Map-motorfietsen bouwde. In 1938 verscheen er een prototype van een kleine roadster met een luchtgekoeld ééncilinder motortje. Na de Tweede Wereldoorlog ging het wagentje in productie bij de Société Rolux de Clermont-Ferrand. Tot in 1952 bleef de op een trapauto gelijkende dwergauto leverbaar, daarna bleef de productie beperkt tot motorfietsen.

ROLUX BABY VB 60

De kleine roadster die meteen na de oorlog in productie ging, had vier wielen en bood aan twee niet al te lange mensen plaats. Het eencilinder New Map-blokje had 125 cc inhoud en kon het 145 kilo wegende wagentje met inzittenden slechts op een bescheiden snelheid brengen. In 1946 presenteerde Rolux ook een gesloten versie, maar die ging nooit in productie. Er werden wel enkele bedrijfsautootjes op basis van de Baby gebouwd. In '52, na een duizendtal exemplaren, verdween het merkje naar de geschiedenisboekjes. De motorfietsproductie liep nog wel door.

Aantal cilinders:	1
Cilinderinhoud in cm^3:	125
Vermogen:	n.b.
Topsnelheid in km/uur:	55
Carrosserie/Chassis:	zelfdragend
Uitvoering:	roadster
Productiejaren:	1945-1952
Productie-aantal:	ca. 1.000
In NL:	2
Prijzen:	A: 900 B: 2.300 C: 3.600

ROSENGART

Lucien Rosengart maakte in de jaren tien mechanische auto-onderdelen voor diverse merken, in zijn fabriek in Neuilly-sur-Seine bij Parijs. Vervolgens bemachtigde hij in 1928 een licentie van de Austin Seven en daarna van de Adler Trumpf. Hij verfranste deze wagens en verkocht ze onder zijn eigen naam en initialen, zoals de LR 2 en LR 4. Zijn Supertraction op Citroën-basis werd na de oorlog niet meer gebouwd en na enige experimenten viel in 1955 het doek.

ROSENGART SUPERTRAHUIT

In de Supertraction van Rosengart – de eerste voorwielaangedreven Franse serieauto – zaten de technische componenten van de Citroën Traction Avant. Na '45 leverde men Rosengart niet langer en daarom besloot deze een Mercury V8 in de wagen te bouwen. Aldus ontstond de Supertrahuit. De grille stond wat rechter dan bij z'n voorganger. De dorstige achtcilinder paste slecht in de naoorlogse jaren en na tweemaal een stand op de Parijse salon en een handvol exemplaren, was het avontuur met de Supertrahuit ten einde.

Aantal cilinders:	V8
Cilinderinhoud in cm^3:	3917
Vermogen:	95/3600
Topsnelheid in km/uur:	150
Carrosserie/Chassis:	afzonderlijk chassis
Uitvoering:	coach en cabriolet
Productiejaren:	1946-1948
Productie-aantal:	ca. 8
In NL:	0
Prijzen:	A: 15.900 B: 22.700 C: 31.800

ROVER

De fietsenfabrikant Rover begint in 1904 met de bouw van auto's voor de middenklasse. Vanaf de jaren dertig zoekt men het in ruimere wagens. Tegen de geregeld dreigende massale ondergang van de Engelse autoindustrie heeft Rover zich lang kunnen weren. Pas in 1966 werd de firma een deel van British Leyland en veranderde in de decennia erna enkele malen van eigenaar. De huidige formule omhelst de productie van klein tot groot en dat werkt: de goede naam is tot op heden behouden.

ROVER TEN, TWELVE, FOURTEEN & SIXTEEN

In 1946 kon men bij Rover weer personenauto's gaan bouwen. Het waren eerst nog de typen Ten, Twelve, Fourteen en Sixteen die men voor de oorlog al gemaakt had. Ze zagen er met hun vrijstaande koplampen werkelijk ouderwets uit, maar waren desondanks mooi van lijn. De aantrekkelijkste Rover van net na de oorlog is de Twelve cabriolet van 1947, maar die is moeilijk te vinden. De aankoop van een gesloten Ten, Twelve of Sixteen vormt nagenoeg geen probleem. Deze Rovers zijn solide en stralen klasse uit. Prijzen voor rechts gestuurde wagens.

Aantal cilinders: 4 en 6
Cilinderinhoud in cm³: 1389-2147
Vermogen: 39/n.b.-72/n.b.
Topsnelheid in km/uur: 110-120
Carrosserie/Chassis: afzonderlijk chassis
Uitvoering: sedan en cabriolet
Productiejaren: 1946-1948
Productie-aantallen: 2.640, 4.840, 1.705 en 4.150
In NL: 35
Prijzen: (RHD) A: 1.800 B: 3.600 C: 5.400

ROVER P3 60 & 75

In februari 1948 kon Rover de P3 60 en de 75 aanbieden, de eerste met een vier- en de tweede met een zescilindermotor in dezelfde carrosserieën. Ze leken nog sterk op hun voorgangers. De wagens hadden nieuwe motoren met de inlaatkleppen in de cilinderkop en de uitlaatkleppen opzij. De voorwielophanging was onafhankelijk. De carrosserieën van de sedans hadden vier of zes zijruiten. Een conservatieve auto met bescheiden prestaties en dus geen 'wild rover'.

Aantal cilinders: 4 en 6
Cilinderinhoud in cm³: 1595 en 2103
Vermogen: 51/4000 en 73/4000
Topsnelheid in km/uur: 120 en 125
Carrosserie/Chassis: afzonderlijk chassis
Uitvoering: sedan
Productiejaren: 1948-1949
Productie-aantallen: 1.274 en 7.837
In NL: 11
Prijzen: A: 2.700 B: 4.500 C: 6.800

LAND-ROVER SI

Hoewel de jeep die zoveel bijdroeg om de oorlog te winnen niet te verslaan is als 4x4 voor de liefhebber, staat de Land-Rover toch zeker op de tweede plaats. De Land-Rover werd op 30 april 1948 voor het eerst aan het publiek getoond op de RAI in Amsterdam. Het was een open pick-up maar al in oktober '48 kon er ook een stationcar besteld worden. De Land-Rover is in vele varianten gebouwd met grote en kleine motoren die op benzine of op dieselolie liepen. Op onze foto een Land-Rover zoals hij vanaf '51 geleverd werd.

Aantal cilinders: 4
Cilinderinhoud in cm³: 1595-2052
Vermogen: 51/4000
Topsnelheid in km/uur: 96
Carrosserie/Chassis: aluminium/afzonderlijk chassis
Uitvoering: pick-up, bestelwagen en stationcar
Productiejaren: 1948-1958
Productie-aantal: 217.327
In NL: n.b.
Prijzen: A: 2.700 B: 6.800 C: 11.300

LAND-ROVER SII & SIIA

In 1958 volgde de Series II Land-Rover de nu tien jaar oude voorganger op. De nieuwe wagens waren groter geworden en heetten nu '88' en '109' in plaats van '80' waarbij deze getallen op de wielbasis in inches sloegen. Beide modellen waren zowel met een benzine- als met een dieselmotor verkrijgbaar en dan natuurlijk met verschillende carrosserieën. Vanaf '61 is er de SIIA, die in 1967 een optionele zescilindermotor krijgt. In '69 verhuizen de koplampen naar de schermen.

Aantal cilinders: 4 en 6
Cilinderinhoud in cm³: benzine: 2286-2625; diesel: 2052-2286
Vermogen: benzine: 77/4250; diesel: 52/3500
Topsnelheid in km/uur: 100-125
Carrosserie/Chassis: aluminium/afzonderlijk chassis
Uitvoering: diverse
Productiejaren: 1958-1961 en 1961-1971
Productie-aantallen: 143.475 en 318.196
In NL: n.b.
Prijzen: A: 900 B: 2.500 C: 3.900

LAND-ROVER SERIES III

De Series III was alleen maar in details, zoals de grille, van de vroegere series te onderscheiden. De grote verschillen vond men onder de aluminium huid. Bijvoorbeeld in de versnellingsbak die nu eindelijk volledig gesynchroniseerd was, in het remsysteem dat veel verbeterd was en in de wisselstroomdynamo. Het dashboard was nieuw, het had nu zelfs een handschoenenkastje, en er bestond de mogelijkheid een radio in te bouwen. In 1976 werd in Solihull de miljoenste Land-Rover gebouwd. Vanaf 1980 is er de optie voor een V8-motor.

Aantal cilinders: 4, 6 en V8
Cilinderinhoud in cm³: benzine: 2286, 2625 en 3528; diesel: 2286
Vermogen: 67/4000-91/n.b.
Topsnelheid in km/uur: 105-145
Carrosserie/Chassis: aluminium/afzonderlijk chassis
Uitvoering: diverse
Productiejaren: 1971-1985
Productie-aantal: ca. 805.000
In NL: n.b.
Prijzen: A: 900 B: 2.700 C: 4.500

ROVER P4

Zoals bijna alle Rover-producten uit de jaren vijftig was ook de P4-serie onverwoestbaar. De wagen had een geheel nieuwe carrosserie gekregen die in het najaar van 1949 veel opzien baarde. De klant had de keuze uit een groot aantal motoren en het aantal pk's dat die leverden, gaf meteen het type auto aan, zodat de Rover 75 een 75 pk motor onder de kap had. De P4 werd aangeboden als '60', '75', '80', '90', '95', '100', '105 R', '105 S' en '110'. Alle hadden ze vier portieren, veel binnenruimte en een mooi en solide afgewerkt interieur. Tot 1952 was er de 'Cyclops' met derde koplamp.

Aantal cilinders: 4 en 6
Cilinderinhoud in cm³: 1997-2625
Vermogen: 61/4000-125/5000
Topsnelheid in km/uur: 125-170
Carrosserie/Chassis: afzonderlijk chassis
Uitvoering: sedan
Productiejaren: 1950-1964
Productie-aantal: 130.342
In NL: 130
Prijzen (100): A: 1.800 B: 5.200 C: 8.200

ROVER 3 LITRE (P5)

Met de 'Three Litre' stapte Rover naar de duurdere klasse. Aan luxe kwam de auto niets tekort. De stoelen en banken waren in zorgvuldig handwerk met leer overtrokken en het dashboard was weer van hout. Nadat de wagen enige maanden in productie geweest was, werden er na juni 1959 schijfremmen bij de voorwielen gemonteerd en een jaar later was er stuurbekrachtiging. In 1962 kwam er ook een 'coupé' uitvoering, een vierdeurs wagen met een aflopend dak. Wederom solide auto's, maar zeer roestgevoelig.

Aantal cilinders: 6
Cilinderinhoud in cm³: 2995
Vermogen: 117/4250-136/5000
Topsnelheid in km/uur: 160-175
Carrosserie/Chassis: zelfdragend
Uitvoering: sedan en 4-deurs coupé
Productiejaren: 1959-1967
Productie-aantal: 48.541
In NL: 25
Prijzen: A: 1.800 B: 5.700 C: 8.200

ROVER 3.5 LITRE (P5B)

Dat ook een olifant snel kan zijn, bewees Rover met zijn 'Three and a Half Litre'. De wagen had nu een moderne aluminium V8-motor die men bij General Motors ingekocht had en die onder andere in de Buick Special ingebouwd geweest was. Met deze kopklepper was de zware wagen – hij woog tenslotte 1734 kg en als coupé een paar kg minder – snel genoeg geworden om indruk te maken op het overige verkeer. De montage van Rostyle-wielen is wat overdreven. De verkoop van sedan en coupé liep ongeveer gelijk op. Restauratie van een P5B kan flink in de papieren lopen.

Aantal cilinders: V8
Cilinderinhoud in cm³: 3528
Vermogen: 151/5000-161/5200
Topsnelheid in km/uur: 190
Carrosserie/Chassis: zelfdragend
Uitvoering: sedan en 4-deurs coupé
Productiejaren: 1967-1973
Productie-aantallen: sedan: 11.501; coupé: 9.099
In NL: 90
Prijzen (sedan): A: 2.500 B: 5.900 C: 9.100

ROVER 2000/SC/TC & 2200/SC/TC (P6)

De Rover 2000 was in vele opzichten een erg moderne wagen. Hij had schijfremmen aan alle wielen en achter een De Dion-achteras. De viercilindermotor had een bovenliggende nokkenas. Afgezien van enkele facelifts werd ook de motor steeds verder ontwikkeld. Er kwam in de herfst van 1966 een TC-uitvoering (Twin Carburettor) die 124 pk sterk was. De 2200 volgde in 1973 de 2000 op; hij verscheen in dezelfde versies. Omdat het model toen al tien jaar op de markt was werd de 2200 geen verkoopsucces.

Aantal cilinders: 4
Cilinderinhoud in cm³: 1978 en 2205
Vermogen: 90/5000-124/5500
Topsnelheid in km/uur: 150-185
Carrosserie/Chassis: zelfdragend
Uitvoering: sedan
Productiejaren: 1963-1977
Productie-aantallen: 2000: 327.808; 2200: 32.270
In NL: 360
Prijzen: A: 1.200 B: 2.700 C: 5.000

ROVER 3500 & 3500S (P6)

Door de V8 uit de P5B in de carrosserie van de 2000 te bouwen, ontstond de P6 3500 in '68. Een automaat was standaard. De wagen was uiterlijk herkenbaar aan de extra grille onder de voorbumper en natuurlijk aan de V8-emblemen. In '71 kwam er een handgeschakelde versie uit, die de naam 3500S meekreeg. Dat type had standaard een vinyldak. Voor 1973 was er een gemodificeerde automaat van Borg Warner. De 3500 is een heerlijke wagen, zij het dat net als in de 2000 lange mensen al gauw met hun hoofd tegen het dak zitten. Reken op een fors benzineverbruik.

Aantal cilinders: V8		
Cilinderinhoud in cm³: 3528		
Vermogen: 140-161/5200		
Topsnelheid in km/uur: 185		
Carrosserie/Chassis: zelfdragend		
Uitvoering: sedan		
Productiejaren: 1968-1977		
Productie-aantal: 79.057		
In NL: zie 2000		
Prijzen:	A: 1.400 C: 7.900	B: 4.500

RANGE ROVER SERIES 1

Met de Land-Rover had Rover een heel goede naam opgebouwd op het gebied van 4x4 terreinwagens. Op dat gebied was de wagen nauwelijks te overtreffen, maar voor dagelijks gebruik was hij minder geschikt. Voor dit doel ontstond de Range Rover, die al gauw een must betekende voor iedereen die over geld beschikte. Rover fotografeerde hem voor advertenties voor de portalen van de Opera en op de renbaan, waar hij een trailer met renpaarden trok. Met andere woorden, de wagen kon alles en men mocht erin gezien worden. De Series 1 zijn altijd tweedeurs.

Aantal cilinders: V8		
Cilinderinhoud in cm³: 3532		
Vermogen: 156/5000		
Topsnelheid in km/uur: 155		
Carrosserie/Chassis: aluminium op een afzonderlijk chassis		
Uitvoering: 4x4 stationcar		
Productiejaren: 1970-1981		
Productie-aantal: 96.331		
In NL: n.b.		
Prijzen:	A: 1.600 C: 7.500	B: 4.500

ROVER SD 1

De opvolger van de P6 heeft dezelfde motor: de beproefde lichtmetalen V8. Een moderne carrosserie met vijfde deur geeft de nieuwe Rover een prima aanzien. Vanaf '77 is er een door Triumph ontwikkelde zescilinder verkrijgbaar. Er komen later ook nog een 2300-variant en zelfs 2000 vierpitters, plus een diesel. De SD staan voor Special Division. Deze Rover is helaas roestgevoelig, niet erg betrouwbaar in sommige uitvoeringen, maar beslist een youngtimer met toekomst. Het meest interessant zijn de Vanden Plas- en Vitesse-uitvoeringen.

Aantal cilinders: 4, 6 en V8		
Cilinderinhoud in cm³: 1994-3528		
Vermogen: 100/5250-157-193/5250		
Topsnelheid in km/uur: 170-215		
Carrosserie/Chassis: zelfdragend		
Uitvoering: sedan		
Productiejaren: 1976-1986		
Productie-aantal: 171.946		
In NL: 850		
Prijzen: (V8)	A: 1.100 C: 4.100	B: 2.300

■ ROVIN

In een poging om het Franse publiek direct na de oorlog weer mobiel te maken had ir. Robert de Rovin nog tijdens de oorlog een dwergauto op papier gezet. Zijn geesteskind was een open tweezitter met een stalen carrosserie, een één-, later tweecilinder-tweetaktmotortje en vier onafhankelijk geveerde wielen. In augustus 1945 kon een eerste proefrit gemaakt worden maar de productie kwam pas in 1947 op gang omdat de Franse regering geen grondstoffen voor het project wilde vrijgeven.

Rovin

ROVIN D-2

Toen er in 1946 nog vrijwel geen nieuwe auto's te koop waren, zagen de gebroeders Raoul en Robert de Rovin kans hun dwergauto aan de man te brengen. De tweetaktmotor stond achter in de auto en de achterwielen werden met kettingen aangedreven. In 1947 kocht de firma de oude fabriek van Delaunay-Belleville in Saint-Denis. De wagentjes leken te veel op een trapauto en men werkte aan een nieuw model dat meer op een echte auto leek. De D-1 was een prototype met een eencilindermotortje. Na 3 stuks volgde de D-2.

Aantal cilinders: 2		
Cilinderinhoud in cm³: 425		
Vermogen: 9/3000		
Topsnelheid in km/uur: 70		
Carrosserie/Chassis: zelfdragend		
Uitvoering: cabriolet		
Productiejaren: 1947-1948		
Productie-aantal: 380		
In NL: n.b.		
Prijzen:	A: 900 C: 3.900	B: 2.000

ROVIN D-3 & D-4

Na de D-1 en D-2 kwam in 1948 de Rovin D-3 met een soort pontoncarrosserie. Hij had dezelfde motor als de D-2 maar nu met twee pk meer. Robert was intussen alleen, aangezien zijn broer in '49 overleed. Voor 1950 verscheen de D-4 met z'n opvallende koplampen los op de neus (foto). Dit was nodig om aan de wet voor de minimale hoogte van de verlichting te voldoen. Vanaf 1953 waren die lampen in de spatborden opgenomen, in het laatste type D-4. De Rovin kon niet op tegen de concurrentie van bijvoorbeeld de Citroën 2CV en in '54 hield hij ermee op.

Aantal cilinders: 2
Cilinderinhoud in cm³: 425-462
Vermogen: 11- en 13/3200
Topsnelheid in km/uur: 75-85
Carrosserie/Chassis: zelfdragend
Uitvoering: cabriolet
Productiejaren: 1948-1950 en 1950-1954
Productie-aantallen: 930 en ca. 1000
In NL: n.b.
Prijzen: A: 900 B: 2.000 C: 3.900

SAAB

De firma Saab werd in 1937 in Zweden opgericht. Zoals de naam 'Svenska Aeroplan Aktiebolaget' al zegt, bouwde men vliegtuigen, vooral jagers, tot men na de oorlog een tweede product zocht om het personeel aan het werk te houden. Al gauw kwam men op auto's en het was niet verwonderlijk dat de eerste Saabs veel op een vliegtuigromp op wielen leken. Het merk heeft de naam gekregen auto's te bouwen met een grote passieve veiligheid.

SAAB 92 & 92B

Onder de leiding van Gunnar Ljungström ontstond de eerste Saab personenwagen naar tekeningen van de designer Sixten Sason. Onder de gestroomlijnde carrosserie pruttelde een tweetaktmotor die de voorwielen aandreef. Alle vier wielen waren onafhankelijk door middel van torsiestaven geveerd. In onze streken zijn deze typen zeldzaam. De 92 werd de basis voor een succesvolle 90-serie die enkele decennia goed bleef verkopen. De 92B van 1953 had een grotere achterruit plus een kofferklep. Na 1954 drie pk extra.

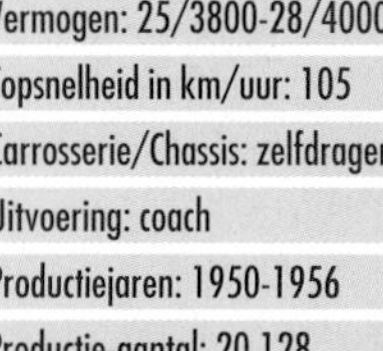

Aantal cilinders: 2
Cilinderinhoud in cm³: 764
Vermogen: 25/3800-28/4000
Topsnelheid in km/uur: 105
Carrosserie/Chassis: zelfdragend
Uitvoering: coach
Productiejaren: 1950-1956
Productie-aantal: 20.128
In NL: 15
Prijzen: A: 2.200 B: 5.900 C: 9.100

SAAB 93, 93B & GT 750

De grondvorm van de Saab is jarenlang onveranderd gebleven en daarom herkende men een nieuw model aan een uitvoerige facelift. En door een blik onder de huid natuurlijk. Zo vond men bij de Saab 93 een driecilinder-tweetakt en een nieuw veersysteem dat met schroefveren werkte. De achterwielen zaten nu aan een starre as. De rallysport is vooral in Scandinavië erg geliefd en daarom is het geen wonder dat ook de Saab voor deze sport werd ingezet. Er werd zelfs een speciale wagen voor gebouwd, de GT 750, met naar wens dubbele carburateurs.

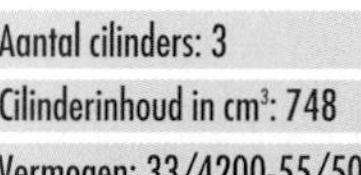

Aantal cilinders: 3
Cilinderinhoud in cm³: 748
Vermogen: 33/4200-55/5000
Topsnelheid in km/uur: 125-145
Carrosserie/Chassis: zelfdragend
Uitvoering: coach
Productiejaren: 1955-1960 (93) en 1958-1962 (GT)
Productie-aantal: 52.731
In NL: 40
Prijzen: (93) A: 2.700 B: 5.700 C: 8.600

SAAB 96 & GT 850 (SPORT)

Bij de constructie van de opvolger van de Saab 93 hadden de ingenieurs geen half werk verricht. De 96 had een grotere achterruit. Het dak was vlakker ontworpen, wat de hoofdruimte voor de achterpassagiers ten goede kwam, en ook het dashboard was nieuw. Na enkele jaren kregen de Saabs een langere neus. De Saab Sport, ook wel GT 850 en later Monte Carlo genoemd, was voor de sportievere rijders. Vanaf 1967 heeft de wagen een viertakt V4 van Ford Keulen. In ons prijzenoverzicht zijn deze bedoeld. Tweetaktversies zijn duurder. Zeldzaam zijn de 570 in Rotterdam gebouwde 96's.

Aantal cilinders: 3 of V4
Cilinderinhoud in cm³: 841 of 1498
Vermogen: 38/4250 of 68/5500
Topsnelheid in km/uur: 125-155
Carrosserie/Chassis: zelfdragend
Uitvoering: coach
Productiejaren: 1960-1980
Productie-aantal: 547.221
In NL: 600
Prijzen: (V4) A: 1.100 B: 2.700 C: 4.500

SAAB 95

In de jaren zestig werd de vraag naar de stationcar steeds groter. Bijna alle grote merken konden er een aanbieden en daarom volgde Saab in 1959 met zijn 95. Opmerkelijk is dat die stationcar er eerder was dan de coach. De wagen was er helaas alleen maar als driedeurs model en aanvankelijk nog met de zogenoemde 'zelfmoord'-portieren. Ook de 95 kreeg net als de 96 de langere neus en in '67 de V4-motor van Ford. De productie van de 95 is een jaar eerder gestopt dan die van de coach. Deze 95 kent tegenwoordig een eigen groep liefhebbers.

Aantal cilinders: 3 of V4
Cilinderinhoud in cm³: 841 of 1498
Vermogen: 38/4250 of 68/5500
Topsnelheid in km/uur: 120-155
Carrosserie/Chassis: zelfdragend
Uitvoering: stationcar
Productiejaren: 1959-1979
Productie-aantal: 110.527
In NL: 80
Prijzen: (V4) A: 1.200 B: 2.900 C: 5.000

SAAB SONETT II

In het midden der jaren vijftig had Saab-medewerker Rolf Mellde al een sportwagen ontworpen. De open wagen was nooit in productie gegaan en het project was vergeten tot Mellde met een coupé, de Sonett II, uitkwam. Björn Karlström had de kunststof carrosserie ontworpen die bij de firma Malmö Flygindustri gemaakt werd. De rest van de wagen ontstond bij ASJ in Arlöv, een fabriek voor treinwagons. De tweetakttypen zijn erg zeldzaam en kosten tegenwoordig de helft meer.

Aantal cilinders: 3 of V4
Cilinderinhoud in cm³: 841 of 1498
Vermogen: 60/5200 of 65/6000
Topsnelheid in km/uur: 155-160
Carrosserie/Chassis: platformchassis
Uitvoering: coupé
Productiejaren: 1966-1970
Productie-aantallen: 258 en 1.510 (V4)
In NL: 8
Prijzen: (V4) A: 3.600 B: 7.500 C: 11.300

SAAB SONETT III

Hoewel de Saab Sonett II speciaal voor de Amerikaanse markt bestemd was, verkocht hij daar slecht. Een opinie-onderzoek bracht een handvol punten aan het licht die dus in de Sonett III veranderd werden. De Italiaanse designer Sergio Coggiola tekende een nieuwe carrosserie, er kwam een vloerversnelling in plaats van een stuurversnelling in de wagen en er werd nu wel wat succes geboekt, zij het niet op grote schaal. De auto had nog steeds de Ford V4 onder de kap en een echte sportwagen was het dus nauwelijks. Goed onderhouden exemplaren zijn schaars.

Aantal cilinders: V4
Cilinderinhoud in cm³: 1498
Vermogen: 65/6000
Topsnelheid in km/uur: 160
Carrosserie/Chassis: platformchassis
Uitvoering: coupé
Productiejaren: 1970-1974
Productie-aantal: 8.368
In NL: 45
Prijzen: A: 3.200 B: 5.900 C: 8.600

SAAB 99

Lang heeft men bij Saab moeten horen dat de modellen verouderd waren en om hier een einde aan te maken kwam de fabriek in november 1967 met een geheel nieuwe carrosserie uit. De '99' was er aanvankelijk als tweedeurs coach maar al gauw komt er een sedan. De voorwielen werden aangedreven door een motor met een bovenliggende nokkenas die bij Triumph in Engeland gebouwd werd. Vanaf 1969 kon deze motor ook met benzine-inspuiting geleverd worden. In 1974 verschijnt de 'combi fastback'. Van '84 tot '87 heette de auto 90.

Aantal cilinders: 4
Cilinderinhoud in cm³: 1709, 1854 en 1985
Vermogen: 80/5200-115/5500
Topsnelheid in km/uur: 155 en 175
Carrosserie/Chassis: zelfdragend
Uitvoering: coach en sedan
Productiejaren: 1968-1984
Productie-aantal: 588.643
In NL: 250
Prijzen: A: 900 B: 2.300 C: 3.400

SAAB 99 TURBO

In september 1977 stond Saab met een '99' met een turbomotor op de IAA in Frankfurt. Het was een wolf in schaapskleren want hij deelde de carrosserie met zijn tammere broers. De Garrett-turbolader werkte met een druk van 0,7 bar en dit was voldoende om de auto van 0 naar 100 km/uur in 8,9 seconden te laten accelereren. De turbotechnologie was indertijd nog niet zo ontwikkeld als tegenwoordig en zo kon het gebeuren dat de wagen zich ineens wat vreemd ging gedragen als de turbo onverwachts in werking trad. Ook sterk inhouden kwam geregeld voor.

Aantal cilinders: 4
Cilinderinhoud in cm³: 1985
Vermogen: 145/5000
Topsnelheid in km/uur: 200
Carrosserie/Chassis: zelfdragend
Uitvoering: coach en sedan
Productiejaren: 1977-1980
Productie-aantal: 10.607
In NL: 45
Prijzen: A: 1.400 B: 2.700 C: 4.300

SEAT 127

Hoewel Seat met Fiat een contract had om de Fiat-producten in licentie te maken, gingen de Spanjaarden af en toe hun eigen weg. Zo bouwden ze de Fiat 127 met twee, drie of vier portieren. Deze laatste werd in oktober 1973 voorgesteld en werd een groot succes. Zoals zijn Italiaanse broeders had de auto voorwielaandrijving en schijfremmen aan de voorwielen. Ondanks zijn vier zitplaatsen had de wagen een kofferruimte van 365 liter. Legde men de achterbank plat, dan werd de ruimte vergroot tot 1000 liter.

Aantal cilinders: 4
Cilinderinhoud in cm³: 903
Vermogen: 43/5600
Topsnelheid in km/uur: 130
Carrosserie/Chassis: zelfdragend
Uitvoering: coach en sedan
Productiejaren: 1974-1983
Productie-aantal: n.b.
In NL: n.b.
Prijzen: A: 200 B: 500 C: 900

SEAT 1200 & 1430 SPORT

Hoewel Seat Fiat-modellen bouwde, kwam er in de jaren zeventig een heus eigen model uit. De leiding in Barcelona weigerde de 128 3P in licentie te bouwen en wilde een auto die volgens de Spaanse smaak gebouwd was. Op de vloerplaat van de 127 kwam een modern gelijnde carrosserie. De motor stamde van de 124, die nog steeds in Spanje gebouwd werd. Later boorde men deze op tot 1438 cc. De zwarte kunststof bumper was zijn tijd vooruit, maar helaas hielden ze hun vorm slecht na verloop van jaren (zie foto). De rijeigenschappen van deze rappe Spanjaard zijn zonder meer goed.

Aantal cilinders: 4
Cilinderinhoud in cm³: 1197 en 1438
Vermogen: 67/5600 en 77/5600
Topsnelheid in km/uur: 160
Carrosserie/Chassis: zelfdragend
Uitvoering: coupé
Productiejaren: 1975-1980
Productie-aantal: n.b.
In NL: n.b.
Prijzen: A: 900 B: 1.800 C: 2.900

SHANGHAI

In 1965 herdoopten de Chinezen hun Feng-Huang in Shanghai. De wagen was in 1960 op de markt gekomen als imitatie van de Mercedes-Benz 220. Pas twee jaar later kwam de productie enigszins op gang met een wagen per week. Tegenwoordig heeft VW een aardige vinger in de Chinese autopap. Een door de Duitsers ontwikkeld model heet Shanghai Santana.

SHANGHAI SH-760

Na een aantal experimenten met viercilinders en V8'en werd de zescilinder Mercedes-kloon Feng-Huang uiteindelijk China's auto voor partijbonzen en taxichauffeurs. Vanwege de culturele revolutie kreeg de wagen in '65 de naam Shanghai. De SH-760 kreeg in '74 een andere grille en achterkant en dat werd de SH-760A. Later volgden verdere ontwikkelingen. Een open versie (761) kwam in de jaren zestig al uit en een limousine (771) in '77. Het is me niet bekend of de wagen nog steeds in productie is. De afgebeelde auto staat in het Nationaal Automobielmuseum te Raamsdonksveer.

Aantal cilinders: 6
Cilinderinhoud in cm³: 2232
Vermogen: 90/4800
Topsnelheid in km/uur: 130
Carrosserie/Chassis: zelfdragend
Uitvoering: sedan
Productiejaren: 1965-n.b.
Productie-aantal: n.b.
In NL: 1
Prijzen: A: n.v.t. B: n.v.t. C: n.v.t.

SIATA

Toen de telefoniste het bezwaarlijk vond zich steeds weer met 'Societa Italiana Applicazione Transformazione Automobilistiche' te melden, besloot men de naam van de zaak af te korten tot Siata. Dat was in 1926 toen men in Turijn begon met het bouwen van specials op de basis van Fiats. Na de oorlog ging men ermee door en toen ontstonden de mooiste creaties. Helaas in kleine aantallen, die niet rendabel waren en dat was de reden dat men in 1970 de poort moest sluiten.

SIATA DAINA

Nadat Siata direct na de oorlog enige wagens gebouwd had met de Fiat 500 Topolino als basis, ontstond in 1950 een serie auto's op het veranderde onderstel van de Fiat 1400. Twee Weber-carburateurs zorgden voor een paar extra paarden en ook tegen het inbouwen van een vijfde versnelling zag men niet op. Carrozzeria Stabilimenti Farina en Bertone zorgden voor aantrekkelijke carrosserieën. Er was ook nog een model Rallye dat op de MG TD leek, maar daarvan zijn er maar weinig geproduceerd. Ook zouden er enkele stationcars en limousines gebouwd zijn.

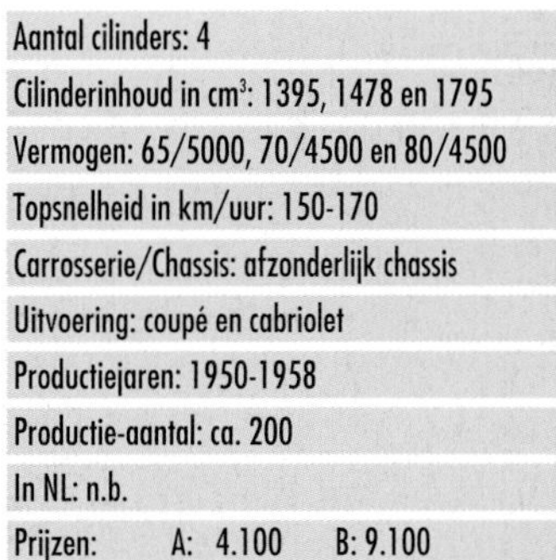

Aantal cilinders: 4	
Cilinderinhoud in cm³: 1395, 1478 en 1795	
Vermogen: 65/5000, 70/4500 en 80/4500	
Topsnelheid in km/uur: 150-170	
Carrosserie/Chassis: afzonderlijk chassis	
Uitvoering: coupé en cabriolet	
Productiejaren: 1950-1958	
Productie-aantal: ca. 200	
In NL: n.b.	
Prijzen:	A: 4.100 B: 9.100 C: 13.600

SIATA 208S

Toen Fiat het onbegrijpelijke, maar voor de liefhebber goede, idee kreeg een sportwagen met een V8-motor te bouwen was Siata er als de kippen bij om motoren op de kop te tikken. Ze kwamen in een nieuw buizenchassis en deze wagens gingen de wereld in onder de naam Siata 208. Er waren verschillende varianten mogelijk met onveranderde Fiatmotoren of die door Siata opgevoerd en van twee Weber-carburateurs voorzien waren. Voor de Amerikaanse markt ontstonden deze wagens met een V8-motor van Chrysler. Zelden te koop en heel duur.

Aantal cilinders: V8	
Cilinderinhoud in cm³: 1996	
Vermogen: 105/6000 en 122/6300	
Topsnelheid in km/uur: 180-200	
Carrosserie/Chassis: aluminium op een buizenchassis	
Uitvoering: coupé en cabriolet	
Productiejaren: 1953-1954	
Productie-aantal: 56	
In NL: 1	
Prijzen:	A: 36.300 B: 68.000 C: 90.800

SIATA AMICA 600

Er zijn maar weinig autotypen die zo vaak model gestaan hebben voor een special als de Fiat 600. Toen dit model in 1955 uitkwam, stortten de Italiaanse carrozzeria zich op het wagentje om er hun ideaalbeelden van te maken. Siata bleef niet achter en kwam met zijn Amica 600. Mechanisch verschilden de wagens niet veel van de Fiat en daarom hadden ze ook de motor achterin en vier onafhankelijk geveerde wielen. Naar wens kon de motor opgevoerd worden. Er schijnen nog redelijk wat Amica's 600 verkocht te zijn.

Aantal cilinders: 4	
Cilinderinhoud in cm³: 633	
Vermogen: 22/4600	
Topsnelheid in km/uur: 100	
Carrosserie/Chassis: zelfdragend	
Uitvoering: coupé en cabriolet	
Productiejaren: 1955-1960	
Productie-aantal: n.b.	
In NL: n.b.	
Prijzen:	A: 4.500 B: 7.900 C: 10.900

SIATA 1500 COUPÉ

Na twee jaar samenwerking met Abarth, ging Siata in 1962 weer verder met wagens te bouwen op pure Fiat-basis. De klant kon zelfs een gewone 1500 berlina laten voorzien van een dubbele carburateur, zodat het vermogen naar 94 pk steeg. Wie een gewone Fiat 1500 coupé niet opvallend genoeg vond, kon bij Siata een fraaie coupé kopen. Dit inmiddels Nederlandse exemplaar heeft dubbele koplampen. Er zijn ook wagens met enkele rechthoekige lampen, onder de naam TS 1500. De carrosserie was van de hand van Michelotti.

Aantal cilinders: 4	
Cilinderinhoud in cm³: 1481	
Vermogen: 94/6000	
Topsnelheid in km/uur: 170	
Carrosserie/Chassis: zelfdragend	
Uitvoering: coupé	
Productiejaren: 1962-1968	
Productie-aantal: 10	
In NL: 2	
Prijzen:	A: 2.700 B: 6.100 C: 8.600

SIATA 850 SPRING & ORSA

Op de basis van de Fiat 850 ontstond bij Siata de Spring. De kleine 2+2 had een nostalgische carrosserie en ondanks zijn grote grille de motor achterin. De Spring werd goed en veel verkocht maar toch te weinig om Siata in leven te houden. Het was het laatste model van de firma die in 1970 zijn productie moest staken. De rechten om de Spring verder te bouwen gingen naar de firma Orsa in Italië en die schijnt tussen 1971 en 1975 nog enkele exemplaren afgeleverd te hebben. De Spring is in de VS soms nog te vinden.

Aantal cilinders: 4
Cilinderinhoud in cm³: 843
Vermogen: 37/5200-47/6400
Topsnelheid in km/uur: 130-140
Carrosserie/Chassis: zelfdragend
Uitvoering: cabriolet
Productiejaren: 1967-1970 en 1971-1975
Productie-aantal: ca. 3.500
In NL: n.b.
Prijzen: A: 2.700 B: 5.000 C: 7.300

SIMCA

In 1934 stichtte Henry Pigozzi de firma Simca – wat deze afkorting betekent, zullen wij u besparen – met het doel de personenwagens van Fiat in licentie voor de Franse markt te bouwen. De producten van Simca gingen echter steeds minder op die van Fiat lijken en in 1951 ging Simca zijn eigen weg met de Aronde-serie. In 1958 begon Chrysler aandelen van Simca over te nemen, om uiteindelijk het hele bedrijf in te lijven. Aan het eind van de jaren zeventig wordt de naam Simca niet meer zelfstandig gebruikt. In de Rotterdamse assemblagefabriek aan de Sluisjesdijk werden in de periode 1951-1971 bijna 40.000 Simca's gebouwd.

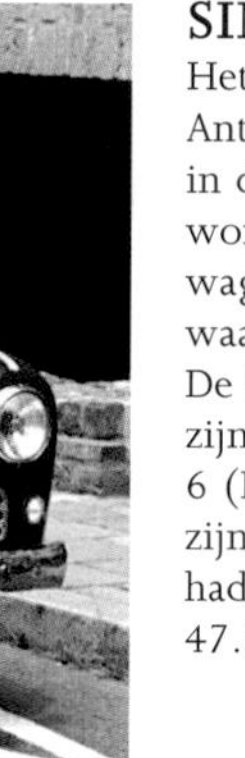

SIMCA 5 & 6

Het waren de prominente constructeurs Antonio Fessia en Dante Giacosa geweest die in de jaren dertig de beroemde Fiat 500 ontworpen hadden. Na de oorlog kwam de wagen weer op de markt. Ook in Frankrijk, waar Simca zijn '5' en later zijn '6' aanbood. De Simca 5 (Fiat 500 B) herkende men aan zijn vrijstaande koplampen, terwijl de Simca 6 (Fiat 500 C) ze in de voorspatborden van zijn moderne pontoncarrosserie ingebouwd had. Voor en tijdens de oorlog had Simca al 47.381 'Cinq'-typen verkocht.

Aantal cilinders: 4
Cilinderinhoud in cm³: 569
Vermogen: 14/4000 en 17/4600
Topsnelheid in km/uur: 80-90
Carrosserie/Chassis: afzonderlijk chassis
Uitvoering: cabrio-limousine en stationcar
Productiejaren: 1946-1949 en 1949-1952
Productie-aantallen: 11.313 en 16.512
In NL: n.b.
Prijzen: A: 1.400 B: 2.700 C: 4.100

SIMCA 8

Een bekende naoorlogse verschijning, en niet alleen in Frankrijk maar ook in Nederland, was de Simca 8, de Franse uitgave van de Fiat 1100 waarmee men in '39 uitgekomen was. Het opvallende aan deze wagen waren de portieren die geen middenstijl hadden, wat het instappen gemakkelijk maakte. In 1949 kon de Simca 8 ook met een grotere motor besteld worden. Deze 1,2 liter motor vond men ook in de sportwagens van Simca die niet in het Fiat-programma voorkwamen. De 8 werd kortstondig tegelijk met de nieuwe Aronde gebouwd.

Aantal cilinders: 4
Cilinderinhoud in cm³: 1089 en 1221
Vermogen: 32/4400 en 40/4400
Topsnelheid in km/uur: 110 en 120
Carrosserie/Chassis: afzonderlijk chassis
Uitvoering: sedan, coupé, cabriolet en stationcar
Productiejaren: 1946-1949 en 1949-1951
Productie-aantal: 89.457
In NL: n.b.
Prijzen: A: 1.400 B: 3.200 C: 5.000

SIMCA 8 SPORT & 9 SPORT

In de zomer van 1948 toont Simca een sportuitvoering van de Huit. De carrosserie was door de Italiaanse kunstenaar Giovanni Michelotti getekend en de wagen werd pas vanaf eind '49 gebouwd. Niet bij Simca zelf maar bij de firma Facel Metallon, die later met zijn Facel Vega bekend zou worden. Een echte sportwagen was de Simca niet en men zou hem een voorloper van de Karmann Ghia en de Renault Floride kunnen noemen: 'een schaap in wolfskleren'. De coupé was er vanaf 1950. Deze typen boekten enige sportieve successen, o.a. in Monte Carlo.

Aantal cilinders: 4
Cilinderinhoud in cm³: 1221
Vermogen: 51/4800
Topsnelheid in km/uur: 135
Carrosserie/Chassis: afzonderlijk chassis, >1952: zelfdragend
Uitvoering: coupé en cabriolet
Productiejaren: 1949-1952 en 1952-1954
Productie-aantal: 4.822
In NL: n.b.
Prijzen: A: 4.100 B: 8.600 C: 13.200

SIMCA ARONDE 1951-1960

In de jaren vijftig behoorde de Simca Aronde tot de meest verkochte Franse personenwagens. Men had zich losgemaakt van Fiat en direct een voltreffer gebouwd. Goede reclame dank zij de vele recordritten die met de Aronde gereden werden, maar eigenlijk hadden ze het niet eens nodig. De wagens waren gewoon goed en konden jarenlang dienst doen zonder dat er grote reparaties moesten worden uitgevoerd. Elk jaar ondergingen de Arondes uiterlijke wijzigingen. Het zijn nog steeds geen gewilde auto's in klassiekerkringen en de prijzen liggen dus erg laag.

Aantal cilinders: 4
Cilinderinhoud in cm³: 1221 en 1290
Vermogen: 45/4500 tot 57/5200
Topsnelheid in km/uur: 120-145
Carrosserie/Chassis: zelfdragend
Uitvoering: sedan, coupé en stationcar
Productiejaren: 1951-1960
Productie-aantal: 1.014.355
In NL: n.b.
Prijzen: A: 900 B: 2.300 C: 3.400

SIMCA COUPÉ DE VILLE

De benaming Coupé de Ville, voor de oorlog gebruikt door merken als Rolls-Royce of Hispano-Suiza, vond men in 1954 in de Simca-folders. Men bedoelde een sportcoupé die voor het gegoede publiek bestemd was. Slechts drie jaar gebruikte men de naam, want in 1956 werd de coupé omgedoopt in Plein Ciel. De Coupé de Ville had een sterkere motor dan de gewone Arondes, de Flash Special. De auto werd weer bij Facel gebouwd. Deze sportieve Simca kent vooral in Frankrijk zelf aanhangers.

Aantal cilinders: 4
Cilinderinhoud in cm³: 1290
Vermogen: 55/5200
Topsnelheid in km/uur: 140
Carrosserie/Chassis: zelfdragend
Uitvoering: coupé
Productiejaren: 1954-1956
Productie-aantal: 3.136
In NL: n.b.
Prijzen: A: 3.400 B: 6.800 C: 10.400

SIMCA WEEK-END

De open Aronde met de naam Week-End is alleen voor het modeljaar 1956 verkocht. De aluminium carrosserie valt aan de voorzijde op door haar chromen snor en minimaal uitgesneden motorkap. De voorruit en de achterlichten verraden onmiddellijk dat het een Facel-product betreft, kenners zien verwantschappen met de eerste Vega's. Eigenaren van een Week-End zijn dan ook welkom bij de Amicale Facel Vega. De nog jonge Brigitte Bardot koos voor haar eerste optreden in de publiciteit een Simca Week-End uit.

Aantal cilinders: 4
Cilinderinhoud in cm³: 1290
Vermogen: 55/5200
Topsnelheid in km/uur: 140
Carrosserie/Chassis: zelfdragend
Uitvoering: cabriolet
Productiejaren: 1956
Productie-aantal: 678
In NL: 2
Prijzen: A: 4.500 B: 8.800 C: 12.700

SIMCA ARONDE P60

De P60 – de 'P' betekende 'Personnalisation', waarmee de fabriek bedoelde, dat er voor elke smaakrichting wel een Aronde gebouwd werd – was de laatste en beste variant van het Aronde-thema. Hij had een geheel nieuwe carrosserie met een opvallende ovale grille en kon in twaalf basis-modellen en met vier verschillende motoren besteld worden. Er was zelfs een hardtop coach/coupé bijgekomen die onder de naam Monaco verkocht werd. Het goedkoopste model was de Étoile met zijn 1089 cc metende motor.

Aantal cilinders: 4
Cilinderinhoud in cm³: 1089 en 1290
Vermogen: 48/5200 tot 57/5500
Topsnelheid in km/uur: 130-140
Carrosserie/Chassis: zelfdragend
Uitvoering: sedan, coupé en stationcar
Productiejaren: 1959-1963
Productie-aantal: 260.504
In NL: n.b.
Prijzen: A: 700 B: 1.500 C: 2.700

SIMCA PLEIN CIEL

In de folder voor 1953 maakt het Simca-management weliswaar gewag van een cabriolet Plein Ciel ('heldere hemel'), maar die ontgroeit het stadium van de tekentafel nooit. De naam keert in 1956 terug voor een nieuwe coupé-versie die de Coupé de Ville opvolgt. Vreemde naam voor een coupé, maar goed. Natuurlijk weer gebouwd bij Facel. Als de beide bijzondere Arondes verdwijnen, eindigt ook de samenwerking met Daninos' bedrijf Facel. Simca gaat verder met Bertone.

Aantal cilinders: 4
Cilinderinhoud in cm³: 1290
Vermogen: 57/5200-70/5200
Topsnelheid in km/uur: 140-150
Carrosserie/Chassis: zelfdragend
Uitvoering: coupé
Productiejaren: 1956-1962
Productie-aantal: 11.560 (incl. Océane)
In NL: n.b.
Prijzen: A: 2.300 B: 5.000 C: 7.700

SIMCA OCÉANE

Op basis van de Aronde bouwde Simca vanaf modeljaar '57 een nieuwe cabriolet die nu Océane heette. Onder de motorkap stond weer de Flash Special motor die ook in de duurste uitvoering van de sedan, de Montlhéry, ingebouwd werd. Deze motor werd een paar maal opgevoerd tot hij uiteindelijk 70 pk leverde. De laatste varianten, de Rush Super, met 62 en 70 pk zijn de beste, aangezien dat motoren zijn met vijf krukaslagers. In feite is een Océane een leuke wagen voor de zomer: goed gelijnd en met eenvoudige techniek.

Aantal cilinders: 4
Cilinderinhoud in cm³: 1290
Vermogen: 57/5200 tot 70 /5200
Topsnelheid in km/uur: 140-150
Carrosserie/Chassis: zelfdragend
Uitvoering: cabriolet
Productiejaren: 1956-1962
Productie-aantal: zie hiervoor
In NL: n.b.
Prijzen: A: 3.400 B: 5.900 C: 9.100

SIMCA VEDETTE BERLINE

In 1954 kon Simca de Franse Ford-fabriek overnemen en in dat pakket zat ook de Ford Vedette, een ruime vierdeurs wagen die gedeeltelijk in Detroit ontworpen was. Simca bouwde de auto verder onder namen als Trianon, Versailles, Beaulieu, Chambord en Régence. De wagen was groot genoeg voor een flinke familie. Jammer was dat de motor met zijn zijkleppen vrij ouderwets was. Er kwam ook een Ariane uit, die dezelfde carrosserie had als de overige ex-Fords maar naar keuze de viercilindermotor van de Aronde P60 of de V8. Zeer roestgevoelige auto's, maar wel typisch jaren vijftig.

Aantal cilinders: V8
Cilinderinhoud in cm³: 2351
Vermogen: 80/4400-84/4800
Topsnelheid in km/uur: 140
Carrosserie/Chassis: zelfdragend
Uitvoering: sedan
Productiejaren: 1955-1961
Productie-aantal: 153.044
In NL: n.b.
Prijzen: A: 1.100 B: 2.900 C: 4.500

SIMCA VEDETTE MARLY

In het viertal Fords dat Simca overnam zat ook het concept van een voor Europa toen nog weinig bekende stationcar: de Marly. De aflevering van deze luxueuze gebruikswagen – hij was op de Versailles gebaseerd – begon pas aan het eind van '55 en hij zou een eigen (kleine) klantenring gaan trekken van soms 1.500 per jaar en dan weer ruim 200. De Marly onderging een zelfde evolutie als de andere Vedettes. Ondanks het geringe productieaantal zijn er nog redelijk wat overgebleven. Hij is duurder dan de meeste berlines en in ieder geval veel zeldzamer.

Aantal cilinders: V8
Cilinderinhoud in cm³: 2351
Vermogen: 80/4400-84/4800
Topsnelheid in km/uur: 140
Carrosserie/Chassis: zelfdragend
Uitvoering: stationcar
Productiejaren: 1955-1961
Productie-aantal: ca. 5.000
In NL: n.b.
Prijzen: A: 1.200 B: 3.700 C: 6.100

SIMCA ARIANE 4

Voor degenen die de dorstige V8 te duur of onnodig vonden, bracht Simca de Ariane 4 uit. Duizenden taxihouders schaften er een aan en dat niet alleen in Frankrijk. De wagen deelde de carrosserie met de Vedette en had dus twee lange banken met plaats voor zes. Onder de motorkap vond men (na enig zoeken) de viercilinder Simca Flash-motor die ook in de Arondes gebruikt werd. De Ariane woog leeg 1025 kg zodat men niet direct van een snelle wagen kon spreken, maar was hij eenmaal op gang, dan haalde hij de 120.

Aantal cilinders: 4
Cilinderinhoud in cm³: 1290
Vermogen: 48/4800
Topsnelheid in km/uur: 120
Carrosserie/Chassis: zelfdragend
Uitvoering: sedan
Productiejaren: 1957-1963
Productie-aantal: 159.418
In NL: n.b.
Prijzen: A: 700 B: 2.500 C: 4.100

SIMCA 1000

Met de 1000 kreeg de Simca-dealer een auto 'met de motor achterin' in zijn showroom. Mario Revelli-Beaumont had de auto ontworpen en toen die in oktober 1961 op de Parijse Salon tentoongesteld werd, trok hij alle aandacht. Het was een tegenhanger voor de Renault Dauphine die weliswaar ook de motor achterin had maar een meer ronde carrosserie. De 1000 is bij sommigen in Rallye-uitvoering geliefd, maar de gewone versie trekt tegenwoordig weinig liefhebbers. Vanaf '72 was er de 1,2 liter motor. In Frankrijk verscheen de Simc'4, met 744 cc motor.

Aantal cilinders: 4
Cilinderinhoud in cm³: 777, 944, 1118 en 1294
Vermogen: 31/6100-60/5800
Topsnelheid in km/uur: 120-150
Carrosserie/Chassis: zelfdragend
Uitvoering: sedan
Productiejaren: 1961-1978
Productie-aantal: 1.642.091
In NL: n.b.
Prijzen: A: 400 B: 1.100 C: 1.800

SIMCA RALLYE, RALLYE 1 & 2 & RALLYE 3

Voor een schappelijk bedrag kon je vanaf 1970 bij Simca een vierdeurs sportwagen kopen: de 1000 Rallye. Het wagentje bood veel: een sterkere motor, kuipstoeltjes voor, een speciaal dashboard met toerenteller, een met leer overtrokken stuur, radiaalbanden en een opvallende sportuitmonstering. In '72 volgden de Rallye 1 en 2 met de grotere motor, waarbij de 2 22 pk meer vermogen had. Tijdens de laatste twee jaren verscheen de Rallye 3 met niet minder dan 103 pk. Die versie kost tegenwoordig de helft meer dan wat de Rallye 2 moet opbrengen.

Aantal cilinders: 4
Cilinderinhoud in cm³: 1118 en 1294
Vermogen: 53/5800-103/6200
Topsnelheid in km/uur: 150-185
Carrosserie/Chassis: zelfdragend
Uitvoering: sedan
Productiejaren: 1970-1972, 1972-1978 en 1977-1978
Productie-aantallen: ca. 28.000, 70.000 en 1.000
In NL: n.b.
Prijzen: (Rallye 2) A: 700 B: 2.300 C: 4.100

SIMCA 1000 & 1200 S COUPÉ

Als opvolger voor de Aronde Plein Ciel verscheen in 1962 een Simca 1000 coupé op de tentoonstelling in Genève. De wagen was bij Bertone getekend en deze Italiaanse firma zou ook de carrosserieën bouwen. Deze werden dan op speciaal daarvoor ingerichte spoorwagons naar Frankrijk gebracht. De coupé had vier schijfremmen, maar een te lage topsnelheid om als sportwagen door het leven te kunnen gaan. De verbeterde versie, de 1200 S, had een grotere motor en een andere neus. Ook hier weer veel roest mogelijk. Bijna een kwart van alle 1200's werd in Rotterdam gebouwd.

Aantal cilinders: 4
Cilinderinhoud in cm³: 944 en 1204
Vermogen: 52/5400 en 80/6000
Topsnelheid in km/uur: 160-170
Carrosserie/Chassis: zelfdragend
Uitvoering: coupé
Productiejaren: 1962-1967 en 1967-1971
Productie-aantallen: 10.011 en 14.741
In NL: n.b.
Prijzen: A: 1.400 B: 3.400 C: 5.000

SIMCA 1300 & 1500/1301 & 1501

Als moderne opvolger voor de Aronde kwamen in 1963 de 1300 en de 1500 van de lopende banden. Het waren ruime auto's die opvielen door hun grote ruiten. In de standaarduitvoering werden de wagens afgeleverd – ze hadden dezelfde carrosserie maar verschilden onder de motorkap – met een handgeschakelde vierversnellingsbak met stuurversnelling. De 1500 kon ook met een vloerversnelling besteld worden of met een automaat. De 1301 en 1501 hebben een iets gewijzigde carrosserie.

Aantal cilinders: 4
Cilinderinhoud in cm³: 1290 en 1475
Vermogen: 61/5200 en 81/5400
Topsnelheid in km/uur: 135-150
Carrosserie/Chassis: zelfdragend
Uitvoering: sedan en stationcar
Productiejaren: 1963-1967 en 1967-1976
Productie-aantallen: 275.626 en 162.183 en 637.263 en 267.835
In NL: n.b.
Prijzen: A: 700 B: 1.400 C: 2.300

SIMCA 1100

Natuurlijk kwam ook Simca met een dwars geplaatste motor die de voorwielen aandreef. Deze constructie vond men het eerst in de 1100. Deze nieuwe wagen was beslist geen vergrote 1000 maar een heel nieuw en zeer modern ontwerp. De wagen had een derde of vijfde deur en schijfremmen aan de voorwielen. De handige wagen kon ook met een halfautomatische bak geleverd worden. Er waren vier motoren om uit te kiezen. Ondanks geweldige verkopen zie je ze nog zelden. Oorzaak: extreem roestgevoelig.

Aantal cilinders: 4
Cilinderinhoud in cm³: 944, 1118, 1204 en 1294
Vermogen: 45/6000-82/6000
Topsnelheid in km/uur: 130-165
Carrosserie/Chassis: zelfdragend
Uitvoering: coach, sedan en stationcar
Productiejaren: 1967-1982
Productie-aantal:> 2.000.000
In NL: n.b.
Prijzen: A: 400 B: 800 C: 1.400

SIMCA (CHRYSLER) 1307, 1308 & 1309

De opvolger van de 1301/1501 was de in '75 uitgekomen 1307/1308. Op sommige markten heetten ze Chrysler Alpine. Deze voorwielaangedreven en modern gelijnde wagen bracht het nog tot Auto van het Jaar en dat met de motor en bak van de aloude Simca 1100. Sterke punten waren de vijf deuren en prima rijeigenschappen. De vlotste versie was de 1308 GT. In '79 kwam de 1309 uit. Voor 1980 was er een facelift en tegelijkertijd kregen de wagens de naam Talbot Simca 1510. Er bestaan binnen de Simca-club inmiddels liefhebbers voor, die ze zelfs restaureren.

Aantal cilinders: 4
Cilinderinhoud in cm³: 1294 en 1442
Vermogen: 68/5600-85/5600
Topsnelheid in km/uur: 150-165
Carrosserie/Chassis: zelfdragend
Uitvoering: sedan
Productiejaren: 1975-1980
Productie-aantal: n.b.
In NL: n.b.
Prijzen: A: 100 B: 500 C: 1.100

SINGER

In Coventry, het 'Engelse Detroit', werd in 1905 de firma Singer opgericht. Men bouwde personen- en sportwagens en beleefde vooral in de jaren dertig een goede tijd. De Singer was iets bijzonders, maar kostte daarom ook iets meer dan een soortgelijke auto van de concurrentie. Na de Tweede Wereldoorlog ging het Singer zoals zo vele anderen: de klantenkring werd steeds kleiner en tenslotte kwamen de financiële problemen die de firma in 1956 in de handen van het Rootes concern dreven. In 1967 nam Chrysler Rootes over en in 1970 verdween de naam Singer.

SINGER SUPER 10 & 12

De Super Ten van 1938 keerde in 1945 terug: een kwaliteitsauto met standaard schuifdak en een neerklapbare kofferklep. De motor had een bovenliggende nokkenas. In '46 kwam er de Twelve bij met behalve de grotere motor en de 20 centimeter langere wielbasis hydraulisch bediende remmen, een vierbak, een uitstekende kofferruimte en grotere wielen. De cabrioletuitvoering is zeer zeldzaam. Hoewel beter dan vele andere kort na de oorlog gebouwde wagens zijn ze weinig opwindend en tegenwoordig niet zo veel waard.

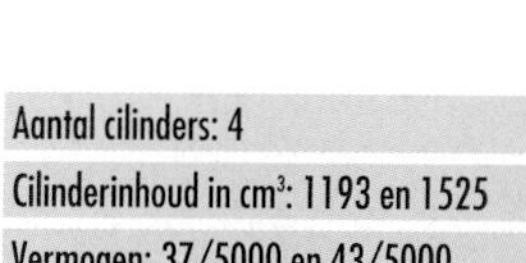

Aantal cilinders: 4
Cilinderinhoud in cm³: 1193 en 1525
Vermogen: 37/5000 en 43/5000
Topsnelheid in km/uur: 100 en 112
Carrosserie/Chassis: afzonderlijk chassis
Uitvoering: sedan en cabriolet
Productiejaren: 1945-1949 en 1946-1949
Productie-aantallen: 10.497 en 1098
In NL: 2
Prijzen: (Ten) A: 1.100 B: 2.900 C: 4.500

SINGER NINE ROADSTER

Vlak voor het uitbreken van de oorlog kwam Singer met een sportwagen, de 'Nine', die het tegen de MG TB moest opnemen. In 1946 bracht men ook dit type weer op de markt in de hoop er harde deviezen voor terug te krijgen. De Singer Nine had een motor met een bovenliggende nokkenas en een drieversnellingsbak, die in 1950 door een 4-bak vervangen werd. Toen het type 4AB uitkwam, werd de starre vooras verwisseld tegen onafhankelijke wielophangingen. Ook had hij grotere remmen, een lagere grille en dichte schijfwielen.

Aantal cilinders: 4
Cilinderinhoud in cm³: 1074
Vermogen: 36/5000
Topsnelheid in km/uur: 110
Carrosserie/Chassis: afzonderlijk chassis
Uitvoering: roadster
Productiejaren: 1946-1952
Productie-aantal: 6.890
In NL: 70
Prijzen: A: 5.000 B: 9.100 C: 12.500

SINGER SM ROADSTER

De SM Roadster leek als twee druppels water op zijn voorganger, de Nine, en men herkende hem onder andere aan zijn nieuwe, nu gesloten, wielen. Technisch was de wagen de Nine in de 4AB-uitvoering, maar nu met hydraulische remmen en een 1,5 liter motor. In 1952 kon men de motor met twee carburateurs bestellen. Ook deze Singer was vooral voor de export (naar Amerika) bedoeld en pas in 1953 kon de Engelsman hem bestellen. De opvolger zou SMX heten – met kunststof carrosserie – maar die is er nooit gekomen.

Aantal cilinders: 4
Cilinderinhoud in cm³: 1497
Vermogen: 49/4200 en 59/4800
Topsnelheid in km/uur: 120-130
Carrosserie/Chassis: afzonderlijk chassis
Uitvoering: roadster
Productiejaren: 1951-1955
Productie-aantal: 3.440
In NL: 45
Prijzen: A: 5.900 B: 10.000 C: 13.600

SINGER SM 1500

Singer was een van de eerste Engelse fabrieken die met een nieuw, werkelijk naoorlogs model uitkwam. De SM 1500 werd al eind 1947 gepresenteerd maar de afleveringen lieten meer dan een jaar op zich wachten. De wagen had een Amerikaans uitziende ponton-carrosserie met onafhankelijke voorwielophanging. De motor – hij kreeg door de jaren heen steeds meer vermogen – had naar goede Singer-traditie weer een bovenliggende nokkenas, wat de wagen een sportief cachet gaf. Vanaf '51 was er een korte-slagmotor en vanaf '53 optionele dubbele carburateurs.

Aantal cilinders: 4
Cilinderinhoud in cm³: 1506 en 1497
Vermogen: 48/4200 en 58/4800
Topsnelheid in km/uur: 120-130
Carrosserie/Chassis: afzonderlijk chassis
Uitvoering: sedan
Productiejaren: 1949-1954
Productie-aantal: 19.208
In NL: 1
Prijzen: A: 1.100 B: 1.800 C: 3.200

SINGER HUNTER

De opvolger van de SM 1500 heette Hunter. De ruime sedan bood veel luxe en geriefelijkheid. Zijn ohc motor kon op verzoek weer met twee carburateurs geleverd worden maar tot de standaarduitvoering behoorden onder andere: een verwarming, een toerenteller, een klok, armleuningen tussen de stoelen en twee zonnekleppen. De versnellingshendel kon zowel aan de stuurkolom als op de vloer geleverd worden. Op de grille stond een paardenkop als ornament. In '55 was er de S-uitvoering zonder mascotte en reservewiel en met gespoten grille.

- Aantal cilinders: 4
- Cilinderinhoud in cm³: 1497
- Vermogen: 49/4200 en 59/4800
- Topsnelheid in km/uur: 110 en 125
- Carrosserie/Chassis: afzonderlijk chassis
- Uitvoering: sedan
- Productiejaren: 1954-1956
- Productie-aantal: 4.772
- In NL: 2
- Prijzen: A: 900 B: 2.300 C: 3.400

SINGER GAZELLE

Toen Singer een deel van het Rootes-imperium geworden was, was het afgelopen met de sportwagens. Wel kwam er een nieuwe personenwagen uit, de Gazelle, die vanwege de badge-engineering filosofie dezelfde carrosserie als de Hillman Minx kreeg. Om het prijsverschil te rechtvaardigen vond men bij de Singer de oude vertrouwde motor met de bovenliggende nokkenas. De Gazelle kreeg diverse malen een andere huid. Na de zomer van 1962 was de cabriolet niet langer leverbaar.

- Aantal cilinders: 4
- Cilinderinhoud in cm³: 1497, 1494, 1592 en 1725
- Vermogen: 50/4500 tot 64/4500
- Topsnelheid in km/uur: 120-140
- Carrosserie/Chassis: zelfdragend
- Uitvoering: sedan, stationcar en cabriolet
- Productiejaren: 1956-1967
- Productie-aantallen: 86.068
- In NL: 15
- Prijzen: A: 1.100 B: 2.300 C: 3.200

SINGER VOGUE

De Hillman Super Minx met Singer-emblemen en een ander neusaanzicht heette Vogue. Hij had een ovale grille met staande spijltjes, dubbele koplampen in grotere omlijstingen dan de Hillman met daaronder luchtinlaten. Er was geen cabriolet maar vanaf 1962 wel een stationcar. De technische evolutie was gelijk aan de Hillman, dus ook hier de Mk II met schijfremmen voor en de Mk III met een rechtere daklijn (1964). Die laatste had echter wel de 1725 cc-motor van de Humber Sceptre en de Sunbeam Rapier en dat gaf hem wat meer pk's dan de Hillman-look-a-like.

- Aantal cilinders: 4
- Cilinderinhoud in cm³: 1592 en 1725
- Vermogen: 58/4400-85/5500
- Topsnelheid in km/h: 130-150
- Carrosserie/Chassis: zelfdragend
- Uitvoering: sedan en stationcar
- Productiejaren: 1961-1967 (sedan tot '66)
- Productie-aantal: ca. 48.000
- In NL: n.b.
- Prijzen: A: 850 B: 1.750 C: 2.600

SINGER CHAMOIS

Zoals de Mini onder allerlei merken aangeboden werd, bood de Rootes-groep de tegenhanger als Hillman Imp en Singer Chamois aan. De Imp was al in 1963 te koop, maar de Chamois kwam pas een jaar later uit. De Singer had een betere naam dan de Hillman en daarom bood de Chamois ook meer dan de Imp. Hij had zelfs een handschoenenkastje, een watertemperatuurmeter en bredere wielen. In 1965 volgde een Chamois Coupé (4971 stuks) en een jaar later een Chamois Sport (4149 stuks). Vanaf '69 zijn er dubbele koplampen ingebouwd. Roestig, vaak motorstoringen, maar leuk.

- Aantal cilinders: 4
- Cilinderinhoud in cm³: 875
- Vermogen: 39/5000-55/6100
- Topsnelheid in km/uur: 130-145
- Carrosserie/Chassis: zelfdragend
- Uitvoering: coach en coupé
- Productiejaren: 1964-1970
- Productie-aantal: 49.798
- In NL: 45
- Prijzen: A: 700 B: 1.400 C: 2.300

SKODA 110R COUPÉ

Een jaar na de introductie van de Skoda S100 kwam er een 2-deurs coupé-uitvoering uit, de 110R. Afgezien van een sterkere motor was de wagen technisch gelijk aan de S100 maar hij had een stel ingebouwde mistlampen in de neus en stond op bredere wielen, wat hem wat sportiever maakte. In zeer kleine kring is deze auto inmiddels geliefd. Voor weinig geld een aardig coupeetje voor wie het gebrek aan uitstraling voor lief neemt. Kan echter fanatiek roesten.

Aantal cilinders: 4
Cilinderinhoud in cm³: 1107
Vermogen: 52/4600
Topsnelheid in km/uur: 145
Carrosserie/Chassis: zelfdragend
Uitvoering: coupé
Productiejaren: 1970-1980
Productie-aantal: 56.902
In NL: 5
Prijzen: A: 500 B: 1.000 C: 1.800

SOVAM

De carrossier André Morin uit het Franse Parthenay vestigt zich in de zomer van 1964 als kleine autobouwer onder de naam Société des Véhicules André Morin. Hij wil op basis van de Renault 4 en 8 en met aanwending van vele bestaande onderdelen een betaalbaar sportwagentje bouwen. Matra en Alpine zijn hem daarin voorgegaan. Morin houdt het vier jaar vol voordat hij inziet dat de concurrentie sterker is.

SOVAM 850 VS, 1100 VS & 1300 GS

Met techneut Jacques Durand bouwt Morin zijn vlotte 850 en 1100. Door een voorruit van een Renault Caravelle ondersteboven te monteren, ontstond er een zeer lage daklijn. De polyester carrosserie was erg licht en dat maakte de van een eenvoudige techniek voorziene SOVAM nog tamelijk rap. Het dak was afneembaar en paste in de kofferruimte. De versies 850 en 1100 worden succesvol op de salon van '64 gepresenteerd. Voor '66 is er de 1300 GS met R8 Gordini-techniek, maar daarvan komt de productie niet goed op gang. Na 145 wagens sluit de fabriek voorgoed.

Aantal cilinders: 4
Cilinderinhoud in cm³: 845-1255
Vermogen: 45/5000-103/6800
Topsnelheid in km/uur: 145-190
Carrosserie/Chassis: buizenchassis/kunststof
Uitvoering: coupé
Productiejaren: 1965-1968
Productie-aantallen: 70, 70 en 5
In NL: 4
Prijzen: A: 2.700 B: 7.300 C: 11.300

SPARTAN

De Engelsman Jim McIntyre begon in 1972 in Nottingham zijn firma Spartan Car Company. Hij bouwde er op MG TF gelijkende roadsters onder de naam Spartan. De eerste wagens stonden op een reeds bestaand chassis met daarop een carrosserie van deels aluminium en deels kunststof. De motoren kwamen doorgaans van Triumph of Ford. Vanaf '78 zat het bedrijfje in Pinxton, Nottinghamshire. Of het merk tegenwoordig nog bestaat, is niet bekend.

SPARTAN ROADSTER

Wie zelf een Spartan wilde bouwen, had een chassis met motor van een Triumph Herald of Vitesse nodig. Vanaf 1974 leverde McIntyre een eigen chassis waarin een starre achteras van Ford paste en elke gewenste Ford-motor. Voor zesmaal de prijs van een kit kon je de fabriek een kant-en-klaar exemplaar laten afleveren. De Spartan is beslist geen exacte kopie van een TF, hij lijkt er alleen op. In de ogen van puristen is de Spartan niet klassiek, maar inmiddels zijn de oudste exemplaren – zoals die van de foto – wel dertig jaar oud.

Aantal cilinders: 4 en 6
Cilinderinhoud in cm³: 1300-2300
Vermogen: divers
Topsnelheid in km/uur: 150-190
Carrosserie/Chassis: halfzelfdragend
Uitvoering: roadster
Productiejaren: 1972-1990
Productie-aantal: n.b.
In NL: n.b.
Prijzen: A: n.b. B: n.b. C: n.b.

SPATZ

In 1956 richtte ir. Harald Friedrich, samen met de motorfietsfabrikant Victoria, een firma op die ze trots Bayerische Automobil Werke, kortweg BAW, noemden. Het plan was een auto te bouwen die goedkoper was dan een Volkswagen, en omdat het ontwikkelen daarvan tijd en veel geld kostte, zocht Friedrich contact met Egon Brütsch. Deze was bereid om voor de som van DM 25.000,- de rechten om zijn Spatz in licentie te bouwen af te staan. Voor die prijs kregen de nieuwe fabrikanten ook nog het prototype mee naar huis.

SPATZ

Een van de bijzondere figuren onder de Duitse 'Kleinwagen'-producenten was de van huis uit rijke Egon Brütsch. Hij construeerde menige kleine auto, waarvan de belangrijkste de Spatz (mus) was, maar veel geld heeft hij er niet mee verdiend. Hij ontwierp de wagen zonder chassis maar zag toch kans er een licentienemer, Victoria, voor te vinden. Deze kon met de wagen niet rijden voordat de beroemde Tatra-constructeur Hans Ledwinka er een echt onderstel voor geconstrueerd had. De Spatz is inmiddels een geliefd wagentje in beperkte kring.

Aantal cilinders: 1
Cilinderinhoud in cm³: 248
Vermogen: 10,2/5250 en 14/5200
Topsnelheid in km/uur: 75-90
Carrosserie/Chassis: kunststof op een centrale buis
Uitvoering: roadster
Productiejaren: 1955-1958
Productie-aantal: 1.588
In NL: n.b.
Prijzen: A: 3.200 B: 5.900 C: 8.200

STANDARD

De Standard Motor Company werd in 1903 in Coventry gesticht. Men bouwde er vele en goede auto's die onder andere de basis vormden voor de sportwagens van Sir William Lyons' SS (later Jaguar). Na de oorlog nam Sir John Black de leiding van de fabriek over om nog in 1945 de firma Triumph erbij te kopen. In 1961 zag het er minder rooskleurig uit en was men gedwongen zich bij British Leyland aan te sluiten. In 1964 verlieten de laatste exemplaren van Standard de fabriek.

STANDARD EIGHT

De auto's die Standard in 1945 al weer bouwde, waren gebaseerd op de vooroorlogse modellen. De kleinste wagen uit het repertoire was de Eight met 8 Engelse belasting-pk's. Optisch en technisch was de wagen gelijk aan het model van 1939, maar de versnellingsbak telde nu vier in plaats van drie versnellingen. De Eight is geen geliefde klassieke auto geworden. De stationcar was er alleen in 1948 en deze is dus zeldzaam. Een open Eight mag het dubbele kosten van de coach.

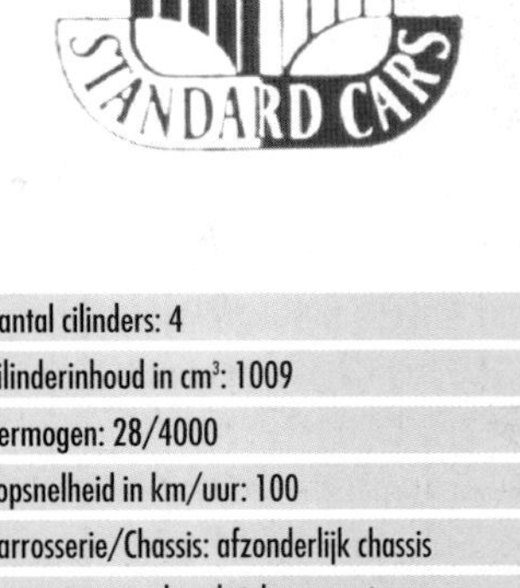

Aantal cilinders: 4
Cilinderinhoud in cm³: 1009
Vermogen: 28/4000
Topsnelheid in km/uur: 100
Carrosserie/Chassis: afzonderlijk chassis
Uitvoering: coach, cabriolet en stationcar
Productiejaren: 1945-1948
Productie-aantal: 53.099
In NL: n.b.
Prijzen: A: 700 B: 1.800 C: 2.900

STANDARD TWELVE & FOURTEEN

De grootste Standard van direct na de oorlog was de Twelve, in zijn exportuitvoering de Fourteen. Ook deze modellen had men al in 1939 van de band zien komen en aangezien ze toen met hun onafhankelijke voorwielvering modern waren, konden ze in 1945 nog niet ouderwets genoemd worden. Ondanks de zijklepmotoren en de mechanische remmen. Wat afwerking betreft zijn ze goed, want zoals vele Engelse wagens kregen ook deze Standards leer en notenhout mee. Een van de nadelen is dat ze zo traag zijn.

Aantal cilinders: 4
Cilinderinhoud in cm³: 1609 en 1766
Vermogen: 44/4000 en 60/4400
Topsnelheid in km/uur: 110
Carrosserie/Chassis: afzonderlijk chassis
Uitvoering: sedan, stationcar en cabriolet
Productiejaren: 1945-1948
Productie-aantallen: 9.959 en 22.229
In NL: n.b.
Prijzen: A: 900 B: 2.700 C: 4.500

STANDARD VANGUARD I

De Vanguard was voor Standard een belangrijke wagen. Het was het eerste naoorlogse ontwerp, hij had een kopklepmotor en – voor het eerst in de geschiedenis van Standard – een verwarming en aanjager. De geheel gesynchroniseerde driebak werd door een hendel aan de stuurkolom geschakeld. In Nederland was deze Vanguard in de jaren vijftig een redelijk populaire auto, maar tegenwoordig willen weinig liefhebbers eraan beginnen. De beste keus is een wagen van na '50 met de grotere achterruit en eventueel overdrive.

Aantal cilinders: 4
Cilinderinhoud in cm^3: 2088
Vermogen: 69/4200
Topsnelheid in km/uur: 130
Carrosserie/Chassis: afzonderlijk chassis
Uitvoering: sedan en stationcar
Productiejaren: 1948-1953
Productie-aantal`: 184.799
In NL: n.b.
Prijzen: A: 1.600 B: 3.400 C: 5.000

STANDARD VANGUARD II

Toen de Vanguard in zijn tweede versie verscheen, viel op dat de aflopende achterkant vervangen was door een 'normale' koffer. De wagen had nu vier in plaats van zes zijruiten zodat men de portieren groter had kunnen maken, wat het instappen vergemakkelijkte. In de zomer van 1953, enige maanden na de introductie in Genève, kon de Vanguard ook met een dieselmotor besteld worden. Het was de eerste Britse personenwagen met zo'n motor en er zijn er 1.973 van verkocht. De cabriolet is zeer zeldzaam en deze werd in de Standard-fabriek in België gebouwd.

Aantal cilinders: 4
Cilinderinhoud in cm^3: 2088 en 2092 (Diesel)
Vermogen: 69/4200 en 40/3000
Topsnelheid in km/uur: 125 en 105
Carrosserie/Chassis: afzonderlijk chassis
Uitvoering: sedan, stationcar en cabriolet
Productiejaren: 1953-1956
Productie-aantal: 83.067
In NL: n.b.
Prijzen: A: 700 B: 2.300 C: 3.400

STANDARD VANGUARD III & VIGNALE VANGUARD

De derde uitgave van de Vanguard werd in 1955 op de Londense tentoonstelling voorgesteld. Hij leek in geen enkel opzicht meer op zijn voorgangers. Daar de wielbasis 20 cm verlengd was, was de wagen groter geworden, wat vooral in de stationcar veel meer ruimte bracht. De wagens die in 1958 gebouwd werden, heetten ook wel Vignale Vanguard, omdat die firma een facelift had verzorgd. Ze hadden optioneel de vierversnellingsbak uit de Triumph TR3. Robuuste wagens, maar ook zwaar.

Aantal cilinders: 4
Cilinderinhoud in cm^3: 2088
Vermogen: 69/4200
Topsnelheid in km/uur: 140
Carrosserie/Chassis: zelfdragend
Uitvoering: sedan en stationcar
Productiejaren: 1956-1961
Productie-aantallen: 37.194 en 26.276
In NL: n.b.
Prijzen: A: 1.400 B: 2.700 C: 3.900

STANDARD VANGUARD LUXURY SIX

Die laatste versie van de Vanguard die door Giovanni Michelotti van Vignale onder handen was genomen, was er vanaf 1960 met een zescilinder. De wagen werd het paradepaard van de firma en men prees hem aan als Vanguard Luxury Six. Met zijn twee carburateurs was het een halve sportwagen. De klant had de keuze uit een vierversnellingsbak, uit een 3-bak met overdrive, of uit een automaat. De Triumph 2000 van latere datum heeft dezelfde motor. Vanaf 1961 waren er schijfremmen voor als extra verkrijgbaar.

Aantal cilinders: 6
Cilinderinhoud in cm^3: 1998
Vermogen: 81/4400
Topsnelheid in km/uur: 150
Carrosserie/Chassis: zelfdragend
Uitvoering: sedan en stationcar
Productiejaren: 1960-1963
Productie-aantal: 9.953
In NL: n.b.
Prijzen: A: 1.600 B: 3.200 C: 4.500

STANDARD 8

Standard bleef zijn klanten van kleine auto's ook in de jaren vijftig bedienen. De Eight die in 1953 uitkwam, was een moderne wagen met vier portieren maar geen kofferdeksel. De kofferruimte was groot genoeg, maar moest door de achterportieren bereikt worden. Ook in andere opzichten was de wagen vrij primitief. Zo ontbraken de verwarming en de bekleding aan de portieren. In de loop der tijd werden de meeste euvels verholpen: zo kreeg de wagen in 1955 opdraai- i.p.v. schuiframen en in 1957 zelfs een kofferklep.

Aantal cilinders: 4
Cilinderinhoud in cm^3: 803
Vermogen: 26/4500
Topsnelheid in km/uur: 100
Carrosserie/Chassis: zelfdragend
Uitvoering: sedan en stationcar
Productiejaren: 1953-1959
Productie-aantal: 136.317
In NL: n.b.
Prijzen: A: 700 B: 1.400 C: 2.300

STANDARD 10

De Standard Ten personenwagen deelde de carrosserie met de Eight maar had wat chroom en een echt kofferdeksel. De stationcar, hier Companion genoemd, had achter twee deurtjes. De Ten had een wielbasis van 213 cm, was 368 cm lang, 147 cm breed en 152 cm hoog. Reed men niet te snel, dan lag het benzineverbruik bij de 1 op 12. De Family 10 heeft de carrosserie van de 8 met de motor van de 10. Kent weinig liefhebbers en dat verbaast ons niets.

Aantal cilinders: 4
Cilinderinhoud in cm³: 948
Vermogen: 33/4500
Topsnelheid in km/uur: 110
Carrosserie/Chassis: zelfdragend
Uitvoering: sedan en stationcar
Productiejaren: 1954-1960
Productie-aantal: ca. 172.500
In NL: n.b.
Prijzen: A: 900 B: 1.600 C: 2.300

STANDARD PENNANT

Als verfraaide Ten verscheen de Standard Pennant in oktober 1957 op de London Motor Show. De wagen was in zijn standaarduitvoering in twee kleuren gespoten en hij had voorspatborden die iets boven de koplampen doorliepen. In het dashboard vond men twee grote ronde instrumenten en geschakeld werd met een pook in de vloer. Op verzoek kon een elektrische overdrive ingebouwd worden. Deze werkte dan op de 2e, 3e en 4e versnelling.

Aantal cilinders: 4
Cilinderinhoud in cm³: 948
Vermogen: 38/5000
Topsnelheid in km/uur: 115
Carrosserie/Chassis: zelfdragend
Uitvoering: sedan
Productiejaren: 1957-1960
Productie-aantal: 42.910
In NL: n.b.
Prijzen: A: 900 B: 1.600 C: 2.500

STANDARD ENSIGN & ENSIGN DE LUXE

In oktober 1957 verscheen er een Vanguard III met een kleinere motor onder de naam Ensign. De motor had een kleinere (76 i.p.v. 85 mm) boring en bracht dus fiscale voordelen. De latere versnellingsbak stamde uit de Triumph TR3 en kon daarom ook met een overdrive geleverd worden. Nadat de wagen een jaar in productie geweest was, kreeg hij een grotere achterruit. In augustus 1961 werd de productie gestopt. Het laatste type kreeg de toevoeging De Luxe en deze had een grotere motor.

Aantal cilinders: 4
Cilinderinhoud in cm³: 1670 en 2136
Vermogen: 61/4000-75/4400
Topsnelheid in km/uur: 120-145
Carrosserie/Chassis: zelfdragend
Uitvoering: sedan en stationcar
Productiejaren: 1957-1963
Productie-aantallen: 18.852 en 2.318
In NL: n.b.
Prijzen: A: 900 B: 2.000 C: 3.200

STANGUELLINI

De familie Stanguellini zit al lang in het vak. De grootvader van de huidige Francesco opende in 1899 al een garage in Modena en werd later Fiat-dealer, wat de kleinzoon nog steeds is. De familie bouwde specials, racete ermee en verkocht ze onder eigen naam. Beroemd werd de firma met de Formule Junior wagens maar ook de gewone sport- en toerwagens mochten er zijn.

STANGUELLINI 1200

Zoals zovele Italianen begon ook Vittorio Stanguellini na de oorlog met het opvoeren van Fiat-motoren. Het bleef niet bij de speciale cilinderkoppen en de opvoersetjes, want al in 1947 kon de eerste Stanguellini uit de garage in Modena gereden worden. Hij was opgebouwd met gemodificeerde Fiat-onderdelen en ook dat was niets ongewoons. Tot 1966 heeft de kleine firma zijn speciale auto's kunnen bouwen. Daarna werd het weer een Fiat-dealerschap. Op de foto een Stanguellini met de carrosserie van Bertone.

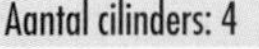

Aantal cilinders: 4
Cilinderinhoud in cm³: 1221
Vermogen: 70/5500
Topsnelheid in km/uur: 150
Carrosserie/Chassis: aluminium/buizenchassis
Uitvoering: roadster
Productiejaar: 1960
Productie-aantal: n.b.
In NL: n.b.
Prijzen: A: n.v.t. B: n.v.t. C: n.v.t.

STEYR-PUCH

De firma Steyr is al oud. De eerste wagens die onder deze naam op straat kwamen, werden in 1920 door de beroemde constructeur Hans Ledwinka ontworpen. Na de oorlog bouwde men voornamelijk vrachtwagens en de personenwagens van Fiat in licentie. Nu is de firma expert op het gebied van terreinwagens en 4x4-constructies. In Graz bouwen ze de Mercedes G-klasse maar ook de Jeep Cherokee en de Chrysler Voyager voor Europa.

STEYR-PUCH 500, 650 & 700

In de jaren dertig fuseerden Steyr, Austro-Daimler en Puch tot de Steyr-Daimler-Puch AG. Na 1945 bouwde deze Oostenrijkse firma geen eigen wagens meer maar assembleerde men Fiats voor de Oostenrijkse markt. Daar men het toch niet kon laten werd er een eigen ontwerp op de basis van de Fiat 500 gebouwd, waarmee zelfs races gewonnen werden. Vanbuiten leek de Steyr-Puch sprekend op een Fiat 500, maar onder de motorklep zat een tweecilinder boxermotor. De 700 is een stationversie.

Aantal cilinders: 2
Cilinderinhoud in cm³: 493, 643 en 660
Vermogen: 16/4600-40/5800
Topsnelheid in km/uur: 95-140
Carrosserie/Chassis: zelfdragend
Uitvoering: coach en stationcar
Productiejaren: 1956-1969
Productie-aantal: 54.300
In NL: 5
Prijzen: A: 3.200 B: 4.500 C: 6.800

STUDEBAKER

In 1852 bouwden de gebroeders Henry en Clem Studebaker in South Bend, Indiana, huifkarren waarmee de emigranten naar het Wilde Westen trokken. In 1902 nam men ook automobielen in het programma op. Na de Tweede Wereldoorlog begon men vol frisse moed opnieuw maar met steeds minder succes. Om zich beter tegenover de 'Grote Drie' te kunnen verdedigen, fuseerde Studebaker in 1954 met Packard. Lang heeft het Studebaker niet geholpen. In 1964 moest de fabriek in South Bend gesloten worden en in 1966 stonden ook de banden in de Canadese vestiging stil.

STUDEBAKER CHAMPION 1946

Ook bij Studebaker had men geen tijd om direct na de oorlog al met een nieuw model uit te komen en daarom besloot men de Champion van 1942 te produceren tot de nieuwe modellen gereed waren. Maar ook met de 'oude' Champion behoefde de fabriek zich niet te schamen. De wagen was in 1946 nog modern. De carrosserie had geen treeplanken meer en de voorwielen waren zelfs onafhankelijk geveerd.

Aantal cilinders: 6
Cilinderinhoud in cm³: 2786
Vermogen: 78/4000
Topsnelheid in km/uur: 125
Carrosserie/Chassis: afzonderlijk chassis
Uitvoering: coach, sedan en coupé
Productiejaar: 1946
Productie-aantal: 19.275
In NL: n.b.
Prijzen: A: 1.600 B: 3.600 C: 6.400

STUDEBAKER CHAMPION & COMMANDER 1946-1949

Er zijn maar weinig Amerikaanse auto's geweest die zo veel opzien gebaard hebben als de Studebaker van 1947, die in mei 1946 uitkwam. Raymond Loewy – hij had ook het pakje voor Lucky Strike en het Coca Cola-flesje ontworpen – was voor de vormgeving verantwoordelijk. De wagen was met zijn 150 cm lager dan een sportwagen uit die tijd en door zijn 'panoramische' ruiten vroeg men zich af of de wagen voor- of achteruit reed. Een all-time classic, maar nog niet echt prijzig te noemen.

Aantal cilinders: 6
Cilinderinhoud in cm³: 2786 en 3704
Vermogen: 81/4000 en 95/3600
Topsnelheid in km/uur: 130-140
Carrosserie/Chassis: afzonderlijk chassis
Uitvoering: coach, sedan, coupé en cabriolet
Productiejaren: 1946-1949
Productie-aantallen: Champion: 291.364 en Commander: 185.957
In NL: n.b.
Prijzen: A: 2.000 B: 4.300 C: 7.300

STUDEBAKER CHAMPION & COMMANDER 1950-1951

Voor 1950 kregen de Studebakers een facelift die toen minder beviel en nu meer gewaardeerd wordt. Vliegtuigen waren in en Studebaker had al eerder met zijn dashboards aan de instrumentenpanelen van een vliegtuig herinnerd. Nu kregen de wagens een zogenaamde 'Bullet-nose', die samen met de luchtinlaten voor de radiateur de indruk wekte dat men met een vliegtuig zonder propeller te maken had. Het Studebaker-aanbod bestond uit de Champion en de Commander. Die laatste had vanaf '51 standaard een V8-motor.

Aantal cilinders: 6 en V8
Cilinderinhoud in cm³: 2786, 4024 en 3811
Vermogen: 86/400, 103/3200 en 121/4000
Topsnelheid in km/uur: 130, 140 en 150
Carrosserie/Chassis: afzonderlijk chassis
Uitvoering: coach, sedan, coupé en cabriolet
Productiejaren: 1950-1951
Productie-aantallen: Champion: 430.840 en Commander: 158.834
In NL: n.b.
Prijzen: A: 2.700 B: 5.400 C: 9.100

STUDEBAKER CHAMPION & COMMANDER 1952

De kogelneus verdween voor modeljaar 1952. De nieuwe grille zette de toon voor de jaren 1953-1954 en daarmee is de '52-reeks een overgangsmodel te noemen. De bovenlijn van de grille boog in V-vorm in het midden omlaag. In feite was het middendeel van de wagen nog hetzelfde als in '47. Nieuw dit jaar was de Starliner coupé die de business coupé opvolgde. De Commander was uiterlijk van de Champion te onderscheiden aan de V op de neus en binnenin aan het afwijkende dashboard. Het was het laatste jaar voor de zelfmoord-achterportieren.

Aantal cilinders: 6 en V8
Cilinderinhoud in cm³: 2780 en 3812
Vermogen: 85/4000 en 120/4000
Topsnelheid in km/uur: 130 en 150
Carrosserie/Chassis: afzonderlijk chassis
Uitvoering: coach, sedan, coupé en cabriolet
Productiejaar: 1952
Productie-aantallen: 101.389 en 84.750
In NL: n.b.
Prijzen: A: 2.300 B: 5.000 C: 8.200

STUDEBAKER CHAMPION & COMMANDER 1953-1954

Hoewel de naoorlogse Studebaker lang modern bleef, was men er in 1952 (het jaar van de oude body zonder kogelneus) toch wel op uit gekeken. Een reden dus voor Loewy om een bijna nog mooiere wagen op papier te zetten. De wagen was met een hoogte van 142 cm nog lager dan zijn voorganger en zag er nog sportiever uit. De lage motorkap liep schuin af, wat niet alleen ongewoon en mooi, maar ook praktisch bij het parkeren was. Champion is weer de zes- en Commander de achtcilinder.

Aantal cilinders: 6 en V8
Cilinderinhoud in cm³: 2779 en 3811
Vermogen: 86/4000 en 121/4000
Topsnelheid in km/uur: 135-145
Carrosserie/Chassis: afzonderlijk chassis
Uitvoering: coach, sedan, coupé en stationcar
Productiejaren: 1953-1954
Productie-aantallen: Champion: 145.069 en Commander: 106.469
In NL: n.b.
Prijzen: A: 2.300 B: 5.000 C: 8.200

STUDEBAKER CHAMPION & COMMANDER 1955

Door een massieve verchroomde grille op de neuspartij te plaatsen en een 'botermes'-ornament aan de zijkant, ontstonden de Champion en Commander voor 1955. In januari '55 kwam er nog een panoramische voorruit bij, behalve op de coupés. De series Custom, Deluxe en Regal bleven in de lijsten staan. Sommige typen hadden een fraaie zijstrip in de vorm van een botermes. Liefhebbers waarderen de '55-modellen van Studebaker ten zeerste, evenals die van 1953.

Aantal cilinders: 6 en V8
Cilinderinhoud in cm³: 3041 en 3676-4254
Vermogen: 101/4000 en 140-182/4500
Topsnelheid in km/uur: 135 en 140-160
Carrosserie/Chassis: afzonderlijk chassis
Uitvoering: coach, sedan, coupé en stationcar
Productiejaar: 1955
Productie-aantallen: Champion: 50.374 en Commander: 58.788
In NL: n.b.
Prijzen: (Champion) A: 1.600 B: 3.400 C: 5.000

STUDEBAKER CHAMPION & COMMANDER 1956-1958

Door de voor- en achterzijde van de Champion en Commander ingrijpend te herzien, ontstonden de modellen voor 1956. Binnen deze reeksen waren er coupés met eigen namen, zoals de Flight Hawk, Power Hawk en Silver Hawk. Deze blijven hier buiten beschouwing. Coaches en sedans heetten van beide typen Custom en Deluxe. De Regal was een exportmodel Champion en de Scotsman (vanaf '57) een goedkoper basismodel. Voor '57 was er een rondom de neus lopende grille en een jaar later zijn de vinnen iets groter. In dat jaar '58 had de klant op zijn Commander dubbele koplampen.

Aantal cilinders: 6 en V8
Cilinderinhoud in cm³: 3041 en 4254
Vermogen: 101/4000 en 170-185/4500
Topsnelheid in km/uur: 135 en 150-160
Carrosserie/Chassis: afzonderlijk chassis
Uitvoering: coach, sedan en stationcar
Productiejaren: 1956-1958
Productie-aantallen: Champion: 77.583 en Commander: 53.828
In NL: n.b.
Prijzen: (Champion) A: 1.100 B: 2.900 C: 4.500

STUDEBAKER PRESIDENT STATE 1955

Na dertien jaar keerde het topmodel President terug bij Studebaker. De wagens leken sprekend op de Champion en Commander, maar waren beter uitgerust en zwaarder gemotoriseerd. In de loop van het jaar kwam er nog eens tien pk bij. In januari '55 verscheen het type Speedster, een hardtop coupé met alle mogelijke opties en een uniek dashboard. Hiervan werden er 2.215 geproduceerd. Op de foto (een State coupé) is de 'butter-knife'-zijstrip goed te zien. Presidents waren indertijd duur en tegenwoordig kosten ze meer dan het dubbele van een Champion.

Aantal cilinders: V8
Cilinderinhoud in cm³: 4254
Vermogen: 175-185/4500
Topsnelheid in km/uur: 150-160
Carrosserie/Chassis: afzonderlijk chassis
Uitvoering: sedan en coupé
Productiejaar: 1955
Productie-aantal: 23.644
In NL: n.b.
Prijzen: A: 3.900 B: 7.900 C: 11.300

STUDEBAKER PRESIDENT 1956-1958

De voor '55 nieuwe President-reeks had de subseries Deluxe en State, maar een jaar later waren er de reeksen President en President Classic (met witte band boven de dorpels). De Speedster was een eenmalig avontuur gebleken. De vormgeving voor '56 volgde die van de Champion en Commander, maar de motorisatie en afwerking waren anders. Voor '57 was er een andere grille en er kwam een stationcar (Broadmoor) bij. 1958 bracht vleugeltjes en een speciaal politiemodel, de Marshal (337 stuks). Studebaker leverde dat jaar één President stationcar af.

Aantal cilinders: V8
Cilinderinhoud in cm³: 4736
Vermogen: 210/4500
Topsnelheid in km/uur: 175
Carrosserie/Chassis: afzonderlijk chassis
Uitvoering: coach, sedan en stationcar
Productiejaren: 1956-1958
Productie-aantal: 32.397
In NL: n.b.
Prijzen: A: 2.300 B: 4.500 C: 6.400

STUDEBAKER GOLDEN HAWK

Een verdere ontwikkeling van de Loewy-lijn bracht een nieuwe grille en trendy vinnen op de achterspatborden. Technisch was de nieuwe Golden Hawk vrijwel gelijk aan de Packard Hawk. Standaard had de wagen vanaf '57 een Paxton-compressor ingebouwd waarmee de Golden Hawk over 275 (SAE) pk's beschikte. De Golden Hawk is tegenwoordig een geliefde klassieke Amerikaan. Andere wagens uit de modellenreeks heetten Flight Hawk, Power Hawk, Sky Hawk en Silver Hawk. Al deze modellen grijpen terug op de Starlight coupé van 1953.

Aantal cilinders: V8
Cilinderinhoud in cm³: 4736
Vermogen: 210/4500 of 275/4800
Topsnelheid in km/uur: 175-200
Carrosserie/Chassis: afzonderlijk chassis
Uitvoering: coupé
Productiejaren: 1956-1958
Productie-aantal: 9.305
In NL: n.b.
Prijzen: A: 4.500 B: 9.100 C: 13.600

STUDEBAKER COMMANDER STARLIGHT 1958

Behalve vleugels en dubbele koplampen bracht 1958 voor Studebaker de terugkeer van de Starlight coupé, een typenaam die het merk voor 1949 geïntroduceerd had. Het was een hardtop coupé met de afmetingen van een sedan. In de goedkopere Champion-serie werden 120 van deze Starlights geproduceerd en in de duurdere President-reeks 1.171, maar het gangbare type was de (afgebeelde) Commander-versie. De Starlight was een kort leven beschoren aangezien de Champions en Commanders in '59 na 20 jaar uit de folders verdwenen.

Aantal cilinders: V8
Cilinderinhoud in cm³: 4248
Vermogen: 180/4500
Topsnelheid in km/uur: 160
Carrosserie/Chassis: afzonderlijk chassis
Uitvoering: coupé
Productiejaar: 1958
Productie-aantal: 2.555
In NL: n.b.
Prijzen: A: 2.750 B: 5.900 C: 8.200

STUDEBAKER GT HAWK

De Hawk was de enige Loewy-nazaat in het Studebaker-programma en voor 1962 kreeg de wagen van designer Brooks Stevens een schitterende, nieuwe carrosserie en werd zijn naam GT Hawk. Een gedistingeerde wagen die nu het duurste model was (tot de Avanti kwam). Op bestelling kon de wagen buiten de VS met een zescilinder geleverd worden, maar vrijwel alle GT's beschikten over de aloude V8. Vanaf '63 kon de gespierde R1 of R2 motor uit de Avanti ingebouwd worden. De afwerking van de GT Hawk is prima. Vreemd dat de prijzen tegenwoordig nog zo laag liggen.

Aantal cilinders: V8
Cilinderinhoud in cm³: 4737
Vermogen: 180/4500 tot 289/n.b.
Topsnelheid in km/uur: 169 tot 180
Carrosserie/Chassis: afzonderlijk chassis
Uitvoering: coupé
Productiejaren: 1962-1964
Productie-aantal: 15.517
In NL: n.b.
Prijzen: A: 4.100 B: 6.800 C: 10.400

STUDEBAKER LARK

Hoewel de Lark niet tot de meest gezochte liefhebberswagens behoort, is hij toch, net als alle modellen van Studebaker, interessant genoeg om bewaard te worden. De kleine Lark was de compact car van Studebaker, die zich tegen de Ford Falcon, de Chevrolet Corvair en de Plymouth Valiant moest verdedigen. De wagen was er meteen in vele uitvoeringen en dan nog met een 6- of 8-cilinder motor, wat de concurrentie niet bieden kon. Desondanks werd de Lark geen groot succes. In de loop van '64 verdween de naam Lark in alle stilte.

Aantal cilinders:	6 en V8
Cilinderinhoud in cm³:	2779 en 4254
Vermogen:	91/4000 en 190/4500
Topsnelheid in km/uur:	130-150
Carrosserie/Chassis:	afzonderlijk chassis
Uitvoering:	coach, sedan, coupé, stationcar en cabriolet
Productiejaren:	1959-1964
Productie-aantal:	534.102
In NL:	n.b.
Prijzen:	A: 900 B: 2.700 C: 4.100

STUDEBAKER LARK DAYTONA 1962-1963

Voor modeljaar 1962 kwam Studebaker met de Lark Daytona, een coupé of cabriolet met een brede sierstrip langs de zijkant met de type-aanduiding erop. De klant moest $90 meer betalen voor die Daytona-versie. Voor buiten de VS was er een Daytona sedan. Standaard hadden alle Larks dubbele koplampen. Een jaar later kwam er een stationcar bij in de reeks en was de Daytona de enige overgebleven open Lark. De convertible is echt een zeldzaamheid gebleven en dit inmiddels Nederlandse exemplaar zal niet veel familieleden in ons land hebben.

Aantal cilinders:	6 en V8
Cilinderinhoud in cm³:	2779 en 4254
Vermogen:	91/4000-190/4500
Topsnelheid in km/uur:	130-150
Carrosserie/Chassis:	afzonderlijk chassis
Uitvoering:	coach, sedan, coupé, stationcar en cabriolet
Productiejaren:	1962-1963
Productie-aantal:	n.b.
In NL:	n.b.
Prijzen:	A: 3.200 B: 6.000 C: 8.200

STUDEBAKER WAGONAIRE

Een heel slimme stationcar was de Wagonaire. Het ei van Columbus kon men achteraf zeggen, want de wagen was niets anders dan een stationcar waarvan het achterste gedeelte van het dak naar voren kon schuiven. Het in- en uitladen was natuurlijk een plezier en het is verwonderlijk dat dit systeem nooit door een ander merk is opgepikt. Bij Studebaker heeft men geen gelegenheid gehad het dak te perfectioneren en het is blijven tochten en inregenen.

Aantal cilinders:	6 en V8
Cilinderinhoud in cm³:	2799, 4254 en 4736
Vermogen:	91/4000 en 190/4500
Topsnelheid in km/uur:	130 en 150
Carrosserie/Chassis:	afzonderlijk chassis
Uitvoering:	stationcar
Productiejaren:	1963-1966
Productie-aantal:	zie Lark
In NL:	n.b.
Prijzen:	A: 1.800 B: 3.600 C: 6.000

STUDEBAKER CRUISER

De naam Cruiser had Studebaker al sinds 1961 in gebruik voor een Regal sedan. Toen in de loop van '64 de naam Lark verdween, hanteerde men o.a. de typenamen Commander, Daytona en Cruiser. Die laatste was de duurste sedan, met aanvankelijk in '64 uitsluitend een V8. Vanaf '65 kwam de zescilinder erbij en hadden alle wagens dubbele koplampen en Canadese motoren. Een jaar later waren het weer enkele koplampen en was er een nieuwe grille. Het zou de laatste auto van het ooit zo beroemde merk worden. De Cruiser is evenmin als de Lark een gewild collectors item. Vandaar de lage prijzen.

Aantal cilinders:	6 en V8
Cilinderinhoud in cm³:	3179 en 4736
Vermogen:	120/4400 en 210/4500-240/4600
Topsnelheid in km/uur:	130 en 150-195
Carrosserie/Chassis:	zelfdragend
Uitvoering:	sedan
Productiejaren:	1964-1966
Productie-aantal:	10.559
In NL:	n.b.
Prijzen:	A: 700 B: 1.800 C: 3.200

STUDEBAKER AVANTI

In een sensationeel korte tijd ontwierp Raymond Loewy een vierpersoons coupé voor Studebaker. De Avanti had een kunststof carrosserie en kon met allerlei motoren geleverd worden. Zo kon de Paxton-compressor weer ingebouwd worden en voor diegenen die over werkelijke vermogens wilden beschikken, was er zelfs een variant met twee compressoren. De Avanti is nooit helemaal verdwenen, want er is steeds weer een enthousiast opgedoken die de productie voortzette. Ook nu kan men nog een dergelijke wagen bestellen.

Aantal cilinders:	V8
Cilinderinhoud in cm³:	4736 en 4973
Vermogen:	240/n.b.-335/n.b.
Topsnelheid in km/uur:	210-260
Carrosserie/Chassis:	kunststof/afzonderlijk chassis
Uitvoering:	coupé
Productiejaren:	1963-1964
Productie-aantall	4.643
In NL:	n.b.
Prijzen:	A: 9.100 B: 17.200 C: 25.000

SUNBEAM ALPINE

Toen MG zijn MGA bouwde, een nauwelijks geveerde sportwagen met weinig ruimte en een lawaaiige motor, kwam Sunbeam met zijn nieuwe Alpine. In tegenstelling tot de MGA had de Sunbeam een zelfdragende carrosserie, draairaampjes in de portieren, twee gemakkelijke stoelen en 13' wielen. De Alpine-fans vonden het 'shocking' en huilden bijna toen de auto ook nog vinnen kreeg. De motor kreeg in 1965 een vijfmaal gelagerde krukas. We geven de prijzen voor de cabrio-uitvoeringen. De GT coupé doet ruim tien procent minder.

Aantal cilinders: 4
Cilinderinhoud in cm³: 1494, 1592 en 1725
Vermogen: 78/5300-94/5500
Topsnelheid in km/uur: 150-165
Carrosserie/Chassis: zelfdragend
Uitvoering: cabriolet en coupé
Productiejaren: 1959-1968
Productie-aantal: 69.251
In NL: n.b.
Prijzen: (cabrio) A: 3.200 B: 6.400 C: 9.500

SUNBEAM TIGER I & II

De Tiger is nauwelijks of niet van de gewone Alpine te onderscheiden en men moet de gelegenheid hebben de badges te lezen om te zien wat voor Sunbeam het is. Onder de motorkap valt wel het een en ander op, want hier vindt men geen viercilindertje maar een beest van een Ford-V8 motor. Ook de vierversnellingsbak en de achteras kwamen uit Detroit. Deze Engels-Amerikaanse combinatie was gedeeltelijk het werk van Carroll Shelby. In 1967 bouwde Sunbeam de wagen ook met de 289 c.i.-motor (4,7 liter inhoud) uit de Ford Mustang.

Aantal cilinders: V8
Cilinderinhoud in cm³: 4260 en 4727
Vermogen: 164/4400 en 200/4400
Topsnelheid in km/uur: 190-215
Carrosserie/Chassis: zelfdragend
Uitvoering: cabriolet
Productiejaren: 1964-1966 en 1967-1968
Productie-aantallen: 6.495 en 571
In NL: n.b.
Prijzen: (I) A: 8.200 B: 13.600 C: 20.400

SUNBEAM HARRINGTON ALPINE SERIE A & B

In 1961 kreeg de carrossier Harrington toestemming van Rootes om uit de Alpine roadster een coupé te maken. Harrington deed het door een kunststof dak op de cabriolet te plaatsen dat meer ruimte bood dan de fabrieks hardtop. De motor van de Sunbeam Harrington werd door de firma George Hartwell opgevoerd. Nadat een Harrington met veel succes had meegedaan in de 24 uurs race van Le Mans werd het type van 1962 omgedoopt in 'Harrington-Le Mans'. Moeilijk te vinden en dus gezocht.

Aantal cilinders: 4
Cilinderinhoud in cm³: 1592
Vermogen: 89, 93 en 104/6000
Topsnelheid in km/uur: 160-180
Carrosserie/Chassis: zelfdragend
Uitvoering: coupé
Productiejaren: 1961-1963
Productie-aantallen: 150 en 250
In NL: n.b.
Prijzen: A: 3.400 B: 6.800 C: 11.300

SUNBEAM IMP SPORT

Nadat Rootes gemerkt had hoe zijn klanten met veel succes raceten in hun Hillman en Sunbeam Imps besloot men voor deze categorie van rijders een echte sportwagen te bouwen. Het resultaat was de Sunbeam Imp Sport, een verbeterde uitvoering van de Chamois in zijn rally-uitvoering. De wielophangingen waren voor het zware werk aangepast en de aluminium motor had een bovenliggende nokkenas en twee carburateurs. Verder was er een oliekoeler en waren de remmen bekrachtigd. Vanaf 1970 waren er vier koplampen.

Aantal cilinders: 4
Cilinderinhoud in cm³: 875
Vermogen: 51/6100
Topsnelheid in km/uur: 140
Carrosserie/Chassis: zelfdragend
Uitvoering: coach
Productiejaren: 1966-1976
Productie-aantal: ca. 10.000
In NL: 2
Prijzen: A: 700 B: 1.400 C: 2.300

SUNBEAM STILETTO

Een sportcoupé voor de liefhebber van kleine auto's. De Stiletto deelde de carrosserie met de Hillman Imp Californian en had dus een sportievere body dan de Sunbeam Imp Sport waarvan hij de motor had meegekregen. Andere pluspunten waren de vier koplampen, het vinyldak, het leren stuurwiel, de verlaagde vering en de bekrachtigde remmen. 737 kg woog de wagen zodat de motor sterk genoeg was om hem in minder dan 18 seconden van 0 naar 100 km/uur te laten accelereren.

Aantal cilinders: 4
Cilinderinhoud in cm³: 875
Vermogen: 51/6100
Topsnelheid in km/uur: 145
Carrosserie/Chassis: zelfdragend
Uitvoering: coupé
Productiejaren: 1967-1972
Productie-aantal: ca. 10.000
In NL: 20
Prijzen: A: 1.100 B: 2.300 C: 3.200

SUNBEAM RAPIER 1967-1976

De nieuwe Rapier coupé die Sunbeam in 1967 op de Londense tentoonstelling liet zien, had niets meer met de originele Rapier te maken. De carrosserie bood plaats aan vijf personen en bij de versnellingsbak had de klant de keuze uit een vier-bak met overdrive of een automaat. De voorwielen werden door schijfremmen afgeremd. De Rapier was er in twee varianten: de H 120 met een sportieve motor met twee Weber carburateurs die opgevoerd was door Holbay en de gewone versie als een luie gezinsauto. De versie met enkele carburateur heet Alpine.

Aantal cilinders: 4
Cilinderinhoud in cm³: 1725
Vermogen: 94/5200 en 111/5200
Topsnelheid in km/uur: 160 en 175
Carrosserie/Chassis: zelfdragend
Uitvoering: coupé
Productiejaren: 1969-1976
Productie-aantal: 46.206
In NL: n.b.
Prijzen: A: 900 B: 2.000 C: 2.700

SUNBEAM 1300,1500 & 1600 SUPER (AVENGER)

Chrysler had Rootes overgenomen en een van de eerste 'wereldauto's' die uitkwamen was deze niet erg opzienbarende Sunbeam Avenger. In Engeland heette de wagen Hillman Avenger. Hij was er met een 1250- of 1500-motor. De GT-versie had een dubbele carburateur, schijfremmen voor en aangepaste vering plus instrumentarium. In '73 werden de motoren 1300 en 1600 cc. Vanaf '76 heette het type Chrysler, vanaf '79 Talbot en op andere afzetmarkten verscheen de Avenger als Plymouth, Dodge of zelfs VW. Op de foto een inmiddels zeldzame overlever. Weinig waard.

Aantal cilinders: 4
Cilinderinhoud in cm³: 1248-1598
Vermogen: 53/5000-81/5500
Topsnelheid in km/uur: 135-165
Carrosserie/Chassis: zelfdragend
Uitvoering: coach, sedan en stationcar
Productiejaren: 1970-1981
Productie-aantal: 826.353
In NL: n.b.
Prijzen: A: 200 B: 700 C: 1.300

SUZUKI

In Japan zijn kleine auto's geliefd. Je betaalt minder belasting, vindt eerder een parkeerplaats en hebt geen problemen op de uiterst smalle weggetjes buiten de steden. De eerste auto's van Suzuki waren ook zulke dwergen. De Suzulight stond op een wielbasis van 205 cm en had een lengte van 299 cm en een tweecilinder tweetaktmotortje met een inhoud van 359 cc.

SUZUKI FRONTE 360

Suzuki is een betrekkelijk jonge firma. Vier jaar na de eerste motorfietsen kwam in 1956 de eerste auto van de band. Kleine voorwielaangedreven wagentjes met eveneens kleine tweetaktmotortjes, die achterin geplaatst waren. Voor 1964 verscheen de Fronte, nog wel met een tweecilinder tweetakt, maar ook met een veel modernere techniek dan zijn voorgangers. Zo was er onafhankelijke vering, een gesynchroniseerde vier-bak en een posi-force smeersysteem, zodat er normale benzine getankt kon worden. De Fronte was ook in ons land te koop. Modeljaar '69 bood een 360 SS met 36 pk vermogen.

Aantal cilinders: 3
Cilinderinhoud in cm³: 356
Vermogen: 25/5000-36/5500
Topsnelheid in km/uur: 110-123
Carrosserie/Chassis: zelfdragend
Uitvoering: coach
Productiejaren: 1967-1970
Productie-aantal: n.b.
In NL: n.b.
Prijzen: A: 600 B: 1.600 C: 2.700

SUZUKI SC 100 GX

De Fronte in coupéuitvoering heette Cervo en hij was door niemand minder dan Giugiaro getekend. In Japan kwam Suzuki er in 1971 mee uit, maar de exportversie – die in afwijking van de thuismarkt niet langer de tweecilinder tweetakt had, maar een heuse 970 cc viertakt met vier cilinders – arriveerde pas in 1979. Men noemde de coupé SC 100 GX. Een prettig wagentje om mee te rijden, voorzien van schijfremmen aan de voorkant, maar een ramp om in de veel te krappe achterruimte te zitten. Daarom eigenlijk een tweezitter. Kent inmiddels echte liefhebbers.

Aantal cilinders: 4
Cilinderinhoud in cm³: 970
Vermogen: 47/5000
Topsnelheid in km/uur: 140
Carrosserie/Chassis: zelfdragend
Uitvoering: coupé
Productiejaren: 1979-1982
Productie-aantal: 894.000
In NL: n.b.
Prijzen: A: 600 B: 1.200 C: 2.300

SWALLOW-DORETTI

William Lyons begon zijn loopbaan in zijn Swallow Coachbuilding Company, experts op het gebied van zijspannen voor motorfietsen. Daaruit ontstond het beroemde merk Jaguar. Frank Rainbow, die met zijn firma de zaak van Lyons had overgenomen, wilde hetzelfde als Lyons doen: auto's erbij maken. Dat werd de Doretti.

SWALLOW DORETTI

In 1945 verkocht Lyons de Swallow firma aan Tube Investments die doorging met het bouwen van zijspannen voor motorfietsen. In 1954 kwam men ook met een eigen sportwagen, met Triumph-mechaniek, die direct zo'n grote concurrent werd voor Jaguar dat Lyons T. I. voor de keuze stelde: of Jaguar bleef klant en dan hield men op auto's te maken, of Lyons zou een andere leverancier zoeken. Dit was het einde van de Swallow sportwagens. Niet zo lang geleden zijn er twee op Nederlands kenteken gekomen.

Aantal cilinders: 4	
Cilinderinhoud in cm³: 1991	
Vermogen: 91/4800	
Topsnelheid in km/uur: 160	
Carrosserie/Chassis: aluminium op een buizenchassis	
Uitvoering: cabriolet en een paar coupés	
Productiejaren: 1954-1955	
Productie-aantal: 276	
In NL: 2	
Prijzen:	A: 9.100 B: 13.200 C: 16.300

SYRENA

In dezelfde fabriek waar de Warszawa van de band liep, het Poolse FSO, is in 1955 de Syrena ontstaan. Een tweetaktwagentje dat gedurende zijn carrière vrijwel onveranderd is gebouwd. De motor groeide iets en de grille werd eens anders. Uitsluitend in Oost-Europa verkocht. De Syrena Sport is het stadium van prototype nooit ontgroeid.

SYRENA 103

In eigen beheer ontwierp men in Warschau deze kleine coach met tweetaktmotor. Hoofdzakelijk bedoeld voor de Poolse gezinshoofden die de motorfiets beu waren. Wie meer te besteden had, kon de grotere broer Warszawa kopen. Voor velen was de Syrena een goed alternatief voor een Trabant. Het 744 cc tweecilindertje werd voor '63 vervangen door een 992 cc driecilinder. Gek genoeg loste in '67 een 842 cc motor deze weer af. Toen in '74 FSO op de Polski-Fiat overging, stopte de productie van de pruttelende Syrena's.

Aantal cilinders: 2 en 3	
Cilinderinhoud in cm³: 744-992	
Vermogen: 30/4000-40/4500	
Topsnelheid in km/uur: 90-105	
Carrosserie/Chassis: afzonderlijk chassis	
Uitvoering: coach	
Productiejaren: 1955-1974	
Productie-aantal: n.b.	
In NL: n.b.	
Prijzen:	A: 100 B: 500 C: 900

TALBOT

De geschiedenis van het Franse nobele merk Talbot was eens dezelfde als die van Sunbeam, maar veel ouder. Al in 1896 bouwde Alexandre Darracq zijn eerste auto in Suresnes bij Parijs, waarvoor hij de firma 'Établissement Préfecta' stichtte. In 1920 werd Talbot een deel van de STD-groep (Sunbeam-Talbot-Darracq), die vijftien jaar later uit elkaar ging. Majoor Anthony C. Lago, die als één van de directeuren bij STD gewerkt had, kocht de 'Société des Automobiles Talbot' en in 1958 nam Simca die over. Vanaf 1980 gebruikte men de naam Talbot weer een tijd.

TALBOT LAGO RECORD

Tot de mooiste auto's die bij Talbot gebouwd zijn, behoort zeker de Lago Record. Het was een luxe wagen voor de upper ten die hem met een fabriekscarrosserie of als rolling chassis kocht. Voor deze laatste variant stonden carrossiers zoals Graber, Figoni & Falaschi of Saoutchik ter beschikking. Dat deze specialisten de wagens niet goedkoper maakten, spreekt vanzelf. Momenteel behoren de Records tot de duurdere klassiekers, zeker als de wagen een bijzonder koetswerk heeft, zoals de afgebeelde.

Aantal cilinders: 6
Cilinderinhoud in cm³: 4482
Vermogen: 170/4000
Topsnelheid in km/uur: 175
Carrosserie/Chassis: afzonderlijk chassis
Uitvoering: coach, sedan, coupé en cabriolet
Productiejaren: 1946-1955
Productie-aantal: ca. 750 (incl. Baby)
In NL: n.b.
Prijzen: A: 9.000 B: 14.500 C: 20.400

TALBOT LAGO LE MANS

De races op het circuit van Le Mans zouden na de oorlog in 1949 weer hervat gaan worden. Talbot was in '39 compleet onderuit gegaan met zes uitgevallen auto's (van de zes deelnemende). Voor '49 verscheen een speciaal type: de 26 GS Le Mans. Deze zou naast echte race-uitvoeringen gaan deelnemen. Het duo Morel-Chambas viel met een dergelijke 4,5 liter helaas uit in 1949, evenals de twee overige Talbots. Het jaar erop werd het merk eerste en eindigde een 26 GS Le Mans als op de foto dertiende. Een prachtige, zeldzame maar ook tegenwoordig onbetaalbare auto.

Aantal cilinders: 6
Cilinderinhoud in cm³: 4482
Vermogen: 190/4200
Topsnelheid in km/uur: 200
Carrosserie/Chassis: afzonderlijk chassis
Uitvoering: coupé
Productiejaren: 1948-1953
Productie-aantal: n.b.
In NL: n.b.
Prijzen: A: n.b. B: n.b. C: n.b.

TALBOT LAGO GRAND SPORT

De T 26 GS, oftewel de Talbot Lago Grand Sport met 26 fiscale pk's, werd op de Parijse Salon van '48 geïntroduceerd. Het was in fabrieksuitvoering een lelijke wagen en toen klanten wel een rollend chassis van de GS wilden kopen maar er voor de coupé zelf weinig tot geen belangstelling bestond, besloot Lago het uiterlijk van de wagen te wijzigen en de wielbasis met 15 cm te verlengen. Het resultaat in 1950 was een fraaie coupé die dankzij z'n krachtige motor de 200-kilometergrens kon overschrijden. Op de foto een Graber-carrosserie.

Aantal cilinders: 6
Cilinderinhoud in cm³: 4482
Vermogen: 190/4200
Topsnelheid in km/uur: > 200
Carrosserie/Chassis: afzonderlijk chassis
Uitvoering: coupé
Productiejaren: 1949-1953
Productie-aantal: 36
In NL: n.b.
Prijzen: A: 38.600 B: 63.500 C: 83.900

TALBOT LAGO SPORT 2500, AMERICA & TALBOT-SIMCA

De eerste exemplaren van de Lago Sport – de 2500 – hadden een viercilinder van eigen makelij. De wagen was extreem licht gebouwd met plastic zij- en achterruiten en lichtgewicht kuipstoeltjes. Om meer vermogen te krijgen, bouwde Tony Lago in 1957 de V8-motor van de BMW in en toen heette de wagen America. Toen Simca de zaken van hem overgenomen had, probeerde Simca de Talbot met een Simca-V8 motor aan de man te brengen.

Aantal cilinders: 4 en V8
Cilinderinhoud in cm³: 2491, 2476 en 2351
Vermogen: 120/5000, 125/5000 en 95/5600
Topsnelheid in km/uur: 180-195
Carrosserie/Chassis: aluminium op buizenchassis
Uitvoering: coupé
Productiejaren: 1954-1960
Productie-aantallen: 54, 12 en 10
In NL: n.b.
Prijzen: A: 18.200 B: 31.800 C: 45.400

TALBOT T15 LAGO BABY

Een kleine uitgave van de Lago Record was de Baby (wie zou een auto tegenwoordig nog zo'n naam geven?). Hij had een viercilinder motor met een forse inhoud en twee hoogliggende nokkenassen. De klant had de keuze uit een vierbak of een Wilson-preselector versnellingsbak. In 1951 kreeg de Baby een nieuwe carrosserie in ponton-stijl en was er op verzoek een zescilinder motor leverbaar. De prijzen hiernaast gelden voor de eerste typen, de ponton-modellen liggen een kwart hoger in prijs.

Aantal cilinders: 4 en 6
Cilinderinhoud in cm³: 2690 en 4482
Vermogen: 120/4500 en 170/4200
Topsnelheid in km/uur: 155 en 170
Carrosserie/Chassis: afzonderlijk chassis
Uitvoering: sedan en cabriolet
Productiejaren: 1949-1954
Productie-aantal: zie hiervoor
In NL: n.b.
Prijzen: A: 6.800 B: 10.400 C: 13.600

TALBOT SAMBA CABRIOLET

De naam Talbot herleeft weer, maar de auto's die hem dragen hebben niets van de glorieuze tijd. Onder de naam Samba bracht men een kleine stadsauto in oktober 1981. De Samba was met drie deuren te koop en vanaf 1982 ook als cabriolet met een vaste rolbeugel en ruimte voor vier. De open Samba had een veel pittiger motor dan de gewone versie plus een vijfversnellingsbak. Het wagentje was echter nogal fors geprijsd en op roest kon je staan wachten. Nogal wat overlevers vanwege zomergebruik en nauwlettender onderhoud die een cabrio vaak ten deel vallen.

Aantal cilinders: 4
Cilinderinhoud in cm³: 1360
Vermogen: 72/6.000-80/5.800
Topsnelheid in km/uur: 160-163
Carrosserie/Chassis: zelfdragend
Uitvoering: cabriolet
Productiejaren: 1982-1986
Productie-aantal: ca. 13.100.
In NL: n.b.
Prijzen: A: 900 B: 2.500 C: 3.600

■ TATRA

Officieel begon de Tatra-fabriek in Koprivnice in 1923, maar aangezien het merk voortgekomen was uit de Nesselsdorfer Wagenfabrik die al in de vorige eeuw auto's bouwde, is de geschiedenis lang. Denkt men aan Tatra, dan denkt men aan Hans Ledwinka, de constructeur die zich specialiseerde in stroomlijnen, luchtgekoelde motoren achterin en onafhankelijk geveerde wielen. Bij de Tatra type 77 van 1934 vond men al deze lekkernijen ingebouwd. Maar ook in de latere modellen. In 1945 nam de Tsjechische staat de firma Tatra over. Momenteel bouwt men de 613-4 in kleine serie.

TATRA 57B

Ook bij Tatra kwam men na de oorlog met de modellen van 1939 terug. Zo bouwde men de 57B, een kleine wagen met een luchtgekoelde boxermotor voorin en een tweedeurs carrosserie. De carrossier Sodomka heeft heel wat van deze ouderwets aandoende wagens van een modernere opbouw voorzien. In Duitsland werd de 57B in licentie gebouwd als Röhr Junior en in Oostenrijk als Austro-Tatra. Er zijn de laatste jaren door westerse liefhebbers wagens van dit type uit Tsjechië gehaald.

Aantal cilinders: 4
Cilinderinhoud in cm³: 1256
Vermogen: 25/2800
Topsnelheid in km/uur: 90
Carrosserie/Chassis: centrale buis
Uitvoering: coach
Productiejaren: 1938-1949
Productie-aantal: 6.469
In NL: 2
Prijzen: A: 2.300 B: 5.400 C: 8.200

TATRA 87

De Tatra 87 was al in 1937 voorgesteld, maar hij was ook in 1947 nog heel modern. En niet alleen uiterlijk, want onder de carrosserie bevond zich een luchtgekoelde V8-motor met bovenliggende nokkenassen achter de achteras. De vier wielen waren rondom onafhankelijk geveerd. De wagen was groot. Hij had een wielbasis van 285 en een lengte van niet minder dan 474 cm. Dit type is wellicht de meest geliefde klassieke Tatra en dat zal mede veroorzaakt zijn door de opvallende lijnen van deze snelle reus. Exemplaren in absolute topconditie zijn aanzienlijk duurder.

Aantal cilinders: V8
Cilinderinhoud in cm³: 2968
Vermogen: 73/3600
Topsnelheid in km/uur: 160
Carrosserie/Chassis: centrale buis
Uitvoering: sedan
Productiejaren: 1947-1950
Productie-aantal: 3.023
In NL: 2
Prijzen: A: 6.000 B: 11.300 C: 16.300

TATRA 600 TATRAPLAN

In 1947 kreeg de Tatra 87 een kleine broer in de vorm van de Tatraplan 600. De carrosserie had een flinke facelift gekregen en zo had men de driedelige voorruit van de 87 vervangen door een tweedelige. De derde koplamp die bij de 87 midden in de neus gestaan had, ontbrak en onder de motorkap, aan de achterkant, vond men nu een luchtgekoelde boxermotor met vier in plaats van acht cilinders. Om de kostprijs laag te houden, had men ook de bovenliggende nokkenas vervangen door een 'normale'. De typische staartvin ontbrak op de 600.

Aantal cilinders: 4
Cilinderinhoud in cm^3: 1950
Vermogen: 52/4000
Topsnelheid in km/uur: 130
Carrosserie/Chassis: centrale buis
Uitvoering: coach en sedan
Productiejaren: 1947-1952
Productie-aantal: 6.342
In NL: 7
Prijzen: A: 3.200 B: 6.800 C: 9.500

TATRA 603 & 2-603

In 1955 werd de Tatra 87 opgevolgd door de T-603 die echter pas in 1957 in productie zou gaan. Weer was er de luchtgekoelde motor met acht cilinders in een V, maar nu was de nokkenas centraal gemonteerd. De wagen werd in kleine aantallen gebouwd. Uitsluitend op bestelling en meestal voor de staatslieden in de CSSR en de aangrenzende communistische landen. De eerste modellen hadden drie koplampen achter een glazen plaat en een gedeelde voorruit. De 2-603 had vier koplampen en een bolle voorruit. Komen momenteel veel uit voormalig Oostblok.

Aantal cilinders: V8
Cilinderinhoud in cm^3 2472 en 2545
Vermogen: 95/4800 en 105/4800
Topsnelheid in km/uur: 160-165
Carrosserie/Chassis: zelfdragend
Uitvoering: sedan
Productiejaren: 1957-1975
Productie-aantal: 20.422
In NL: 60
Prijzen: A: 1.100 B: 2.900 C: 5.000

TATRA 613

In 1974 bouwde Tatra de laatste variant van het oorspronkelijke Ledwinka-thema, de T-613. Weer had de wagen een luchtgekoelde motor en weer was hij voor een klein, belangrijk, of rijk, publiek bedoeld. Een lichtgewicht was het ook al niet, want hij had een leeggewicht van 1670 kg. De motor was een technisch wonder met 2 x 2 bovenliggende nokkenassen, aluminium cilinderkoppen en twee dubbele carburateurs. Wellicht nog geen liefhebbersauto voor iedereen, maar interessant is hij wel. De carrosserie is getekend bij Vignale.

Aantal cilinders: V8
Cilinderinhoud in cm^3: 3495
Vermogen: 165/5200
Topsnelheid in km/uur: 190
Carrosserie/Chassis: zelfdragend
Uitvoering: sedan
Productiejaren: 1974-heden
Productie-aantal: 11.009
In NL: 2
Prijzen: A: 1.100 B: 4.100 C: 7.300

THURNER

Je ziet ze bijna nooit, en als je er werkelijk een wilt zien, dan heb je de meeste kans op een bijeenkomst van NSU-liefhebbers. We hebben het over de Thurner, een sportcoupé op een ingekort chassis van een NSU TT. Het zijn interessante auto's met een buitengewoon hoge topsnelheid.

THURNER RS

De droom om automobielfabrikant te zijn werd voor Rudolf Thurner uit het Duitse dorp Bernbeuren werkelijkheid. Vijf jaar lang bouwde hij auto's en nog met succes ook, want zijn Thurner RS was een graag geziene sportwagen, ook al vanwege zijn lage prijs. Toen Thurner er een Porsche-motor in wilde bouwen, was zijn droom ten einde. De Thurner RS werd aangedreven door een NSU-TT motor. De carrosserie was van kunststof en de portieren waren vleugeldeuren. Het is in feite de snelste NSU voor de openbare weg.

Aantal cilinders: 4
Cilinderinhoud in cm^3: 1177
Vermogen: 65/5500 en 135/6200
Topsnelheid in km/uur: 180-200
Carrosserie/Chassis: kunststof op een NSU-chassis
Uitvoering: coupé
Productiejaren: 1969-1974
Productie-aantal: 121
In NL: n.b.
Prijzen: A: 9.100 B: 13.600 C: 18.200

gramma aanvulde. De wagen heette naar zijn KE30-onderstel. In de coupé- en hatchbackversies zat een veel interessantere motor met dubbele bovenliggende nokkenassen. De Corolla verkocht uitstekend en er zijn fraaie overblijvers bekend, hoewel het nog niet echt een liefhebbersauto is.

Productiejaren: 1970-1978
Productie-aantal: n.b.
In NL: n.b.
Prijzen: A: 200 B: 900 C: 1.600

TOYOTA CROWN 1965-1967

Het is nu haast niet te geloven, maar ruim veertig jaar geleden kon Toyota maar twee modellen personenwagens leveren: de Corona en de Crown. Die Crown was al oud, want daarvan waren er in 1951 al 1.500 stuks gebouwd. Hij had toen nog een 1,5 liter viercilindermotor, maar met de jaren stegen de afmetingen van de wagen en ook de cilinderinhoud. De versie Semi De Luxe was iets sterker en luxueuzer. De grote Japanner kostte ongeveer evenveel als een Peugeot 404 of een Taunus 20 M/TS. Op de foto een hele fraaie overblijver.

Aantal cilinders: 4
Cilinderinhoud in cm^3: 1897
Vermogen: 85-95/4600
Topsnelheid in km/uur: 140-150
Carrosserie/Chassis: zelfdragend
Uitvoering: sedan en stationcar
Productiejaren: 1965-1967
Productie-aantal: n.b.
In NL: n.b.
Prijzen: A: 800 B: 2.500 C: 4.200

TOYOTA

Diverse fietsen- en naaimachinefabrieken hebben zich rond de eeuwwisseling met de bouw van automobielen beziggehouden. Dat een textielfabriek hetzelfde deed, was eigenlijk niet vanzelfsprekend. En toch was dat het geval bij Toyota die in 1935 in Kariya City – twee jaar later heette de stad Toyota City – een eerste prototype bouwde. Vanaf dat moment schoot de productie omhoog.

TOYOPET TIARA (CORONA 4 RT)

Hoewel de Japanse autobouwers in de jaren vijftig nog maar weinig produceerden, begon men in '54 met de export, vaak in CKD-kits

Aantal cilinders: 4
Cilinderinhoud in cm³: 1453
Vermogen: 62/5000
Topsnelheid in km/uur: 115

TOYOTA CROWN 1968-1971

Vanaf 1968 liep de verkoop van de grote Crown in de lage landen wat beter en de wagen was voortaan ook met de veel beter passende zescilinder te koop. Die 2300 kostte een tiende meer (indertijd zo'n € 450,–) maar hij bood technisch heel wat meer dan de 2000 viercilinder. De remmen (schijven voor; trommels achter) waren standaard bekrachtigd en vele wagens hadden een Toyoglide automaat. De wagen is absoluut op Amerikaanse leest geschoeid. Het was nog geen echte concurrent voor de gevestigde orde, maar dat zou niet lang meer duren voor de Japanse merken.

Aantal cilinders: 4 en 6
Cilinderinhoud in cm³: 1995 en 2253
Vermogen: 95/5000 en 115/5200
Topsnelheid in km/uur: 145 en 160
Carrosserie/Chassis: zelfdragend
Uitvoering: sedan, coupé en stationcar
Productiejaren: 1968-1971
Productie-aantal: 352.882
In NL: n.b.
Prijzen: A: 700 B: 1.700 C: 2.700

TOYOTA CROWN 1971-1974

In het voorjaar van 1971 verscheen de Crown met een nieuwe carrosserie die vooral opviel door haar curieuze luchtinlaat boven de koplampen. De auto was zowel met een vier- als met een zescilindermotor te krijgen, maar alleen in het laatste geval bediende een bovenliggende nokkenas de kleppen. In de standaarduitvoering had de Crown een driebak met stuurversnelling, maar tegen meerprijs kon ook vloerversnelling en een vierbak of automaat gemonteerd worden.

Aantal cilinders: 4 en 6
Cilinderinhoud in cm³: 1994, 1988, 2253 en 2563
Vermogen: 98/5200-140/5400
Topsnelheid in km/uur: 140-170
Carrosserie/Chassis: zelfdragend
Uitvoering: sedan, coupé en stationcar
Productiejaren: 1971-1974
Productie-aantal: n.b.
In NL: n.b.
Prijzen: A: 500 B: 1.100 C: 1.800

TOYOTA CELICA 1970-1977

Japans antwoord op de Ford Capri en Opel Manta heette Celica. Het was een vierpersoons coupé met verschillende carrosserievormen. De klant kreeg de keuze uit een hele rij verschillende motorvarianten van een 1,4 liter kopklepper tot en met een gecompliceerde motor met twee bovenliggende nokkenassen. De wagens waren robuust en betrouwbaar. Ook nu zijn ze nog goedkoop te vinden, wat de vrienden van een sportcoupé toch plezier moet doen. Originele exemplaren zijn echter schaars.

Aantal cilinders: 4
Cilinderinhoud in cm³: 1407, 1588 en 1968
Vermogen: 86/6000-130/5600
Topsnelheid in km/uur: 155-185
Carrosserie/Chassis: zelfdragend
Uitvoering: coupé
Productiejaren: 1970-1977
Productie-aantal: ca. 1.500.000
In NL: 120
Prijzen: A: 900 B: 2.000 C: 3.200

TOYOTA CELICA 1978-1981

De tweede generatie Celica's was wederom op de Carina van toen gebaseerd. Er was weer volop keuze uit vaak geavanceerde viercilinders en voor sommige afzetmarkten waren er ook 2.3 liter vierpitters en een drietal zescilinders. De klant had keuze uit een coupé of hatchback-uitvoering. De vijfbak was standaard. De 2000 GT had 118 pk en een dubbele carburateur plus dito bovenliggende nokkenas. In '80 kwam er een ander front. De wagen was veel roestgevoeliger dan zijn voorganger en vandaar dat we tegenwoordig zelden een fraai en origineel exemplaar tegenkomen.

Aantal cilinders: 4
Cilinderinhoud in cm³: 1588-1968
Vermogen: 86/5600-118/5800
Topsnelheid in km/uur: 165-185
Carrosserie/Chassis: zelfdragend
Uitvoering: coupé en hatchback
Productiejaren: 1978-1981
Productie-aantal: 1.399.520
In NL: n.b.
Prijzen: A: 300 B: 900 C: 1.800

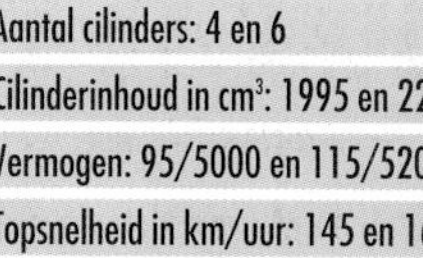

TRABANT

In de VEB Automobilwerke Sachsenring in Zwickau, waar voor de oorlog de Horch gebouwd werd, ontstonden de Trabi's. Tweecilinder tweetakters met 18 pk. De topsnelheid lag bij de 85 km/u maar dan mochten er niet al te veel mensen in de auto zitten. In het oostelijk deel van Duitsland staan ze soms nu nog langs de weg, meestal flets geel, baby-blauw, of lichtgrijs gespoten, maar zonder zichtbare roest, want de zelfdragende koets is van kunststof.

TRABANT P50, 500 & 600

De eerste Trabant begon zijn loopbaan onder de codenaam P50. Dat was in november 1957. Oost-Duitsers stonden jarenlang op een wachtlijst voordat ze een Trabant mochten kopen. Ook in ons land werden ze geïmporteerd voor kopers die voor weinig geld auto wilden rijden. De carrosserie was van Duroplast, een mengeling van textiel en glasvezel. De tweetaktmotor was in de late jaren vijftig al sterk op zijn retour, maar in de Trabi zou hij nog 33 jaar dienst blijven doen. In 1960 verscheen de 500 met iets meer vermogen en in '63 de 600.

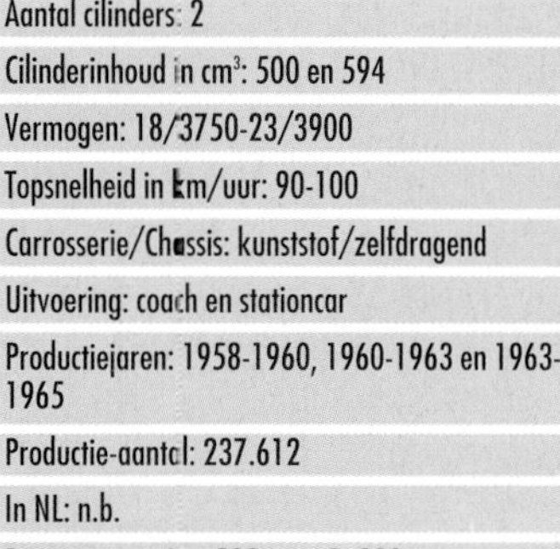

Aantal cilinders: 2
Cilinderinhoud in cm³: 500 en 594
Vermogen: 18/3750-23/3900
Topsnelheid in km/uur: 90-100
Carrosserie/Chassis: kunststof/zelfdragend
Uitvoering: coach en stationcar
Productiejaren: 1958-1960, 1960-1963 en 1963-1965
Productie-aantal: 237.612
In NL: n.b.
Prijzen: A: 200 B: 800 C: 1.400

TRABANT 601

Met dezelfde pruttelende motor verscheen in 1964 de gemoderniseerde 601. Vanaf dan wijzigt er zeer weinig aan de in het Oostblok prima verkopende Trabant. In Nederland was de 601 een van de goedkoopste auto's op de markt, maar hij werd weinig verkocht. Na de val van de Berlijnse muur liep het aantal Trabants in Duitsland in noodtempo terug. Niemand wilde meer in dit symbool van communisme gezien worden. Na de overname door VW verscheen in 1990 de 1,1 met de viercilinder motor van de Polo. Daarvan zijn er nog zo'n 55.000 gebouwd tot 30.04.91. Deze blijven hier buiten beschouwing.

Aantal cilinders: 2
Cilinderinhoud in cm³: 594
Vermogen: 23/3900 en 26/4200
Topsnelheid in km/uur: 95-100
Carrosserie/Chassis: kunststof/zelfdragend
Uitvoering: coach en stationcar
Productiejaren: 1964-1990
Productie-aantal: ca. 2.805.000
In NL: 450
Prijzen: A: 200 B: 700 C: 1.100

TRABANT TRAMP

Vanaf 1966 was er een open Trabant 601 in productie voor het leger en dan met name de grenstroepen. Het wagentje noemde men in Duitsland dan ook wel Grenz-Trabant. In burgerkringen bestond er ook belangstelling voor deze 'fun-Trabant' en vanaf 1978 bouwde het carrosseriebedrijf Halle ze onder de naam Tramp, o.a. ook voor Griekenland. Gezien het kenteken van de afgebeelde Trabant kan dit geen originele Tramp zijn, maar een eerdere legerversie die als zodanig gespoten en uitgerust was. Ook van de Tramp zijn er in 1990-1991 1,1 viercilinders verschenen.

Aantal cilinders: 2
Cilinderinhoud in cm³: 594
Vermogen: 23/3900
Topsnelheid in km/uur: 100
Carrosserie/Chassis: kunststof/zelfdragend
Uitvoering: cabriolet
Productiejaren: 1978-1991
Productie-aantal: ca. 11.000
In NL: n.b.
Prijzen: A: 700 B: 1.400 C: 2.000

TRIUMPH TR4 & TR4A

De TR4 droeg wat de carrosserie betrof duidelijk de handtekening van Michelotti. De auto had niet langer de karakteristieke deurtjes en was veel groter en breder dan zijn voorgangers. De versnellingsbak was nu geheel gesynchroniseerd en toen de TR4A uitkwam, vond men ook een gecompliceerde onafhankelijke achterwielvering. De wagen was daar 45 kg zwaarder mee geworden; men herkende de 4A aan zijn nieuwe grille en aan de parkeerlichtjes die aan het einde van de zijstrips zaten.

Aantal cilinders: 4
Cilinderinhoud in cm³: 2138 (1991 optioneel in de TR4)
Vermogen: 100/4600 en 104/4700
Topsnelheid in km/uur: 175
Carrosserie/Chassis: afzonderlijk chassis
Uitvoering: cabriolet
Productiejaren: 1961-1965 en 1965-1967
Productie-aantallen: 40.253 en 28.465
In NL: n.b.
Prijzen: A: 5.400 B: 10.000 C: 14.500

TRIUMPH TR5 & TR250

De eerste Engelse productie-auto die met benzine-inspuiting was uitgerust, was een Triumph. En wel de TR5 met zijn zescilinder. De combinatie van de TR4-carrosserie en de oersterke motor maakt de TR5 tot een van de meest gezochte Triumphs. De wagens die naar Amerika gingen, ze heetten daar TR250 en zijn herkenbaar aan de sportstrepen op de motorkap, hadden nog twee carburateurs en duidelijk minder vermogen. De prijzen gelden voor de TR5; voor de TR250 liggen die een kwart lager. Let bij aankoop op roestvorming in en op het chassis.

Aantal cilinders: 6
Cilinderinhoud in cm³: 2498
Vermogen: 143/5500 en 104/4500
Topsnelheid in km/uur: 200 en 170
Carrosserie/Chassis: afzonderlijk chassis
Uitvoering: cabriolet
Productiejaren: 1967-1968
Productie-aantallen: 2.947 en 8.484
In NL: n.b.
Prijzen: A: 6.800 B: 13.600 C: 20.900

TRIUMPH TR6

Door een nieuwe carrosserie op het chassis van de TR5 te plaatsen, ontstond de TR6. Deze opbouw was door de Duitse firma Karmann in Osnabrück ontwikkeld, waarbij de Duitsers de opdracht gekregen hadden zoveel mogelijk carrosseriedelen van de TR5 te gebruiken. Alleen de neus en de staart zijn dus veranderd. En ook hier weer: de Amerikaanse versie – er komen er heel wat terug uit Amerika – heeft een veel zwakkere motor. Vanwege de vele import-wagens geven we de prijsnoteringen voor de USA-versie.

Aantal cilinders: 6
Cilinderinhoud in cm³: 2498
Vermogen: 104/4500-152/5500
Topsnelheid in km/uur: 180-200
Carrosserie/Chassis: afzonderlijk chassis
Uitvoering: cabriolet
Productiejaren: 1969-1976
Productie-aantal: 94.619
In NL: 1.100
Prijzen (USA): A: 4.100 B: 9.100 C: 13.600

TRIUMPH ITALIA

Op het chassis van de TR3 vervaardigde Carrozzeria Vignale coupés naar de tekeningen van Michelotti. De wagen heette Triumph Italia en werd vooral in Italië goed verkocht. Duidelijk waren de lijnen van de toekomstige TR4 al te herkennen. De wagen stond van huis uit op spaakwielen. De reden dat de wagen in 1963 uit de productie genomen werd, was de teruglopende vraag naar dit type. Tegenwoordig flink aan de prijs en de meeste exemplaren zullen inmiddels wel eens gerestaureerd zijn.

Aantal cilinders: 4
Cilinderinhoud in cm³: 1991
Vermogen: 101/5000
Topsnelheid in km/uur: 180
Carrosserie/Chassis: afzonderlijk chassis
Uitvoering: coupé
Productiejaren: 1959-1963
Productie-aantal: 329
In NL: n.b.
Prijzen: A: 5.400 B: 10.900 C: 15.900

TRIUMPH SPITFIRE 4 & MK II

Toen de aartsvijand Austin zoveel succes had met zijn Sprite kwam Triumph met zijn Spitfire. De wagen stond op een robuust chassis en had een opgevoerde motor van de Triumph Herald onder de kap. Ook de overige mechanische delen stamden van de Herald. De huis-designer Michelotti had ook deze wagen getekend; men noemde hem toen nog Spitfire 4 (met de 4 voor 4-cilinders). De Mk II had dezelfde carrosserie als de 'Mk I', maar een sterkere motor. Vanaf '63 was er een overdrive leverbaar, evenals een winterkap. Let op roest.

Aantal cilinders: 4
Cilinderinhoud in cm³: 1147
Vermogen: 63/5750 en 67/6000
Topsnelheid in km/uur: 150-155
Carrosserie/Chassis: afzonderlijk chassis
Uitvoering: roadster
Productiejaren: 1962-1965 en 1965-1967
Productie-aantallen: 45.753 en 37.409
In NL: n.b.
Prijzen: A: 2.700 B: 5.000 C: 7.300

TRIUMPH SPITFIRE MK III

Met geringe kosten veranderde men de Spitfire in een Mk III. De bumpers waren hoger gemonteerd om ook aan de Amerikaanse wetten te kunnen voldoen. Het maakte de wagen niet mooier maar wel anders. Onder de motorkap, de hele voorkant tot en met de voorbumper was motorkap, vond men nu een sterkere motor. De tegenwoordig meest gezochte wagen is die met een overdrive en spaakwielen. De Mk III is geen roadster meer, aangezien het neergeklapte dak aan boord bleef.

Aantal cilinders: 4
Cilinderinhoud in cm³: 1296
Vermogen: 75/6000
Topsnelheid in km/uur: 160
Carrosserie/Chassis: afzonderlijk chassis
Uitvoering: cabriolet
Productiejaren: 1967-1970
Productie-aantal: 65.320
In NL: n.b.
Prijzen: A: 2.300 B: 4.500 C: 7.300

TRIUMPH SPITFIRE MK IV & 1500

Het was de taak van Michelotti geweest de carrosserie van de Spitfire te moderniseren en in de Mk IV te veranderen. Dit model kreeg ook een motor met geringer vermogen. Maar daarvoor was de eerste versnelling nu eindelijk ook gesynchroniseerd en had men de fouten in de achterwielophanging kunnen verhelpen. De wagens die naar Amerika geëxporteerd werden, kregen vanaf 1973 een 1,5 liter motor en deze variant was na 1974 ook in Europa te koop. Helaas was de optie voor spaakwielen geschrapt.

Aantal cilinders: 4
Cilinderinhoud in cm³: 1296 en 1493
Vermogen: 63/5500 en 71/5250
Topsnelheid in km/uur: 155-160
Carrosserie/Chassis: afzonderlijk chassis
Uitvoering: cabriolet
Productiejaren: 1970-1974 en 1974-1980
Productie-aantallen: 70.021 en 95.829
In NL: n.b.
Prijzen: A: 2.300 B: 4.100 C: 6.400

TRIUMPH GT6 MK I, MK II & MK III

Eigenlijk is de GT6 niet veel meer dan een samenraapsel van onderdelen. De carrosserie is niets anders dan die van de Spitfire – hij kreeg ook alle verbetering mee die bij de Spitfire werden aangebracht – waarop men een coupédak gelast heeft. En de motor was de zescilinder van de Triumph Vitesse. De wagen zag er echter aantrekkelijk uit en het lag zeker aan zijn prijs dat hij niet beter verkocht werd. Ook dit model is voor de verzamelaar het meest interessant met een elektrische overdrive en met spaakwielen.

Aantal cilinders: 6
Cilinderinhoud in cm³: 1998
Vermogen: 95/5000 en 105/5300
Topsnelheid in km/uur: 175-180
Carrosserie/Chassis: afzonderlijk chassis
Uitvoering: coupé
Productiejaren: 1966-1968, 1968-1970 en 1970-1973
Productie-aantallen: 15.818, 12.066 en 13.042
In NL: n.b.
Prijzen: A: 2.900 B: 5.400 C: 7.900

TRIUMPH HERALD, 1200, 12/50 & 13/60 (BRITT)

Om niet geheel van de sportwagenmarkt afhankelijk te moeten zijn, kwam Standard-Triumph in 1959 met zijn Herald. Deze kleine wagen, weer was het een ontwerp van Michelotti, stond op een stevig chassis en kon dus in alle mogelijke uitvoeringen geleverd worden. Bovendien waren de meeste carrosseriepanelen vastgeschroefd in plaats van gelast en daarom kostte het niet veel moeite om varianten als een stationcar en een cabriolet te maken. De coupé en cabrio hebben dubbele carburateurs.

Aantal cilinders: 4
Cilinderinhoud in cm³: 948, 1147 en 1296
Vermogen: 35/4500-62/5000
Topsnelheid in km/uur: 115-140
Carrosserie/Chassis: afzonderlijk chassis
Uitvoering: coach, stationcar, coupé en cabriolet
Productiejaren: 1959-1971
Productie-aantal: 525.767
In NL: n.b.
Prijzen (coach): A: 700 B: 1.400 C: 2.700

TRIUMPH VITESSE MK I & MK II

Wie een originele cabriolet met vier zitplaatsen zoekt, moet eens aan de Vitesse denken. Toen hij uitkwam, had hij een kleine zescilinder, maar in 1966 kreeg de Mk II een grotere inhoud en dus meer vermogen. Er werd ook een sterk verbeterde achteras ingebouwd. Men onderscheidt de Vitesse van de Herald aan zijn dubbele koplampen. Voor de cabrioprijzen dient men onze opgaven – die de Mk II betreffen – met anderhalf te vermenigvuldigen. De onderdelenvoorziening is uitstekend.

Aantal cilinders: 6
Cilinderinhoud in cm³: 1596 en 1998
Vermogen: 70/5000 en 90/5000
Topsnelheid in km/uur: 140 en 150
Carrosserie/Chassis: afzonderlijk chassis
Uitvoering: coach en cabriolet
Productiejaren: 1962-1966 en 1966-1971
Productie-aantal: 51.182
In NL: n.b.
Prijzen: (Mk II) A: 1.100 B: 3.200 C: 4.500

TRIUMPH 2000 MK I & MK II

Als goedkopere concurrent voor de Rover bouwde Standard-Triumph de 2000. Deze wagen had een Triumph-carrosserie en de mechanische delen van de Standard Vanguard. Aan de voorwielen vond men schijfremmen en de vierversnellingsbak was geheel gesynchroniseerd. Tegen een extra prijs kon er een overdrive van Laycock de Normanville ingebouwd worden en voor de schakelluie mensen was er een automaat. Door een facelift toe te passen, ontstond de Mk II die mechanisch aan zijn voorganger gelijk was. De stationcar was er vanaf modeljaar 1966.

Aantal cilinders: 6
Cilinderinhoud in cm³: 1998
Vermogen: 91/5000
Topsnelheid in km/uur: 160
Carrosserie/Chassis: zelfdragend
Uitvoering: sedan en stationcar
Productiejaren: 1963-1969 en 1969-1975
Productie-aantallen: 120.645 en 99.171
In NL: n.b.
Prijzen: A: 700 B: 1.900 C: 2.900

TRIUMPH 2.5 PI MK I & MK II, 2500 S & TC

Voor diegenen die meer vermogen in hun sedan wilden, bouwde Triumph de 2.5 PI, in principe een Triumph 2000 maar met de ingespoten motor van de TR5. De wagen had een sportief tintje door zijn Rostyle-achtige wieldoppen, Daar het benzine-inspuitsysteem nogal eens problemen gaf, werd de latere 2500 S met twee carburateurs geleverd. Voor de liefhebber is dit waarschijnlijk de betere keuze. Deze grote Triumph is een zeer prettige auto wat rij-eigenschappen betreft.

Aantal cilinders: 6
Cilinderinhoud in cm³: 2498
Vermogen: 106/4700-132/5450
Topsnelheid in km/uur: 170-180
Carrosserie/Chassis: zelfdragend
Uitvoering: sedan en stationcar
Productiejaren: 1968-1969 en 1969-1977
Productie-aantal: 97.140
In NL: n.b.
Prijzen: A: 900 B: 2.300 C: 3.600

TRIUMPH 1300, 1500 & 1500 TC

De 1300 was de eerste Triumph met voorwielaandrijving. Hij had de motor van de Herald en schijfremmen bij de voorwielen. De TC-uitvoering had de Spitfire-motor met de twee carburateurs en was dus heel wat sportiever te noemen. De opvolger, de 1500, had de motor die ook in de MG Midget gebruikt zou worden. In '73 verdween de 1500 en kwam er een 1500 TC met achterwielaandrijving en dezelfde carrosserie. In kleine kring is deze Triumph geliefd als dagelijkse auto, maar een echte klassieker is het niet. Ontwerp van Michelotti.

Aantal cilinders: 4
Cilinderinhoud in cm³: 1296 en 1493
Vermogen: 62/5000, 76/6000 en 62/5000
Topsnelheid in km/uur: 140, 145 en 140
Carrosserie/Chassis: zelfdragend
Uitvoering: sedan
Productiejaren: 1965-1970 en 1970-1976
Productie-aantallen: 148.350 en 91.902
In NL: n.b.
Prijzen: A: 500 B: 1.600 C: 2.500

TRIUMPH TOLEDO & DOLOMITE

Vreemd is het te noemen dat de 1300 en 1500 voorwielaandrijving hadden en de opvolgers 1500 TC, Toledo en Dolomite met dezelfde carrosserie niet! In 1970 arriveerde er naast de 1500 een wat conventionelere Triumph, de Toledo. Technisch waren er behalve de achterwielaandrijving nog enkele wijzigingen, zoals een anders geplaatste versnellingsbak en een nieuwe achteras. In '72 kwam de Dolomite 1850 met een motor met bovenliggende nokkenas uit. Vanaf 1976 heette de Toledo Dolomite 1300 of 1500. Het HL-model Dolomite had meer luxe en dubbele koplampen.

Aantal cilinders: 4
Cilinderinhoud in cm³: 1296, 1493 en 1854
Vermogen: 58-92/5000
Topsnelheid in km/uur: 135-160
Carrosserie/Chassis: zelfdragend
Uitvoering: coach en sedan
Productiejaren: 1970-1976 en 1972-1980
Productie-aantallen: 119.182 en 154.296
In NL: n.b.
Prijzen: A: 600 B: 1.300 C: 2.000

TRIUMPH DOLOMITE SPRINT

Een vierdeurs sportwagen nodig? De Triumph Dolomite Sprint is er een. Dat wat de fabrikanten nu als nieuwtje adverteren, namelijk vier kleppen per cilinder, had de Dolomite al in 1973. En dan natuurlijk ook een bovenliggende nokkenas voor de aandrijving daarvan. De wagen had een viersversnellingsbak met of zonder overdrive, maar was ook met een automaat leverbaar. De Sprint is een wagen waarvoor al redelijke bedragen neergeteld worden. Motorpech kan echter hoge rekeningen veroorzaken.

Aantal cilinders: 4
Cilinderinhoud in cm³: 1998
Vermogen: 129/5700
Topsnelheid in km/uur: 185
Carrosserie/Chassis: zelfdragend
Uitvoering: sedan
Productiejaren: 1973-1980
Productie-aantal: 22.941
In NL: n.b.
Prijzen: A: 2.300 B: 4.500 C: 6.800

TRIUMPH STAG

Ook dit snelle hert stamde van de tekentafel van Michelotti. De Italiaan had de 2+2 het liefst als 'echte' cabriolet getekend, maar de ten onrechte verwachte USA-wetgeving verlangde een 'veiligheids-auto' en daarom kreeg de wagen een targabeugel ingebouwd. Als kleine 'wraak' ontwierp Michelotti een mooie winterkap die de meeste mensen dan ook wel kochten. Bij de Stag was comfort belangrijker dan sportiviteit, ondanks de zware V8-motor, en daarom zijn de meeste wagens met een automatische bak afgeleverd. De motor heeft een matige tot slechte reputatie.

Aantal cilinders: V8
Cilinderinhoud in cm³: 2997
Vermogen: 156/5500
Topsnelheid in km/uur: 190
Carrosserie/Chassis: zelfdragend
Uitvoering: cabriolet
Productiejaren: 1970-1977
Productie-aantal: 25.939
In NL: 300
Prijzen: A: 3.600 B: 7.300 C: 11.300

TRIUMPH TR7 COUPÉ

De TR7 is wat de Amerikanen een 'sleeper' noemen. Een liefhebberswagen is het nog niet echt, maar dat zal het zeker binnenkort worden. In januari 1975 kwam de wagen uit en niemand kon hem mooi vinden. De carrosserie week te veel af van dat wat de Triumph TR-fan gewend geweest was. Technisch viel er niet veel op de wagen aan te merken en het weggedrag was heel wat comfortabeler dan van zijn voorgangers. De versnellingsbak had vier versnellingen, maar een vijf-bak van Rover kon na september 1976 ingebouwd worden.

Aantal cilinders: 4
Cilinderinhoud in cm³: 1998
Vermogen: 106/5500
Topsnelheid in km/uur: 180
Carrosserie/Chassis: zelfdragend
Uitvoering: coupé
Productiejaren: 1975-1981
Productie-aantal: 86.784
In NL: n.b.
Prijzen: A: 1.400 B: 2.700 C: 4.100

TRIUMPH TR7 CABRIOLET

'Ask the man who owns one', schreef Packard voor de oorlog in zijn advertenties en wie een TR7 cabriolet-rijder naar zijn ervaringen vraagt, zal positief verrast zijn. De cabriolet werd in juni 1979 in Amerika (hij was voor de Amerikaanse markt bedoeld) voorgesteld en in maart 1980 konden ook de Europeanen de wagen kopen. De laatste exemplaren werden door de fabriek en de verschillende importeurs voor spotprijzen van de hand gedaan. Dit bezorgde de wagen een onverdiend slechte naam en dat zal wel de reden zijn dat de prijzen (nog) zo laag zijn.

Aantal cilinders: 4
Cilinderinhoud in cm³: 1998
Vermogen: 106/5500
Topsnelheid in km/uur: 180
Carrosserie/Chassis: zelfdragend
Uitvoering: cabriolet
Productiejaren: 1979-1981
Productie-aantal: 24.864
In NL: n.b.
Prijzen: A: 2.300 B: 5.000 C: 6.800

TRIUMPH TR8

In 1980 verscheen de TR8 in Amerika. De verschillende tijdschriften hadden het model al een paar maal aangekondigd. Er was gespeculeerd wat voor een wagen dat dan wel zou zijn en daarom was de teleurstelling groot toen de TR8 niets anders was dan een TR7 cabriolet met een andere motor. Goed, het was een V8 uit de Rover en voor de Amerikaan dus uit de Buick. De TR8 is wat de TR7 had moeten zijn: een sterke sportwagen met een machtig geluid erin. Hoewel vrij zeldzaam, zijn de prijzen nog bescheiden te noemen; daarbij komt dat de vormgeving niet iedereen bevalt.

Aantal cilinders: V8
Cilinderinhoud in cm³: 3532
Vermogen: 135/5000
Topsnelheid in km/uur: 190
Carrosserie/Chassis: zelfdragend
Uitvoering: cabriolet
Productiejaren: 1980-1981
Productie-aantal: 2.497
In NL: n.b.
Prijzen: A: 3.200 B: 8.000 C: 12.000

TROJAN

Vrachtwagenbouwer Leyland bracht in 1922 een kleine personenwagen uit onder de naam Trojan. In '28 richtte men een aparte firma op met de naam Trojan Ltd. en deze bleef tot 1935 actief. Vele jaren later, in 1961, nam Trojan de bouw van de Duitse Heinkel Kabine over en in datzelfde jaar kocht men ook het failliete Elva op. De rechten van de Heinkel waren in handen van de Ierse firma Dundalk Engineering.

TROJAN 200

De Heinkel Kabine was in Duitsland geen groot succes en men verkocht het concept naar Ierland in '58. Vanaf 1961 nam de firma Trojan – die toen al 26 jaar geen auto's meer had gemaakt – de productie over en noemde men het wagentje Trojan 200. Lukte het in Duitsland niet vanwege de verbeterde economie, de Britten wisten aardig wat Trojans te slijten. Ook in het buitenland, getuige deze origineel Nederlandse 200 uit 1963. Hoeveel zouden er nog steeds rondrijden?

Aantal cilinders: 1	
Cilinderinhoud in cm³: 198	
Vermogen: 10/5500	
Topsnelheid in km/uur: 85	
Carrosserie/Chassis: zelfdragend	
Uitvoering: 1-deurs	
Productiejaren: 1961-1965	
Productie-aantal: 6.187	
In NL: n.b.	
Prijzen:	A: 1.400 B: 3.400 C: 5.000

TUCKER

Preston Thomas Tucker was geen domme jongen. Hij bouwde voor de oorlog racewagens en tijdens de oorlog de eerste tank waarvan de koepel door de motor tot draaien gebracht kon worden. De auto die hij wilde bouwen was ook iets heel bijzonders en het lukte Tucker de beste mensen van het vak in dienst te nemen. Met geleend geld, want bij de financiën haperde het wel eens. Erger nog, toen de firma in 1948 failliet ging, bedroegen de schulden 25 miljoen dollar, stonden er meer dan 2.000 mensen op straat en hadden 1.872 Tucker-dealers in Amerika hun aanbetalingen verloren.

TUCKER

Nu er zoveel auto's uit Amerika geïmporteerd worden, is het niet uitgesloten dat er eens een Tucker in Europa rijdt. Deze heel bijzondere wagen was het droomkind van Tucker, die zijn sporen op automobielgebied verdiend had als partner van Harry Miller, de beroemde racewagenconstructeur. De carrosserie van zijn zespersoonswagen was door Alex Tremulis, vroeger chef-constructeur bij Duesenberg, ontworpen. De motor stond achterin en was een zescilinder boxermotor zoals die direct na de oorlog in helikopters gebruikt werd. De merkhistorie is verfilmd door Francis Coppola.

Aantal cilinders: 6	
Cilinderinhoud in cm³: 5340	
Vermogen: 170/2700	
Topsnelheid in km/uur: 190	
Carrosserie/Chassis: afzonderlijk chassis	
Uitvoering: sedan	
Productiejaren: 1948-1950	
Productie-aantallen: 51	
In NL: n.b.	
Prijzen:	A: n.v.t. B: n.v.t. C: n.v.t.

TURNER

Er is een mooie tijd geweest dat het in Engeland wemelde van fabriekjes die sportwagens bouwden. De firma Turner uit Pendeford-Wolverhampton was er één van. Van 1951 tot 1966 bouwde Jack Turner zijn sportwagens die al gauw de goede reputatie hadden betrouwbaar en betaalbaar te zijn. In Amerika wist hij redelijk te verkopen. Door ziekte moest Turner zijn fabriek sluiten. Ook nu komen we de Turners nog regelmatig op het circuit van Zandvoort tegen.

TURNER A30 SPORTS

Nadat Turner zeven exemplaren van zijn sportwagen afgeleverd had, kwam hij in 1955 met de A30 die in een, voor Turner, grote serie gebouwd werd. De motor en de versnellingsbak kwamen uit een Austin A30 - wel met iets meer motorvermogen - en de wagen kon ook als bouwpakket, eventueel ook zonder motor, besteld worden. Door het lage gewicht van de Sports, zoals de wagen heet, kon er een aardige topsnelheid gehaald worden. De carrosserie was namelijk van kunststof. Vervelend voor Turner was dat Austin hem geen onderdelen wilde verkopen.

Aantal cilinders: 4
Cilinderinhoud in cm³: 803
Vermogen: 34/5000
Topsnelheid in km/uur: 130
Carrosserie/Chassis: kunststof op een buizenchassis
Uitvoering: cabriolet
Productiejaren: 1955-1957
Productie-aantal: 90
In NL: n.b.
Prijzen: A: 1.800 B: 4.100 C: 6.800

TURNER 950

De opvolger van de A30 was de 950 van '57. De carrosserie was nagenoeg gelijk aan de A30, afgezien van de kleine staartvinnen. Het wagentje had de hydraulische remmen en de motor van de A35. Op verzoek kon dit blokje getuned worden tot maximaal 60 pk. Natuurlijk was de 950 weer compleet of als bouwpakket te koop. Deze Turner zou het best verkochte model van het merk worden: 170 stuks in slechts twee jaar tijd. Een aantal hiervan vond zijn weg naar de States. Zeldzaam maar niet erg duur.

Aantal cilinders: 4
Cilinderinhoud in cm³: 948
Vermogen: 43/4000
Topsnelheid in km/uur: 130
Carrosserie/Chassis: kunststof op een buizenchassis
Uitvoering: cabriolet
Productiejaren: 1957-1959
Productie-aantal: 170
In NL: n.b.
Prijzen: A: 3.200 B: 5.500 C: 8.650

TURNER MK I, MK II & MK III SPORTS

Met een geheel nieuwe carrosserie presenteerden de Turner Sports en zijn varianten zich in 1959. Ook ditmaal kon de klant de wagen als een bouwdoos bestellen of als rijdende auto. In beide gevallen had hij de keuze uit allerlei motoren die al dan niet opgevoerd konden worden. De klant was nog koning en Turner een geduldige luisteraar. De gebruikelijke motoren stamden van Austin, Ford of Coventry Climax. Naar wens waren er voor de voorwielen schijfremmen leverbaar.

Aantal cilinders: 4
Cilinderinhoud in cm³: 948, 997, 1340 of 1498
Vermogen: 42/5000-90/6900
Topsnelheid in km/uur: 140-180
Carrosserie/Chassis: kunststof op een buizenchassis
Uitvoering: cabriolet
Productiejaren: 1959-1966
Productie-aantallen: 160, 150 en 100
In NL: n.b.
Prijzen: A: 3.200 B: 5.900 C: 9.100

TVR

Als je het goed bekijkt, begon de geschiedenis van TVR al in 1947 toen Trevor Wilkinson zijn eerste eigen auto bouwde. Er volgden meer prototypen tot Wilkinson in 1954 zijn firma TVR, voor TreVoR, stichtte. Zoals bij zijn vele concurrenten ging het ook bij TVR soms goed en soms slecht, maar ondanks alle financiële problemen die de firma meegemaakt heeft, bestaat ze ook nu nog.

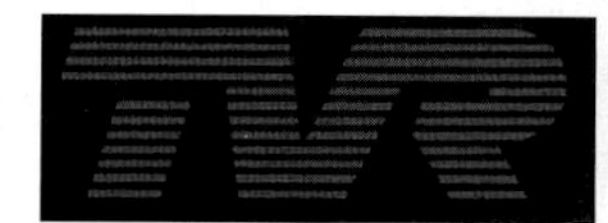

TVR GRANTURA MK I, II, IIA, III, IV, 1800S & GRIFFITH

Zoals zijn Engelse collega's bouwde Wilkinson zijn eerste productieauto's naar een bekend recept: een gecompliceerd buizenchassis met daarop een lichte kunststof carrosserie en een of andere motor erin. Nieuwe typen brachten verbeterde chassis en nieuwe snufjes zoals schijfremmen in de Mk III. Voor de Amerikaanse markt ontstond een Mk III met een Ford-V8 motor. De wagen werd Griffith gedoopt naar zijn 'uitvinder' Jack Griffith. Die laatste kost viermaal zoveel als de Grantura.

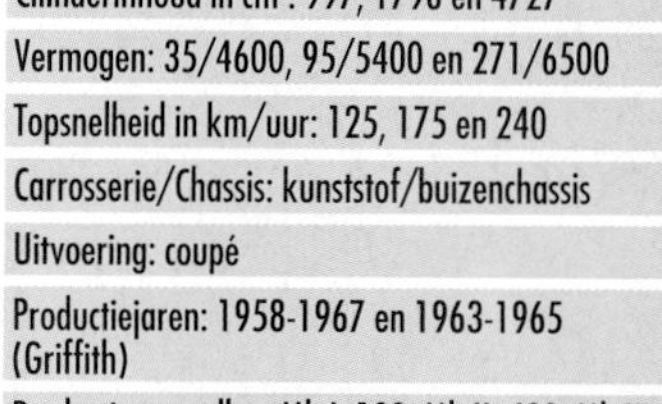

Aantal cilinders: 4 en V8
Cilinderinhoud in cm^3: 997, 1798 en 4727
Vermogen: 35/4600, 95/5400 en 271/6500
Topsnelheid in km/uur: 125, 175 en 240
Carrosserie/Chassis: kunststof/buizenchassis
Uitvoering: coupé
Productiejaren: 1958-1967 en 1963-1965 (Griffith)
Productie-aantallen: Mk I: 100, Mk II: 400, Mk III: 90, Mk IV: 78, 1800S: 128 en Griffith: 310
In NL: 10 en 2 (alle versies)
Prijzen (Grantura): A: 4.100 B: 6.800 C: 10.000

TVR VIXEN S1, S2, S3 & S4

De verschillende varianten van de Vixen werden, met uitzondering van de eerste 12 die een MG-motor hadden, alle met een Ford-Cortina-motor afgeleverd. Vooral tussen de S1 en de S2 vond men grote verschillen wat de constructie betrof. Bij de S1 was de carrosserie op het chassis gelijmd terwijl hij bij de latere modellen geschroefd was, wat een restauratie natuurlijk vergemakkelijkt. Ook hadden de S2 en S3 de langere wielbasis van de Tuscan V8. De S4 was een tussenmodel met een oude carrosserievorm op een nieuw chassis.

Aantal cilinders: 4
Cilinderinhoud in cm^3: 1599 en 1798
Vermogen: 96/5500 en 100/5000
Topsnelheid in km/uur: 175
Carrosserie/Chassis: kunststof/buizenchassis
Uitvoering: coupé
Productiejaren: 1967-1973
Productie-aantallen: S1: 117, S2: 438, S3: 168 en S4: 23
In NL: 6
Prijzen: A: 3.900 B: 6.100 C: 9.100

TVR TUSCAN V6, V8 & V8 SE

Als opvolger voor de Griffith bouwde TVR de Tuscan V8 die nog in hetzelfde jaar in de SE-uitvoering (Special Equipment) met een 271 pk motor en een langere wielbasis verscheen. In 1968 kwam de zogenaamde 'wide body' variant, waarvan maar 21 stuks verkocht werden. Dit model werd speciaal voor Amerika gemaakt en verscheen dus niet op de Europese markt waar hij trouwens ook te duur voor geweest was. Voor de Europeaan ontstond de Tuscan V6 met een 3-liter Ford-Essex-motor. De V8-versies doen tegenwoordig bijna het drievoudige van de hiernaast vermelde prijzen.

Aantal cilinders: V6 en V8
Cilinderinhoud in cm^3: 2994 en 4727
Vermogen: 128/4750, 195/4400 en 271/6500
Topsnelheid in km/uur: 200-245
Carrosserie/Chassis: kunststof/buizenchassis
Uitvoering: coupé
Productiejaren: 1969-1971 en 1967-1970
Productie-aantallen: 101, 28 en 45
In NL: 3
Prijzen (V6): A: 4.100 B: 8.200 C: 12.300

TVR 1600 M, 2500 M & 3000 M

In juni en juli 1965 werden er bij TVR geen auto's gebouwd. De reden was niet dat men met vakantie was, maar dat de firma weer eens failliet was. Hulp bracht Martin Lilley met het geld van zijn vader. Onder de leiding van de 23-jarige garagehouder ontstond een nieuw model, de 2500 M, met de M voor Martin. Als krachtbron fungeerden de motoren van de Triumph TR6. Uitgerust met een 1,6- of 3,0-liter Ford-motor ontstonden de 1600 M en 3000 M. Van de M-reeks werden de meeste wagens compleet afgeleverd.

Aantal cilinders: 4 en 6
Cilinderinhoud in cm^3: 1599, 2498 en 2994
Vermogen: 86/5500, 106/4900 en 138/5000
Topsnelheid in km/uur: 160, 180 en 195
Carrosserie/Chassis: kunststof/buizenchassis
Uitvoering: coupé
Productiejaren: 1972-1977, 1971-1977 en 1972-1979
Productie-aantallen: 148, 947 en 654
In NL: 40
Prijzen (2500 M): A: 3.600 B: 6.600 C: 10.200

TVR 3000 M TURBO

In het najaar van 1975 was het mogelijk een TVR 3000 M met een turbomotor te kopen. Daarmee was het merk een van de pioniers op dit terrein. De V6 was door Broadspeed onder handen genomen en leverde voldoende paarden voor een acceleratie van 0 naar 100 in maar 5,8 seconden. Ondanks het feit dat de wagen maar 1000 kg woog bedroeg het benzineverbruik 1 op 8. Tegenwoordig zouden we zeggen dat die turbovoorziening naar verhouding maar weinig extra's opleverde. Zelfs voor TVR-maatstaven zijn er zeer weinig wagens van dit type verkocht.

Aantal cilinders: V6
Cilinderinhoud in cm³: 2994
Vermogen: 230/5500
Topsnelheid in km/uur: 240
Carrosserie/Chassis: kunststof/buizenchassis
Uitvoering: coupé
Productiejaren: 1975-1979
Productie-aantal: 20
In NL: 1
Prijzen: A: 8.200 B: 11.300 C: 14.700

TVR TAIMAR & 3000S

Door het achterste deel van de TVR 3000 M te veranderen ontstond de Taimar. De achterruit fungeerde nu als kofferdeksel, wat het in- en uitladen van kleine voorwerpen (voor grote was geen ruimte) makkelijker maakte. De Taimar kon ook als cabriolet, de eerste open TVR, besteld worden en ook deze wagen stond op het onderstel van de 3000 M met Ford V6-motor. De open Taimar heette 3000S. Beide typen konden ook met een turbomotor geleverd worden, die echter onwaarschijnlijk veel benzine verbruikte. Dit is een gezochte TVR geworden, aangezien er zeer weinig van gebouwd zijn.

Aantal cilinders: V6
Cilinderinhoud in cm³: 2994
Vermogen: 138/5000 en 230/5500
Topsnelheid in km/uur: 210 en 240
Carrosserie/Chassis: kunststof/buizenchassis
Uitvoering: coupé en cabriolet
Productiejaren: 1975-1979
Productie-aantallen: 395 en 258 (Turbo: 30 en 13)
In NL: 20 en 7
Prijzen: (Taimar) A: 4.500 B: 9.100 C: 13.600

TVR 280, 350 & 390

Deze wagen was met verschillende motoren zowel als coupé, met drie deuren, en als cabriolet te koop. De type-aanduiding wees op de cilinderinhoud van de motor. Als TVR 280 werd de wagen in 1980 in Brussel voorgesteld. De cabriolet volgde in het najaar van 1980 en de 350 en 390 in 1984. De TVR 420 kwam pas in oktober 1986 op de markt en blijft hier buiten beschouwing. Alle motoren hadden een Bosch K-Jetronic benzine-inspuiting en waren met uitzondering van de 2,8 liter V8's.

Aantal cilinders: V6 en V8
Cilinderinhoud in cm³: 2792-3907
Vermogen: 150/5700-280/5500
Topsnelheid in km/uur: 200-240
Carrosserie/Chassis: kunststof/buizenchassis
Uitvoering: coupé en cabriolet
Productiejaren: 1980-1986
Productie-aantallen: n.b.
In NL: 10
Prijzen: A: 4.500 B: 9.100 C: 13.600

TVR TASMIN 1980-1984

Met de Tasmin van 1980 begon TVR auto's met nieuwe lijnen te produceren. Weg zijn de rondingen. Hij begon zijn loopbaan op de autotentoonstelling van 1980 in Brussel als coupé maar nog datzelfde jaar kon hij ook als cabriolet besteld worden. Op de London Motor Show van 1981 stond de auto ook met een tweeliter motor als Tasmin 200 en een jaar later kon de 2,8 liter ook met een turbomotor geleverd worden. Alle Tasmins waren tweezitters.

Aantal cilinders: 4 en V6
Cilinderinhoud in cm³: 1993 en 2792
Vermogen: 101/5200, 160/5700-228/5600
Topsnelheid in km/uur: 180, 210 en 240
Carrosserie/Chassis: kunststof/buizenchassis
Uitvoering: coupé en cabriolet
Productiejaren: 1980-1984
Productie-aantal: n.b.
In NL: n.b.
Prijzen: (V6 cabrio) A: 4.500 B: 9.500 C: 14.700

VANDEN PLAS

Oorspronkelijk stamt de firma Vanden Plas uit België (Van den Plas), waar men een carrosseriebedrijf had. Het Engelse filiaal werd beroemd om de prachtige carrosserieën die men op kwaliteitschassis zoals dat van de Bentley bouwde. Na de oorlog, toen steeds meer merken met zelfdragende carrosserieën uitkwamen, verloor de firma zijn klanten en kon Austin het bedrijf opslokken. BMC maakte er in 1960 een zelfstandig merk van, maar na 1980 is de naam niet meer gehanteerd als merknaam.

VANDEN PLAS PRINCESS 4-LITRE

De Austin A135 Princess met lange wielbasis heette vanaf 1957 Vanden Plas Princess 4-Litre. Op de wagens van '52 tot '57 stond de naam Austin nog. Hij was er met vier of zes zijramen en met naar wens separatie. Vanaf eind 1955 kon je tubeless banden als optie nemen en een automatische bak. De lijst met extra's groeide gestaag: vanaf 1960 stuurbekrachtiging; vanaf '62 rembekrachtiging en instelbare wagenhoogte. Het uiterlijk wijzigde vrijwel niet gedurende de zestien productiejaren. Er is een aantal landaulettes geleverd en vele chassis zijn voor bijzondere opbouwen naar carrossiers gegaan.

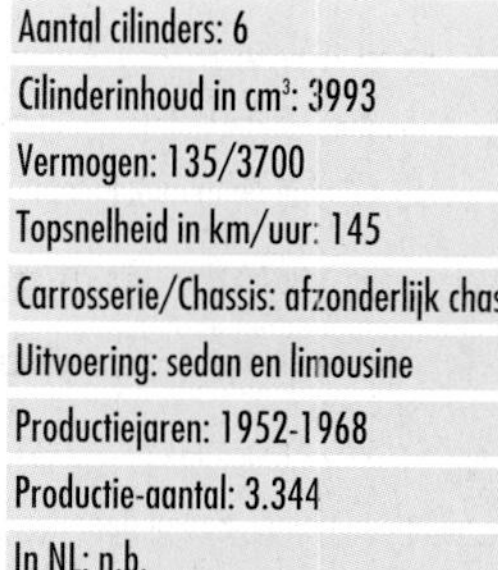

Aantal cilinders: 6
Cilinderinhoud in cm³: 3993
Vermogen: 135/3700
Topsnelheid in km/uur: 145
Carrosserie/Chassis: afzonderlijk chassis
Uitvoering: sedan en limousine
Productiejaren: 1952-1968
Productie-aantal: 3.344
In NL: n.b.
Prijzen: A: 3.600 B: 8.200 C: 12.300

VANDEN PLAS 3-LITRE PRINCESS

De Vanden Plas 3-Litre was een directe afstammeling van de grote Austin Princess die de voormalige carrossier voor Austin maakte. De 3-Litre Princess werd aan het einde van 1959 als model 1960 gelanceerd. De wagen stond nog op een solide chassis dat uit stalen balken was opgebouwd en de Pininfarina-carrosserie was identiek aan die van de Austin A99 Westminster en de Wolseley 6/99. De grille was natuurlijk 'Vanden Plas' en ook in de wagen vond men meer luxe dan in die van de goedkopere merken.

Aantal cilinders: 6
Cilinderinhoud in cm³: 2912
Vermogen: 115/4750
Topsnelheid in km/uur: 150
Carrosserie/Chassis: afzonderlijk chassis
Uitvoering: sedan
Productiejaren: 1959-1964
Productie-aantal: 12.615
In NL: n.b.
Prijzen: A: 2.300 B: 5.900 C: 9.100

VANDEN PLAS 4-LITRE R

In augustus 1964 kwam de 4-Litre uit. De achterkant van de carrosserie was door Pininfarina licht gemodificeerd en onder het blik stond ditmaal geen BMC-motor, maar een zescilinder van Rolls-Royce (vandaar de 'R'). Het motorblok was uit aluminium gegoten, maar de kleppen werkten nog tegengestuurd, wat betekende, dat de uitlaatkleppen zijkleppen en de inlaatkleppen kopkleppen waren. De automatische bak stamde niet zoals in de 3-Litre van Rolls-Royce maar uit de Amerikaanse Borg Warner-fabriek. Een auto die zeer duur in onderhoud is.

Aantal cilinders: 6
Cilinderinhoud in cm³: 3909
Vermogen: 175/4800
Topsnelheid in km/uur: 180
Carrosserie/Chassis: afzonderlijk chassis
Uitvoering: sedan
Productiejaren: 1964-1968
Productie-aantal: 6.555
In NL: n.b.
Prijzen: A: 3.200 B: 7.300 C: 11.300

VANDEN PLAS PRINCESS 1100 & 1300

De 1100 en 1300 behoorden zonder twijfel tot de meest luxueuze kleine personenwagens die ooit gebouwd werden. In principe waren het natuurlijk de gewone wagens uit het BMC-programma, maar in de Vanden Plas-uitvoering hadden ze leren bekleding, een prachtig en compleet houten dashboard, picknicktafeltjes in de rugleuningen van de voorstoelen en dergelijke. Dat de wagen op deze manier bijna het dubbele kostte van de normale uitvoering, speelde voor enige tienduizenden mensen geen rol.

Aantal cilinders: 4
Cilinderinhoud in cm³: 1098 en 1275
Vermogen: 55/5500 en 66/5750
Topsnelheid in km/uur: 130-145
Carrosserie/Chassis: zelfdragend
Uitvoering: sedan
Productiejaren: 1963-1968 en 1967-1974
Productie-aantallen: 16.007 en 27.734
In NL: n.b.
Prijzen: A: 2.300 B: 4.500 C: 6.800

VANDEN PLAS 1500

Op de basis van de Austin Allegro ontstond de Vanden Plas 1500. Met voorwielaandrijving, vijf versnellingen, dwars geplaatste motor, een bovenliggende nokkenas en voldoende vermogen. Vanbinnen vond men alles wat het hart begeerde: leren bekleding, een prachtig dashboard en dikke tapijten op de vloer. Maar vanbuiten ... die grille, bijvoorbeeld. De achterkant van de wagen was niet zo erg om naar te kijken, want die had men nauwelijks veranderd, maar die neus is toch op zijn minst curieus. Er zijn echter enkele liefhebbers voor.

Aantal cilinders: 4
Cilinderinhoud in cm³: 1485
Vermogen: 69/5600
Topsnelheid in km/uur: 150
Carrosserie/Chassis: zelfdragend
Uitvoering: sedan
Productiejaren: 1974-1980
Productie-aantal: 11.842
In NL: n.b.
Prijzen: A: 900 B: 2.500 C: 4.100

VAUXHALL

In 1903 werd de Vauxhall Iron Works Ltd in Londen gesticht. De firma veranderde een paar maal van naam en adres om ten slotte Vauxhall Motor Ltd te heten en in Luton gehuisvest te zijn. Hier ontstonden prachtige wagens zoals de 30/98 die van 1913 tot 1927 het hart van de sportieve Engelsman sneller deed kloppen. In 1925 werd Vauxhall een deel van het General Motors imperium en dat is het ook nu nog. Op het ogenblik bouwt de fabriek dezelfde wagens als Opel, maar dat is niet altijd het geval geweest.

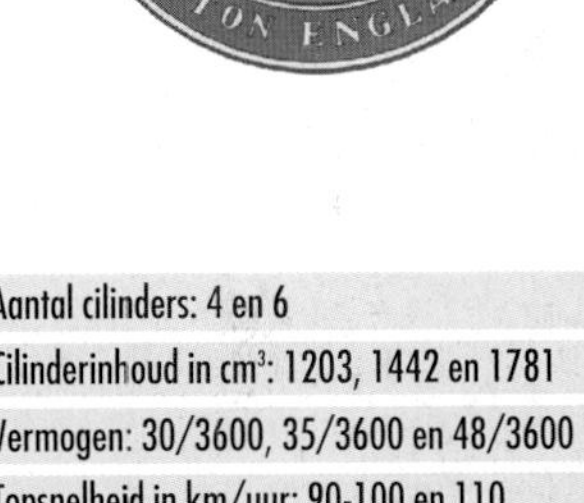

VAUXHALL 10, 12 & 14

Ondanks het feit dat de Vauxhall-fabriek tijdens de oorlog volkomen verwoest was, kwamen de eerste personenwagens al in 1946 van de band. Het waren de modellen waar men in 1939 mee gestopt was, maar dat stoorde de kopers weinig, want afgezien van het uiterlijk waren het moderne auto's met onafhankelijke voorwielveringen, kopklepmotoren en een zelfdragende carrosserie. In 1947 stopte men de fabricage van de kleine Ten. Door extreme roestgevoeligheid zijn er weinig overgebleven.

Aantal cilinders: 4 en 6
Cilinderinhoud in cm³: 1203, 1442 en 1781
Vermogen: 30/3600, 35/3600 en 48/3600
Topsnelheid in km/uur: 90-100 en 110
Carrosserie/Chassis: zelfdragend
Uitvoering: sedan
Productiejaren: 1946-1947 en 1946-1948
Productie-aantallen: Ten en Twelve: 44.047; Fourteen: 30.511
In NL: n.b.
Prijzen: A: 1.400 B: 3.400 C: 4.500

VAUXHALL WYVERN & VELOX 1948-1951

In de zomer van 1948 kwam Vauxhall met twee nieuwe modellen die tot in 1951 het gehele productieprogramma zouden vullen. De wagens hadden een identieke carrosserie en het verschil zat hem onder de motorkap en in de bumperrozetten en de crèmekleurige velgen van de Velox. De Wyvern staat bekend als een zeer trage wagen, maar zelfs met zijn zescilinder motor was de Velox ook niet erg temperamentvol. De eerste versnelling van de drie-bak was niet gesynchroniseerd.

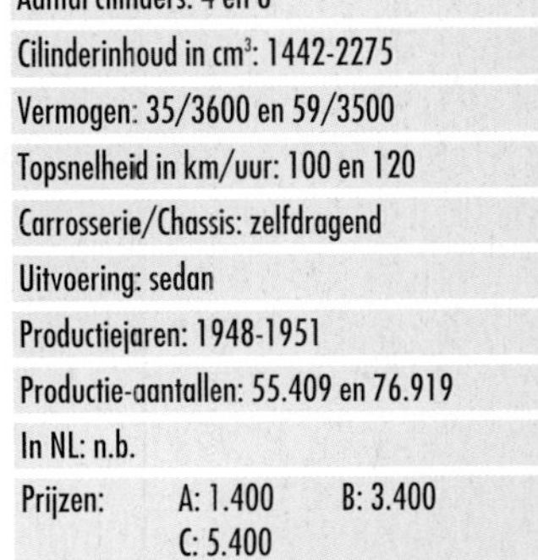
Aantal cilinders: 4 en 6
Cilinderinhoud in cm³: 1442-2275
Vermogen: 35/3600 en 59/3500
Topsnelheid in km/uur: 100 en 120
Carrosserie/Chassis: zelfdragend
Uitvoering: sedan
Productiejaren: 1948-1951
Productie-aantallen: 55.409 en 76.919
In NL: n.b.
Prijzen: A: 1.400 B: 3.400 C: 5.400

VAUXHALL WYVERN & VELOX 1952-1957

De nieuwe Vauxhall Wyvern en Velox die in '51 de fabriek verlieten, hadden de oude motor. Vanaf '52 waren er nieuwe motoren waarvan de boring groter was dan de slag van de zuigers. Dit had een lagere zuigersnelheid, een betere cilindervulling en een hoger vermogen tot gevolg. De carrosserieën hadden regelmatig een kleine facelift gekregen. De viercilinder heette Wyvern, maar in feite was die motor te zwak voor de zware wagen.

Aantal cilinders: 4 en 6
Cilinderinhoud in cm³: 1442-1507 en 2262-2275
Vermogen: 35-68/4000
Topsnelheid in km/uur: 105-140
Carrosserie/Chassis: zelfdragend
Uitvoering: sedan en stationcar
Productiejaren: 1951-1957
Productie-aantallen: 110.588 en 235.296
In NL: n.b.
Prijzen (Velox): A: 1.100 B: 2.500 C: 4.500

VAUXHALL CRESTA 1954-1957

Van de Velox van 1951 verscheen in 1954 een luxueuze versie onder de naam Cresta. Aan de buitenkant vielen de spats in de achterwielkasten op; binnenin het lederen interieur en het klokje. Verder hadden de wagens vaak een two-tone-kleurstelling, een motorkapmascotte en verchroomde wieldoppen. Vanaf '56 is three-tone spuitwerk mogelijk. Technisch waren ze identiek aan de Velox en de Cresta volgde dezelfde evolutie als de goedkopere modellen. Gezien de prima productiecijfers bleek Vauxhall met de Cresta in een flinke behoefte te voorzien.

Aantal cilinders: 6
Cilinderinhoud in cm³: 2262
Vermogen: 68/4000
Topsnelheid in km/uur: 135
Carrosserie/Chassis: zelfdragend
Uitvoering: sedan
Productiejaren: 1954-1957
Productie-aantal: 166.504
In NL: n.b.
Prijzen: A: 1.400 B: 3.600 C: 5.400

VAUXHALL VICTOR SERIES I & II

Wat voor de Duitsers de Opel Rekord was, dat was de Vauxhall Victor voor de Engelsman. Beide modellen waren eenvoudig, met een starre achteras, halfelliptische bladveren en een vanaf nu volledig gesynchroniseerde versnellingsbak. Maar er waren verschillen en vooral in de carrosserievorm. Die van de Victor had na twee jaren pas een kleine facelift nodig (waarmee de Series II ontstond), terwijl de Opel al na één jaar aan een forse facelift toe was. Zeer roestgevoelig.

Aantal cilinders: 4
Cilinderinhoud in cm³: 1508
Vermogen: 55/4200
Topsnelheid in km/uur: 125
Carrosserie/Chassis: zelfdragend
Uitvoering: sedan en stationcar
Productiejaren: 1957-1959 en 1959-1961
Productie-aantal: 390.745
In NL: n.b.
Prijzen: A: 700 B: 2.300 C: 3.600

VAUXHALL VICTOR SERIES FB

In 1961 kreeg de Victor een nieuwe carrosserie. Verdwenen was de panoramische voorruit tot groot plezier van die velen die bij het in- en uitstappen hun knieën bezeerd hadden. De Victor kon met een gesynchroniseerde drie-bak geleverd worden, die door een hendel aan de stuurkolom geschakeld werd, of met een vier-bak met pook. In 1964 werd de motor vergroot en kwamen er schijfremmen aan de voorwielen. De versie VX 4/90 had dubbele carburateurs, bekrachtigde schijfremmen vòòr, vloerschakeling en meer luxe. Hij was er alleen als sedan.

Aantal cilinders: 4
Cilinderinhoud in cm³: 1508 en 1596
Vermogen: 50/4600 en 59/4600
Topsnelheid in km/uur: 130 en 135
Carrosserie/Chassis: zelfdragend
Uitvoering: sedan en stationcar
Productiejaren: 1961-1963 en 1964
Productie-aantal: 328.640
In NL: n.b.
Prijzen: A: 450 B: 1.400 C: 2.500

VAUXHALL VICTOR SERIES FC

Enkele Vauxhall-typen kregen in de herfst van 1964 een nieuwe carrosserie, waarbij de matig verkochte Victor natuurlijk niet achter mocht blijven. De zijkanten van de wagen waren iets boller geworden, wat er helemaal niet zo slecht uitzag. De compressieverhouding in de motor was hoger zodat de wagen over meer pk's kon beschikken dan zijn voorganger. In 1965 zou hij nogmaals een paar extra paarden onder de kap krijgen. De verwarming was nooit een sterk punt geweest in de Victor, maar in dit nieuwe model was hij aanmerkelijk verbeterd. Ook hiervan is er weer een VX 4/90-versie (13.449 stuks).

Aantal cilinders: 4
Cilinderinhoud in cm³: 1596
Vermogen: 61/4600 en 65/4800
Topsnelheid in km/uur: 135 en 140
Carrosserie/Chassis: zelfdragend
Uitvoering: sedan en stationcar
Productiejaren: 1964-1967
Productie-aantal: 233.263
In NL: n.b.
Prijzen: A: 600 B: 1.400 C: 2.300

VAUXHALL VICTOR FD

De Victor die na oktober 1967 op de markt kwam had een veel modernere carrosserie meegekregen. De auto was met 449 cm 5 cm in de lengte gegroeid. De motor lag onder een hoek van 45 graden onder de motorkap en had een bovenliggende nokkenas die door een tandriem werd aangedreven. Een drie- of vier-bak en een automaat, de laatste niet langer van GM maar van Borg-Warner, stonden ter beschikking en de handgeschakelde kon op verzoek met een pook in de vloer geschakeld worden. In '69 verscheen ook hiervan weer een VX 4/90, waarvan er 14.277 geleverd zijn.

Aantal cilinders: 4
Cilinderinhoud in cm³: 1599 en 1975
Vermogen: 72/5600 en 88/5500
Topsnelheid in km/uur: 150 en 160
Carrosserie/Chassis: zelfdragend
Uitvoering: coach, sedan en stationcar
Productiejaren: 1967-1972
Productie-aantallen: 212.362
In NL: n.b.
Prijzen: A: 450 B: 900 C: 1.600

VAUXHALL VELOX & CRESTA PA

De Engelse Opel Kapitän was de Vauxhall Velox, bijgestaan door zijn duurdere uitvoering, de Cresta. De wagens hadden, evenals de Victor, panoramische ruiten voor en achter. Op de achterspatborden vond men de modieuze vinnetjes en de grille was zwaar van het chroom. De Cresta werd van huis uit in een two-tone spuitwerk geleverd en dat het publiek dit mooi vond, bewezen de verkoopcijfers. Toen er in 1960 een nieuwe, moderne motor ingebouwd was, stegen de cijfers nogmaals. Heeft tegenwoordig in Engeland 'oude rockers'-image.

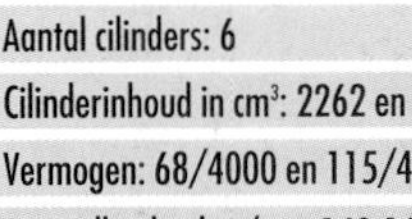

Aantal cilinders: 6
Cilinderinhoud in cm³: 2262 en 2651
Vermogen: 68/4000 en 115/4800
Topsnelheid in km/uur: 140-165
Carrosserie/Chassis: zelfdragend
Uitvoering: sedan en statiocar
Productiejaren: 1957-1960 en 1960-1962
Productie-aantallen: 81.841 en 91.923
In NL: n.b.
Prijzen: A: 1.600 B: 3.400 C: 5.000

VAUXHALL VIVA HA

Als er al belangstelling bestaat voor een Opel Kadett, dan verdient de Vauxhall Viva die ook. De Viva bood zelfs meer dan de Duitser. Zijn motor leverde een beetje meer vermogen en de carrosserie was iets breder en lager. General Motors verwachtte terecht veel van dit model en investeerde daarom een bedrag van twintig miljoen pond in de bouw van een nieuwe fabriek. De Viva SL90 die in oktober 1965 verscheen had een vermogen van 54 pk. Helaas zijn de Viva's tegenwoordig niet gewild.

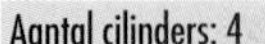

Aantal cilinders: 4
Cilinderinhoud in cm³: 1057
Vermogen: 45/5000-54/5600
Topsnelheid in km/uur: 130-140
Carrosserie/Chassis: zelfdragend
Uitvoering: coach, sedan en stationcar
Productiejaren: 1963-1966
Productie-aantal: 321.332
In NL: n.b.
Prijzen: A: 450 B: 1.100 C: 1.600

VAUXHALL VIVA HB

In de coke-bottle-stijl verscheen in 1966 de nieuwe Viva, aanvankelijk alleen als coach. De wagen had een 11 cm langere wielbasis dan zijn voorganger en zag er in ieder geval beter uit. De stationcar kwam in de zomer van '67 uit. Vanaf 1968 was er een 1600 cc-motor en completeerde een sedan het programma. Snellere versies waren de 90, de Brabham en vooral de GT van 1968 met zijn zwarte motorkap en tweeliter blok. Met 4.606 stuks bleef de GT een zeldzaamheid. De gewone Viva's doen nog steeds weinig in klassiekerkringen.

Aantal cilinders: 4
Cilinderinhoud in cm³: 1159-1975
Vermogen: 47/5200-104/5600
Topsnelheid in km/uur: 130-160
Carrosserie/Chassis: zelfdragend
Uitvoering: coach, sedan en stationcar
Productiejaren: 1966-1970
Productie-aantal: 662.810
In NL: n.b.
Prijzen: A: 500 B: 1.100 C: 1.800

VAUXHALL VIVA HC

Op basis van het onderstel van de HB verscheen in 1970 de nieuwe Viva HC. De klant kon kiezen uit een 1200 of 1600, maar die eerste maakte in '71 plaats voor een 1256 cc blok. Een jaar later kwamen de 1800 en 2300 erbij met bovenliggende nokkenas. De optionele schijfremmen voor waren vanaf '74 standaard. In Nederland kon de Viva niet concurreren met de Kadett en de meeste wagens gingen dan ook naar Britse kopers. Van de stationcar werden er 91.575 geleverd. De hieronder behandelde Firenza is de coupé-uitvoering van de HC.

Aantal cilinders: 4
Cilinderinhoud in cm³: 1159-2279
Vermogen: 49/5300-110/5200
Topsnelheid in km/uur: 135-165
Carrosserie/Chassis: zelfdragend
Uitvoering: coach, sedan en stationcar
Productiejaren: 1970-1979
Productie-aantal: 640.863
In NL: n.b.
Prijzen: A: 200 B: 800 C: 1.600

VAUXHALL FIRENZA 'DROOPSNOOT'

De Firenza, zoiets als de Duitse Opel Manta, werd in 1973 vervangen door de zogenaamde 'Droopsnoot', vrij vertaald 'Druipneus'. En inderdaad viel de voorkant van de wagen op. Spoilers voor en achter, aluminium wielen en een vijfbak van ZF maakten de auto tot een exclusieve sportwagen, die de 200-km-grens bijna haalde. Gezien de geringe verkopen ervan is dit een zeldzame wagen. Er is zelfs een stationcar met dezelfde neus: de Magnum Sports Hatch.

Aantal cilinders: 4
Cilinderinhoud in cm³: 2279
Vermogen: 132/5500
Topsnelheid in km/uur: 195
Carrosserie/Chassis: zelfdragend
Uitvoering: coupé
Productiejaren: 1973-1975
Productie-aantal: 204
In NL: n.b.
Prijzen: A: 1.100 B: 2.500 C: 4.500

VAUXHALL MAGNUM COUPÉ

De Magnum vulde het hiaat tussen de Viva en de Victor en was niet veel meer dan een Viva met een 1,8 of 2,3 liter motor met bovenliggende nokkenas. De wagen was te herkennen aan zijn vier koplampen en sportieve magnesium wielen. De klant kon kiezen tussen een vierversnellingsbak of een automaat en de schijfremmen aan de voorwielen behoorden tot de standaarduitrusting. Niet makkelijk te verhandelen.

Aantal cilinders: 4
Cilinderinhoud in cm³: 1759 en 2279
Vermogen: 78/5200 en 111/5200
Topsnelheid in km/uur: 150 en 170
Carrosserie/Chassis: zelfdragend
Uitvoering: coupé
Productiejaren: 1973-1977
Productie-aantal: 1.692
In NL: n.b.
Prijzen: A: 900 B: 1.800 C: 2.700

VAUXHALL CHEVETTE & CHEVETTE HS

Dit was een goedkope wagen met drie portieren en een klein viercilinder kopkleppertje. In 1975 werd hij in Genève voorgesteld en direct in drie versies, als Standard, Luxe of Grand Luxe. Dat de wagen een directe neef van de Opel Kadett was, zag men onmiddellijk. Om de auto aan wat goede publiciteit te helpen, bouwden de Engelsen een 2300 cc twin cam motor in een Chevette en lieten hem als Groep 4 rally-auto aantreden. En daar had de HS inderdaad succes.

Aantal cilinders: 4
Cilinderinhoud in cm³: 1256 en 2279
Vermogen: 59/5600 en 135/5500
Topsnelheid in km/uur: 140 en 185
Carrosserie/Chassis: zelfdragend
Uitvoering: coach en stationcar
Productiejaren: 1975-1984 en 1978-1979
Productie-aantallen: 415.608 en 400
In NL: n.b.
Prijzen (HS): A: 2.900 B: 4.500 C: 5.900

VAUXHALL CAVALIER

De Cavalier was een voorbeeld van Europese samenwerking. Het concept was niets anders dan de Duitse Opel Ascona en Manta. De carrosserieën hadden in Engeland een facelift gekregen – in feite was het een Ascona met een Manta-neus – en de wagens werden buiten Engeland ook in de fabrieken van General Motors in België gebouwd. Een 1300-model was uitsluitend voor Groot-Brittannië bestemd. De coupé was identiek aan de Duitse Manta en hij werd alleen met de tweeliter geleverd.

Aantal cilinders: 4
Cilinderinhoud in cm³: 1256-1979
Vermogen: 58/5600-100/5400
Topsnelheid in km/uur: 140-175
Carrosserie/Chassis: zelfdragend
Uitvoering: coach, sedan en coupé
Productiejaren: 1975-1981
Productie-aantal: 238.980
In NL: n.b.
Prijzen: A: 100 B: 450 C: 1.100

VAUXHALL ROYALE

Onder deze naam bouwde Vauxhall de Opel Senator en Monza. De auto's waren in oktober 1978 voor het eerst op de tentoonstelling in Londen te zien en werden dus als modeljaar 1979 aangeboden. Afgezien van de merkplaatjes, de grille en de stuurinrichting die zich natuurlijk rechts in de wagens bevond, waren de auto's identiek aan hun Duitse broeders. Een groot gedeelte van de onderdelen was dan ook uit Duitsland geïmporteerd om kosten te sparen. Zelden op het continent te zien.

Aantal cilinders: 6
Cilinderinhoud in cm³: 2784 en 2969
Vermogen: 140/5200-180/5800
Topsnelheid in km/uur: 180-210
Carrosserie/Chassis: zelfdragend
Uitvoering: sedan en coupé
Productiejaren: 1979-1982
Productie-aantal: 7.119
In NL: n.b.
Prijzen (coupé): A: 450 B: 1.800 C: 3.200

VELOREX

In 1950 gingen op gezag van de Tsjechoslowaakse staat diverse bedrijven in het oosten van Bohemen samen onder de naam Velo. Ook het bedrijf van de gebroeders Stransky dat invalidenwagens bouwde en dat gevestigd was in Hradec Kralove, ging erin op. In '52 wijzigde de naam in Velorex en met name de motorfietsen van die fabriek genoten bekendheid. Vanaf 1958 leverde men ook een vreemde driewieler met een eencilinder Jawa-motorfietsblok in een met kunstleer overtrokken constructie. Vanwege de doelgroep – invaliden – kon het ding voor de kwart van de prijs van een motorfiets aangeboden worden.

VELOREX TYPE 16, TYPE 572 & TYPE 435

De Tsjechische motorfietsfabrikant Velorex begon in 1958 met de bouw van een driewieler met een Jawa 250 cc eencilinder motor als krachtbron. Het frame van dit Type 16 was met kunstleer overtrokken. Vanaf '63 was er een 350 cc-uitvoering, het Type 572. Ook had men kort een model met een 175 cc CZ-motor. In 1968 onderging de 572 een modernisering. Tot eind 1971 produceerde Velorex de 572, daarna kwam de 435 met vier wielen en deze werd bij Jawa gebouwd (tot '73). Er bestaan liefhebbers voor dit typische Oostblok-product.

Aantal cilinders: 1
Cilinderinhoud in cm³: 175, 249 en 350
Vermogen: 6-8,5 pk
Topsnelheid in km/uur: 60-75
Carrosserie/Chassis: afzonderlijk chassis
Uitvoering: dwergauto
Productiejaren: 1958-1963, 1963-1971 en 1971-1973
Productie-aantallen: 3.300, 12.000 en 1.380
In NL: n.b.
Prijzen: A: 200 B: 700 C: 1.400

VERITAS

Ernst Loof, die voor de oorlog bij BMW gewerkt had, begon direct na de oorlog en onder de moeilijkste omstandigheden met de bouw van zijn Veritas sportwagens. Hij werd geholpen door Lorenz Dietrich en de voormalige coureur 'Schorsch' Meier. Men begon in een oude molen in Hausen bij Sigmaringen en eindigde (in 1951) met een 'fabriekje' in de verlaten Auto-Union-boxen op de Nürburgring.

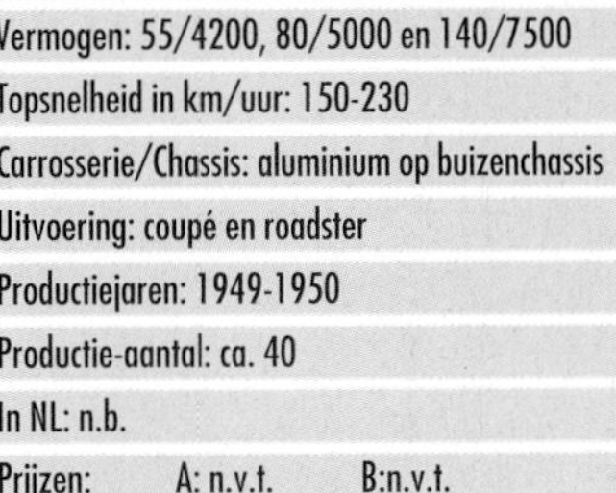

VERITAS COMET, SATURN & SCORPION

Behalve pure racewagens bouwde Loof ook sportieve coupés en cabriolets voor dagelijks gebruik. De eerste modellen heetten Comet en kwamen in 1949 als coupé uit. Onder de aluminium motorkap vond men eerst een BMW 326 motor en bij de latere exemplaren de zescilinder van de BMW 328. De reden dat de wagen zo slecht verkocht werd, was de waanzinnig hoge prijs. De Comet S bleef een prototype met een Heinkel-motor en een vijf-bak. De 2+2 coupé heette Saturn en de cabriolet heette Scorpion (foto).

Aantal cilinders: 6
Cilinderinhoud in cm³: 1971 en 1988
Vermogen: 55/4200, 80/5000 en 140/7500
Topsnelheid in km/uur: 150-230
Carrosserie/Chassis: aluminium op buizenchassis
Uitvoering: coupé en roadster
Productiejaren: 1949-1950
Productie-aantal: ca. 40
In NL: n.b.
Prijzen: A: n.v.t. B: n.v.t. C: n.v.t.

DYNA-VERITAS

Met de Dyna-Veritas probeerden Loof en zijn partners een groter publiek aan te spreken. De wagen was natuurlijk veel kleiner en kostte dan ook maar één derde van wat men voor een 'echte' Veritas betalen moest. De wagen had de motor van de Panhard en dus voorwielaandrijving. Hoewel de wagen naar verhouding goed verkocht, kwam het succes te laat en ging Loof failliet. Lorenz Dietrich bouwde de wagen alleen en onder de naam Dyna verder. De cabriolet werd bij Baur in Stuttgart gebouwd (foto).

Aantal cilinders: 2
Cilinderinhoud in cm³: 744
Vermogen: 28/5000, 32/5000 en 40/5000
Topsnelheid in km/uur: 115-135
Carrosserie/Chassis: afzonderlijk chassis
Uitvoering: coupé, cabriolet en roadster
Productiejaren: 1950-1952
Productie-aantal: 176
In NL: 2
Prijzen: A: 11.300 B: 14.700 C: 19.300

VESPA

De mensen van Vespa hadden zes jaar lang over een kleine auto nagedacht, maar toen de dwerg in 1958 eindelijk op straat kwam, was de vraag naar goedkope wagentjes al heel wat kleiner geworden. Bovendien had Fiat juist zijn Nuova 500 uitgebracht en ook bij Vespa moesten ze bekennen dat ze daar niet tegenop konden. In Frankrijk, waar de wagen gebouwd werd, zag het er iets beter uit, maar ook daar gaf men de moed na een paar jaar op.

VESPA 400

De Italiaanse firma Piaggio is wereldberoemd geworden met zijn Vespa scooters. Een korte tijd heeft Piaggio ook kleine personenwagens gebouwd maar toen het grote succes uitbleef, gaf men dit avontuur op. De Vespa 400 was weliswaar in Italië uitgedacht en geconstrueerd, maar gebouwd is hij in een filiaal van Piaggio in Frankrijk. De découvrable had een interessante tweetaktmotor, waarvan niet de zuigers maar de krukas en de krukwangen de inlaatpoorten openden en sloten. Er was ook een Luxe-versie. Dit wagentje is met name in Frankrijk populair onder klassiekerliefhebbers.

Aantal cilinders: 2
Cilinderinhoud in cm³: 393
Vermogen: 14/4350
Topsnelheid in km/uur: 90
Carrosserie/Chassis: half-zelfdragend
Uitvoering: cabrio-limousine
Productiejaren: 1958-1961
Productie-aantal: ca. 34.000
In NL: n.b.
Prijzen: A: 900 B: 2.300 C: 4.000

VIGNALE

Het carrosseriebedrijf van Alfredo Vignale (1913-1969) behoorde tot de grootste in Italië. Als twaalfjarige jongen was hij al bij Stabilimenti Farina begonnen waar hij opklom tot werkplaatschef. In 1939 kon Vignale met zijn broers een eigen carrozzeria beginnen. Ze legden zich toe op het bouwen van speciale carrosserieën op de chassis van Ferrari, Fiat en Lancia. In januari 1975 sloot de uiteindelijke eigenaar Ford de zaak en verdween er weer een beroemde naam van het toneel.

VIGNALE VIGNALINA

Op basis van de vloerplaat (en de motor) van een Fiat 600D bouwde Vignale vanaf 1961 zijn Vignalina. Het was naast de Chérie en de Rendez-Vous zijn derde variant op het 600-thema. Het Duitse Neckar ging het wagentje ook produceren en wel onder de naam Neckar Jagst Rivièra Coupé en Cabriolet. Ze weken alleen af in de hoeveelheid en de vorm van de chroomstrips. Vanaf 1962 heette de Italiaanse versie Vignale-Fiat Rivièra. In ons land werd de Duitse versie aangeboden. De goed gelijnde Fiat 600D-variant bleef gezien zijn kleine vermogen en relatief hoge prijs een zeldzaamheid.

Aantal cilinders: 4
Cilinderinhoud in cm³: 767
Vermogen: 32/4800
Topsnelheid in km/uur: 120
Carrosserie/Chassis: zelfdragend
Uitvoering: coupé en cabriolet
Productiejaren: 1961-1964
Productie-aantal: ca. 200
In NL: 1
Prijzen: A: 2.300 B: 5.000 C: 7.300

VIGNALE 850 SPIDER

Fiat gaf in '64 onder andere Vignale de opdracht om een spider te ontwikkelen op basis van de zojuist voorgestelde 850. Helaas voor Vignale koos men het ontwerp van Bertone voor de open variant en ging de coupé bij Fiat zelf in productie. Vignale ging echter op eigen houtje door en toonde in '65 in Milaan zijn drie 850-versies: een coupé 2+2, een vierpersoons coupé en een spider. Men liet folders in diverse talen drukken (ook in het Nederlands), maar de Vignale 850's vonden slechts mondjesmaat kopers.

Aantal cilinders: 4
Cilinderinhoud in cm³: 843 en 903
Vermogen: 49/6400 en 52/6400
Topsnelheid in km/uur: 135-145
Carrosserie/Chassis: zelfdragend
Uitvoering: cabriolet
Productiejaren: 1965-1970
Productie-aantal: n.b.
In NL: 0
Prijzen: A: 3.200 B: 5.400 C: 7.300

VIGNALE 850 SPECIAL COUPÉ

De Vignale coupé was een leuk wagentje maar niet aantrekkelijk genoeg om het van de coupé van Fiat zelf te kunnen winnen. Vignale bood twee carrosserievarianten aan: een coupé 2+2 (foto) en een coupé 4, dus eigenlijk meer een coach. In de uitvoering Lusso Export was er veel luxe: aansteker, metallic lak, elektrische ramen, houten stuur, verchroomde versnellings- en handremhendel en een toerenteller. De Vignales hadden toen al een lampje in de portieren dat ging branden bij het openen van een deur. Net als de cabriolet is de coupé een curiosum gebleven.

Aantal cilinders: 4
Cilinderinhoud in cm³: 843 en 903
Vermogen: 49/6400 en 52/6400
Topsnelheid in km/uur: 135-145
Carrosserie/Chassis: zelfdragend
Uitvoering: coupé
Productiejaren: 1965-1970
Productie-aantal: n.b.
In NL: 1
Prijzen: A: 1.800 B: 4.000 C: 6.000

VIGNALE EVELINE

Tegelijk met Vignales experimenten met de Fiat 125 begon hij ook met de Fiat 124. Het werd de Eveline. Hij gebruikte veel van de 124: bodemgroep, technisch gedeelte, voorruit, interieur en wielen. De bumpers kwamen van de 124 Coupé. Dat maakt de onderdelensituatie voor de huidige bezitters toch aangenaam. De wagen zelf was nogal vroeg-Japans van lijn en had dus een zekere lompheid meegekregen. Een Britse casino-eigenaar kocht indertijd een lading wagens met rechts stuur bij Vignale, die er zo'n 8 per dag bouwde, maar dat duurde niet erg lang.

Aantal cilinders: 4
Cilinderinhoud in cm³: 1197 en 1438
Vermogen: 60/5600-70/5400
Topsnelheid in km/uur: 135-145
Carrosserie/Chassis: zelfdragend
Uitvoering: coupé
Productiejaren: 1966-1970
Productie-aantal: ca. 200
In NL: 1
Prijzen: A: 1.400 B: 2.700 C: 4.500

VIGNALE GAMINE

Vignale had zijn studio en carrosseriefabriek in Grugliasco, waar ook Bertone gehuisvest is. Hij werkte veel samen met Giovanni Michelotti en deze combinatie was voor veel mooie wagens verantwoordelijk. Af en toe ging Don Alfredo zijn eigen gang, dan tekende hij iets om dat daarna te bouwen. Op deze manier ontstond de Vignale Gamine. De Gamine, vertaald 'straatjongen', leek een beetje op een veteraan. De vraag was goed, maar grote productie-aantallen bereikte het wagentje nooit. Vignale verkocht de zaak aan De Tomaso, maar kwam kort erna om het leven.

Aantal cilinders: 2
Cilinderinhoud in cm³: 499
Vermogen: 18/4600
Topsnelheid in km/uur: 100
Carrosserie/Chassis: zelfdragend
Uitvoering: roadster
Productiejaren: 1967-1970
Productie-aantal: ca. 250
In NL: 5
Prijzen: A: 3.200 B: 6.100 C: 9.100

VIGNALE SAMANTHA

Op basis van de Fiat 125 – o.a. bodemgroep en schutbord, binnenschermen voor, dashboard en achterlichten en natuurlijk het mechanische deel – bouwde Vignale zijn Samantha. De snelle en vloeiende fastback-lijn en elektrische kantellampen (elf jaar voordat Porsche de 928 uitbracht!) maakten het een aantrekkelijke auto, die helaas door zijn extra gewicht in vergelijking met de 125 sedan niet erg snel was. De bumpers kwamen van de Fiat 124 coupé en de buitenste deurplaten van de eveneens door Vignale ontworpen Jensen Interceptor. Het aantal verkochte Samantha's is gering.

Aantal cilinders: 4
Cilinderinhoud in cm³: 1608
Vermogen: 90/5600-100/6000
Topsnelheid in km/uur: 165-175
Carrosserie/Chassis: zelfdragend
Uitvoering: coupé
Productiejaren: 1966-1970
Productie-aantal: n.b.
In NL: 1
Prijzen: A: 1.600 B: 3.600 C: 6.400

VOLKSWAGEN

Denkt men aan Volkswagen, dan denkt men aan de oude vertrouwde Kever. Hij begon zijn carrière lang voordat de Volkswagen-fabrieken gebouwd werden, namelijk op 17 januari 1934 toen zijn constructeur, Ferdinand Porsche, met de plannen op tafel kwam. Vier jaren later werd de eerste steen gelegd voor de 'Kraft-durch-Freude-Stadt' in de buurt van Fallersleben, dat nu Wolfsburg heet. Pas na de oorlog zou de K.d.F.-wagen in grote aantallen gebouwd worden en de Volkswagen-fabriek, en zijn toenmalige directeur, Heinrich Nordhoff, beroemd maken.

VW 1200 1946-1953

De eerste naoorlogse Kevers werden nog onder toezicht van het Engelse leger in de 'Wolfsburg Motor Works' gebouwd. Op 1 januari 1948 werd Heinrich Nordhoff tot directeur benoemd en onder zijn leiding ontstond in juli 1949 een export-model. Deze wagen onderscheidde zich van de standaard VW door een speciale lak en wat chroomlijsten. In 1951 kreeg de wagen een nieuwe versnellingsbak waarin de 2e, 3e en 4e versnelling gesynchroniseerd waren. De bijnaam voor deze eerste Kevers is 'Brilletje' geworden. De exportversie is het meest gezocht.

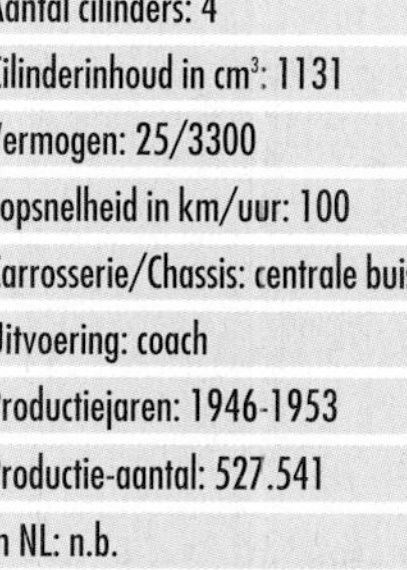

Aantal cilinders: 4
Cilinderinhoud in cm³: 1131
Vermogen: 25/3300
Topsnelheid in km/uur: 100
Carrosserie/Chassis: centrale buis
Uitvoering: coach
Productiejaren: 1946-1953
Productie-aantal: 527.541
In NL: n.b.
Prijzen: A: 2.700 B: 6.800 C: 11.300

VW 1200 1953-1957

De Kever groeide. In maart 1953 werd het 'brilletje', de gedeelde achterruit, vervangen door een ovale ruit en in januari 1954 kreeg de motor meer vermogen. De Kevers die na 1 augustus 1955 geleverd werden, hadden een dubbele uitlaat en nieuwe achterlichten. De typering 'ovaaltje' wordt alom gehanteerd. Jammer genoeg hebben heel wat Kever-bezitters indertijd een grotere achterruit van de modellen na '57 laten monteren. Een wagen met toekomst, en dat rechtvaardigt een ingrijpende restauratie voor deze typen.

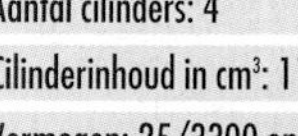

Aantal cilinders: 4
Cilinderinhoud in cm³: 1131 en 1192
Vermogen: 25/3300 en 30/3400
Topsnelheid in km/uur: 105 en 115
Carrosserie/Chassis: centrale buis
Uitvoering: coach
Productiejaren: 1953-1957
Productie-aantal: ca. 1.066.000
In NL: n.b.
Prijzen: A: 1.800 B: 4.500 C: 7.700

VW 1200 1957-1985

Na de zomer van 1957 kwamen de Kevers met een grotere voor- en achterruit uit de fabriek. Twee jaar later werd zowel de vooras de achteras gemodificeerd en in augustus 1960 leverde de motor 34 pk. De wagens die na augustus 1961 gemaakt werden, herkende men van buiten aan de grote achterlichten met het gedeelde glas. In augustus 1963 werd het stof-schuifdak vervangen door een stalen schuifdak. Talloze verbeteringen en veranderingen volgden. De typen vanaf '65 (met grotere ramen) zijn wat lager geprijsd.

Aantal cilinders: 4
Cilinderinhoud in cm³: 1192
Vermogen: 30/3600 en 34/3600
Topsnelheid in km/uur: 115-120
Carrosserie/Chassis: centrale buis
Uitvoering: coach
Productiejaren: 1957-heden
Productie-aantal: 19.681.600 (alle typen '57 tot '96)
In NL: n.b.
Prijzen: A: 900 B: 2.700 C: 4.500

VW 1300 & 1500

De volgende stap in de ontwikkeling van de Kever bracht een grotere motor met een inhoud van 1,3 liter die al spoedig door een 1,5 liter variant gevolgd werd. Vele Keverrijders beklaagden zich over de wagens. Ze waren niet meer zo betrouwbaar als de oudere modellen en verbruikten veel te veel benzine. Aan de stevige bumpers en aan de boven het rechter voorspatbord gemonteerde benzinedop – vóór die tijd moest men de koffer openen om te kunnen tanken – herkende men de wagens van na augustus 1967.

Aantal cilinders: 4
Cilinderinhoud in cm³: 1285 en 1493
Vermogen: 40/4000 en 44/4000
Topsnelheid in km/uur: 125
Carrosserie/Chassis: centrale buis
Uitvoering: coach
Productiejaren: 1965-1973 en 1966-1970
Productie-aantallen: 2.726.154 en 1.888.282
In NL: n.b.
Prijzen: A: 700 B: 2.000 C: 3.600

VW 1302 & 1303

In augustus 1970 breidde Volkswagen zijn programma uit met de 1302, waaruit twee jaren later de 1303 met een bolle voorruit en een ander dashboard groeide. De nieuwe wagen had een 2 cm langere wielbasis en een 1,5 cm langere neus die, samen met een nieuwe vooras, voor een grotere kofferruimte en een betere wegligging zorgde. Men herkent deze series aan hun minder spitse kofferdeksel. Onder jongere klassiekerliefhebbers zijn de typen met bolle voorruit het meest geliefd. De vermelde prijzen gelden voor dit model.

Aantal cilinders: 4
Cilinderinhoud in cm³: 1285 en 1584
Vermogen: 44/4100 en 50/4000
Topsnelheid in km/uur: 125-135
Carrosserie/Chassis: centrale buis
Uitvoering: coach
Productiejaren: 1970-1975
Productie-aantallen: 1302: zie hiervoor; 1303: 916.713
In NL: n.b.
Prijzen: A: 700 B: 2.500 C: 3.900

VW CABRIOLET KARMANN

Op de tentoonstelling in Hannover presenteerde de carrossier Karmann uit Osnabrück zijn cabrioletuitvoering van de Kever. De wagen werd in 1949 in productie genomen en vanaf dat moment ook bij Karmann gebouwd. Tot in 1980 en precies 331.847 maal. Technisch was de cabriolet natuurlijk identiek aan de Kever. Hij kreeg dezelfde verbeteringen en niet alleen wat het mechaniek betreft, maar ook wat de carrosserie aanging. Dit was de reden dat de open wagen zo goed verkocht werd: hij was even betrouwbaar als de Kever. Prijzen voor bolle voorruit.

In NL: n.b.
Prijzen: A: 2.700 B: 5.900 C: 9.500

VW HEBMÜLLER CABRIOLET

Deze sportieve cabriolet was een idee van de Engelse kolonel Radclyffe, de opperbevelhebber in Niedersachsen, die de wagen zo voor zichzelf liet bouwen. Ook Heinrich Nordhoff vond het een mooie auto en daarom kreeg de firma Hebmüller in 1949 de opdracht de auto's in serie te gaan maken. Veel exemplaren konden niet geleverd worden, want nog in hetzelfde jaar werd het familiebedrijf door een brand volkomen verwoest. Karmann in Osnabrück bouwde er nog een klein aantal van veertien stuks.

Aantal cilinders: 4
Cilinderinhoud in cm³: 1131
Vermogen: 25/3300
Topsnelheid in km/uur: 105
Carrosserie/Chassis: centrale buis
Uitvoering: cabriolet
Productiejaren: 1949-1953
Productie-aantal: 696
In NL: n.b.
Prijzen: A: 11.300 B: 18.200 C: 27.200

VW SAMBA

In 1950 debuteerde de bus van VW en als speciaal model was er een met zitplaatsen voor acht personen, deur- en hemelbekleding, asbak, matten, zonnekleppen, kledinghaken en een heus dashboard. In juni 1951 bracht men de plexiglas ruitjes in het dak aan en het grote vouwdak en vervolgens kreeg het type een eigen naam: Samba. Uitgevoerd in twee kleuren en van extra chroom voorzien. De luxe bus volgt de evolutie van de overige bussen. Als in '67 de nieuwe bus verschijnt, verdwijnt de Samba uit het programma. Een pure personenwagen en daarmee de tijd van de MPV's ver vooruit.

Aantal cilinders: 4
Cilinderinhoud in cm³: 1131-1493
Vermogen: 25/3300-44/4000
Topsnelheid in km/uur: 80-105
Carrosserie/Chassis: afzonderlijk chassis
Uitvoering: bus
Productiejaren: 1951-1967
Productie-aantal: n.b.
In NL: n.b.
Prijzen: A: 3.200 B: 7.300 C: 11.300

VW KARMANN-GHIA (TYPE 14) COUPÉ

Het idee om het Kever-chassis van een speciale carrosserie te voorzien, was niet nieuw. Ook de Turijnse firma Ghia ontwierp een dergelijke wagen en toen Wilhelm Karmann hem onder ogen kreeg, was hij zo onder de indruk dat hij het Volkswagen-management wist te overtuigen de auto in serie te gaan bouwen. Karmann in Osnabrück bouwde de carrosserieën. Evenals de VW Kever werd ook dit model steeds technisch aangepast en verbeterd.

Aantal cilinders: 4
Cilinderinhoud in cm³: 1192, 1285, 1493 en 1584
Vermogen: 34/3600-54/4000
Topsnelheid in km/uur: 110-140
Carrosserie/Chassis: centrale buis
Uitvoering: coupé
Productiejaren: 1955-1974
Productie-aantal: 364.401
In NL: 330
Prijzen: A: 1.800 B: 4.500 C: 7.300

VW KARMANN-GHIA (TYPE 14) CABRIOLET

De Kever was er al jaren als cabriolet en vanaf '55 in de gedaante van de Karmann-Ghia ook als coupé. Een synthese van beide modellen zou beslist kopers trekken en in september '57 toonde VW de open versie van de Karmann. Voor DM 750,– meer had je een prachtige cabriolet met een waterdichte en strak passende softtop. Het enige nadeel was het nog beperktere zicht naar achteren als de kap dicht was. De ontwikkelingen liepen hier ook parallel aan de overige modellen. De coupé was succesvoller, maar de cabrio (volgens velen) mooier en zeldzamer.

Aantal cilinders: 4
Cilinderinhoud in cm³: 1192, 1285, 1493 en 1584
Vermogen: 34/3600-54/4000
Topsnelheid in km/uur: 110-140
Carrosserie/Chassis: centrale buis
Uitvoering: cabriolet
Productiejaren: 1957-1974
Productie-aantal: 80.899
In NL: zie hiervoor
Prijzen: A: 3.600 B: 8.200 C: 11.800

VW KARMANN-GHIA (TYPE 34)

Het recept van de grote Karmann-Ghia was hetzelfde geweest als dat van de eerste uitvoering, maar het succes was anders. Misschien lag het aan de minder aantrekkelijke carrosserie die weer van Ghia stamde? In 1961 werd de wagen in productie genomen, als coupé, want er zijn maar 17 cabriolets verschenen. Acht jaar lang bleef de wagen in de handel, maar er werden slechts 42.505 exemplaren verkocht. Technisch waren deze auto's identiek aan de VW 1500/1600 uit die periode, zie voor technische gegevens aldaar.

In NL: 20
Prijzen: A: 1.600 B: 4.100 C: 6.400

VW 1500 & 1600 (TYPE 3)

In het concept verschilde de 'grote Volkswagen' niet veel van de Kever. Hij deelde de versnellingsbak en de achteras en had ook een luchtgekoelde motor achterin. Deze boxer was zo vlak en laag gebouwd dat er een extra kofferruimte onder de motorkap ontstaan was. Behalve de normale VW 1500 was er nog een S-uitvoering met 54 pk en een VW 1600. Nu is de fastback-uitvoering, de 1600 TL (in Duitsland toen 'Traurige Lösung' genaamd), de meest gezochte uit deze serie. Van de cabriolet zijn er slechts twaalf gebouwd.

Aantal cilinders: 4
Cilinderinhoud in cm³: 1493 en 1584
Vermogen: 45/3800, 54/4200 en 54/4000
Topsnelheid in km/uur: 130-140
Carrosserie/Chassis: centrale buis
Uitvoering: coach, fastback en stationcar
Productiejaren: 1961-1973
Productie-aantal: 2.584.904
In NL: n.b.
Prijzen: A: 450 B: 1.500 C: 2.700

VW 181

Officieel heet de VW 181 'Mehrzweck-Fahrzeug/Kurierwagen' want hij zou zowel voor het Duitse leger als voor het grote publiek gebouwd worden. De wagen was spartaans uitgerust met plastic en primitieve bekleding. Maar ondanks dat was de wagen redelijk geliefd. Hij was robuust, kon tegen een stootje en reed als het moest ook door niet al te wild terrein. En dan, waar vind je nog een cabriolet voor die prijs, want in de Duitse legerdumps worden ze nog goedkoop aangeboden. In Mexico zijn ze een jaar langer geproduceerd.

Aantal cilinders: 4
Cilinderinhoud in cm³: 1493 en 1584
Vermogen: 44/4000, 44/3800 en 48/4800
Topsnelheid in km/uur: 115
Carrosserie/Chassis: centrale buis
Uitvoering: cabriolet
Productiejaren: 1969-1978
Productie-aantal: 90.883
In NL: n.b.
Prijzen: A: 1.400 B: 3.200 C: 5.000

VW 411 & 412

'Mooi is hij niet, maar ijzersterk,' een bekende uitdrukking die wel past bij de VW 411 die vooral op de voorste helft van zijn carrosserie niet trots kon zijn. Dit euvel werd verbeterd in de 412 die er toen vooral als stationcar aantrekkelijk uitzag. Technisch waren de wagens interessant want de 'E' uitvoering had een elektronisch benzine-inspuitsysteem waarmee het (hoge) benzineverbruik van de Volkswagens verminderd werd. Het was VW's eerste sedan. Vanaf '73 was er de 1,8 liter motor.

Aantal cilinders: 4
Cilinderinhoud in cm³: 1679 en 1795
Vermogen: 68/4500 tot 85/5000
Topsnelheid in km/uur: 145-160
Carrosserie/Chassis: zelfdragend
Uitvoering: coach, sedan en stationcar
Productiejaren: 1968-1972 en 1972-1974
Productie-aantal: 355.163
In NL: n.b.
Prijzen: A: 450 B: 1.100 C: 2.000

VW K 70

Eigenlijk zou deze wagen als NSU K 70 op de markt komen want tenslotte had NSU de auto ontwikkeld. Maar toen de Auto Union, die sinds 1965 aan VW behoorde, met NSU samensmolt, stopte Volkswagen de presentatie van de K 70 voorlopig. Pas later kwam de wagen, nu als Volkswagen K 70, uit. Met zijn voorwielaandrijving en een watergekoelde lijnmotor voorin, was de K 70 niet direct dat wat men van een Volkswagen gewend geweest was. De wagen werd in een nieuwe fabriek in Salzgitter gebouwd. Kent kleine schare liefhebbers.

Aantal cilinders: 4
Cilinderinhoud in cm³: 1605 en 1807
Vermogen: 75/5200, 90/5200 en 100/5300
Topsnelheid in km/uur: 150-165
Carrosserie/Chassis: zelfdragend
Uitvoering: sedan
Productiejaren: 1970-1975
Productie-aantal: 211.127
In NL: 85
Prijzen: A: 450 B: 1.400 C: 2.300

VW SP-1 & SP-2

In de VW-fabriek in het Braziliaanse Sao Bernando do Campo ontwikkelde men zelfstandig de VW Esporte, ofwel de SP. Vanaf zomer '72 bood men deze fraaie sportcoupé op de bodemgroep van een VW 1600 aan met twee motoren. De vrij luxueus afgewerkte SP werd bij Karmann in Brazilië van een carrosserie voorzien en in de VW-fabriek in een van de vijf leverbare kleuren gespoten. De SP-2 had niet alleen de grotere motor maar ook meer luxe, zelfs tot optionele leren bekleding toe. Van de ruim 10.000 SP's zijn er 681 officieel geëxporteerd. Met name naar Nigeria (155), Koeweit (90) en Zaïre (80).

Aantal cilinders: 4
Cilinderinhoud in cm³: 1584 en 1678
Vermogen: 54/4200 en 65/4600
Topsnelheid in km/uur: 150 en 160
Carrosserie/Chassis: centrale buis
Uitvoering: coupé
Productiejaren: 1972-1975
Productie-aantal: 10.193
In NL: 3
Prijzen: A: 2.300 B: 4.500 C: 6.800

VW GOLF 1 CABRIOLET

Net als de Kever cabriolet wordt de open Golf bij Karmann in Osnabrück gebouwd. Vanaf '78 is hij er en dus overlappen de beide open VW's elkaar. De Golf wordt over het algemeen minder mooi gevonden en in Duitsland krijgt hij al gauw de bijnaam aardbeienmandje, vanwege de beugel. Vreemd genoeg volgt de cabrio de evolutie van de gesloten Golf niet, want tot '93 – als de Golf III verschijnt – blijft het eerste type in productie. Hoewel minder gewaardeerd, heeft de Golf de Kever in aantal verslagen.

Aantal cilinders: 4
Cilinderinhoud in cm³: 1093-1781
Vermogen: 70/5600-112/5800
Topsnelheid in km/uur: 153-180
Carrosserie/Chassis: zelfdragend
Uitvoering: cabriolet
Productiejaren: 1978-1993
Productie-aantal: 392.000
In NL: n.b.
Prijzen: (<'85) A: 2.000 B: 3.900 C: 5.700

VW GOLF 1 GTi 1976-1979

Een zeer jonge auto waar al volop liefhebbers voor zijn, is de Golf GTi van de eerste serie, dus met de kleine bumpers. Over die eerste serie zijn al boeken geschreven, er zijn al GTi-clubs opgericht en daardoor gaan de prijzen voor mooie exemplaren omhoog. De GTi zit natuurlijk in de carrosserie van de Golf en daarom vindt men de verschillen in de details. Zoals in de motor die door een K-Jetronic benzine-inspuitsysteem van Bosch aan zijn extra paarden geholpen wordt. We kunnen zeggen dat deze snelle Golf een nieuwe categorie auto's heeft ingeleid.

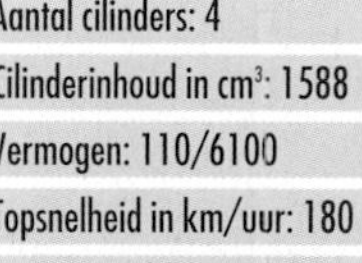

Aantal cilinders: 4
Cilinderinhoud in cm³: 1588
Vermogen: 110/6100
Topsnelheid in km/uur: 180
Carrosserie/Chassis: zelfdragend
Uitvoering: coach
Productiejaren: 1976-1979
Productie-aantal: ca. 125.000
In NL: n.b.
Prijzen: A: 1.400 B: 2.700 C: 4.100

VW SCIROCCO 1

In december 1992 werd de Scirocco uit de fabricage genomen. Bijna 20 jaar was de auto in productie geweest en in totaal waren er 800.000 stuks van verkocht. De wagen was in maart 1974 op de markt gekomen als sportieve VW. Niemand anders dan de beroemde designer Giugiaro had de carrosserie getekend, die bij Karmann in Osnabrück gebouwd werd. De driedeurs wagen kon meteen al met drie motorvarianten geleverd worden, alle hadden ze een bovenliggende nokkenas, alle stonden ze dwars onder de motorkap, waren ze 20 graden gekanteld en dreven ze de voorwielen aan.

Aantal cilinders: 4
Cilinderinhoud in cm³: 1093-1588
Vermogen: 50/6000-85/5800
Topsnelheid in km/uur: 145-175
Carrosserie/Chassis: zelfdragend
Uitvoering: hatchback
Productiejaren: 1974-1981
Productie-aantal: 504.196
In NL: n.b.
Prijzen: A: 700 B: 2.000 C: 3.000

VW SCIROCCO 1 GTi

Nadat de Golf een ingespoten motor gekregen had, kon de Scirocco niet achterblijven en zo stond de GTi-uitvoering in juni 1976 in de showrooms. Uiterlijk was het weer een schaap in wolfskleren want het was moeilijk de wagen van een gewone Scirocco te onderscheiden. Het geheim zat hem dus weer in de motor, die dezelfde was als in de Golf GTi. De auto stond op 175/70 HR 13 banden en had schijfremmen aan de voorwielen. Er zullen weinig goede, originele exemplaren over zijn.

Aantal cilinders: 4
Cilinderinhoud in cm³: 1588
Vermogen: 110/6100
Topsnelheid in km/uur: 185
Carrosserie/Chassis: zelfdragend
Uitvoering: hatchback
Productiejaren: 1976-1981
Productie-aantal: n.b.
In NL: n.b.
Prijzen: A: 900 B: 2.000 C: 3.400

VOLVO

De naam 'Volvo' – Latijn voor 'ik rol' – werd rond 1890 gebruikt. Toen niet in verband met een automobiel maar als handelsnaam voor een fabriek in rol- en kogellagers. De naam Volvo verdween, maar werd door de heren Assar Gabrielsson en Gustaf Larson in 1927 weer in het leven geroepen. Zij bouwden in Göteborg een fabriek voor automobielen waar al gauw de eerste Volvo's uitrolden, die uiteindelijk wereldfaam zouden verwerven.

VOLVO PV 444

'Wij willen een kleine auto bouwen maar geen zeepkist,' sprak Assar Gabrielsson en Helmer Petterson ging aan het werk. Het resultaat stond al gauw op zijn wielen en heette PV 444, met de PV voor 'personvagn', de eerste '4' voor 4 zitplaatsen en de '44' voor het bouwjaar 1944. Na de oorlog, in '47, kwam de productie pas op gang. Volvo maakte meer dan andere autofabrikanten op grote schaal gebruik van onderdelen van toeleveranciers. In '55 wijken de twee kleine achterruitjes voor een grotere ruit. Een zeer sterke wagen met veel 'overlevers'.

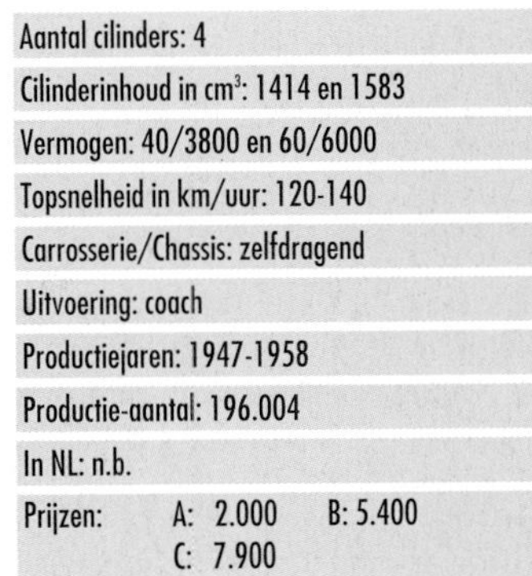

Aantal cilinders: 4
Cilinderinhoud in cm³: 1414 en 1583
Vermogen: 40/3800 en 60/6000
Topsnelheid in km/uur: 120-140
Carrosserie/Chassis: zelfdragend
Uitvoering: coach
Productiejaren: 1947-1958
Productie-aantal: 196.004
In NL: n.b.
Prijzen: A: 2.000 B: 5.400 C: 7.900

VOLVO PV 544

In 1958 loste de PV 544 zijn voorganger af. Hij bood nu ruimte aan vijf personen, had een nieuw dashboard en een voorruit die uit één stuk glas bestond. Voor 1961 werden er belangrijke modificaties aangebracht, want toen kregen de wagens – ze hadden bewezen ook als rally-auto heel goed bruikbaar te zijn – een nieuwe motor en een 12- i.p.v. 6-volts installatie. De B 18-motor had nu vijf hoofdlagers, terwijl de B-16 er maar drie gehad had. De 544 heeft bewezen een uiterst robuuste wagen te zijn die erg lang mee kan gaan, net als zijn voorganger.

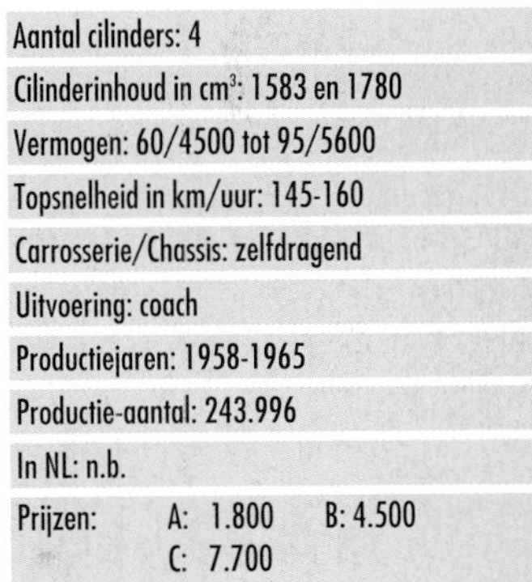

Aantal cilinders: 4
Cilinderinhoud in cm³: 1583 en 1780
Vermogen: 60/4500 tot 95/5600
Topsnelheid in km/uur: 145-160
Carrosserie/Chassis: zelfdragend
Uitvoering: coach
Productiejaren: 1958-1965
Productie-aantal: 243.996
In NL: n.b.
Prijzen: A: 1.800 B: 4.500 C: 7.700

VOLVO 445 & 210 (DUETT)

De stationcar die op de basis van de Kattenrug gebouwd werd, was op vele punten anders geconstrueerd dan de personenwagen. De Duett, omdat hij zowel voor het beroep als voor het plezier te gebruiken was, kwam in 1953 uit en stond op een separaat en heel stevig chassis. In de periode '49-'53 bouwden derden de stationcar en Volvo zelf dus niet. Hij zou lang in productie blijven maar kwam technisch steeds een paar stappen achter de gewone versie aan. Na 1960 heette hij officieel P 210 en in 1962 kreeg hij de B 18-motor ingebouwd.

Aantal cilinders: 4
Cilinderinhoud in cm³: 1414, 1583 en 1780
Vermogen: 60/4500 en 75/5600
Topsnelheid in km/uur: 140-150
Carrosserie/Chassis: afzonderlijk chassis
Uitvoering: stationcar
Productiejaren: 1953-1960 en 1960-1969
Productie-aantallen: 41.790 en 55.508
In NL: n.b.
Prijzen: A: 1.400 B: 3.900 C: 6.800

VOLVO P1900

Voorgesteld werd deze prachtige sportwagen al in juni 1954 maar de productie, als men al van een productie kan spreken, volgde pas in 1956. De wagen was opgebouwd met PV 444 onderdelen maar had een kunststof carrosserie. Dit materiaal gaf de constructeurs dermate veel problemen die ze niet onder de knie kregen, dat Gunnar Engellau, de toenmalige big boss, de wagen na een lange proefrit uit productie nam. De wagen werd ontwikkeld in samenwerking met de Amerikaanse glasfiberpionier Glasspar.

Aantal cilinders: 4
Cilinderinhoud in cm³: 1414
Vermogen: 70/6000
Topsnelheid in km/uur: 155
Carrosserie/Chassis: kunststof op een buizenchassis
Uitvoering: cabriolet
Productiejaren: 1956-1957
Productie-aantal: 67
In NL: n.b.
Prijzen: A: 9.100 B: 14.700 C: 22.700

VOLVO 121 & 131

Volvo's jonge chef-designer Jan Wilsgaard tekende de Amazon, die het programma naast de Kattenrug moest aanvullen en bovenal de export flink in gang zetten. De auto zou niet alleen een prima gezinsauto worden, maar tevens een prima rally- en race-auto. Technisch bleef hij lang onderdelen van zijn voorganger behouden. De wagen was eerst alleen als sedan leverbaar. In 1961 kwam er een coach bij en in 1962 kon men hem ook als ruime stationcar bestellen. De '121' had steeds een motor met één carburateur. De auto is nooit uit het straatbeeld verdwenen.

Aantal cilinders: 4
Cilinderinhoud in cm³: 1583, 1780 en 1990
Vermogen: 60/4500 tot 90/5000
Topsnelheid in km/uur: 140-160
Carrosserie/Chassis: zelfdragend
Uitvoering: coach en sedan
Productiejaren: 1957-1970
Productie-aantal: 594.126
In NL: n.b.
Prijzen: A: 1.400 B: 3.600 C: 6.100

VOLVO 221 & 222

In 1962 kon de Volvo-klant de 121 ook als stationcar bestellen onder de type-aanduiding 221. De wagen bood een zee van ruimte, was oerdegelijk en sterk genoeg om door de week als bestelwagen en de weekeinden als gezinsauto te dienen. De gedeelde achterklep bood enkele voordelen. De stationcar kreeg dezelfde verbeteringen als de sedan en werd dan ook steeds beter. Tegenwoordig zeer geliefd als praktische klassieker voor dagelijks gebruik. Prijzen stijgen daarom jaarlijks, zeker als het wagens betreft die in perfecte staat zijn.

Aantal cilinders: 4
Cilinderinhoud in cm³: 1780 en 1990
Vermogen: 70/4500-90/5000
Topsnelheid in km/uur: 135-155
Carrosserie/Chassis: zelfdragend
Uitvoering: stationcar
Productiejaren: 1962-1969
Productie-aantal: 73.197
In NL: n.b.
Prijzen: A: 1.800 B: 5.400 C: 8.200

VOLVO 122 S & 132

Bij zijn introductie noemde Volvo deze wagen nog Amazon, tot de motorfietsfabrikant Kreidler, die de naam had laten patenteren, bezwaar maakte. En zo viel men op de Volvo-interne naam, P 120, terug. De Amazon S met zijn sterke 85 pk-motor met twee carburateurs werd vanaf dat moment de 122 S, met de 'S' voor sport. Evenals de 121 kreeg ook dit model in 1961 de veel betere vijfmaal gelagerde B 18-motor die in 1968 op zijn beurt door de B 20-motor werd vervangen. De Amazon is een uitstekende klassieker voor dagelijks gebruik.

Aantal cilinders: 4
Cilinderinhoud in cm³: 1583; 1780 en 1990
Vermogen: 85/4500 tot 118/4700
Topsnelheid in km/uur: 145-170
Carrosserie/Chassis: zelfdragend
Uitvoering: coach en sedan
Productiejaren: 1958-1970
Productie-aantal: zie 121 & 131
In NL: n.b.
Prijzen: A: 1.800 B: 4.100 C: 6.800

VOLVO 123 GT

De ster uit de 120-serie was de 123 GT. Deze wagen had de 115 pk-motor die eigenlijk alleen voor de 1800 S sportwagen bedoeld was. In 1968 kreeg hij voor de landen waar hij nog verkocht werd de B 20-motor ingebouwd en steeds waren de viercilinders gecombineerd met een vierversnellingsbak met elektrische overdrive. Een sportstuur, twee mistlampen en een boven op het dashboard gemonteerde toerenteller behoorden eveneens tot de luxueuze standaarduitrusting. Dat deze GT tot de meest gezochte Volvo's behoort, is zeker. Kijk uit voor namaak-GT's.

Aantal cilinders: 4
Cilinderinhoud in cm³: 1778 en 1990
Vermogen: 96/5600 en 100/5500
Topsnelheid in km/uur: 170
Carrosserie/Chassis: zelfdragend
Uitvoering: coach
Productiejaren: 1967-1969
Productie-aantal: ca. 2.500
In NL: n.b.
Prijzen: A: 2.500 B: 5.400 C: 9.500

VOLVO 142 & 144

Toen de Amazon er ouderwets uit begon te zien kwam de 140-serie op de markt. De carrosserie was eenvoudiger maar bood meer ruimte en een grotere kofferruimte. Zoals bij de vorige modellen mogelijk was geweest, had de klant ook nu weer de keuze uit twee varianten – met één of twee carburateurs (als S). Later kwamen er uitvoeringen met sterkere injectiemotoren (tot 124 pk) bij en de GL die een luxueuzer interieur had. Optisch veranderden de wagens in de loop der jaren maar weinig. De laatste paar jaar stijgt de 140-serie in populariteit.

Aantal cilinders: 4
Cilinderinhoud in cm³: 1780 en 1986
Vermogen: 75/4700-124/6000
Topsnelheid in km/uur: 145-180
Carrosserie/Chassis: zelfdragend
Uitvoering: coach en sedan
Productiejaren: 1966-1974
Productie-aantallen: 413.006 en 523.808
In NL: 650
Prijzen: A: 1.100 B: 2.000 C: 4.100

VOLVO 145

Dit was de stationcar-uitvoering van de 140-serie. In zijn klasse bood hij waarschijnlijk de meeste ruimte. Hoewel de 140 ook in België gebouwd werd, kwamen alle 145's uit Zweden en daar zijn de liefhebbers blij mee. Er was ook een 145 Express met een vaste imperiaal boven de voorbank en een verhoogd dak. Ook hier een ruime keuze aan motoren waarvan de tweeliter in 1974 ook met elektronische benzine-inspuiting van Bosch ter beschikking stond. In de 145 De Luxe stond een S-motor met 100 pk en de Grand Luxe had het injectiesysteem.

Aantal cilinders: 4	
Cilinderinhoud in cm³: 1985	
Vermogen: 82/4700-115/6000	
Topsnelheid in km/uur: 150-170	
Carrosserie/Chassis: zelfdragend	
Uitvoering: stationcar	
Productiejaren: 1967-1974	
Productie-aantal: 268.327	
In NL: 340	
Prijzen:	A: 1.100 B: 3.400 C: 5.400

VOLVO 164 & 164 E

Met een langere wielbasis en daardoor een grotere lengte presenteerde de 164 zich in augustus 1968. Met dit topmodel drong Volvo door in de Mercedes- en Jaguar-klasse. De wagen bood niet alleen een zee van ruimte maar ook veel luxe. Zo hadden vrijwel alle exemplaren leren bekleding, stuurbekrachtiging en een overdrive. Een automatische versnellingsbak stond natuurlijk ook ter beschikking. Toen de wagen met een 175 pk motor geleverd werd, kon men over de topsnelheid ook niet meer zeuren. Het verbruik mag fors heten, maar het is een heerlijke wagen.

Aantal cilinders: 6	
Cilinderinhoud in cm³: 2978	
Vermogen: 145/5000 en 175/5500	
Topsnelheid in km/uur: 180-192	
Carrosserie/Chassis: zelfdragend	
Uitvoering: sedan	
Productiejaren: 1968-1975	
Productie-aantal: 146.008	
In NL: 1.000	
Prijzen:	A: 1.600 B: 3.900 C: 8.200

VOLVO P 1800, 1800 S & 1800 E

Toen Volvo zijn nieuwe B-18 motor klaar had, verscheen hij voor het eerst in een nieuwe sportwagen. Met de P 1800 nam Volvo een tweede aanloop in het sportwagenavontuur en niet iedereen kon daar gelukkig mee zijn. Debet daaraan was de carrosserie die door Per Petterson – hij werkte toen voor Frua – getekend was en die niet iedereen even mooi kon vinden. Desondanks werd de snelle toerwagen goed verkocht. Mede dank zij het feit dat Simon Templar in de serie The Saint in een dergelijke Zweed reed.

Aantal cilinders: 4
Cilinderinhoud in cm³: 1780 en 1986
Vermogen: 90/5500 en 124/6000
Topsnelheid in km/uur: 165-185
Carrosserie/Chassis: zelfdragend
Uitvoering: coupé
Productiejaren: 1961-1972
Productie-aantal: 34.907
In NL: n.b.
Prijzen: A: 3.600 B: 6.800 C: 9.100

VOLVO 1800 ES

Tegen het eind der jaren zestig stond men bij Volvo voor een probleem: de P 1800 moest gemoderniseerd worden, maar dit mocht niet te veel geld kosten. De oplossing vond Jan Wilsgaard in de vorm van de 1800 ES die van de sportwagen een sport-wagon maakte. Het vele glas in de achterkant van de wagen viel op en daarom noemde men de wagen al heel gauw 'de kist van Sneeuwwitje'. De ES is momenteel een prijzige klassieker. Weer een auto die men graag uit de VS terughaalt. De latere 480 ES is erdoor geïnspireerd.

Aantal cilinders: 4
Cilinderinhoud in cm³: 1986
Vermogen: 124/6000
Topsnelheid in km/uur: 185
Carrosserie/Chassis: zelfdragend
Uitvoering: sportswagon
Productiejaren: 1971-1973
Productie-aantal: 8.077
In NL: 160
Prijzen: A: 4.500 B: 7.900 C: 12.500

VOLVO 240 & 260

De 240 was uit de 140-serie ontstaan en had een nieuwe motor gekregen. Om de wagen 'geheel nieuw' te maken, werd de voorkant tot aan de voorruit nieuw getekend. Hij kwam in augustus 1974 uit en werd een van de meest verkochte auto's in Zweden. Ten opzichte van de 140 was hij technisch veel verbeterd met een nieuwe vooras van het McPherson-principe en een nieuwe motor met een bovenliggende nokkenas. Een topper is de GT van '78/'79. De 260 had de V6 van Peugeot-Renault-Volvo onder de kap.

Aantal cilinders: 4 en V6
Cilinderinhoud in cm³: 1986-2849
Vermogen: 82/4700-155/5500
Topsnelheid in km/uur: 145-195
Carrosserie/Chassis: zelfdragend
Uitvoering: coach, sedan en stationcar
Productiejaren: 1974-1993 en 1974-1985
Productie-aantallen: 2.685.171 en 170.780
In NL: n.b.
Prijzen: (1e jaren) A: 450 B: 1.400 C: 2.600

VOLVO 264 TOP EXECUTIVE

Voor hooggeplaatste functionarissen en andere Vips bouwde Bertone voor Volvo de 264 TE. De Italiaan had op basis van de 164 al dergelijke limousines afgeleverd, maar de 264 TE kwam als eerste als zodanig in de Volvo-folders terecht. De DDR-Stasi zou tien procent van de productie hebben gekocht, verder had de luchtvaartmaatschappij SAS er een twintigtal en vele Zweedse ambassades hadden er een tot hun beschikking. Het bleef echter een zeldzame auto en de huidige internationale vraagprijzen voor zeer goede exemplaren liegen er niet om.

Aantal cilinders: V6
Cilinderinhoud in cm³: 2664-2849
Vermogen: 121/5000-155/5500
Topsnelheid in km/uur: 160-175
Carrosserie/Chassis: zelfdragend
Uitvoering: limousine
Productiejaren: 1975-1982
Productie-aantal: n.b.
In NL: n.b.
Prijzen: A: 3.200 B: 9.100 C: 15.900

VOLVO 262 C

In samenwerking met de mensen van Carrozzeria Bertone ontwikkelde Volvo's designer, Jan Wilsgaard, een luxe coupé op de basis van de Volvo 260. De carrosserie van de 262 C werd bij Bertone in Italië gemaakt. Hij werd daar gespoten en van een interieur voorzien voordat hij naar Zweden getransporteerd werd voor de eindmontage. De 262 C was een luxe automobiel. Hij had in zijn standaarduitvoering bijvoorbeeld elektrische, gekleurde zijruiten, elektrisch verwarmde voorstoelen, veel leer en notenhout en dan natuurlijk een automaat, bekrachtigde remmen en dito stuurinrichting.

Aantal cilinders: V6
Cilinderinhoud in cm³: 2664
Vermogen: 140/6000
Topsnelheid in km/uur: 170
Carrosserie/Chassis: zelfdragend
Uitvoering: coupé
Productiejaren: 1977-1981
Productie-aantal: 6.622
In NL: 90
Prijzen: A: 3.400 B: 6.800 C: 8.600

VOLVO 480

Hoewel Volvo vier verschillende ontwerpers aan de nieuwe sportieveling zette, ging het Nederlandse team met de eer strijken. De 480 vertoont sterke invloeden van de 1800 ES van weleer. Eind '85 was de wagen productierijp en er volgden versies als de ES, de goedkopere S en de snelle Turbo. In 1993 kwam de tweeliter motor erin, behalve bij de Turbo-versie. In datzelfde jaar kwam er een GT uit. Een cabriolet is er alleen als prototype. In '95 was het gedaan met de opvallende Zweed. De vermelde prijzen gelden voor de oudere typen ES. Een jonge GT-turbo kost meer dan het dubbele.

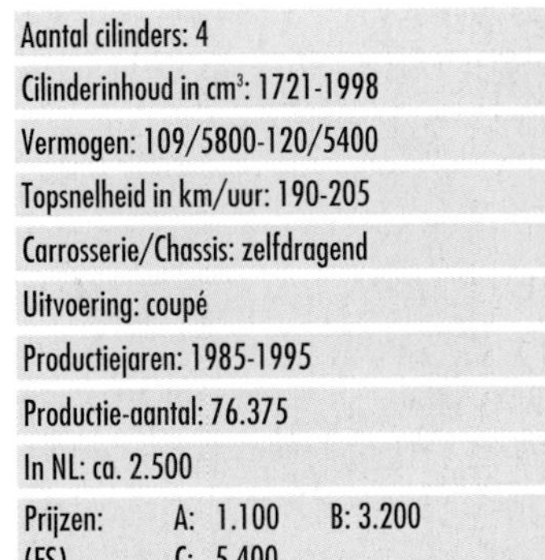

Aantal cilinders: 4		
Cilinderinhoud in cm³: 1721-1998		
Vermogen: 109/5800-120/5400		
Topsnelheid in km/uur: 190-205		
Carrosserie/Chassis: zelfdragend		
Uitvoering: coupé		
Productiejaren: 1985-1995		
Productie-aantal: 76.375		
In NL: ca. 2.500		
Prijzen: (ES)	A: 1.100 C: 5.400	B: 3.200

VOLVO 780

De 262 coupé van Bertone was geen groot succes geweest en na vier coupéloze jaren mocht Bertone op basis van de 760 een nieuwe creatie maken met twee deuren. Het werd de 780. Natuurlijk zat in de wagen weer volop luxe en de klant kon kiezen tussen twee zescilinders. Er kwam ook een dieselversie met een snellere variant van de 760 Turbo-motor. Nog weer later was er ook een benzinemotor met turbo leverbaar buiten Zweden zelf. De 780 werd evenmin een groot succes en na ruim 11.600 stuks stopte de productie.

Aantal cilinders: 4, 6 en V6		
Cilinderinhoud in cm³: 1986-2316 en 2383-2849		
Vermogen: 122/4800-188/5100		
Topsnelheid in km/uur: 175-200		
Carrosserie/Chassis: zelfdragend		
Uitvoering: coupé		
Productiejaren: 1986-1991		
Productie-aantal: 11.645		
In NL: n.b.		
Prijzen:	A: 2.300 C: 6.800	B: 4.500

WARSZAWA

De Fabryka Samochodow Osobowych werd in 1951 opgericht. Men bouwde Russische auto's zoals de Pobjeda en de Volga in licentie om ze naar Oost- en Westblok-landen te exporteren. De Poolse uitvoeringen leverden betere prestaties dan de Russische auto's. Ze waren iets lichter gebouwd en de motoren leverden meer vermogen door de montage van andere carburateurs, inlaatspruitstukken en veranderingen in de cilinderkop.

WARSZAWA M 20

Een licentieproduct van de Russische Pobjeda is de Poolse Warszawa, die vanaf '51 in de FSO-fabriek te Warschau van de band liep. Aanvankelijk is de grille het enige verschil tussen beide wagens. De motor en de carrosserie werden uit Rusland geïmporteerd. Na '55 werd de wagen geheel Pools. De M 20-1 had een zijklepmotor die in de M 20-2 door een kopklepper is vervangen. In 1965 verdwijnt de fastback en volgt de M 20-3. Helaas zijn het matig gebouwde wagens met een dubieuze betrouwbaarheid. Het afgebeelde exemplaar is totaal gerestaureerd.

Aantal cilinders: 4		
Cilinderinhoud in cm³: 2120		
Vermogen: 50/3600-70/4000		
Topsnelheid in km/uur: 115-130		
Carrosserie/Chassis: afzonderlijk chassis		
Uitvoering: sedan en stationcar		
Productiejaren: 1951-1965		
Productie-aantal: n.b.		
In NL: n.b.		
Prijzen:	A: 450 C: 1.800	B: 900

WARSZAWA M 20-3

Uit de 'Sedannette'-achtige M 20-1 en -2 groeide in 1965 de M 20-3. Technisch was er volop vooruitgang: een zelfdragende carrosserie en onafhankelijke voorwielophanging. De ronde rug verdween voor een heuse kofferbak van flink formaat. Het waren sterke wagens want nog steeds zijn ze niet uit het Poolse verkeer geweken. Een miniatuurversie werd als tweetakt Syrena aangeboden (zie Syrena). Beide typen zijn zelden tot nooit in West-Europa te zien, maar ook niet veel in de overige Oostbloklanden. Valt in Polen nog voor weinig geld te vinden.

Aantal cilinders: 4
Cilinderinhoud in cm³: 2120
Vermogen: 70/4000
Topsnelheid in km/uur: 125
Carrosserie/Chassis: zelfdragend
Uitvoering: sedan en stationcar
Productiejaren: 1965-1974
Productie-aantal: n.b.
In NL: n.b.
Prijzen: A: 400 B: 800 C: 1.400

WARTBURG (MET EMW)

Na de Tweede Wereldoorlog lagen de steden Chemnitz, Zwickau en Eisenach, voor die tijd centra der Duitse automobielindustrie, in de Russische zone van Duitsland. Die werd op 7 oktober 1949 de DDR. En weer werden er auto's gebouwd. In Eisenach controleerde de Russische SAG Awtovelo de EMW (Eisenacher Motoren-Werke) die in 1952 omgedoopt werd in de VEB (Volkseigene Betrieb) Automobilwerk Eisenach (AWE). Na de zescilinder EMW bouwde men hier de IFA F9 die eigenlijk de driecilinder DKW had moeten worden, waaruit dan de Wartburg groeide.

WARTBURG 311 & 312 SEDAN

Het oorspronkelijk chassis van DKW was groot en sterk genoeg om er verschillende interessante carrosserieën op te bouwen. Zo ontstonden er niet alleen driedeurs stationcars die voor vele doeleinden te gebruiken waren, maar ook sedans, cabrio's en coupés. Zelfs 800 pick-ups verlieten de fabriek. In 1962 verscheen de 312-serie met een nieuwe 45 pk tweetaktmotor en vanaf 1965 met schroef- in plaats van bladveren.

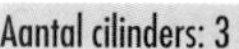

Aantal cilinders: 3
Cilinderinhoud in cm³: 900 en 991
Vermogen: 37/4000, 45/4200 en 50/4200
Topsnelheid in km/uur: 115-130
Carrosserie/Chassis: afzonderlijk chassis
Uitvoering: sedan
Productiejaren: 1956-1962 en 1962-1966
Productie-aantal: 292.723 (alle modellen)
In NL: n.b.
Prijzen: A: 450 B: 900 C: 1.800

WARTBURG CAMPING-LIMOUSINE

Dit was een buitengewoon mooie stationcar en daarom nemen we die even apart. Naast zijn vijf deuren bood hij veel extra luxe en zo konden alle banken platgelegd worden waardoor één groot meerpersoons bed ontstond. De achterste zijruiten waren ver in het dak doorgetrokken, wat de auto iets bijzonders gaf. De carrosserie was overigens ontworpen en in niet erg grote aantallen gebouwd door Karosseriewerk Dresden, bij de kenner beter bekend als het vroegere Gläser.

Aantal cilinders: 3
Cilinderinhoud in cm³: 900 en 991
Vermogen: 37/4000 tot 50/4200
Topsnelheid in km/uur: 115-130
Carrosserie/Chassis: afzonderlijk chassis
Uitvoering: stationcar
Productiejaren: 1957-1962 en 1962-1963
Productie-aantal: zie hiervoor
In NL: n.b.
Prijzen: A: 1.100 B: 1.800 C: 2.700

WARTBURG CABRIOLET & HARDTOP COUPÉ

Behalve de vier- en vijfdeurs modellen heeft Wartburg ook tweedeurs cabriolets en coupés gemaakt. De open varianten hadden een dik gestoffeerde kap en leren bekleding. Bij de coupés konden de zijruiten zonder middenspijl naar beneden gedraaid worden en viel de achterruit op door zijn panoramische vorm. De coupé is er vanaf '57 tot '64. De liefhebbers hebben deze aantrekkelijke Wartburgs jaren geleden al ontdekt en voor weinig geld vindt men ze vast niet meer.

Aantal cilinders: 3
Cilinderinhoud in cm³: 900 en 991
Vermogen: 37/4000 tot 50/4200
Topsnelheid in km/uur: 115-130
Carrosserie/Chassis: afzonderlijk chassis
Uitvoering: coupé en cabriolet
Productiejaren: 1956-1962 en 1962-1966
Productie-aantal: zie hiervoor
In NL: n.b.
Prijzen (coupé): A: 1.400 B: 2.300 C: 3.400

WARTBURG SPORT

De mooiste van alle gebouwde Wartburgs was de Sport die in 1957 op de Leipziger Messe werd voorgesteld. Intern heette dit model 313.-1. Het was een echte tweezitter en daar hij dezelfde wielbasis had als de overige modellen was zijn motorkap langer dan normaal. Ergens moest men tenslotte met de overgebleven lengte heen. Deze wagen, hij werd uitsluitend in wit of rood geleverd, kon ook met een hardtop besteld worden. Er zijn er nog geen 200 overgebleven en dat drijft de prijzen op.

Aantal cilinders: 3
Cilinderinhoud in cm³: 991
Vermogen: 50/4200
Topsnelheid in km/uur: 130
Carrosserie/Chassis: afzonderlijk chassis
Uitvoering: cabriolet
Productiejaren: 1957-1961
Productie-aantal: 469
In NL: n.b.
Prijzen: A: 2.300 B: 4.100 C: 6.800

WARTBURG 353

Met een wielbasis en een lengte van 245 cm en 422 cm was de Wartburg 353 geen kleine auto (een Volkswagen Kever had 240 en 403 cm). Onder zijn motorkap sputterde een driecilinder tweetaktmotor die de voorwielen aandreef. De sedan was er in een Standaard en in een Luxe uitvoering en de stationcar heette Tourist. Vanaf 1975 werden er schijfremmen aan de voorwielen gemonteerd. Na '88 zaten er motoren uit de VW Golf in. In 1991 stopte de productie van deze onaantrekkelijke auto voorgoed.

Aantal cilinders: 3
Cilinderinhoud in cm³: 992
Vermogen: 45/4250-50/4250
Topsnelheid in km/uur: 125-130
Carrosserie/Chassis: afzonderlijk chassis
Uitvoering: sedan en stationcar
Productiejaren: 1966-1988
Productie-aantal: 1.225.193
In NL: n.b.
Prijzen: A: 200 B: 700 C: 1.100

EMW 340

Voordat er in Eisenach Wartburgs gebouwd werden, leverde de fabriek replica's van de vooroorlogse BMW-modellen. Zoals de BMW 321 die in zijn originele vorm nog in 1941 gebouwd werd. In 1949 kwam de EMW 340, die niets anders was dan een BMW 326 met een andere, maar niet mooiere radiateurgrille. De eerste twee jaar heette de auto officieel zelfs Awtovelo BMW 340. In de DDR was deze wagen een zeer populaire taxi. Boze geesten proberen soms een EMW als BMW te vermommen.

Aantal cilinders: 6
Cilinderinhoud in cm³: 1971
Vermogen: 55/3750
Topsnelheid in km/uur: 120
Carrosserie/Chassis: afzonderlijk chassis
Uitvoering: sedan
Productiejaren: 1949-1955
Productie-aantal: 21.249
In NL: n.b.
Prijzen: A: 3.600 B: 7.700 C: 11.300

EMW 327/2

Wie lang en vergeefs naar een betaalbare vooroorlogse BMW 327 in coupé- of cabrioletuitvoering met eventueel een '328' motor, gezocht heeft, kan opnieuw beginnen te hopen. Niet dat hij zijn BMW zal vinden, maar een Oost-Duitse tegenpool, de EMW 327/2. Deze wagen werd ook geëxporteerd, vooral naar andere communistische landen, maar dan onder de naam Eisenacher Sport Cabriolet of Coupé. Het zal mogelijk zijn een dergelijk model nu ook in Duitsland te vinden. Kijk ook hier uit voor aangebrachte BMW-emblemen.

Aantal cilinders: 6
Cilinderinhoud in cm³: 1971
Vermogen: 55/3750
Topsnelheid in km/uur: 120
Carrosserie/Chassis: afzonderlijk chassis
Uitvoering: coupé en cabriolet
Productiejaren: 1949-1953
Productie-aantal: 505
In NL: n.b.
Prijzen: A: n.b. B: n.b. C: n.b.

WARWICK

De autowereld is klein en iedereen kent elkaar. Zo kreeg Bernie Rodger in 1957 de opdracht van John Gordon (zie Gordon-Keeble) een coupé te bouwen, die Gordon onder de naam Peerless aan de man bracht. In 1960 ontstond uit deze wagen de Warwick die nu door Rodger zelf aan de man gebracht werd. Ook deze wagen was te duur om goed verkocht te worden en toen Rodger de Triumph-motor door een V8 van Buick verving, ging het helemaal mis. Dat Gordon met zijn coupé met een Corvette-motor iets meer succes had, was aan zijn dikkere portemonnee te danken.

WARWICK GT (PEERLESS)

Van 1957 tot 1960 bouwde een firma Peerless in het Engelse dorp Slough sportcoupés met een kunststof carrosserie. De wagen werd met Triumph TR3-onderdelen opgebouwd en was een matig succes. In 1960 nam Bernard Rodger de firma over en veranderde de naam in Warwick. Ook Warwick kon met de auto niet rijk worden. Het chassis was met zijn De Dion-achteras duur in fabricage. De Warwick GT was eerst met een Triumph TR3-motor en later met een Buick-V8 leverbaar. Peerless bouwde 293 wagens en Warwick nog eens 39. Bijna een derde daarvan werd in de VS verkocht.

Aantal cilinders: 4 en V8
Cilinderinhoud in cm³: 1991 en 3532
Vermogen: 101/5000-155/4600
Topsnelheid in km/uur: 180 en 200
Carrosserie/Chassis: kunststof op buizenchassis
Uitvoering: coupé
Productiejaren: 1960-1963
Productie-aantal: 39
In NL: n.b.
Prijzen: A: 4.100 B: 6.800 C: 11.300

WILLYS

Wie aan Willys denkt, denkt aan de Jeep. Ook al is deze mijlpaal in de geschiedenis niet bij Willys maar bij Bantam 'uitgevonden'. Uit de drie beroemde merken Willys, Overland en Willys-Knight groeide in 1908 het merk Willys-Overland. Men bouwde personenwagens maar werd pas echt beroemd met de Jeep, waarvan ze er 360.000 mochten maken. Ook na de oorlog ging men verder met de bouw van deze wonderauto, die de vader van alle terreinwagens genoemd mag worden. Personenwagens heeft men vanaf 1952 ook weer gebouwd maar in bescheiden aantallen.

WILLYS STATION WAGON 1946-1951

De historici hebben steeds gevochten over de vraag wie er in Amerika de eerste stalen stationcar gebouwd heeft. Velen beweren dat het Plymouth was met zijn Suburban van 1949 en dat het de Willys van 1946 niet kan zijn, omdat deze wagen eigenlijk bij de kleine vrachtwagens thuishoort. Zoals u dus begrijpt, bouwde Willys al in 1946 een driedeurs auto met ruimte voor 5 personen geheel van staal met imitatiehouten versieringen om de wagen een civiel uiterlijk te geven.

Aantal cilinders: 4 en 6
Cilinderinhoud in cm³: 2199 en 2622
Vermogen: 63/4000 en 72/4000
Topsnelheid in km/uur: 90 en 105
Carrosserie/Chassis: afzonderlijk chassis
Uitvoering: stationcar
Productiejaren: 1946-1951
Productie-aantal: 148.880
In NL: n.b.
Prijzen: A: 2.700 B: 5.400 C: 7.700

WILLYS JEEPSTER

De Jeepster is vooral in Amerika een veel gezochte liefhebberswagen. De bekende designer Brooks Stevens had de wagen al in de oorlog getekend als sportieve versie van de legerwagen. De Jeepster stond op het verlengde chassis van de stationcar, had een drieversnellingsbak met overdrive en onafhankelijke voorwielophanging. Hij was niet als terreinwagen bedoeld en had dus ook geen vierwielaandrijving. Vanaf 1949 was de wagen ook met een zescilindermotor leverbaar. Van deze Willys werden er 1.402 stuks in Rotterdam gebouwd.

Aantal cilinders: 4 en 6
Cilinderinhoud in cm³: 2199 en 2622
Vermogen: 64/4000 en 75/4000
Topsnelheid in km/uur: 105 en 110
Carrosserie/Chassis: afzonderlijk chassis
Uitvoering: cabriolet
Productiejaren: 1948-1951
Productie-aantal: 19.798
In NL: n.b.
Prijzen: A: 4.100 B: 9.100 C: 13.600

WILLYS AERO

De personenwagens die Willys in 1952 weer begon te maken, gingen onder de typeaanduiding 'Aero' de straat op. Er waren tot '55 de benamingen Wing en Lark. De auto had voor Amerikaanse begrippen bescheiden afmetingen en het succes was dan ook niet groot. Halverwege 1955 hield men met de productie van personenwagens op. In de Zuid-Amerikaanse fabriek van Willys-Overland do Brasil bleef de wagen veel langer in productie (foto). Die Zuid-Amerikaanse wagens ziet men vanzelfsprekend nooit in Europa. In Rotterdam zijn 265 Aero's geassembleerd aan de Sluisjesdijk.

Aantal cilinders: 6
Cilinderinhoud in cm³: 2622
Vermogen: 75/4000-115/3650
Topsnelheid in km/uur: 150
Carrosserie/Chassis: zelfdragend
Uitvoering: coach en sedan
Productiejaren: 1952-1955
Productie-aantal: 82.410
In NL: n.b.
Prijzen: A: 1.100 B: 2.700 C: 4.500

WOLSELEY

De eerste Wolseley personenwagen werd in 1895 gebouwd en de constructeur was niemand anders dan Herbert Austin. De fabriek had succes met zijn producten tot de klad erin kwam en in 1927 het faillissement moest worden aangevraagd. Sir William Morris kocht de zaak en lijfde die bij zijn Nuffield concern in, waar het merk voor de betere auto's moest zorgen. De Wolseleys die na 1933 gebouwd werden, herkent men aan het verlichte radiateurembleem.

WOLSELEY 12/48, 14/60 & 18/85

In 1946 kwam Wolseley direct weer met een compleet programma uit. Van goedkoop naar duur gerekend bestond dit uit de volgende modellen: Eight, Ten, 12/48, 14/60 en 18/85. Alle hadden ze een gesloten carrosserie met vier portieren en de leren bekleding hoorde tot de standaarduitrusting, net als het houten dashboard. Inbegrepen in de prijs van de 12/48 waren ook nog een stalen schuifdak en een ingebouwde hydraulische krik op iedere hoek van de wagen. Het zijn erg robuuste wagens, die echter wel zeer traag zijn.

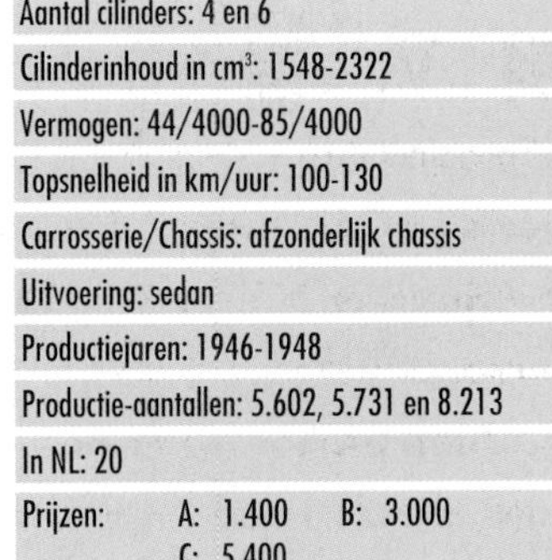

Aantal cilinders: 4 en 6
Cilinderinhoud in cm³: 1548-2322
Vermogen: 44/4000-85/4000
Topsnelheid in km/uur: 100-130
Carrosserie/Chassis: afzonderlijk chassis
Uitvoering: sedan
Productiejaren: 1946-1948
Productie-aantallen: 5.602, 5.731 en 8.213
In NL: 20
Prijzen: A: 1.400 B: 3.000 C: 5.400

WOLSELEY 4/44 & 15/50

Een auto die bij ons ook te zien was, was de 4/44 ofwel de Four Forty-Four. Deze wagen werd geïntroduceerd nadat de Nuffield Group (Morris, Wolseley, enz.) zich met Austin tot de British Motor Corporation, BMC, verenigd had. Gerald Palmer had de carrosserie getekend en er was geld noch moeite gespaard om een luxe wagen te maken. Het interieur bestond uit leer en hout en onder de motorkap vond men een motor die met meer vermogen ook in de MG Magnette met vrijwel dezelfde koets werd ingebouwd. Een prima klassieker voor nog steeds weinig geld.

Aantal cilinders: 4
Cilinderinhoud in cm³: 1250 en 1489
Vermogen: 47/4800 en 56/4400
Topsnelheid in km/uur: 120-130
Carrosserie/Chassis: zelfdragend
Uitvoering: sedan
Productiejaren: 1952-1956 en 1956-1958
Productie-aantallen: 29.845 en 12.353
In NL: 10
Prijzen: A: 1.100 B: 2.500 C: 4.100

WOLSELEY 6/80

U hoeft niet lang te kijken om de lijnen van een Morris in deze 6/80 terug te vinden. En inderdaad was de basis-carrosserie identiek aan die van de Morris Six. Ook mechanisch had men zich niet veel moeite getroost, maar dat was ook niet direct nodig, want de motor was met zijn bovenliggende nokkenas al meer dan Wolseley-like. In de wagen zag men natuurlijk wel verschillen, want ook hier vielen het leer en hout weer op. De Series 2 verschijnt in 1952. De 6/80 is een wagen die goed presteert en nog steeds voor weinig geld te vinden is.

Aantal cilinders: 6
Cilinderinhoud in cm³: 2215
Vermogen: 80/4800
Topsnelheid in km/uur: 135
Carrosserie/Chassis: zelfdragend
Uitvoering: sedan
Productiejaren: 1948-1954
Productie-aantal: 25.281
In NL: 5
Prijzen: A: 1.100 B: 3.200 C: 5.400

WOLSELEY 6/90

Toen de 6/90 in 1954 verscheen, was dat niet veel anders dan een mengsel van de 4/44 en 6/80. De carrosserie was die van de Riley Pathfinder en de motor was nu een geheel nieuwe kopklepper met een laag gemonteerde nokkenas. De eerste exemplaren hadden vreemd genoeg een met kunstleer overtrokken dashboard maar toen de Mk II in 1956 verscheen was deze fout verholpen en kon men weer van het hout genieten. De Mk III herkende men aan de vergrote achterruit. Door de geringe productie tegenwoordig vrij zeldzaam.

Aantal cilinders: 6
Cilinderinhoud in cm³: 2639
Vermogen: 96/4500
Topsnelheid in km/uur: 145
Carrosserie/Chassis: afzonderlijk chassis
Uitvoering: sedan
Productiejaren: 1954-1956, 1956-1957 en 1957-1959
Productie-aantallen: 5.776, 1.024 en 5.052
In NL: 0
Prijzen: A: 1.400 B: 3.200 C: 5.400

WOLSELEY 15/50

De opvolger van de 4/44 was de in 1956 voorgestelde 15/50. De auto was uiterlijk identiek aan de 4/44 maar had een 50 pk 1,5 liter motor onder de kap gekregen. Overige verschillen met zijn voorganger waren de vloerschakeling, een andere achterasoverbrenging en een optionele Manumatic halfautomaat. Vanwege de 9 pk meer en de pook op de vloer is een 15/50 natuurlijk een prima alternatief voor de 4/44 en de prijzen liggen dan ook een fractie hoger. Ook het geringere productie-aantal speelt hierin een rol.

Aantal cilinders: 4
Cilinderinhoud in cm³: 1489
Vermogen: 56/4400
Topsnelheid in km/uur: 130
Carrosserie/Chassis: zelfdragend
Uitvoering: sedan
Productiejaren: 1956-1958
Productie-aantal: 12.353
In NL: zie 4/44
Prijzen: A: 1.600 B: 3.200 C: 4.600

WOLSELEY 1500

Als kleine Wolseley verscheen de '1500' in april 1957. De vierzitter was een verbeterde, maar ook iets vergrote, uitvoering van de Morris Minor terwijl de carrosserie een verkleinde uitgave van de Morris Oxford leek. Voor Ierland leverde men de auto ook met een 1200-blok af. In ons land kon men de gewone 1500 geregeld op de wegen signaleren. In de herfst van 1961 kreeg de auto twee extra grilles in de neus. In 1962 werd de compressieverhouding verhoogd. Voor Wolseley werd het een verkoopsucces.

Aantal cilinders: 4
Cilinderinhoud in cm³: 1489
Vermogen: 50/4200
Topsnelheid in km/uur: 130
Carrosserie/Chassis: zelfdragend
Uitvoering: sedan
Productiejaren: 1957-1965
Productie-aantal: 103.394
In NL: 20
Prijzen: A: 900 B: 2.700 C: 3.900

WOLSELEY 15/60 & 16/60

Nadat Pininfarina zijn tekeningen voor de nieuwe BMC-modellen had ingeleverd, kreeg ook Wolseley zijn nieuwe carrosserie. De 15/60 was de opvolger van de 15/50 die na 1958 niet meer gemaakt werd. Of de 15/60 vandaag de dag een mooie wagen is, is een kwestie van smaak. In 1959 echter was de carrosserie modern en gevraagd. Dat er kosten noch moeite gespaard waren om het de inzittenden naar hun zin te maken was voor Wolseley vanzelfsprekend. Vanaf 1961 is er de 16/60 met grotere motor en naar wens een automatische bak.

Aantal cilinders: 4
Cilinderinhoud in cm³: 1489 en 1622
Vermogen: 55/4400-62/4500
Topsnelheid in km/uur: 130-135
Carrosserie/Chassis: zelfdragend
Uitvoering: sedan
Productiejaren: 1959-1961 en 1961-1971
Productie-aantallen: 24.759 en 63.082
In NL: 50
Prijzen: A: 900 B: 2.000 C: 3.200

WOLSELEY 6/99 & 6/110

In 1959 – het Farina-badge-engineering jaar bij uitstek – kreeg ook de grote Wolseley een modernere carrosserie. De 6/99, een zescilinder dus, met bekrachtigde schijfremmen voor en een overdrive. Desgewenst is er een automaat uit de fabriek van Borg-Warner. In '61 volgt de 6/110 met wat meer pk's; tegen extra betaling kon stuurbekrachtiging ingebouwd worden. In 1964 volgde de Mk II met een sterkere motor. De standaard overdrive was geschrapt. Het zouden in Groot-Brittannië de laatste Wolseleys van de politie worden.

Aantal cilinders: 6
Cilinderinhoud in cm³: 2912
Vermogen: 102/4750 en 120/4750
Topsnelheid in km/uur: 165 en 175
Carrosserie/Chassis: zelfdragend
Uitvoering: sedan
Productiejaren: 1959-1961 en 1961-1968
Productie-aantallen: 13.108 en 24.201
In NL: 20
Prijzen: A: 1.600 B: 3.000 C: 4.300

WOLSELEY HORNET MK I, MK II & MK III

Voor die mensen – en dat waren er eigenlijk maar weinig – die zich schaamden om in een goedkope Mini te rijden, bouwde Riley zijn Elf en Wolseley de Hornet. Een groot succes werd de wagen niet, want hij miste juist dat wat de Mini zo aantrekkelijk maakte. Zijn aangebouwde kofferbak bood niet veel meer ruimte dan in het origineel en alleen voor een andere grille en wat meer luxe in de wagen betaalde men liever niet zoveel meer. De MK III had de Hydrolastic vering en neerdraaibare zijramen (foto).

Aantal cilinders: 4
Cilinderinhoud in cm³: 848 en 998
Vermogen: 35/5500 en 39/5250
Topsnelheid in km/uur: 115-125
Carrosserie/Chassis: zelfdragend
Uitvoering: coach
Productiejaren: 1961-1962, 1963-1964 en 1964-1969
Productie-aantal: 28.455
In NL: 10
Prijzen: A: 1.100 B: 2.300 C: 3.600

WOLSELEY 1100 & 1300

De Morris 1100 was er ook met badges van Austin, MG, Riley en Wolseley. Die laatste drie hebben de motor met dubbele carburateur. De Wolseley-grille met verlicht embleem en het walnoten fineer binnenin maakten van de 1100-telg een wat meer gedistingeerde wagen. Veel waren er in twotone spuitwerk. In 1967 kwam de 1300 met geheel gesynchroniseerde bak of optioneel een automaat (dan had de motor slechts één carburateur). De 1300 Mk II van '68 had meer vermogen. Deze Wolseley doet iets minder in prijs dan de Riley en MG van hetzelfde model.

Aantal cilinders: 4
Cilinderinhoud in cm³: 1098 en 1275
Vermogen: 55/5500-70/6000
Topsnelheid in km/uur: 145-160
Carrosserie/Chassis: zelfdragend
Uitvoering: sedan
Productiejaren: 1965-1968 en 1967-1973
Productie-aantallen: 17.397 en 27.470
In NL: 20
Prijzen: A: 500 B: 1.400 C: 2.700

WOLSELEY 18/85 & SIX

De Wolseley 18/85 was niets anders dan een Austin of Morris 1800 in een zondagspak en met veel accessoires. Leer en hout vielen direct op maar ook de typische Wolseley-grille. Stuurbekrachtiging behoorde tot de normale uitvoering terwijl een automatische versnellingsbak van Borg-Warner besteld kon worden. In '69 volgt de nog chiquere Mk II en de opvolger daarvan – met dezelfde koets – heet Six en dat slaat op het aantal cilinders. Deze laatste is herkenbaar aan zijn zwarte koplampranden en Rostyle-velgen.

Aantal cilinders: 4 en 6
Cilinderinhoud in cm³: 1798 en 2227
Vermogen: 81/5000-110/5250
Topsnelheid in km/uur: 150 en 170
Carrosserie/Chassis: zelfdragend
Uitvoering: sedan
Productiejaren: 1967-1972 en 1972-1975
Productie-aantal: 35.597
In NL: 20
Prijzen: A: 600 B: 1.000 C: 2.000

■ ZAGATO

Hoewel de firma Zagato in 1998 op sterven na dood schijnt te zijn, zou het een verlies zijn als hij helemaal op zou houden te bestaan. Ugo Zagato, 1890-1968, begon zijn eigen carrozzeria in 1919. Hij werd beroemd met de body's die hij voor Alfa Romeo, Lancia en Fiat bouwde, en dat 'zijn' wagens regelmatig races zoals de Mille Miglia wonnen, was een goede reclame. In de jaren vijftig kwamen de zoons Elio (1921) en Gianni (1929) in de zaak die ze verder opbouwden en tot grote beroemdheid wisten te brengen.

ZAGATO ZELE

Carrozzeria Zagato is beroemd. Beroemd om de prachtige sportieve wagens die daar net ten noorden van Milaan ontstonden. In 1972 besloot Zagato ook nog kleine elektro-auto's te gaan maken. Voor in de stad om boodschappen mee te doen. Het lukte Zagato niet zijn Zele tot een aantrekkelijke auto te maken. De Zele is natuurlijk geruisloos en vriendelijk voor het milieu, maar daar is alles mee gezegd. Bij Zagato bouwde men in 1973 10 Zeles per dag en men wist ze nog te verkopen ook, zij het mondjesmaat. Werd in de VS als golfwagentje aangeboden.

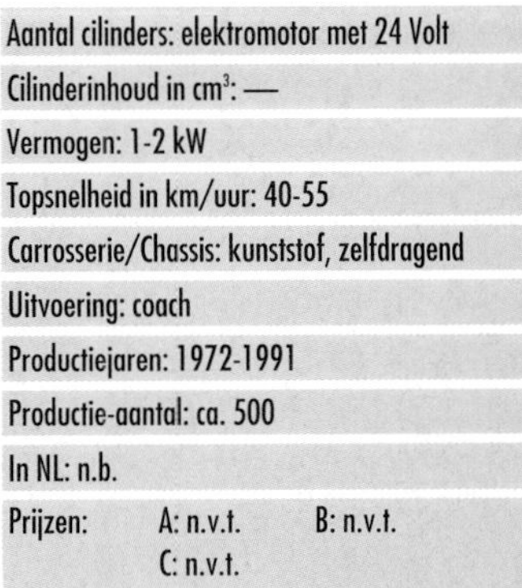
Aantal cilinders: elektromotor met 24 Volt
Cilinderinhoud in cm³: —
Vermogen: 1-2 kW
Topsnelheid in km/uur: 40-55
Carrosserie/Chassis: kunststof, zelfdragend
Uitvoering: coach
Productiejaren: 1972-1991
Productie-aantal: ca. 500
In NL: n.b.
Prijzen: A: n.v.t. B: n.v.t. C: n.v.t.

ZASTAVA

Menigeen zag een Zastava voor een Fiat aan. De wagens lijken namelijk sprekend op elkaar en als Leonard Lang te weinig Fiatjes uit Italië kreeg, bestelde hij de auto's uit Spanje of uit voormalig Joegoslavië. Later is de fabriek eigen, van Fiat afgeleide, modellen uit gaan brengen. Door de oorlogsperikelen van enige tijd terug vernemen we weinig meer van de autofabriek 'Rode Vlag'.

ZASTAVA 750

Fiat heeft zijn auto's in verschillende landen laten maken. In Spanje ontstond de Seat, in Polen de Polski-Fiat en uit voormalig Joegoslavië kwam de Zastava. In 1954 begon men daar met de assemblage van de Fiat 1400 en 1900 en al gauw volgden de 600, 1100, 1300/1500 en de 124 en 125. In de jaren zestig was men daar bijzonder vlijtig en zo rolden er vele auto's uit de fabriek in Kragujevac. De Zastava 750 was technisch niets anders dan de Fiat 600. In voormalig Joegoslavië bouwde men de 600 D nog heel lang nadat de fabriek in Italië al op de 850 was overgegaan en zo ontstond de wagen op de foto in 1972.

Aantal cilinders: 4
Cilinderinhoud in cm³: 767
Vermogen: 25/4600
Topsnelheid in km/uur: 110
Carrosserie/Chassis: zelfdragend
Uitvoering: coach
Productiejaren: 1966-1987
Productie-aantal: n.b.
In NL: n.b.
Prijzen: A: 300 B: 1.100 C: 2.000

ZAZ

In Rusland zijn niet veel kleine auto's gebouwd. De bonzen wilden in een grote wagen rijden en de rest van de bevolking kon best lopen. Toch heeft men het met een kleine wagen geprobeerd. Na een paar prototypen ontstond de Yalta die in 1960 uitkwam als de Zaporojetz of ZAZ 965. In '67 volgde de 1200.

ZAZ 965 (YALTA)

In 1955 begon ir. Juri Dolmatowski in de Molotow-autofabriek te Gorki met de ontwikkeling van een kleine Russische volkswagen. Die verscheen onder verschillende namen. Eerst werd hij Nami gedoopt, vervolgens Bjelka, Communard en ten slotte Zaporojetz. In Rusland tenminste, want bij ons importeerde de firma Van Hoeks Autobedrijf de wagen (via België) in grote aantallen als Yalta. De Yalta leek een beetje op een Fiat 600 maar had een luchtgekoelde motor achterin. De wagen ging in 1960 in productie. In '63 volgde de 965 A.

Aantal cilinders: V4
Cilinderinhoud in cm³: 887
Vermogen: 27/4000
Topsnelheid in km/uur: 100
Carrosserie/Chassis: zelfdragend
Uitvoering: coach
Productiejaren: 1960-1969
Productie-aantal: n.b.
In NL: n.b.
Prijzen: A: 400 B: 900 C: 1.400

ZAZ 1200 V4 (ZAZ 966 & 968)

Ook in Rusland groeien de auto's zowel in de lengte als in de motorcapaciteit. Zo ook de ZAZ 966 of 968 (> '70) die tot een volwaardige wagen opklom. Hij leek sprekend op een NSU maar had een luchtgekoelde V4-motor achterin die een deel van de koellucht door de kieuwen boven de achterwielen kreeg. In Nederland bood men hem aan als ZAZ 1200 V4. De wagens hebben een uitneembaar luik in de bodemplaat om op bevroren meren te kunnen vissen.

Aantal cilinders: V4
Cilinderinhoud in cm³: 1197
Vermogen: 40/4400
Topsnelheid in km/uur: 120
Carrosserie/Chassis: zelfdragend
Uitvoering: coach
Productiejaren: 1967-1994
Productie-aantal: n.b.
In NL: n.b.
Prijzen: A: 200 B: 600 C: 1.100

ZIS & ZIL

De Russen waren meesters in het namaken van westerse producten. Hun fototoestellen leken zo erg op de oude Leica's dat de onderdelen uitwisselbaar waren. Ook de auto's van het merk ZIS waarin de communistische leiders rondreden leken erg westers. Zelfs een leek herkende er een vooroorlogse Packard in als hij de wagen voor het eerst zag. ZIS staat voor Zavod Imieni Stalina en de fabriek stond in Moskou.

ZIS/ZIL 110

ZIS bouwde op aanwijzingen van Josef Stalin al in 1942 personenwagens voor de hogere partijfunctionarissen. De wagens van het type 110 verschenen in 1946; voor de ontwikkeling ervan had het Packard-type Super 180 model gestaan. Vooral de neus vertoont opvallende gelijkenissen. De acht-in-lijn had zijkleppen en een lage compressie in verband met de slechte kwaliteit van de Russische benzine. Toen in 1956 de S (van Stalin) in de naam moest wijken voor de L van Lichatchev, een directeur van de fabriek, veranderde de naam van de wagens in ZIL.

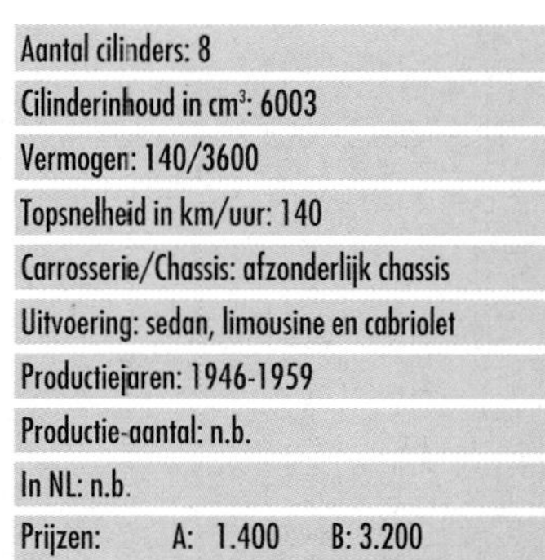

Aantal cilinders: 8	
Cilinderinhoud in cm³: 6003	
Vermogen: 140/3600	
Topsnelheid in km/uur: 140	
Carrosserie/Chassis: afzonderlijk chassis	
Uitvoering: sedan, limousine en cabriolet	
Productiejaren: 1946-1959	
Productie-aantal: n.b.	
In NL: n.b.	
Prijzen:	A: 1.400 B: 3.200 C: 5.000

ZIL 111 & 114

De opvolger van de 110 is een eigen Russisch ontwerp, ook al doet de wagen aan een Cadillac of Chrysler Imperial denken. De aanvankelijke lengte van 603 cm groeit in 1963 tot 614 cm, als de ZIL 111 G (foto) geïntroduceerd wordt. In 1967 heet de wagen 114 en mat hij niet minder dan 629 cm. Na de val van de Berlijnse muur kwamen deze typen af en toe naar onze lage landen. Het zal niet eenvoudig zijn een dergelijk slagschip te onderhouden vanwege de onderdelen, maar opvallend en apart is het wel. Snel in prijs stijgend.

Aantal cilinders: V8	
Cilinderinhoud in cm³: 5980	
Vermogen: 200/4200	
Topsnelheid in km/uur: 160	
Carrosserie/Chassis: afzonderlijk chassis	
Uitvoering: sedan, limousine en cabriolet	
Productiejaren: 1958-1967	
Productie-aantal: n.b.	
In NL: n.b.	
Prijzen:	A: 3.200 B: 5.900 C: 9.100

ZÜNDAPP

Claudius Dornier had als student een dwergauto getekend die hij de Dornier Delta noemde. Vader Hermann Dornier bouwde een prototype in zijn vliegtuigfabriek maar verkocht het ontwerp door aan Zündapp. Deze fabriek had sinds jaar en dag motorfietsen gebouwd maar zag de toekomst voor deze tweewielers somber in. Met kleine auto's had men meer mogelijkheden om geld te verdienen, dacht men. De Dornier Delta werd bij Zündapp tot Janus omgedoopt zonder dat het concept veel veranderde.

ZÜNDAPP JANUS

Het kleine ding heette Janus, net als de Griekse god die twee gezichten had. En inderdaad zag hij er van voren bijna hetzelfde uit als van achteren. De vier personen zaten twee aan twee met de ruggen naar elkaar toe en de motor bevond zich onder de vloer tussen de banken. Klapte men de rugleuningen om, dan ontstond een tweepersoons bed. Deze Janus is vooral bij onze oosterburen geliefd in kleine kring.

Aantal cilinders: 1	
Cilinderinhoud in cm³: 248	
Vermogen: 14/5000	
Topsnelheid in km/uur: 90	
Carrosserie/Chassis: zelfdragend	
Uitvoering: coupé	
Productiejaren: 1957-1958	
Productie-aantal: 6.902	
In NL: n.b.	
Prijzen:	A: 1.400 B: 2.700 C: 4.500

GESPECIALISEERDE BEDRIJVEN (Nederland en België)

ALGEMEEN

Restauratie/reparatiebedrijven

Achterberg Oldtimer Workshop
Kaasmakerstraat 6
3194 DJ Hoogvliet
010-416 13 43

Anton Michielsen Automobiles
Havendijk 56
5017 AM Tilburg
013-542 51 90

Autobedrijf Lancee
Dorpsstraat 23
3209 AD Hekelingen
0181-63 45 36

Autorestauratie De Banne
C. de Vriesweg 51
1746 CM Dirkshorn
0224-55 18 02

Autoschadebedrijf Brouwer
Teenkweg 4
7211 EV Eefde
0575-54 02 11

Bert Nijhof Restauratiebedrijf
Kerkhoflaan 3
6718 ZH Ede
0318-48 53 99

Blankenmeijer Automobielrenovatie
Hofwegen 37
2971 XB Bleskensgraaf
0184-69 29 67

Classic Car Expert
Hoorn 414
2404 HL Alphen a/d Rijn
0172-44 26 60

Classic car Restoration
Schoudermantel 6
3981 AH Bunnik
030-656 58 00

Classic Car Service Verboven
Naanhofsweg 55
6361 DP Vaesrade
045-524 24 91

Classic Restorations Holland
Schermerweg 35
1821 BE Alkmaar
072-515 98 36

D.C. Kuiper
Zuideinde 87
1551 EC Westzaan
075-616 12 80

De Engh Classic Car Restoration
Hoofdstraat 129-131
3971 KG Driebergen
0343-51 51 86

De Reefhorst
Ambachtsweg 5
8501 XA Joure
0513-41 30 20

Euroclassic
Watermanstraat 41
5015 TG Tilburg
013-456 08 29

G.B. Pennings Autorestauraties
Lichtenvoordesestraatweg 94
7131 RE Aalten
0543-45 16 63

G. te Kampe Restauratie
Oerseweg 19
7071 PP Ulft
0315-68 41 41

Garage Jan Jacob
Scharnerweg 165b
6224 JE Maastricht
043-363 76 29

Garage Westvliet
Prisma 15d
2267 CA Leidschendam
070-319 48 27

Geert Jan Peters
Neringstraat 2
8263 BG Kampen
038-331 30 59

Hans van Geffen
M. van Loonstraat 23b
4247 ES Kedichem
0183-56 18 73

Koerts
Nijverheidscentrum 8
2761 JP Zevenhuizen (ZH)
0180-63 36 36

Kooij Klassiekers
Breeuwersweg 14
1786 PG Julianadorp
0223-63 18 26

Lex Classics Restauratie
Prof. Minckelersweg 2a
5144 NZ Waalwijk
0416-34 24 74

Lubbers Classics
Ceintuurbaan Noord 119
9301 NT Roden
050-5011511

Marc Vandenbrand
Frontstraat 1
5405 AK Uden
0413-25 19 19

Martin Dijkhof
De Fliert 6
3791 PW Achterveld
0342-45 24 20

Maurice Labro
Pannestaatweg 2
5363 TT Velp (N. Br)
0486-47 51 88

Max Speedcenter
Nikkelstraat 23
4823 AE Breda
076-542 35 80

Nijdam Oldtimer Restauratie
IJsbaan 15
8731 DW Wommels
0515-33 30 25

NovaClassica
James Wattstraat 22
8912 AS Leeuwarden
058-216 06 50

Piet Mozes Restauraties
It Kylblok 3
8447 GR Heerenveen
0513-65 39 97

Restauratiebedrijf Bart Holland
Plankier 22
2771 XL Boskoop
0172-21 13 44

Restauratiebedrijf Harry Frens
Waterweg 16
8071 RT Nunspeet
0341-25 85 46

Rimmelzwaan BV
Spoorsingel 23
2613 BE Delft
015-214 57 45

Satink Restauraties
Sloetsweg 292a
7556 HW Hengelo
074-242 95 51

Simons Painting
Rijksweg 183
Dilsen
B-3650 België
089-79 11 30

Snellenberg
Schoolstraat 15
7211 BA Eefde
0575-51 90 93

Stolker
Gutenbergseweg 3
4104 BA Culemborg
0345-51 87 23

Theo Vingerling Restauraties
Westerstraat 19
1829 BL Oudorp
072-511 00 02

Toon Spitters
Dommel 21-23
5422 VH De Mortel-Gemert
0492-39 01 66

Van der Ree
Lange Nieuwstraat 71
3111 AE Schiedam
010-473 3165

Van Emst
Eikelhofweg 18a
8121 RC Olst
0570-59 19 81

Van Keijsteren
Stenenkamerstraat 1a
5248 JL Rosmalen
073-521 63 83

Vos Classic Cars
Nieuw Walden 58
1394 PC Nederhorst den Berg
0294-25 10 35

Handel/import

Aaldering
Arnhemsestraat 47
6971 AP Brummen
0575-56 40 55

Antoon Michielsen Automobiles
Havendijk 56
5017 AM Tilburg
013-542 51 905

Auto Goes Zuid
Dirk Dronkersweg 7
4462 GA Goes
0113-27 04 60

Auto-Vitesse
Lucas Gasselstraat 3
5611 ST Eindhoven
040-211 89 00

Autobedrijf Stoutjesdijk
Amersfoortsestraat 95a
3769 AH Soesterberg
033-461 55 29

Automotive G.J.
De Rieze 12
7071 PV Ulft
0315-68 40 04

Automusa
Standerdmolen 3
5571 RN Bergeyk
0497-57 10 03

Classic Kiss Oldtimers
Edisonlaan 10
6003 DB Weert
0495-53 19 18

Competizione
Pr. Irenelaan 79
2273 DH Voorburg
070-300 08 08

Erris Kooy Classic's & Sportscars
Waterlooweg 2
3711 BE Austerlitz
0343-49 12 20

Exotic Cars
Bredestraat 210
Putte
B-2590 België
015-75 45 97

F-Cars
Ambachtstraat 15a
2266 AK Leidschendam
070-351 43 34

First Floor
Vijfhuizerdijk 60
2141 BC Vijfhuizen
023-558 18 18

G.M. Dekker Klassieke Auto's
A.v. Ostadestraat 1
3351 VB Papendrecht
078-641 25 53

Garage Boeckenberg
Deurnestraat 239
Mortsel
B-2640 België
034-48 08 88

Great Cars
Provincialeweg 126
5334 JK Velddriel
0418-637299

H. Visscher
Harderwijkerweg 134c
3852 AH Ermelo
0341-41 34 44

Hans Sjoerds
Larenseweg 279
1222 HJ Hilversum
035-642 33 44

HD Classic Cars
046-485 85 32

Jagpoint Soesterberg
Veldmaarschalk Montgomeryweg 7a
3769 BG Soesterberg
0346-35 02 10

Jan Ooms Classics
Kleyne Noort 4
2681 DH Monster
0174-21 27 99

Marc Lenaerts
Olenseweg 383
Oosterwijk-Westerlo
België
014-26 72 22

Rehata Auto's
Amersfoortsestraat 7a
3769 BR Soesterberg
0346-35 32 05

Special Interest Cars BV
Postduifstraat 3
5451 JS Mill
0485-45 25 49

Van Herk Classicar
Vollersstraat 18
5051 JV Goirle
013-534 67 78

VSOC
Mme Curiestraat 8
2171 TE Sassenheim
0252-21 89 80

MERKEN

Abarth

Guy Moerenhout
Mechelsesteenweg 145
B-2640 Mortsel
België
03-440 67 80

Scorpione Abarth Parts
Sleedoorn 10
7873 CS Odoorn
0591-51 38 96

Alfa Romeo

Aaldering
Arnhemsestraat 47
6971 AP Brummen
0575-56 40 55

A.W. Duijzer
Lage Giessen 33a
4223 SH Hoornaar
0184-65 14 81

Alfa Mario
Boschdijk 944
5627 AC Eindhoven
040-290 43 94

Antoon van Neerijnen
Meerndijk 72
3454 HT De Meern
030-666 60 80

Auto Christiano
Handelsweg 2b
5492 NL St. Oedenrode
0413-47 91 04

Auto Classica Rubbio
Kortenhoefsedijk 180b
1241 NA Kortenhoef
035-656 19 13

Auto Roméo
Industrieweg 2a
2631 PG Nootdorp
015-310 66 57

Autobedrijf Tuynder CV
Westvlietweg 40
2267 AB Leidschendam
070-386 05 50

Autobedrijf Wensenk
Radeweg 8
8171 MD Vaassen
0578-57 61 68

Autobedrijf Woudhuizen
Veerdijk 27
1531 MS Wormer
075-621 93 33

Automobili Ricambi BV
Kootsekade 8-10
3051 PD Rotterdam
010-422 32 36

Berfelo Italian Car Service
Uitmaat 13
6987 ER Giesbeek
0313-42 27 04

BG First Quality Cars
Oosterlaan 4
3971 SA Driebergen
0343-51 83 83

First Class Additions
Postbus 13
4284 ZG Rijswijk
0183-44 38 55

Garagebedrijf Steutel
Provincialeweg Zuid 13
4286 LJ Almkerk
0183-40 10 66

Hylkema Drachten BV
Omloop 50-52
9201 CC Drachten
0512-51 87 16

Karsten Alfa Romeo
Pickéstraat 74-76
2201 ET Noordwijk
071-361 07 57

Kees Verdoorn
Kerkstraat 27
4265 JD Genderen
0416-35 11 66

Maasland Alfa
L. v. Nw. Oosteinde 115
2274 EC Voorburg
070-387 46 00

Olaf Hoel
Nieuwe Dijk 27
Pernis
010-416 67 03

Prins Bredevoort
v.d. Heijdenstraat 16a
7102 JA Winterswijk
0543-45 19 06

RD Autoservice
Oostvlietweg 26a
2266 GM Leidschendam
070-320 23 16

Sam van Lingen
Eysinkweg 69
2014 SB Haarlem
023-553 20 00

Sam van Lingen
Ringveste 4
3992 DD Houten
030-634 55 55

Usato
Houtstraat 6
2984 AD Ridderkerk
0180-42 71 36

Armstrong Siddeley

Ton & René van Zelst
Leidsekade 26
2266 BH Leidschendam
070-327 49 05

Austin-Healey

Anglo Parts
Storkstraat 3
3905 KX Veenendaal
0318-55 13 34

Anglo Parts NV
Brusselsesteenweg 245
B-2800 Mechelen
015-42 37 83

Eurospeed Services
Hoogsestraat 1
6675 JL Valburg
0488-43 17 70

Jan Rorije
Noordeinde 40
2611 KJ Delft
015-214 52 17

L.B. Racing
Hoog Geldrop 94
5663 BH Geldrop
040-285 86 72

Michiel Capelle Restauraties
Nijverheidsstraat 22
7041 GE 's-Heerenberg
0314-66 43 10

Sparxs
Trawlerkade 32
1976 CB IJmuiden
0255-52 30 73

Speed Centre
Rijnstraat 33a
4191 CK Geldermalsen
0945-68 44 77

Sports Car Centre
Withuisstraat 8
4845 CA Wagenberg
076-593 12 70

Sportscars De Jong
Antoniusstraat 9-11
5171 DA Kaatsheuvel
0416-27 21 55

Toon Spitters
Dommel 21-23
5422 VH De Mortel-Gemert
0492-39 01 66

Autobianchi

A112 Centre Geno
Fazantstraat 100
6658 GV Beneden-Leeuwen
0487-59 18 49

Bianci Uno
Gersteweg 35a
2153 GH Nieuw Vennep
0252-67 50 43

Partscentre Cees van Dijken
Voorstraat 13b
4033 AB Lienden
0344-60 29 87

Victor A112
Nederveldstraat 18
2157 PL Abbenes
0252-54 45 23

Bentley

zie onder Rolls-Royce

BMW

BMW Jorssen
Boomsesteenweg 427
B-2610 Wilrijk
België
03-820 74 00

Brové Restauraties
Kerkweg 57
9351 AK Leek
0594-51 94 68

Cult Cars
Warmoeziersweg 17
2661 EH Bergschenhoek
06-50 655 632

First Floor Classic Cars
Vijfhuizerdijk 60c
2141 BC Haarlem
023-558 18 18

Garage Karreman
Horn 27
1619 BT Andijk
0228-59 13 38

Manders
Vlierdenseweg 98
5753 AG Deurne
0493-31 96 53

Trust Cars
Boerderijstraat 62
B-9000 Gent
België
09-226 38 37

Walter van Campfort BMW
Dwergauto's
St. Thomasstraat 18
B-2018 Antwerpen
03-230 00 92

Borgward

Toxopeus Borgward
Kralingseweg 288
3066 RA Rotterdam
010-202 12 44

Chevrolet Corvette

André Boer Corvette Specialist
Zuiderzeestraatweg 496
8091 CT Wezep
038-376 34 85

Arton USA Cars & Parts
W. Snelliusweg 39
3331 EX Zwijndrecht
078-620 25 55

Corvette Import
Nautilusstraat 142
5015 AR Tilburg
013-542 32 19

Corvette Parts
Hopperzuigerstraat 53
1333 HM Almere-Buiten
036-532 15 72

Dutch Corvette Supplies
Nijverdalseweg 44
8106 AD Mariënheem
0572-35 25 99

Citroën

A.G. Langelaar ID-DS
Bergstraat 74
7161 EL Neede
0545-29 44 35

Ad v.d. Horst 2CV & Mehari
Kapelstraat 6
5469 NC Boerdonk
0492-46 49 14

Atelier Mécanique de 2CV
Weerdingerkanaal n.z. 251
7831 HT Nieuw-Weerdinge
0591-52 15 71

Atelier Méchanique
Hoofdstraat-west 69
8471 HS Wolvega
0561-61 49 95

Auto Classique
Robert Baeldestraat 111
3061 TH Rotterdam
010-433 28 97

Auto Condial
Dovenetel 16
3053 JD Rotterdam
010-422 31 78

Auto Renaissance DS
P. Braaijweg 89
1099 DK Amsterdam
020-694 82 63

Autocommerce
Achterasweg C11
2141 BN Vijfhuizen
023-533 88 95

Bagnole
Kerkveldsweg Oost 20e
6101 NN Echt
0475-48 86 69

Bart Ebben
Lindenlaan 59
6584 AC Mook
024-357 03 10

Bert Pastoor
Van Lindbergstraat 1
6562 AP Hoogeveen
0528-26 50 54

Bieberg Klassiekers
Industrieweg 11c
5411 LP Groesbeek
024-696 13 59

C.T.A. Service Holland
Hogeweg 19
3769 CE Zeeland
0486-45 18 18

Chyparse
Stemerdingweg 11
7271 LG Soesterberg
0346-35 11 50

Citro-Classique
Bosberg 8 - 8a
4741 SK Borculo
0545-29 44 35

Citroën André
Jochem Hendrikstraat 10
3481 LG Hoeven
0165-50 59 19

Citroën DS Centrale
Reyerscop 35
6721 JX Harmelen
06-218 414 42

Citroën DS Garage Jansen
Edeseweg 40A
8096 RV Bennekom
0318-41 40 23

Citrotech
Elzenweg 18
7271 LG Oldebroek
0525-63 36 91

Citroville CX
Bosberg 8a
9463 PE Borculo
0545-27 55 95

De Eendekooi
Schaapstreek 5a
1091 CN Eext
0592-26 40 49

Didiër Citroën
Blasiusstraat 105
Amsterdam
020-694 27 97

DS Advies
Oslofjordweg 24
3958 VS Amsterdam
020-633 15 66

DS Comfort
Industrieweg Noord 3c
7321 BJ Amerongen
0343-45 75 74

DS-Garage De Bliek
Molenstraat 136A
7202 CK Apeldoorn
055-566 47 00

Duck Hunt
Zweedsestraat 4
Zutphen
0575-54 60 55

Eendenfarm
Touwslagerstraat 10
5595 AE Sneek
0515-42 23 03

Eendenspecialist
Oostrikkerstraat 12a
6545 CL Leende
040-206 15 28

Europe Auto (DS)
Microweg 35
3812 NL Nijmegen
024-377 17 77

Fokker DS
Chromiumweg 59
9201 CC Amersfoort
033-461 62 61

Garage Blikwerk
De Omloop 24
9942 PE Drachten
0512-54 27 55

Garage Posthumus
Hoofdweg 34
1764 NC 't Waar
0598-44 62 14

Garage René
Stoomweg 56
4213 CJ Breezand
0223-52 25 43

Garage Terlouw
Beatrixlaan 2
9718 NH Dalem
0183-63 18 88

Garage Timmer
Friesestraatweg 22
2595 VD Groningen
050-313 77 38

Garage Van Vliet
Volkerakstraat 5-15
1426 AG Den Haag
070-346 27 64

Gert de Jong CX
De Hoef Oostzijde 74b
3893 BD De Hoef
0297-59 34 34

Hagen & Schildkamp
Marsweg 21
3062 GS Zeewolde
036-535 52 58

ID/DS Technique
Kortekade 48-52
5626 DK Rotterdam
010-242 03 92

J en H Citroënservice
Steenoven 10
7711 BV Eindhoven-Acht
040-262 42 00

Jaap v.d. Broek
Oosteinde 11
3083 TE Nieuwleusen
0529-48 13 85

Jacques Moenen 2CV
Madeliefstraat 6a
7642 AR Rotterdam
010-410 12 31

Jan Bonthond
Oude Zwolsestraat 5
3951 BD Wierden
0546-572884

Jan v.d. Hengel ID/DS
Tuindorpweg 35
6531 ED Maarn
0343-44 22 79

Jan van Mierlo GS/A
De Genestetlaan 30
5738 AA Nijmegen
024-355 88 70

Joep & René Sanders
Ginderdoor 15
4156 JG Mariahout
0499-42 22 22

Joost den Hartog
Polderdijk 6a
8459 BS Rumpt
0345-68 39 98

Klaas Hoogenberg
Aengwirderweg 172
7271 LG Luinjeberd
0513-52 94 82

Langelaar Citroën
Bosberg 8
2171 AG Borculo
0545-29 44 35

Leo Ruygrok BV
Jagtlustkade 15
5348 VP Sassenheim
0252-23 33 05

Mark van Boekel Méhari
Grutto 170
2152 CB Oss
0412-64 57 40

Oldenhage (CX)
Venneperweg 541a
1071 RC Nieuw-Vennep
0252-68 77 66

Pijlman Holland Citroën SM
N. Maesstraat 58
1019 CM Amsterdam
020-679 48 50

Rob van Berlo
Veemarkt 237
3743 GD Amsterdam
020-694 48 75

Studio Deux Chevaux
Oranjestraat 6a
5864 AD Baarn
035-541 53 88

Theo Albers ID/DS
Irenstraat 12
4744 SM Meerlo
0478-69 28 26

Ton van Soest
Roosendaalsebaan 46
2157 ND Bosschenhoofd
0165-34 14 00

Van de Laan & Van Leeuwen
Hoofdweg 1802
2253 BE Abbenes
0252-54 45 52

DAF

Garage Vlietwijk
Van Beethovenlaan 67
8374 KC Voorschoten
071-561 44 55

Gerben Brouwer
Burchtstraat 9-11
2968 GB Kuinre
0527-23 14 44

Datsun

Autohandel Waal-Langerak
Waal 18 7688 PK
Waal-Langerak
0184-60 25 50

Datsun Jan Manenschijn
Wierdenseweg 11
2611 VW Daarle
0546-69 72 24

H.J. van Amelsvoord
Annastraat 41a
2582 LZ Delft
015-212 51 59

Facel Vega

Amicale Facel Holland
Prins Mauritslaan 158
1241 NA Den Haag
070-306 29 44

Ferrari

Auto Classica Rubbio
Kortenhoefsedijk 180b
6991 JG Kortenhoef
035-656 19 13

Garage Piet Roelofs
Arnhemsestraatweg 271
3791 PW Rheden
026-495 15 51

Italauto Kees van Stokkum
De Fliert 14
1213 XE Achterveld
0342-45 19 33

Kroymans BV
Soestdijkerstraatweg 64
2171 TW Hilversum
035-646 22 00

VSOC
Mme Curiestraat 8
6691 EZ Sassenheim
0252-21 89 80

Fiat

Auto Bert
Nijverheidsweg 4
1411 AM Gendt
0481-42 28 34

Autobedrijf Dick Baas
Kobaltstraat 1
3812 RP Naarden
035-694 99 36

Garage Babber
Amsterdamseweg 55-57
5056 KA Amersfoort
0598-61 22 88

Hans van der Hoff
Bosscheweg 55
3881 AA Berkel-Enschot
013-533 25 34

Henk Poortinga Fiat
Stationsstraat 43
7881 KV Putten
0341-35 31 30

Martin Willems
Kanaal A.N.Z. 222
3038 LH Emmercompascuum
0591-35 22 12

Nowee
Vlaggemanstraat 44a
1091 ET Rotterdam
010-466 75 45

Ten Cate Fiat 500
Weesperzijde 143
1098 BC Amsterdam
020-668 63 73

Ten Cate Fiat 500 Import-Restauratie
Linnaeuskade 6
1098 BC Amsterdam
020-468 25 71

Ten Cate Onderdelen (Pim's Parts)
Linnaeuskade 6
2931 SG Amsterdam
020-668 63 73

Ford

Antique Auto Parts Broere
Molendijk 120-122
3434 CM Krimpen a/d Lek
0180-51 76 70

H. Schaatsbergen A Ford & V8
Guldenroede 8
5051 HH Nieuwegein
030-606 49 72

Movie Cars Klassieke Mustangs
Besterdstraat 9
5051 EV Goirle
013-534 69 06

Muscle Cars & Parts
Mustangonderdelen '65-'73
Nobelstraat 2-02
B-2200 Goirle
013-534 69 06

Smithy Mustang Parts
Spekmolenstraat 92
7800 AA Herentals
België
014-21 57 97

Thedinga BV
Postbus 37
7903 BM Emmen
0591-65 90 22

Jaguar (en Daimler)

Achterberg Oldtimer Workshop
Kaasmakerstraat 6
3194 DJ Hoogvliet
010-416 13 43

Autobedrijf Ben Kolvenbach
Waterstraat 12
6657 CP Boven-Leeuwen
0487-59 79 79

Blankespoor BV
Neckar 1
2267 DA Leidschendam
070-357 57 17

Brooklands Classic Cars
Wiltonstraat 29
3905 KW Veenendaal
0318-51 45 35

CC Classics
Rijksstraatweg 350
2242 AB Wassenaar
070-514 14 00

Classic Cars Durivou
Venstraat 12
5241 CE Rosmalen
073-521 63 90

Fokkens Parts & Restorations
Kanaalnoord 65
7311 PM Apeldoorn
055-577 23 90

Harry Schuring (MkII)
Bankastraat 4
3531 HH Utrecht
030-296 27 19

Jagpoint Soesterberg
Veldmaarschalk Montgomeryweg 7a
Soesterberg
0346-35 02 10

Jaguar Cars & Parts
Schelluinsestraat 36
4203 NM Gorichem
0183-66 66 21

Jaguar Centre Oirschot
De Stad 14a
5688 NX Oirschot
0499-57 13 14

Jaguar Specialist
Sillenstraat 20a/b
2022 PR Haarlem
023-537 97 60

Jos Kanters
Ramgatseweg 34
4941 VS Raamsdonksveer
0162-52 06 45

Nobelhouse
Hoppenzuigerstraat 3a
1333 HB Almere-Buiten
036-532 53 00

Noble House
Zandzuigerstraat 154
1333 MZ Almere-Buiten
036-532 53 00

NovaClassica
James Wattstraat 22
8912 AS Leeuwarden
058-216 06 50

Rob Stouten
Chrysantenstraat 20
1031 HT Amsterdam
020-334 18 99

Rozsinski Jaguar Spares
Schoolstraat 60
B-2222 Itegem
België
015-24 03 45

Stenger Jaguar
Aadijk 17
7602 PP Almelo
0546-87 21 52

The Garage
Kwinkweerd 115
7241 CW Lochem
0573-25 33 66

Vicarage Jaguar
Travertin 39
8084 EG 't Harde
0525-65 26 18

Zwakman Jaguar
C. de Vriesweg 17c
1746 CL Dirkshorn
0224-55 18 48

Zwakman Motors Europe
Hamsterkoog 1
1822 CD Alkmaar
072-564 18 82

Jensen

Dorset Classic Cars
Ipperhoeve 36
5254 JA Haarsteeg
073-511 21 02

Lamborghini

Maurice Labro
Pannestaatweg 2
5363 TT Velp (N. Br)
0486-47 51 88

Van Vliet
Parallelweg Zuid 215
2914 LE Nieuwerkerk a/d IJssel
0180-31 38 77

Lancia

Auto Classica Rubbio
Kortenhoefsedijk 180b
1241 NA Kortenhoef
035-656 19 13

Auto Europa-Italië BV
Lange Lombardstraat 69
2512 VP Den Haag
070-380 30 30

Automobielbedrijf Franke
Van Bleiswijkstraat 68
2582 LG Den Haag
070-355 22 33

Martin Willems
Kanaal A.N.Z. 222
7881 KV Emmercompascuum
0591-35 22 12

Ricambi Italiani
Liersebaan 130
B-2500 Koningshooikt
België
03-482 19 28

Wassenberg Lancia
Nieuwe Looiersstraat 5
1017 VA Amsterdam
020-623 38 88

Lotus

Seventh Auto's Nederland
Copernicusstraat 19
6604 CR Wijchen
024-642 40 24

Maserati

Auto Classica Rubbio
Kortenhoefsedijk 180b
1241 NA Kortenhoef
035-656 19 13

Automobielbedrijf Roy Karsten
Pickéstraat 74-76
2201 ET Noordwijk
071-361 07 57

Matra

Carjoy Matra-Specialist
Lingedijk 12
4171 KD Herwijnen
0345-63 34 48

Mercedes

Amaryllis
Noorddammerweg 1c
1424 NV De Kwakel
0297-54 02 57

Bob Willekans Mercedes Benz 190
Fabrikatie
Koning Albertstraat 46
B-1785 Merchtem
052-37 24 15

Diepeveen Oldtimers & Klassiekers
De Smalle Zijde 29
3905 LM Veenendaal
0318-52 82 71

Eric Breed Mercedes Klassiekers &
Youngtimers
Witte Paal 171
1742 NX Schagen
0224-29 57 63

Frank Fierens
Hoge Mauw 5
B-2370 Arendonk
014-67 01 78

Frans Manders Mercedes Oldtimers
Nieuwedijk 5
5409 SB Odiliapeel
0413-33 52 21

Garage Wieman
Papaverweg 16
1032 KJ Amsterdam
020-636 32 91

Geert Vandenberghe Mercedes
Onderdelen
Lauwestraat 114
B-8560 Wevelgem
België
056-42 12 33

J. van Krieken
Gasthuisstraat 14a
5061 PB Oisterwijk
013-521 53 43

Jaap Havik
Netwerk 10-12
1446 WK Purmerend
0299-66 62 02

Marc Vandenbrand
Frontstraat 1
5405 AK Uden
0413-25 19 19

MB Classics
Rijksweg 181
9423 PD Hoogersmilde
0592-45 93 47

MG Car
Parallelweg 156
4816 KE Breda
076-571 52 60

Pagode Maas (SL)
Ter Borchlaan 1
9728 XA Groningen
050-526 75 38

Van Dijk (190SL)
Kruisbaak 24
2165 AJ Lisserbroek
0252-42 37 13

Zuidam Mercedes Classics
Herenvennenweg 60
6006 SW Weert
0495-53 32 02

MG

Autobedrijf Bruynkens
Oranjestraat 39-53
B-2060 Antwerpen
België
03-233 41 83

Automobielbedrijf van der Ree
Lange Nieuwstraat 71
3111 AE Schiedam
010-473 31 65

Eelco Hofman MG
Rodenburg 1
9351 PV Leek
0594-51 66 04

Eurospeed Services
Hoogsestraat 1
6675 JL Valburg
0488-43 17 70

Jan Gerards
Maastrichterweg 228
6291 EX Vaals
043-306 17 72

JB Spares & Sportscars
Van Alphenstraat 62
2274 NC Voorburg
070-381 54 79

MG Cars
Jan van Gentstraat 80-82
1171 GM Badhoevedorp
020-659 36 66

MG Centre
Stationsweg West 112a
3931 EV Woudenberg
033-286 33 59

MG Parts
Schoolweg 14
3711 BP Austerlitz
0343-49 19 71

MG Workshop
Blekerslaan 21-23
2512 VE Den Haag
070-380 12 65

MG-Car
Parallelweg 156
4816 KE Breda
076-571 52 60

Octagon Spares BV
Wilsonweg 6
2182 LR Hillegom
0252-51 66 98

Vanderburg Spares
Bedrijvenweg 5
5272 PA St. Michielsgestel
073-551 55 21

Mini

Mini Centre Ben van Leeuwen
Noordeinde 84
2545 XA Aarlanderveen
0172-57 34 78

Mini Centre Huissen
Looveer 8-8a
6851 AJ Huissen
026-325 25 65

Seven Centre Mini Parts
Bosschendijk 15
4731 DA Oudenbosch
0165-31 52 71

Seven Centre Mini Parts
Klinkstraat 8c
4731 DM Oudenbosch
0165-31 52 71

Morgan

Booij & Zn
Zuideinde 44
1541 CD Koog a/d Zaan
075-655 44 55

Morgan Classic & Sportscars
Oldenseweg 1
9723 HA Groningen
050-597 70 70

R.R. Winters
Vijverstraat 31
9321 XH Peize
050-503 23 31

Morris

Autobedrijf De Jong
Kerkstraat 116
2377 BB Oude Wetering
071-331 22 37

Oxford Cars & Spares
Otweg 15a
2771 VX Boskoop
0172-21 37 89

NSU

Autobedr. Van Heusden
Dorperhofweg 4
8161 PD Ede
0578-62 70 61

Opel

Arta Opel Youngtimers
Spehornerbrink 19
7812 KA Emmen
0591-61 44 51

Autobedrijf Keizer
Bergweg 27
7242 EP Lochem
0573-25 22 91

Autobedrijf M. van Wijk
Breewei 6
8406 EE Tijnje
0513-57 14 01

DCP Opel Specialist
Steenwijk 38-40
9404 AE Assen
0592-33 01 49

Opel GT Suselbeek
Kruisbergseweg 30
7021 KW Velswijk
0314-64 19 00

Opelspecialist Vermeiren
Broekeindsedijk 6a
5091 KL Westerbeers
013-514 22 27

Van de Laan & Zn
Osdorperweg 547
1067 ST Amsterdam
020-619 00 87

Panhard

Kees de Waard-Wagner
Simonshavenstraat 1
1107 VA Amsterdam
020-697 09 16

Peugeot

Automobielbedrijf Jonkhart
Geuzenweg 249
1221 BR Hilversum
035-685 71 11

Bieberg Klassiekers
Industrieweg 11c
6562 AP Groesbeek
024-696 13 59

Garage Roemer
Dorpsstraat 3-5
1921 BA Akersloot
0251-31 23 13

HFH
Mepperstraat 44
7855 TB Meppen
0591-37 20 82

Ilbrink Peugeot
Overspoor 18
1688 JD Nibbixwoud
0229-57 29 42

Jaap v.d. Broek
Oosteinde 11
7711 BV Nieuwleusen
0529-48 13 85

Joh. Deinum Autoservice
Produksjewei 9
8501 XD Joure
0513-41 60 70

Karel Verhoeven Peugeot (404)
Belversestraat 46
5076 PZ Haaren
0411-62 25 88

Voithur Automobielen
Holtermanstraat 18
6512 DB Nijmegen
024-323 43 40

Willem Driessen
Granaatstraat 68
7554 TR Hengelo
074-243 31 70

Pontiac

Fiero Factory & Parts Centre
Braken 1
1713 GC Obdam
0226-45 40 43

Porsche

C.P.R. Klassieke Porsche
Vlaardingenstraat 43
1324 LB Almere
036-534 67 29

Car Care Porsche
Industrieweg 38
3762 EK Soest
035-601 21 78

Garage Hofstee
Kaaphoornstroom 12
1271 EL Huizen
035-526 88 98

Porsche Specialist W. van den Berg
Sleutelbloemstraat 40
7322 AK Apeldoorn
055-366 12 68

Th. Siemerink & Zn
Bronsstraat 12
1976 BC IJmuiden
0255-53 41 22

Reliant

Scimitar & TVR Centre
Reigerbosweg 6a
5144 MA Waalwijk
0416-34 24 74

Renault

Centre 16
Breesapstraat 2
1975 CB IJmuiden
0255-51 25 40

Van den Tol
A. Einsteinstraat 18
3261 LP Oud-Beijerland
0186-61 33 66

Rolls Royce (en Bentley)

Brabo Rolls-Royce Parts
Leidse Vaartweg 23e
2106 NA Heemstede
023-584 70 88

Garage De Vaal
Burgerdijkseweg 26
3155 RA Maasland
0174-51 00 22

Garage Groenouwe
Gorselseweg 41
7437 BE Bathmen
0570-54 16 20

Garage Zwennes
Kerkdijk 27
3615 BA Westbroek
0346-28 25 72

Garagebedrijf Oosterhuis
Steenovens 31
4571 PT Axel
0115-56 12 71

Rover

Auto Blanco Classica
Eekboerstraat 33
7525 AV Oldenzaal
0541-53 43 33

Garage Trias
Kerklaan 43
2101 HK Heemstede
023-528 55 99

J.W. Smink
Van Tuyllstraat 30
3829 AD Hooglanderveen
033-257 14 00

Rondel Rover Restauratie
3e Industrieweg 9
4147 CV Asperen
0345-68 16 56

Saab

Leo Borsboom
Ged. Binnengracht 27
3441 AE Woerden
0348-41 55 73

Skoda

Jo de Bie Oldtimers
Julianastraat 15
5427 AT Boekel
0492-32 18 75

Popma's Autobedrijf Skoda Oldtimers
Fuutweg 231
7331 ES Apeldoorn
055-533 31 49

Studebaker

Studebaker Select Europe BV
Rading 54a
1231 KB Loosdrecht
035-623 70 73

Sunbeam

Rob Arijansen
Obrechtstraat 42
3572 EG Utrecht
030-271 81 57

Rootes Auto's
Tienhoven 33
4697 GN St. Annaland
0166-65 22 79

Triumph

Anglo Frisia Import
Zomerweg 35
9257 MD Noordbergum
0511-46 35 20

Brit Parts TR 7/8 Shop
St. Josephstraat 21a
5089 NK Haghorst
013-504 39 51

British Car Service Van Kan
Harregatplein 2
3214 VP Zuidland
0181-66 37 62

Dick Visser Fasteners & TR Parts
Pluim Es 70
2925 CN Krimpen a/d IJssel
0180-52 02 57

Henk Mulder Triumph Parts
Buorren 23-25
9031 XS Boksum
058-254 18 06

Nico Baas Triumph Centre
Nes 82
1693 CK Onderdijk
0228-58 38 02

Olaf Hoel
Nieuwe Dijk 27
Pernis
010-416 67 03

Reehorst Onderdelen
Kerkweg 47b
3214 VC Zuidland
0181-45 36 22

Speed Centre
Rijnstraat 33a
4191 CK Geldermalsen
0945-68 44 77

't Zand Autobedrijven
De Overmaat 22
6831 AH Arnhem
026-323 66 11

Toon Spitters
Dommel 21-23
5422 VH De Mortel-Gemert
0492-39 01 66

TVR

Scimitar & TVR Centre
Reigerbosweg 6a
5144 MA Waalwijk
0416-34 24 74

Volkswagen

Classic Volkswagen Restoration
Kerkakkerstraat 15
4891 AE Rijsbergen
076-596 81 44

De Gekgewordenkever
Industrieweg 2
8255 PB Swifterbant
0321-32 23 12

De Keverhoek BV
Wilhelminastraat 13
5721 KG Asten
0493-69 39 55

De Keverspecialist
Schooldijk 60
7833 GM Nw.-Amsterdam
0591-55 22 92

Firma V & W
Nijverheidslaan 28c
1382 LJ Weesp
0294-41 33 53

Franky's VW Service
Loo 59a
5571 KP Bergeijk
0497-57 53 41

G. Jaemers Kevershop
Weijerstraat 329-333
B-3850 Nieuwerkerken-Kozen
België
011-31 48 95

Garage Beetleland
Liersesteenweg 51
B-2253 Emblem
België
03-480 93 05

Hot Rod Doesburg
Leigraafseweg 13
6983 BR Doesburg
0313-47 55 56

Keverland VW Kevershop & Garage
Ambachtsweg 5-7
2641 KS Pijnacker
015-369 80 44

Keverparts BV
Loosduinseweg 1077-1079
2571 BC Den Haag
070-368 61 09

Mike's Beetles & Bikes
Constructieweg 27a
3641 SB Mijdrecht
0297-26 14 64

Oldtimer Parts
Bankenstraat 35
4874 ND Etten-Leur
076-503 60 43

Otto v.d. Bergh
12e Laan 4
7876 HR Valthermond
0599-66 23 20

Paruzzi Cars
Kreeft 16
4401 NZ Yrseke
0113- 50 35 55

Pieter Los
Waterradmolen 32
1703 PD Heerhugowaard
072-574 03 37

Second Ware
Hanzeweg 6
6981 BH Doesburg
0313-47 37 94

Van Gilst Kevers
Nieuwstraat 12
4311 AN Bruinisse
0111-48 19 93

Volkswagen Rariteiten
Venekamp 1
7921 MB Zuidwolde
0528-37 29 58

VW Classics
Boerenkamplaan 58
5712 AG Someren
0493-47 00 60

VW Specialist
Industrieweg 3-t
5262 GJ Vught
073-613 07 62

Volvo

Berlé Volvo Parts
Van Slingelandstraat 14
1051 CH Amsterdam
020-686 68 34

Body Shop Drenth
Klaverstraat 6
9411 GC Beilen
0593-54 07 92

Chris Doorman Amazon Service
Wateringsevest 7b
2611 AV Delft
015-214 09 80

Frank Smeekens Autobedrijf
Molenstraat 11
4851 SG Ulvenhout
076-565 68 79

Gerben Brouwer B.V.
Burchtstraat 9-11
8374 KC Kuinre
0527-23 14 44

Jan Ooms Classics
Kleyne Noort 9
2881 DH Monster
0174-21 27 99

Nordicar B.V.
Galilei 2
1704 SE Heerhugowaard
072-571 85 44

NovaClassica
James Wattstraat 22
8912 AS Leeuwarden
058-216 06 50

Piet Mozes Restauraties
It Kylblok 3
8447 GR Heerenveen
0513-65 39 97

Scandcar
Heizenschedijk 6
5066 PL Moergestel
013-513 40 33

Slubo Volvo onderdelen
Voltastraat 60
7006 RW Doetinchem
0314-34 64 66

Svenska Klassika
Yndijk 2
8635 VD Bozum
015-52 11 10

Toncar
Rodenrijseweg 127
2651 BN Berkel en Rodenrijs
010-511 77 00

Tracks Car Promotions
Sprenkeleind 25
5087 BN Diessen
013-504 26 33

TransOcar BV
Raadhuisstraat 52
5056 HD Berkel-Enschot
013-533 41 20

Volvo Sloperij Klein Zweden
Papekopperstraatweg 30
3464 HL Papekop
0348-56 31 35

Volvo van Ven
Hartdraversweg 16
8501 CM Joure
0513-41 67 42

Wilpac
Veldstraat 40
4881 BC Zundert
076-597 23 90

Wim's Classics
Stipdonk 15
5715 PC Lierop
0492-54 44 68

Wartburg

Breen Wartburg Onderdelen
Elleboog 17
6713 KP Ede
0318-69 25 48

ONDERDELEN

Algemeen

Arese
Venenweg 1
1161 AK Zwanenburg
020-497 84 31

Auto Parts Utrecht
Biltstraat 22a
3572 BB Utrecht
030-271 04 66

Auto-Indus
Botnischegolf 23
3446 CN Woerden
0348-41 45 58

Bits 'n Pieces
Rangeerstraat 5
4431 NL 's-Gravenpolder
0113-31 26 55

Bodyshop Harrie Drenth
Klaverstraat 6
9411 GC Beilen
0593-54 07 92

EDS Classic Auto Parts
Hazeleger 52
3892 WL Zeewolde
036-523 49 94

Santoro Onderdelen Import
Pluvierstraat 76
2583 GJ Den Haag
070-350 22 51

Vanderburg Spares
Bedrijvenweg 5
5272 PA St. Michielsgestel
073-551 55 21

Amerikaanse auto's

A. Simons Auto's
Turnhoutsebaan 10
5051 DZ Goirle
013-534 19 35

American Car Centre
Haverheidelaan 11
B-9140 Temse
België
03-771 91 83

Américandré
Rue Antoine Gosselin 15
Stambruges-Grandglise
B-7973 België
069-57 64 45

Arton USA Cars
Willem Snelliusweg 39
3331 EX Zwijndrecht
078-620 25 55

C & P USA Parts
Kerkberg 8
5951 DD Belfeld
077-475 93 00

C & P USA Parts B.V.
Kerkberg 8
5951 DD Belfeld
077-475 93 00

Casey's Classics & Cabrio's
Energiestraat 14
1411 AT Naarden
035-697 01 26

Catalina USA Parts
Keizersveld 71d
5803 AP Venray
0478-51 50 00

Chevy 8 Shop
Transeedijk 6-8
6915 XX Lobith
0316-54 14 41

Classic Car Expert
Hoorn 414
2404 HL Alphen a/d Rijn
0172-44 26 60

Classic Car ëHet Noorden'
Aan de Vaart 5-6
9301 ZH Roden
050-501 35 00

Continental Cars
P.W. Janssenweg 2
8411 XP Jubbega
0516-46 20 20

Don & Don USA Cars & Parts
Harregatsplein 9
3214 VP Zuidland
0181-45 26 14

Frans van de Mosselaar
Watertorenstraat 6
5102 AG Dongen
0162-32 21 46

Jambroes BV
2e Kruisweg 8
3291 KB Mookhoek
078-673 41 87

LaSalle Collection Cars
Beurtschipper 116
2152 LH Nieuw Vennep
0252-68 74 66

Mico USA Parts
Kruisstraat 7
5991 EM Baarlo
077-477 23 23

Phoenix USA Cars
Randweg 8
4104 AC Culemborg
0345-52 05 49

Pro Street USA Import
Lijnbaan 18
1969 NE Heemskerk
0251-24 01 42

Shelby USA Cars
Stationsweg 14
2515 BN Den Haag
070-388 51 09

Top Classic USA Parts
Bloemendaalsestraat 65-67
3811 ER Amersfoort
033-475 51 68

US Oldies & Classics
De Vunt 3
B-3220 Holtsbeek
België
016-44 66 11

USA Cars BV
Nieuwe Compagnie 23
9605 PX Hoogezand
0598-35 03 30

USA Cars ñ Hulleman Auto's
Twelloseweg 8
7396 BH Terwolde
0571-27 31 59

USA-Cars Damstra
Harlingerweg 83
8801 PB Franeker
0517-39 75 26

Voorend USA Auto Parts
Nijverheidsweg 3
6691 AZ Gendt
0481-42 40 89

W.S. Classic Cars
Postbus 21
7876 ZG Valthermond
0599-66 23 55

Engelse auto's

A.A.S.
Ondernemingsweg 13
2404 HM Alphen a/d Rijn
0172-42 15 44

Altena Classic Service
De Vaart 23
7784 DK Gramsbergen
0524-56 11 22

Anglo Parts NL
Storkstraat 3
3905 KX Veenendaal
0318-55 13 34

Auto-Vitesse
Lucas Gasselstraat 3
5611 ST Eindhoven
040-211 89 00

Autobedrijf Jongbloed BV
Hoofdweg 8-10
8383 EG Nijensleek
0521-38 12 06

Britich Cars & Spares Import
Chemin du ChÎne aux haies 15
B-7000 Mons
België
065-34 97 21

British Car Centre Baarn
Nieuwstraat 5
3743 BK Baarn
035-541 44 77

British Car Service Van Kan
Molenstraat 10
3216 BL Abbenbroek
0181-66 39 65

Brooklands Classic Cars
Wiltonstraat 29
3905 KW Veenendaal
0318-51 45 35

Classic Car Parts
Weth. v Haperenstraat 34
4813 AM Breda
076-521 75 76

Classic Car Service
Van Notenstraat 115-119
B-2100 Deurne
België
03-321 06 90

Classic Cars Friesland
Südkant 1
8495 KL Oldeboorn
0566-63 12 76

Classic Garage Colnot
Danweg 5
1871 BM Schoorl
072-509 46 95

Damen en Kroes BV
Schouwrooy 14
5281 RE Boxtel
0411-68 80 88

De Jong Sportscars
Antoniusstraat 9-11
5171 DA Kaatsheuvel
0416-27 21 55

De Zeemeeuw
Oosteinde 19
1531 KB Wormer
075-642 12 12

Eurospeed Services
Hoogsestraat 1
6675 BJ Valburg
0488-43 17 70

F.v.d. Grinten
Brinkstraat 289
Enschede
053-430 22 14

Garagebedrijf Schut
Industrieweg 29
3762 EH Soest
035-601 06 68

Gooimeer Carcenter
Energiestraat 14
1411 AT Naarden
035-697 01 26

Imparts
Badhuisstraat 11-13
6827 AD Arnhem
026-442 99 37

Kimman BV
Schipholweg 5
2034 LS Haarlem
023-533 90 69

Kooij Klassiekers
Breeuwersweg 14
1786 PG Julianadorp
0223-63 18 26

S+S Tuning
Industriestraat 79
7482 EW Haaksbergen
053-572 25 17

Sports Car Centre BV
Withuisstraat 8
4845 CA Wagenberg
076-593 12 70

Van Herk Classicar
Vollersstraat 18
5051 JV Goirle
013-534 67 78

Franse auto's

Bieberg Klassiekers
Industrieweg 11c
6562 AP Groesbeek
024-696 13 59

Gebr. Van der Sman
Hof van Delftstraat 9
2631 AG Nootdorp
015-310 92 39

Jaap v.d. Broek
Oosteinde 11
7711 BV Nieuwleusen
0529-48 13 85

José Franssen
Place de la Gare 1a
B-4850 Plombières
België
087-78 51 24

Bert Pastoor
Van Lindbergstraat 1
7903 BM Hoogeveen
0528-26 50 54

Italiaanse auto's

Auto Blanco Classica
Meddelerweg 180
7546 PM Usselo
053-428 24 77

Auto Europa-Italië BV
Lange Lombardstraat 69
2512 VP Den Haag
070-380 16 66

Berfelo Italian Car Service
Uitmaat 13
6987 ER Giesbeek
0313-42 27 04

Different Cars
Mercuriusstraat 18-26
B-2600 Berchem
0032 33660319

Italauto
De Fliert 14
3791 PW Achterveld
0342-45 19 33

Italian Car Service
Schalmstraat 2a
5614 AD Eindhoven
040-212 83 28

PRODUCTEN

Accu's

Accufabriek Wilco BV
Waarderweg 31
2031 BN Haarlem
023-532 98 55

Boogstein Accu ës
Schaikseweg 26
4143 HE Leerdam
0345-61 32 42

C.T.A. Service Holland
Hogeweg 19
5411 LP Zeeland
0486-45 18 18

Varta BV
Bovendijk 137
3045 PC Rotterdam
010-461 56 33

Autobekleders, Bekleding

A.B.C. Autobekleding
Industrieweg 10
2631 PG Nootdorp
015-310 93 37

A.P. de Bruijn
Hogerwerf 17
4704 RV Roosendaal
0165-53 51 15

Autobekledingsbedrijf Weidgraaf
Aziëweg 9
9407 TC Assen
0592-37 71 79

Autostoffering R.D.L.
Van Eimerenstraat 1
3551 VP Utrecht
030-242 29 95

Barneveld & Ter Haar
Zweedsestraat 4b
7102 CK Zutphen
0575-51 76 88

Bernard Cools BV
Croy 38 5653 LD
Eindhoven
040-252 25 41

Cabrio Hoods
Doejenburg 4a
4024 HE Eck en Wiel
0344-69 36 94

Classic Car Interiors
Hoorn 29
6717 LP Ede
0318-69 08 08

HVL
Dreef 60
4014 ML Wadenoijen
0344-66 16 10

J. v.d. Jagt & Zn.
Bermweg 22
3059 LA Rotterdam
010-2220003

Kees van Hoof Autobekleding
Kruisakker 8
5674 TZ Nuenen
040-283 67 30

Kempes Autobeklederij
Bloemstraat 24a
6851 CS Huissen
026-325 93 51

Lukkien Autobeklederij
Tweelingenlaan 22
7324 AM Apeldoorn
055-366 64 70

Peter Jansens Interieurrestauratie
Harderwijkerweg 4
6957 AD Laag Soeren
0313-41 59 53

Pierre Bachus
Handelsweg 8b
6114 BR Susteren
046-449 43 85

Smetsers Autobekleding
De Vier Uitersten 10
5688 BN Oirschot
0499-57 45 67

Stoffeerderij Meijer BV
Purmerweg 35
1441 RA Purmerend
0299-42 37 67

Ton van der Werf
Zoeterwoudseweg 25d
2321 GM Leiden
071-576 24 28

Van Straaten
Havenstraat 34-36
3441 BK Woerden
0348-41 28 87

Vredegoor Autostoffeerdersbedrijf
Josinkstraat 86
7547 AC Enschede
053-432 77 57

Autohoezen
Ton Berk
Postbus 44
2396 ZG Koudekerk a/d Rijn
071-341 37 59

Van Santen & Co BV
Herengracht 555
1017 BW Amsterdam
020-623 21 13

Automatische transmissies
Autrac
Lerenveld 44
B-2547 Lint
België
03-480 07 06

Berkeveld ATT
Raadhuisstraat 8
1687 AH Wognum
0229-57 16 06

International Transmisson Service
Galileistraat 15
3902 HR Veenendaal
0318-50 00 44

NorDrive
Omloop 18
9201 CC Drachten
0512-51 49 60

Autoradio's (voor Klassiekers)
Ton Zitman
Leidseweg 522
2253 JP Voorschoten
071-531 18 00

Autoruiten
A.G.S. Holland
Brouwerstraat 38
2984 AR Ridderkerk
0180-48 12 12

All Car
Neherkade 78e
2521 WR Den Haag
070-399 74 21

Hamarc
George Stephensonstraat 9
8013 NL Zwolle
038-468 06 06

Hoefa Autoglasservice BV
Eendrachtlaan 102
3562 LB Utrecht
030-293 22 33

Banden
Classic Tire
Legmeerdijk 235
1187 NA Amstelveen
020-647 73 79

Dunlop
J. Geesinkweg 128
1096 AT Amsterdam
020-342 23 23

Eijkenboom Banden BV
Meerweg 55a
2651 KR Berkel en Rodenrijs
010-511 67 55

Michelin NL
Huub van Doorneweg 2
5151 DT Drunen
0416-38 41 00

Oldtimer BV
Industrieweg 31
5591 JL Heeze
040-226 33 03

Pirelli Tyres Benelux
Merwedeweg 3
3621 LP Breukelen
0346-26 36 11

Van Klei Banden Import BV
De Sportlaan 3e
4131 NN Vianen
0347-37 33 34

Vredestein BV
Postbus 27
7500 AA Enschede
053-484 67 61

Martins (massieve banden)
Zusterstraat 2a-4
4201 EL Gorinchem
0183-66 00 70

Boeken
Auto Motor Klassiek
Veldstraat 112
7071 CE Ulft
0315-68 13 26

Autoboek International
Herfordstraat 7
7418 EX Deventer
0570-62 82 81

Autoboeken Service NL
B. Brittenstraat 1
1544 NA Zaandijk
075-640 35 41

Autohart Eindhoven
Boschdijk 169
5612 HB Eindhoven
040-245 66 08

Autoland
G. van Amstelstraat 239
1215 CL Hilversum
035 624 82 62

Automobilia
Spaarne ZW 10
2011 CH Haarlem
023-532 78 34

Boekenshop 't Citrofieltje
Geesterenstraat 54
5043 MH Tilburg
013-570 47 19

Chyparse (Citroën)
Stemerdingweg 11
3769 CE Soesterberg
0346-35 11 50

Klassiek & Techniek
Postbus 46
6970 AA Brummen
0575-56 54 55

Rob Nobel Motoring Books
Tuinstraat 50
2801 ZR Gouda
0182-52 91 70

Traffic Doetinchem
Nieuwstad 82
7001 AE Doetinchem
0314-32 70 00

Bouten en moeren
Boutencentrale Rotterdam
Schuttevaerweg 19
3044 BA Rotterdam
010-437 33 99

Mekop-Roestvrijstaal
Mauritiusstraat 18
6991 CB Rheden
026-495 47 86

Cabriodaken
Cabrio Care
Energiestraat 28d
1411 AT Naarden
035-694 00 94

Cabrio Hoods
Doejenburg 4a
4204 HE Eck en Wiel
0344-69 36 94

Cabrio Partner
Industrieweg Noord 2
3958 VT Amerongen
0343-45 65 99

F. De Witte Cabriodaken
Schrijberg 101
B-9111 Belsele
België
03-772 30 18

Carburateurs
BCCP Fuelsystems
Doorbraakweg 18/20
7783 DC Gramsbergen
0524-56 25 07

Power Props Lucas Injection Service
Ploeglaan 33
3755 HS Eemnes
035-531 48 15

Fotoarchief
Autodesign
075-687 76 99

Galvaniseren
Glind BV
Otterstraat 54d
3513 CN Utrecht
030-231 96 78

Heij Chroom
Rhôneweg 10
1043 AH Amsterdam
020-614 89 99

LOKO Galvano
Pampuslaan 216
1382 JS Weesp
0294-41 26 04

Stokkermans Chroomindustrie
Rooseveltstraat 8
2321 BM Leiden
071-576 92 25

Gereedschappen
ABS
Nijverheidsweg 16
3762 RE Soest
035-602 27 92

Fine Hand Tools
Maassingel 288
5215 GL Den Bosch
073-614 79 59

Kieft Gereedschappen
Voorthuizerstraat 133
3881 SG Putten
0341-49 12 71

Nordicar B.V.
Voorburggracht 121
1722 GB Zuid-Scharwoude
0226-31 49 05

Opa Pim Tools
Eikenwal 43
5386 GM Geffen
073-532 57 90

Pauwelussen BV
Middelmoot 16
1721 CZ Broek op Langedijk
0226-33 19 33

Historisch Racen
Anglo Italian Car Center
Rozendaalseweg 12
B-2920 Kalmthout
België
036-66 64 11

Biesheuvel Autosport
Rijksweg 37
4255 HG Nieuwendijk
0183-40 34 00

Duetto Tuning
Haarlemmer Houttuinen 17-19
1013 GL Amsterdam
020-627 69 69

Hurricane Racing Engines
Gonnetstraat 1-3
2011 KA Haarlem
023-531 03 06

Interparts Ind. Mij BV
3e Loosterweg 44-46
2182 CV Hillegom
0252-52 50 60

Houten wielen/onderdelen
Martins (massieve banden)
Zusterstraat 2a-4
4201 EL Gorinchem
0183-66 00 70

Special Woodwork Langford
Klaaskampen 64
1251 KP Laren
035-538 61 83

Klassieker Lease
Hassink Oldtimer Lease
Weverwijk 8
4245 KW Leerbroek
0183-35 17 49

Kleding
Adventure Store
Schoolstraat 19A
2502 LA Den Haag
070-361 69 69

Lakken

Akzo Nobel Autolak
Leuvensesteenweg 167
B-1800 Volvoorde
België
02-254 76 20

Akzo Nobel Autolak NL
Rijksstraatweg 31
2171 AJ Sassenheim
071-308 69 44

BASF Autolakken
Industrieweg 12
3606 AS Maarssen
0346-57 32 32

MoTip
Wolfraamweg 2
8470 XC Wolvega
0561-69 44 00

MoTip Belgium
Kapelanielaan 18
B-9140 Temse
België
03-771 09 86

Paint Partners Autolakspecialisten
Avignonlaan 47
5727 GA Eindhoven
040-242 40 10

RM Autolakken
Postbus 3037
2980 DA Ridderkerk
0800-762 88 65

Lasapparatuur

Multilas
Berentsweg 6
5451 GR Mill
0485-45 50 56

Lasbedrijven

Chris de Bruin
Daltonstraat 43
3316 GD Dordrecht
078-618 72 87

Cor Houtman
Mariannalaan 10
7316 DV Apeldoorn
055-522 31 22

Huub Bruls
Hoeve 44
6176 BH Spaubeek
046-443 14 71

J. Jorritsma
Edisonstraat 15
8801 PN Herbayum
0517-39 73 09

Laska
Slotstraat 9
3062 PM Rotterdam
010-412 29 56

Tecton
Duinweg 10d
5482 VR Schijndel
073-547 77 48

Leerrenovatie

IDW
Bellstraat 3-01
4004 JN Tiel
0344-61 71 11

Topfinish
Schutweg 17
5145 NP Waalwijk
0416-560071

LPG voor Klassieker

ACA Automobielcentrum
Sluispolderweg 25
1505 HJ Zaandam
075-6351651

Gebr. Van Orsouw
Lodewijkstraat 10
5652 AC Eindhoven
040-251 93 88

Groot Motorgas Systemen
Berenkoog 6-8
1822 BJ Alkmaar
072-561 64 64

Vogels Autogas Systemen
Ekkersrijt 3016
5692 CA Son
0499-47 32 29

Meters

Info Instruments
Hazeldonk 1403
4836 LH Breda
076-596 11 40

VDO Nederland
Nieuwpoortstraat 5
1055 RZ Amsterdam
020-682 19 52

Modellen

Autodrome
Kloosterweg 6
3882 NL Putten
0341-35 64 20

Autoland
G. van Amstelstraat 239
1215 CL Hilversum
035-624 82 62

Automobilia
Spaarne 10 zw
2011 CH Haarlem
023-532 43 29

Autosculpt
Postbus 5815
1410 GA Naarden
035-694 27 32

Ben Lokkers Automodellen
Antwerpsestraat 69-71
4611 AC Bergen op Zoom
0164-23 86 55

De Jong Modelauto's
Van Halewijnlaan 2
2274 TR Voorburg
070-381 60 98

Essen Modelbouw
Bovenkerkerweg 15
1185 XA Amstelveen
020-641 20 28

Modelbouw Netten
Kwekelstraat 30
4201 JV Gorinchem
0183-63 60 00

Van Gils Modelbouw
Oordeelsestraat 52-54
5111 PL Baarle Nassau
031-507 92 23

Van Loon Modelauto's
Gaaspstraat 37
1079 VC Amsterdam
020-642 03 24

Nummerplaten

Cijfer en Letters
Overtoom 147
1054 HG Amsterdam
020-618 21 49

Frato Funny USA Plates
Woeziksestraat 635
5056 VD Berkel-Enschot
024-641 11 51

Marco Neece BV
Wheemergaarden 11
7161 BZ Neede
0545-29 33 66

Overdrive-specialist

NorDrive
Omloop 18
4824 DA Drachten
0512-51 49 60

Pakkingen

Loctite
Essendonk 5
9201 CC Breda
076-542 23 33

Poetsmiddelen

Auto Glym
Ardeschstraat 15
3861 KX Nijkerk
033-245 65 66

Braam Beauty Car Service
De Run 4479
5503 LS Veldhoven
040-253 69 98

Holt Lloyds BV
De Steiger 1
1351 AA Almere-Haven
036-531 70 00

Impex Benelux
Paul Gilsonlaan 470
B-1620 Drogenbos
België
023-78 30 80

Kloosterman
Prunusstraat 69
4431 DD 's-Gravenpolder
0113-31 28 14

Sonax Car Care
Overijsselhaven 87
3433 PH Nieuwegein
030-606 04 63

Valma BV
Fokkerstraat 10
3905 KV Veenendaal
0318-546565

Wetlook Car Cosmetics
Jules Verneweg 31
5015 BG Tilburg
013-543 75 59

Radiateuren

Blaak
Blaaksedijk Oost 19
3274 LA Heinenoord
0186-60 17 32

EHV Radiateurenfabriek
Frankrijkstraat 85-97
5622 AE Eindhoven
040-243 60 30

H. Dales Radiateurenservice
Varsseveldseweg 75
7002 LJ Doetinchem
0314-32 45 87

Kühne Automotive B.V.
Hogebrinkerweg 18
3871 KN Hoevelaken
033-254 22 11

Lück Radiateuren
Locht 61
6466 GT Kerkrade
045-541 20 46

Radiateur Service Hartgers
Kayersdijk 11
7332 AH Apeldoorn
055-542 38 77

Radiateuren Service Brabant
Ertveldweg 18
5231 XB Den Bosch
073-644 23 30

Remmen

C & C Parts
De Voort 5a
5991 PC Baarlo
077-477 24 54

EDS Classic Auto Parts
036-532 49 94

Revisiebedrijven

AMT
Kroonstraat 30
4879 AV Etten-Leur
076-501 59 12

Arrows
Cort. v.d. Lindenstraat 6
2288 EV Rijswijk
070-319 21 25

Autoshop Haarlem BV
Gonnetstraat 1-3
2011 KA Haarlem
023-531 03 06

Babo Motorenrevisie
Van Hogendorpstraat 172
2515 NX Den Haag
070-388 33 00

Broos Revisie
Aardenhoek 28
4817 NE Breda
076-587 56 50

De Sutter Motorenfabriek
Kortenoord 63
2911 BD Nieuwerkerk a/d IJssel
0180-31 48 44

Eerste Bossche Motoren Revisie
Kasteleinenkampweg 15
5222 AZ Den Bosch
073-621 53 30

Habets Motorenrevisie BV
Daelderweg 27A
6361 HK Nuth
045-524 59 28

Hurricane Racing Engines
Gonnetstraat 1-3
2011 KA Haarlem
023-531 03 06

Jan Keizer Motorenrevisie
Dichterseweg 1
7006 AA Doetinchem
0314-32 61 03

Leeuwarder Motoren Revisie
Neptunusweg 9
8938 AA Leeuwarden
058-288 28 07

Meerssener Revisiebedrijf
Montfoortlaan 7
6231 CP Meerssen
043-364 43 06

Meijerink BV
Het Wolbert 25c
7547 RA Enschede
053-431 99 14

Motoren Revisie Apeldoorn
Prinsenweide 62
7317 BC Apeldoorn
055-578 50 50

Motorenrevisie Vos
Hoofdstraat 53
9501 GC Stadskanaal
0599-61 21 41

Nijverdal Autotechniek
Wierdensestraat 2
7443 AC Nijverdal
0548-61 71 61

Rijswijks Motor-Revisiebedrijf
Brasserskade 221
2289 PS Rijswijk
015-212 28 01

Stolk
Dotterbloemstraat 30
3053 JV Rotterdam
010-418 50 90

Utrechtse Motorenrevisie Overvecht
Franciscusdreef 56
3565 AC Utrecht
030-262 14 32

Van Giersbergen
Terborgseweg 66
7064 AH Silvolde
0315-32 31 63

Végé-Motoren BV
Ir. H. de Grootweg 1
3201 AB Spijkenisse
0181-65 21 21

Wiering Motorenrevisie
S. v. Heringaweg 33
9034 GC Marssum
058-254 12 27

Roestbestrijding en -preventie

Coating Industrie Maarssen
Straatweg 13
3603 CV Maarssen
0346-56 27 52

Corimpex
072-534 05 51

Fertan CRI Import
Wieksloterweg OZ 7
3766 LS Soest
035-602 82 15

Jawi-Fertan
Dorpsstraat 33
4031 MD Ingen
0344-60 35 27

Lemmens-Hover Dinitrol
Stationstraat 16
6191 BD Leek
046-437 14 85

Marskamp Tectyl Service
Kanaaldijk Noord 1
4241 TC Arkel
0183-561455

Van Egmond AntiRoest Center
Ondernemingsweg 17
2404 HM Alphen a/d Rijn
0172-41 64 75

Rubbers

Damen Rubber
Argonstraat 28-30
2718 SM Zoetermeer
079-362 88 88

P.S.B.
Plankier 26
2771 XL Boskoop
0172-21 50 94

Schokdempers

Koni BV Langeweg 1
3261 LJ Oud-Beyerland
0186-63 55 00

Kühne Automotive B.V.
Hogebrinkerweg 18
3871 KN Hoevelaken
033-254 22 11

Smeermiddelen

Agip
Eemhaven 50
3089 KH Rotterdam
010-429 42 66

All Star Trade Int.
Postbus 1557
3600 BN Maarssen
0346-57 03 21

Castrol Nederland BV
Oosteinde 137
2271 EE Voorburg
070-357 55 00

Esso Classic Car Products
Postbus 126
1230 AC Loosdrecht
035-582 45 64

Hoefnagel & Zn
Veerweg 10
2957 CP Nieuw-Lekkerland
0184-68 15 00

Millers Oils
Tilburgseweg 76
4817 BG Breda
076-581 13 18

Shell
Postbus 1414
3000 DN Rotterdam
010-469 67 50

Texaco
Weena 116
3012 CP Rotterdam
010-403 34 00

Valvoline Oil NL BV
Postbus 11
3300 AA Dordrecht
078-618 00 11

Spaakwielen

De Pijper Wielenservice
Chr. Huygensweg 7
3225 LV Hellevoetsluis
0181-32 17 28

Haan Wheels
Ambachtstraat 25
5481 SM Schijndel
073-547 61 96

Poelma
Bovenhuizen 6
9981 HB Uithuizen
0595-43 19 83

Stalling

Oldtimerstalling
Oosteinde 35
1674 NC Opperdoes
0227-54 35 67

Winsemiusgroep BV
't Kofschip 119 A
Veenendaal
0318-54 14 30

Straalapparatuur

Straalapparatuur Matthys
Beukenhofstraat 109
B-8570 Vichte
België
056-77 31 00

Stralen

A-Parts Coating
De Ploeg 52
7335 LD Apeldoorn
055-533 65 79

Astra Stramon BV
Moleneind 6
5721 WP Asten
0493-69 18 37

Bouw BV Harselaarseweg 60
3771 MB Barneveld
0342-41 25 88

Giessen Straalbedrijf
Schoenerweg 65
6222 NX Maastricht
043-363 66 66

Gritstra BV
Edisonweg 7-9
5482 TJ Schijndel
073-547 75 53

Hopman Gritstraalbedrijf
Hertzstraat 23
1446 TE Purmerend
0299-64 55 10

Mobielstraalbedrijf Koop
Koperweg 23
9936 BM Delfzijl
0596-61 46 20

Straalbedrijf Kees Koek
Constructieweg 24
3641 SB Mijdrecht
0297-24 13 53

Straalbedrijf Timmer BV
Alkmaarseweg 11
1775 PP Middenmeer
0227-50 14 17

Werkplaatsen Walcheren
Grevelingenstraat 16
4335 XG Middelburg
0118-63 30 40

Tandwielen

Machinefabriek Aug. Bierens & Zn
Ringbaan Noord 189
5046 AB Tilburg
013-536 00 25

Taxaties

Algemeen Expertise Bureau Post en Kots
Stationsstraat 18
1182 JN Amstelveen
020-647 51 71

Augustijn Auto Expertise
Kerkdreef 2
4851 RB Ulvenhout
076-561 30 18

Autoconoom
Burg. Sutoriusstraat 2-14
4813 PM Breda
06-54 30 26 00

Bart de Laat Taxaties
Postbus 3232
5003 DE Tilburg
013-468 20 21

CED Bergweg
Rietbaan 40-42
2908 LP Capelle a/d IJssel
010-284 35 33

Cees Lubbers
Grote Voort 107
8041 BD Zwolle
038-422 88 48

Classic Vehicle Consult
D. Egginkstraat 3
2131 BK Hoofddorp
023-555 38 49

E.W. Brouwer
Teenkweg 4
7211 EV Eefde
0575-54 02 11

Elbers Van den Berg BV
Kerkenbos 10-32
6546 BB Nijmegen
024-373 06 30

Expertisebureau RDM
Postbus 64658
2506 CB Den Haag
070-368 64 60

Expertiseburo De 4 Provinciën
Essenlaan 73
1161 EB Zwanenburg
020-497 31 49

Gratama Classic Car Taxaties
Boekweitstraat 72
2153 GL Nieuw-Vennep
0252-62 23 56

Jan Adolfs
Schubertlaan 21
7522 JN Enschede
053-433 36 37

Peter Wilbers
Veldstraat 112
7071 CE Ulft
0315-68 13 26

Rijshouwer Tech. Expertisebureau
Van Alkemadestraat 878
2597 BE Den Haag
070-354 25 26

Sarex Expertise BV
Postbus 351
3440 AJ Woerden
0348-40 55 00

Van Eck Expertises
Brinklaan 265
1401 GH Bussum
035-693 06 33

Van Son & Visser Makelaarskantoor
Commanderijstraat 10
4209 AR Schelluinen
0183-62 01 83

Walther de Munnik
Donauring 130
5152 TD Drunen
0416-37 25 99

Trouwauto's

Avance
Narcisstraat 33
2252 XD Voorschoten
071-561 42 08

Citrouw (Citroëns)
Zuidendijk 10
3314 CW Dordrecht
078-613 33 70

Classic Car & Cabrio Rental
Korenbloemweg 9
2403 GA Alphen a/d Rijn
06-53 90 33 13

Classic Weddings Cars
Wachthoevestraat 34
3209 BK Hekelingen
0181-64 10 21

Corona Bruidswagens
St.-Gilleskerkstraat 8-10
B-8000 Brugge
België
050-33 89 09

Erven Jan de Boer Limousine Service
Pieter Ghijsenlaan 3
1506 PW Zaandam
075-617 51 51

Gebr. De Greef
Achterstraat 57
4054 MS Echteld
0344-64 42 44

Go Classic
Steenwijkerweg 164
8338 LD Willemsoord
0521-58 95 06

Meijers Trouwautobedrijf
Amsterdamsestraatweg 513
3553 EE Utrecht
030-244 12 46

Paul Meert
Naastveldstraat 63
B-9160 Lokeren
België
091-48 82 34

Van Broekhoven Limousine Service
Veeartsenijstraat 205
3572 DJ Utrecht
030-266 09 43

Uitlaten

Automax
Eendrachtlaan 218
3526 LB Utrecht
030-288 51 51

Bosal NL BV
Kamerlingh Onnesweg 5
4131 PK Vianen
0347-36 29 11

Romax BV
Harselaarseweg 33
3771 MA Barneveld
0342-41 12 11

Sportpax
Pruisische veldweg 70A
7552 AD Hengelo
074-291 09 54

Verchromen, slijpen, polijsten

A. Prozee
Industrieweg 2
4233 GA Ameide
0183-60 24 78

Black Oxide AAT
Newtonstraat 10
7575 BZ Oldenzaal
0541-52 03 16

Chroom Service NL
Newtonstraat 10
7575 BZ Oldenzaal
0541-53 37 25

Chroom Service NL
Newtonstraat 10
7575 BZ Oldenzaal
0541-53 37 25

Elektro Metaal Tolenaar
Koepelstraat 30-32
3031 VD Rotterdam
010-413 68 28

Galvano Techniek
Nijverheidsweg 4
6171 AZ Stein
046-4260127

Heij Chroom
Rhôneweg 10
1043 AH Amsterdam
020-614 88 99

Jansen VOF Oppervlaktetechnieken
Breukersweg 2a
7471 ST Goor
0547-27 12 63

K.W. van der Wall
Steijnlaan 33
2571 PX Den Haag
070-345 86 52

Lemmens & Zn
Brusselseweg 524
6219 NP Maastricht
043-344 06 01

Loko
Pampuslaan 216
1382 JS Weesp
0294-41 26 04

Stokkermans Chroom Industrie
Rooseveltstraat 8
2321 BM Leiden
071-576 92 25

Tolenaar B.V.
Koepelstraat 30/32
3031 VD Rotterdam
010-413 68 28

Verzekeringen

3-As Assurantiën
Eemstraat 15
3741 AB Baarn
035-541 34 31

Assurantiekantoor P. Diks
Hernhutterslaan 8
3402 GX IJsselstein
030-688 37 00

Bovemij Intermediair BV
Takenhofplein 2
6538 SZ Nijmegen
024-3666663

Braam Assurantiën
Markerkant 1201-23
1314 AJ Almere
036-548 92 93

Classico verzekeringen
Postbus 1311
8001 BH Zwolle
038-422 68 00

Delsako Assurantiën
Postbus 1549
2003 BN Haarlem
023-534 09 49

Dorgelo Verzekeringen
Postbus 2330
7301 EA Apeldoorn
055-355 77 55

Elaska Verzekeringen
Logtsestraat 2
6661 NM Elst GLD
0488-43 17 03

GIO Adviesgroep
Postbus 1020
1300 BA Almere-Stad
036-533 11 99

Kamerbeek
Postbus 81
3800 AB Amersfoort
033-464 07 00

Kuiper Verzekeringen
Postbus 116
8440 AC Heerenveen
0513-61 44 44

Nationale Nederlanden
Postbus 90504
2509 LM Den Haag
070-341 80 80

Nederhyp
Dorpstraat 100
2451 AS Leimuiden
0172-50 72 28

Noorderkwartier BV
Postbus 70
1610 AB Bovenkarspel
0228-51 82 44

Oolders Assurantie
Postbus 525
2003 RM Haarlem
023-525 95 51

Schrijver's Verzekeringen
Postbus 287
1700 AG Heerhugowaard
072-571 36 11

UAP Verzekeringen
Postbus 30810
3503 AR Utrecht
030-230 95 07

Van Stek Assurantiën
Postbus 22
1510 AA Oostzaan
020-633 81 88

Vos Assurantiën
Postbus 249
8160 AE Epe
0578-61 69 27

Zijleveld Verzekeringen
Postbus 209
9470 AE Zuidlaren
050-409 00 50

Wielen

De Pijper Wielenservice
Chr. Huygensweg 7
3225 LV Hellevoetsluis
0181-32 17 28

Poelma
Bovenhuizen 6
9981 HB Uithuizen
0595-43 19 83

Zuigers, zuigerveren

Harmsen Zuigerimport
Prof. Lorentzlaan 52
1181 WL Amstelveen
020-647 79 72

Meijerink B.V.
Brinkstraat 128
7512 EG Enschede
053-431 99 14

Wedam Zuigerverenfabriek
Wheeweg 31b
7471 EV Goor
0547-27 63 64

NEDERLANDSE EN BELGISCHE PERSONENAUTOCLUBS

Mutaties en aanvullingen op dit overzicht zijn welkom op het voorin dit boek vermelde correspondentieadres.

ALGEMEEN LANDELIJK

Federatie Historische Automobiel- en Motorfietsclubs (FEHAC)
Dhr. R. Varkevisser
Rembrandtlaan 26
3723 BJ Bilthoven
030-228 88 60

Pionier-Automobielen Club (PAC)
Jan Noordhoek
Hoeksedijk 56
3299 AH Maasdam
078-676 25 53
bertvdzand@cistron.nl

Historische Automobiel Vereniging (HAV)
F. Erdelmann
Badhuisweg 1
7875 BV Exloo
0591-54 94 94
erdelman@cybercomm.nl

Historische Auto Ren Club (HARC)
Postbus 37
2120 AA Bennebroek
023-528 03 62
avhcnl@euronet.nl

Vrienden Interessante Automobielen
Johan van den Berg
Penningweg 10
1827 JM Alkmaar
072-561 43 21
berg-rooijakkers@wxs.nl

Vriendenkring Bijzondere Automobielen
H.S. v.d. Brug
Torenlaan 9
1251 HE Laren (NH)
035-538 69 42

Int. Hist. Automobielclub NL
A. Hoogenboom
Marcellienstraat 11
6166 CP Geleen
046-475 31 35
ahoogenb@cobweb.nl

Int. Veteraan Automobielen Club
J.M.H. Halmans
Haansberg 48
6443 EC Brunssum
045-527 16 47

CONAM
Frans Vrijaldenhoven
Ursulaland 125
2591 GW Den Haag
070-385 28 96

CAAR
Will de Hek
Engelandlaan 506
2034 NR Haarlem
023-536 04 18
wdhek@wxs.nl

Gay Classic Car Club
M.W. van Pelt
Postbus 4458
3006 AL Rotterdam
010-447 17 98
gccc.benelux@planet.nl

Belgische Federatie voor Oude Voertuigen
D. Cabergs
De Bruijnlaan 38
B-3130 Begijnendijk
016-53 78 20
dora.cabergs@skynet.be

Royal Veteran Car Club Belgium
Georges Battard
Haachtsesteenweg 147
B-1030 Brussel
02-217 56 30

Historical Vehicle Club of Belgium
Marius Butaye
Aarschotsesteenweg 12
B-3012 Wilsele (Leuven)
016-28 01 20

Veteranen Automobiel Club 'Roadstar'
Mw. A. Starreveld
Het Meer 223
8448 GG Heerenveen
0513-62 81 80

VZW Belgische Automobielclub
Patrick Mols
Grote Baan 71b
B-3540 Herk-De-Stad
013-46 16 80

ALGEMEEN REGIONAAL

A.C. 'Carwei'
J. Wagner
Vroonweg 15
3247 CG Dirksland
0187-60 18 12
jwagner@uwnet.nl

Ambiorix Old Cars
Johnny Staf
Wijkstraat 39
B-3700 Tongeren
012-23 30 23

Auto-Rétro Mosan
Henri Delgoffe
Rue de Huy 32
B-4530 Villiers-le-Bouillet
085-21 72 22
vitessehd@hotmail.com

Auto-Rétro Staden
Jean-Marie Ryon
Charles Ampèrestraat 4b
B-8840 Staden
051-70 57 08
jmryon@unicall.be

Auto-Moto-Rétro Club Rochefort
Georges Nicolay
Rue du Poteau 9
B-5580 Rochefort
084-21 37 13

Rétro-Auto-Moto Club Lorrain
Mr. Bastin
Rue André Chavez 26
B-6741 Vance Etalle
063-45 58 83

AVAC (Charleroi)
Jean Deterville
Rue de la Station 3
B-6040 Jumet
071-35 24 17

AVCC
Albert Michel
Place d'Europe 4
B-7313 Waudrez
064-33 71 93

Belles Mobiles Club Herve
Jean-Marie Lejeune
Rue Hac 12
B-4650 Herve
087-67 55 78

Blokkerse Oldtimer Club
E. Bruijns
Noorderdracht 5
1669 AB Oosterblokker
0229-26 29 15
boc@planet.nl

Bommelerwaardse Klassieker en Oldtimer Club
Ton van de Mortel
Engelerschans 42
5221 AS Den Bosch
073-631 13 57

Brabantse Automobielclub BMAC
Francis Lauwereys
Oudstrijdersstraat 115
B-3020 Herent
016-23 03 83

Brugse Old-timers Vrienden
Eric Vandamme
Diksmuidse Heerweg 64
B-8200 Brugge
050-38 69 17

Brussels Classic Car Club
Tomo Hajdinjak
Dolfijngaarde 17
B-1200 Brussel
02-771 28 00

Fairon Old Car Club
Georges Witvrouw
Route du Tilleul 4
B-4180 Comblain-Fairon
086-38 91 38
focc@caramail.com

Four Wheels
Jean-Pierre Debruyn
Vierwegstraat 214
B-8800 Roeselaere
051-20 81 78

Fryske Oldtimer Club
J. ter Veen
Tjatter 12
8531 DG Lemmer
0514-56 27 18
hansterveen@hotmail.nl

Gentsche Retrowielen
Marc Jackson
Postbus 190
B-9000 Gent 12
09-329 34 57
chrilo@unicall.be

The Heuvelrug Drivers Amerikaanse en Oldtimer Club
B. van Scherrenburg
Korte Molenstraat 24
3905 AC Veenendaal
0318-51 36 96
fam.scherrenburg@wanadoo.nl

Historical Vehicle Club Belgium
M. Butaye
Aarschotsesteenweg 12
B-3012 Wilsele
016-28 01 20

Hist. Automobielclub Cuylenborgh
C.G. Jansen
Zandstraat 9
4101 EC Culemborg
0345-51 81 43

Hist. Automobielclub Rotterdam
L. van Driel
Prinses Irenestraat 39
2983 HX Ridderkerk
0180-41 02 01
ldriel2@chella.nl

Oldtimer Club De Hondsrug
J.G. Eikema
Wilhelminastraat 25
7811 JB Emmen
0591-64 74 70

La Macchina Vecchia
Geert Carron
Kortrijksestraat 157
B-8770 Ingelmunster
051-30 03 34
pol.v@pi.be

Leuvense Oldtimervrienden
O. Vandenbosch
Rue de la Vallee 21
B-1370 Pietraim-Dodogne
010-81 43 16
vanlaer.stan@chello.be

Lion Vintage Association
Richard Storm
Avenue Bel-Air 12
B-1410 Waterloo
02-351 40 00
lva.assoc@infonie.be

Maaseiker Oldtimerclub
Jean Thijs
Rijksweg 765
B-3650 Dilsen
089-75 73 63

Moerdijkse Oldtimer Vrienden
T. Groenendijk
Schanspoort 47
4791 HK Klundert
0168-40 41 94
henk.steeg@wxs.nl

Oldtimerclub 't Olde Autogie
A.J. Doornheim
Meerstalstraat 3
7906 CW Hoogeveen
0528-27 11 71

Oldtimerclub De Langstraat
Louis Volk
Wolfshoek 50
5154 AC Elshout
0416-37 35 22

Oldtimer Vriendenclub Oost-Groningen
J. Alberts
Scheemdermeerlaan 20a
9679 CP Scheemda
0597-59 22 58

Oldtimer Vrienden Club Bergen op Zoom
A.J. Hector
Zuidwest-singel 230
4611 KH Bergen op Zoom
0164-25 11 67

Oldtimer Vriendenkring Brabant-Limburg
P. Ranke
Rootstraat 24
5411 AX Zeeland

Oldtimer en Classic-Car Club Heel
W. Meijs
Pasweg 6
6097 NJ Heel
0475-57 14 80
occc@gmx.net

Oldtimer Kuurne
Gabriël Verschaeve
Lt. Gen. Gerardstraat 20
B-8520 Kuurne
056-71 10 79

Oldtimer Vehicle Club Zeeuws-Vlaanderen
P.M.M. de Maat
Van Hovestraat 6
4564 BG St. Jansteen
0114-31 38 33

Oldtimer- en Klassiekerver. Zuid-Oost-Brabant
Elly Barten
Wijbosscheweg 9
5482 EA Schijndel
073-549 47 32

Rétromobile Club des Fagnes
Philippe Frisque
Rue Basse-Ville 19
B-6460 Chimay
060-21 12 19

Rétromobile Club de Spa
Albert Wislet
Da Hoye 2
B-4910 Theud
087-47 40 44

Rétromobile Club Stavelot-Francorchamps
P. Jeanfils
Rue A. Counson 128
B-4970 Francorchamps
087-27 52 85

Royal Mons AMC
Jean-Claude Busine
Place Léopold 7
B-7000 Mons
065-84 10 62

Rétro Mobile Asa Tornacum
M. Deldroucq
Rue St. Piat 3
B-7500 Tournai
069-22 97 03

Scuderia Vervica Autoclub
Benny Degryse
Harelbeekstraat 6
B-8550 Zwevegem
056-75 85 56

Tacot Club Mouscronnais
Jacques Deherripon
Avenue Comte Basta 17
B-7700 Mouscron
056-34 80 34

Sports Cars Owners Club Maastricht
Rob Leclercq
Bilserbaan 62
6217 JH Maastricht
043-343 21 03

Tielse Automobielclub
Klaas Pothuizen
2e Parallelweg 8
4001 ZM Tiel
0344-61 18 72

Torhoutse Oldtimerclub
André Riemaecker
Keibergstraat 166
B-8820 Torhout
050-21 10 61

Veenendaalse Oldtimer Club
Evert Davelaar
Postbus 662
3900 ARVeenendaal
0318-51 55 03
voc@hetnet.nl

Vieux Volants Henuyers
Georges Collet
Chaussée d'Estinnes 74
B-7131 Waudrez
064-33 41 14

Vlaamse Oldtimer Club
M. de Cuyper
Notelaarstraat 14
B-9260 Wichelen-Serskemp
09-368 14 24
marc.decuijper@planetinternet.be

Vlaamse Oldtimer Vereniging
Jean-Luc Salomez
Pottertsraat 173
B-9170 St. Pauwels
03-777 79 50

Vlaamse Vehikel Klub
D. Cabergs
De Bruynlaan 38
B-3130 Begijnendijk
016-53 78 20
dora.cabergs@skynet.be

De Westhoek Pioniers
Jean-Claude Huys
Sint Julianastraat 12
B-8920 Langemark
057-48 80 68

MERKEN

Abarth:

Abarth Corse Belgio
Philip van Looy
Stijfelstraat 19
B-2000 Antwerpen
03-226 53 50

Registro Abarth Olanda
Ger Duinkerken
Sleedoorn 10
7873 CS Odoorn
0591-51 38 96

AC:

The AC Owners' Club
C.P. Louwen
Harmen Kokslaan 9-11
2611 TN Delft
015-214 46 69

Alfa Romeo:

Stichting Club van Alfa Romeo Bezitters
Frans Favre
Beinsdorppolderweg 7
2807 KS Gouda
0182-54 87 02
info@alfaclub.nl

Vereniging Alfa Romeo Liefhebbers Nederland
A.R.P. Kemp
De Hoefseweg 16a
5512 CL Vessem
0497-59 42 48
info@varln.nl

Alfa Romeo Vrienden
J. Hermans
Bunderstraat 7
6442 XA Brunssum
045-527 12 89

Register Giulia Bertone
M. van der Linde
Amersfoortseweg 14a
3712 BC Huis ter Heide
030-693 13 89
giulia.bertone@wxs.nl

Alfa Romeo Spider Register
André Toonen
Polderpeil 102
2408 RG Alphen a.d. Rijn
0172-49 88 28
a.toonen@net.hcc.nl

Vereniging Squadra Bianca
Ko Prins
Roosje Voshoeve 74
2743 HS Waddinxveen
0182-63 15 43
koprins@planet.nl

Genootschap der Berlina Bezitters 'Giocattolo'
Rob Mulder van Leens Dijkstra
Honthorststraat 36
1071 DG Amsterdam
0252-22 69 59
genootschap@commuter.demon.nl

Stichting Trofeo Alfa Romeo
Rolf Heupink
Ruychaverstraat 13
2013 GE Haarlem
023-540 41 50

Quadrifoglio Belgio
Guy Vanderwaeren
Putsesteenweg 236
B-2820 Bonheiden
015-55 67 67

Alpine:
Alpine-Renault-Club NL
Jaap Reit
Kerkstraat 14
7451 BM Holten
0548-36 35 49
jreitalpine@worldonline.nl

Alpine Renault Club Limburg
Pierre Venken
Oude Baan 79b
B-3650 Dilsen-Stokkem
089-75 67 36
arc_limburg@hotmail.com

Exclusive Alpine Club
Robert Anthonis
Vijfkampstraat 20
B-2020 Antwerpen
03-828 37 85

Alpine Club Belgium
A. Tribolet
Elsakkerweg 23
B-9830 Sint-Martens-Latem
09-282 32 12
patrick.waterlot@yucom.be

Alvis:
Alvis Owner's Club Nederland
C.W.H. van der Weiden
Weerribben 36
1112 KM Diemen
020-696 77 74
Coen.van.der.Weiden@NCR.com

Amerikaanse auto's:
Amerikaanse Automobiel Club
P.E.J.M. van Luxemburg
Marga Klompéstraat 15
2401 MG Alphen a/d Rijn
0172-51 78 47

American Motorcycle & Automobiele Club
K. Zwamborn
Gerrit Bolkade 30
1507 BR Zaandam
0229-24 09 68
c.zwamborn@quicknet.nl

Classic American Car Club
R. van Tongeren
Nieuwstraat 18
3762 TP Soest
035-602 63 59

The Cruise Brothers
A.F.J. Volckmann
Ieplaan 64
2565 LN Den Haag
070-360 41 97
a.f.j.volckmann@minfin.nl

Vrienden van Route 66
J.C. van Langen
Zandershof 25
1971 PG IJmuiden
0255-51 12 43

Amerikaanse Oldtimerclub
Cees van Langen
Zandershof 25
1971 PG IJmuiden
0255-51 12 43

U.S. Power Wheelers
Wilco & Esther de Boer
Noordeinde 26
7941 AT Meppel
0522-25 70 48
wilco@uspowerwheelers.nl

Forties & Fifties A.C.E.
Dirk van den Bergh
Lange Ypermanstraat 33
B-2060 Antwerpen
03-235 52 09
webmaster@forties-fifties.com

A Merry Car Club
Herman de Ploey
Kouterstraat 270
B-9070 Destelbergen
09-228 43 49
amce.deploeg@pandora.be

Amilcar:
Les Amis d'Almilcar de Pays-Bas
Jos Cox
Parklaan 9
6006 NT Weert
0495-45 29 79
cox@wxs.nl

Amphicar:
Alex Dijbala
Postbus 622
4600 AP Bergen op Zoom
0164-25 40 16
amphicar@manadoo.nl

Armstrong Siddeley:
Armstrong Siddeley Ownersclub
Ton van Zelst
Leidsekade 26
2266 BH Leidschendam
070-327 49 05

Aston Martin:
Aston Martin Owners Club Sectie Holland
A.J. Lourens
Sparrenlaan 1
3768 BG Soest
035-603 01 88
ajlourens@wxs.nl

Aston Martin Owners Club Belgian Area
Marc Vanderstricht
Schoonverblijflaan 65
B-1180 Brussel
02-374 08 76

Audi:
Algemene Audi Club Nederland
A.G.A.L. Platvoet
Postbus 193
7500 AD Enschede
053-431 56 82

Audi 100 Coupé S Club NL
Trudie Maas
Pr. Hendriklaan 50
2132 DS Hoofddorp
023-564 26 92
holland_trailer@wxs.nl

Audi Coupé Genootschap Nederland
Hugo van der Vlist
Kerkstraat 16
4032 NG Ommeren
0344-60 42 74
info@acgn.nl

Austin:
Dutch Pre-War Austin Seven Owners
Rob Rozeman
Rozenstraat 16
3742 RS Baarn
035-542 67 16
boxsaloon@planet.nl

Austin Ten Drivers Club NL
R. Goudriaan
Koperwiek 2
3766 AK Soest
035-601 19 65

Austin A30-A35 Eigenaren Club
Marchien Jeuring
Beukenhof 105
8212 EG Lelystad
0320-24 41 55

Dutch London Taxi Club
H. Dooren
Agter de Hoven 26
5861 CJ Wanssum
0478-53 20 09
secretariaat@dutchlondontaxiclub.nl

Austin Maxi Enthousiasten Club
D.J. van Arum
Oosteinde 37
2611 VB Delft
015-214 15 93

Austin-Morris-Riley-Wolseley Register
Lex van Essen
Geertje Wagenmanstraat 21
3065 GG Rotterdam
010-447 02 63
avanessen@wanadoo.nl

Austin-Healey:
Austin-Healey Owners Club NL
Bertus Uwland
Govert Flinckstraat 5
7471 HZ Goor
0547-27 34 70
ahocnl@cs.com

Austin-Healey Club Belgium
Jacques Prion
Avenue des Myrtilles 10
B-1340 Ottignies
010-41 64 87
austin_healey_bel@hotmail.com

Dutch Healey Competitions
Rob van Arendonk
Lindestraat 37
5721 XN Asten
0493-69 60 52

Autobianchi:
A112 Club NL
L.B. Humbert
Postbus 851
2800 AW Gouda
0182-53 23 58

Bedford:
Bedford Belangen Club
J. Osinga
Willem Mechteldstraat 22
4196 AN Tricht
0345-58 09 88

Bizzarrini:
ISO/Bizzarrini Register NL
Marcel R. Anderssen
Dennenlaan 29A
1161 CK Zwanenburg

BMC:
BMC 1100/1300 Glider Owners Club
Ina Jacobs
Platte Drogedijk 12
3194 KD Hoogvliet
010-438 48 82
inajac@uni-one.nl

BMW:
Federatie Nederlandse BMW Clubs
F.A.M. de Kanter
Piusplein 35
4621 NE Bergen op Zoom
010-592 44 71
fdkanter@worldonline.nl

BMW Club Nederland
Harald Voortman
Bellefleurgaarde 30
3824 ZD Amersfoort
033-455 12 68
bmwclub@hetnet.nl

Club voor Klassieke BMW Automobielen
Judith Blanken
Postbus 2453
5202 CL Den Bosch
073-622 15 67
info@bmw02club.nl

BMW Coupé Club NL
Dirk Bosscher
Korte Kampen 10
7722 TN Dalfsen
0529-47.06.86
info@bccn.net

BMW-02 Club NL
Judith Blanken
Postbus 2453
5202 CL Den Bosch
073-622 15 67
info@bmw02club.nl

BMW Touring Club
H. Hoorn
Burg. Crommelinlaan 9
7431 HC Diepenveen
0570-59 15 16
hhoorn@hotmail.com

Benelux Club voor BMW-rijders
N. van den Broek
Gors 11
4741 TA Hoeven
0165-50 35 54
vdb@promotion.nl

BMW Z1 Club NL
Ben Kooman
Concertweg 21
2992 NM Barendrecht
0180-61 43 14
info@bmwz1.nl

Bavaria Club Belgium
Caroline Coenen
Halfweghuisstraat 10
B-8490 Snellegem
050-81 61 17
bavaria.club.belgium@skynet.be

02 Fahrer Club
M. Baudhuin
Rue Bois Monceu 191
B-6061 Montignies-sur-Sambre
071-31 82 02

Borgward:
Borgward Interessengemeinschaft NL
B.J. Loonstra
Pipeluurseweg 5
7225 ND Oldburgen
0575-45 17 11

Borgward Club België
Luc Butzen
Heidebaan 21
B-9100 St-Niklaas
03-776 66 01
borgward.club.belgium@pandora.be

Bugatti:

Bugatti Club NL
T.S. Wisse
Heuvellaan 3
3612 BA Tienhoven
0346-28 21 66
azzurro@cistron.nl

Cadillac:

Cadillac Club NL
Bert Atsma
Oranjelaan 4
2641 JK Pijnacker
015-369 56 38

Vintage Cadillacs
D. Sneyers
Nieuwstraat 6
5721 XB Asten
0493-69 36 13

Checker

European Checker Club Holland
Rob Groeneveld
Breitnerlaan 12
4907 NV Oosterhout
0162-45 81 42

Chenard & Walcker:

Chenard & Walcker Register
Bart Heres
Hagedoornstraat 5
8181 GX Heerde
0578-69 16 68
chenard.walcker.register@planet.nl

Chevrolet:

Stingray '82
Egbert Bos
Jufferenstraat 22
8081 CR Elburg
06-25 03 77 85

Belgian Corvette Camaro Firebird Club
Jan Cuypers
Pikkeriestraat 36
B-2811 Hombeek
015-61 06 32
ccc@pandora.be

Heartbeat Corvette Club
Ben Scholten
Springendallaan 131
1333 XH Almere
036-532 46 97
mario@corvette.nl

Citroën:

Traction Avant Nederland
Boyo Teulings
De Laars 4
2064 JZ Spaarndam
023-537 33 26
redactie@traction-avant.nl

Citroën ID/DS Club Nederland
Hans Onkenhout
Blasiusstraat 110 hs
1091 CX Amsterdam
020-463 68 08
secr.bestuur@citroeniddsclub.nl

PATAN
P.Bos
Papendrechtsestraat 18
3313 CT Dordrecht
078-654 06 03
info@patan.nl

Citroën Contact
D.D. Vollgraf
Marskant 76
7551 BW Hengelo
074-250 60 12
citroencontact@email.com

VerEend
Dave Vos
Postbus 1284
3180 AG Rozenburg
0181-64 61 51

Citroën Club Nederland
Bart Kooijmans
Postbus 434
1940 AK Beverwijk
06-53 78 29 07

Citrunique
Dicky van Ham
Boeier 27
1771 GL Wieringerwerf
0227-60 12 64

Club 't Citrofieltje
J. Besselink
Dorpsstraat 61
4711 NE St. Willebrord
0165-38 97 24
citrofieltje@planet.nl

Enige Echte Eenden Club
Robert Kaag
Boogschutter 6
1188 BS Amsterdam
020-643 73 55

Citroën 2CV Vereniging 't Eendeëi'
Gert-Jan van Asperen
Postbus 2210
3000 CE Rotterdam
010-590 04 69
info@eendeei.nl

Citroën 2CV 4 & 6 Club NL
A. Huinink
Kastanjelaan 32
7271 JB Borculo
0545-27 45 97
huininkc@euronet.nl

2CV Club Winschoten
Peter Buiter
Oude Sluisbuurt 9
9684 TH Finsterwolde
0597-35 42 96
p.buiter@planet.nl

Stichting 2CV Vrienden in NL
Ronald Buit
De Mérodestraat 13
3077 AK Rotterdam
010-479 15 42

Spoteend Register NL
A. van Wageningen
Werfheegde 29
7481 JR Haaksbergen
grom.sound@12move.nl

Nederlandse 2CV Crossvereniging
Henk van Lieshout
Damastroosstraat 4
5761 GL Brakel
0492-34 00 41

Stichting Citroën HY Team Holland
Jaap de Winkel
Airbornestraat 144
7002 EZ Doetinchem
0314-37 84 36
hy-team@gmx.net

Citroën HY Vereniging Le Camion
Aad van der Sijde
Kromme Akker 8
1738 EA Waarland
0226-42 39 41
aadvandersijde@hetnet.nl

Ami Vereniging NL
Marcel Kruse
Koekoekstraat 8
2851 VJ Haastrecht
0182-50 33 14
m.kruse@hccnet.nl

Citroën Dyane Vereniging Nederland
Mark Schulte
Oranjeplein 68
5051 LX Goirle
013-530 33 13
dyane@worldonline.nl

Citroën GS/GSA Vereniging
Wim Boogholt
De Blikken 8
9051 PL Stiens
058-257 54 88
wjjboogholt@hetnet.nl

Citroën CX Club NL
H. van Hees
Willemsvaart 1-1001
8019 AA Zwolle
cxclub@hotmail.com

Méhari Club NL
Remco Booy
Gaffelaar 21
3232 TA Brielle
0181-41 07 83
hesa@gironet.nl

Citroën Club Rijnmond
M. van Well
Postbus 5016
3008 AA Rotterdam
0181-64 51 84
mvanwell@hetnet.nl

2CV Club Flevoland
Edwin Schipper
't Want 9
8251 DZ Dronten
0321-31 95 98

Citroën Club Fryslan
Bert Brouwer
Eikenlaan 1
4922 JA Smilde
0592-41 38 29
l.brouwer@worldonline.nl

Citroën SM Club NL
Theo van der Burg
Dennenlaan 8
2282 JB Rijswijk
070-399 51 69
citroensmclub@worldmail.nl

Citroën Treffen Club
Joke Blom
Enk 124
3075 VB Rotterdam
010-432 02 52

Citrosport
Bianca Sprangers
Anna Blamanstraat 118
2135 PW Hoofddorp
023-562 81 69

Amicale Citroën Internationale
Herman Sluiter
Zomerdijkstraat 1"
1079 WX Amsterdam
020-646 45 17

Citroën Café
Roger Douven
Schinnenderweg 26
6153 AD Windraak
046-458 12 96
r.douven@hccnet.nl

Citroën BX Club NL
Maurice Fransen
Laan van Vollenhove 1869
3706 GL Zeist
030-696 00 86

Belgische Oude Citroën Club
Jan van Gucht
Henrilei 8
B-2930 Brasschaat
03-605 12 31

Club Belge des Anciennes Citroën
E. Ronsmans
Welriekendedreef 1
B-3090 Overijse
02-657 01 43

DS/SM Club Belgium
Luk van Linden
Molenstraat 25
B-2870 Puurs
03-844 52 42
depottervincent@skynet.be

2CV Diane Club
Claude Loits
Rue P. van Dijck 23
B-1310 La Hulpe
02-652 10 26

2CV Club Huppel
Thierry la Grange
Lispersteenweg 83
B-2530 Boechout
03-455 74 29

De Hagelandse Oude Citroën Club
Ton Verheyden
Halderstraat 58a
3390 Houwaart
016-63 44 26
tom.verheyden@worldonline.be

Cobra:

Cobra Club NL
E.H de Boer
Zandlust 10
9482 WJ Tynaarlo
0592-54 39 71

Cobra Club Belgium
W. Lambrechts
Hoevestraat 10
B-2960 Zottegem
09-360 75 19
romain.degraeve@belgacom.net

Commer:
Commer Club NL
Th. Kemkes
Duinrooshof 3
1964 TA Heemskerk
0251-24 26 71

DAF:
DAF Club NL
A. Hulshof
Noorderstraat 32
9524 PD Buinerveen
0599-21 24 17
secretariaat@dafclub.nl

DAF Hobby Club
G. Welsing
Cederstraat 5
3552 RJ Utrecht
030-289 36 66

DAF Club Belgium
J. Deschuyffeleerdreef 2
B-1780 Wemmel
02-461 14 60

Daimler:
The Daimler & Lanchester Owners Club NL
W. Voerman
Lindenlaan 52
7951 BW Staphorst
0522-46 26 36

Datsun/Nissan:
Z & ZX Club Holland
Sylvana van Amelsvoord
Dedemsvaartweg 787
2545 DL 's-Gravenhage
070-415 01 17
zzxnl@worldonline.nl

DeLorean:
E.R. Uding
De Buurt 14
1606 AG Venhuizen
0228-54 39 95
perotti@planet.nl

DKW:
DKW Club Nederland
E. Cox
Unastraat 32
5552 BN Valkenswaard
0140-204 18 52

DKW Auto-Union Club Belgium
Dirk Zwart
Koedaalstraat 15
B-1560 Hoeilaart
02-657 32 49

Dwergauto's:
Nederlandse Dwergautoclub
J. Monster
Burg. Beelaertspark 42
3319 AV Dordrecht
078-616 49 34
monst-j@pzh.nl

OSDAL (Scooters & Dwergauto's)
Michel Coenen
Dautenstraat 132
B-3590 Diepenbeek
011-32 20 88

Engelse auto's:
British Car Club a.s.b.l.
Henri Simar
Postbus 153
B-4800 Verviers 1
087-33 55 01

The English Drivers Guild
Monique Brown-Colen
Melselestraat 46
B-2070 Zwijndrecht
03-254 13 52

Facel Vega:
Amicale Facel Vega
H.G. Ruhé
Prins Mauritslaan 158
2582 LZ Den Haag
070-306 29 44
info@amicalefacel.nl

Ferrari:
Ferrari Club Nederland
G.H. Kersten
Postbus 130
4040 DC Kesteren
0488-48 14 05

Club Ferrari Belgio
Lozenberg 13
B-1932 Zaventem
02-725 67 60
gvax@skynet.nl

Ferrari Fan's Club 'Gilles Villeneuve' Belgium
Rodolphe Mari
Rue Jean-Baptiste Cuinie 80
B-6030 Goutroux
071-46 40 20

Fiat:
Fiat Club Nederland
Theo Rauw
Meerkoetlaan 1
3704 GT Zeist
030-696 25 71

Fiat 500 Club Nederland
R.A. Wierda
Postbus 68
3970 AB Driebergen
0343-41 42 62
fiat500@bart.nl

Federatie Nederlandse Fiat Clubs
R. Souweine
Fluitekruid 16
1441 XP Purmerend
0299-43 24 50

Topolino Club NL
P.J. de Boer
Leidsevaart 21
2465 BD Rijnsaterwoude
0172-50 97 91
info@topolino-club.nl

Fiat 1800-2100-2300 Register
Cock Ooms
Wachthoevestraat 34
3209 BK Hekelingen
0181-64 10 21
cwc.ooms@hetnet.nl

Fiat 128 Register
Rinaldo Sanna
De Nijkampen 58
7815 KV Emmen
0591-61 68 33

Fiat 600 Club NL
I. Nieuwhof
Groenestraat 44
6721 JC Bennekom
0318-41 48 68
secretariaat@fiat6000.zzn.com

Fiat 850 Club NL
F. v.d. Velde
Pletterijstraat 18
2515 AX Den Haag
070-347 13 75

Fiat 850 Coupé Club Holland
Gerard Meijerink
De Spinde 15
8102 LA Raalte
0572-35 77 01
850coupeclub@worldmail.nl

Fiat 850 Spider Club Holland
Frank de Jong
Kwartellaan 18
3145 AL Maassluis
010-591 53 55
bpelzer@worldonline.nl

Fiat 124 Sport Spider Register
Jouke de Vries
Geurdenhof 49
5345 BA Oss
0412-63 25 13

Fiat 126 Club NL
E.J.A.G. Stremmelaar-Veluwenkamp
Schermerhornstraat 43
8015 AA Zwolle
038-460 30 61
ham.rokx.fiat126@wxs.nl

Associazione Olandese Amatori della Fiat 130
Alex van der Laan
Heistraat 18
5614 GK Eindhoven
040-212 29 94
atvdlaan@dds.nl

Fiat 124/125 Register
Theo Rauw
Meerkoetlaan 1
3704 GT Zeist
030-696 25 71

Fiat-Bertone X 1/9 Club NL
H. Martens
Keimate 5
6663 KB Lent
024-322 76 66
martenstuil@bfree.nl

Fiat X 1/9 1300-1500 Club
P. Meurkens
Kon. Julianastraat 10
5571 GE Bergeijk
0497-57 27 22

Fiat Ritmo TC Register
Jan Posthuma
Kanaal A nz 80
7881 KK Emmercompascuum
0591-35 47 11
ritmotcregister@wxs.nl

Fiat Club Belgio
Doregem 73
B-2880 Bornem
03-889 03 24

Topolino Car Belgium
J. Jacques Moonen
Tombelle 1
B-7890 Ellezelles
068-54 38 30

Ford:
Ford Model T Register
A. Martini
Meander 15
1181 WN Amstelveen
020-645 04 91

A-Ford Club NL
J.M.R. Ligthart
Steur 17
2986 SH Ridderkerk
0180-43 18 73
jmrligthart@wish.net

Ford Mustang Club NL
G. Voorend
Nijverheidsweg 3
6691 EZ Gendt
0481-42 40 89

Team Mustang Center Nederland
M. Haijkens
Rijksweg 93
9608 PB Westerbroek
050-404 25 77
mustang@euronet.nl

Belgische Mustang & Cougar Club
Frans Lefever
Houwijkerstraat 40
B-3540 Herk-de-Stad
013-55 22 84

Classic Thunderbird Club Holland
K. Moot
Suderom 22
9212 PS Boornbergum
0512-38 27 04

Ford Capri Club Nederland
G.J van Dongen
Postbus 109
8320 AC Urk
0527-25 34 04

Ford Capri Club Zuid-Holland
E.A. Roodnat
Abel Tasmanstraat 16
3317 WB Dordrecht
078-651 10 41
caprizh@nl.packardbell.org

Ford Capri Club Noord-Holland
R.E Stuut
Poolster 108
1622 EH Hoorn
0229-21 56 81
ford@capri-1.tmfweb.nl

Ford Taunus M Club NL
A.C.M. Verbraak
Lombok 8
1448 AP Purmerend
0299-43 22 30

Ford XR/RS Club
Frans van Eyk
Postbus 174
3740 AD Baarn
035-541 25 75

Engelse Ford Club NL
Piet Sneeuw
Polderpeil 236
2408 RJ Alphen a/d Rijn
0172-49 87 00
p.sneeuw@engelsefordclub.com

Ancient Ford Club Belgium
Roger de Decker
Miksebaan 350
B-2930 Brasschaat
03-663 02 01

Anglia & Cortina Club Belgium
Jean-Marie Senterre
Chemin des Pères 18
B-1420 Braine l'Alleud
02-569 29 62

Ford Cortina MkI Owners Club
Guido Maertens
Porseleinstraat 17
B-1070 Brussel
02-523 66 27

Vintage Ford Club Bilzen
Eric Jermei
Jachtstraat 5
B-3740 Beverst
089-41 51 23

Ford Capri Drivers Club Belgium
Pascale Levebvre
Rue de Forville 56
B-5380 Fernelmont
081-83 49 91

Ford Köln Club Belgium
Olivier Vannitsen
Rue Leon Melon 50/3
B-4367 Kemexhe
04-278 31 75
fkcb@village.uunet.be

Ford Taunus M Club België
Frank Bosmans
Wanstraat 19
B-3920 Lommel
011-55 28 03

Honda:
Honda S800 Club NL
J. Smit
Elisa van Calcarstraat 94
2135 LS Hoofddorp
023-561 55 86
jan.m.smit@planet.nl

Honda N600 Club NL
H. Molenaar
Dorpsstraat 864
1724 NV Oudkarspel
0226-31 29 27
hondzilla@hetnet.nl

Honda Vriendenclub NL
R. Lucassen
Sleen 4
6598 CD Heijen
0485-54 17 54
h.v.n@wish.net

IFA:
IFA-Mobile 2T Vereniging
Michel Dekkers
Staringsstraat 101
5343 GC Oss
0412-64 34 94
ifanl@hetnet.nl

IFA Service Club Benelux
Rudi Delsaer
Smisserstraat 9
B-3720 Kortessem
011-72 44 93
ifa.serviceclub@pandora.be

Imp:
The Imp Club Dutch Area Centre
Bert Clewits
Stekkenberg 74
6561 XM Groesbeek
024-397 83 24
bert.clewits@philips.com

Innocenti:
Inno-Groep, Innocenti Bertone Register
Jules Braun
Roosenburgstraat 5
5624 JS Eindhoven
040-243 58 04
innocenti@bigfoot.com

Italiaanse auto's:
Italia Car Club Belgium
José Desart
Voie de l'Air Pur 160
B-4052 Beaufays-Liège
04-368 79 49

ISO:
ISO/Bizzarrini Register NL
Marcel R. Anderssen
Dennenlaan 29a
1161 CK Zwanenburg

Jaguar:
Jaguar Daimler Club Holland
Walter Kahr
030-666 25 11
secretaris@jdch.nl

The Jaguar XK Restoration Club
Alfred Köhler
Postbus 56051
1040 AB Amsterdam
06-52 87 38 02

Classic Jaguar Club Zuid-Limburg
A.P.C.G. Wolfs
Unolaan 31
6413 CT Heerlen
045-522 99 65

Jaguar Driver's Club Belgian Section
Marie Aalterstraat 10
B-9880 Aalter
0495-30 67 17
jdc.belgium@usa.net

Japanse klassiers:
Nippon Classic Cars Register
Albert Dolleman
Schimmelpenninkstraat 25
6904 BN Zevenaar
0316 – 33 09 66

Jensen:
Het Jensen Genootschap Holland
Postbus 25046
3001 HA Rotterdam

Lada:
Lada Club Nederland
Ronald Brinkman
Emmastraat 54
7941 HS Meppel
0522-26 39 67
info@ladaclub.nl

Lamborghini:
Lamborghini Club NL
Ron Willems van Beveren
Sophialaan 5
3542 AR Utrecht

Lamborghini Club
Rue de Laveu 39
B-4000 Luik
041-62 33 68

Lancia:
Lancia Club Nederland
Miriam Jansen
Vrieswijk 97
1852 VG Heiloo
072-534 10 30

Lancia Club Belgio
Jan van Hoorick
Kaudenaardestraat 61
B-1700 Dilbeek
02-567 90 01

Landrover:
Land Rover Club Holland
Postbus 6141
5700 EV Helmond
0492-56 07 01

Dutch Land Rover Register
Frank Schirrmann
Postbus 14
7957 ZG De Wijk
0522-44 32 52
dlrr@hetnet.nl

Lomax:
Lowland Lomax Club
Wim van den Bergh
Leemringweg 25b
8317 RD Kraggenburg
0527-25 25 50
lomax@hetnet.nl

Lotus:
Lotus Club Holland
P.C. Walraven
Aerdenhoutsduinweg 10
2111 AP Aerdenhout
023-524 62 10

Club Team Lotus Belgium
Daniel Absil
Molièrelaan 505
B-1050 Brussel
02-345 75 70

Marcos:
Marcos Register NL
Erik Wijn
Bittervoornstraat 75
7559 BW Hengelo
074-277 14 21
erik.wijn@freeler.nl

Maserati:
Maserati Club Holland
C.M. Harms-van Wandelen
Postbus 1047
3160 AE Rhoon
0180-41 61 16
secretariaat@maseratieclub.nl

Matra:
Belgian Matra Club
Yves Colmant
Rue de Coron 83
B-7070 Ville-sur-Haine
065-87 38 02 (NL)

Matramania
Alain van Aken
Postbus 29
B-1980 Zemst
015-41 17 80
matra.mania@skynet.be

Mazda:
Hadi Mazda Club
K.E.C. de Jager
Postbus 2122
6020 AC Cranendonck
0495-47 00 05

Mazda MX-5 Club NL
José Ilbrink
Oostertuinen 77
1944 SC Beverwijk
0251-22 80 44
secr@mx5club.nl

RX-7 Club
Kadelaan 17
2725 BA Zoetermeer
079-342 53 43

Mercedes-Benz:
Mercedes-Benz Veteranenclub NL
P.J.W. Bouw
Lisztplein 82
3122 LF Schiedam
010-470 80 40
p.j.w.bouw@planet.nl

Mercedes-Benz W123-Club afd. NL
F.L. Tanke
Postbus 75391
1070 AJ Amsterdam
020-379 03 83
cn-redaktion@online.de

Mercedes-Benz Club Belgium
Yvan Baudewijns
Esmoreitlaan 11
B-3090 Overijse
02-687 55 44

M.G.:
M.G. Car Club Holland
Carrien Andriessen
Weena 290
3012 NJ Rotterdam
026-351 94 19

M.G. T-Type Owners Holland
C. Dorrestijn
Warmoezierslaan 22
1851 NZ Heiloo
072-533 97 69

MG Vriendenkring Zuid
H. Cornelissen
Basiliahof 8
6215 TE Maastricht
043-347 75 97

MGA Type Owners Holland
Piet den Herder
Burg. Enschedelaan 38
2071 AW Santpoort
023-537 74 67
pietdenherder@hetnet.nl

Stichting MG Noord
B. Gerrits
Beemdgras 16
8935 BK Leeuwarden
058-288 23 66

Stichting MG Competitions (Holland)
E. Beerhorst
J. v.d. Doesstraat 2c
2518 XN Den Haag
070-427 49 66

MG Car Club Belgium
Olivier de Henau
Damstraat 12
B-9030 Gent
09-227 42 40

MG Club Limburg
Geert Strobbe
Vennestraat 200
B-3600 Genk
089-36 12 77
mgclublimburg@hotmail.com

MG Car Club Antwerp
Guido van der Borgh
Frits Van den Berghelaan 150
B-2830 Aartselaar
03-887 31 59
mavro@cobonet.be

Midas:
Midas Register NL
Hans Efdé
Bockmastraat 21
8651 BD IJlst

Mini:
Mini Seven Club NL
Ronald van Sonsbeek
Van Kijfhoekstraat 3
3341 SK Hendrik Ido Ambacht
078-681 86 70

Belgian Mini Club
Axel Champagne
Woudlaan 119/4
B-1000 Brussel
075-24 23 10

Mini Owners' Club Belgium
Vincent Woltsche
Rue la Faubourg
B-5660 Dailly
060-34 77 97
meracing69@hotmail.com

Mini Club of Belgium
Joseph Czech
Heerweg-Noord 117
B-9052 Gent
09-221 65 99
mcbmini@hotmail.com

Morgan:
Morgan Sports Car Club Holland
C.C. van Weers
Waldeck Pyrmontlaan 9
2341 VA Oegstgeest
071-517 14 44
info@mscch.nl

Morgan Owners Group Belgium
Roger Saintenois
Rue de l'Auflette 35/37
B-7033 Mons
065-31 54 95

Morgan Sports Car Club Belgium
Jan Convents
Engstraat 30
B-2340 Vlimmeren
03-312 26 33
msccb@usa.net

Morris:
Morris Register NL
A.C. Bolsterlee
Onder de Linden 68
6903 AT Zevenaar
0316-52 72 73

Morris Minor Club Nederland
Evert Spapé
W. de Zwijgerlaan 39
2582 EG Den Haag
070-354 88 94
secretaris@morrisminorclub.nl

Morris Marina Enthousiasten Club
D.J. van Arum
Oosteinde 37
2611VB Delft
015-214 15 93

Nash:
European Nash Register
Marcel de Boer
Frans Halsstraat 13
1506 LC Zaandam
075-616 64 74
menrdeboer@hetnet.nl

Nash Car Club of America
Wim Bijleveld
Berkenlaan 36
9321 GX Peize
050-503 36 04

NSU:
NSU Club Nederland
E.M. Bekebrede
Fuutweg 9
7331 CS Apeldoorn
055-542 91 55
bekebrede@nsu.nl

NSU Club Belgium
Michel Stoelen
Blaubergsedreef 16
B-2230 Herselt
014-54 22 65
gwalraed@hotmail.com

NSU Club 1
Renaud Colart
Balansstraat 89
B-2018 Antwerpen
03-248 19 00

Opel:
Federatie Opel Clubs Nederland
Gert Klein
Riegheide 62
9451 EK Rolde
0592-24 33 06

Hist. Opel Club Nederland
Maarten Dijkshoorn
Holleweg 48
4623 XG Bergen op Zoom
0164-23 43 54

Opel Veteran Car Club Belge
Johan Waumans
Schoutenhoefstraat 4
B-2360 Oud-Turnhout
014-45 13 37

Opel Klassieker Club
Pierre Desmet
Sportstraat 1
B-8040 Ruddervoorde
050-27 77 76

Opel GT Club Nederland
Henk Tjoonk
Schoneburgseind 75
3995 DB Houten
030-637 65 03

The Belgian Opel GT Club
Hugo Pecquet
Oosterwennel 82
B-3600 Genk
011-36 32 18

Kempische Opel Club
Danny Hendrickx
Heilige Steen 32
B-2230 Herselt
014-54 85 46

Opel Manta Club Nederland
P.P.E.J. Teluy
Leeuwenborchwiede 7
5709 SB Helmond
0492-51 61 23
omcn82@hotmail.com

Big Opels Nederland
Bart Gras
Hooidijk 1
8334 TP Tuk
0521-51 63 25
big.opels@chello.nl

Opel Monza Club
Vondellaan 46
2741 XE Waddinxveen

Opel Kadett Club NL
Joop Suurbier
Kalf 33h
1509 AB Zaandam
075-631 25 07

Opel Kadett C Club NL
A. Schutter
Postbus 269
5480 AG Schijndel
040-254 00 26

OKC 't Kadettje
Tonny van Kessel
De Haag 101
5421 NM Gemert
0492-36 75 72

Opel Kadett C Club Belgium-Holland
Roekelseweg 48
6733 BP Wekerom
0318-59 20 98
info@opelkadettc.net

Kadett-C-Club Belgium
Steven Trompet
Kerkeweg 55
B-3090 Overijse
02-687 48 13

Opel Power NL
G. de Gruyter
Postbus 397
1520 AJ Wormerveer
075-771 60 01
opelpowernl@speed.a2000.nl

Oost-Europese auto's:
Classic Car Club Perestrojka
Jan van Loo
't Haagje 34
6961 GN Eerbeek
030-229 27 42
bumper122@hotmail.com

Watraskvota
Herman Jacobs
Goede Boterstraat 3
B-8460 Oudenburg
059-26 67 03

Packard:
Studebaker-Packard Club NL
G. Tummers
Kerkeneind 30A
5529 AH Casteren
0497-68 41 63

Panhard:
Panhard Automobielclub NL
Co Giezen
Steenstraat 10
3572 SX Utrecht
030-273 09 10

Amicale Panhard de Belgique
Benoit Piette
Rue Guillaume van Laethem 36
B-1140 Evere
02-726 69 51

Peugeot:
Association Peugeot Hollande
Thijs Henneman
Willem de Zwijgerlaan 23
2082 BB Santpoort
023-537 81 37

Peugeot Club Nederland
F. de Vos
Van Kinschotstraat 258
2614 XT Delft
013-213 77 75

Peugeot 404 Vereniging
Cees Berkvens
Slakkenveen 131
3205 GB Spijkenisse
0181-63 76 92
peugeot404@iname.com

Belgische Club voor Oude Peugeots
Marcel de Reu
Halfstraat 31
B-2630 Aartselaar
03-888 32 43
bcop-chap@yuom.be

Club 604 International
Erika Brouwer
Overtoom 12
2408 RP Alphen a/d Rijn
0172-47 84 61
erika_brouwer@hotmail.com

Pick-ups:
De Pook
Joop de Kleyn
Prins Bernhardstraat 5
5246 XH Rosmalen
073-642 18 50
depook@worldmail.nl

Porsche:
Nederlandse Porsche Club
J. van Brussel
De Sitterlaan 16
5505 AC Veldhoven
040-295 48 82
secretaris@porscheclub.nl

Porsche 356 Club NL
Henne Lembeck
Postbus 356
5060 AJ Oisterwijk
013-521 71 19

Porsche 914 Club Holland
S. Turel
Postbus 554
6800 AN Arnhem
0313-42 20 55
914club@planet.nl

Porsche 924/944/968 Club NL
G.J. de Vries
O.L. Vrouwestraat 38
5423 SL Handel
0492-32 21 04

Klassieke Porsche 911 & 912 Club NL
G.J.A. van Wagensveld
Churchilllaan 6
5242 BE Rosmalen
073-522 09 97
klassieke911.912club@zonnet.nl

Porsche 928 Club NL
L. Voogt
Koningsvarenstraat 76
1531 SK Wormer
075-642 54 60

Porsche Classic Club Belgium
Walter Pauwels
Oude Baan 39
B-2530 Boechout
03-455 08 94
porscheclub.356@hofvanreyen.be

Reliant:
Reliant Scimitar & Sabre Club Holland
W.T. Deinum
Langbroekerdijk 28
3972 ND Driebergen
0343-56 18 53

Vereniging Reliant Nederland
B. Meijer
Middelweg 141
2957 TD Nieuw-Lekkerland
0184-68 42 79
bartj@worldonline.nl

Renault:
Club d'Anciennes Renault des Pays-Bas
L. Nieuwenhuizen
Postbus 455
4600 AL Bergen op Zoom
0164-68 49 36
anciennesrenault@compuserve.com

Club Renault Sportives
G. van Kalker-Mulder
Dwergstern 45
7827 TG Emmen
0591-67 72 38
secretariaat@clubrenaultsportives.nl

Renault 4 Club NL
Piet van der Molen
Spielehorst 6
7531 ER Enschede
053-432 65 88
a.vanoeffelt@bigfoot.com

Renault 15/17 Vriendenclub NL
D. Vrijaldenhoven
Ringbaan Noord 20
5401 JE Uden
0413-26 48 15
d.vrijaldenhoven@planet.nl

Fuego Freunde Club Renault afd. NL
Wilma Janssen
Anne Frankstraat 15
5912 HC Venlo
077-354 48 35

Antwerp Renault Oldtimer Club
Johan Miguet
Van Loenoutstraat 11
B-2100 Deurne
03-324 10 26
aroc@advalvas.be

Brugse Renault Oldtimer Club
Charles Maeyaert
Poelweg 61
B-8000 Brugge
050-31 78 75

Club d'anciennes Renault de Belgique
Wilfried Pelgrims
Zemstbaan 97
B-2800 Mechelen
015-41 21 38

Car Belgium Renault
Pierre Dewit
Lemingsberg 46
B-3010 Kessel-Lo
016-44 00 58

Riley:
Riley Club Holland
M. Brillenburg Wurth
Nic. Maeslaan 4
1399 GB Muiderberg
0294-26 22 91

Rolls-Royce/Bentley:
Rolls-Royce Enthusiasts' Club NL
W. Nannings
Heereweg 139
2161 BA Lisse
0525-21 39 06

Ver. v. Rolls-Royce en Bentley
Eigenaren 'De Mascotte'
L. Vos
De Hullen 8
9419 TH Drijber
0593-56 71 50
mascotte@box.nl

Rolls-Royce Enthusiasts Club (Vlaams)
Marc Leenman
Vroegeinde 53
B-2290 Vorselaar
014-51 82 68
rolls-royceclub@planetinternet.be

Rootes:
Rootes Club Nederland
E. Schoenmaker
Postbus 679
3500 AR Utrecht
033-637 12 44
info@rootesclub.nl

Rootes Club of Belgium
Jean-Paul van Vinckenroye
Dennenlaan 80
B-2610 Wilrijk
03-827 69 40

Rosengart:
Le Registre L. Rosengart
R. Bakker
Van Galenstraat 81
3814 RB Amersfoort
033-475 97 35
rbakker@foxboro.com

Rover:
Rover Owners' Club Holland
Harry Hilgerdernaar
Postbus 440
1180 AK Amstelveen
06-21 28 82 00

Stichting Dutch Rover SD1
R.R. Winters
Vijverstraat 31
9321 XH Peize
050-503 23 31

Vereniging Rover SD1 Vrienden
H. Plas
Giethoornpad 6
1324 EA Almere
06-54 66 89 66
hansplas@freeler.nl

Belgian Rover Club
Henk Bruers
Leopoldlei 11
B-2660 Hoboken
03-828 68 41

Saab:
Saab Club Nederland
Mw. Y.J.M. Bazuin-Noordendorp
Rijkswal 1
4285 AC Woudrichem
0183-30 26 66
webmaster@saabclub.nl

Saab 96 Vereniging Noord-Nederland
J.M. Kramer
Rietveldlaan 46
9744 BL Groningen
050-541 69 38
j.m.kramer@pl.hanze.nl

Saab Club Belgium
Filip van Bourgogne
Auwegemvaart 106
B-2800 Mechelen
015-33 78 86
info@saabclub.be

Siata:
Siata 850 Spring Register
John Savelkous
Chatelainplein 11
6102 BB Echt
0475-48 59 63

Simca:
Simca Automobiel Club NL
Harry Kluytmans
Postbus 1674
5602 BR Eindhoven
040-244 25 15
secretaris@simcaclub.com

Simca & Matra Sports Club
Jan Wakker
Postbus 4015
2003 EA Haarlem
023-535 65 87
simcamatrasportsclub@hetnet.nl

Simca-Matra-Talbot Club België
Fonny van Vliet
J.B. Pittoorstraat 19
B-2110 Wijnegem
03-354 24 61

Singer:
Dutch Singer Owners Club
Rudi Arends
Herestraat 1
9851 AA Burum
0594-24 92 56

Skoda:
Skoda Oldtimer Club
R.G.A. Eekhof
Batavierenplantsoen 6
2025 CK Haarlem
023-539 21 34
danmar@wishmail.net

Spartan:
Dutch Spartan Owners Club
Johan Teuwsen
Wehmerstraat 10
7121 DP Aalten
0543-47 62 00

Studebaker:
Studebaker-Packard Club NL
G. Tummers
Kerkeneind 30a
5529 AH Casteren
0497-68 41 63
h.vansten@hetnet.nl

Amicale Studebaker
Karl Goret
Chaussée de Lessines 15
B-7890 Ellezelles
068-54 21 46

Sunbeam-Talbot & Rootes:
Rootes Club Nederland
R. van Woerden
Postbus 679
3500 AR Utrecht
033-463 12 19

Suzuki:
Suzuki Coupé GX Fanclub
Ingrid Stroosnijder
Lijsterbesoord 31
1112 EG Diemen
020-698 18 88
toosenco@wanadoo.nl

Tatra:
Tatra Register Nederland
Fred Kuipers
Voorzorgstraat 53
2013 VN Haarlem
023-532 82 66
tatra.register.nl@planet.nl

Toyota:
Toyota Automobiel Club NL
J. Hoogduin
Vondelstraat 10
2406 XH Alphen a/d Rijn
0172-49 11 69

Toyota Celica Club NL
A. Binnendijk
Kon. Julianalaan 53
2231 VB Rijnsburg
071-403 38 20
tccn@ision.nl

Celica Big Spender Team
Ine Juffermans
Chopinstraat 49
5802 HD Venray
0478-58 61 07

Celica Club Belgium
Michel Meeusen
Dorpsstraat 76
B-2940 Stabroek
0477-45 72 89

Trabant:
Trabant Club Nederland
M. van Ommen-Kloeke
Van Lenneplaan 16
3818 VE Amersfoort
033-461 39 26
tcn@tref.nl

Triumph:
Club Triumph Holland
Louis Nagel
Koningshof 20
1941 CV Beverwijk
0251-22 08 75
info@triumph.nl

TR Club Holland
Willem v.d. Mast
Hanenburglaan 76
2565 GW Den Haag
070-363 47 13
trch@trch.nl

Triumph Spitfire Club
Corwin van Heteren
Bladstraat 9
3572 HT Utrecht
040-257 21 37
secretariaat@spitfire.nl

Stag Club Nederland
Camille Schyns
Blekerij 74b
6212 XX Maastricht
043-325 19 20

Triumph Roadster Register Benelux
Plantsoen 5
4841 AV Prinsenbeek
076-541 61 78
t.rolf@varel.nl

Triumph Acclaim Owners Club
Johan Tadema
De Trippen 42
8255 HB Swifterbant
0321-32 19 40

Triumph Enthusiasts Club Belgium
Paul van Maele
A. Serreynstraat 29
B-8200 Brugge
050-38 16 51
paul_van_maele@yahoo.com

Triumph Club de Belgique
Pierre Poucet
Rue du Château Fort 21
B-6560 Solre-sur-Sambre
071-55 57 98

Belgian Triumph Club
Edward Bodson
Rue de l'Ardenne 29
B-5024 Marche-les-Dames
081-58 17 36

Triumph Sport Six Club
Francis Vanosmael
Rue de Rhieux 22
B-4420 Montegnée
04-264 13 31

TR Register Belgium
Philippe Thys
Antwerpsestraat 296
B-2845 Niel
03-888 01 22
tr_registerbelgium@yahoo.com

Belgian Stag Owners
Jan Posseniers
Wouter Haecklaan 12 bus 31
B-2100 Deurne
03-322 35 16
jan.stag@vt4.net

Tsjechische auto's:
Tsjechisch Merken Register
L.F. Dammingh
Voorsterweg 14-1
8316 PT Markenesse
0527-20 18 12
l.f.dammingh@planet.nl

TVR:
TVR Car Club Holland
Hans Hardy
Claushof 20
3481 WD Harmelen
0348-44 24 41
hanshardy@akkerman.nl

Tweetakt clubs:
Amicale Club 2T
Fernand Dogot
Rue du Palton
B-5060 Arsimont
071-77 78 65

Vanden Plas:
Vanden Plas Owners Club
D.E. Schornagel
Bremweg 6
1272 BR Huizen
035-523 32 25

Vauxhall:
Vauxhall Owners Club Holland
Rob Hogenvorst
Dennenlaan 25
1702 KM Heerhugowaard
072-571 33 92

Volkswagen:
Stichting VW-Euro Nederland
H. Sprenkels
Kerkakkerstraat 15
4891 AE Rijsbergen
076-596 20 09
info@vweuro.nl

Luchtgekoelde VW Club Nederland
Ton van Dorsselaer
Laan van Heemstede 8
3297 AJ Puttershoek
078-676 72 72
pr@vwcn.com

Volkswagen Cabrioletclub Nederland
Fred Oostenrijk
De Ronge 27
1852 XB Heiloo
072-533 23 29
info@vwcabrio.nl

Kever Club Nederland
J. v.d. Wetering
Postbus 7538
5601 JM Eindhoven
040-294 79 44

Karmann Ghia Club NL
D. Snel
Mr. J.H. Geysstraat 2
4151 CG Acquoy
0345-68 37 93
kgclubned@geocities.com

GTI Club Holland
H. Ruisch
Postbus 156
6870 AD Renkum
0317-35 09 70
redactie@gticlub-holland.nl

VW 412 Club Holland
Dhr. Raeven
Prof. T. Brandsmastraat 56
5684 TE Best
0499-39 57 61

Internationale K70 Club
Peter Krikken
Willebrorduslaan 16
5521 KC Eersel
0313-65 24 31
k70@hetnet.nl

Golf Cabriolet Club NL
Frans-Hubert Vossen
Schoolstraat 108
5951 CR Belfeld
06-51 65 61 19
secretaris@golfcabrioletclub.nl

VW-vereniging De Zeeuwse Buggers
Ron Wevers
Rossinistraat 27
4536 EE Terneuzen
0115-69 75 47

VW Bus Club NL
J. Boet
Cronesteijn 87
2804 EL Gouda
0182-53 15 95
info@vwbusclub.nl

VW Race Club
Sam Jaarsma
Postbus 37112
1030 CA Amsterdam
020-493 16 51
sam.jaarsma@wxs.nl

Binocle Club
Raymond Messelier
Rue de la Fusion 8
B-4280 Petit-Hallet
019-63 44 16

VW Keverclub België
Filip Moerenhout
Lindenlaan 26
B-9260 Schellebelle
09-369 71 68

Kever Cabriolet Club België
Wim Koelman
St. Martensbergstraat 18
B-3600 Genk
089-35 88 92

Belgian Buggy & VW Club
Paul Duffieux
Avenue H. Massin 54
B-4800 Petit-Rechain
087-31 52 50

Hagelandse Kevervrienden
Ivo Bosmans
Steyenhoflaan 89
B-3130 Betekom
016-56 30 33

Limburgse Keverclub
Jos Quets
Bergstraat 11
B-3730 Hoesselt
089-41 64 88
limburgsekeverclub@planetinternet

Volvo:
Volvo Katterugclub
W. van Minkelen
Couperusstraat 9
6824 NJ Arnhem
026-363 85 50
volvokatterugclub@planet.nl

Volvo V-44 Vereniging
A.J. Vaanvold
Sint Annastraat 352
6525 ZJ Nijmegen
025-355 82 82

Oerdegelijk Toch Sierlijk
H. Hendriks
Broekstraat 71
5731 RA Mierlo
0492-66 61 67
jphendriks@hetnet.nl

Volvo 1800 ES Register
Hennie Mank
Honingzwam 31
2403 HT Alphen a/d Rijn
0172-42 09 04
info@volvo1800es.nl

Volvo 140 Register
L. van de Aa
Parkdreef 288
2724 EZ Zoetermeer
0497-51 64 03

Volvo 164 Register
Gabriel van Kaam
Postbus 265
1400 AG Bussum
035-691 67 47

Volvo 240-260 Register
Bouvignestraat 29
3223 VA Hellevoetsluis
secretariaat@volvo240-260register.nl

Volvo 240 Turbo Register
Steven Fischer
Huizerweg 98
1402 AH Bussum
035-692 19 25
wiesteven@dutch.nl

Volvo Coupé Bertone Register
R.P.E. Noordervliet
Traayweg 3
3711 BV Austerlitz
0343-49 16 75

Volvo 480 Register
Leo Belder
Kon. Wilhelminalaan 2
3372 AD Hardinxveld-Giessendam
0184-63 11 05
info@volvo480register.nl

Swedish Car Club Belgium
E. Boeckx
Speelhovenstraat 7
B-3200 Aarschot
016-56 80 82
paulmalfroot@skynet.be

Wartburg:
Stichting Wartburg Barkas Club NL
R. Kiès
Zuidplaslaan 510
2743 KG Waddinxveen
0182-63 27 64
s.w.b.c.n.@12move.nl

Finally add a bit more detail, as in our examples, and colour in your doodle if you like. That's it!

Grab your pencils and paper and get started. You'll soon have some fantastic Deadly Doodles to put on your bedroom wall.

Happy Doodling

Killer Bees Skill Level: Medium

Most bees can sting, but killer bees are more aggressive than ordinary honeybees. They are quick to attack anything that disturbs them and they chase their enemies in greater numbers than other bees and for longer distances.

1: Using a pencil, draw an egg shape for the head. Then add a circle next to it and another larger egg shape for the body.

2. Add a couple of lines at the end of the body for the sting. Then add two teardrop shapes for the wings.

3. Now go over your pencil outlines with a marker pen to make big bold lines. Add little lines over the head for the antennae and draw in the eyes and stripes.

4. To make your cartoon killer bee look really deadly, colour it in with black pen.

DEADLY

Tiger Skill Level: Medium

Biggest of the big cats, the tiger is a superb predator with deadly claws and sharp teeth. Amazingly, each tiger has a slightly different stripe pattern – no two are exactly the same.

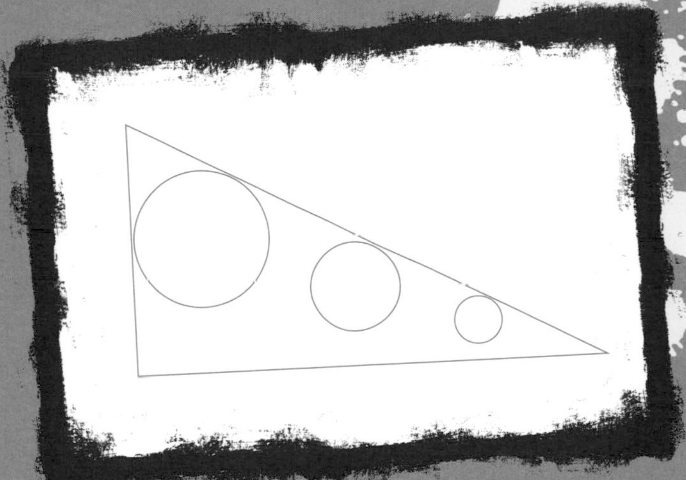

1. Using a pencil, draw a big triangle as above. Inside the triangle, draw a big circle, a medium circle and a small one for the head.

2. Draw three arrow shapes under the big circle and three slanting lines under the middle circle.

3. Now join up the shapes. Using a marker pen, draw a gently curving line from the middle circle over the back and up to make the tiger's tail. Using the arrows as a guide, draw in the legs and paws. Make the lines a bit jagged so that your tiger looks furry.

4. Your tiger is about to pounce and is really alert so draw his ears sticking up on top of the small circle. Add a bump for his brow, then draw in a snarling mouth, some long whiskers and an eye.

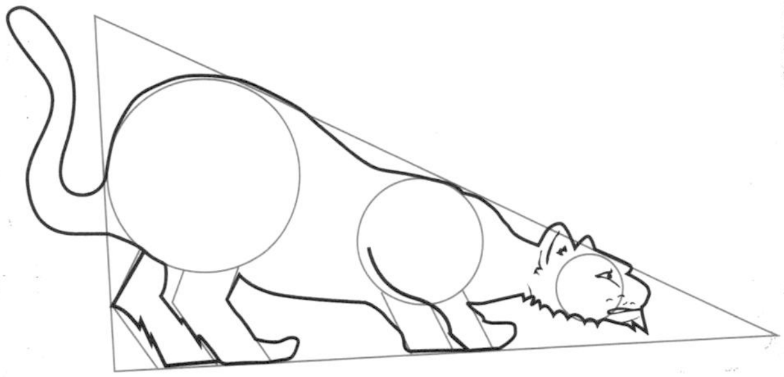

5. Join the tiger's head to the body and your outline is complete. You can rub out the pencil lines now if you like.

6. It's time to add the stripes! Every tiger has a different pattern so be creative and have fun adding the stripes to your deadly tiger.

Piranha

Skill Level: Easy

This fish may be only 30 centimetres long, but it has razor-sharp, triangular-shaped teeth and can strip meat off bones with amazing speed. A creature to avoid!

1. Start by drawing a half-circle in the middle of your page. Add a triangle for the top fin, then two more for the side and tail fins.

2. Add a circle in the middle for one eye and a half-circle for the other eye.

3. Starting under the eye, add another triangle to make the fish's lower jaw.

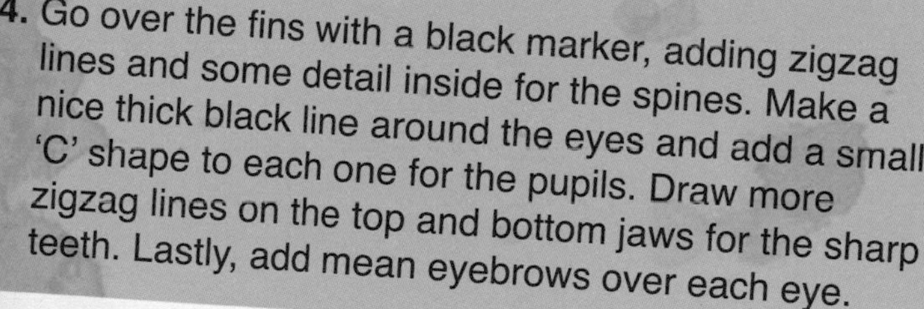

4. Go over the fins with a black marker, adding zigzag lines and some detail inside for the spines. Make a nice thick black line around the eyes and add a small 'C' shape to each one for the pupils. Draw more zigzag lines on the top and bottom jaws for the sharp teeth. Lastly, add mean eyebrows over each eye.

Aaaa aaaaa
I'm a Shark and ever I'm scared

Brown Bear Skill Level: Medium

It might look cuddly, but the brown bear is one of the largest meat-eating land animals. A male can weigh over 500 kilograms – more than six people. Brown bears eat lots of berries and nuts, but they can also attack and kill large animals such as deer and moose.

1. Start by drawing a horizontal line towards the top of your doodle area. Then add a deep cup shape at each end of the line.

2. Draw another horizontal line between the cup shapes. Then add a kind of rectangular shape on the side.

3. Draw a circle inside the rectangular shape and add a smaller circle on top for the bear's ear. Add another cup shape sticking out at the back and then draw a little triangle under the lower horizontal line.

4. Take a brown marker pen and start to go over your outlines. Make your lines slightly jagged to create a rough furry look and round them out, as shown above, to make the body shape. Add some shading inside the ear and claws on the feet. Draw in a little tail.

5. You can rub out your pencil lines now if you like, before finishing off your bear doodle.

6. Next, add some shading with dark brown and lighter brown pencils. Working inside your outlines, add some nice messy strokes with your pencils to make the bear's body look more realistic.

Fish Eagle Skill Level: Easy

Strong and speedy, this ferocious eagle has wings that can measure an incredible 2 metres from tip to tip. When the eagle spots a fish, it swoops down to the water surface and seizes its prey in its strong curved talons with amazing speed.

1. Start by drawing a circle for the eagle's head and an egg shape for the body. Add two triangles for the legs. At the end of each leg, draw three tiny egg shapes for talons, with another underneath.

2. For the wings, draw a rectangle on each side of the body. Add a little triangle under the head to make the beak.

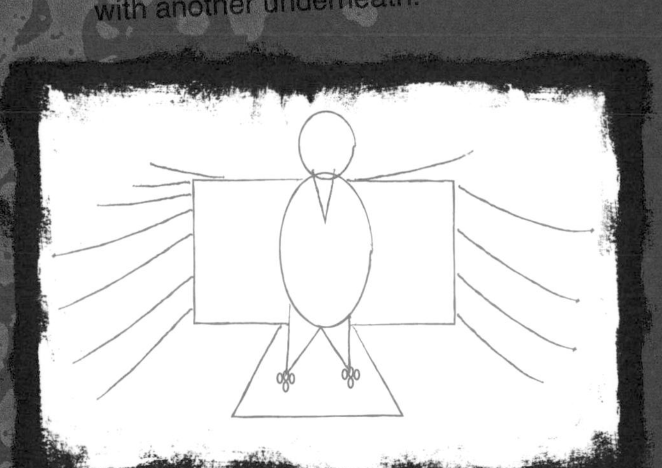

3. Add some lines at the sides of the wings to help you draw in the feathers. Draw a triangle under the body for the tail.

4. Using a marker pen, go over your pencil outline. Make your lines slightly jagged to give a feathery look. Add a line of zigzags across the breast, then draw in nostrils and some menacing eyes. Draw big swooping lines for the wings, following your guidelines, then add a zigzag base to the tail.

5. Now it's time to add some colour! Go round the edges with a brown pastel, then add some lighter brown and a little bit of yellow.

6. Starting at the tips of the wing feathers, use your fingers to blend the colours. Lastly, add some yellow to the eagle's beak and talons.

Chameleon Skill Level: Medium

The cunning chameleon sits on a branch as it watches for prey, holding on tight with its specially adapted feet and tail. When an insect comes close, the chameleon shoots out its long, sticky-tipped tongue, traps the prey and swallows it – all in a fraction of a second.

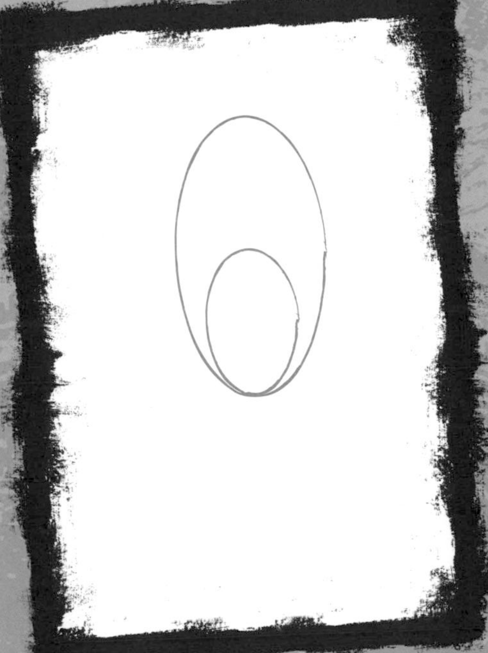

1. With your paper upright, draw a big egg, then a smaller one inside it for the head. Make sure they join at the bottom.

2. Add two circles for the eyes and a triangle on the head. For the branch, draw a small circle and join it to the body with two lines.

3. Add two lines between the body and branch to make the arms. Add two little half-moons at the ends for the hands.

4. Starting at the side of the body, draw a big spiral for the chameleon's tail.

5. Grab a marker pen and go over your pencil outline. Keep your marker lines nice and loose to give movement.

6. Add a line to complete the tail and join it to the body. Then add zigzag lines for the mouth and some shading in the eyes.

7. Take some coloured crayons and colour in your chameleon. Use circular scribbling movements to give the effect of the scales on its body.

Crocodile Skill Level: Medium

The world's biggest reptile, the saltwater crocodile can grow to 7 metres or more. Its huge, powerful jaws contain 66 sharp teeth for seizing hold of its prey and tearing off chunks of flesh.

1. This doodle is made up of letters. Start by drawing a big letter 'C' for the head. Then add two more 'C' shapes for the body.

2. Then add two smaller 'C' shapes on each side, as shown, for the legs.

3. Draw a really big 'Z' for the mouth and a sideways 'Z' to make the lower jaw. Then add the curly tail.

4. Now add the ridges on the croc's back. Start at the tail and draw in two lines in each section, making them slightly wider apart as you get nearer the head. Draw an eye on the side of the crocodile's head.

5. Take your marker pen and go over your pencil lines to make them really bold. Add some 'V' shapes for the feet and claws and then draw some sharp teeth in the jaws.

6. Add some bold shading under the jaw and body, then make the eyes look mean by adding shading and some more lines underneath. Add in some lines to give the body a rough, scaly look.

Redback Spider Skill Level: Easy

The female redback spider has a very venomous bite and it's one of the few spiders that is dangerous to people. Redbacks make an amazing web with sticky trip lines that hang down to the ground, ready to trap prey.

1. Start by drawing a large circle for the spider's body. Then add a smaller, slightly overlapping circle for the head.

2. Add two little egg shapes for the eyes. Place them at an angle to help make the spider look angry.

3. Draw in four legs and feet at each side of the body, as above. Then carefully rub out the lines through the eyes and the line across the head.

4. Now take a black pencil and add the deadly fangs. Make them big and fierce-looking.

BOOK ONE
THE SHADOW DOOR

ART
BANNISTER

STORY
NYKKO

COLORS
JAFFRÉ

GRAPHIC UNIVERSE™ • MINNEAPOLIS • NEW YORK

To Sabine, Léo, and Noé
—Nykko

For Flora, thank you for your
psychological and culinary support.
—Bannister

To Mathilde
—Jaffré

Invasion of the Zombies is showing at the movies this weekend. You wanna go?
If my parents knew I was going to that kind of movie, they'd kill me.
If I'm not home, my brother will go through my stuff and take all my money again.
So, it's gonna bc a real fun weekend...
Yeah, right. My parents have got it into their heads they're gonna sign me up for the Boy Scouts. They're tired of me hanging around with you guys.
The Boy Scouts? That's almost like the army, isn't it?
It's worse than the army.
Don't worry! I'm already planning to be sick this weekend. I'm gonna eat beets for lunch at school tomorrow.
Why beets? Beets are good.

Dad!
It's an old trick, Max! Beets make your pee red.
Yep, it's just in case they check.

Is it over yet?

Have a little patience, Rebecca.
But I'm bored.
MUSE

You can go talk with those boys on the wall while you wait for us.
They look a little bored too.
MUSE

Okay. See you later.

And don't wander off.

Seriously, Max, you really like beets?!
We eat them a lot at home.
Hey, look!

Isn't that Old Man Gabe's house all lit up like that?!
Barely buried, and his ghost is already back in there.
This is kind of crazy, but… have either of you ever seen him?
Who, the ghost?
No, *Old Man Gabe*.
There aren't a lot of people who've seen him at all. He never came out, not even to buy groceries.

But everybody was scared of him! Just look at how many people turned up for his funeral.
That's true! Usually Old Lady Nettles and her girlfriends show up for a good burial.
It's practically a tea party.
Hiya.
My name's Rebecca. That's my grandfather they're burying.

No way, Old Man Gabe was your grandfather? But you're…uh…
Black? Thanks, I was vaguely aware of that.

He was sort of my adopted grandfather.
Why only sort of?
I never knew him at all.
And my father didn't either.

I'm Noah.
The redhead is Theo, and next to him is Max.
You guys always come to play in the cemetery after school?

Oh, no, it's just that we were wondering if Old... I mean, your grandpa Gabe... was really dead.
What a weird idea!

Are you leaving already? And your family?
I'm tired of standing around... and I want to see my grandfather's house.

People say it's haunted. Could you tell me how to get there?

Wait for us, we'll go with you!
It's easy to get lost around here.

You have to be a local to find the way.

So-o-o-o... is this the first time you've visited Perryville?
My mom wanted to come to the funeral.
My dad didn't really want to.
They never met, your dad and your granddad?
Only two or three times, I think. And It was a long time ago.
No way, really? Grandpa Gabe was something else!

He didn't know about you, then?
My mom sent him pictures of me and my brothers on our birthdays. But he never wrote back.
What, not even a gift?!
A little card would have been enough, you know!
Hey, isn't that Fleabag, Bruiser's mutt?

Bruiser?
KLANG

A homeless guy who hangs around here during the summer.
A bully who thinks it's funny to sic his dog on us!

Uhm... we should be careful.
It looks like he's barking at...
What's that dumb dog got?

Grandpa Gabe's house.

You shouldn't go in there.
Why not? It belongs to her family. We might even have fun going with her.
What?! No way! That house is haunted!! Everybody says so.

Oh yeah, who's "everybody"? Grandpa Gabe was a weird guy. That doesn't mean he was dangerous.
Just a little nuts.

Then why do I have a bad feeling about this?
Do whatever you want. But watch out for Fleabag. He's not Bruiser's dog for nothing.

Why'd you stop there?

Go on, fetch!
THUMP

Yeeeow!
THUMP

You're gonna be a pain in the neck today, aren't you?
There's something weird here. Even this dumb dog can feel it.
Cut it out, Theo! You didn't have to come with us.

There's something in the bushes.
Yeah, no kidding. Are you coming with us or are you going to stay here and bug the sparrows?

You don't believe me, huh?
I'll show you!

Hey, I was right!

There really is something here! What's ***that***, huh?

Yeah, well, all right. It's just a great big tree trunk.

Okay, ***fine***. Let's not make a big deal out of it. The rock bounced off, that's all!

What?

What's ***that?***

WUF ?

Grrwwllrllgrll

GROWF
GROWL
WOOF
Stupid mutt!
I really thought that ugly carving was barking at us.
WOOF
WOOF

Rebecca?!
She's gone into the house!
WOOF
WOOF

Come on, I want to see what we find in there.
I don't know, I'm not so thrilled about all this now...

Hey, wait for me!
WOOF
WOOF

WOOF
WOOF
Rebecca?

Yuck, it's creepy in here. It feels old, like my grandma's house.
WOOF
Rebecca?
WOOF

You think it's because of the body?
Rebecca?

Huh? What? What body?!
Grandpa Gabe. Didn't they find him in here last week?

It turns out he'd been dead for two months!
Cool!

Death prowls in this evil place. Don't you feel its presence among us??
Rebecca?

Behind each door of this cursed house lurk unknown horrors!
Stop, that's not funny!

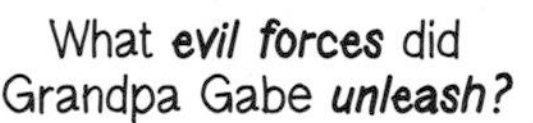
What evil forces did Grandpa Gabe unleash?

BOO!
AAAHH!

Thanks. It was a pleasure!

Have you found anything interesting?

Not a lot, other than cat poop and some dead mice.
Meow!

Maybe upstairs is more interesting.
Meow!

Because right now, it's kind of disappointing.
What do you hope you'll find?

Monsters! Zombies! Vampires!!
Pffft.

Not such an empty house anyway. It's like nobody ever lived here.
Yeah, or just *him*.

What's to be scared of?
I don't know.
But it's contagious.
I didn't imagine it like this.

What do you mean?
The Gates of Hell!!

You're really a pain sometimes!
Shhh!!

Wow, now *this* is more *interesting.*
It's like the house of… an explorer.

There has to be an explanation.
Have you seen all these books? I hope my parents aren't planning to sell them with the house.

There's more here than at the public library.
I bet there isn't a single comic book!

Whoa, my grandfather **wrote** this one.

This one too!
Hey, anybody want to see what's under this?

Maybe it's a time machine! Or a torture chair! Or a cage for–
Can't you cut it out for two minutes?

DANGER!
LIGHT!

DANGER!
LIGHT!

TURN ON THE LIGHT, FOR HEAVEN'S SAKE! DANGER! LIGHT!
Who... who said that?

CLICK!

We've gotta get out of here!
LIGHT!
Ow! Something touched me!
Let's get out of here!

AAAAHH!!!
Did you see what I saw?!!
I didn't see anything and I don't want to see anything!
Yeah, I saw something! It touched me—*yeow!*

Watch out!!

C'mon, get up! You can't stop here!
Owww, my arm!

Listen to me, Max! My arm really hurts!
Hop on!

Hang on!

She just can't be trusted. Who knows where she's wandering around this time?!
It's your fault too!! She shouldn't be left unsupervised.
We've been looking for her for twenty minutes. I'm really worried. She doesn't know a single person here.
Stay cool... She'll turn up like she always does.

Rebecca!

Really, Rebecca! Do you want to tell us where you were?!
Hooboy, I think I'm in big trouble.
Then we'd better not hang around. Seeya!

Seeya!
Peace, Rebecca. Nice to meet you!
Nice to get scared with you!
Seeya!

So what's your story? And who are those careless kids who ride around without bike lights after dark?
And without helmets!!
I'm sorry, young lady, but there's no way we're going to trust you ***for a long time***.

We're disappointed in you!

You have to learn to watch out for danger in this world.
Gabriel DELILLE

riel DELILLE
Life isn't a fairy tale...

DELI
...***Rebecca Delille!***

Rebecca Delille
We're leaving tomorrow…

Rebecca Delille
After the 'rents take care of stuff with the accountant and I don't know what all else.

Yeah, I miss you too. It's totally dead here.

Rebecca went off on her own again last night. She went to hang around in the old guy's house. Now we have to watch her all day. Bad karma!
Also, the weather is crazy in this hick town. One minute it's raining, then it's sunny. Then they say a storm for this afternoon.
I have to go pee.

Hello, World, I'm escaping!!

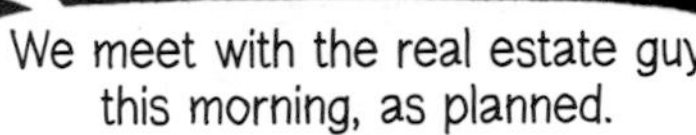
We meet with the real estate guy this morning, as planned.

He may be a real estate agent, but he seems the honest type!

Even better, we won't have to deal with clearing out the house. They'll take care of everything.

With just that old library, he'll have enough to feed his fireplace for ten years.

I can't even tell you how deteriorated the place is! I couldn't believe wallpaper like that even exists…

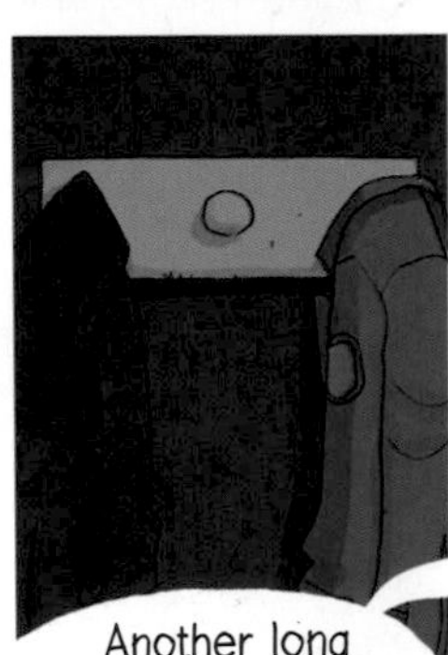
Another long day to get through without you, honey!

Five bucks each.
That's a lot.
Especially for doubles. You could give us a deal.
I've spent a fortune on my Light Warriors collection. I have to make some of it back by selling the extras.

You don't have Master Chief.
He's unfindable! But if you really want one, you can get him online for over a hundred dollars.

Still, I ***do*** have Amazon Girl!

Okay, hold onto Amazon Girl and Lady Superior for me. I'll buy them for ten dollars.

I really want Scary Boy.

Okay, guys, we'll talk again at recess.

Hey, Theo, how's it going this morning?
My arm hurts. I have a big bruise.

Aw, you just got banged up a little, that's all.
You can say what you want, but I saw something touch my arm.
You have a short memory, Noah.

Listen, I think we all just got a little hyped up yesterday! That house was like something out of a horror movie! It was pretty cool, when you think back on it, huh?
You're forgetting that we all heard that scary voice.

Want to go back… and find out what it was?

In any case, I'm going back. Anyone want to come with me?
What? *There?* Now? ***Right now?***

It's urgent! I have to save my grandfather's books. At least, the ones he wrote!

No way am I going back. That house is… is…

What, haunted? Cut it out with that stupid story. We all let our imaginations go crazy last night.
I'll go with you.

What? You're going to cut school again? Don't do it, Max! Remember what happened last time!
Yeah, I'm with Noah. You're not serious are you?
Sure I am! I want to see where that voice came from!
Rebecca, I'm telling you, this is a bad idea. Tell him!

Uh…I think they're right. You shouldn't cut class. It was dumb of me to ask you to come with me.
Too late! So, you coming?!

You have to talk him out of it. You have to believe us. He'll get in a lot of trouble.
Hurry up, Rebecca…

Max, wait!
…It's going to start raining soon.

Are you sure this isn't a big mistake? I mean, skipping school, you'll—
It's too late to worry about that now!

I'm so dumb. Because of me, you're gonna get in trouble.
No different than any other day.

At least it's for a good reason this time.
Hey, did you notice there aren't any lights on in here?
The bulbs must have burned out.

We shouldn't stay here long, then. Who knows what's creeping around in here?
I have to find a way to save my grandfather's books.

You're not going to be able to save them all. There are too many.
I'm only interested in the ones he wrote.

Just give me time to find those.
Did you hear that?

This is gorgeous! He had beautiful handwriting.

Listen to this: "I could not extract my leg, which was mired in the stinking swamp. The animal looked at me defiantly."
Oh, you know, me and books!

"It could leap on me at any moment. My only hope was to grab my rifle. But the few inches that separated me from the rifle seemed like miles."

How scary! The way he writes, it sounds like a true story.
FSST

Is someone there?
Max?!

If this is a joke, Max, it's not funny.
FSST

I hate being startled.

FFSSHHHH!!

AAAAHH!!
HHHIIISSSS!!

Stupid cat!
I ought to—

What a strange machine.

It looks like an old movie projector.

How does this thing work?

CLICK CLICK CLICK

CLIC-CLACK
I wonder what kind of movies my grandfather liked to watch.

GZZZT GZZT
Mraaaw!
GZ

SCHLAK

FWOOOMMM

I've never seen a creature like this before...

LIGHT, FOR HEAVEN'S SAKE!! LIGHT!!

LIGHT!!
Rebecca!!

LIGHT!!

WE'RE SAVED! LIGHT!!
Hurry! We have to get out of here!

AAAAAAH!!
FWUM

Rebecca?

You think they spent all day in that house?
Uh oh...a car...

What are you doing? We can't go in when there are people there!

If you're scared, you can keep Fleabag company. You make a great couple of scaredy-cats.

And if we run into people in there, what do we tell them, Mr. Smart Guy?
Pssssst!!
That we're here to buy the house!!

Pssssst!! Over here!!

This is so like her! But this time, she's gone too far.
There's no point getting mad at her. Something really bad might have happened to her.
Over here, quick!!

All together now: panic!
Don't start up again, you two! We wouldn't be here if you'd been watching your sister instead of using up your phone minutes.

Where do we look now?
We don't have a choice. We'll have to report her missing to the police.

What do they mean, missing?
I don't know. I spent all day searching for her here and outside.

The last time I saw her, she was there, reading one of Grandpa Gabe's books.
Maybe the ghost that was chasing you got her.
Stop it. You're getting annoying with that stupid story!

You're forgetting that it touched my arm last night, and it's really been hurting since then.
You're forgetting that you fell down! All the rest, that's movie stuff.

No, Theo's right!
A ghost is hiding somewhere in this house. And I know how to destroy it!
Well, look at that! Max, the ghost hunter!

Wait, what's that?
I present to you, the Mysterious Voice! I figure that Grandpa Gabe used him like an alarm system.

Is this the machine that was under the sheet?

What's that for?
The answer is definitely in one of these books. I only had time to go through three.

Follow me. I have something else to show you.
This looks like a movie projector. That bright light you mentioned must have come from here.
Hey, maybe we should turn on the lights?

The bulbs are burned out. Anyway, the parrot is here to warn us of any danger.
It's a mynah bird, not a parrot. And if I had a choice, I'd rather have a lightbulb!

So, what's to see here?

All kinds of weapons.
What, this?

Grandpa Gabe designed these and, believe me, he knew what he was doing.
Weapon? You *wish.* It's just a toy.
Hey…

Noah's right! This machine has to be where that blinding light came from, reflecting off the mirror.
And I think I know how it works. It has an awesome friction motor. No need for electricity.

Look, I've already put the parts back together... What's this thing?
One of Grandpa Gabe's inventions.

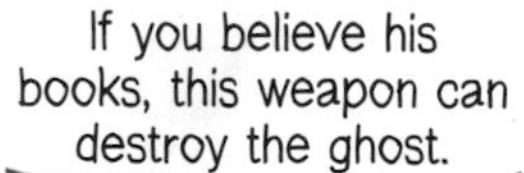
If you believe his books, this weapon can destroy the ghost.

And that machine... what does that do?

I don't know, but we can try to turn it on.
Hey! You'll never guess what!!

Look at this stuff! There are dozens.

Grandpa Gabe made the most old-fashioned Christmas tree decorations in the world.

That's a flashball. It shoots out a really bright flash of light for a few seconds.
No kidding? What for?
To scare off the—

Who cares! Forget about that dumb thing. To make those flashballs, he used surprise packs from Light Warriors!

And guess what?! He tossed the figures in the trash can, the idiot!
There are more than a dozen Master Chiefs here! A FORTUNE!

DANGER!!!
LIGHT!!
There it is!

Like me, Noah! Shoot, shoot!!
LIGHT!!

PLOP

BONK
CLANG

Noah! The light-rifle!!

CLICK
Noah!! Noah!! Oh no!!

AAAHH!

VREEEEEEEEE

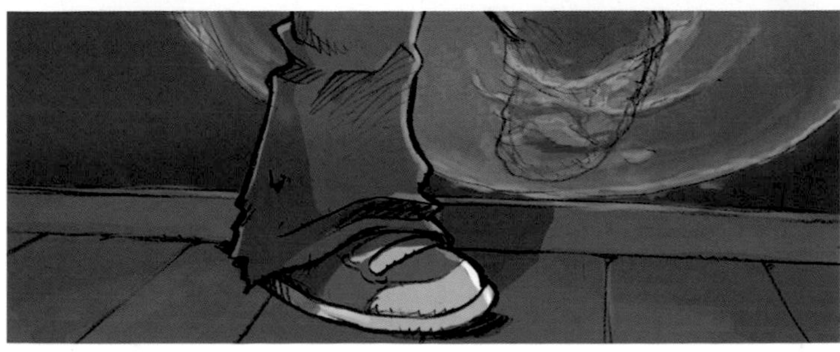

I was so scared I'd never get back! I…
You're hurt!
But this thing, how does it work?
Now that we've got her back, let's get out of here.

Close the door, quick!
Theo, do you know how?

THWAP!
MAX!! MAX!!

Owww…

Oof!
Bling
KLING

SPLORTCH

Aaahh!

AAAAAHH!
Reb!

SCHLAK
Omph!

AAAAAHH...

Rebecca!
I have to save
Rebecca!

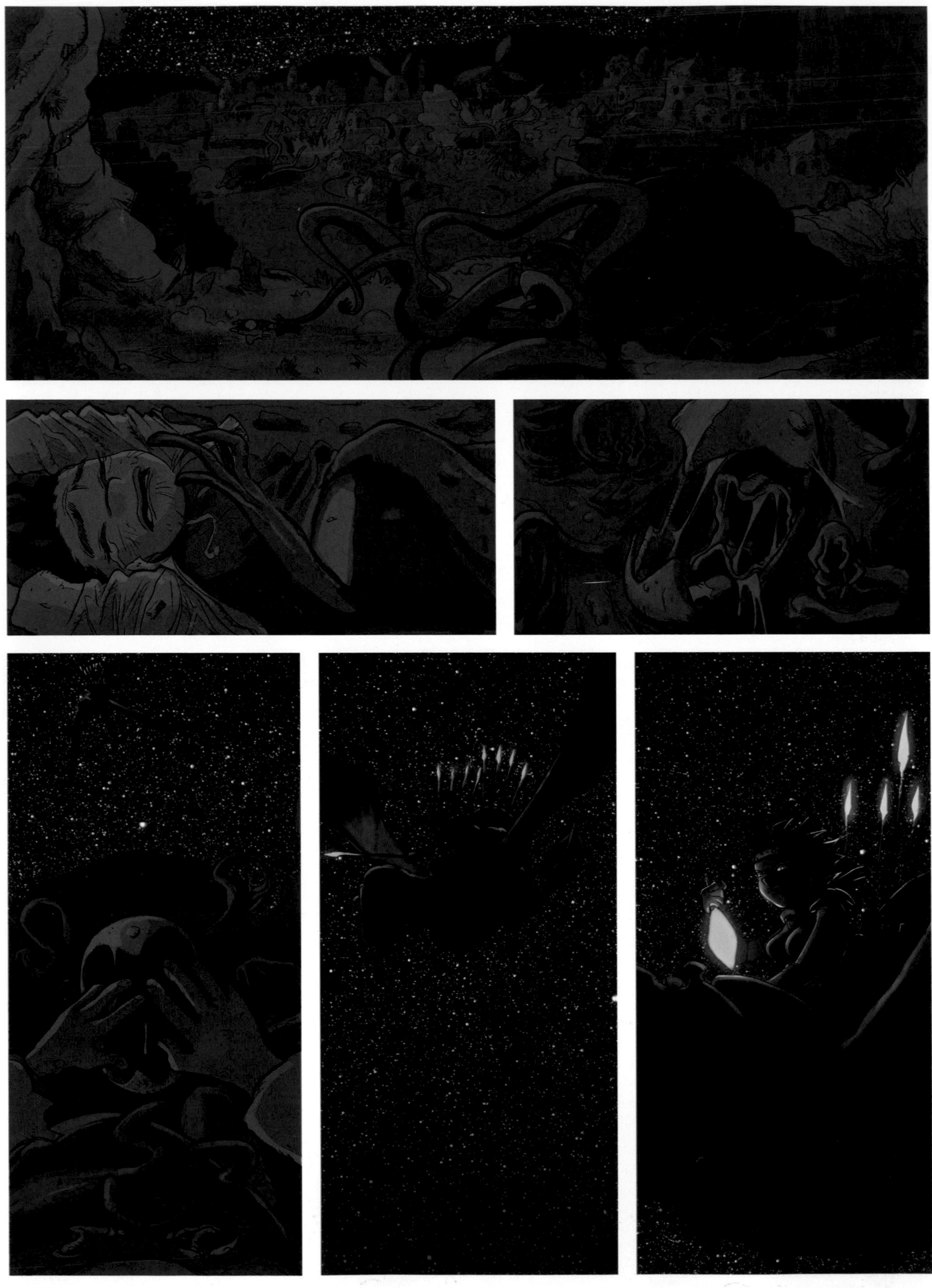

Oh no!

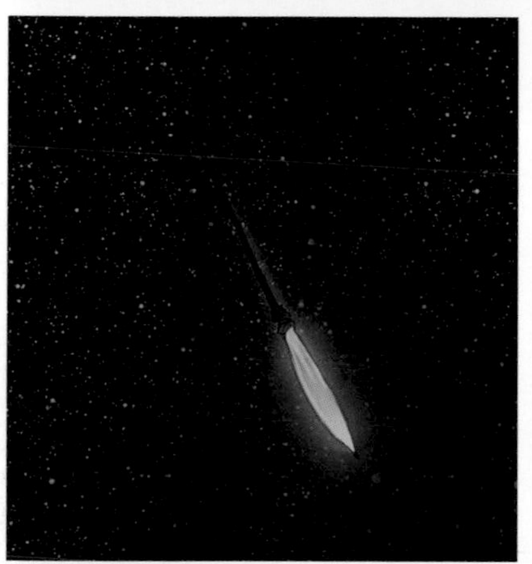

M…
Max…
Let go of her!

YEEAAARRH
BLORTCH
THWAP

BLORG

Hang on to me! We'll go back in the cave!
PLIP
Max? Is it you?
PLOP
PLOP
PLOP

BLUB
BLORP
You okay? Can you walk?

AAAH!
Hey!
Plok

She's hurt!
We have to
help her!

Reb, grab
her hand!
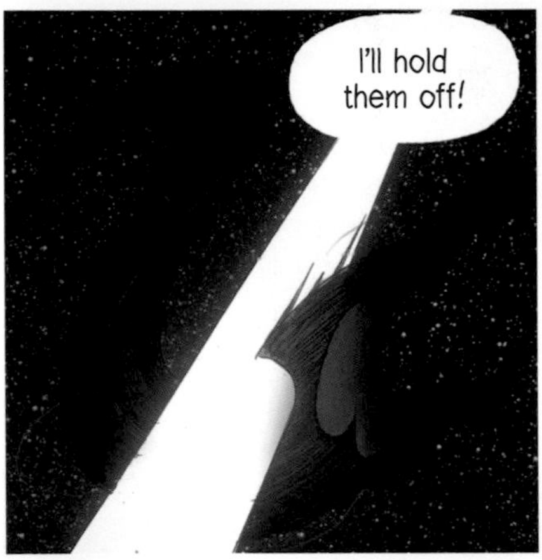
I'll hold
them off!

Quick, get to
the cave!

I'll cover
you!!

I can't go
on...
You have to
help Max...
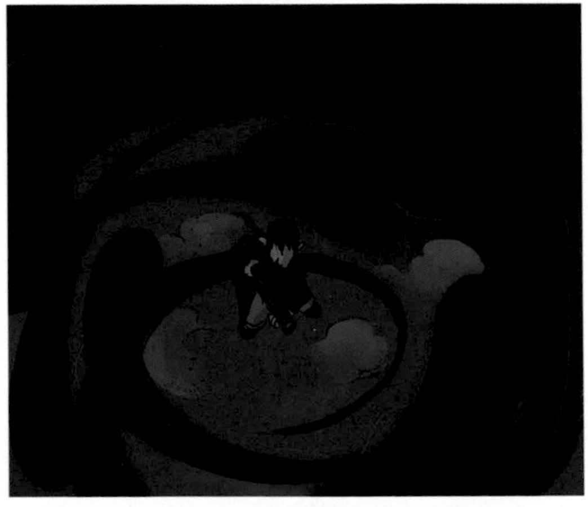

Max...

I've looked all over, but I didn't find anything.

Me neither...
Hey, wait...

Those marks, on the floor. They look like symbols I've seen before somewhere...
What? Where?

I don't see anything!
Look, you're right on top of one.

Of course! You can only see them from a height and in the right light.

Like a sunset.

Grandpa Gabe was a crafty guy.
He didn't want anybody finding out his little secrets.

Ya *think?*

You were right when you called it the Gates of Hell. That monster could only have come from there.
Help me lift up the projector.

Broken or not, it's the only way to open the door!

I don't think that's such a good idea.

Anyway, the lens is completely smashed, and we haven't found another one. That thing will never work now.
Do you realize what you're saying?

Rebecca and Max are on the other side. So light up this machine, and we'll see whether it works or not.
Okay.

We'll open up the door and wait for them to come back.

And if they don't come back?

It looks different.

Ow! It's razor sharp!

It's the broken lens. Without a new one, they'll never get back through.
Then we'll find one!

Ugh, I don't like this at all.

ZOMBIES ATTACK
flight
This is the worst idea you've ever had!

les Baladins
CINEMA
2 Theaters
Stop here.
POLICE

If you have a better one, don't let me stop you.

Anyway, I'm going in. I'm not gonna chicken out.

Hey, kid, you know these guys?
I know one of 'em's my kid brother.

Whoa, you think they're on the lookout for us?
Ya think?!

My parents will never forgive me for this, Noah. They're gonna lock me in a **monastery** or something.
flight
POLICE
Then we might as well go all the way!

I recognize you now. You're the older Tivelle boy!
It doesn't bother you that your brother's disappeared?
I'm not gonna ruin a night out 'cause my brother's having some adolescent crisis. This isn't the first time he's run away.

Except this time, there are four of them who've run off.
I saw him last night hanging around with Bruiser's dog.
You coming or what, Kenny?

Hey, Andy. I haven't seen Bruiser hanging around lately. You?
He usually comes back to town in the fall, but Old Lady Nettles was complaining about his mutt last week. Thought it would eat one of her chickens.

flight
Okay…
Okay. We'll get two tickets and hide in the men's room at the end of the movie.
Oh, great. And what if the ticket seller recognizes us? Besides, we don't have any money.

I made a good sale at recess. About enough for tickets.
We'll just have to give it a shot.

I dunno. We should go to the police and explain everything… We're just kids…
Are you serious?! If you talk to the cops, it'll take so long to convince them, Rebecca and Max could be lost forever!

We have to open that door as quickly as possible. They're counting on us, Theo.
TAK & TUK BOOKS
And the only solution is in that theater.

Rebecca!
Max?

I thought the shadows had gotten you…
I didn't count on a mysterious guardian angel.
Teo Kwann!

I'm scared, Max.
Don't worry. We're getting out of here.

I know this place...
The screaming. The crying. The fear in the pit of your stomach!

Everyone always told me I was too little to remember it, but that's not true!

And now, I know I didn't forget a thing, that all the memories were buried inside me.
You gonna be okay, Reb?
Triksy!

What are they going to do?

None of our business. Let's wait for Theo and Noah to get it together and open the passageway back, and we'll get out of here.

This is not our world.

This is not our war.

This might not even be real!

This can't be happening!
What are they waiting for?
Something must have
happened to them.

We're stuck
here!

And who's he?
Popeye?

Kairiay teo
Norgavol.

Well, well, are
you struck speechless,
my little ones?

Does my big bald head
remind you of someone?
Heh heh!

Grandpa Gabe?!

Oh, grandfather, I'm so happy to meet you.
Careful, my girl…
Then you're not dead. The shadow thing didn't kill you?

Dead?! What do you mean?
Ow!

Hey, what's happening now?
We must leave this place. The **Gnark** has weakened the cave. It could very well collapse on us.
Verray dalga, trekall!

But we have to stay here and wait for Theo and Noah to open the passageway!

If they could do it, we wouldn't still be here, Max!
So, what, are you planning to **stay** here?!

Rebecca?

O Soniark!
We must hurry, Ilmahil is rising.

Hey, wait for me! I'm coming!
PLUNK

Ilmahil.

Who is that, grandfather?
The Light-Bearer.

The protector of wandering souls.

The Master of Shadows has gained great power and is now able to steal the spirits of the dead.

Only Ilmahil can save those who have been killed by a Shadow.

Through her teardrops, the soul-stones, she guides the dead...

...so that they do not turn into the shadow phantoms that attack us.

Take this, my girl.

I am not who you believe me to be. My name is Norgavol.

And if, as you seem to believe, your grandfather Gabriel has been killed by a Shadow…

…that soul-stone will guide him to Ilmahil.

Next Episode...

Norgavol, why did we have to leave so quickly?

I'd really love for you to tell me about my grandfather.

I understand, my dear girl. But the Master of Shadows must not discover your existence, or he will destroy your world as surely as he has destroyed ours.

If my people are too weak to battle him, it is at least our duty to keep the disease from spreading.

the ElseWhere Chronicles

Book Two: The Shadow Spies

Art by Bannister
Story by Nykko
Colors by Jaffré
Translation by Carol Klio Burrell

First American edition published in 2009 by Graphic Universe™.
Published by arrangement with S.A. DUPUIS, Belgium.

Graphic Universe™
A division of Lerner Publishing Group, Inc.
241 First Avenue North
Minneapolis, MN 55401 U.S.A.

Website address: www.lernerbooks.com

Library of Congress Cataloging-in-Publication Data

Bannister. [Passage. English]
The shadow door / art by Bannister ; story by Nykko ; [colors by Jaffré ; translation by Carol Klio Burrell]. — 1st American ed.
p. cm. — (The ElseWhere chronicles ; bk. 1)
Summary: Four friends discover a movie projector that opens a passageway into a world threatened by creatures of shadow, where their only weapon is light.
ISBN: 978-0-7613-4459-9 (lib. bdg. : alk. paper)
1. Graphic novels. [1. Graphic novels. 2. Horror stories.] I. Nykko. II. Jaffré. III. Burrell, Carol Klio. IV. Title.
PZ7.7.B34Sh 2009
741.5'973—dc22 2008039442

Manufactured in the United States of America
1 2 3 4 5 6 - BP - 14 13 12 11 10 09